रवीन्द्रनाथ त्यागी रचनावली

खण्ड : पाँच

खण्ड : एक

व्यंग्य-संसार : खण्ड एक से छह

•खुली धूप में नाव पर (1963) •भित्ति-चित्र (1966) •मल्लीनाथ की परम्परा (1968) •कृष्णवाहन की कथा (1971) •देवदार के पेड़ (1973) •शोक-सभा (1974)

खण्ड : दो

•अतिथि-कक्ष (1977) •फूलों वाला कैक्टस (1978) •सुन्दरकली (1978) •ऋतु-वर्णन (1979) •भद्र पुरुष (1980) •इस देश के लोग (1982) •पद-यात्रा (1985)

खण्ड : तीन

•आत्मलेख (1988) •पराजित पीढ़ी के नाम (1988) •प्रसंगवश (1988)

खण्ड : चार

•विषकन्या (1990) •गणतन्त्र दिवस की शोभायात्रा (1991) •चम्पाकली (1992)

खण्ड : पाँच

•इतिहास का शव (1993) •देश-विदेश की कथा (1994) •भाद्रपद की साँझ (1996) •लाल-पीले फूल (1997)

खण्ड : छह

•बादलों का गाँव (1999) •शेष-अवशेष (2011)

खण्ड : सात

काव्य-संसार

•सूखे और हरे पत्ते (1962) •कल्पवृक्ष (1965) •आदिम राग(1967) •आखिरकार (1978) •सलीब से नाव तक (1983) •अन्तिम बसन्त (1988) •कृष्णपक्ष की पूर्णिमा (1996)

खण्ड : आठ

विविध

•उपन्यास : अपूर्ण कथा (1980) •कहानी (1980) •पत्र (2008) •बाल-साहित्य

रवीन्द्रनाथ त्यागी रचनावली

खण्ड : पाँच

सम्पादक

कमल किशोर गोयनका

वाणी प्रकाशन

वाणी प्रकाशन
4695, 21-ए, दरियागंज, नयी दिल्ली 110 002
शाखा
अशोक राजपथ, पटना 800 004
फ़ोन : +91 11 23273167 फ़ैक्स : +91 11 23275710
www.vaniprakashan.in
vaniprakashan@gmail.com
sales@vaniprakashan.in

RAVINDRANATH TYAGI RACHNAWALI-5
Edited by Kamal Kishore Goyanka

ISBN : 978-93-5229-518-0
Rachnawali

प्रथम संस्करण 2016

प्रत्येक खण्ड का मूल्य : ₹ 1000
(आठ खण्ड सेट) सेट मूल्य : ₹ 8000

हर्ष प्रिंटर्स, दिल्ली-110 093 में मुद्रित

वाणी प्रकाशन का लोगो मक़बूल फ़िदा हुसेन की कूची से

अनुक्रम

व्यंग्य-संसार

इतिहास का शव (1993)

देश-विदेश की कथा (1994)

भाद्रपद की साँझ (1996)

लाल-पीले फूल (1997)

परिशिष्ट

इतिहास का शव
(1993)

सरकारी काम न करने के क़ायदे

गीता में स्पष्ट रूप से कहा गया है कि किसी भी व्यक्ति को कभी भी अकर्मण्य नहीं होना चाहिए। आगे चलकर यह भी कहा गया है कि कर्मों का सर्वथा त्याग तो वैसे भी असम्भव है। मगर ये सारी शास्त्रीय वाणी मात्र उन लोगों के लिए है जो सरकारी कर्मचारी नहीं हैं। जैसाकि भारत सरकार के एक समय-सिद्ध उच्च अधिकारी ने मुझे एक बार निःसंकोच बताया था कि यदि काम ही करना होता तो क्या वे सरकार की नौकरी ही करते? काम करनेवाले व्यक्ति व्यापार करते हैं, वकालत या डॉक्टरी करते हैं और यदि कोई भी चारा नहीं बचता तो वे राजनीति में प्रवेश करते हैं। सरकारी नौकरी तो सिर्फ़ इस कारण की जाती है कि रौब-दाब रहे, घूस का पैसा मिले, सुन्दर युवतियों के साथ समय व्यतीत हो और देश-विदेश की यात्रा करने का अवसर प्राप्त हो। सरकारी नौकर होने के बाद व्यक्ति के लिए एकदम 'निष्काम' हो जाना अनिवार्य है। यदि वह ऐसा नहीं करता तो उससे बड़ा मूर्ख इस असार संसार में और कोई नहीं होगा। मुझे अपने लम्बे सरकारी जीवन के आधार पर आपको यह सूचना देते हुए हर्ष होता है कि सरकार के ज़्यादातर अधिकारी और शेष कर्मचारी मूर्ख नहीं हैं। वे कम-से-कम काम करते हैं और सरकार का जादू यह है कि वह फिर भी चलती रहती है। बिना मन्त्रियों के सरकार चल सकती है पर निकम्मी नौकरशाही के बिना वह एक दिन भी नहीं चल सकती। गीता में इसी कारण कहा गया है कि कर्म की गति अत्यन्त गहन है; वह आसानी से आपकी पकड़ में नहीं आ सकती।

काम न करने के भी कुछ नुस्ख़े होते हैं, जिनके जाने बिना काम से बचना कठिन होता है। अपने और अपने बड़े अफ़सरों और साथियों द्वारा आज़माये गये कुछ कालजयी क़ायदे आप सबके हित के लिए नीचे लिखता हूँ। इन नुस्ख़ों के अतिरिक्त और भी नुस्ख़े होंगे जिन्हें आप अपने सरकारी जीवन में स्वयं सीखेंगे। अब आप इन नुस्ख़ों को नोट करें और भगवान से प्रार्थना करें कि वे मुझे लम्बी आयु प्रदान करें। मुझे जितने नुस्ख़ों का पता है उनमें से प्रमुख नुस्ख़े इस प्रकार हैं—

(एक) काम न करने का सबसे 'स्थूल' और स्वयंसिद्ध क़ायदा यह है कि आप **फ़ाइल देखें** ही नहीं। दफ़्तर जाइए, वुडहाउस पढ़िए, दोस्तों को फ़ोन कीजिए और

बाकी वक़्त में सोइए। जितनी गहरी नींद सरकारी दफ़्तरों में आती है, उतनी गहरी नींद घर पर कभी आ ही नहीं सकती। मेरे एक घनिष्ठ मित्र एकाउण्टेण्ट-जनरल थे। वे फ़ाइलों की तरफ़ कभी देखते ही नहीं थे। फ़ाइलें आती थीं और मेज़ का वज़न बढ़ता जाता था। जब मेज़ पर जगह नहीं बचती थी तो फ़ाइलें फ़र्श पर रखी जाने लगती थीं। मेरे ये मित्र महीने के अन्तिम दिन अपने व्यक्तिगत सहायक को बुलाते थे जो हर फ़ाइल में वह स्थान उन्हें दिखाता था जहाँ कि उन्हें दस्तख़त करने होते थे। वे बिना पढ़े दस्तख़त करते जाते थे और महीने भर का सारा काम एक दिन में साफ़ हो जाता था। उनकी इस आदत को सब जानते थे। एक बार किसी मित्र ने पूछा कि जिस तरह वे सारा कामकाज निबटाते हैं, उसमें कोई ख़तरा तो नहीं है? उन्होंने पाइप सुलगाया और कहा कि "इन सारी फ़ाइलों को बाबू ने देखा है, सुपरिण्टेण्डेण्ट ने देखा है, लेखा-अधिकारी ने देखा है, छोटे डिपुटी एकाउण्टेण्ट-जनरल ने देखा है और अन्त में चलकर बड़े डिपुटी एकाउण्टेण्ट-जनरल ने देखा है। निन्यानवे प्रतिशत फ़ाइलों में जो लिखा गया है, वह ठीक ही होगा। जहाँ तक शेष एक प्रतिशत फ़ाइलों का प्रश्न है, उनके बारे में यदि कभी किसी ने कोई शंका प्रकट की तो हमेशा यह कहा जा सकता है कि "देयर कैन आलवेज़ बी ए डिफ़रेंस ऑफ़ ओपिनियन।" उनके उत्तर को सुनकर मित्र दिल खोलकर हँसे।

(दो) मेरे एक मित्र-अधिकारी थे जो फ़ाइल पर बिना पढ़े दस्तख़त करते थे और फिर उसे अपने से सीनियर अधिकारी के पास भेज देते थे। सारी उम्र उन्होंने कभी कोई निर्णय अपने स्तर पर नहीं लिया; निर्णय या तो किसी जूनियर ने लिया या फिर किसी सीनियर ने लिया। उनकी मेज़ पर कोई फ़ाइल कभी नहीं रुकी। यदि कोई अधिकारी कभी अपनी कोई फ़ाइल ग़लती से उनकी मेज़ पर छोड़ गया तो उन्होंने उसके साथ भी वही व्यवहार किया। सरकार में अपने-पराये का भेद करना उच्च अधिकारियों को शोभा नहीं देता।

(तीन) एक बहुत सीनियर आई.सी.एस. थे जिनमें सारे गुण थे मगर फ़ाइल पढ़ने से उन्हें ज़बर्दस्त चिढ़ थी। वे प्रायः अपनी फ़ाइलों को विधि मन्त्रालय या वित्त मन्त्रालय को भेज दिया करते थे। विधि मन्त्रालय फ़ाइल को एक माह बाद और वित्त मन्त्रालय तीन महीने बाद वापिस करता था और प्रायः पूछता था कि वह कौन-सा मुद्दा है जिस पर उन्हें सलाह देनी है? फ़ाइल वापिस आने पर वे उसे प्रायः योजना आयोग को भेज देते थे जहाँ से फ़ाइल उन दिनों प्रायः कम ही वापिस आती थीं।

(चार) एक और आई.सी.एस. अधिकारी थे जो हर महत्त्वपूर्ण मामले को तय करने के लिए मीटिंग बुलाते थे ताकि ज़िम्मेदारी सिर्फ़ उन्हीं पर न रहे वरन् सब पर रहे। मीटिंग में वित्त मन्त्रालय के अतिरिक्त उन विभागों के अधिकारियों को भी कभी-कभी बुला लिया जाता था जिनका उस मामले से बहुत दूर का सम्बन्ध होता था। मीटिंग के बाद उसका विवरण तैयार किया जाता है जिसे अँग्रेज़ी में 'मिनिट'

कहते हैं। सचिवालय में एक कहावत प्रचलित थी कि " 'मिनिट' बनाने के लिए 'घण्टे' बर्बाद किये जाते हैं।" मीटिंग के सन्दर्भ में मुझे अपनी सर्विस के एक अधिकारी की याद आती है जो केन्द्रीय सचिवालय में संयुक्त सचिव थे। उन्हें चौबीस दिसम्बर को रिटायर होना था और उन्होंने एक महीना पहले से ही हर कठिन फ़ाइल पर लिखना शुरू कर दिया था कि मामले को तय करने के लिए चौबीस दिसम्बर के बाद मीटिंग की जाए। निश्चित तारीख़ के बाद जब बड़े अधिकारियों ने मीटिंग की निश्चित तिथि और समय जानने के लिए उन्हें फ़ोन किया तो उन्हें पता लगा कि साहब तो सेवानिवृत्त होकर दिल्ली से महाप्रस्थान कर चुके हैं। सारी स्थिति समझने के बाद उन लोगों ने उनकी दूरदर्शिता की दाद दी।

(पाँच) एक संयुक्त सचिव थे जो लगभग प्रत्येक फ़ाइल पर 'प्लीज स्पीक' लिखकर उपसचिवों को उसी दिन वापिस कर देते थे। उनकी मेज़ तो साफ़ हो जाती थी मगर बेचारे उपसचिव उनसे बात करने का समय ही माँगते रहते थे जो उन्हें शायद ही कभी मिलता था। अन्त में चलकर स्थिति यह होती थी कि उपसचिव लोग फ़ाइल को अपने स्तर पर ही 'डिस्पोज' कर देते थे। ये संयुक्त सचिव बड़े चतुर व्यक्ति थे; एक ओर तो अपनी मेज़ साफ़ रखते थे और दूसरी ओर पुरानी फ़ाइलों के बेकार बण्डल रैक पर इस तरह सजाते थे कि प्रत्येक आगन्तुक को यह लगे कि साहब पर वास्तव में बेहद काम है।

(छह) मेरे एक कण्ट्रोलर-जनरल थे जो बिना किसी तैयारी के बड़ी से बड़ी मीटिंग में भाग लेने के लिए सदा तत्पर रहते थे। उनकी सफलता का रहस्य यह था कि वे प्रत्येक प्रस्ताव से सहमत हो जाते थे क्योंकि असहमत होने पर उन्हें उसके कारण बताने पड़ते जो उन्हें कभी ज्ञात नहीं थे। उनका यह 'शार्ट-कट' वास्तव में मौलिक था।

(सात) एक मेरे मित्र-अधिकारी थे जो सब तरह की छुट्टियाँ बिना नागा हमेशा लेते थे। एक तो वैसे ही दफ़्तर हफ़्ते में पाँच दिन खुलता है, फिर त्योहारों की छुट्टियाँ होती हैं और इनके अतिरिक्त वे आकस्मिक अवकाश, अर्जित अवकाश और बीमारी के कारण मिलनेवाला अवकाश भी हमेशा लेते थे। साल में जो थोड़े-बहुत दिनों वे दफ़्तर आते थे तो उसमें या तो दौरा करते थे या फिर हसीन स्टेनोग्राफ़र के साथ क्रिकेट की कामेण्टरी सुनते थे। इतने व्यस्त अधिकारी को काम करने का अवसर ही कहाँ प्राप्त होता था? बीमारी का यह हाल था कि प्रसव को छोड़कर शायद ही कोई ऐसा कष्ट था जो उनकी देह ने नहीं झेला था।

ऊपर बताये सात नुस्ख़े ऐसे हैं कि उनके सहारे आप सरकारी नौकरी के सातों समन्दर पार कर सकते हैं। और हाँ, यहाँ यह बात साफ़ करना मेरे लिए ज़रूरी है कि काम न करने से आपकी पदोन्नति, विदेश-यात्रा या बाकी समृद्धि पर कोई प्रभाव नहीं पड़ेगा। ये चीज़ें जो हैं वे तो जाति, धर्म, प्रान्तीयता, आपके पिता की

हैसियत और आपकी निजी पत्नी के रूप और चरित्र पर निर्भर हैं। इस सन्दर्भ में मैं आपको यह भी बता दूँ कि काम न करना सबके लिए सम्भव नहीं है। काम करने का रोग यदि असाध्य नहीं तो कष्टसाध्य तो अवश्य ही है। मेरी सेवा के तीन बड़े अधिकारी (श्री श्रीनिवासन, श्री कोनार व श्री सुन्दरम्) इतना ज़्यादा काम करते थे कि तीनों को दिल का दौरा पड़ गया। मैं स्वयं एक परिश्रमी अधिकारी रहा और दिल का दौरा तो मुझे नहीं पड़ा (क्योंकि दिल तो माबदौलत बहुत पहले ही एक रूपवती रमणी को दे चुके थे) मगर 'नर्वस ब्रेकडाउन' मुझे भी हुआ और पूरी तरह स्वस्थ मैं कभी नहीं हो पाया। मगर सरकार के काम करनेवाले ईमानदार लोगों को प्रायः लोग उसी निगाह से देखते हैं जिससे विभीषण व मीरजाफ़र को देखा जाता रहा।

आपको जानकर ख़ुशी होगी कि नौकरशाही को और भी निकम्मा बनाने के लिए सन् 1968 में अमेरिका में 'दि इण्टरनेशनल एसोसिएशन ऑफ़ प्रोफ़ेशनल ब्यूरोक्रैट्स' नामक संस्था की स्थापना की गयी। इसका मुख्य कार्यालय वाशिंग्टन में स्थित है और इसकी शाखाएँ संसार के प्रायः सभी देशों में खुली हैं। इस संस्था के संस्थापक मिस्टर बोरेन एक विलक्षण बुद्धि के प्रतिभावान् व्यक्ति हैं। उन्होंने 'गत्यात्मक अकर्मण्यता' (Dynamic In-action) का सिद्धान्त प्रतिपादित किया है जिसके अनुसार काम न करना एक बहुत बड़ी कला और एक बहुत बड़ा विज्ञान बन गया है। उनका कहना है कि काम न करना, काम करने से कहीं ज़्यादा कठिन है और उसके लिए उदात्त चरित्र, दृढ़ निश्चय और धार्मिक विश्वास बेहद ज़रूरी हैं। वे चाहते हैं कि लाल फ़ीता कटे मगर लम्बाई में नहीं बल्कि सिर्फ़ चौड़ाई में, डेलिगेशन हो मगर शक्ति का नहीं वरन् मात्र ज़िम्मेदारी का, मौलिकता हो मगर क़ायदे-क़ानून के भीतर, बाहर नहीं। उनके अनुसार कोई भी चीज़ तब तक असम्भव नहीं है जब तक कि उसके ऊपर विचार-विमर्श करने के लिए कोई कमेटी न बिठा दी जाए। वे खुलेआम कहते हैं कि ग़लतियाँ करो मगर इतनी करो कि वे परम्परा बन जाएँ। क़ानून में लिपटी बुद्धिमत्ता को अच्छे कपड़ों में ढकी मूर्खता से सदा पराजित होना पड़ेगा। मिस्टर बोरेन का कहना है कि दौरे के भत्ते का बिल भरने में लगे समय को छोड़कर कोई और अवसर ऐसा नहीं है जिसमें सरकारी अफ़सर या सरकारी कर्मचारी को कल्पना की आवश्यकता पड़ती हो। उनका भरत-वाक्य है कि खेती के सारे फ़ार्म उस फ़ार्म के सामने बेकार हैं जिसके द्वारा आप सरकार से पैसा वसूल करते हैं। आमीन।

पिकासो, इक़बाल और ख़ाकसार

एब्सट्रेक्ट आर्ट की उस चीज़ पे देखी है असास
तन की उरियानी से बेहतर नहीं दुनिया में लिबास;
एक तस्वीर जो देखी तो यह सूरत निकली
जिसको समझा था अनन्नास वो औरत निकली

माडर्न पेण्टिंग पर सैयद मुहम्मद जाफ़री ने जो कुछ भी कहा वह पिकासो की चित्रकला पर एकदम ठीक उतरा। पिकासो वास्तव में एक होनहार इंसान थे। उन्होंने अपनी जो अन्तिम शादी की थी वह एक ऐसी युवती से की थी जो उनसे मात्र पचास वर्ष छोटी थी। इसी तरह जब उनकी एक प्रदर्शिनी में से उनके कुछ चित्र चोरी हो गये तो पिकासो ने चोर को पकड़ने के लिए पुलिस की सहायता करने के उद्देश्य से चोर का एक रेखाचित्र बनाकर दिया क्योंकि चोर को उन्होंने अच्छी तरह देखा था। इस रेखाचित्र से पुलिस को बहुत सहायता मिली; उसने उस रेखाचित्र के आधार पर दो गधे, एक टीन का डिब्बा, एक स्क्रू और एक बिल्ली को गिरफ़्तार किया। पिकासो के बारे में आज अख़बार में पढ़ा कि उनकी मृत्यु के पश्चात् उनकी पत्नी को जो सम्पत्ति-कर देना पड़ा, उसकी अदायगी के लिए फ्रांस के आयकर विभाग ने नकद अदायगी के स्थान पर पिकासो के कुछ चित्र स्वीकार कर लिये। मैं सोचता हूँ कि मेरी मृत्यु होने पर भारत का आयकर विभाग भी क्या सम्पत्ति-कर के स्थान पर मेरी कुछ रचनाएँ लेना स्वीकार करेगा या नहीं? मेरी रचनाएँ अमूल्य तो हैं पर बहुमूल्य नहीं। पिछले अट्ठाईस वर्षों से लगातार लिखने पर भी स्थिति यह है कि अपने परम मित्र लतीफ़ घोंघी के कहने पर मैंने एक रचना मध्यप्रदेश के एक प्रख्यात पत्र के 'होली विशेषांक' में भेजी। सम्पादक ने मेरी प्रशस्ति में एक ख़त मुझे लिखा और रचना को काफ़ी सुरुचि के साथ छापा। प्रूफ़ की ग़लतियों के अतिरिक्त और कोई दुर्घटना नहीं की। एक वर्ष के बाद पन्द्रह रुपये का मनीऑर्डर आया जो मेरा पारिश्रमिक था। बम्बई की एक हास्य-पत्रिका के सम्पादक ने (जिनके पिता मेरे सहपाठी और मित्र थे) पाँच रुपये के पोस्टकार्ड लिखने के बावजूद आज तक एक पैसा नहीं दिया हालाँकि वे इस पत्रिका में दिये विज्ञापनों और हास्य-सम्मेलनों वग़ैरह से लाखों

रुपये कमाते हैं। आप कहेंगे कि मैं भी क्या रोना रोने बैठ जाता हूँ और मैं आपकी ख़िदमत में यह शेर पेश करता हूँ जिसे 'अज्ञात' नाम के एक शायर ने लिखा है :

मेरे रोने का जिसमें क़िस्सा है
उम्र का बेहतरीन हिस्सा है

मैं, हरिशंकर परसाई और शरद जोशी सारी उम्र लिखते रहेंगे, यश और सम्मान पाते रहेंगे पर आर्थिक हस्ती वही रहेगी जिसकी चर्चा ग़ालिब ने की थी :

चन्द तस्वीरें बुताँ, चन्द हसीनों के ख़ुतूत
बाद मरने के मेरे घर से यह सामाँ निकला

मैं जब भी दुखी होता हूँ तो महाकवि इक़बाल को पढ़ता हूँ। शायद आप सारे लोग यह नहीं जानते होंगे कि इक़बाल को जितना आम से प्यार था, उतना प्यार उन्हें शायद शायरी से भी नहीं था। एक बार वे बीमार पड़ गये और हालत ऐसी आ गयी कि डॉक्टर को घर बुलाना पड़ा। डॉक्टर ने नुस्ख़ा लिखा और हिदायत की कि आज से ठीक होने तक आप आम नहीं खाएँगे। इक़बाल साहब ने बहुत "दया याचिका" पेश की तो डॉक्टर ने सिर्फ़ एक आम रोज़ खाने की इजाज़त किसी तरह दे दी। दो-चार दिन बाद जब कुछ मुलाक़ाती और दोस्त उनका हाल देखने गये तो स्थिति यह देखी कि इक़बाल साहब के सामने एक ऐसा बड़ा छिला हुआ आम रखा था जिसका कि वज़न एक सेर से हर्गिज़ कम नहीं था। दोस्तों ने ग़ुस्से में भरकर कहा कि "यह आप क्या कर रहे हैं? क्या आप डॉक्टर की हिदायत भूल गये?" इक़बाल साहिब ने बड़ी संजीदगी से कहा कि "डॉक्टर ने एक आम खाने की खुली इजाज़त दी है और जो मैं खा रहा हूँ वह सिर्फ़ एक ही आम है, ज़्यादा नहीं। जहाँ तक इस आम के साइज़ का प्रश्न है, मैं यही अर्ज़ कर सकता हूँ कि उस बारे में डॉक्टर ने कोई रोक नहीं लगायी थी।" उनका तर्क सुनकर दोस्त हँसने लगे। अब इक़बाल साहिब से कोई क्या बहस कर सकता था जोकि इतने बड़े शायर होने के साथ-साथ हाईकोर्ट के जज भी थे। एक बार 'अकबर' इलाहाबादी ने लँगड़े आमों का एक पिटारा इक़बाल साहब को भिजवाया और लिखा।

तेरे फ़ैज़ मसीआही का यह सब असर 'अकबर'
इलाहाबाद से लँगड़ा चला, लाहौर तक पहुँचा

पिकासो और इक़बाल के बाद यदि थोड़ी-सी चर्चा मैं अपनी भी कर लूँ तो क्या हर्ज़ है? मरे हुए शेर से तो ज़िन्दा कुत्ता भी अच्छा ही माना जाता है, बुरा नहीं। अपने हालचाल इन दिनों ठीक नहीं हैं। नये बजट में सिगरेट के दाम फिर बढ़ा दिये गये। लगता है कि थोड़े दिनों बाद मैं भी निज़ाम हैदराबाद की तरह बीड़ी ही पिया करूँगा। निज़ाम साहिब की बीड़ियाँ 'रत्नजटित स्वर्ण पेटिका' में रखी जाती थीं मगर मैं तो उन्हें गत्ते के एक ख़ूबसूरत डिब्बे में ही रखूँगा। सादा जीवन, सादे विचार। वैसे जितनी आय सिगरेट पर लगाये कर से प्राप्त होती है, उतनी आय तो

सरकार का ज़रा-सा ख़र्चा कम करने से निकल सकती है। पर सरकार वैसा नहीं करती। जब तक किसी का दिल नहीं दुखाया गया तब तक सरकार की शक्ति का पता लोगों को कैसे लगेगा? मगर मैं सोचता हूँ कि सिगरेट वैसे भी बुरी चीज़ है, इसके पीने से क्या लाभ? अभी-अभी एक पड़ोसी देश में इसी बात को लेकर ख़ासी बड़ी विपत्ति खड़ी हो गयी क्योंकि बस में बैठे एक पैसेंजर ने ग़लती से सिगरेट का अन्तिम टुकड़ा बाहर खड़े सेना के एक जवान के ऊपर फेंक दिया। इस बात के ऊपर जो फ़िसाद खड़ा हुआ उसमें तीन व्यक्ति मरे और पाँच सौ घायल हुए। इसी प्रकार सन् उन्नीस सौ चवालीस में एक देश में सिगरेट का एक अनबुझा टुकड़ा फेंक देने से एक विशाल सरकस के तम्बू में आग लग गयी थी। लगभग छह हज़ार दर्शक सरकस देख रहे थे। ऐसी भगदड़ मची कि पूछिए नहीं। सरकस के एक हज़ार जानवर (जिनमें हाथी, शेर, चीते और भेड़िये भी शामिल थे) और दर्शकों में से दो सौ व्यक्ति इस दुर्घटना में मारे गये और सरकस के मालिकों पर मानव-हत्या का मुक़द्दमा भी चला। यह सबकुछ सिगरेट के एक अधबुझे टुकड़े मात्र से सम्पन्न हो गया। सारी बातें ध्यान में रखकर उचित तो यह होगा कि सरकार सिगरेट के निर्माण और सेवन पर क़ानूनी रोक लगा दे पर यदि ऐसा हो गया तो सरकार को टैक्स का पैसा कहाँ से मिलेगा? और यदि टैक्स नहीं मिला तो बड़े-बड़े नेता और अफ़सर विदेश कैसे जाएँगे? यह तो बड़े ही दुख की बात होगी कि ये लोग देश में ही रहें और विदेश नहीं जाएँ। अपने देश में देखने को रखा ही क्या है? एक दिन केन्द्रीय सरकार के एक दयालु मन्त्री दिल्ली का ही भिक्षुक-घर (दी बैगर्स होम) देखने गये तो पता चला कि कितने ही शरीफ़ नागरिक वहाँ ऐसे बन्द हैं और वर्षों से बन्द हैं जो कभी भिखारी थे ही नहीं। पुलिस की कृपा से वे वहाँ लाये गये थे और उनका सामान भी छीन लिया गया था। ऐसी स्थिति में हमारे शासक यदि विदेश न जायें तो क्या करें?

सिगरेट महँगी होने के अतिरिक्त मेरी दूसरी परेशानी यह है कि मैं ज़िन्दगी में पहली बार मुकद्दमेबाज़ी में उलझा हूँ। एक पुलिस-अधिकारी के नाबालिग लड़के ने अपना स्कूटर (जिसमें न तो बत्ती थी और जिस पर पीछे एक लड़का और बैठा था) मेरी कार से भिड़ा दिया जिसे मेरा सरकारी ड्राइवर चला रहा था। कार को भी चोट आयी और उन दोनों बच्चों को भी जिनके पास स्कूटर चलाने का लाइसेंस भी नहीं था। पर चूँकि वे पुलिस-अधिकारी की सन्तान थे, उनकी रिपोर्ट थाने में तुरन्त दर्ज़ कर ली गयी जबकि मेरी रिपोर्ट दर्ज़ नहीं की गयी। यही नहीं, मेरे ख़िलाफ़ जो रिपोर्ट करवायी गयी उसमें लिखवाया गया कि कार मेरी पत्नी चला रही थी। मैं वकील से मिला और उसने सारी चीज़ें मद्देनज़र रखते हुए मेरी पत्नी को अदालत से "अग्रिम ज़मानत" दिलवायी। इसके बाद मेरे पास कई लाख रुपये देने के लिए नोटिस आया जिसमें बताया गया था कि इतना ख़र्च चिकित्सा में आया, इतना

नुक़सान इस कारण हुआ कि बच्चों को इस साल परीक्षा में बैठना कठिन होगा और काफ़ी रक़म इस मुद्दे को लेकर माँगी गयी कि यदि ये बच्चे विकलांग हो गये तो इनकी शादी ठीक जगह नहीं होगी। मैंने नोटिस इंश्योरेंस-कम्पनी को दे दिया जिनका वकील केस लड़ेगा। दूसरा मुक़द्दमा वह है जो मैं सरकार के ख़िलाफ़ दर्ज़ करने जा रहा हूँ क्योंकि मेरे (और मेरे वकील के) विचार में मेरे सरकार पर मात्र पचास हज़ार रुपये निकलते हैं जो सरकार शायद इस कारण नहीं देना चाहती क्योंकि यह तो "नान-प्लान एक्सपेण्डीचर" है। मैं इस मुकद्दमेबाज़ी से बड़ा परेशान हूँ। बकौल 'अकबर' के स्थिति यह होगी कि "दिन वकीलों का, रात आशिक की।" वैसे भी कचहरी के माहौल से ही मैं डरता हूँ। अदालतों की जो शानदार हालत है वह हम सभी जानते हैं और सन्तोष का विषय यह है कि यह स्थिति हमेशा ऐसी ही थी। संस्कृत के एक प्राचीन श्लोक के अनुसार "कचहरी एक समुद्र है। चिन्तामग्न मन्त्री लोग जल हैं, दूतगण लहर हैं, चारों ओर रहनेवाले चर (यानी कि गुप्तचर विभाग) घड़ियाल हैं, पिशुन लोग बगुले हैं और मुंशी लोग ज़हरीले साँप हैं।" मैं सबसे ज़्यादा गवाहों से डरता हूँ जिनका कि ज़िक्र इस श्लोक में दुर्भाग्य से नहीं किया गया। मेरे गाँव में मेरी ही जाति के एक रत्न थे जिनका कि पेशा ही गवाही देना था। वे हमेशा मोटे-ताज़े रहते थे। इस परमानन्ददायक स्थिति का कारण यह था कि यदि उनकी गवाही के कारण लोग मुक़द्दमा जीत जाते थे तो वे उन्हें मिठाई और कचौड़ी पेट भरकर खिलाते थे और यदि कहीं उनकी गवाही के कारण या उसके बावजूद, लोग मुक़द्दमा हार जाते थे तो वे उनकी वह मरम्मत करते थे कि उनके शरीर पर सूजन आ जाती थी। उनको सूजन आती थी और उस सूजन को देखकर मुझे 'साकिब' का नीचे लिखा शेर याद आता था :

पेट है फूला हुआ क्यों शेख़ साहब इस तरह
खा के आये हैं कहीं से पेट भर कर जूतियाँ?

प्रेमचन्द और प्रसाद : कुछ रोचक प्रसंग

(एक)

जयशंकर प्रसाद खाने-पीने व व्यायाम के सन्दर्भ में महाप्राण निराला के विचारों से सहमत थे। अस्वस्थ व रोगी व्यक्तियों को देखकर वे कातर हो उठते थे और कहा करते थे कि ये बेचारे न तो सुख ही भोग सकते हैं और न दुख को ही सहन कर सकते हैं। प्रसाद जी प्रातः सवा सेर धारोष्ण गाय का दूध पीते थे, इसके बाद एक हज़ार सपाटे और पाँच सौ बैठक लगाते थे और फिर वे अखाड़ा जाते थे जहाँ अठारह-बीस जोड़ कुश्ती के करते थे। उसके बाद एक पाव बादाम की गिरी, एक पाव घी और ढाई सेर दूध का हरीरा पीते थे। दिन में दो फुल्के, थोड़ा चावल और पाव-भर घी में चार-छह चम्मच दाल और थोड़ी-सी सादी बिना मिर्च-मसाले की तरकारी ग्रहण करते थे। तीसरे पहर चार सेर बेदाने का रस निकालकर उसके साथ कुछ पिश्ते, किशमिश और चिलगोजे खाते थे। सन्ध्या समय एक हज़ार हाथ मुग्दर भाँजते थे और उसके बाद डेढ़ पाव बादाम की गिरी की ठण्डाई पीते थे। रात को ज़्यादा नहीं खाते थे, सिर्फ़ चौदह पूरियाँ, एक सेर मलाई और सोते समय ढाई सेर दुग्ध लेते थे।

(रत्नशंकर प्रसाद)

(दो)

उन दिनों अधिकांश कुलांगनाओं की मनोवृति यह थी कि यदि उन्हें पति का पूर्ण प्रेम प्राप्त होता था तो उनमें पति की रक्षिता के प्रति सौतिया डाह नहीं होता था। उनके पति-प्रेम में आराध्य भाव ही रहता था और इस प्रकार के सम्बन्धों में उनका दृष्टिकोण यह रहता था कि यदि हमारे पति का अनुराग अक्षुण्ण है तो उनकी मौज में हमें भी सुख ही है। यही अनुकूल परिस्थिति प्रसाद जी के अन्तःपुर में थी। उनकी प्रेयसी के लिए उनकी जनानी ड्योढ़ी का द्वार सदा उन्मुक्त रहा।

(रायकृष्ण दास)

(तीन)

प्रसाद जी यद्यपि गम्भीर स्वभाव के व्यक्ति थे पर उनमें विनोद की मात्रा भी कम नहीं थी। उनके एक सुपरिचित साहित्यकार ने एक दिन उनसे पूछा कि "मुझे चर्चित होने का कोई गुर बताइए।" प्रसाद जी ने मज़ाक़ में कहा कि "यह तो बड़ा सरल काम है; आप कल से ही मेरे ख़िलाफ़ लिखना शुरू कर दीजिए, लोग आपकी चर्चा स्वयं करने लगेंगे।" उस भोले मित्र ने वही किया और थोड़े ही दिनों में वे चर्चित हो गये।

(रत्नशंकर प्रसाद)

(चार)

प्रेमचन्द और प्रसाद जी एक-दूसरे को जानते तो थे पर तब तक उनकी आपस में भेंट नहीं हुई थी। एक बार ऐसा हुआ कि दोनों ही एक डॉक्टर के शफ़ाख़ाने में बैठे थे। डॉक्टर साहब ने मुंशी प्रेमचन्द से कहा कि क्या आप इन्हें पहचानते नहीं? मुंशी प्रेमचन्द ने एक शेर पढ़ा :

काबा में, कलीसा में, बुतखाने में या दिल में
है होश मुझे इतना कि तुमको कहीं देखा है

प्रसाद जी ने तुरन्त उत्तर दिया :

इस कक्ष में प्रवेश करने के साथ ही
परिचित से जाने कब के
तुम लगे उसी क्षण हमको

डॉक्टर ने एक-दूसरे का परिचय कराया और दोनों महान् विभूतियाँ एक-दूसरे के गले लग गयीं।

(डॉ. राजेन्द्रनारायण शर्मा)

(पाँच)

मुंशी प्रेमचन्द 'हंस' निकाल रहे थे। एक विशेषांक निकलना था पर व्यस्तता के कारण वादा करने पर भी प्रसाद जी अपनी कहानी प्रेमचन्द को नहीं दे पाये। एक दिन मुंशी जी यह तय करके प्रसाद जी के घर गये कि 'हाँ' या 'ना' का फ़ैसला करके ही लौटेंगे। घर पहुँचकर देखा कि प्रसाद जी नंगे बदन हैं और तेल की मालिश करवा रहे हैं। उनकी यह छवि देखकर प्रेमचन्द ने तनिक मुस्कुराकर कहा कि "इस वक़्त तो आप सचमुच बनारसी गुण्डे लग रहे हैं, ऐसे में मैं आपसे रचना क्या माँगूँगा।" मुंशी जी वापिस चले गये पर प्रसाद जी को अपने प्रमाद पर खेद हुआ। उन्होंने उसी शाम एक श्रेष्ठ कहानी लिखी और प्रेमचन्द को दी। कहानी का शीर्षक था 'गुण्डा'।

(गोपाल गुर्जर)

(छह)

उन दिनों बनारस में एक गुण्डा था जिसके नाम से चौक और दालमण्डी वग़ैरह महल्ले काँपते थे। गुण्डे का नाम था अली शेख़। वह जब कभी पैसे की ज़रूरत में होता तो बड़े-बड़े लोगों के सीने पर छुरा तान देता और मुँहमाँगी रकम लेकर ही वहाँ से लौटता। किस्मत का मारा वह एक दिन प्रसाद जी की दुकान पर आ पहुँचा। उसने छुरा चारपाई में खोंसा और जेब में से कुछ गिन्नियाँ निकाल कर प्रसाद जी से बोला कि "साव कुछ लऽऽ या कुछ दऽऽ।" प्रसाद जी ने चारपाई पर बैठे-बैठे उसकी कलाई मोड़नी शुरू की। थोड़ी देर बाद दबाव इतना बढ़ गया कि अली शेख़ रोने लगा। उसने माफ़ी माँगी और उसके गिड़गिड़ाने पर प्रसाद जी ने उसे मुक्ति दी और कहा कि 'ए ही बूते पर गुण्डई करत हउवा। आपन गिन्नी उठावऽ अउर ईहाँ से भाग जा। अब कब्बो एहर क मुँह मत करिहऽ।" अली शेख़ भाग गया और फिर कभी उधर नहीं आया।

(गोपाल गुर्जर)

(सात)

एक दिन मुंशी जी 'प्रताप' के दफ़्तर में आये। 'नवीन' जी उन दिनों 'प्रताप' के सम्पादक थे। उनके एक उपसम्पादक कुछ विवादी मनोभावना के व्यक्ति थे। बातचीत में हिन्दू-मुस्लिम प्रश्न भी उठ आया। वे उपसम्पादक आवेश में आकर बोले कि "इस साम्प्रदायिकता को रोकने का बस एक ही उपाय है। हमें ईंट का जवाब पत्थर से देना होगा, तभी काम चलेगा : वैसे नहीं।" प्रेमचन्द सुनते रहे और मुस्कुराते रहे। जब उपसम्पादकजी का जोश कुछ कम हुआ तो मुंशी जी बोले कि "इस समय मुसलमानों का मानस रोगयुक्त है; पागल के साथ हम खुद भी पागल बन जायें तो कैसे काम चलेगा?" उपसम्पादकजी बल खाकर पूछ बैठे, "क्यों साहब, अगर पागल हमारे सामने पेशाब करने लगे तो हम क्या करें?"

प्रेमचन्द ने शान्तिपूर्वक कहा, "ज़रा दूर हटकर खड़े हो जाओ।"

"और अगर वहाँ आकर भी वह वही हरकत करे तो?"

"ज़रा और दूर हट जाओ।"

मगर वे उपसम्पादक थे हुज्जती। इतने पर भी न माने और पूछने लगे कि "वह अगर वहाँ भी वही हरकत करने लगे तो?"

अब मुंशी प्रेमचन्द से न रहा गया। वे बोले कि अमाँ, यह कैसे हो सकता है? वह भलामानुस कोई मशक थोड़े ही बाँधे है जो यहाँ-वहाँ सब जगह मूतता ही जायेगा।"

(अमृत राय)

प्रियतम गये विदेश...

जैसा कि मैं प्रायः बताता रहता हूँ मैं केन्द्रीय सरकार का एक उच्च पदाधिकारी रहा हूँ। हालाँकि नफ़ीस आफ़रीदी के शब्दों में वैसा लगता नहीं। मुझे पता नहीं कि नफ़ीस ने यह बात मेरी तारीफ़ में कही है या कि निन्दा में। बहरहाल, उन्होंने जो कुछ कहा है वह दोनों स्थितियों में ठीक ही कहा है। इस रचना में मैं यह बताना चाहता हूँ कि अफ़सर लोग जब दौरे पर बाहर जाते हैं तो उनकी पत्नियाँ उनके विरह में कैसे व्यवहार करती हैं। अफ़सरों की बात ख़त्म करने के बाद मैं उन युवतियों के विरह की चर्चा भी करूँगा जिनके पति ग़रीब हैं, मज़दूर हैं और जो रोज़ी-रोटी के लिए अपना गाँव छोड़कर बाहर जाते हैं। मगर इन सब बातों से पहले मैं यह बताना चाहूँगा कि अफ़सर नाम का यह जो पक्षी होता है, वह कैसा होता है। इस विषय पर मैं पहले भी काफ़ी लिख चुका हूँ। मगर यह एक ऐसा टापिक है जिसकी चर्चा कभी पूर्ण नहीं होती। हरि अनन्त, हरिकथा अनन्ता।

एक योग्य अफ़सर की पहली पहचान यह होती है कि वह हमेशा बन्द रहता है। उसका कोट बन्द रहता है, उसका मुँह बन्द रहता है और इन सबके साथ उसका दिमाग़ भी प्रायः बन्द ही रहता है। वह बढ़िया से बढ़िया मज़ाक़ पर भी कभी नहीं हँसता। उसको खोलने के लिए बड़े परिश्रम और प्रतीक्षा की ज़रूरत है। जैसा कि उर्दू के एक मशहूर शायर ने कहा है, स्थिति यह है कि "पिन खुली, टाई खुली, कालर खुला, बकल खुला : खुलते खुलते डेढ़ घण्टे में कहीं अफ़सर खुला।" आप बिना पहले समय लिये उससे कभी नहीं मिल सकते और चाहे घर हो या दफ़्तर, समय पूर्वनिश्चित करने के बाद भी आपको काफ़ी प्रतीक्षा करनी ही पड़ती है। जितना बड़ा अफ़सर होता है, उतनी ही ज़्यादा प्रतीक्षा करनी पड़ती है। यदि आप उससे कोई प्रार्थना या निवेदन करते हैं तो वह कभी निश्चित उत्तर नहीं देता। वह मात्र यही कहता है कि मैं मामले को देखूँगा, मैं आपकी बात को ध्यान में रखूँगा और जो भी सम्भव होगा वह करूँगा। अगर कोई बात ऐसी होती है जिसके लिए उसे कुछ दक्षिणा चाहिए तो वह आपको सलाह देता है कि आप उसके प्राइवेट सेक्रेटरी या हैड क्लर्क या पेशकार से निकट सम्पर्क स्थापित करें। आप अगर हिन्दी में बात करते हैं तो वह आपसे अँग्रेज़ी में बात करता है और यदि आप अँग्रेज़ी में बात

करते हैं तो वह हिन्दी में उसका उत्तर देता है। उसकी आचार-संहिता उसे ऐसा ही व्यवहार करने को कहती है। गम्भीर और संकोची होने के बावजूद कोई भी अफ़सर अपनी स्टैनोग्राफ़र से कुछ नहीं छिपाता। बाकी बात आप ख़ुद ही समझ लीजिए। स्टैनोग्राफ़र तो काफ़ी पहले ही समझ गयी थी।

अफ़सर नाम का यह पक्षी हमेशा काम से दबा रहता है। हालाँकि स्थिति यह है कि अत्यन्त व्यस्त दीखनेवाले काफ़ी अधिकारी कभी कोई काम नहीं करते। उनका विचार है कि यदि बड़े अफ़सर सारे काम ख़ुद ही देखना शुरू कर देंगे तो नीचेवाला सरकारी अमला काम करना बन्द कर देगा। वह देसी शराब भी स्काच व्हिस्की की बोतल में रखकर पीता है ताकि उसका सादा जीवन उसके रुतबे को कम न कर दे। अपने नीचे काम करनेवालों के लिए वह 'महिषासुर' होता है। मगर अपने ऊपरवालों के लिए वह मात्र 'महिषी' ही रहता है जो दूध भी "देती है" और घी भी। मौसम के मुताबिक वह दौरे पर रहता है जिसका सारा ख़र्चा नीचे काम करनेवाले कर्मचारी वहन करते हैं। जहाँ भी वह जाता है, वहीं से वह ऐसा सामान भेंट के रूप में अपने साथ लाता है जिसके लिए वह स्थान प्रसिद्ध होता है। मेरे एक अफ़सर थे जो मुरादाबाद, बरेली और लखनऊ से नक्काशीदार बर्तन, फ़र्नीचर व दशहरी आम लाया करते थे। इस दिशा में वे इतने ईमानदार थे कि जब वे फर्रूखाबाद और फ़ीरोज़ाबाद गये तो चूड़ियाँ और लिहाफ़ ही लेते आये। आला अफ़सरों के इस व्यवहार से स्थानीय कला को प्रोत्साहन मिलता है जोकि देश के हित में ही है। देश की प्रगति पर यदि हमारे बड़े अफ़सर ही ध्यान नहीं देंगे तो और कौन देगा?

जैसे पुराने ज़माने में कुछ राजा, सामन्त और बादशाह (जैसे जूलियस सीज़र, जेम्स प्रथम, भर्तृहरि, शूद्रक, अब्दुर्रहीम ख़ानख़ाना, फ्रांसिस बेकन और बाबर) साहित्यकार होते थे, ठीक उसी प्रकार आजकल काफ़ी मन्त्री लोग भी साहित्यकार होते जा रहे हैं। जनता पार्टी के शासनकाल में एक मन्त्री जी रातोंरात उपन्यासकार हो गये थे और एक और मन्त्री कविता लिखने लगे थे। ऐसे मन्त्रियों के नीचे काम करनेवाले लोग 'राजकवि' का दर्जा प्राप्त करने के लिए किताबें लिखने लगते हैं। फ़िलहाल एक मन्त्रालय है जिसमें मन्त्री और सचिव दोनों कवि हैं। प्रेमचन्द ने 'दो बैलों की कथा' लिखी थी; मैं भी उसी तर्ज़ में 'दो गधों की कथा' लिखूँगा।

अफ़सर लोग जैसे ही दौरे पर जाते हैं वैसे ही उनकी पत्नियाँ सच्चे अर्थों में मेम साहिब हो जाती हैं। वे पिकनिक पर निकलती हैं, स्टाफ कार में शॉपिंग के लिए जाती हैं और अपने प्रेमियों से मिलती हैं। रातें क्लबों में गुज़ारी जाती हैं और दिन होटलों में। प्रेमचन्द की अमर कथा 'शतरंज के खिलाड़ी' में भी एक नवाब की बीवी (जिसका नाम सत्यजीत रे के अनुसार फरीदा जलाल था) अपने पति के घर से बाहर रहने पर ही ज़्यादा प्रसन्न रहती थी। मैं तो कभी-कभी गम्भीरता से सोचता हूँ कि कालिदास का यक्ष शायद बेवकूफ़ था जो सोचता था कि उसकी यक्षिणी

उसके विरह में दुखी थी। पतियों की ग़ैरहाज़िरी में अधिकारियों के सारे अधिकारों का प्रयोग उनकी पत्नियाँ ही तो करती हैं और इसी कारण मैं तो यह कभी भी नहीं स्वीकार कर सकता कि अफ़सरों के दौरे पर जाने से उनकी धर्मपत्नियाँ वास्तव में दुखी होती हैं। अपवाद हमेशा होते आये हैं और हमेशा होते रहेंगे।

बड़े लोगों की बात तो काफ़ी कर ली। अब आइए, उन ग़रीब मज़दूरों और कुलियों की बातें करें जोकि पूर्वी उत्तरप्रदेश (जहाँ जयप्रकाश नारायण व चन्द्रशेखर के अतिरिक्त और कुछ नहीं पैदा होता) और बिहार से रेल की छत पर बैठकर पंजाब में फ़सल काटने जाते हैं या जो फ़ुटपाथ पर भीगने के लिए बम्बई पहुँचते हैं। पता नहीं क्यों, उनकी पत्नियाँ हमेशा से विरह में दुखी ही रहती आयीं। रेलिया न बैरी, जहजिया न बैरी, बैरी है पेटवा हमार। सारा वक़्त तुलसी की पूजा, एकादशी व सन्तोषी माता के व्रत, सत्तू और बाबा तुलसीदास की चौपाइयों के साथ ही गुज़रता है पर विरह है कि फिर भी पीछा नहीं छोड़ता। पति की ग़ैरहाज़िरी में गाँव का साहूकार व ज़मींदार (और इन दोनों के लड़के) जो छेड़खानी करते हैं, वह अलग। इसी सारी स्थिति को ध्यान में रखकर एक युवती ने विदेश जाते समय अपने पति से कहा था कि तुम मुझे अपनी जेब में रखकर अपने साथ ही क्यों नहीं ले जाते?

ग़रीबों की पत्नियाँ तो विरह में सदा से जलती आयीं। वर्षों पहले शरद देवड़ा ने राजस्थानी युवतियों के विरह की चर्चा करते हुए कहा था कि ऋतु कोई भी हो, अकेली पत्नी तो दुखी ही रहती है। वर्षा की ऋतु में घने-घने मेघों की छाँव में सुरंगे पंखों का चँदोवा तानकर मोर जो है वह रात-भर झूम-झूमकर नाचता है। मगर वह पत्नी कैसे नाचे जिसका कि पति चाकरी करने विदेश गया है? शरद ऋतु में कबूतरों के जोड़े रात-रात-भर साथ रहते हैं और मिलन गीत गाते हैं। पर वे युवतियाँ क्या करें जो अकेली होने के कारण रज़ाई में भी ठण्ड से सिकुड़ती हैं? गर्मियों की ऋतु में तो कवि साफ़-साफ़ कहता है कि अरी ओ धूप, तू मन्द पड़ जा। गोरी की देह बड़ी नाज़ुक है और प्रियतम के विरह में तो वह और भी दुर्बल हो गयी है। उस पर तरस खा और ऐ धूप, तू बादलों के पीछे छिप जा वरना नायिका की ख़ैर नहीं।

विरह के सन्दर्भ में मध्यप्रदेश के लोकगीत भी बड़े मार्मिक हैं। कवि कहता है कि बारह मास गुज़र गये पर परदेस गया पति लौटकर नहीं आया। टूटे छप्पर के नीचे पड़ी खटिया भीगती रही और विरहिणी पत्नी अपने पति की याद में ख़ुद को भिगोती रही। जिन युवतियों के पति विदेश नहीं गये थे वे टपकते हुए घर में भी अपने प्रिय की बाँह को तकिया बनाकर सुख की नींद सोती रहीं। टूटि टाट पर टपकत खटियो टूटि, पिय के बाँह उसिसवा सुख कै लूटि। एक विरहिणी तो ऐसी परेशानी में पड़ी कि कुछ कहा ही नहीं जा सकता। एक ओर तो पति बाहर रहा और दूसरी ओर उसकी ननद उसे यह कहकर चिढ़ाती रही कि "ओ भाभी, तुम्हारे स्तन रस से भरी गेंद जैसे हैं। इन्हें बचाकर रखना; कहीं कोई छैला इनसे टकरा

न जावे।" विरह का दुख अपार है। फूटी सुपारी जुड़त नइयाँ, दोई नैना बिछुड़ गये मिलत नइयाँ। एक विरहिणी युवती तो इतनी दुबली हो गयी थी कि उसकी सखियाँ उसे घेरे रहती थीं ताकि वह कहीं अपनी साँस की हवा में ही न उड़ जाए। इन गीतों में जो अतिशयोक्ति है, उनसे कहीं-कहीं हास्य की सृष्टि होती है पर हमें हमेशा यह याद रखना है कि अन्त में चलकर रस केवल एक ही बचता है। एको रसः करुणमेव। मीर तकी 'मीर' और भवभूति ग़लत नहीं हो सकते।

प्रियतम के 'बिदेस' चले जाने पर ग़रीबों की पत्नियाँ जो गीत गाती हैं उसे 'बिदेसिया' कहना स्वाभाविक ही है। बिहार का एक बिदेसिया इस प्रकार है:

गौना कराइ सैंया घरे बइठलवे से
अपने गइले परदेस रे बिदेसिया :
चढ़ती जवनियाँ बैरिन भइली हमरी से
केई मोरा हरिहैं कलेस रे बिदेसिया :
अयकि के चढ़ीं रामा अपना अटरिया से
चारू ओर चितई चिहाई रे बिदेसिया :
कतहूँ ना देखी रामा सैंया के सुरतिया से
जियरा गइल मुरझाई रे बिदेसिया

विक्टोरिया चली गयी...

मैं यदा-कदा पत्र-पत्रिकाओं में छपे पाठकों के पत्र पढ़ता रहता हूँ। कभी-कभी ये पत्र सम्पादकीय अग्रलेखों से भी ज़्यादा दिलचस्प और जानकारीपूर्ण होते हैं। अभी-अभी हमारे उपप्रधानमन्त्री हरियाणा गये तो उन्हें सोने का मुकुट पहनाया गया और हीरे-जवाहरात जड़ी तलवार भी भेंट की गयी। इतना ही नहीं, जनता ने उन्हें कई लाख रुपयों से भरा बटुआ भी समर्पित किया। इस ख़बर को पढ़कर कुछ पाठकों को बिना बात ईर्ष्या हुई और उन्होंने या तो यह कहा कि गाँधी जी को इंग्लैण्ड के सम्राट् ने जब भोजन पर बुलाया था तो गाँधी जी सदा की तरह अधनंगे ही बकिंघम पैलेस गये थे क्योंकि वे सदा उतने ही वस्त्र पहनते थे जितने कि एक आम भारतीय ग्रामीण पहनता था, या कुछ पाठकों ने यह प्रश्न उठाया कि उपप्रधानमन्त्री को भेंट की गयी सम्पत्ति आख़िर आयी तो कहाँ से आयी? इस प्रकार के सिरफिरे पाठक सदा से होते आये और मैं आशा करता हूँ कि इस प्रकार की आलोचनाओं का हमारे नेताओं पर कोई स्थायी प्रभाव नहीं पड़ेगा। जनता के स्नेह और श्रद्धा को नकारना देश के साथ विश्वासघात करना होगा। मैं तो यह प्रश्न करना चाहता हूँ कि हमारे सम्पादक ऐसे पत्र छापते ही क्यों हैं?

प्रत्येक मन्त्री जनता का प्रतिनिधि और उसका सेवक होता है और इस कारण यह स्वाभाविक ही है कि उसके कुछ आत्मीय भक्त-अनुचर उसके साथ राजधानी में रहें ताकि जनता की सेवा करने में माननीय मन्त्री जी को कोई देर न लगे। केन्द्रीय सरकार के एक राज्यमन्त्री के एक साथी ने वैसा ही करना चाहा पर नौकरशाही के कारण उसे परेशानी उठानी पड़ी। इन सज्जन ने मन्त्री जी के व्यक्तिगत सहायक की पैड में से एक पेज हटाया और उस पर देश के राष्ट्रपति को एक पत्र लिखा। राष्ट्रपति के दफ़्तर में कुछ बहुत ऊँचे अधिकारियों ने मन्त्री जी से पूछताछ की कि ऐसी दुर्घटना हुई तो कैसे हुई। बेचारे मन्त्री जी को अपने उस भक्त-अनुचर के कारण गहरे मानसिक तनाव से गुज़रना पड़ा। बात भी ठीक है; यदि हम प्रजातन्त्र में ऐसा नहीं कर सकते तो क्या राजतन्त्र में करेंगे? आख़िरकार यह भक्त-अनुचर उस देशभक्त से तो कहीं ज़्यादा अच्छा था जिसने कि चण्डीगढ़ में अपने को संसत्सदस्य बताकर न जाने कितना रुपया भोली जनता से लूटा और जिसकी गिरफ़्तारी के लिए पुलिस हर सम्भव प्रयास कर रही है। आप ही बताइए कि क्या मैं ग़लत कह रहा हूँ?

भारत के स्वास्थ्य मन्त्री को पता नहीं क्यों एक दिन यह सूझा कि राजधानी के मानसिक रोगों के अस्पताल का अचानक मुआयना किया जाए। उन्होंने देखा कि अस्पताल मल-मूत्र की सुगन्धित बदबू से भरा है, बरामदों में कचरे के ढेर पड़े हैं, रोगियों के वस्त्र व बिस्तर फटी हुई हालत में हैं और मरीज़ ऐसी बदतर हालत में हैं कि कुछ कहा ही नहीं जा सकता। एक पढ़ी-लिखी युवती ऐसे कमरे में पिछले कई वर्षों से अकेली बन्द है और उसकी हालत इतनी दर्दनाक है कि मन्त्री जी को विवश होकर यह कहना पड़ा कि "यह सब क्या है? मैं एक पागलख़ाने को देख रहा हूँ या कि किसी जेल को?" जेल की बात क्या चली, मुझे एक घटना याद आ गयी। मध्यप्रदेश का एक नागरिक धोखाधड़ी के अपराध में कोई पन्द्रह वर्ष पहले गिरफ़्तार हुआ था। वह अभियुक्त भी था और उसका नाम गवाहों की सूची में भी शामिल था। अदालत ने अभियुक्त को बरी कर दिया और उसने पुलिस की इस बात को लेकर भर्त्सना भी की कि पिछले पन्द्रह वर्षों में वह तेरह गवाहों को अदालत में पेश नहीं कर सकी। जज साहब के शब्दों में सरकारी धन का और सरकारी समय का इतना बड़ा दुरुपयोग उन्होंने इससे पहले कभी नहीं देखा था।

भारत सरकार के एक मन्त्री महोदय ने कहा है कि राजीव गाँधी और चन्द्रशेखर के बीच जो रिश्ता है वह ठीक पति-पत्नी की भाँति सुदृढ़ और पवित्र है और इस कारण वर्तमान सरकार के गिरने का प्रश्न ही नहीं उठता। मन्त्री महोदय ने यह नहीं खुलासा किया कि इन दोनों दिग्गजों में पति कौन है और पत्नी कौन। उन्होंने यह भी नहीं बताया कि इस ऐतिहासिक दम्पती के सन्तान कब होगी। चन्द्रशेखर हालाँकि देश के प्रधानमन्त्री हैं पर फिर भी हड़ताल पर गये कुछ कर्तव्यपरायण कर्मचारियों ने एक दिन उनके बँगले का पानी काट दिया। इसे कहते हैं सच्चा प्रजातन्त्र और सच्चा समाजवाद। आज के अख़बार में कार्टून छपा है कि यदि प्रधानमन्त्री बनना है तो हजामत करना बन्द कर दो। मेरा निजी विचार यह है कि जैसे सैमसन की महान् शक्ति उसके सिर के बालों में निहित थी, उसी प्रकार चन्द्रशेखर जी की सच्ची शक्ति उनकी दाढ़ी में छिपी है। मुझ पर विश्वास कीजिए और दाढ़ी बढ़ाइए। यदि मैं गिरिधर कविराय या अटल बिहारी वाजपेयी होता तो दाढ़ी पर कम-से-कम एक कुण्डली तो अवश्य ही लिखता। दाढ़ी के गुण बहुत हैं, सदा राखिए संग...

वर्ष बीत गया। हम सभी एक वर्ष और वृद्ध हो गये। कालो न यातो वयमेव याताः। वर्ष बीतने का मुझे कोई विशेष दुख नहीं है। हाँ, अलबत्ता इस बात का मुझे अवश्य हार्दिक दुख है कि बम्बई नगर में चलनेवाली बग्घी विक्टोरिया बन्द हो गयी है या बन्द होने जा रही है। यह सवारी महारानी विक्टोरिया के नाम पर थी—ठीक उसी भाँति जैसे कि बम्बई का सर्वश्रेष्ठ रेलवे स्टेशन विक्टोरिया टर्मिनस उनके नाम पर है। विक्टोरिया (मुराद बग्घी से है, महारानी से नहीं) एक आरामदेह और शानदार सवारी थी। इसमें आगे एक घोड़ा जोता जाता था और बीच में दो

पहिये लगे होते थे। जैसे-जैसे घोड़े की गति बढ़ती जाती थी, उसी प्रकार पहिये भी तेज़ी से आगे बढ़ते जाते थे। मैं सन् 1953 में युनिवर्सिटी से बम्बई में हो रही एक जनसंख्या-कान्फ्रेंस में भाग लेने गया था जिसका उद्‌घाटन भारत के उपराष्ट्रपति डॉ. राधाकृष्णन् करनेवाले थे। मैं विक्टोरिया में पहली और आख़िरी बार तभी बैठा था। उसके बाद कई बार बम्बई गया मगर विक्टोरिया में नहीं बैठ पाया। उसके स्थान पर या तो सरकारी स्टाफकार आयी या फिर टैक्सी ली।

विक्टोरिया नाम की यह शानदार बग्घी बम्बई नगर में पिछले कोई सौ वर्ष से चली आ रही थी। दादाभाई नौरोजी व सर फ़ीरोज़शाह मेहता अपनी निजी विक्टोरिया रखतेथे। धीरे-धीरे ट्राम, बस और बिजली से चलनेवाली उपनगर रेलवे ट्रेन आ गयी और इन सबने विक्टोरिया को दबा दिया। विक्टोरिया अब शेष वाहनों की अपेक्षा महँगी बैठती है। जो लाल बत्तीवाला क्षेत्र है, वहाँ अभी भी विक्टोरिया का चलन है। जब अरब के अमीर आते हैं तो वे भी विक्टोरिया में बैठते हैं। अकेले मैरीन ड्राइव का चक्कर लगाने के लिए आपको पचास या सौ रुपये देने पड़ेंगे। अब बम्बई में मात्र छियासी विक्टोरिया शेष बची हैं जबकि पाँच वर्ष पूर्व उनकी संख्या साढ़े तीन हज़ार थी। इसका आविष्कार मि. दैबर ने किया था जिनके बारे में कोई भी कुछ नहीं जानता। अब विक्टोरिया रखना एक झंझट का धन्धा है, उसमें पीतल का लैम्प लगाना पड़ता है, अन्दर चमड़ा बदलना पड़ता है और भाड़े के लिए ग्राहक से हुज्जत करनी पड़ती है। अस्तबल का ख़र्चा अब बहुत बढ़ गया है, लाइसेंस लेने में दिक्कत होती है और घोड़े की डॉक्टरी जाँच जो करवानी पड़ती है सो अलग। सौ रुपया "पहिया-टैक्स" देना पड़ता है और चालान हो जाने पर जो होता है, उसको शब्दों में बताना कठिन है। ये ही वे कारण हैं जिनकी वजह से विक्टोरिया सड़कों पर से हमेशा के लिए चली गयी...

वर्ष बीत गया। विक्टोरिया चली गयी। ये जो दवाइयों में मिलावट करते हैं, अन्न व तेल का स्टॉक बनाते हैं, शहरों और क़स्बों में साम्प्रदायिक दंगे करवाते हैं, शरीफ़ आदमियों को तंग करते हैं और बदमाशों को बचाते हैं, कोठों पर बिठाने के लिए ग़रीब लड़कियों को भगाते हैं और रिश्वत लेते हैं, ये भी एक दिन चले जाएँगे। इस निबन्ध की भाँति सबकुछ समाप्त हो जायेगा। इसी सत्य को ध्यान में रखते हुए कवि कालिदास ने कहा था कि "ओ सुन्दर युवतियो, मान छोड़ो, झगड़े बन्द करो, यह छबीली यौवन की आयु एक बार जाकर फिर नहीं आयेगी। कोयलों ने भी यही निवेदन बार-बार किया और इस सबके फलस्वरूप सुन्दर रमणियों ने काम देवता के सामने आत्मसमर्पण कर ही दिया।" जो लोग कालिदास की वाणी में विश्वास नहीं रखते, उनका इलाज भर्तृहरि के 'वैराग्य शतक' में इस प्रकार बताया गया :

सा रम्या नगरी, महान् सः नृपतिः, सामन्तचक्रं च तत्
पार्श्वे तस्य च सा विदग्धपरिषद्, ताः चन्द्रबिम्बाननाः
उद्रिक्तः स च राजपुत्रनिवहः, ते वन्दिनः, ताः कथाः
सर्वं यस्य प्रसाद्‌गाः स्मृतिपथम्, कालाय तस्मै नमः

मैं जेल जाना चाहता हूँ...

मैं जेल जाना चाहता हूँ। इसके अतिरिक्त इन दिनों मेरी और कोई इच्छा नहीं है। आज़ादी से पहले बड़े-बड़े लोग जेल जाते थे और बाद में सरकार बनाते थे। इसके बरख़िलाफ़ आजकल स्थिति यह है कि लोग पहले सरकार बनाते हैं और फिर ऐसे-ऐसे कार्य सम्पन्न करते हैं कि वे आसानी से जेल जा सकें। अनेक राजनीतिक पार्टियों ने भयंकर अपराधियों को टिकट दिये और वे अपराधी विधानसभाओं में चले गये। मध्यावधि चुनावों में फिर वही किया जा रहा है। ऐसी स्थिति में मेरे-जैसे देशभक्त के लिए यह स्वाभाविक ही है कि मेरे मन में जेल जाने की इच्छा जाग्रत हो। भगवान मेरी सहायता करे। भगवान यदि सहायता नहीं करता तो फिर इस देश की पुलिस ही मुझ पर ध्यान दे। पुलिस में जितने अपराधी नियुक्त हैं, उतने तो राजनीतिक क्षेत्र में भी नहीं हैं। यदि पुलिस भी मेरी मदद नहीं करेगी तो और कौन करेगा? चिड़ीमार को यदि चिड़ीमार नहीं पहचानेगा तो और कौन पहचानेगा?

जेल से फ़रार होना एक बहुत बड़ी कला है। डेनमार्क के एक व्यक्ति ने अपने एक मित्र को हिप्नोटाइज़ करके उससे एक धनी व्यक्ति की हत्या करवायी थी जिस सन्दर्भ में उसे जेल जाना पड़ा था। मगर वह ज़्यादा दिनों जेल में नहीं रह पाया; उसने जेल के दो पहरेदारों को हिप्नोटाइज़ किया और जेल से निकल भागा। मैक्सिको की एक जेल से भी एक भयंकर अपराधी भाग निकला था और वह भी तब जबकि उसकी कोठरी पर बराबर पहरा रहता था। उसके फ़रार होने के बाद उसके कमरे की जाँच की गयी। कमरे में कुछ नहीं मिला। हाँ, अलबत्ता जब कमरे में टँगी हुई एक बड़ी पेण्टिंग उतारी गयी तो उसके पीछे एक सुरंग का रास्ता खुला था। यह पेण्टिंग क़ैदी ने जेल में ही बनायी थी। यूनान में एक बाईस वर्ष के क़ैदी को एक दीवार बनाने के काम पर लगाया गया। उसने दीवार इतनी ऊँची बनायी कि वह उसकी सहायता से जेल के बाहर कूद गया। ब्राजील की जेल में तो एक दिन ऐसा दिलचस्प काण्ड हुआ कि सरकार ही हिल गयी। हुआ यह कि एक सुबह यह देखा गया कि जेल के सारे क़ैदी जेल से निकल भागे थे। कारण बहुत छोटा-सा था; जेल के अधीक्षक को किसी कारण अचानक बर्खास्त कर दिया गया था और

उसने रात को जेल के सारे दरवाज़े खुले छोड़ दिये थे। अमेरिका की टेनिसी जेल से चार भयंकर क़ैदी एक गुब्बारे की सहायता से निकल भागे थे हालाँकि यह पता कभी नहीं लग सका कि गुब्बारा बनाने के लिए तीस गज़ कपड़ा और उसे फुलाने के लिए इतनी ऑक्सीज़न क़ैदियों को कैसे मिली। टैक्सास जेल के एक क़ैदी ने एक दिन जेल के रजिस्टर में कुछ ऐसा संशोधन किया कि वह निश्चित समय से दो वर्ष पूर्व ही जेल से छोड़ दिया गया। बेरियम की जेल में एक क़ैदी ऐसा था जोकि मोटर-मिकेनिक था। एक दिन जेलों के इन्स्पेक्टर-जनरल जब निरीक्षण के लिए जेल आये तो उनकी शानदार मोटर बिगड़ गयी। जेलर ने उस मिकेनिक को बुलाया और उसे गाड़ी दिखायी। मिकेनिक ने तीन घण्टों में मोटर ठीक कर दी और फिर वह सबकी आज्ञा प्राप्त करके उसे ट्रॉयल करने के लिए ऐसा ले गया कि फिर कभी नहीं लौटा। थोड़े दिनों बाद जेलर के पास एक पार्सल आया जिसमें वे कपड़े लौटाये गये थे जो जेल में पहनाये जाते थे और जिनकी उस भूतपूर्व क़ैदी को अब कोई ज़रूरत नहीं थी। क़ैदी वैसे सज्जन व्यक्ति था; उसने साथ में उस व्यक्ति का पूरा पता भेजा था जिसे उसने मोटर बेच दी थी और उससे प्राप्त रुपयों से देश छोड़ा था। ऑस्कर वाइल्ड ने ठीक ही कहा था कि सन्त व्यक्तियों के पास केवल उनका भूतकाल ही होता है जबकि प्रत्येक अपराधी के पास एक अदद भविष्य होता है जो उन्हें कभी भी सही रास्ते पर ला सकता है। मैं ख़ुद सदा भविष्य के सहारे जीता हूँ, भूत के सहारे नहीं। जेलों से फ़रार होने पर कभी-कभी व्यक्ति यशस्वी हो जाता है—ठीक उसी तरह जैसे सर विंस्टन चर्चिल और बाबू जयप्रकाश नारायण हुए थे। मगर जेल से फ़रार होने के लिए पहले यह ज़रूरी है कि आप जेल जाएँ। यह प्रथम कारण है जिसके लिए मैं जेल जाना चाहता हूँ।

मेरी जेल जाने की जो इच्छा है, उसका एक कारण और भी है। सच्चाई की बात यह है कि यदि आपके पास रिश्वत देने को पैसा हो तो जितने ठाठ की ज़िन्दगी आप जेल में गुज़ार सकते हैं, उतनी आप जेल के बाहर नहीं गुज़ार सकते। समस्तीपुर के कारागार में अपराधियों को सप्ताह में तीन बार 'ब्लू फ़िल्में' दिखायी जाती हैं जो ख़ाकसार ने अभी तक कभी नहीं देखीं। जेलर क़ैदियों को डकैती वग़ैरह कराने के लिए बीच-बीच में छोड़ते भी रहते हैं और कुल मिलाकर स्थिति यह है कि समस्तीपुर की जेल को आसानी से 'अभयारण्य' कहकर पुकारा जा सकता है। और राजधानी की सर्वप्रसिद्ध तिहाड़ जेल का तो कहना ही क्या—वहाँ तो स्थिति यह है कि एक जेल कर्मचारी ने जब जेलर साहब को 'महीना' नहीं दिया तो उसे नौकरी से निकाल दिया गया और उस ग़रीब को सुप्रीम कोर्ट तक नहीं बचा पाया। मगर यदि हम ऊपर बताये गये मासिक-धर्म को छोड़ दें तो स्थिति इतनी सुखद है कि यदि आपके पास पैसा है तो आप जेल में किसी भी तरह की असुविधा पा ही नहीं सकते। एक क़ैदी ने तो जेल के भीतर ही नकली पासपोर्ट बनाया और कनाडा जाने की योजना

बनायी। चार्ल्स शोभराज तिहाड़ जेल से ही बाइज़्ज़त रिहा हुआ था। नशीली दवाइयाँ जेल के भीतर इतनी आसानी से मिलती हैं कि क़ैदियों का सिर जेल के अधिकारियों के सम्मुख स्वयं ही झुक जाता है। लस्सियों के गिलासों में शराब मिलती है। जो लोग विदेशी मुद्रा सम्बन्धी मुक़द्दमों में फँसे होते हैं उनसे तो जेल के अधिकारी ज़मानत मिलने तक पाँच लाख से लेकर दस लाख रुपयों तक की रक़म वसूल करते हैं। रिश्वत देने पर अपने रिश्तेदारों से 'मिलाई' कभी भी हो सकती है। क़ैदियों को मिलनेवाली राशन और साबुन वग़ैरह चीज़ों में भी हेराफेरी की जाती है और यह सारी रक़म जेल के अफ़सरों के पेट में जाती है। जेल के अधिकारी शाही अन्दाज़ से रहते हैं और पाँच-पाँच अर्दली तक उनके बँगले पर चौबीस घण्टे हाज़िर रहते हैं। कुल मिलाकर स्थिति यह है कि ठीक राजधानी में (जहाँ प्रधानमन्त्री से लेकर राष्ट्रपति तक रहते हैं) बसी तिहाड़ जेल रिश्वतखोरी, अनियमितताओं और भ्रष्टाचार की एक मण्डी बन गयी है। जो पाठक ज़्यादा जानकारी चाहते हों वे आठ अप्रैल उन्नीस सौ नब्बे का 'सण्डे हिन्दी मेल' पढ़ें। वह दिन दूर नहीं है जबकि रिश्वत देने पर सही आदमी की जगह किसी दूसरे ग़रीब को फाँसी दे दी जाए। मुझ पर विश्वास न हो तो आप चार्ल्स डिकिन्स का विश्वप्रसिद्ध उपन्यास 'दो नगरों की कहानी' पढ़ लें।

जेल जाने से आपके 'पुरुषत्व' पर भी कोई प्रभाव नहीं पड़ता। हैदराबाद में स्थित 'नेहरू जूलोजिकल पार्क' में बन्दी तोतों ने पहले से ज़्यादा स्वस्थ बच्चों को जन्म दिया। आन्ध्रप्रदेश के मुख्यमन्त्री एक ऐसा कारपोरेशन बनाना चाहते हैं जहाँ कि क़ैदियों के बनाये सामान को ठीक दामों पर बेचा जा सके और उस आय को क़ैदियों के हित में ही ख़र्च किया जाए। कितना अच्छा हो कि मेरे-जैसा व्यक्ति—जो सारी उम्र सेना सेवाओं के ख़र्चे की जाँच-पड़ताल करता रहा—आन्ध्रप्रदेश की जेल में बन्दी बनाकर रखा जाए ताकि यह नया कारपोरेशन भी पुराने कारपोरेशनों की भाँति भ्रष्टाचार में न फँस जाए।

सोचता हूँ कि जेलों की स्थिति के बारे में प्रधानमन्त्री जी को लिखूँ। वे पहले सारी राजनीतिक पार्टियों का सम्मेलन बुलाएँगे, फिर सारे मुख्यमन्त्रियों से विचार-विमर्श करेंगे और फिर इस काम के लिए एक कमेटी नियुक्त करेंगे। सबकुछ करने के बाद वे अख़बारनवीसों को बताएँगे कि जेलों का प्रशासन तो राज्य सरकारों के क्षेत्र में आता है, केन्द्र सरकार के नहीं। उपप्रधानमन्त्री श्री देवीलाल ज़रूर कुछ ठोस क़दम उठा सकते हैं पर वे सबसे पहले यह चाहेंगे कि किसानों की जेल अलग हो। दूसरे शब्दों में स्थिति यह होगी कि कोई कुछ नहीं करेगा। जेलों के अधिकारी इसी तरह ऐश करते रहेंगे : कोई भी उनका कुछ नहीं बिगाड़ सकता।

बहरहाल मैं फिर भी जेल जाना चाहता हूँ। क्या अपराध करूँ कि कुछ दिनों के लिए जेल के मज़े लिये जा पकें। यदि फ़ौजी शासन होता तब तो यह लेख लिखना ही काफ़ी होता मगर दुर्भाग्य से इस देश में प्रजातन्त्र है और मैं सुरक्षित

हूँ। मध्यप्रदेश के एक सम्पादक ने जाली नोट बनाये हैं। यदि सम्पादक वैसा कर सकता है तो लेखक वैसा क्यों नहीं कर सकता? कलकत्ता में एक बड़ी कलाकार मुख्यमन्त्री जी से मिलीं। उनकी प्रार्थना मात्र यह थी कि उनके स्टूडियो के पास एक सार्वजनिक शौचालय बनवा दिया जाए ताकि लोग स्टूडियो की दीवार पर अपनी लघुशंका को बेकार न करें क्योंकि वह दुर्गन्ध फैलाती है। यदि वैसा करने से जेल में स्थान मिल सके तो मैं उस महिला-कलाकार के स्टूडियो की दीवार को कमज़ोर करने के लिए कलकत्ता जाने को तैयार हूँ। आप ही बताइए कि प्रशासन को मुझसे और क्या सहयोग चाहिए?

हमारा प्राचीन साहित्य

अपने प्राचीन साहित्य से मेरा अभिप्राय अपने उस साहित्य से है जोकि प्राचीन है। हमारा प्राचीन साहित्य मुख्यतः संस्कृत में है और उसे वैदिक व लौकिक—इन दो खण्डों में विभाजित किया जाता है। संस्कृत के अतिरिक्त और भी भाषाएँ हमारे यहाँ प्रचलित रहीं—जैसे प्राकृत, पालि, ब्राह्मी इत्यादि—मगर उनमें उतना साहित्य नहीं रचा गया। वे जनता की भाषा थीं या फिर स्त्रियों की भाषा थीं। स्त्री को हमेशा जनता ही माना गया और इसी कारण आज़ादी के बाद भी नयी दिल्ली में (जहाँ 'किंग्स वे' को 'राजपथ' नाम से पुकारा गया) 'क्वींस वे' को 'जनपथ' ही कहकर पुकारा गया। कालिदास की नायिकाएँ भी सारी बातचीत प्राकृत भाषा में ही करती थीं, संस्कृत में नहीं हालाँकि जैसा कि हम जानते हैं, उनमें से शकुन्तला-जैसी जो कन्या थीं वे ऋषियों के आश्रमों में नियमित रूप से शिक्षा प्राप्त करती थीं। इसके अतिरिक्त वे नायक की—जो सदा शुद्ध संस्कृत ही बोलता था—सारी बातें समझती थीं पर फिर भी बतौर शिष्टाचार के, उत्तर वे प्राकृत में ही देती थीं। संस्कृत बोलने का अधिकार उन्हें नहीं था। स्त्री को हर प्रकार से निचला स्थान देने के बाद हमारे शास्त्रकार कहा करते थे कि जहाँ-जहाँ स्त्रियों की पूजा होती है, वहाँ-वहाँ देवता निवास करते हैं। यत्र नार्यस्तु पूज्यन्ते, रमन्ते तत्र देवताः। जहाँ तक ब्राह्मी या पालि भाषा का प्रश्न है, वे तो मात्र शिलालेखों पर उत्कीर्ण करने के लिए ही प्रयुक्त होती थीं, वैसे कभी नहीं। मेरा विचार है कि पुराने ज़माने में यदि कोई व्यक्ति पालि या ब्राह्मी में बात करना चाहता था तो आचार्य उससे यही कहते थे कि जाओ, एक अदद शिला या स्तूप लाओ, बाकी बात बाद में करेंगे।

अपने इस प्राचीन साहित्य में जो बात मुझे सबसे पहले आकृष्ट करती है वह यह है कि जो भी प्रसंग आपके मतानुसार न हो, उसे आप 'क्षेपक' कहकर आसानी से टाल सकते हैं। इस पुराने साहित्य में 'क्षेपक साहित्य' जो है वह 'मूल साहित्य' से कहीं ज़्यादा है। हमारे एक संस्कृत के प्रोफ़ेसर थे जो ज़रूरत से ज़्यादा चतुर थे। उन्हें जो स्थल भी ऐसा मिलता था जिसका कि वे अर्थ नहीं जानते थे, उसे वे हमेशा यह कहकर टाल जाते थे कि यह 'अश्लील' है, लड़कियों के सामने इसका अर्थ नहीं बताया जा सकता। उनकी क्लास समाप्त होने के बाद, सबसे पहले हम उन्हीं स्थलों

का अनुवाद खोजते थे और इस दिशा में लड़कियाँ जो थीं, वे भी कम उत्सुक नहीं रहती थीं। हम लोग प्रायः निराश ही होते थे क्योंकि उस तथाकथित अश्लील प्रसंग में हमें ऐसा कोई भाग पढ़ने को कभी नहीं मिला जिसे हम पहले से न जानते हों। इस सबके अतिरिक्त एक और बात जो परेशान करती थी वह यह थी कि यदि वह प्रसंग इतना अशोभनीय था तो फिर पाठ्यक्रम में रखा ही क्यों गया था?

प्राचीन साहित्य की एक और उपयोगिता सदा से यह रही कि उस पर डॉक्टरेट लेना जो था वह सदा से सरल रहा। पहले तो 'पाठ' ही इतने प्रकार के हैं कि यह निश्चित करना कि कौन-सा पाठ सही है, स्वयं में एक बड़ा काम है। दूसरी बात यह है कि प्राचीन साहित्यकारों ने अपने बारे में इतना कम लिखा है कि उन पर खोज करने की सुविधा जो है वह अनन्त है। एक विदेशी विद्वान् का कहना है कि महाकवि कालिदास जो थे वे कश्मीर के निवासी थे क्योंकि उन्होंने हाथी की चर्चा अत्यन्त कम की है और कश्मीर ही एक ऐसा देश है जहाँ हाथी उतनी कसरत के साथ नहीं पाया जाता। भारवि ज़रूर समुद्रतट के निवासी थे क्योंकि वे संस्कृत के अकेले ऐसे कवि हैं जिन्होंने समुद्र में सूरज डूबने का चित्र खींचा है। इतनी दूर की कौड़ी लाते देख पाठक को सूरज के साथ-साथ खुद भी समुद्र में डूब जाने की प्रबल इच्छा होती है। मेरे विचार में दण्डी जो था वह ज़रूर किसी निचली जाति का लेखक था या सरकार का 'घोषित' अपराधी था, नहीं तो कोई ऐसा कारण नहीं कि वह 'दशकुमारचरित' तो लिखता पर अपना चरित न लिखता। उपेन्द्रनाथ अश्क हैं जो बेचारे भविष्य की पीढ़ियों की कठिनाई दूर करने के लिए दो पेज 'चेतन' पर लिखते हैं और तीन पेज अपने ऊपर लिखते हैं। इतने त्याग की भावना कितने लेखकों में होती है।

प्राचीन साहित्य के सन्दर्भ में हमें यह कभी नहीं भूलना चाहिए कि उस समय में राजा लोग तक साहित्य की रचना करते थे। 'नागानन्द' नाटक के लेखक वे ही सम्राट् हर्ष थे जो सम्पत्ति-कर से बचने के लिए हर पाँच वर्ष बाद अपनी सारी सम्पत्ति प्रयाग के पण्डितों को बाँट देते थे। 'मृच्छकटिक' के लेखक वे ही राजा शूद्रक थे जिनके अस्तित्व के बारे में विद्वानों में काफ़ी मतभेद है जिसका मुख्य कारण यह है कि उन्होंने नाटक की प्रस्तावना में अपनी मृत्यु का भी आँखों देखा उल्लेख किया है जोकि किसी भी लेखक के लिए कठिन काम है। लेखक जो है वह पाठक (या आलोचक) की मृत्यु का तो उल्लेख कर सकता है पर अपनी मृत्यु का नहीं। और हाँ तीनों शतकों के रचयिता वही राजा भर्तृहरि थे जिनकी पत्नी सुन्दर होने के साथ-साथ चरित्रहीन भी थी। बात भी ठीक थी, यदि सुन्दर नहीं होती तो चरित्रहीन कैसे होती? क्या आपने कभी कोई बदसूरत स्त्री भी चरित्रहीन देखी है? कम-से-कम, मेरे साथ तो ऐसा कभी नहीं हुआ। मैं तो जब भी किसी बदसूरत स्त्री के साथ समय गुज़ारने का अवसर पाता हूँ तभी पता नहीं कैसे,

मेरा चरित्र अपने आप ऊँचा हो जाता है। मैं तो जानबूझकर ऐसी स्त्रियों के साथ ज़्यादा समय नहीं गुज़ारता क्योंकि कहीं चरित्र ज़रूरत से ज़्यादा ऊँचा हो गया तो फिर वह नीचे कैसे आयेगा?

हमारे प्राचीन साहित्य में एक विशेष बात यह है कि उसमें संसार की सारी चीज़ों का वर्णन है। यत् ब्रह्माण्डे, तत् पिण्डे। प्रलय, विषकन्या, युद्ध, बाढ़, भूकम्प, भ्रष्टाचार, बलात्कार, कायस्थ मुंशियों की चतुराई, अदालतों का अन्धेर, वेश्या, नगर, नगरवधू देवता, देवदासियाँ, कंचुकि, ब्राह्मण, शाप, हरिजनों की हत्या, विश्वासघात, जालसाज़ी, नरबलि, ग़रीबी, उड़नखटोला—क्या है जो वहाँ नहीं है? और अगर वहाँ नहीं है तो फिर कहीं नहीं है। अगर हमारे यहाँ गुणाढ्य की 'बृहत्कथा' व विष्णुशर्मा का 'पंचतन्त्र' न होता तो संसार के कथा-साहित्य के स्थान पर हमें मात्र वह शून्य ही देखने को मिलता जिसका कि आविष्कार भी हमने ही किया था।

अपने इस महान् प्राचीन साहित्य की जो विशेषता आपके इस सेवक को सबसे ज़्यादा आकृष्ट करती है वह है उसकी शृंगारप्रधानता, उसका पद-लालित्य और उसकी विशुद्ध अश्लीलता। मुझे धिक्कार देने से पहले आप उन 'काम' की चीज़ों को पढ़ें। यदि आपने 'शृंगार शतक', 'भामिनीविलास' और 'अनंग रंग' नहीं पढ़े तो आपका यह जीवन व्यर्थ ही गया। यदि इस जीवन के बाद भी कोई जीवन होता है, तो वह भी व्यर्थ गया। आप शंकराचार्य द्वारा प्रणीत 'विवेक चूड़ामणि' पढ़ें और 'मूर्ख शिरोमणि' की भाँति जीवन बिताएँ। मैं क्या, हरिमोहन झा तक आपकी कोई मदद नहीं कर सकता। पिछले पैंतीस वर्षों से मैं अपना प्राचीन साहित्य बराबर पढ़ता आ रहा हूँ और कम-से-कम मैं तो इसी निष्कर्ष पर पहुँचा हूँ कि जो साहित्य शृंगारप्रधान नहीं है वह साहित्य ही नहीं है और यदि साहित्य है भी तो प्राचीन तो किसी भी स्थिति में नहीं है। आप फिर भी सन्त बनना चाहते हों तो बनें। ख़ाकसार तो इंसान होकर ही बहुत ख़ुश है। और हाँ, कभी मुझे देवता बनने की विवशता आयी भी तो मैं तो सिर्फ़ 'गुनाहों का देवता' ही बनूँगा, और किसी किस्म का नहीं।

'गुनाहों का देवता' हिन्दी की उन विरल पुस्तकों में से है जिसका एक के बाद एक संस्करण लगातार हुआ है। आधुनिक हिन्दी की जो चार सबसे ज़्यादा बिकनेवाली पुस्तकें हैं, 'गुनाहों का देवता' उनमें से एक है। शेष तीन पुस्तकें हैं--'गोदान' 'चित्रलेखा' तथा 'मधुशाला'। 'साकेत' और 'कामायनी' कैसे पीछे छूट गयीं, इसका मुझे पता नहीं। कालिदास ख़ैर इतने तो प्रसिद्ध नहीं हुए जितने कि बच्चन, धर्मवीर भारती, भगवतीचरण वर्मा व प्रेमचन्द हुए (जिनकी पुस्तकों की चर्चा ऊपर की गयी है) पर फिर भी उन्होंने काफ़ी नाम पाया। कुछ लोगों ने तो यहाँ तक कहा कि कालिदास एक नहीं कम-से-कम तीन थे और उन्होंने चालीस पुस्तकें लिखी थीं। भारतीजी स्वयं कभी कालिदास से बहुत ईर्ष्या करते थे और कहा करते थे कि

"मेघदूत के छन्द छन्द में मैं खुद आग लगाता" मगर वैसा उन्होंने किया नहीं। लोहा ठण्डा ही रहा, उतना गर्म कभी नहीं हुआ। विश्वस्त सूत्रों का कहना है कि भारतीजी ने अपनी योजना को तब खलास किया जब उन्हें पता चला कि कालिदास (वल्द : मालूम नहीं) एक नहीं बल्कि तीन थे। सबूत के तौर पर कोई छः सौ वर्ष पहले लिखा यह श्लोक प्रस्तुत करता हूँः

एकोपि जीयते हन्त कालिदासो न केनचित्
शृंगारे ललितोद्‌गारे कालिदासत्रयी किमु

जामाता दशमो ग्रहः

एक युवती है जिसके पिता भारतीय प्रशासन सेवा के वरिष्ठ अधिकारी हैं और जिसके श्वसुर पुलिस के इन्स्पेक्टर-जनरल हैं। कोई एक वर्ष पूर्व उसकी शादी धूमधाम से सम्पन्न हुई थी और दहेज में वह सबकुछ दिया गया था जो कि वरपक्ष ने माँगा था। शादी के थोड़े ही दिनों बाद लड़की के पिता से एक मोटी रक़म फिर माँगी गयी। फ्रिज के स्टैबिलाइजर और लम्बी तार के पैसे भी वधू के पिता से ही माँगे गये। धीरे-धीरे स्थिति यह आ गयी कि लड़की यदि अपने माता-पिता के दुख का ध्यान न करती तो आत्महत्या कर लेती। बात जब काबू के बाहर हो गयी तो युवती ने अपने श्वसुर, सास और पति के ख़िलाफ़ और भी बड़े पुलिस-अधिकारी के पास शिकायत भेजी और उन्हें बताया कि दहेज के लालच में उसका जीवन किस प्रकार नष्ट किया जा रहा है। सरकार जो है वह उस श्वसुर को गिरफ़्तार करने में हिचकिचा रही है क्योंकि वह पुलिस का इन्स्पेक्टर-जनरल है। पुलिस जो होती है वह सदा क़ानून के ऊपर होती है। जैसा मैंने पहले भी कहीं कहा है, थाना लालकुर्ती का दारोग़ा भारत के राष्ट्रपति से कहीं अधिक शक्तिशाली होता है। बात कड़वी है मगर है एकदम सच। अब यदि इतने बड़े लोग दहेज के कारण वधू के जीवन का सत्यानाश कर सकते हैं तो उन ग़रीब लोगों को क्यों दोष दिया जाए जो साधारण हैं और दहेज के लिए वधू की आत्मा और देह को अलग-अलग करते हैं? "महाजनो येन गतः स पन्थाः" वाली उक्ति को ध्यान में रखते हुए दहेज के लिए की गयी हत्या को ताज़ीराते-हिन्द से बाहर रखना चाहिए। ठीक है न?

दिल्ली में एक सदाचारी स्वामी का प्रादुर्भाव हुआ। उनकी अलबम में ऐसे चित्र पाये गये जिनके कारण वे बड़ी-बड़ी हस्तियों को 'ब्लैक-मेल' किया करते थे। ये स्वामी जी एक ऐसी मोटी रामायण रखते थे कि उसके भीतर काग़ज़ काटकर क़ीमती चीज़ों के छिपाने के लिए स्थान बनाया गया था; ठीक उसी तरह जैसे कि सत्यजीत रे के 'बम्बई का बाग़ी' नामक उपन्यास में बताया गया। सदाचारी जी ने एक विधवा का मकान किराये पर लिया, उस पर ज़बर्दस्ती क़ब्ज़ा किया और फिर वहाँ 'प्राकृतिक चिकित्सा' का केन्द्र स्थापित किया। जो लोग इलाज के लिए

आये, उनको लोभ और मोह से मुक्ति दिलाने के लिए रुपयों और बाकी सामान से मुक्ति दिलायी गयी। स्वामी जी ने दिल्ली ही में एक भद्र वेश्यालय भी स्थापित किया ताकि थके-माँदे अमीरों को तनाव से मुक्ति दिलायी जा सके। सदाचारी जी के ख़िलाफ़ बम्बई की पुलिस भी पड़ी है जहाँ वे लोगों को अलौकिक शक्ति दिखाने के लिए बिजली का करण्ट लगाया करते थे। इन आध्यात्मिक गुरुजी को जब अदालत में पेश किया गया तो उन्होंने अदालत से प्रार्थना की कि "मुझे जेल भेज दीजिए मगर पुलिस की हिरासत में न रहने दीजिए क्योंकि यह पुलिस जो है, वह मुझे मार डालेगी।" जैसा कि बाद में पता चला, ये स्वामी जी कोई बीस वर्ष पहले रोज़गार दिलानेवाली एक अवैध संस्था भी चलाते थे जिसके माध्यम से उन्होंने लाखों रुपये कमाये थे। अख़बार में छपा है कि इन शक्ति-विशेष की जान-पहचान कभी तत्कालीन प्रधानमन्त्री से भी थी। धर्म और सरकार—इन दोनों का सम्बन्ध सदा से घनिष्ठ रहा। आप शब्दकोश खोलकर स्वयं देख लीजिए—'मिनिस्टर' शब्द का अर्थ मन्त्री भी है और पादरी भी।

राजधानी में बुद्धिजीवी स्त्रियों की एक महत्त्वपूर्ण गोष्ठी हुई जिसमें स्त्री-सम्बन्धी क़ानूनों पर विचार किया गया। गोष्ठी ने सुझाव दिया कि शादी में पचास हज़ार से अधिक ख़र्च कभी भी नहीं करने दिया जाना चाहिए और वर-यात्रा में भी पचास से ज़्यादा व्यक्ति नहीं आने चाहिए। सरकार स्वयं भी स्त्री-सम्बन्धी क़ानूनों पर और विचार करने जा रही है। परिवार-नियोजन पर सबसे ज़्यादा ध्यान उस प्रदेश में दिया गया जिसके मुख्यमन्त्री स्वयं नौ बच्चों के पिता थे और जिनकी सरकार में मात्र सत्तर मन्त्री थे। सन् 1988 में दहेज के कारण मात्र 2209 हत्याएँ सम्पन्न की गयी थीं जबकि सन् 1989 में उनकी संख्या 4006 हो गयी। देश ने सचमुच प्रत्येक दिशा में प्रगति की। वेश्यालयों के निरीक्षण से सरकार को यह भी पता चला कि काफ़ी वेश्याएँ ऐसी थीं जिनके माँ-बाप ने स्वयं उन्हें ग़रीबी के कारण बेचा था। सरकार दहेज-विरोधी क़ानून को और भी ज़्यादा सख़्त बनाने जा रही है मगर इस सबका कोई असर पुलिस के आला अफ़सरों पर पड़ेगा—इसमें ख़ाकसार को सन्देह है। जैसा मैंने ऊपर कहा है, पुलिस जो है वह सदा क़ानून से ऊपर होती आयी। सीज़र की पत्नी पर कोई अभियोग नहीं चलाया जा सकता।

मैं प्रायः यह सोचा करता हूँ कि हमारे देश में स्त्रियों की स्थिति इतनी ख़राब हुई तो क्यों हुई क्योंकि वैसे तो हमारे तमाम पुराने ग्रन्थों में स्त्रियों की प्रशंसा ही प्रशंसा की गयी। मनु के अनुसार जहाँ नारियों की पूजा होती है वहाँ देवता रमण करते हैं। चाणक्य के अनुसार स्त्रियाँ पुरुषों से दस गुना ज़्यादा साहस रखती हैं। चाणक्य यह भी कहता है कि सुन्दर स्त्री एक ऐसा रत्न है जिसे निचली जाति के घर से भी उठा लेना उचित है। 'शतपथ ब्राह्मण' के अनुसार पुरुष जो होता है वह बिना पत्नी के अधूरा रहता है। भगवान के अनेक नामों में स्त्री का नाम पुरुष से

पहले आता है, जैसे सीताराम या राधाकृष्ण में सीता और राधा का नाम राम और कृष्ण से पहले लिया गया। वाल्मीकि ने 'रामायण' में लिखा कि स्त्री अपनी हो या परायी—हमें उसकी रक्षा करनी चाहिए। विष्णुशर्मा कहता है कि गृह जो है वह मात्र गृहिणी से ही बनता है, उसके बिना नहीं। 'विष्णुपुराण' के अनुसार स्त्रियों का अपमान कभी भी नहीं करना चाहिए। 'राजतरंगिणी' में लिखा है कि वे पुरुष मूर्ख हैं जो स्त्रियों को खिलौना समझते हैं क्योंकि सच्चाई यह है कि अन्त में चलकर पुरुष ही स्त्री का खिलौना बनते हैं। वेदों का कहना है कि स्त्री ही घर है। अँग्रेज़ी में एक कहावत है कि प्रत्येक नवयुवक को एक अदद पत्नी रखनी चाहिए और यदि वह पत्नी अपनी ही हो, तो और भी अच्छा है। यह एकदम सच्ची बात है कि यदि स्त्रियाँ न होतीं तो साहित्य भी नहीं होता। इसका पहला कारण तो यह है कि यदि स्त्रियाँ न होतीं तो साहित्य में नायिका किसे बनाया जाता? और दूसरा कारण यह है कि यदि स्त्रियाँ न होतीं तो कवि और नाटककार जन्म कैसे लेते? यदि 'सरस्वती' नाम की पत्रिका न होती तो राष्ट्रकवि श्री मैथिलीशरण जी सदा गुप्त ही रहते, कभी प्रकट नहीं होते।

ऊपर जो कुछ भी कहा गया है, वह सच है। मगर यह भी एक सच ही है कि स्त्रियों के साथ इस देश में सदा दुर्व्यवहार ही किया गया। सीता को वनवास मिला और द्रौपदी का चीर-हरण करने की पूरी-पूरी कोशिश की गयी। बंगाल की हालत सबसे ज़्यादा ख़राब रही। वहाँ एक ओर तो दुर्गा की पूजा होती रही, दूसरी ओर स्थिति यह रही कि एक-एक कुलीन ब्राह्मण अस्सी-अस्सी शादियाँ करता रहा। शरत् बाबू न होते तो बंगाल की स्थिति पता नहीं कब सुधरती। मैं जो स्त्रियों के प्रति अतिरिक्त सहानुभूति रखता हूँ, उसका एक कारण यह भी है कि पता नहीं कब मेरा यौन-परिवर्तन हो जाए और मैं एक स्त्री बन जाऊँ।

देश के सेनाध्यक्ष ने बताया है कि सशस्त्र सेनाओं के द्वार भी अब देश की स्त्रियों के लिए खुलेंगे। मैं इस घोषणा से बहुत प्रसन्न हूँ। स्त्री को अबला बतानेवाले पुरुषों की सेवा में मैं यह कहना चाहता हूँ कि संसार के तीन-चौथाई युद्ध मात्र इन अबलाओं के लिए ही लड़े गये। यदि रूपवती रमणियाँ न होतीं तो शायद हमारा कोई इतिहास ही नहीं होता। यह जानकारी देना भी आवश्यक है कि विश्व का वायुयान के द्वारा सबसे पहले अकेले चक्कर लगाना एक स्त्री ने ही सम्पन्न किया था। चीन की साम्यवादी सरकार के ख़िलाफ़ जासूसी एक नर्तकी ने ही की थी जिसमें उसके प्राण जाते-जाते बचे। ऐसी युवतियों को आप 'अबला' कहेंगे या 'बला' मगर इस सबसे पुलिस पर कोई प्रभाव नहीं पड़ेगा। आज ही के अख़बार में पढ़ा कि बुन्देलखण्ड में कई आदिवासी किशोरियों के साथ शायद पुलिस ही ने सामूहिक बलात्कार सम्पन्न किया।

इराक और मित्र-सेनाओं के बीच छिड़े युद्ध के दौरान एक सुन्दरी ने अपने

प्रेमी से टेलीफ़ोन पर विवाह सम्पन्न किया। विवाह के बाद जज ने पति और पत्नी के बीच टेलीफ़ोन पर बातचीत भी करायी। मगर मेरा निजी ख़याल यही है कि इस युवती के साथ विवाह से बचने के लिए ही प्रेमी जो था वह लाम पर गया था। पुरुष की जाति ही अविश्वसनीय होती है। पूर्वी और पश्चिमी जर्मनी के एकीकरण के पूर्व लगभग सतरह हज़ार जर्मन अपनी पत्नियों को छोड़कर भाग गये थे। जब दोनों जर्मनी एक हुईं तो इन हज़ारों पतियों को यही चिन्ता खाये जा रही थी कि अब कहीं पुरानी पत्नियाँ फिर से उन्हें न ढूँढ़ लें। संस्कृत में ठीक ही कहा है कि दामाद जो होता है वह राहु और केतु से भी आगे होता है। यह एक ऐसा ग्रह है जो कन्या राशि को कभी नहीं छोड़ता। जो सज्जन मेरी वाणी पर विश्वास नहीं कर पा रहे हैं उनकी सेवा में यह श्लोक समर्पित करता हूँ:

सदा वक्रः सदा क्रूरः, सदा पूजामपेक्षते
कन्याराशि स्थितो नित्यं, जामाता दशमो ग्रहः।

गौरव के क्षण

मेरा जन्म उत्तरप्रदेश के एक क़स्बे में हुआ था। जिस ज़िले में यह शुभकार्य सम्पन्न हुआ उसका नाम बिजनौर था, बिजनौर है और बिजनौर रहेगा। क्या इतिहास और क्या भूगोल—सभी दृष्टियों से यह जनपद काफ़ी विलक्षण है। मेरा यह ज़िला तिकोना है। एक ओर हिमालय खड़ा है और शेष दो दिशाएँ जो हैं, उनमें गंगा बहती है। बरसाती नदियाँ इतनी हैं कि मैं जब भी तुलसीदास की "क्षुद्र नदी भरि चलि उतराई" वाली पंक्ति याद करता हूँ तो सोचता हूँ कि वे कहीं मेरे ज़िले में ही तो नहीं पैदा हुए थे। गंगा नदी पर 'नहान' लगता है जिसमें बेशुमार लोग दूर-दूर से चलकर आते हैं। सुमित्रानन्दन पन्त ने 'ग्राम्या' में 'नहान' शीर्षक से एक कविता भी लिखी है। अजितकुमार भी अपनी कविताओं में मेलों की चर्चा प्रायः करते हैं। मेरी सलाह है कि वे मेरे ज़िले में आयें और दारानगर गंज पर लगनेवाले महान् मेले को देखें।

बिजनौर ज़िले में वह स्थान अभी भी सुरक्षित है जहाँ कभी महात्मा विदुर निवास करते थे। मालिनी नाम की वह नदी अब भी मज़े में बहती है जहाँ कभी महर्षि कण्व का आश्रम था और जहाँ दुष्यन्त ने शकुन्तला के साथ गन्धर्व विवाह किया था। अकबर के नौ रत्नों में से एक रत्न—जिनका नाम फ़ैज़ी था—मेरे ही ज़िले के निवासी थे और बतौर सबूत के मैं यह बताता हूँ कि उनका मकबरा मेरे ज़िले में ही स्थित है। नजीब ख़ाँ ने मेरे ही ज़िले में नजीबाबाद नाम का नगर बसाया और उसके पास ही एक क़िला भी बनवाया। ज्ञानपीठ पुरस्कार का प्रारम्भ करनेवाली श्रीमती रमा जैन नजीबाबाद के ही निवासी साहू शान्तिप्रसाद जी की पत्नी थीं। न मेरे ज़िले में वे ब्याही जातीं और न किसी को ज्ञानपीठ पुरस्कार मिलता।

मेरे ज़िले के अतिरिक्त मुरादाबाद, मेरठ, मुज़फ़्फ़रनगर, बुलन्दशहर और सहारनपुर भी ऐसे ज़िले हैं जहाँ एक तरफ़ गन्ने की खेती होती है और दूसरी ओर त्यागी जाति के लोग भी कसरत के साथ पैदा किये जाते हैं। त्यागी लोगों की उत्पत्ति के बारे में दो मत हैं। एक मत तो यह है कि त्यागी लोग पहले ब्राह्मण होते थे पर ज़मींदार हो जाने के बाद उन्होंने दान लेना 'त्याग' दिया और इसी कारण वे 'त्यागी' कहे जाने लगे। अभी भी काफ़ी त्यागी लोग अपने नाम के साथ 'शर्मा' लगाते हैं। दूसरा मत यह है कि किसी राजा ने एक वेश्या से सन्तान प्राप्त की और फिर उसे 'त्याग'

दिया। इस 'त्याग' के कारण ही वे लोग 'त्यागी' कहलाये। पता नहीं क्यों, मुझे यह वेश्यावाली कहानी ही ज़्यादा सच्ची जान पड़ती है। और सबसे दिलचस्प बात यह है कि कोई दस वर्ष पूर्व तक दिल्ली प्रशासन 'त्यागी' जाति को अनुसूचित जाति मानता था। त्यागी लोगों का कहना है कि पंजाब के मोहिवाल और बिहार के भूमिहार भी त्यागी ही हैं और प्रमाण के तौर पर इन तीनों जातियों के बीच शादी-विवाह भी बदस्तूर होते हैं। कुछ त्यागी ऐसे भी हैं जो कभी मुसलमान हो गये थे पर उन त्यागी लोगों के यहाँ शादी-विवाह या मातम वग़ैरह में आना-जाना अभी तक उसी तरह जारी है और रहेगा। कुछ लोगों का मत यह भी है कि 'त्यागी' शब्द का मूल पाठ 'तगा' है और वे कभी सेण्ट्रल एशिया के 'तुर्क' थे। इन लोगों के अनुसार विश्वकवि रवीन्द्रनाथ टैगोर भी त्यागी ही थे और 'तैगौर' शब्द 'तगा' से ही बना।

पश्चिमी उत्तरप्रदेश में एक ओर गन्ना होता है और दूसरी ओर त्यागी। गन्ने के कारण अमीरी आयी और अज्ञानी होने के कारण उसमें से आधी दहेज में चली गयी और बाकी शराब और मुकद्दमेबाज़ी में खलास हो गयी। काफ़ी त्यागी लोग अपने जीवन का बेहतरीन हिस्सा डिस्ट्रिक्ट जेल में ही काटते हैं। मेरे अपने वंश ही में डाकू कृपालसिंह पैदा हुआ और उसको भी सुलताना डाकू (उर्फ़ शेरे-बिजनौर) की तरह फाँसी दी गयी। मगर इस नश्वर शरीर के छोड़ देने से क्या होता है? असली माल तो 'आत्मा' है जो अजर और अमर है। (वैज्ञानिकों का कहना है कि आत्मा का वज़न दस औंस से ज़्यादा नहीं होता।) कृपाल नहीं रहा तो क्या, न जाने कितने त्यागी नवयुवक उसी के पदचिह्नों पर चल रहे हैं और अज्ञेय जी की भाषा में आप उन्हें 'गतानुगामी' भी कह सकते हैं। चार्ल्स शोभराज के केस में एक त्यागी सहयोगी की काफ़ी चर्चा हुई। इधर एक और 'त्यागी-कुल-कमल-शिरोमणि' उभरे हैं जिनके कारण पुलिस ने एक ऐसे त्यागी को भी पकड़ लिया जोकि उसके वकील थे। वकील साहब जैसे ही गिरफ़्तार हुए वैसे ही वकीलों ने सामूहिक हड़ताल कर दी। बात भी ठीक है। वकील तो देश के क़ानून के ऊपर हैं, वे कुछ भी करें मगर उन्हें पकड़ा कैसे जा सकता है? जज लोग चेम्बर में बैठे हुए सिगार पीते रहे और शेर पढ़ते रहे : इब्तदाए-इश्क़ है रोता है क्या, आगे आगे देखिए होता है क्या।

राजनीति के क्षेत्र में महावीर त्यागी ने काफ़ी काम किया। वे "गाँधी जी के पुलिसमैन" कहे जाते थे। जब भी अधिवेशन वग़ैरह होते थे तो सारा ट्रैफिक कण्ट्रोल तथा क़ानून और व्यवस्था को वही सँभालते थे। आज़ादी के बाद वे केन्द्रीय सरकार में बहुत दिनों मन्त्री और राज्यमन्त्री रहे। मुझे सौभाग्य प्राप्त है कि मैंने उन्हें काफ़ी क़रीब से देखा। हँसमुख और मज़ाक़पसन्द इंसान थे। एक बार संसद में चीनी लोगों ने जो हमारी ज़मीन अपने क़ब्ज़े में कर ली है उसकी चर्चा करते हुए प्रधानमन्त्री ने कहा कि वह ज़मीन बेकार है क्योंकि उस पर कुछ भी नहीं उगता। इतनी-सी बात सुनकर त्यागीजी को गुस्सा आ गया और वे खड़े होकर कहने लगे कि "मेरा

पूरा सिर गंजा है, इस पर कुछ भी पैदा नहीं होता। क्या प्रधानमन्त्री यह कहना चाहते हैं कि गंजा होने के कारण मेरा सिर बेकार है?" उनकी इस प्रतिक्रिया पर प्रधानमन्त्री समेत सारे सांसद हँस पड़े। मगर त्यागीजी की सबसे बड़ी शक्ति थी उनकी ईमानदारी। उनकी सर्वगुणसम्पन्न लड़की को सारा जीवन दुख में काटना पड़ा मगर उन्होंने अपने दामाद को ठेके नहीं दिये। पुराने लोगों में स्नेह बहुत होता था। उनकी पुत्री के विवाह में पण्डित जी व राष्ट्रपति डॉ. राजेन्द्र प्रसाद आये और घण्टों का कार्यक्रम सम्पन्न हो जाने पर ही लौटे। हाँ, अलबत्ता मेरी पत्नी के दादा जी ने महावीर त्यागी से कभी मात नहीं खायी। एक बार त्यागीजी ने उनसे पूछा कि सरकार के बारे में आपका क्या ख़याल है तो मेरी पत्नी के दादा जी ने सबके सामने कहा कि "जिस सरकार में तेरे-जैसा बेपढ़ा आदमी मिनिस्टर हो, उस सरकार के बारे में कहने को रह ही क्या जाता है?" मेरी पत्नी के दादा जी के पास सात गाँव थे और वे हाथी रखते थे। अब तो हाथी कहीं दिखायी ही नहीं देता। हाँ, अलबत्ता यदि सफ़ेद हाथी देखने हों तो कहीं भी चले जाइए—सफ़ेद हाथी आपको हर मन्त्रालय में मिलेगा और कसरत के साथ मिलेगा।

साहित्य के क्षेत्र में त्यागी लोगों ने अच्छा काम किया। हिन्दी में 'तुलनात्मक आलोचना' की पहल करनेवाले पण्डित पद्मसिंह शर्मा एक महान् व्यक्ति थे। उनकी मित्रता पण्डित मदनमोहन मालवीय, ख्वाजा हसन निज़ामी, अकबर इलाहाबादी, महावीर प्रसाद द्विवेदी, जगन्नाथदास रत्नाकर, नाथूराम शर्मा 'शंकर' —जैसे दिग्गजों के साथ थी। वे संस्कृत, फ़ारसी व हिन्दी के परम विद्वान् थे। उनके बाद दुष्यन्त कुमार दूसरे त्यागी हुए जिन्होंने यश पाया। भीमसेन त्यागी ने भी कुछ कहानियाँ बहुत अच्छी लिखीं। और ख़ाकसार का तो कहना ही क्या। कहते हैं कि ग़ालिब का है अन्दाज़े-बयाँ और। लिखने के अतिरिक्त हरिपाल त्यागी (जो मेरा चचेरा भाई है) एक बढ़िया चित्रकार बना और मुखवंशनारायण सिंह ने स्थापत्य कला व पेण्टिंग में काम किया और अच्छा काम किया। साहित्य की चर्चा में मैं वयोवृद्ध चौधरी शिवनाथसिंह शाण्डिल्य को भी कभी नहीं भुला सकता। वे संसार में अकेले त्यागी हैं जिनके व्यक्तिगत पुस्तकालय में बीस हज़ार जिल्दें हैं। महावीर अधिकारी ने पत्रकारिता के क्षेत्र में सफलता पायी। अधिकारी होने के बावजूद वे त्यागी ही रहे।

सरकारी नौकरी के मामले में जो लोग भी आगे निकले वे सब के सब मेरी पत्नी के सम्बन्धी थे। श्री विश्वेश्वर दयाल दानत्यागी मेरी पत्नी के सगे बड़े मामा थे जो अँग्रेज़ों के ज़माने में संयुक्त सचिव थे और चालीस वर्ष पहले तीन हज़ार वेतन पाते थे। अशोक रोड पर उनकी कोठी थी। दूसरे बड़े अफ़सर महेशचन्द्र त्यागी थे जो इण्डियन पुलिस सर्विस के सदस्य थे और प्रयाग के सीनियर पुलिस सुपरिण्टेण्डेण्ट थे। वे मेरी पत्नी के सगे छोटे मामा थे। इनके बाद शायद मैं प्रथम श्रेणी की केन्द्रीय सिविल सर्विसेज में आया और इत्तफ़ाक से मैं भी अपनी पत्नी का घनिष्ठ सम्बन्धी

रहा। मेरी पत्नी की अम्माँ त्यागी जाति की प्रथम ऐसी स्त्री थीं जिन्होंने हाईस्कूल की परीक्षा पास की थी। इधर कुछ और लोग भी बड़ी-बड़ी नौकरियों में निकले हैं। सेना में भी अनेक त्यागी लोग बड़े-बड़े पदों पर हैं। ईश्वरदयाल त्यागी, हरिशंकर शर्मा और शूरवीर सिंह को तो मैं भी जानता हूँ। ये तीनों लेफ्टिनेण्ट कर्नल हैं और भगवान ने चाहा तो फ़ील्ड मार्शल बनेंगे।

बाकी लोगों की भाँति त्यागी लोग अमीर भी होते थे और ग़रीब भी होते थे। कुछ परिवार थे जो राजवंशों की भाँति रहते थे। एक तरफ़ ये बड़े-बड़े जागीरदार थे और दूसरी तरफ़ ऐसे भी लोग थे जैसे कि मेरे नाना जी जो एक जागीरदार के यहाँ दस रुपया प्रतिमाह की पगार पर सारी रियासत का भार सँभालते थे। उन्होंने लाखों-करोड़ों रुपयों का हिसाब रखा मगर उनके अपने घर पर छप्पर ही पड़ा रहा। मेरे ज़िले के एक त्यागी विवश होकर ईसाई हो गये थे। उनका बनाया हुआ शानदार गिरजा ताजपुर में अभी भी खड़ा है। इस गिरजे का ज़िक्र करते-करते मुझे सरधना में बने बेग़म समरू के शानदार गिरजे की याद आ गयी और यह भी याद आ गया कि बेग़म समरू के जो दीवान थे वे भी त्यागी ही थे। वे दीवान होने के साथ-साथ बेग़म समरू के सात प्रेमियों में से भी एक थे। इस सन्दर्भ में मैं आपको एक दिलचस्प बात सुनाना भूल गया। वे जागीरदार, जिनके यहाँ मेरे नाना नौकरी करते थे, जब मरे तो उनके दोनों पितृभक्त पुत्र उनकी मृत देह से चिपक गये। उन्हें स्वर्गीय पिताजी के यज्ञोपवीत में से तिजोरी की चाबी तोड़नी थी।

फ़िलहाल उन लोगों की हालत काफ़ी दर्दनाक है जो बिना कुछ किये-धरे पुराने ठाठ से रहना चाहते हैं। रवीन्द्रनाथ ठाकुर की प्रख्यात कथा 'नयनजोर के बाबू' ऐसे ही लोगों के बारे में है। ज़मींदारी निकल गयी, और कोई काम-धन्धा कर नहीं सकते मगर चाहते यही हैं कि शराब दोनों वक़्त मिले, मुकद्दमे हाईकोर्ट में लड़े जाएँ, एक अदद रखैल ज़रूर हो और पब्लिक उन्हें हुज़ूर या अन्नदाता कहकर पुकारे। ऐसे स्वयं-पराजित लोगों में से जो नयी फ़सल निकली है वह ज़रूरत से ज़्यादा होनहार है। वह जुआ खेलती है, गैस के हण्डे में रण्डी नचाती है, और गाँव की सरपंच बनती है ताकि ब्लॉक डेवलपमेण्ट अधिकारी और तहसीलदार से मिलकर सूखे या बाढ़ के लिए दी गयी राशि का सदुपयोग किया जा सके। उनका वर्तमान देश के भविष्य से ऊपर है। वे मेलों से लड़कियाँ भगवाते हैं ताकि वे कोठों पर बेची जा सकें, नौटंकी चलाते हैं और सबकुछ कर लेने के बाद प्रदेश के किसी मन्त्री के साथ खाना भी खाते हैं। मन्त्री बेचारा क्या करे? उसे जो चुनाव जीतना है वह इन्हीं के सहारे जीतना है। मैं या आप उनकी क्या सहायता कर सकते हैं?

बहरहाल मेरे लिए यह बड़े गौरव की बात है कि जिन त्यागी लोगों की चर्चा अब तक सिर्फ़ गीता ही में की गयी थी, उन त्यागी लोगों को लेकर आज अख़बारनवीस अपने पर्चे काले कर रहे हैं। अपने वंश को या जाति को फलता-फूलता देखकर कौन

ख़ुश नहीं होता? अपनी जाति के लोग डकैतों के सरदार हैं, यह जानकर किसकी छाती चौड़ी नहीं होगी?

ऊपर मैंने बताया है कि त्यागी लोग काफ़ी अपराध करते हैं। यह बयान उतना ही सच है जितना कि यह बयान कि त्यागी जाति में न जाने कितने लोग डिस्ट्रिक्ट जज या हाईकोर्ट के जज भी हुए हैं। मैं कभी-कभी इस विरोधाभास को देखता हूँ और शायर का कलाम याद करता हूँ। अकबर इलाहाबादी (जो ख़ुद जज थे) ने कहा है :

शेख़ जी के दोनों लड़के बाहुनर पैदा हुए
एक ख़ुफ़िया पुलिस में हैं, एक फाँसी पा गये

हिन्दी की कुछ श्रेष्ठ व्यंग्य-कविताएँ

उर्दू में—क्या गद्य और क्या पद्य दोनों में—श्रेष्ठ हास्य-व्यंग्य लिखने की एक परम्परा रही है। इक़बाल हाली और ग़ालिब-जैसे बड़े-बड़े कवियों ने भी हास्य और व्यंग्य से परिपूर्ण उच्च कोटि की कविताएँ लिखीं। 'दाग़' देहलवी उर्दू के 'शरीर' कवि माने जाते हैं और 'अकबर' इलाहाबादी तो अपनी हास्य-व्यंग्य से परिपूर्ण कविताओं के कारण इतने प्रख्यात हुए कि लोग उनकी उच्च कोटि की गम्भीर कविताओं को जैसे भूल ही गये। शौकत थानवी (जो मुख्यतः एक गद्य लेखक थे), राजा महदी अली ख़ान, सैयद मुहम्मद जाफ़री, मजीद लाहौरी, गुलाम अहमद फुर्कत, रस्सत देहलवी, ज़रीफ़ लखनवी, वाही, अफ़ज़ल परवेज़, काज़िब माल्वी, मिस्टर देहलवी, दिलावर फ़िगार, नज़ीर अकबराबादी, सुल्तान अहमद 'शहबाज़' जगत इलाहाबादी, वजानत झंझानवी, सैय्यद ज़मीर जाफ़री, 'बेढब' बदायूनी, अब्दुल बादी 'आसी', हरिचन्द अख़्तर, ज़रीफ़ जबलपुरी, ज़रीफ़ देहलवी, अहमक फफूँदवी, रियाज़ खैराबादी और हाजी लकलक के कलाम में जो लुत्फ़ है, जो मज़ा है और जो चोट है—उसे कोई पाठक कभी नहीं भूल सकता। हाजी लकलक तो मुझे बहुत ही प्रिय हैं; सुनके हाजी का कलाम आपको आयेगी हँसी, मिडिल पास है कोई गँवार नहीं।

यह दुख की बात है कि पिछले पच्चीस-तीस वर्षों में हिन्दी गद्य में तो काफ़ी हास्य-व्यंग्य लिखा गया—और उच्च कोटि का लिखा गया—पर कविता की स्थिति हास्यास्पद ही बनी रही। यूँ काफ़ी लोग हैं जो हास्य की तुकबन्दियों और चुटकुलों को मंच पर सुनाकर लाखों रुपया कमाते हैं और विदेश घूमते हैं पर बेढब बनारसी के बाद स्तरीय व्यंग्य कविता नहीं के बराबर ही लिखी गयी। बेढब जी शायद हिन्दी के अन्तिम पेशेवर श्रेष्ठ हास्य कवि थे। वेणी उनकी देखिए लम्बी ललित ललाम, जैसे कोई वाक्य हो बिना पूर्णविराम। हिन्दुस्तानी गोद में यूँ अँग्रेज़ी मेम, सोने की तस्वीर पर आबनूस का फ्रेम। दो पत्नी हैं तो नहीं मन में तनिक विषाद, एक समझ ली मूल है और एक अनुवाद।

जैसे गद्य में व्यंग्य-लेखन के जनक भारतेदु हरिश्चन्द्र हैं, ठीक वैसे ही हिन्दी काव्य में व्यंग्य के जनक सन्त कबीर हैं। तुलसीदास के लक्ष्मण-परशुराम संवाद, शिवजी की वरयात्रा व रावण-अंगद संवाद बेहद हास्यपूर्ण हैं। रीतिकालीन कवियों

की अतिशयोक्तियाँ भी काफ़ी मज़ेदार हैं। आधुनिक हिन्दी कवियों ने भी कुछ बेहद श्रेष्ठ व्यंग्य-कविताएँ लिखी हैं जिनमें से कुछ मैं यहाँ देता हूँ। कबीर, निराला और अज्ञेय की व्यंग्य-कविताओं पर मैं अलग से तीन लेख लिख चुका हूँ और इस कारण उनको मैं इस परिचर्चा में छोड़ता हूँ।

सबसे पहले मैं नागार्जुन को लेता हूँ। मेरा सौभाग्य है कि उनसे मेरा परिचय बहुत वर्षों पूर्व तभी हो गया था जब मैं प्रयाग विश्वविद्यालय में पढ़ता था। धीरे-धीरे वह परिचय घनिष्ठ होता गया। अब तो स्थिति यह हो गयी है कि उनसे मिले कई वर्ष हो गये मगर हमेशा ऐसा लगता है कि वे मेरे पास ही बैठे हैं, बतिया रहे हैं और ठहाके पर ठहाके लगा रहे हैं। "जो वस्तु औरों की संवेदना को अछूती छोड़ जाती है, वही नागार्जुन के कवित्व की रचना-भूमि है। इस दृष्टि से काव्यात्मक साहस में नागार्जुन अप्रतिम हैं। कबीर, तुलसीदास और निराला के बाद हिन्दी भाषा की विविधता और समृद्धि का ऐसा सर्जनात्मक संयोग नागार्जुन में ही दिखायी देता है। उनमें लोकप्रियता और कलात्मकता का जो सन्तुलन और सामंजस्य देखने को मिलता है वह अन्यत्र नहीं मिलता।" मैं उनकी दो व्यंग्य-कविताएँ यहाँ देता हूँ जो मुझे बेहद प्रिय हैं :

अकाल के बाद

कई दिनों तक चूल्हा रोया, चक्की रही उदास
कई दिनों तक कानी कुतिया सोयी उनके पास
कई दिनों तक लगी भीत पर छिपकलियों की गश्त
कई दिनों तक चूहों की भी हालत रही शिकस्त

दाने आये घर के भीतर कई दिनों के बाद
धुआँ उठा आँगन के ऊपर कई दिनों के बाद
चमक उठीं घर भर की आँखें कई दिनों के बाद
कौए ने खुजलायी पाँखें कई दिनों के बाद।

चौराहे के उस नुक्कड़ पर

चौराहे के उस नुक्कड़ पर
काँटों का बिस्तर बिछा कर
सोया साधू दाढ़ी वाला,
लोग तमाशा देख रहे हैं
अपनी धुन में आते-जाते।
दिन के दस बजने वाले हैं

वक़्त हो गया है दफ़्तर का
सबके पैरों में फुर्ती है
लेकिन यह आ गया कहाँ से!
काँटों पर नंगा सोया है
ठिठक गया मैं लगा देखने
उस औघड़बाबा के करतब
नेत्र बन्द थे, बदन अडिग था
शरशय्या पर चित लेटा था
दर्शक पैसे फेंक रहे थे...
सेठों की गलियों का नुक्कड़
काँटों पर लेटा है फक्कड़
चमक रहे पैसे, दो पैसे
और पाँच पैसे, दस पैसे
जैसी श्रद्धा सिक्के वैसे
निकल रहे हैं जैसे तैसे
काँटों पर सोया है कैसे
नागफनी पर गिरगिट जैसे

श्रद्धा का तिकड़म से नाता
जय हे भिक्षुक, जय हे दाता
पियो सन्त हुगली का पानी
पैसा सच है, दुनिया फ़ानी

डॉ. प्रभाकर माचवे हिन्दी के चलते-फिरते विश्वकोश हैं। उन्होंने न जाने कितनी विधाओं में लिखा और जो कुछ भी लिखा वह प्रायः शानदार ही लिखा। मैं उनसे दो बार मिला हूँ पर जो स्नेह, फक्कड़पन, विनोद और आत्मीयता उनमें देखी, वह अब हिन्दी में समाप्त होती जा रही है। उनकी एक मार्मिक कविता यहाँ देता हूँ :

नये कवि के प्रति

तो,
'श्री' या 'वि'—या जो भी तुम्हारा नाम हो, सुनाओ
दो साल भारत के बाहर मैं रहा, क्या क्या हुआ यहाँ?
हिन्दी कविता से जैसे मैं कट-सा ही गया;
—वैसे ही कवि सम्मेलन होते रहे, जनता 'हू-हा' करती रही
नयी कविता पर गालियाँ वैसी ही बरसीं

और फिर भी वह छपती रही
—वैसे ही नये-पुराने खेमों में भगदड़ मची
वैसे ही कई आम्नाय जुटे, मठ टूटे, घाट ढहे, राख बिछी
नाव कोई ठाँव नहीं बँधी बची :
—क्या करते हो?

बोले :
एक अख़बार में था, अब खाली हूँ
एक प्रकाशक के यहाँ कुछ दिनों रहा, अब खाली हूँ
अद्दबी इदारों में नौकरी नहीं मिली
कहा गया—नये कवि हैं बेतुके
टी हाउस में बैठता हूँ, सबको गरियाता हूँ
(मैं खुद ही एक गाली हूँ)
फ्री-लांसिंग, किसी एम्बैसी से कुछ अनुवाद
एक दिन खाना, चार दिन फाका
अब मित्र ने कहा है, एक पाकेट-बुक सिरीज़ का उपन्यास
लघु-लघुतम
लिख डालो—सिगरेट है?

दो साल, दस साल
ऐसे ही बीत बीत जाएँगे, जेब रीत रीत जायेगी,
पढ़ाते रहेंगे विश्वविद्यालयों में लोग :
'हिन्दी में आया था प्रयोगवाद—एक रोग'
हम सबने घेर कर उसे मार भगा दिया, ऐसा डण्डा लगा दिया
भारतीय संस्कृति अब ख़तरे में नहीं है, 'शिखा' सेफ़ है
पढ़ बेटा हनुमान-चालीसा
कर रिसर्च पिरे हुए गन्नों के चोयथों पर
अख़बार वाले भी दोस्तों की घिसी पिटी चीज़ें ही छापेंगे।
पूछते रहेंगे आलोचक
हिन्दी कविता में गति-रोध-युग आया था?
हाय, ऐसा क्यों हुआ?

नये कवि, सवैये-घनाक्षरियाँ लिखो हास्य रस की
(घटिया और फूहड़ हों)

या उर्दू से नक़ल टीप, सिनमई गीतों के पनियल कुछ गीत लिखो,
बेकार बात तुम करते हो रैम्बौ की, रिल्के की
महाभारत उठाओ, पाँच साला योजना पर खण्ड काव्य लिखो,
यदि किसी मन्त्री की भूमिका हो, अयुत्तम
कम-से-कम प्रादेशिक पुरस्कार तो तुम्हारे हैं....

विद्यानिवास मिश्र हिन्दी के शीर्षस्थ निबन्धकार हैं। मैं उनका मुरीद इस कारण भी हूँ क्योंकि उनमें विनोद-वृत्ति काफ़ी है। आपको जानकर आश्चर्य होगा कि वे संस्कृत वग़ैरह के साथ-साथ फ़ारसी पर भी असाधारण अधिकार रखते हैं और उनका एक कविता-संग्रह भी निकला है। उसी संग्रह में से एक मार्मिक कविता यहाँ देता हूँ:

पर्यटकों का भारत

एलोरा—हम बेचते हैं
अजन्ता—हम बेचते हैं
खजुराहो—हम बेचते हैं
सारा भारत बिकाऊ है
हम इसे समूचा बेच सकते हैं

पधारिए, तशरीफ़ लाइए, बैठिए
इत्मीनान से देखिए,
उधर से देखिए, इधर से देखिए,
ऊपर से देखिए, नीचे से देखिए
हाँ हाँ हाथ लगाइए, आपके हाथ की मैल
इन पुरानी चीज़ों पर पालिश का काम करेगी।
हम हाथ मींसते हैं, हाँ दूसरे शब्दों में जोड़ते हैं
मुस्कान लाते हैं
रुपैया, रुपैया—बस असली चीज़ तो रुपैया है...

हम सभ्य भारतीय—हमें कार चाहिए
हम सभ्य भारतीय—हमें सुलगदानी लाइटर दरकार है
हम सभ्य भारतीय—ट्रांजिस्टर-प्रेमी हैं
हम सभ्य भारतीय—फ़िल्मी गानों से शादी की महफ़िल गुँजाते हैं
हमें आता है झुक कर करना सलाम
हमें आती है शान्तिनिकेतनी मुद्रा
नमन की, अर्थहीन स्थिति की,

हमारी संस्कृति पुरातन है
हम आधुनिक हैं, विश्वभावन शील हैं,
जी हाँ, यह भारत जो बिकाऊ है
वह हमारा ही भारत है...

'धूमिल' से मैं कभी नहीं मिल पाया हालाँकि उनकी कविताओं ने मेरे मर्म को झकझोर दिया। उनकी कुछ कविताओं के टुकड़े आपकी सेवा में प्रस्तुत करता हूँ। इन्हें पढ़कर आप मुझसे सहमत होंगे कि वे सच्चे 'अकवि' थे :

कविता

हत्या में अब लोगों की रुचि नहीं
वह किसी गँवार आदमी की ऊब से
पैदा हुई थी और
एक पढ़े-लिखे आदमी के साथ
शहर चली गयी

एक सम्पूर्ण स्त्री होने के पहले ही
गर्भाधान की क्रिया से गुज़रते हुए
उसने जाना कि प्यार
घनी आबादी वाली बस्तियों में
मकान की तलाश है :
लगातार बारिश में भीगते हुए
उसने जाना कि हर लड़की
तीसरे गर्भपात के बाद
धर्मशाला हो जाती है और कविता
हर तीसरे पाठ के बाद—
नहीं, अब वहाँ कोई अर्थ खोजना व्यर्थ है :
लो, ये रहा तुम्हारा चेहरा
जो जुलूस के पीछ गिर पड़ा था

बीस साल बाद

हर तरफ़ ताले लटक रहे हैं
दीवारों से चिपके गोली के छर्रों
और सड़कों पर बिखरी जूतों की भाषा में
एक दुर्घटना लिखी गयी है

सन्त और सिपाही में
देश का सबसे बड़ा दुर्भाग्य कौन है?
क्या आज़ादी सिर्फ़ तीन थके रंगों का नाम है
जिन्हें एक पहिया ढोता है?

मोचीराम

मैं जानता हूँ कि 'इनकार से भरी हुई चीख़'
और 'समझदार चुप'
दोनों का मतलब एक है

मुझे हर वक़्त यह ख़याल रहता है कि जूते
और पेशे के बीच
कहीं न कहीं एक अदद आदमी है
जिस पर टाँके पड़ते हैं
जो जूते से झाँकती हुई अँगुली की चोट
छाती पर
हथौड़े की तरह सहता है

बाबू जी, सच कहूँ तो मेरी निगाह में
न कोई छोटा है
न कोई बड़ा है
मेरे लिए हर आदमी एक जोड़ी जूता है
जो मेरे सामने
मरम्मत के लिए खड़ा है...

दुष्यन्त और मैं हाईस्कूल में साथ-साथ पढ़ते थे। जब मैट्रिक्यूलेशन की परीक्षा के फ़ार्म भरे जा रहे थे तो उसने मेरे नाम के बाद 'त्यागी' जोड़ा और मैंने उसे 'दुष्यन्तनारायण' से 'दुष्यन्तकुमार' बनाया। बी.ए. में हम दोनों फिर सहपाठी हो गये। इसके बाद हम काफ़ी दिनों के लिए बिछुड़ गये। हाँ, अलबत्ता 'सूर्य का स्वागत' की प्रति देने वह मेरी कोठी पर मेरठ आया था। फिर वह मध्यप्रदेश चला गया जहाँ उसने 'साये में धूप' पालकर दिखा दी। उसकी एक दिलचस्प कविता यहाँ देता हूँ जो उन दिनों के नये कवियों के हुलिये पर काफ़ी प्रकाश डालती है :

इनसे मिलिए : नखशिख विवरण

पाँवों से सिर तक जैसे एक जनून

बेतरतीबी से बढ़े हुए नाख़ून,
कुछ टेढ़े मेढ़े बैंगे दाग़िल पाँव
जैसे कोई एटम से उजड़ा गाँव,
टख़ने ज्यों मिले हुए रक्खे हों बाँस
पिण्डलियाँ कि जैसे हिलती डुलती काँस,
कुछ ऐसे लगते हैं घुटनों के जोड़
जैसे ऊबड़-खाबड़ राहों के मोड़,
गट्टों सी जंघाएँ निष्प्राण मलीन
कटि, रीतिकाल की सुधियों से भी क्षीण
छाती के नाम महज़ हड्डी दस-बीस
जिस पर गिन-चुन कर बाल खड़े इक्कीस,
पुट्ठे हों जैसे सूख गये अमरूद
चुकता करते-करते जीवन का सूद,
बाँहें ढीली ढाली ज्यों टूटी डाल
अँगुलियाँ कि जैसे सूखी हुई पुआल,
छोटी-सी गरदन रंग बेहद बदरंग
हर वक़्त पसीने की बदबू का संग,
पिचकी अमियों से गाल लटे से कान
आँखें जैसे तरकश के खुट्टल बान,
माथे पर चिन्ताओं का एक समूह
भौंहों पर बैठी हरदम यम की रूह,
तिनकों से उड़ते रहने वाले बाल
विद्युत्-परिचालित मखनातीसी चाल,
बैठे तो फिर घण्टों जाते हैं बीत
सोचते प्यार की रीत, भविष्य, अतीत

कितने अजीब हैं इनके भी व्यापार
इनसे मिलिए, ये हैं दुष्यन्तकुमार

आत्म-परिचय की दिशा में मेरे पुराने आत्मीय लक्ष्मीकान्त वर्मा किसी से पीछे नहीं रहे। वे कहते हैं :

श्रीमान्
श्री श्री श्री लक्ष्मीकान्त;
बाल बिखरे
गाल चिपके

निष्प्रभ... क्लान्त;
आदि से अन्त तक
केवल अतुकान्त;
श्रीमान्
श्रीयुत्
श्री श्री श्री लक्ष्मीकान्त....

सर्वेश्वरदयाल सक्सेना से ख़ाकसार की कभी नहीं बनी मगर हम दोनों एक-दूसरे की रचनाओं के बराबर प्रेमी रहे। उनमें शक्ति भी थी और बेकार का दीर्घसूत्री अहंकार भी था। उनकी कुछ व्यंग्य-कविताएँ इस प्रकार हैं :

दंगे के बाद

जिसे तुम मन्दिरों में मस्जिदों में
चिड़ियाघर में खूँख्वार जानवर सा
ठण्डे गोश्त की तरह चबाते हों :
एक गलीज़ मुख में
ईश्वर का नाम
झिंझोड़े ठण्डे गोश्त सा :
ऐसा होता क्यों है?
धर्मग्रन्थ छू कर भी
किसी आदमी के हाथ
जंगली जानवर के पंजे में बदल जाते हैं
ज़हरीले नाख़ूनों से वह
नोचने लगता है
इंसान की सूरत...

ग़रीबी हटाओ

'ग़रीबी हटाओ' सुनते ही
वे एक बहुत बड़ी रोटी बेलने लगे
काफ़ी बेल लेने के बाद
उन्हें पता चला कि तवे छोटे हैं
और चूल्हे नदारद
फिर वे हाथ पर हाथ रख कर बैठ गये
आटे में जब लग गयी फफूँद
तब वे उससे ऐसी दवा तैयार करने की सोचने लगे

जिससे कि भूख मिटे

यह मेरा सौभाग्य है कि बच्चन जी की मुझ पर कृपादृष्टि रही। अपनी 'मधुशालीन' और रोमाण्टिक कविताओं के साथ-साथ उन्होंने कभी-कभी उत्कृष्ट व्यंग्य-कविताएँ भी लिखी हैं। नमूना हाज़िर है :

सन् 2069 में हिन्दी पाठक

बड़ा दुख
दुर्भाग्य बड़ा
इस कवि का मात्र अभिनन्दन-ग्रन्थ ही मिला।
कोई पुस्तक नहीं
किसी भी पुस्तकागार या अभिलेखागार में,
और किसी को याद नहीं
दो-चार पंक्तियाँ भी
इस कवि की।
कितने नकली, कितने छिछले
ग़लत मूल्यों का होगा युग वह--
सब कुछ मिलेगा
नहीं मिलेगी कवि की कविता

एक लोकगीत की धुन पर

आज महँगा है सैंया रुपैया
रोटी न महँगी
लहँगा न महँगा
महँगा है सैंया रुपैया
गाँधी न नेता
जवाहर न नेता
नेता है सैंया रुपैया

बहुत दिनों पहले कभी मैंने भारतभूषण अग्रवाल की 'गीत की खोज' नाम की एक रचना पढ़ी थी। उसको पढ़ते ही मैं उनके दर्शन करने को उत्सुक हो उठा था। काफ़ी वर्षों बाद दिल्ली में भेंट हुई। पहली मुलाक़ात ही में ऐसा लगा जैसे कि हम एक-दूसरे को वर्षों से जानते हों। इतना सरल, इतना निश्छल और इतना ख़ुशमिज़ाज आदमी देखने को फिर नहीं मिला। मेरी अन्तिम भेंट उनसे अशोका होटल में हुई थी जहाँ काफ़ी लोग राष्ट्रपति का कोई भाषण सुनने गये थे। वहीं मैंने अपने लड़के का उनसे परिचय करवाया था जिसे उन्होंने बड़े प्यार से शाबाशी दी थी। यूँ तो

उनकी काफ़ी हास्य-कविताएँ 'काग़ज़ के फूल' नाम की किताब में छपीं पर उनकी ज़्यादा मार्मिक कविताएँ उस पुस्तक के बाहर हैं जिनमें से कुछ मैं यहाँ देता हूँ :

कनाट प्लेस

गाड़ियों की गड़गड़ाहट
साड़ियों की सरसराहट
नाड़ियों की हरहराहट

अनुपस्थित लोग

ये बेयरे, ये वेटर
चाभीदार खिलौनों से
चलते, झुकते या थमते हैं
ये सब के सब
यहाँ नहीं कहीं और हैं :
लजाओ मत!

सामने बैठा बाबू
'बास' के क़िस्से सुना रहा है
वह यहाँ नहीं, दफ़्तर में है :
चारों तरफ़ के ये अनगिनत लोग
अपने दफ़्तरों को साथ लिए
खाते पीते, सोते जागते, हँसते रोते हैं
इन्हें जो दफ़्तरों से मुक्ति दे—
वह दफ़्तर अभी नहीं खुला
और ये कामरेड?
ये यहाँ नहीं
ये चीन या रूस में हैं;
ये जर्नलिस्ट
किसी वी.आई.पी. कान्फ्रेंस में हैं;
ये प्रोफ़ेसर
टैक्स्ट-बुक कमेटी में हैं
ये बिज़िनेस-मैन
इनकम-टैक्स के वकील के यहाँ हैं,
ये संसत्सदस्य

अभिनन्दन समारोह में हैं,
और ये शोख़ कुमारी
जिसका पल्लू रह रह लहराता है
सिनेमाघर में है...

लजाओ मत सुन्दरि,
तुम, मैं
तुम और मैं
और यहाँ कौन है?

विदेह

और तब धीरे-धीरे ज्ञान हुआ
भूल से मैं सिर छोड़ आया हूँ दफ़्तर में
हाथ बस में टँगे रह गये
आँखें उलझी रह गयीं फ़ाइलों में
मुँह टेलीफ़ोन से चिपटा होगा
और पैर—हो न हो क्यू में ही रह गये
तभी तो मैं आज घर आया हूँ
एकदम विदेह...

सच्चाई

मेनका अस्पताल में नर्स हो गयी
विश्वामित्र करने लगे ट्यूशन
उर्वशी ने डांस-स्कूल खोल लिया
नारद बजाने लगे गिटार
और बृहस्पति करने लगे अँग्रेज़ी से अनुवाद

भवानीप्रसाद मिश्र—जैसा कि मैंने उन्हें पाया—एकदम निश्छल, बच्चों की भाँति सरल और स्नेह व आत्मीयता से परिपूर्ण व्यक्ति थे। मैं उनसे कई बार मिला। उन्हीं की भाँति उनकी कविता भी एकदम स्वाभाविक और अकृत्रिम होती थी। नये कवियों में वे शायद अकेले ऐसे व्यक्ति थे जो गम्भीर पाठकों द्वारा भी मनोयोग से पढ़े जाते थे और विशाल जनसमारोहों में भी तन्मयता के साथ सुने जाते थे। "कवि, कविता और पाठक के बीच वैसी आत्मीयता किसी दूसरे हिन्दी कवि को नहीं प्राप्त हुई। और लोगों की कविता हर वक़्त कविता बनी रहती है। लोग या तो मुग्ध होकर झूमते हैं या फिर वाह-वाह करते हैं। भवानी भाई की कविता में लोग होते ही नहीं, वे स्वयं कवि हो

चुकते हैं। यही उनका अपनापन है कि कवि और श्रोता का भेद समाप्त हो जाता है। 'गीत फरोश' उनकी सर्वश्रेष्ठ कविता है; इसमें इस देश के साहित्यकार की दयनीयता भी उभरकर सामने आती है और उन लोगों का मुखौटा भी हटता है जो हर बड़े आदमी के दरबारी बनते हैं, विदेशों का दौरा करते हैं, साहित्य अकादमी वग़ैरह से पुरस्कार पाते हैं और बिना किसी विशिष्टता के राजकीय सम्मान और उपाधियाँ बटोरते हैं। लीजिए अब आप सचेत होकर बैठिए और उनकी उस कालजयी कविता को सुनिए :

गीत फ़रोश

जी हाँ हुज़ूर, मैं गीत बेचता हूँ
मैं तरह तरह के गीत बेचता हूँ
मैं किसिम किसिम के गीत बेचता हूँ

जी, माल देखिए, दाम बताऊँगा
बेकाम नहीं हैं, काम बताऊँगा
कुछ गीत लिखे हैं मस्ती में मैंने
कुछ गीत लिखे हैं पस्ती में मैंने
यह गीत सख़्त सिर दर्द भुलाएगा
यह गीत पिया को पास बुलाएगा

जी, पहले कुछ दिन शर्म लगी मुझको
और बाद बाद में अकल जगी मुझको
जी, लोगों ने तो बेच दिये ईमान
जी, आप न हों सुनकर ज़्यादा हैरान
मैं सोच समझ कर आख़िर
अपने गीत बेचता हूँ
जी हाँ हुज़ूर, मैं गीत बेचता हूँ
मैं किसिम किसिम के गीत बेचता हूँ

यह गीत सुबह का है, गा कर देखें
यह गीत ग़ज़ब का है, ढा कर देखें
यह गीत ज़रा सूने में लिखा था
यह गीत वहाँ पूने में लिखा था
यह गीत पहाड़ी पर चढ़ जाता है
यह गीत बढ़ाए से बढ़ जाता है

यह गीत भूख और प्यास भगाता है
जी, यह मसान में भूत जगाता है
यह गीत भुवाली की है हवा हुज़ूर
यह गीत तपेदिक की है दवा हुज़ूर
जी, और गीत भी हैं; दिखलाता हूँ
जी, सुनना चाहें आप तो मैं अब गाता हूँ

जी छन्द और बेछन्द पसन्द करें
जो अमर गीत हों और वे जो तुरत मरें
ना, बुरा मानने की इसमें क्या बात
मैं ले आता हूँ कलम और दावात
इनमें से भाये नहीं, नये लिख दूँ
जी नये चाहिए नहीं, गये लिख दूँ
मैं नये पुराने सभी तरह के
गीत बेचता हूँ
जी हाँ हुज़ूर मैं गीत बेचता हूँ
मैं किसिम किसिम के गीत बेचता हूँ

मैं गीत जनम का लिखूँ, मरण का लिखूँ
मैं गीत जीत का लिखूँ, शरण का लिखूँ
यह गीत रेशमी है, यह खादी का
यह गीत पित्त का है, यह बादी का
कुछ और डिज़ाइन भी हैं, यह इलमी
यह लीजे चलती चीज़, नयी फ़िल्मी
यह सोच सोच कर मर जाने का गीत
यह है दुकान से घर जाने का गीत

जी नहीं, दिल्लगी की इसमें क्या बात
मैं लिखता ही तो रहता हूँ दिन-रात
जी, तरह तरह के बन जाते हैं गीत
जी, रूठ रूठ कर मन जाते हैं गीत
जी, बहुत ढेर लग गया, हटाता हूँ
गाहक की मर्ज़ी ऐसी तो मैं जाता हूँ
या भीतर जाकर पूछ आइए आप

है गीत बेचना वैसे बिल्कुल पाप
क्या करूँ मगर लाचार
हार कर गीत बेचता हूँ :
जी हाँ हुज़ूर मैं गीत बेचता हूँ
मैं तरह तरह के गीत बेचता हूँ
मैं किसिम किसिम के गीत बेचता हूँ....

हंसों की वाणी इतनी देर सुनने के बाद यदि थोड़ी-सी वाणी बगुले की भी सुन ली जाए तो शायद वह आपको उतनी बुरी नहीं लगेगी। मेरा अभिप्राय एक कविता अपनी सुनाने से है जिसे आप सहन कर लें। यह कविता बच्चन जी को पसन्द आयी और उन्होंने इसे अपने द्वारा सम्पादित 'हिन्दी की प्रतिनिधि श्रेष्ठ कविताएँ' नामक संग्रह में शामिल किया। कविता इस प्रकार है :

अन्धा पड़ाव

ड्राइंग रूम में वह नहीं आया
उसके चमचमाते जूते आये,
जब मिलाया उसने हाथ
मुलाक़ात रह गयी दस्तानों तक,
जब वह बैठा सोफ़े पर
तो उसकी जगह एक शानदार सूट वहाँ बैठ गया,
कफ़ों ने पकड़ा काफ़ी का कप
टाई और कालर ने ब्रेकफ़ास्ट किया,
उसके होठ नहीं हँसे बिल्कुल
सिर्फ़ उसकी सिगरेट चमकी

विदा की जगह हिलता रहा रूमाल :
वह नहीं निकला पोर्च के बाहर
सिर्फ़ उसकी मोटर निकली...

ऊपर जो दर्दभरी व्यंग्य-कविताएँ मैंने प्रस्तुत की हैं, उनके रचनाकारों को जो तनाव, यातना और दुख सहना पड़ा होगा, उसका अनुमान लगाना कठिन है। यहाँ मैं, जैसी कि मेरी आदत है, आपकी ख़िदमत में एक शेर पेश करता हूँ जो सारी स्थिति का पर्दाफ़ाश करता है :

जो तार से निकली है, वह धुन सबने सुनी है
जो साज़ पे गुज़री है, वो किस दिल को पता है?

आस-पास

साहित्य जो होता है वह समाज का दर्पण होता है। यही वह कारण है जिसकी वजह से लेखक लोग जो होते हैं वे समाज से (और किसी-किसी स्थिति में आर्यसमाज से) स्नेह रखते हैं। मैं भी एक "सामाजिक पशु" प्लैटो हूँ और इस सन्दर्भ में मैं आज उन नरपुंगवों की चर्चा करूँगा जिनके बीच मैं रहता हूँ।

मेरे मकान के ऊपरी तल्ले में एक सज्जन रहते हैं जोकि जन्मजात कवि हैं। जन्म के समय भी जो विलाप इन्होंने किया था वह भी विलाप और रतिविलाप की भाँति 'वैतालीय' छन्द में ही किया था। पिछले कई वर्षों से ये इस इलाके के कवि-सम्मेलनों के प्राण हैं। अगर कोई संयोजक इन्हें आमन्त्रित नहीं करता तो स्थिति यह होती है कि यह महाशय उनका कवि-सम्मेलन ही नहीं होने देते। इनका कण्ठ कुछ ऐसा है कि जब ये शृंगार रस की कविता पढ़ते हैं तो पण्डाल में वीररस का वातावरण छा जाता है और जब ये वीररस का काव्यपाठ करते हैं तो वह शुद्ध करुण रस का मज़ा दे देता है। कविता जो पढ़ते हैं वह प्रायः किसी दूसरे की होती है। चरित्रवान् इतने हैं कि यदि असली कवि भी सामने बैठा हो तब भी उसकी कविता अपने नाम से पढ़ते हुए इन्हें संकोच नहीं होता। पहले दर्जे का किराया लेते हैं और सफ़र जो होता है वह प्रायः मालगाड़ी से सम्पन्न करते हैं। काफ़ी बेतकल्लुफ़ हैं और मदिरा का सेवन खुलेआम करते हैं। दूसरों की माता को अपनी पत्नी का स्थान देने के सिलसिले में प्रायः पिटते भी रहते हैं। क्योंकि ये मेरे मकान के ही एक हिस्से में रहते हैं, मुझे इनके काव्य को पूरी तरह सुनना एक भौगोलिक विवशता है जिसका कि एक अलग इतिहास है। महाकाव्य का पुलिन्दा ले आते हैं और चाबी के खिलौने की भाँति शुरू हो जाते हैं। काव्यपाठ करते समय इनकी आँखें मिंच जाती हैं और मौक़ा पाते ही मैं अपने घर से खिसक जाता हूँ। जहाँ तक इनका प्रश्न है, ये तो महाकवि दाग़ के वंशज हैं। जहाँ बैठ गये, बैठ गये। आम पब्लिक के दिमाग़ में एक कलाकार का जो ख़ाका होता है, ये उसकी जीती-जागती तस्वीर पेश करते आये।

बराबर के मकान में एक गृहस्थ रहता है जोकि सचमुच में पलायनवादी कहा जा सकता है। पति महोदय जो हैं वे ब्राह्म मुहूर्त में अपने कुत्ते के साथ भागते हैं

और बाकी वक़्त जो बचता है उसमें इनकी लड़कियाँ लड़कों के साथ भागती रहती हैं। पलायनवाद की यह परम्परा इनके यहाँ काफ़ी पुरानी है क्योंकि पति महोदय की जो पत्नी है, उसे भी वे भगाकर ही लाये थे। इनका सारा का सारा परिवार एकदम क्रियाशील है और घर का कोई भी व्यक्ति हाथ पर हाथ रखकर बैठना पसन्द नहीं करता। अगली पीढ़ी भी काफ़ी होनहार है क्योंकि उस दिन मैंने देखा कि इन्हीं का एक छोटा-सा कुलदीपक बच्चागाड़ी में ही बैठा-बैठा हुआ अपनी आया को भागने की सलाह दे रहा था। हाँ, अलबत्ता उनकी जो पत्नी हैं वे अब स्थिर हो गयी हैं और उसका कारण है उनका बीमार रहना। सच्चाई यह है कि इनका इलाज करते-करते कई डॉक्टर ख़ुद परलोक सिधार गये मगर ये हैं कि सारी बीमारियों के बावजूद अभी भी पूरी मात्रा में विराजमान हैं। 'अश्क' जी की भाँति दुनिया की कोई ऐसी बीमारी नहीं जो इन्हें न हुई हो और सरकारी अस्पताल में ऐसा कोई डॉक्टर या नर्स नहीं है जिससे इनकी हाथापाई न हुई हो। देखने-भालने में काफ़ी विशालकाय हैं और आम सेहत का आदमी तो इनके साथ युद्ध करने की सोच भी नहीं सकता। घटोत्कच या कुम्भकर्ण का साक्षात् स्त्री-संस्करण। मैं तो जब कभी मिलता हूँ, दूर से ही प्रणाम कर लेता हूँ और रास्ता छोड़ देता हूँ। पिछली बार मिली थीं तो बता रही थीं कि उन्हें अब तक कोई पचीस बार तो दिल का दौरा पड़ चुका है। हम सुनते हैं और चुप रहते हैं। हम जानते हैं कि दिल का दौरा हमारी किस्मत में नहीं है। कारण यह है कि बरसों पहले हमारा दिल एक ख़ूबसूरत लड़की ने ले लिया था जो उसने कभी नहीं लौटाया। लड़की क्या थी, एकदम क्लॉक-रूम थी। न जाने कितने दिल उसकी हिफ़ाज़त में थे, हैं, और रहेंगे।

सामने के मकान में एक शिकारी किस्म के इंसान रहते हैं। बन्दूक उठाई और चल पड़े शेर का शिकार करने। वैसे ख़ुदा गवाह है कि सिवा मेंढक और चन्द चूहों के इन्होंने सृष्टि के किसी भी प्राणी को कभी कोई क्षति नहीं पहुँचायी। जब शिकार पर जंगल नहीं जाते, तो ये अपना धन्धा बस्ती में ही शुरू कर देते हैं। जिस किसी लड़की को देखा, लगे उससे इश्क़ करने। प्रायः यह प्रेम एकतरफ़ा और पवित्र ही रहता है क्योंकि बीच-बीच में ये पिटते भी रहते हैं। अहिंसावादी प्रेमी हैं, ख़ुद कभी किसी को नहीं पीटते। एक बार अस्पताल जो गये तो अवधि पूरी होने से पूर्व ही वहाँ से बाइज़्ज़त बाहर निकाल दिये गये। हालत यह हो गयी थी कि डॉक्टरनी, नर्स, पास के बिस्तर पर लेटी युवती और उसकी अम्माँ—इन चारों से उन्होंने एक साथ ही प्रेम करना शुरू कर दिया था। इश्क़ और शिकार से जो समय बचता है उसमें ये बीमा करने का काम करते हैं। ख़ुदा गवाह है कि इन्होंने जिस किसी का भी बीमा किया वह छः महीने के भीतर ही परलोक सिधार गया। कम-से-कम प्रीमियम देने के बावजूद, लोगों के परिवारों को लाखों रुपये मिले।

इनसे ज़रा हटकर एक दूसरे सज्जन रहते हैं जो सपरिवार राष्ट्र की सेवा में

समर्पित हैं। एक लड़का जनसंघ में है तो दूसरा लड़का कम्युनिस्ट पार्टी का मेम्बर है। खुद नयी कांग्रेस में हैं और पत्नी जो है वह पुरानी कांग्रेस में है। विभिन्न राजनीतिक पार्टियों के सह-अस्तित्व की इससे बेहतर मिसाल और कहीं नहीं मिल सकती। हकूमत किसी भी पार्टी की हो, इनकी सब तरफ़ चाँदी ही चाँदी है। प्रायः मेरे यहाँ आ जाते हैं और एक-दो घण्टे का छोटा-सा भाषण दे जाते हैं। राष्ट्र के प्रति इनका जो पारिवारिक प्रेम है वह बेजोड़ है। उसे देखकर वाणी के नयन और नयनों के वाणी नहीं रहती। बिना कुछ किये-धरे लखपति हो गये। जो कुछ भी करते हैं वह रचनात्मक ही होता है। मेरे ख़याल से इन्हें प्रदेश का मुख्यमन्त्री होना चाहिए। जो आदमी खुद को इतना अमीर बना सकता है, वह क्या राष्ट्र को अमीर नहीं बना सकता?

मेरे मकान से थोड़ा-सा बचकर एक सरकारी अफ़सर का बँगला है। रिश्वत लेने की प्रथा को ये सज्जन, कला और विज्ञान—दोनों रूपों में ग्रहण करते हैं। सरकार कोई भी हो, इनकी प्रगति को कोई नहीं रोक सकता। तराई में फ़ार्म है, शहरों में प्लाट हैं और न जाने किस-किस धन्धे में इनकी पवित्र पूँजी लगी है। शराब छूते तक नहीं, पर-स्त्री को माता क्या दादी समझते हैं और शायद ही ऐसा कोई धार्मिक संगठन हो जिससे ये सम्बन्धित न हों। दोनों वक़्त पूजा होती है, सत्यनारायण की कथा करवायी जाती है और यथाशक्ति सबके काम भी आते हैं। दूसरे शब्दों में सिवा रिश्वत के और कुछ भी वर्णन करने लायक नहीं है। हाँ रिश्वतरूपी लक्ष्मी जो है, वह निरन्तर इनकी सेवा में आती चली जा रही है और आती लक्ष्मी को ठोकर मारना कहाँ की शराफ़त है? अरे अगर लक्ष्मीरूपी बाई आना ही चाहती है, तो आने दो। लक्ष्मी भी तो बहादुरों के पास ही आती है, मेरे और आप-जैसे कायरों के पास नहीं। अगर कभी फँस भी गये तो भी कोई चिन्ता नहीं। रिश्वत का कुछ हिस्सा पुलिसवालों को दे दिया जायेगा और छुट्टी। जिस प्रकार लोहे को लोहा काटता है, उसी प्रकार रिश्वत जो है, उसकी रक्षा भी रिश्वत ही करती है। ऐसा शायद सदा से होता आया।

रचना काफ़ी लम्बी हो गयी। बाकी महल्लेदारों की कथा फिर कभी सुनाऊँगा। बहरहाल मुझे इन सबसे सच्ची हमदर्दी है। जो व्यक्ति अपने पड़ोसी से प्रेम नहीं करता, वह भला भगवान से क्या प्रेम करेगा?

आनेवाला कल

पिछले दिनों एक प्रख्यात सिने-कलाकार के बारे में कुछ शिक्षाप्रद साहित्य पढ़ा और उनके चित्र भी देखे। मेरे ख़याल में ये हनुमान जी के पहले ऐसे भक्त थे जो देखने-भालने में खुद भी हनुमान जी ही लगते थे। एकदम वही डीलडौल, वही रूप और वही मुद्रा। भक्त और भगवान का अन्तर एकदम समाप्त। पूँछ भी ज़रूर रही होगी, यह दीगर बात है कि फ़ोटो में वह नहीं आ पायी। इस कलाकार ने अपने गले में इतनी मालाएँ, इतने रुद्राक्ष, मूर्तियाँ और पत्थर और इतने ताबीज़ और गण्डे पहन रखे थे कि इन विभिन्न पदार्थों का वज़न इनके निजी वज़न से कहीं ज़्यादा ही रहा होगा। पता नहीं इतना भार ये ढोते कैसे होंगे? मगर शायद वही शायर की पुरानी बात कि—मालगाड़ी पै जिन्हें भरोसा है अकबर, उनको क्या ग़म है गुनाहों की गरांबारी का। ये जो गण्डे और ताबीज़ किस्म की चीज़ें इन्होंने अपनी नश्वर देह पर धारण कर रखी थीं, ये इसलिए थीं कि इनका भविष्य जो है वह सुरक्षित और मंगलमय रहे। बात भी ठीक है। भविष्य की चिन्ता किसे नहीं होती? भविष्य के लिए अपना वर्तमान किसने नहीं बरबाद किया?

इतिहास ने न जाने कितने व्यायाम और योगाभ्यास किये पर यह जो 'काल' नाम का पदार्थ है, इस पर उनका कोई प्रभाव नहीं पड़ा। कालों का अकाल कभी नहीं पड़ा। भूतकाल और ज़्यादा भूत होता गया, वर्तमान काल सदा आपकी सेवा के लिए आपके सामने प्रस्तुत रहा और भविष्यकाल सदा उतना ही अनिश्चित रहा जितना की वह पहले था। उसके इस अनिश्चित होने ही ने ज्योतिष, तन्त्र-मन्त्र और पूजापाठ को जन्म दिया। सच तो यह है कि सृष्टि की उत्पत्ति यदि ईश्वर ने की तो ईश्वर की उत्पत्ति भविष्यकाल के कारण हुई। न भविष्य अनिश्चित होता और न भगवान निश्चित किये जाते। पुराने नीतिकारों ने 'कालाय तस्मै नमः' कहकर बार-बार जो दण्डवत की है वह केवल भविष्यकाल की ही की है। इस बात में जो शंका करते हैं वे नास्तिक हैं। मेरी हार्दिक इच्छा है कि उनका भविष्य नितान्त अन्धकारमय हो।

आनेवाले कल को जानने के लिए बड़े-बड़े वीर और सूरमा पुरुषों ने पण्डितों और साधुसन्तों को अपने हाथ दिखाये और बड़ी-बड़ी कुलवन्ती सुन्दरियों ने पीरों

और फ़क़ीरों के सामने हाथ ही क्या, अपने बाकी अंग भी प्रस्तुत किये। बड़े-बड़े ज्ञानियों ने अपना भविष्य जानने के लिए औघड़ बाबा की लँगोटी धोयी और बड़े-बड़े नास्तिकों ने अपनी चहेतियों से निकट सम्पर्क स्थापित करने के लिए वशीकरण अँगूठियाँ पहनीं। और हालाँकि पुरुषों की अपेक्षा स्त्रियों का भविष्य सदा से ज़्यादा निश्चित रहा पर फिर भी भविष्य के प्रति उनकी जिज्ञासा कहीं ज़्यादा रही। बात पूजापाठ से आरम्भ हुई और गण्डे ताबीज़, ज्योतिष, जन्त्र-मन्त्र और न जाने क्या-क्या नदी-नाले पार करती हुई नरबलि तक पहुँच गयी। मेरे ज़िले में अभी भी विश्वास किया जाता है कि यदि कोई पतिव्रता सात गाँवों में अग्निकाण्ड सम्पन्न कर दे तो वह बिना पति के भी बच्चा दे सकती है। अब ऐसे पवित्र विश्वास को क्या कहिए? इस सादगी पर कौन नहीं कुर्बान जायेगा?

जैसे 'इश्क़' दो किस्म का होता है—इश्क़े मजाज़ी और इश्क़े हक़ीक़ी (समयाभाव के कारण मुझे केवल पहले का ही अनुभव रहा), ठीक वैसे ही ज्योतिष भी दो तरह की होती है—फलित ज्योतिष और गणित ज्योतिष। गणित ज्योतिष में दाढ़ीवाले पण्डित जी स्लेट पर तीन घण्टे हिसाब लगाते हैं, पत्रापत्री देखते हैं, अपनी अँगुलियों के निशान गिनते हैं और फिर बड़े विश्वास के साथ बताते हैं कि आगामी छः महीने की अवधि में पुत्र का योग है या कि पुत्री का। और जब प्रश्न करनेवाली कन्या कहती है कि पुत्र और पुत्री का योग तो बाद में बताना, फ़िलहाल यह बताइए कि पति का योग भी है कि नहीं, तो ये बेचारे स्लेट के सहारे फिर व्यायाम करने लगते हैं। फलित ज्योतिष में ऐसा कुछ नहीं होता। वहाँ तो इधर ब्रह्मचारी जी ने कन्या का चाँद-सा मुखड़ा देखा और उधर भविष्यवाणी कर दी कि यदि वह उनके बताये मार्ग पर चलेगी तो अखण्ड सौभाग्यवती रहेगी। न जाने कितनी भोली लड़कियाँ ब्रह्मचारी जी के बताये मार्ग पर चलीं और कोठों पर पहुँच गयीं जहाँ वे इतने सुख से रहीं जितना कि कोठियों तक में नहीं मिल सकता था। इस सन्दर्भ में दीवान जरमनीदास ने अपनी किताब 'महाराजा' में बनारस के एक सन्त का बड़ा दिलचस्प क़िस्सा दर्ज़ किया है। और हाँ, यूरोप में तो इधर उरोज देखकर भविष्य बताने की प्रथा चली है जो पता नहीं क्यों, मुझे बहुत वैज्ञानिक व तर्कसंगत लगती है। आशा है, धीरे-धीरे यह प्रथा हमारे देश में भी आयेगी। पश्चिम में जो कुछ भी श्रेष्ठ साबित हुआ है, वह हमें यहाँ भी ग्रहण करना चाहिए। इंशाअल्लाह, मैं तो उसे दोनों हाथों से ग्रहण करूँगा।

ज्योतिष का शौक़ एक बार ख़ाकसार को भी हुआ था। एक बार एक ऐसी नाज़नीन मिली कि उसके लिए ज्योतिष क्या, किसी भी चीज़ का रिस्क मोल लिया जा सकता था। जो बात कभी महाकवि अकबर ने इलाहाबाद के मैदानों पर कही थी, वही बात रानीखेत के पहाड़ों पर सच साबित हो गयी: मुमकिन नहीं अब मिस तेरा नोटिस न लिया जाय, गाल परीज़ाद हों और 'किस' न लिया जाय। जहाँ न

जाने कितने ज्ञानी और मतिमान् पुरुष लड़कियों के पीछे कापालिक हो गये, वहाँ उस बालिका के हेतु मैं 'हस्तरेखाविशारद्' हो गया। पहले मैंने उसके हाथ देखे, फिर कलाइयाँ देखीं, और इसके बाद चन्द दीगर हिस्सों को पार करता हुआ मैं उसके मुख को देखने लगा। एकदम चाँद था। वह अपने भविष्य को लेकर चिन्तित थी पर मैं जो था वह उसके वर्तमान से ही सन्तुष्ट था। ख़ैर, जब मैं उसकी मुलायम-मुलायम हथेलियाँ सहला रहा था तो उसके पति ने हमें देख लिया। पता नहीं क्यों, उस मुच्छड़ को ज्योतिषशास्त्र से नफ़रत थी और उसके स्थान पर शॉटगन से प्यार था। बहरहाल ज्योतिष फलित निकला क्योंकि इसका फल मुझे अगले दिन ही मिल गया। चन्द भविष्यवाणियाँ करने के बाद मैं 'जो हिनहिनाया है आज इतना, तो लीद भी कर'—की तर्ज़ पर जैसे ही अपना पारिश्रमिक माँगने की स्थिति में पहुँचा और जैसे ही मैं 'चन्दा वसूल होता है साहब दबाव में' वाले मन्त्र पर अमल करने जा रहा था वैसे ही उस कन्या के उस मुच्छड़ और नास्तिक पतिदेव ने मुझे डाकबँगले के पीछेवाली हज़ारों फ़ीट गहरी घाटी दिखायी और यह सूचना भी दी कि रात के वक़्त हाथ-पैर बाँधकर वे मुझे वहाँ निःशुल्क फेंकना चाहते हैं। उनकी उदारता देखकर आँखों में आँसू आ गये। हिंसा से हमें सदा से नफ़रत रही और इसी कारण हम अगले ही दिन 'मेरी जाँ लुट गया मैं तो तुम्हारा मेहमाँ होकर' वाली ग़ज़ल याद करते हुए रानीखेत से वापिस चले आये।

मैंने तो रानीखेत छोड़ दिया पर लोगों ने ज्योतिष कभी नहीं छोड़ी। संसार के न जाने कितने महान् युद्ध ज्योतिष के आधार पर ही लड़े गये और न जानें कितने परिवारों में भी गृहयुद्ध की स्थिति मात्र इसी कारण रही क्योंकि लड़के और लड़की की जन्मपत्रियाँ जो थीं, वे ठीक प्रकार नहीं मिलायी गयी थीं। जन्मपत्रियाँ यदि भली प्रकार मिलायी जातीं तो दोनों प्राणी उसी भाँति सुख से रहते जैसे राम और सीता रहे थे। गृहयुद्ध की चर्चा से मुझे याद आया कि वियतनाम के युद्ध के पीछे भी ज्योतिष का हाथ रहा; इधर चन्द ज्योतिषियों ने चन्द हिसाब लगाये और उधर लाखों बेगुनाह अपनी जान से गये और वह भी हमेशा के लिए। सिकन्दर, जूलियस सीज़र और बाबर—इनकी मृत्यु ठीक उसी तरह हुई जैसे कि ज्योतिषियों ने बतायी थी और बाकी कुछ लोगों के सन्दर्भ में तो हत्या भी ज्योतिषियों ने ख़ुद ही की। प्राचीन यूनान के एक मन्दिर की पुजारिनें लोगों का भविष्य कभी ठीक उसी भाँति निश्चित किया करती थीं जैसे इन दिनों सामने के कॉलेज की लड़कियाँ करती हैं। नास्त्रेदाम की भाँति भविष्यवाणी करने की प्रेरणा इन बालिकाओं को भी देवदूतों से ही मिलती है; यह दीगर बात है कि उन देवदूतों में से कुछ माल रोड पर ही रहते हैं। कीरो एक बहुत बड़ा हाथ देखनेवाला व्यक्ति था हालाँकि धोखाधड़ी के अपराध में उसे एक बार डेढ़ वर्ष की सज़ा हुई थी। क्लियोपेट्रा तथा हेनरी तृतीय जैसे बड़े लोग भविष्य की घटनाओं का संकेत कभी-कभी अपने सपनों में पाते थे। सपना

वाकई कभी-कभी बड़ा निश्चित संकेत देता है, ख़ासकर तब जबकि वह किसी लड़की का नाम हो। एक ऐसी रूपवती लड़की को मैं भी जानता हूँ। जिस प्रकार यूरोप की एक कन्या को भविष्य का पता अपने जूते देखकर लगता था, ठीक उसी प्रकार आस-पास के क्षेत्र के नौजवानों का भविष्य बताने में इस शोख़ लड़की के बाप के जूते ने वर्षों तक काफ़ी ज़िम्मेदारी से काम किया।

एक विश्वविख्यात महिला थी जिसने चार वर्ष की आयु से ही भविष्यवाणी करना प्रारम्भ कर दिया था। ख़ैर, ख़ाकसार इतना बड़ा जीनियस तो कभी नहीं रहा पर इतना सच है कि साढ़े-चार बरस की उम्र से मैं भी भविष्यवाणियाँ करने लगा था और वे भी ऐसी भविष्यवाणियाँ जो कभी ग़लत नहीं गयीं। 'सादा जीवन उच्च विचार' वाले सिद्धान्त को ध्यान में रखते हुए 'ऐन कैली' तो प्याज़ के टुकड़ों की सहायता से यह क्रिया सम्पन्न किया करती थी पर मैं था कि प्याज़ का सहारा भी कभी नहीं लेता था। मैं तो बिना किसी बाहरी या आन्तरिक सहायता के पाँच वर्ष की आयु में ही यह बताने की स्थिति में आ गया था कि यदि कोई शोख़ लड़की आज दस वर्ष की है तो अगर वह ज़िन्दा रही तो छः साल बाद जवान बनेगी और ग़ज़ब की हसीन जवान बनेगी। वैसा होने से उसका मुच्छड़ बाप भी उसे रोक नहीं सकेगा।

कुछ डॉक्टरों की याद में

डॉक्टरी और साहित्य का सम्बन्ध बड़ा घनिष्ठ व पुराना है। ओलिवर गोल्डस्मिथ, सर आर्थर कानन डॉयल, चेख़व व सामरसेट माम पेशे से डॉक्टर ही थे। हमारे यहाँ तो स्थिति इतनी नाज़ुक हो गयी थी कि आयुर्वेद के सबसे बड़े ज्ञाता को 'कविराज' ही कहकर पुकारा जाता था। दवाइयों के नाम भी बड़े ललित होते थे, जैसे चन्द्रप्रभा गुटिका, कुमारी आसव, मकरध्वज, स्वर्णपर्पटी, चिन्तामणि इत्यादि-इत्यादि। मैं स्वयं तो डॉक्टर नहीं बना पर मेरे पिताश्री अवश्य एक योग्य चिकित्सक थे। हसीन बेवाओं के इलाज में तो उन्हें कमाल हासिल था। कई हसीना तो ऐसी थीं जो उन्हीं की कृपा से बेवा हुई थीं ताकि उनकी प्राकृतिक चिकित्सा बिना किसी संकोच के चल सके। हिम्मते मर्दां, मददे ख़ुदा।

अपने संस्मरण लिखने से पूर्व मैं डॉक्टरों के बारे में कुछ सामान्य तथ्य आपके सम्मुख रखना चाहूँगा। कुछ डॉक्टर ऐसे होते हैं जिनका निदान ग़लत होता है। वे इलाज करते हैं निमोनिये का और मरीज़ जो मरता है वह दिल के दौरे से मरता है। कुछ डॉक्टरों का निदान कभी ग़लत नहीं होता; वे यदि निमोनिये का इलाज करते हैं तो मरीज़ निमोनिये से ही मरता है। तीसरी किस्म के अनुभवी डॉक्टर वे हैं जो मात्र इलाज ही करते हैं; मरीज़ को क्या बीमारी थी--इसका पता शवपरीक्षा से ही लगता है, उससे पहले नहीं। कुछ डॉक्टर इतने भावुक होते हैं कि उनकी चिकित्सा से रूपवती रमणियाँ कभी भी नीरोग नहीं होतीं। एक डॉक्टर की क़ब्र पर लिखा था—डॉक्टर भीतर हैं, आप बैठिए और अपनी बारी आने की प्रतीक्षा कीजिए। एक रोगी ऐसा था कि बीमार होते ही डॉक्टर बुलवाता था क्योंकि उसे भी ज़िन्दा रखना था, फिर वह कैमिस्ट से दवाइयाँ मँगवाता था क्योंकि उसे भी ज़िन्दा रखना था और दवाइयाँ आ जाने पर वह उन्हें नाली में फेंक देता था क्योंकि वह अपने को भी ज़िन्दा रखना चाहता था। बड़ा डॉक्टर वह है जो अपना नुस्ख़ा इस तरह लिखता है जिसे कोई न पढ़ सके, पर वह अपना बिल इतना साफ़ लिखता है कि उसे सब कोई निरक्षर होने पर भी सरलता से पढ़ सकें। एक डॉक्टर ने नुस्ख़ा कुछ ऐसी सांकेतिक भाषा में लिखा कि रुग्णा युवती का कैमिस्ट ही उसे पढ़ पाया। ठीक होने के बाद उस युवती ने उस नुस्ख़े के आधार पर शास्त्रीय संगीत सीखा और उसके बाद वह

उस नुस्ख़े को रेल में मुफ़्त यात्रा करने के लिए दिये गये आज्ञापत्र के स्थान पर वर्षों तक प्रयोग करती रही। नौसेना के एक नितान्त नये अधिकारी ने बीमार पड़ने पर जहाज़ के डॉक्टर से कहा था कि कृपा करके इतना ध्यान अवश्य रखिए कि मैंने जलसेना में नौकरी इस दुनिया को देखने के लिए की है, दूसरी दुनिया देखने के लिए नहीं। कुछ डॉक्टर हैं जो दोनों गोलार्द्धों की सुन्दर स्त्रियों को टोस्ट प्रस्तुत करते हैं और कुछ डॉक्टर ऐसे हैं कि सुन्दर स्त्रियों के दोनों गोलार्द्धों को टोस्ट पेश किया करते हैं। कुछ डॉक्टर इतने व्यस्त रहते हैं कि बुरी तरह बीमार व्यक्ति को देखने के लिए भी तीन हफ़्ते बाद की तारीख़ देते हैं और यदि रोगी या उसका परिचारक डॉक्टर से पूछता है कि यदि इस बीच मरीज़ मर गया तो क्या होगा, तो डॉक्टर बड़ी सहानुभूति के साथ उत्तर देता है कि वैसी स्थिति में आप मुलाक़ात सदा कैंसिल करवा सकते हैं। एक डॉक्टर था जिसके किसी मरीज़ ने कभी कोई शिकायत नहीं की क्योंकि मुरदा लोग कभी शिकायत करते ही नहीं।

जिस क़स्बे में मेरा जन्म हुआ, वहाँ डॉ. रशीद अहमद सबसे बड़े डॉक्टर थे। उनके गले को बिना स्टैथेस्कोप और उनके मुखारविन्द को बिना मूँछों के मैंने कभी नहीं देखा। वे अस्पताल और अपने घर के बीच टेलीफ़ोन की व्यवस्था रखते थे। वे पहले फ़ौज में जानवरों के डॉक्टर थे मगर जब उन्होंने वही निदान और वही दवाइयाँ इंसानों पर आज़मानी शुरू कीं तो उन्हें आशातीत सफलता मिली। वह स्त्रियों को प्रसव भी कराते थे और मौक़ा पड़ने पर सर्जरी भी करते थे। उन्होंने अपनी जन्मजात योग्यता के बल पर लाखों रुपये कमाये और अपने इकलौते पुत्र को बाक़ायदा डॉक्टर बनाया और जब वही सुपुत्र पाकिस्तान चला गया तो उन्होंने उसी ग़म में दुनिया छोड़ दी। मेरे क़स्बे में एक अलौकिक प्रतिभा रखनेवाला हकीम भी था जो मरीज़ों को बिना दवा के ठीक कर दिया करता था। जेम्स प्रथम, मार्क ट्वेन और अशोक कुमार तक ने 'काले जादू' को स्वीकार किया है और ऐसी स्थिति में आपको मेरी बात पर अविश्वास प्रकट नहीं करना चाहिए। और हाँ, एक बात तो बताना मैं भूल ही गया। ऊपर बताये डॉक्टर साहब देखने में यदि यमदूत लगते थे तो हकीम साहब यमराज के वाहन की छटा प्रकट करते थे। इन दोनों ने कितने लोगों के प्राण बचाये—यह कहना कठिन होगा। दोनों के हाथ में 'अलौकिक शफ़ा' थी। व्यक्तिगत जीवन में दोनों चिकित्सक धर्मात्मा व दयालु थे। मेरे क़स्बे में दो वैद्य भी थे। एक वैद्य थे जो प्रायः प्रत्येक सुन्दर और युवा रुग्णा को गर्भवती करते थे (और जिसके लिए वह अलग से कोई फ़ीस नहीं लेते थे) तो दूसरे वैद्य गर्भपात करने में सिद्धहस्त थे। कुछ सयानों का कहना था कि स्त्री तो स्त्री, वे पुरुष तक का गर्भपात करा सकते थे। इन दोनों सिद्ध वैद्यों के सामूहिक प्रयत्नों के फलस्वरूप क़स्बे की आबादी स्थिर ही रही : न घटी और न बढ़ी।

जब मैं दिल्ली आया तो दो पहुँचे हुए डॉक्टरों से पाला पड़ा। दोनों होम्योपैथ

थे और दोनों कनाट–प्लेस के मद्रास होटल वाले ब्लॉक में बैठते थे। डॉ. गुहा एक ऐसे व्यक्ति थे जो पहले एडिनबरा से ऐलोपैथी में सर्वोच्च डिग्री प्राप्त करके आये थे और जिन्होंने बाद में बर्लिन से होम्योपैथी की उच्च शिक्षा प्राप्त की थी। उनके पास जाकर आदमी अपनी मूल बीमारी भूल जाता था क्योंकि वहाँ दवा लेने के लिए घण्टों बैठना पड़ता था। आप बाहर के कमरे में पुराने 'शंकर्स वीकली' पढ़ते रहते थे और भीतर डॉक्टर गुहा आराम से कोका कोला पीते रहते थे और रोगियों से लक्षणों का ऐसा ब्योरा पूछते रहते थे कि कभी-कभी स्त्रियों को उत्तर देते लज्जा आने लगती थी। उनकी पत्नी व पुत्री परियों की भाँति रूपवती थीं। उन्हें देखकर कोई भी संवेदनशील व्यक्ति अपने पुराने कष्टों को भूल जाता था। उन्हीं के पास डॉ. चटर्जी बैठते थे जो मात्र क्रॉनिक बीमारियों की चिकित्सा करते थे। वैसे सच्ची बात यह है कि उनके इलाज में प्रायः प्रत्येक बीमारी स्वतः क्रॉनिक हो जाती थी। वे महीना-भर रोगी को ठीक रखते थे और महीने के अन्त में ऐसी दवा देते थे कि रोगी फिर उतना ही बीमार हो जाता था और अगले महीने फिर दवा लेता था। उनके पास गया कोई बीमार कभी ठीक नहीं होता था। डॉ. चटर्जी मोटर रखते थे और बिना बुलाये रोगी के घर पर उसे देखने चले जाते थे। उस स्थिति में वे फ़ीस तो लेते ही थे, साथ में मोटर का भाड़ा अलग से चार्ज करते थे। वैसे चिकित्सक वे भी कुशल थे, इसमें कोई सन्देह नहीं।

आयु बढ़ने के साथ-साथ दाँतों और आँखों के डॉक्टरों के पास जाना शुरू हुआ। एक दन्तचिकित्सक ऐसे मिले जो दर्द करनेवाले दाँत के साथ-साथ कम-से-कम एक स्वस्थ दाँत और निकाल देते थे जिसके लिए वे कोई अतिरिक्त फ़ीस हर्गिज़ नहीं लेते थे। उनके पास ज़्यादा टिकना कठिन होता था। यदि कोई युवती अपना मुँह कम खोलती थी तो वे कहते थे कि "मुँह खोलने में आप इतना संकोच क्यों करती हैं? आख़िर मुँह ही तो देखना चाहता हूँ और कोई अंग तो नहीं।" इसके बाद जब वह नवयौवना अपना मुँह पूरा खोल देती थी तो वे हमेशा कहते थे कि "बस, इतना ज़्यादा मुँह न खोलिए क्योंकि मुझे दाँत बाहर ही खड़े-खड़े निकालना है, मुँह के भीतर जाकर नहीं।" आँखों के एक डॉक्टर इतने कार्य-तत्पर थे कि मुझे एक बार चश्मे का नम्बर दिया जिसे 'माइनस' के स्थान पर प्लस लिख दिया। मुझे चश्मा दो बार बनवाना पड़ा। एक बार मेरे एक निकट-सम्बन्धी की (जो डिस्ट्रिक्ट व सेशन्स जज थे) आँख का ऑपरेशन किया तो बाद में एक टाँका निकालना ही भूल गये जिसके कारण जज साहब को काफ़ी कष्ट उठाना पड़ा। एक मित्र के साथ तो उन्होंने वह दयालुता बरती कि पूछिए नहीं। ऑपरेशन होना था दायीं आँख का और कर दिया बायीं आँख का। ग़लती बाद में पता चली तो दायीं आँख का ऑपरेशन किया और उसकी कोई अतिरिक्त फ़ीस उन्होंने नहीं ली। मेरे मित्र की एक आँख हमेशा के लिए चली गयी, यह दीगर बात ठहरी।

जब से मुझे मानसिक अवसाद का रोग लगा तब से अब तक मैं अनेक मनोचिकित्सकों के पास गया। एक डॉक्टर ऐसे मिले जो मेरे भयंकर दुख के क्षणों में भी इसी बात को लेकर चिन्तित रहते थे कि मुझसे ज़्यादा से ज़्यादा रुपया कैसे निकाला जाए। एक डॉक्टर अवश्य ऐसे मिले जिनका इलाज यदि आजीवन भी चलता तो भी मैं खुश ही रहता। उनकी जो सहायक थी वह इतनी सुन्दर और सुडौल थी कि उसके पास से हटने को मन ही नहीं करता था।

चर्चा यहीं समाप्त करता हूँ क्योंकि अभी-अभी एक डॉक्टर आना है। देखने में अलसेशियन है पर हृदय से एकदम बकरी है। आवाज़ ऐसे देता है जैसे कोई गधा रेंक रहा हो। यह ऐसा पहला डॉक्टर है जो इतने जानवरों का मज़ा एक साथ देता है।

डॉक्टरों की चर्चा समाप्त करता हूँ। अस्पतालों की व नर्सों की चर्चा अलग से करूँगा।

कहाँ गये वे दिन?

इस वर्ष उज्जैन का कार्तिक मेला नगर में साम्प्रदायिक तनाव के कारण समय पर नहीं लग सका। इस सारी स्थिति का प्रभाव गधों और उनके मालिकों पर सबसे ज़्यादा पड़ा क्योंकि गधे जो थे वे बेचे नहीं जा सके। क्या विचित्र स्थिति है; जहाँ कभी कालिदास अपने अमर काव्य रचा करते थे, वहाँ अब गधे बिकते हैं। जहाँ गणिकाएँ आलाप भर-भरकर मेघदूत गाया करती थीं, वहाँ अब गधे रेंकते हैं। मैं आपको एक नेक सलाह देता हूँ। यदि आप कभी उज्जैन जाएँ तो कार्तिकी पूर्णिमा के मेले पर ही जाएँ। पता नहीं कोई बाई आपकी कितनी क़ीमत लगा दे। क्या कोई ऐसी रूपवती और अमीर स्त्री इस संसार में है जोकि मन ही मन यह न चाहती हो कि उसका जो पति हो वह गधा हो?

कालिदास की बात क्या चली कि शेक्सपियर की याद सताने लगी। बहुत दिनों से यह विवाद चल रहा है कि अपने नाटकों का असली प्रणेता क्या शेक्सपियर स्वयं ही था? अब इस समस्या का अन्तिम समाधान भी हो जायेगा। अमेरिका के दो वैज्ञानिकों ने इस समस्या को सुलझाने के लिए एक शक्तिशाली कम्प्यूटर को काम पर लगा दिया है। अब पता लग जायेगा कि विश्वप्रसिद्ध सैंतीस नाटकों का वास्तविक लेखक एक बेपढ़े कारीगर का कुलदीपक विलियम शेक्सपियर ही था या कि सम्भ्रान्त परिवार में जन्मे मार्लो ने या दरबार के अमीर फ्रांसिस बेकन ने यह अपराध किया था। बेकन बड़ा प्रतिभावान् व्यक्ति था; उसने साहित्य-सृष्टि के साथ-साथ जेम्स प्रथम के राज्य में वित्तमन्त्री का भार भी सँभाला और ख़ज़ाने में कुछ गड़बड़ी करने के आरोप में कुछ वर्ष शाही जेल में भी काटे। शेक्सपियर का फ़ैसला हो जाए तो फिर भारत सरकार भी शायद यह मामला कम्प्यूटर को ही सौंपे कि कालिदास एक थे या तीन। मैं आपको सलाह दूँगा कि इस सन्दर्भ में आप जयशंकर प्रसाद के ऐतिहासिक नाटक 'स्कन्दगुप्त' की भूमिका अवश्य पढ़ें।

वाशिंगटन के एक प्रमुख कला-संस्थान ने कलाकारों की एक याचिका अदालत में जाते ही यह ऐतिहासिक निर्णय ले लिया कि अब उस संस्थान से सहायता पानेवाले कलाकार यह प्रतिज्ञापत्र नहीं देंगे कि उनकी कलाकृतियाँ अश्लील नहीं होंगी। इस प्रतिज्ञापत्र के न दे सकने के कारण अमेरिका के कलाकार मात्र गत वर्ष में ही तीन

लाख डालर की हानि उठा चुके हैं। बात भी ठीक है। एक ओर तो जर्मनी में एक व्यक्ति ने झूठा मन्त्री बनकर एक बैंक से दो लाख डालर की राशि अन्तर्धान कर दी और दूसरी ओर कलाकारों पर अश्लील न होने का प्रतिबन्ध लगाकर अमेरिका-जैसा प्रगतिशील राष्ट्र उन्हें सहायता न दे—क्या यह समझ में आता है? अब तो यह समय आ गया है कि धर्म का स्वरूप भी बदल रहा है। टेनेसी के एक गिरजाघर में पादरी जो है वह 'जींस' पहनता है। पन्द्रह या बीस मिनिट से ज़्यादा समय का उपदेश नहीं देता और श्रोतागण जो हैं वे ऐसे स्टूलों पर बैठते हैं जैसे कि शराबघरों में प्रयोग किये जाते हैं। प्रार्थना का गान गिटार पर चलता है और गिरजाघर जो है वह एक शानदार होटल के एक भाग में ही स्थित है। अब यदि धर्म का स्वरूप बदल रहा है तो कला का स्वरूप क्यों नहीं बदलेगा?

जैसा कि हम सभी जानते हैं, काफ़ी लोग शादी के पहले या बाद सुहागरात मनाते हैं। कुछ-कुछ ऐसा ही तब होता है जबकि कोई छात्र किसी छात्रावास में प्रवेश करता है। मैंने जब प्रयाग विश्वविद्यालय में दाखिला लिया था तो मैंने अपने रहने केलिएजैन छात्रावास चुना था क्योंकि वह सस्ता था और वहाँ के दयालु अधिकारी मुझे किराया, पानी और बिजली आधी दरों पर देने को तैयार थे हालाँकि मैं जैन नहीं था। बी.ए. पास करने के बाद मैं गंगानाथ झा होस्टल में चला आया क्योंकि जैन बोर्डिंग हाउस में गहन अध्ययन करने का वातावरण नहीं था। बहरहाल इन दोनों छात्रावासों में मेरी रैगिंग' की गयी। मैंने घास खायी, गाना सुनाया और कपड़े उतारकर नृत्य का कार्यक्रम भी प्रस्तुत किया। इसके बाद सारे सीनियर छात्र मित्र हो गये। जब मैं झा होस्टल में था तो नयी कहानी के हस्ताक्षर मार्कण्डेय, प्रख्यात गणितज्ञ त्रिविक्रम पति, कई देशों में हमारे राजदूत रहनेवाले इन्दुप्रताप सिंह, भारतीय जनता पार्टी के वरिष्ठ नेता मुरलीमनोहर जोशी, लोकसभा के महासचिव डॉ. सुभाष कश्यप, बिहार पुलिस के डाइरेक्टर-जनरल तेजप्रताप सिंह जैसे प्रतिभावान् लोग वहाँ मेरे साथी थे। ऐसे शालीन लोगों के रहते किसी भी नये छात्र को कोई विशेष यातना नहीं सहनी पड़ी। मगर इस वर्ष राजधानी के एक प्रमुख कॉलेज में कुछ छात्र व छात्राओं ने नये विद्यार्थियों को इतना कष्ट पहुँचाया कि कुछ कहा नहीं जा सकता। सात विद्यार्थियों ने तीन नये लड़कों को इतनी बुरी तरह पीटा कि वे बेचारे लहूलुहान हो गये और उन्हें अस्पताल में भर्ती करवाना पड़ा। मैं पूछता हूँ कि ऊँची शिक्षा पानेवाले छात्रों को नये छात्रों के साथ क्या इसी प्रकार 'सुहागरात' मनानी चाहिए? भूतपूर्व छात्र होने की हैसियत से मेरी गर्दन तो लज्जा से झुक गयी। प्रत्येक वर्ष नये छात्र और छात्राओं के साथ अनेक शिक्षा-संस्थानों में ऐसा अत्याचार सम्पन्न किया जाता है और कोई भी बड़ा व्यक्ति कुछ नहीं करता।

सर गंगानाथ झा होस्टल में एक 'स्टडी सर्किल' थी जिसका कर्ताधर्ता एक वर्ष मैं भी रहा। जो बड़े लोग छात्रों को सम्बोधित करने आये उनमें से रघुपति सहाय 'फ़िराक़', अशोक मेहता, लालमोहन बनर्जी, पूरनचन्द्र जोशी और भारत के मुख्य

न्यायाधीश मेहरचन्द महाजन के नाम मुझे अभी तक याद हैं। और डॉ. अमरनाथ झा का तो कहना ही क्या, वे तो हमारे होस्टल में प्रायः आया करते थे। अमरनाथ झा हमारे होस्टल को "डैडी होस्टल" कहा करते थे क्योंकि डॉ. सर गंगानाथ झा जो थे वे डॉ. अमरनाथ झा के सगे पिता थे। डॉ. अमरनाथ झा का जो बड़प्पन था वह उन लोगों को कभी नहीं समझाया जा सकता जिन्होंने उन्हें देखा नहीं। वे मूलतः एक 'दृश्य-काव्य' थे, 'श्रव्य-काव्य' नहीं। इतना शिष्ट, दबंग और दयालु कुलपति हमारी यूनिवर्सिटी को कोई और नहीं मिला। कहाँ गये वे लोग और कहाँ गये वे दिन?

आपमें से कुछ ने शायद 'ठलुआ क्लब' का नाम सुना हो। एक तो 'ठलुआ क्लब' वह पुस्तक है जिसमें बाबू गुलाबराय के हास्य-निबन्ध संकलित हैं और जिसे मुंशी प्रेमचन्द ने सम्पादित किया। अपनी सारी व्यथा और करुणा के बावजूद प्रेमचन्द जी बेहद हास्य-प्रेमी व्यक्ति थे। उन्होंने 'सत्याग्रह'-जैसी हास्य-कथा लिखी और रतनलाल सरशार के पाँच सौ पृष्ठों के हास्य-उपन्यास का 'आज़ाद-कथा' नाम से हिन्दी में अनुवाद किया जिसके लिए मेरे-जैसे अनगिनत हास्य-प्रेमी जीवन-भर उनके ऋणी रहेंगे। दूसरे, 'ठलुआ क्लब' उस संस्था का नाम है जिसका मुख्यालय वाराणसी में है और जो समय-समय पर बड़े-बड़े साहित्यकारों का 'विशेष' सम्मान करता रहता है। महाकवि पन्त का जब यह सम्मान किया गया तो मैं प्रयाग में ही नियुक्त था। मैं और मेरी पत्नी दोनों उस विचित्र और विनोदी उत्सव को देखने हिन्दुस्तानी एकेडेमी के हाल में गये। बड़ी भीड़ थी। पन्तजी के सिर पर मुकुट बाँधा गया और उनके बारे में न जाने कितने लतीफ़े उनके सामने ही सुनाये गये। पन्तजी निर्विकार भाव से सबकुछ सुनते रहे और मुस्कराते रहे। वे दिन प्रयाग से सदा के लिए चले गये।

'ठलुआ क्लब' की तर्ज़ पर ही कोलम्बिया में अभी-अभी एक ऐसे क्लब की स्थापना की गयी है जिसके सदस्य मात्र वे ही स्त्री या पुरुष हो सकते हैं जिनका कि प्रेम के सन्दर्भ में कभी हृदय टूटा हो। अनेक लेखकों, कलाकारों और मनोवैज्ञानिकों ने इस क्लब की प्रथम वार्षिकी पर अपने अविस्मरणीय अनुभव सुनाये। पुराने प्रेम-पत्रों को सरेआम पढ़ा गया, पाब्लो नेरुदा की प्रेम-कविताएँ पढ़ी गयीं और पुरानी घटनाओं को विस्तार के साथ हज़ारों लोगों के सामने सुनाया गया। उत्सव तीन दिन चला और जिस प्रेमी या प्रेमिका ने सबसे ज़्यादा मार्मिक अनुभव सुनाया उसे ट्राफी भी प्रदान की गयी। सोचता हूँ कि यदि डाक द्वारा इस क्लब की सदस्यता सम्भव हो तो मैं भी इसका आजीवन सदस्य बन जाऊँ। तब मैं वे सारी घटनाएँ विस्तार के साथ बताऊँगा जो मेरे दिल पर गुज़री हैं। अभी तक तो स्थिति यह है कि हालाँकि मैं अपने प्रेम का ज़िक्र अनेक रचनाओं में कर चुका हूँ पर फिर भी सच्ची हालत जो है वह यही है जिसे कवि ने इस शेर में बाँधा है :

देखिए किस हुस्न से पोशीदा दिल का राज है
तीर मेरे दिल में है, पर्दे में तीरन्दाज़ है।

प्राचीन काल से लेकर अब तक

होली के पवित्र अवसर पर मध्यप्रदेश के एक गाँव में सवर्णों की कृपा से कुछ हरिजन स्त्रियों को नंगे होकर नाचना पड़ा था। उसके बाद उत्तरप्रदेश में कानपुर नगर के बर्रा क्षेत्र में एक गृहस्वामिनी के साथ ऐसा शर्मनाक व्यवहार किया गया कि जिसे लिखा त्क नहीं जा सकता। उसके बाद फ़तेहपुर ज़िले के एक गाँव में एक हरिजन को उसकी पत्नी के कारण ज़िन्दा जला दिया गया। एक तरफ़ यह सब होता रहा और दूसरी ओर संसद में इस बात को लेकर हंगामा चलता रहा कि नये मन्त्रियों का परिचय प्रधानमन्त्री ने स्वयं क्यों नहीं करवाया या एक मन्त्री ने अपने वक्तव्य में एक समुदाय-विशेष का नाम क्यों लिया?

मैं देखता हूँ कि स्त्रियों पर अन्याय करने की परम्परा हमारे इस पवित्र देश में सदा से रही। हम वैसे तो 'सीताराम' और 'राधेश्याम' कह-कहकर स्त्रियों का नाम स्वयं भगवान से पहले लेते रहे मगर सच्ची स्थिति वही रही कि गोस्वामी तुलसीदास तक 'ढोल, गँवार, शूद्र, पशु, नारी' को 'ताड़न का अधिकारी' ही प्रतिपादित करते रहे। पुराने स्मृति-ग्रन्थों में सभी जगह स्त्री को निचला दर्जा ही दिया गया। शास्त्रों के अनुसार स्त्री को बचपन में पिता के, यौवन में पति के और वृद्ध हो जाने पर पुत्र के अधीन रहना चाहिए। जो पत्नी पति से पहले मिठाई खाती है, वह नरक में जाती है। घर में आटा वग़ैरह ख़त्म हो जाने पर जो स्त्री अपने पति से इन वस्तुओं को लाने के लिए कहती है, उसे पतिव्रता नहीं माना जाता। जो पत्नी पति को जवाब देती है, वह अगले जन्म में गाँव की कुतिया या वन की गीदड़ी बनती है। स्त्रियाँ यदि शतभिषा नक्षत्र में स्नान करती हैं तो वे अगले सात जन्मों में विधवा ही होती हैं। स्त्रियों के लिए प्रत्येक 'आचार' में इतनी 'अति' की गयी कि वह 'अत्याचार' हो गया। 'स्मृतिसंग्रह' के अनुसार स्त्री को तो दातुन भी चार अंगुल लम्बी ही करनी अपेक्षित है जबकि ब्राह्मण और क्षत्रिय बारह अंगुल लम्बी और नौ अंगुल लम्बी दातुन करने के अधिकारी हैं! इस पृष्ठभूमि को ध्यान में रखते हुए उत्तरी भारत में स्त्रियों के साथ जो व्यवहार किया जा रहा है वह और चाहे कुछ भी हो, धर्म के ख़िलाफ़ कभी नहीं कहा जा सकता। कभी-कभी तो ऐसा लगता है कि शायद स्त्रियाँ पैदा ही इस कारण की गयी हैं कि उनका शोषण किया जा सके। एलबर्ट आइंस्टीन ने 'सापेक्षता का जो सिद्धान्त' निकाला था उसमें

उनकी पत्नी का बराबर का योगदान था मगर उसकी चर्चा तक कहीं नहीं की गयी। वैसे असलियत यह है कि आइंस्टीन साधारण गणित में बेहद कमज़ोर थे और इस कार्य में उनकी (बाद में परित्यक्ता) पत्नी मिलेवा मारिक उनकी सदा सहायता किया करती थी। शायद इसी कारण आइंस्टीन ने 'सापेक्षता-सिद्धान्त' को 'अपनी खोज' न कहकर सदा 'हमारी खोज' ही कहा। बहरहाल, फ़िलहाल सारे विश्व के वैज्ञानिकों में यह जानने के लिए खलबली मची है कि यह खोज आइंस्टीन की थी या उनकी पत्नी की। कुछ विद्वान् जो अब तक आइंस्टीन को ऋषिवत् मानते थे, अब उनकी तुलना राक्षस से करने लगे हैं। सच्ची बात यही है कि प्रत्येक पुरुष की महानता के पीछे सदा किसी स्त्री का हाथ रहा।

हमारे देश में वर्तमान युग में सबसे पहले गाँधी जी ने स्त्रियों को समानता व स्वाधीनता देने का नारा बुलन्द किया। दुख की बात है कि आज़ादी मिलने के बाद भी उन्हें अपने पूरे अधिकार कभी नहीं दिये गये। इसका सारा दोष हमारे प्रधानमन्त्रियों पर जाता है। पण्डित नेहरू और मोरारजी देसाई–दोनों विधुर थे। शास्त्री जी और चौधरी चरणसिंह बहुत कम समय के लिए प्रधानमन्त्री रहे। यदि ये दोनों लोग ज़्यादा दिनों जीते तो स्त्रियों के लिए अवश्य कुछ करते। राजीव गाँधी ने स्त्रियों के लिए काफ़ी कुछ किया। विश्वनाथ प्रताप सिंह से आशा करना बेकार है क्योंकि वे ज़रूरत से ज़्यादा ईमानदार हैं। जब वे वित्तमन्त्री थे तब उन्होंने पान-मसाले पर टैक्स लगाया था हालाँकि उनकी अपनी पत्नी पान-मसाला खाती थीं। इसके अलावा उन्हें हरिजनों से ही कहाँ फ़ुर्सत है? हरिजनों पर किये गये अत्याचारों के लिए विशेष अदालतें बनायी जा रही हैं। आशा है हरिजनों के बाद वे साहित्यकारों के हित में भी ऐसे ही ठोस क़दम उठाएँगे। मुझे लिखते हुए कोई सत्ताईस वर्ष हो गये मगर स्थिति यह है कि एक बहुत बड़े प्रकाशक ने बिना किसी अनुबन्ध के मेरी पुस्तक छाप ली, उसका दूसरा संस्करण भी छाप लिया मगर मुझे एक पैसा नहीं दिया। ऐसी ही कृपा एक छोटे प्रकाशक ने भी की। अख़बारवालों का यह हाल है कि एक प्रमुख दैनिक पत्र ने रचना बिना मेरी आज्ञा के मुखपृष्ठ पर छापी और मुझे एक पैसा नहीं दिया। मध्यप्रदेश के एक नितान्त प्रसिद्ध पत्र ने पारिश्रमिक के तौर पर एक वर्ष बाद पन्द्रह रुपये भेजे हैं। अरे भाई, शोषण ही करना है तो स्त्रियों का करो, हरिजनों का करो, ग़रीब लेखक को क्यों तंग करते हो? क्या वह स्त्रियों और हरिजनों से भी पिछड़ गया?

मुझे यह बताते हुए हार्दिक सुख होता है कि विदेशों में स्त्रियों के साथ न्याय किया जाने लगा है। एक हवाई अड्डे पर एक पति-विशेष ने अपनी पत्नी-विशेष को विदाई के अवसर पर इतने ज़ोर से चूमा कि उसके सुन्दर कपोलों पर कुछ खरोंच आ गयी। लड़की होनहार थी। उसने बाकायदा पुलिस में रिपोर्ट दर्ज़ करवायी और पुलिस ने पति को तुरन्त हिरासत में ले लिया। एक नवविवाहित पति ने अपनी नवविवाहिता पत्नी के कौमार्य पर सन्देह किया तो स्त्री ने अदालत में मानहानि का

दावा किया। लन्दन की एक अदालत ने उसके पति पर मात्र बीस हज़ार पाउण्ड की डिक्री की। एक और देश में एक दम्पती ने सारी उम्र न जाने कितनी पार्टियों के साथ धोखाधड़ी की मगर जब उन दोनों में तलाक की स्थिति आयी तो पति ने पत्नी को आधी सम्पत्ति देने से मना कर दिया। पत्नी अदालत गयी और अदालत ने उसका कई करोड़ रुपयों का दावा स्वीकार कर लिया। इस समस्त पवित्र क्रिया के सम्पादन में बस एक परेशानी पड़ी। पत्नी ने जब उन सब अपराधों का अदालत को ब्योरा दिया जिनमें उन्होंने करोड़ों रुपयों की धोखाधड़ी की थी तो पुलिस ने उन दोनों को गिरफ़्तार कर लिया जिसके कारण फ़िलहाल उनका तलाक का मामला बीच में ही अटक गया। मुझे पूरी आशा है कि उन दोनों को जेल होगी और जेल में वे फिर एक-दूसरे से प्रेम करने लगेंगे। स्त्री के चरित्र और पुरुष के भाग्य का किसे पता?

मैं उदास हो जाता हूँ और 'खट्टर काका' को पढ़ने लगता हूँ। विद्यापति के बाद वे मैथिली के दूसरे महान् लेखक हैं जो मेरे मर्म को स्पर्श करते हैं। उनका विचार है कि पहले की अपेक्षा हमारे देश के नर-नारी अब ज़्यादा बुद्धिमान हो गये हैं। पहले 'यन्त्र' चलता था, अब 'षड्यन्त्र' चलता है। 'उपलक्ष्य' कुछ भी हो, 'लक्ष्य' अपना स्वार्थ ही है। पहले कन्या की प्राप्ति के लिए 'पंचांग' देखना पड़ता था परन्तु अब कन्या स्वयं ही 'पाँचों अंग' दिखा देती है। पहले लोग 'नाड़ी' की गति से चिन्तित होते थे, अब वे 'नारी' की गति से चिन्तित होते हैं। नेताओं के हाथ में 'चाप' है तो जनता के होठों पर 'श्राप' है। 'वैद्य' से बचना हो तो 'वैद्यनाथ' की बूटी (अर्थात् भंग) का सेवन करो। पहले लोग 'काली' की पूजा करते थे, अब वे 'साली' की पूजा करते हैं। ब्राह्मण के हाथ में 'माला' और चोर के हाथ में 'ताला'। जो 'अकिंचन' हैं वे भी 'कंचन' की कामना करते हैं। पहले 'योग' था तो अब 'भोग' है। पहले 'क्रीड़ागार' होते थे, अब 'कारागार' होते हैं। पहले स्त्रियाँ 'कलाकन्द' खाती थीं, अब वे महँगाई के कारण मात्र 'शकरकन्द' खाती हैं। 'शास्त्रार्थ' का अर्थ अब यह रह गया है कि 'शास्त्र' से 'अर्थ' की प्राप्ति कैसे की जाए। पुराने ज़माने में ब्राह्मण 'गूलर-जामुन' खाते थे, अब 'गुलाब-जामुन' खाते हैं। 'दूर्वाक्षत' का अर्थ मात्र यह रह गया कि 'दूर्वा' दूसरे के लिए और 'अक्षत' अपने लिए। पहले 'ब्रह्मवाद' का बोलबाला था और अब 'भ्रमवाद' का। 'काया' के स्थान पर लोग 'माया' के पीछे भी भागने लगे। पहले 'बेला' का ध्यान रखा जाता था तो आजकल 'बाला' का ध्यान रखा जाता है। 'ब्रह्मोपासना' का स्थान 'आत्मोपासना' ने ले लिया। पहले 'योगी' पाये जाते थे अब 'वियोगी' पाये जाते हैं। 'मदिरा' का स्थान 'मदिराक्षी' को मिल गया। 'कंचन' के स्थान पर 'कंचनी' आ गयी। पहले 'चोला' पवित्र माना जाता था, अब 'चोली' को पवित्र माना जाता है। 'रोमवाले मांस' से 'रोमांस' होने लगा। 'सीमन्तिनी' का वर्णन 'सीमान्त' तक किया जाने लगा। 'कामिनी' का स्थान 'मिनी' ने ले लिया। 'सुजनतन्त्र' का स्थान 'स्वजनतन्त्र' या 'श्वजनतन्त्र' ने ले लिया। 'लोकतन्त्र' के स्थान पर 'थोकतन्त्र' व 'ठोकतन्त्र' आ गये। पहले 'बन्दी' होते थे और अब 'चकबन्दी',

'हकबन्दी', 'नशाबन्दी', 'दलबन्दी' और 'नसबन्दी' का प्रादुर्भाव हो गया। पहले लोग 'हरिताल' में जीवन बिताते थे तो अब उसका स्थान 'हड़ताल' ले लिया। 'अफ़सर' अब 'अजगर' हो गये और 'अक्षरा' के स्थान पर 'अफ़सरा' आ गयी। पहले अतिथि को पेट-भर भोजन दिया जाता था तो अब उसे 'प्लेट-भर' भोजन दिया जाने लगा। 'उपहार' लेकर आइए और 'उपाहार' लेकर जाइए। 'आजीवन' प्रेम का स्थान अब 'आयौवन' प्रेम ने ले लिया। पहले 'आभार' प्रकट किया जाता था तो अब 'उभार' प्रकट किया जाता है। 'परम सुन्दरी' के स्थान पर 'छद्म सुन्दरी' आ गयी। 'चरमकोटि' के प्रेम का स्थान अब 'चर्मकोटि' के प्रेम ने ले लिया। पहले 'परकीया' नायिका होती थी तो अब 'पार्किया' नायिका होने लगी। 'चित्तपट' पर 'चित्रपट' का नशा ऐसा छाया कि दुर्गा, गीता और इन्द्राणी का स्थान दुर्गा खोटे, गीता बाली, और इन्द्राणी रहमान ने ले लिया। पहले 'पदपूजा' होती थी तो अब 'पदपूजा' (पद की अर्थात् ओहदे की पूजा) होने लगी। बस एक 'नवयौवन' ही ऐसा शब्द बचा जो उल्टा होकर भी 'नवयौवन' ही रहा। हरिमोहन झा ('खट्टर काका' तो उपनाम है) का जवाब नहीं। रात कोई तीन सौ पृष्ठ पढ़े जिनका सारांश मैंने ऊपर दिया। जो लोग इस 'विषय' में 'गहरी' रुचि रखते हों वे खट्टर काका के निबन्धों को पढ़ें। हरि अनन्त हरिकथा अनन्ता...

हँसी-मज़ाक़ के चक्कर में पड़कर भी मैं प्रथम पैराग्राफ़ में वर्णित दुखप्रद घटना को भूल नहीं सका। सोचता हूँ कि मैं भी अपने परम प्रिय नेताओं की भाँति यह कोठी छोड़कर किसी झोंपड़ी में रहने लगूँ। झोंपड़ी में कई टेलीफ़ोन होंगे, सोफ़ा होगा, वातानुकूलन की व्यवस्था होगी—इससे क्या फ़र्क़ पड़ता है? झोंपड़ी तो झोंपड़ी ही रहेगी चाहे वह कैसी भी हो। राजनीति के कारण देश में इतना रक्त बहा कि दिल्ली का ऐतिहासिक क़िला अभी तक लाल ही चल रहा है। सैकड़ों वर्ष का अन्तराल भी उसका रंग नहीं बदल पाया। हाँ, अलबत्ता यह जानकर वास्तव में सन्तोष होता है कि सिने-सुन्दरी श्रीदेवी कुमारी होते हुए भी कभी अकेले नहीं सोती; वैसा करने में उन्हें डर लगता है। और बम्बई हाईकोर्ट ने अपने एक निर्णय के अनुसार चरित्रहीनता के कारण परित्यक्ता पत्नी के भरण-पोषण का भार भी भूतपूर्व पति पर ही रखा। यह वे ऐतिहासिक क़दम हैं जो भारतीय नारी के हित में हैं। इधर शत्रुघ्न सिन्हा ने एक और बड़ी दिलचस्प बात कही। उन्होंने कहा कि "मैं 'पद्मश्री' लेकर क्या करूँगा इससे तो यह कहीं ज्यादा अच्छा होगा कि मुझे कोई 'राजश्री', 'मंजुश्री' या 'भाग्यश्री' मिल जाए—बशर्ते कि उसकी प्राप्ति से मेरी निजी पत्नी को कोई एतराज़ न हो।" यह भी कम सन्तोष की बात नहीं है कि गाज़ियाबाद की एक वीर स्त्री ने अपने पति की हत्या का मुक़द्दमा चलाने के लिए अपनी एक वर्ष की बेटी को एक सहस्र मुद्राओं के लिए बेच दिया। अबला जीवन हाय, तुम्हारी यही कहानी, आँचल में है दूध और आँखों में पानी। सचमुच स्त्रियों को सर्वगुणसम्पन्न होते हुए भी कभी भी समाज में उचित स्थान नहीं मिला और न कभी मिलेगा।

द्वन्द्व-युद्ध

आज आपके साथ मैं द्वन्द्व-युद्ध की चर्चा करूँगा। द्वन्द्व-युद्ध से मेरा अभिप्राय उस युद्ध से कतई नहीं है जो कि महाकवि देव, बिहारी या ग्वाल कवि के नायक अपनी नायिकाओं के साथ लड़ा करते थे। द्वन्द्व-युद्ध से मेरा अभिप्राय मात्र उस युद्ध से है जिसे अँग्रेज़ी में 'ड्युअल' कहकर पुकारा जाता रहा। पुराने समय में बात कुछ भी होती थी, उसका अन्तिम निबटारा द्वन्द्व-युद्ध से ही किया जा सकता था। लोग तलवारें या तमंचे लेकर निश्चित स्थान पर नियत समय पर मिलते थे और युद्ध करते थे। जो कोई भी जीत जाता था, उसी की बात को सच्चा या उसी के दावे को सही स्वीकार कर लिया जाता था। न कोई अपील होती थी और न कोई मनमुटाव होता था। 'ड्युअल' के नियम निश्चित होते थे और द्वन्द्व-युद्ध ठीक प्रकार चले, इसे भली-भाँति देखने के लिए रेफरी भी रहता था। अलेग्ज़ेण्डर ड्यूमा, पुश्किन, तुर्गनेव और तालस्ताय की कृतियों में इस प्रकार के द्वन्द्व-युद्धों का काफ़ी विशद विवरण प्राप्त होता है। शास्त्र के लिए शस्त्र का प्रयोग करने की परम्परा तो और स्थानों पर भी रही पर इस युद्ध को जो मान्यता मध्यकाल के यूरोप में मिली, वह अन्यत्र दुर्लभ ही रही। द्वन्द्व-युद्ध जो होता था वह प्रायः किसी रूपवती युवती को लेकर ही होता था। दोनों प्रेमियों में से एक तो द्वन्द्व-युद्ध में मर जाता था और दूसरा जो होता था वह उस युवती के साथ विवाह कर लेने के कुछ ही दिनों बाद खुदकुशी कर लेता था। इस शास्त्रीय पद्धति के अनुसार दोनों जो प्रेमी थे वे शान्ति प्राप्त करते थे। मानवजाति के लिए यह एक खेद का विषय है कि उन्नीसवीं शताब्दी के साथ-साथ द्वन्द्व-युद्धों की परम्परा ख़त्म हो गयी। अब आप फोर्ट विलियम जाइए, उस दीवार को देखिए जिसके सामने वारेन हेस्टिंग्ज ने काउंसिल के एक नितान्त सम्मानित सदस्य के साथ तमंचा लेकर युद्ध लड़ा था और इतिहास को याद कीजिए। इससे ज़्यादा आप कुछ नहीं कर सकते।

इस सन्दर्भ में आपको यह सूचना देते हुए मुझे हार्दिक व शारीरिक सन्तोष हो रहा है कि इतिहास जो है वह अपने को दुहरा रहा है। दूसरे शब्दों में द्वन्द्व-युद्ध की परम्परा जो थी, वह लौट रही है और काफ़ी ज़ोर-शोर के साथ लौट रही है। हाल ही में एक ऐसा युद्ध अमेरिका में हो गया। बात एक मकान की ख़रीदारी से

ताल्लुक रखती थी। एक साहब थे जो मालिक मकान थे और इसी कारण मकान बेचना चाहते थे और एक और साहब थे जो मकान मालिक नहीं थे और इसी कारण उस इमारत को ख़रीदना चाहते थे। मकान मालिक जो था वह मकान के बदले एक लाख नब्बे हज़ार डालर चाहता था जबकि ख़रीदनेवाले व्यक्ति के पास कुल पचहत्तर हज़ार डालर थे। अन्त में चलकर द्वन्द्व-युद्ध हुआ जिसमें मकान मालिक को काफ़ी मात्रा में शारीरिक क्षति पहुँची। उसने अपनी जान सही-सलामत रखने के लिए अपने प्रतिद्वन्द्वी के साथ समझौता कर लिया और अस्सी हज़ार डालर में मकान बेच दिया। जिस काम को कोई क़ानून, कोई अदालत, कोई पादरी या कोई वैज्ञानिक नहीं कर सकता था वह काम द्वन्द्व-युद्ध के द्वारा काफ़ी सरलता से सम्पन्न हो गया। कमर के निचले हिस्से पर जहाँ दस-बीस तगड़े किस्म के धक्के लगे वहीं सारा हठयोग समाप्ति को प्राप्त हो गया।

ऊपर लिखी ख़बर पढ़ते ही मेरा मनोबल एकदम बढ़ गया। मैं सोचने लगा कि कितना अच्छा हो कि विधानसभा या लोकसभा का सदस्य बनने के लिए बजाय मतदान के एक खुला दंगल होने लगे और जो भी राजकुमार बाकी साथियों को खदेड़ सके, उसे ही सफलतारूपी राजकुमारी दे दी जाए। न लाखों-करोड़ों का ख़र्चा और न बाद में ग़लत इलेक्शन के बारे में कोई अदालती दावा। इसी प्रकार अध्यापक भी छात्र के साथ द्वन्द्व-युद्ध कर लें और छात्र यदि जीत जाए तो उसे बिना किसी परीक्षा के पास कर दें। जो छात्र हेडमास्टर या वाइसचांसलर के साथ हाथापाई करने में सफ़ल हो जाए, उसे स्वर्ण पदक तक प्रदान किया जाना उचित होगा। लेखक और आलोचक भी इसी सिद्धान्त के अनुसार काम करें और साहित्य में आयी हुई कुण्ठा और गतिरोध को ख़त्म करें। जो कवि दस-पाँच प्रतिष्ठित समीक्षकों की तबीयत के साथ मरम्मत कर दे, उसे महाकवि और युगप्रवर्तक स्वीकार कर लिया जाए। कहते हैं कि एक बार निराला जी ने भी पन्तजी को कुश्ती के लिए ललकारा था मगर कहीं निराला जी को कोई चोट न आ जाए, यह सोचकर पन्तजी ने इस प्रस्ताव को बाइज़्ज़त अस्वीकार कर दिया था। और प्रेम के सन्दर्भ में तो द्वन्द्व-युद्ध का कहना ही क्या; इससे उम्दा हथियार वहाँ और कोई मिल ही नहीं सकता। बजाय इसके कि चुपके-छिपके मिला जाए, आत्महत्या के वादे किये जाएँ और फिर बाद में चलकर निराशा के ही गीत लिखने पड़ें, इससे तो कहीं बेहतर यह है कि उस छोकरी के बाप या पति की कसकर ठुकाई कर दी जाए। जो भी जीत जाए, मुसम्मात उसी के पास चली जाए। मरहम-पट्टी पर थोड़ा-बहुत ख़र्चा आयेगा और उसे बाद में चलकर देख लिया जायेगा। बाहुबल से प्राप्त पत्नी भी पति को कुछ ज़्यादा ही प्यार करेगी और घर में भी वह शान्तिपूर्वक ही रहेगी। मुझे कुछ लोगों पर बड़ा रहम आता है जबकि देखता हूँ कि अपने अमर प्रेम के सामने भी वे अपने जबड़े पर एक मुक्का बर्दाश्त करने को तैयार नहीं। अब या तो अकबर इलाहाबादी वाला पवित्र प्रेम ही

कीजिए (बँगलए-जानां सवा दो कोस है, चल नहीं सकते बड़ा अफ़सोस है) या फिर हिम्मत बटोरिए और कौमी नारे को बुलन्द कीजिए (ठन गयी आज यही कि पहुँचूँ उन तक, या मेरी ख़ैर नहीं या दरबान की ख़ैर)।

यूँ तो द्वन्द्व-युद्ध का तरीका सभी क्षेत्रों में कारगर हो सकता है पर तलाक के क्षेत्र में इसके लिए जितना स्कोप है उतना शायद और किसी क्षेत्र में नहीं है। इस स्थिति के कारण दो हैं। पहला कारण तो यह है कि अदालत जानेवाली प्रणाली इतनी देरतलब है कि जब तक अदालत अपना फ़ैसला देती है तब तक या तो पति-पत्नी में से कोई एक (या दोनों) अपनी ज़िन्दगी पूरी कर लेते हैं और मर जाते हैं, या फिर अदालत में हर हफ़्ते मिलते-मिलते उनमें आपस में फिर प्रेम हो जाता है और तलाकवाली बात जो है वह पीछे छूट जाती है। आयरलैण्ड में एक पति-पत्नी को तलाक लेने में इतना समय लगा कि जब तक उन्हें तलाक मिला तब तक उनके पुत्र और पुत्रवधू भी उसी अदालत से तलाक प्राप्त कर चुके थे। इस सन्दर्भ में द्वन्द्व-युद्ध के तरीके के ज़्यादा उपयोगी होने का दूसरा कारण यह है कि संसार के काफ़ी देशों में तलाक लेने की प्रथा अभी भी काफ़ी अजीबोग़रीब है। मिसाल के तौर पर रेड इण्डियन लोगों की केशबू जाति में यह प्रथा है कि जिस व्यक्ति को घर लौटने पर अपनी मच्छरदानी ग़ायब मिले, वह समझ लेता है कि उसकी पत्नी ने उसे तलाक दे दिया। बीवी जो गयी सो गयी, साथ में एक अदद मच्छरदानी और गयी। नेपाल की नेवार जाति की स्त्री यदि अपने पति को छोड़ना चाहती है तो बिस्तर पर सुपारी के दो टुकड़े ज़रूर छोड़कर जाती है ताकि जब पति आये तो सुपारी चबाकर अपना विरह कुछ कम कर सके। सुमात्रा देश में अचेहनी जाति में तलाक लेना काफ़ी भयानक है। जब भी कोई महाशय अपनी पत्नी के हाथ में तीन अदद सुपारी के टुकड़े रखकर कह दें कि "एक तलाक, दो तलाक, तीन तलाक आज से इस लोक में और परलोक में तू मेरी बहिन के समान" तो इसका अर्थ यह होता है कि उस पुरुष-विशेष ने उस स्त्री-विशेष को तलाक दे दिया। ग्यारह सगे बच्चों की माता होने के बाद अपनी सगी पत्नी को सबके सामने बहिन कहकर स्वीकार करना कितना कठिन काम है, यह आप समझ सकते हैं। इस दिशा में यदि द्वन्द्व-युद्ध की परम्परा आ जाए तो बस आनन्द ही आनन्द है। पति और पत्नी सारे महल्ले के सामने कुश्ती लड़ें और जो जीत जाए, वह तलाक प्राप्त करने का अधिकारी घोषित किया जाए। आप यह न समझिए कि ऐसी स्थिति में हमेशा पति ही जीतेगा क्योंकि मैंने ऐसी थ्री-टनर देवियाँ देखी हैं जो एक तो क्या, दस-दस पतियों को धराशायी कर चुकी हैं। पति कभी अपने होते थे, कभी पराये।

मैं अपने चारों ओर निगाह दौड़ाता हूँ और उदास हो जाता हूँ। जिन कामों के लिए द्वन्द्व-युद्ध होने चाहिए थे, उन्हें लेकर जादू-टोना, यज्ञ और प्रदर्शन किये जा रहे हैं जोकि एक काफ़ी निराशाजनक स्थिति है। कहा जाता है कि एक वरिष्ठ नेता ने

एक दूसरे वरिष्ठ नेता पर जादू-टोना करवा दिया ताकि वह बीमार हो जाए और ये खुद मुख्यमन्त्री बन जाएँ। कितना अच्छा रहता कि जादू-टोने के स्थान पर ये लोग 'ड्यूअल' लड़ते और सबके सामने अपनी शक्ति को प्रकट करते। जो शान्ति और सुख द्वन्द्व-युद्धों से प्राप्त हो सकता था, उसी की प्राप्ति के लिए एक प्रदेश में एक महायज्ञ किया गया जिसमें बीस लाख रुपयों का तो मात्र घी ही फूँका गया। कहते हैं ऐसा यज्ञ पाँच हज़ार वर्ष पहले मान्धाता नामक व्यक्ति ने नर्मदा नदी के तट पर किया था। बारह मई सन् उन्नीस सौ उनहत्तर को सम्पन्न किये गये इस महायज्ञ में लगभग ढाई हज़ार हवन कुण्ड खोदे गये, लगभग तीन हज़ार पुरोहितों ने अपनी सेहत ठीक की और कुल मिलाकर अन्तिम परिणाम यह रहा कि यज्ञ-स्थान से कुछ ही दूर पर एक समुद्री तूफ़ान आ गया जिससे लाखों लोगों के घरबार उजड़ गये और करोड़ों की सम्पत्ति नष्ट हो गयी। ठीक वही स्थिति जो रामचन्द्रजी व पाण्डवों के साथ हुई थी। जब राजा रामचन्द्र ने अश्वमेध यज्ञ किया था तो उसके कुछ ही दिन बाद सीता ने आत्महत्या कर ली थी, लक्ष्मण को प्राणदण्ड मिला था और रामचन्द्रजी स्वयं जो थे वह सरयू में डूब गये थे। विश्वास न हो तो वाल्मीकि-रामायण का उत्तर काण्ड पढ़ लीजिए। इसी प्रकार जब पाण्डवों ने राजसूय यज्ञ किया था तो उसके बाद उन्हें चौदह वर्ष का वनवास मिला था जो कुल मिलाकर शायद कोई विशेष दिलचस्प चीज़ नहीं होती थी। मैं सोफ़े पर बैठता हूँ और सोचता हूँ कि ऊपर बताये यज्ञ में लगे बीस लाख रुपयों का घी यदि हमारे देशवासी खाते तो उनकी सेहत ठीक हो सकती थी और द्वन्द्व-युद्ध की परम्परा को बल दिया जा सकता था। मगर यहाँ तो स्थिति यह है कि घी-दूध तो देवताओं को दो, और अपने झगड़े सुलझाने के लिए कचहरी जाओ। इसी प्रकार बर्लिन में हाल ही में युवतियों ने एक विशाल जुलूस निकाला और माँग की कि पुरुषों को सड़कों पर चलने का अधिकार नहीं मिलना चाहिए क्योंकि वे युवतियों से छेड़खानी करते हैं। इन स्त्रियों के हाथों में झण्डे थे जिन पर लिखा था कि "हर तेरह मिनट में एक स्त्री के साथ बलात्कार होता है।" इसी मुद्दे को लेकर फ्रैंकफ़र्ट में भी युवतियों ने एक विशाल जुलूस निकाला और राह चलते पुरुषों पर आटे की थैलियाँ फेंककर मारीं। मेरा निजी विचार यह है कि इन सुन्दर कन्याओं की असली इच्छा यह थी कि तेरह मिनट में केवल एक ही बलात्कार क्यों होता है, ज़्यादा बलाकार क्यों नहीं होते? यदि ऐसा न होता तो वे नंगी टाँगों का सार्वजनिक प्रदर्शन करना बन्द करतीं और आटे को फेंकने के बजाय उसकी चपातियाँ खातीं, कसरत करतीं और छेड़खानी करनेवाले युवकों से दो-दो हाथ करतीं। अगर एक भी लोफर की पतलून खींच लेतीं और उसका अण्डरवियर उतार लेतीं तो उसे जन्म-भर के लिए अक्ल आ जाती और फिर वह अपनी पत्नी को भी माता कहकर पुकारता।

मैं सरकार से दरख़ास्त करता हूँ कि वह द्वन्द्व-युद्धों को क़ानूनी बनाये, उन्हें

प्रोत्साहन दे और इस प्रकार बेकार मुकद्दमेबाज़ी, जादू-टोना, और यज्ञ वग़ैरह को ख़त्म करे। और हाँ, द्वन्द्व-युद्धों से मेरा अभिप्राय उन अभियानों से कतई नहीं है जोकि हमारी बहादुर पुलिस कभी-कभी करती है। हाल ही के प्राप्त समाचारों के अनुसार मध्यप्रदेश के छतरपुर नगर में जब पुलिस एक बैंक की सुरक्षा पर तैनात थी तो कुछ मौजी लोग आये और उनकी स्टेनगन, राइफिल और कारतूस छीनकर लापता हो गये। पुलिस थी कि उसने बिना किसी वाद-विवाद के यह सारा सामान उन लफ़ंगों के हवाले कर दिया। चल भाई, तू ही खुश रह। हमारी पुलिस-जैसी शान्तिप्रिय, नम्र और सभ्य पुलिस शायद दुनिया में और कहीं नहीं मिलेगी। इस 'जम्बूद्वीपे भरतखण्डे' का भी वाकई जवाब नहीं।

एक देहाती डॉक्टर

मेरा जो ज़िला है वह गढ़वाल से एकदम लगा हुआ है। यह ठीक वही इलाका है जहाँ कभी शकुन्तला और तेन्दुए पाये जाते थे। शकुन्तला ने दुष्यन्त को आकृष्ट किया था और तेन्दुओं ने जिम कार्बेट को। समय के साथ-साथ ये सब समाप्ति को प्राप्त हो गये—ठीक वही "कालाय तस्मै नमः" वाली बात। अब इन वस्तुओं के स्थान पर कहीं-कहीं डॉक्टर नाम का प्राणी मिलता है जो क्या पर्वतों की दिशा से आते राजहंस और क्या तराई में रहनेवाले भेड़िये—इन सभी से दस क़दम आगे होता है। यूँ तो भारत का प्रत्येक निवासी जन्मजात चरक, सुश्रुत, वाग्भट और शार्ङ्गधर होता है पर फिर भी डॉक्टर जो होता है, उसकी बात कुछ अलग ही होती है। मरीज़ को मारने का क़ानूनी अधिकार जो है वह उसे ही प्राप्त है। यह सन्तोष का विषय है कि "तरुतलनिवासिनी और ग्रामवासिनी" भारतमाता की कोटि-कोटि सन्तानों में से काफ़ी जो हैं वे इसी ग़रीब देहाती डॉक्टर की कृपा से अकाल मृत्यु का सुख भोगते हैं। मैं अपने अंचल के कुछ देहाती डॉक्टरों को जब भी देखता हूँ तो लगता है कि वे इस शस्यश्यामला धरती के साथ किया गया सबसे बड़ा मज़ाक़ हैं। यहाँ मैं एक विशिष्ट डॉक्टर के बारे में कुछ लिखना चाहता हूँ जिसमें गुलमुहर के गुण भी हैं और लकड़बग्घे के भी। दूसरे शब्दों में मेरे क्षेत्र का सच्चा प्रतिनिधि। फणीश्वरनाथ 'रेणु' ने भी अपने एक उपन्यास में एक ग्रामीण 'डाग्दर' की चर्चा की है। पाठकों की सुविधा के लिए मैं स्पष्ट कर दूँ कि वह एक दूसरा डॉक्टर था जो शायद मेरे इलाके में शादी के बाद हनीमून मनाने भी कभी नहीं आया।

जिस डॉक्टर की मैं चर्चा कर रहा हूँ वह मेरे क्षेत्र के काफ़ी जनप्रिय चिकित्सकों में से एक हैं। चिकित्सा का अधिकार इन्हें विरासत में मिला है। इनके लकड़दादा यूनानी हकीम थे, दादा वैद्य थे, पिता होम्योपैथी करते थे और ये हैं कि एलोपैथी आज़माते हैं। दूसरी जंग के दौरान ये फ़ौज में जानवरों के किसी अस्पताल में कम्पाउण्डर थे पर उस सत्य से वर्तमान वस्तुस्थिति पर कोई असर नहीं पड़ता। ये प्रैक्टिस करते हैं और धड़ल्ले के साथ करते हैं। मेरे इलाके की आधी जनसंख्या इन्हीं के प्रताप से प्रकाश में आयी और शेष आधी जनसंख्या इन्हीं के इलाज से जहान से कूच कर गयी। जंग के दौरान जो दवाइयाँ कभी टट्टुओं और खच्चरों

को ठीक करती थीं, वे अब इंसानों को दुरुस्त करती हैं। अन्ततोगत्वा, इंसान भी तो एक जानवर ही ठहरा।

कहा जाता है कि चिकित्सक जो होता है वह यमराज का छोटा भाई होता है। जिस डॉक्टर की मैं चर्चा कर रहा हूँ वह वैसे भी यमराज का विशिष्ट सम्बन्धी मालूम होता है क्योंकि उसकी शक्ल यमराज के वाहन से एकदम मिलती है। इसके अतिरिक्त जो सबसे बड़ी चीज़ है, वह यह है कि इन्हें प्रत्येक बीमारी का व्यक्तिगत अनुभव है। यक्ष्मा इन्हें रही, दिल का दौरा इन्हें पड़ा, दिमाग़ इनका ख़राब रहा और साँप ने इन्हें काटा। मरीज़ को देखने के बाद जो पहला सुभाषित उनके ओठों से निकलता है वह यही होता है कि घबराओ मत, इस मर्ज़ से तो मैं ख़ुद बीमार पड़ चुका हूँ। एक बार एक कुमारी कन्या को गर्भपात हो गया था और हिम्मत बढ़ाने के लिए इन्होंने उससे भी यही बात कही थी। लड़की बेवकूफ़ थी, उसने यक़ीन नहीं किया। वह हँसने लगी। इसके बाद उसने अपनी सारी व्याधियों का इलाज सदा इन्हीं डॉक्टर से कराया।

डॉक्टर साहब की दिनचर्या बड़ी नियमित है। वसन्त हो या वर्षा, वे हमेशा मुर्गे के साथ उठते हैं और अपने कुत्ते के साथ घूमने जाते हैं। इससे उनकी अपनी सेहत भी ठीक रहती है और कुत्ते की भी। साथ घूमनेवालों में से देर-सबेर कोई बीमार पड़ जाए तो वह दीगर बात है। इसके बाद आर्यसमाजी रीति से हवन करते हैं जिसमें मन्त्रों का उच्चारण इतनी शुद्धता के साथ किया जाता है कि यदि कोई सच्चा पण्डित सुन ले तो दम तोड़ दे और वह भी एकदम। यज्ञ करने के बाद वे नाश्ता लेते हैं और इसके बाद शफ़ाखाना जाते हैं। वहाँ वे अपना कोट उतारते हैं, पवनपुत्र हनुमान की मूर्ति को प्रणाम करते हैं और स्टैथोस्कोप को गले में इस प्रकार पहनते हैं जैसे शिव अपने गले में साँप पहना करते थे। इसके बाद वे काम में जुट जाते हैं। एक फटीचर किस्म का कम्पाउण्डर है जो सुई लगाता है और मरहम-पट्टी करता है। रोग कोई हो, इलाज सुई लगाने से ही शुरू किया जाता है और इसी प्रकार चोट कहीं भी हो, पट्टी हमेशा सिर पर ही बाँधी जाती है। कमरे के बाकी हिस्से में एक पर्दा पड़ा है जिसके पीछे उन रोगियों को देखा जाता है जिन्हें सबके सामने नहीं देखा जा सकता। औरतें अलबत्ता किसी भी रोग से पीड़ित हों, उनकी जाँच हमेशा पर्दे के पीछे ही की जाती है। ये शायद पहले डॉक्टर हैं जो गले के खराशों के लिए बालिका की टाँग का निरीक्षण करते हैं और पेट ख़राब होने पर उसके वक्ष का। इनकी इस विशिष्ट निदान-प्रक्रिया के कारण ही काफ़ी सम्भ्रान्त और शालीन किस्म की स्त्रियाँ भी इनसे इलाज करवाने काफ़ी दूर-दूर से आती हैं। सन्तान देने के लिए इनके पास कोई अचूक नुस्ख़ा है। न जाने कितनी बाँझ औरतें आयीं जिनकी गोद डॉक्टर साहब के अथक प्रयत्नों द्वारा ही भरी। जहाँ तक पुरुषों का प्रश्न है, उनमें डॉक्टर साहब इस कारण लोकप्रिय हैं क्योंकि हर मरीज़ को वे

कोई न कोई फ़ोश मज़ाक़ ज़रूर सुनाते हैं। इस दिशा में उनकी प्रतिभा इतनी प्रखर है कि अच्छा-ख़ासा सात्त्विक मज़ाक़ भी उन तक पहुँचते-पहुँचते फ़ोश हो जाता है। वैसे भी वे काफ़ी मिलनसार और ख़ुशमिज़ाज हैं और ज़्यादा ग़रीब बीमारों को मुफ़्त दवा देने में भी उन्हें संकोच कभी नहीं होता। वैसे भी इनका इलाज करवाते-करवाते कितने ही भले लोग ग़रीब हो गये।

उनका शफ़ाखाना एक अजीब जगह है। वह शफ़ाखाना भी है, देहातियों की बैठक भी है, फ़ौजदारी और गाँव की राजनीति का अड्डा भी है और इस सबके साथ-साथ देसी शराब की दुकान भी है। गाँव की सारी कला और संस्कृति जैसे वहीं सिमटकर आ गयी है। बन्दरवाला वहीं बन्दर नचाता है और कठपुतली का नाच जो होता है वह भी शफ़ाखाने के सामने खड़े पीले अमलतास के ही नीचे होता है। वहाँ लोगबाग इलाज ही नहीं करवाते बल्कि शादी और विवाह भी तय करते हैं, ताज़ीराते-हिन्द की दफ़ाएँ याद करते हैं और रुपये का लेन-देन भी करते हैं। पेशेवर डाकुओं की मरहम-पट्टी जो है, वह भी रात को यहीं सम्पन्न की जाती है। शादी-विवाह तय कराने में डॉक्टर साहब को विशेष दिलचस्पी है क्योंकि यदि शादी-विवाह नहीं होंगे तो भविष्य में मरीज़ कहाँ से आयेंगे? मेरा विचार है कि इतना शातिर इंसान मेरे क्षेत्र में न भूतो न भविष्यति। गाँव में जो सरकारी अमला आता है, उनकी खातिर भी डॉक्टर साहब के ही हाथों होती है।

तीसरे पहर जब कुछ छुट्टी होती है तो डॉक्टर साहब खाना खाकर अख़बार पढ़ते हैं। आस-पास बैठे देहाती लोगों को पढ़कर बताते हैं कि फ़लाँ इलाके में एक सुन्दरी अपने प्रेमी को छोड़कर पति के साथ भागी तो क्यों भागी और एक बकरी ने घोड़े के बच्चे को जन्म दिया तो कैसे दिया। अख़बार पढ़ने के बाद वे मरीज़ देखने निकलते हैं और इस सन्दर्भ में उनकी साइकिल उनका बड़ा साथ देती है। डॉक्टर व साइकिल—इन दोनों चीज़ों का जन्म शायद एक ही दिन हुआ था। साइकिल के पीछे कैरियर में बैग दबा रहता है और आगे हैण्डिल पर झोला लटका रहता है जिसमें गाँववाले अपनी श्रद्धा के अनुसार मछली, सिंघाड़े और कुम्हड़ा वग़ैरह डालते रहते हैं। डॉक्टर साहब सबके शुभचिन्तक हैं। सर्वे भवन्तु सुखिनः सर्वे सन्तु निरामयाः। नाई उनसे हजामत के पैसे नहीं लेता और मोची उनके जूतों की मरम्मत के बदले कभी कुछ भी नहीं माँगता। वे सबके दोस्त हैं। उनका पेट काफ़ी बड़ा है। उसमें न जाने कितनों की इज़्ज़त छिपी पड़ी है। कोई बेवकूफ़ है जो उनसे बिगाड़कर रखेगा? और फिर वैसे भी डॉक्टर साहब का रिकॉर्ड है कि उनके इलाज में आज तक कोई नहीं मरा। होता यह है कि केस जैसे ही कुछ सीरियस होने लगता है, वैसे ही वे उसे शहर भिजवा देते हैं और बड़े डॉक्टर के नाम ख़त भी देते हैं। इतिहास साक्षी है कि कोई भी मरीज़ जिसे उन्होंने शहर भेजा, फिर कभी शिकायत करने वापिस नहीं लौटा।

पिछली बार जब मैं गाँव गया तो डॉक्टर साहब को सरकारी अमले से घिरा

पाया। गाँव मैं अक्सर जाता रहता हूँ। सच्ची बात तो यह है कि अपनी तमाम कमियों और गन्दगियों के बावजूद, देहात अभी भी उतना ही सुन्दर है। वसन्त और वर्षा जो हैं वे वहीं बतियाते हैं। कमलों से भरी झील, मेघों से भरा आकाश, कीचड़ से भरी पगडण्डियाँ, मीलों तक पीले-पीले धानों से भरे खेत और ज़रूरत से ज़्यादा यौवन से भरी लोकगीत गाती युवतियाँ। शरद् ऋतु में ऐसी चाँदनी निकलती है कि पैदल चलते हुए भी ऐसा लगता है जैसे कि आप नौकाविहार कर रहे हैं। ये वे चीज़ें हैं जो अभी भी देहात में ही हैं। महानगरों में तो बस एक ऋतु बची है और वह है दफ़्तर जाने की और वहाँ से थका-माँदा वापिस आने की। मैं अपने मूढ़े के चारों ओर बैठे लोगों को देखता हूँ। मेरे विचार में ग्रामीण सौन्दर्य को सुरक्षित रखने की दिशा में खण्ड-विकास-अधिकारी, सरकारी डॉक्टर, चकबन्दी अफ़सर और सहकारिता विभाग के कर्मचारियों ने इतना महत्त्वपूर्ण योगदान दिया है कि यदि वह न दिया जाता तो शायद कहीं ज़्यादा अच्छा रहता।

दोपहर जो है वह धीरे-धीरे सन्ध्या में बदल रही है। सन्ध्या जो है वह रात में बदलेगी। रात को हमारे डॉक्टर साहब भी एकदम बदल जाते हैं। देसी शराब और फ़ोश मज़ाक़। नशा चढ़ जाने पर अपनी रसिकता के क़िस्से भी वे खुद ही सुनाने लगते हैं। कहाँ-कहाँ किस-किस तरह के जूते कैसे-कैसे खाने को मिले—इसका विस्तृत और प्रामाणिक इतिहास। जब नशा ज़्यादा रंग ले लेता है तो वे या तो गीदड़ की बोली बोलकर सुनाते हैं या सीधे शायरी पर ही उतर आते हैं। डॉक्टरी पेशे और साहित्य का बड़ा पुराना सम्बन्ध है। ओलिवर गोल्डस्मिथ, जान कीट्स, चेख़व, आर्थर कानन डायल और सामरसेट माम भी तो पेशे से बहरहाल डॉक्टर ही थे।

सर्वे भवन्तु सुखिनः

आज का अख़बार पढ़कर तबीयत बगीचा-बगीचा हो गयी। इतनी शानदार ख़बरें एक ही दिन के अख़बार में पढ़ना हृदय को प्रफुल्लित कर गया। पहली ऐतिहासिक ख़बर तो यह थी कि अमेरिका के किसी सम्भ्रान्त परिवार ने कभी युद्ध के समय जार्ज वाशिंगटन को दो सौ तेरह वर्ष पहले ऋण दिया था जिसकी दस्तावेज़ उस कुल के कुलदीपकों को हाल ही में हाथ लगी। सूद समेत यह ऋण अब केवल एक अरब बयालीस करोड़ डालर निकलता है जिसे सरकार से वसूल करने के लिए उस परिवार के डेढ़ हज़ार वंशजों ने अदालत में दावा दायर किया है। अदालत क्या फ़ैसला देगी, यह कहना कठिन है। दूसरी भौगोलिक ख़बर यह थी कि मैक्सिको के एक ग़रीब मज़दूर ने कभी लॉटरी का एक टिकट ख़रीदा था जिसे रखकर वह भूल गया। एक दिन जब वह उस टिकट को लेकर उस महिला के पास गया जिसने कि वह टिकट उसे बेचा था तो उसे बताया गया कि वह टिकट अब बेकार हो गया है। टिकट को बेकार समझकर उस निर्धन व्यक्ति ने वह टिकट उसी महिला के पास छोड़ दिया। उस महिला ने व उसकी चन्द्रमुखी कन्या ने वह टिकट भुना लिया जिसका पता उस निर्धन पर असली हक़दार को भी लग ही गया। उसने पुलिस में रिपोर्ट लिखाई और वह महिला व वह चन्द्रमुखी गिरफ़्तार कर ली गयीं। बहरहाल उस ग़रीब बर्तन माँजनेवाले व्यक्ति को दस लाख बयासी हज़ार डालर का इनाम मिल ही गया। तीसरी शास्त्रीय ख़बर यह है कि हर्टफ़ोर्ड की एक अदालत ने एक तथाकथित तान्त्रिक व उसकी कन्या को पन्द्रह-पन्द्रह वर्ष की कड़ी क़ैद मात्र इस कारण दी कि उन दोनों ने एक व्यक्ति को बुरे ग्रहों से बचाने के लिए ऐसी व्यवस्था की थी जिसमें उस ग्रह-पीड़ित व्यक्ति को मात्र दो लाख पचहत्तर हज़ार डालर ख़र्च करने पड़े थे और इस सबके बावजूद उसको 'बुरी आत्माओं' से मुक्ति नहीं मिली थी। चौथी पारलौकिक ख़बर यह है कि जर्मनी में एक ऐसी रूपवती युवती है जिसके मुँह से आग निकलती है और उसके इसी गुण-विशेष के कारण अभी तक पैंसठ स्थानों पर आग लग चुकी है। यह आग उस आग से अलग है जो उसके रूप के कारण असंख्य प्रेमियों के तन और मन में इस भयंकर गति से लग चुकी है कि कोई भी अग्निशमन यन्त्र उसे बुझा नहीं पा रहा है। (इक आग का दरिया है और डूब

के जाना है—जिगर मुरादाबादी)। पाँचवीं ख़बर समुद्री है जिसके अनुसार आक्शण्ड नामक क़स्बे में एक मछली को जब रसोईघर में पकाने के लिए काटा जा रहा था तो उसके भीतर से ऐसा ज़बर्दस्त विस्फोट हुआ कि सारी रसोई हिल गयी। ऐसी घटना यदि हमारे देश में घटी होती तो इसे आतंकवादियों की हरकत बताया जाता मगर चूँकि घटना विदेश में घटी है इस कारण पूरा वैज्ञानिक विश्लेषण किया जा रहा है।

स्थिति यह नहीं है कि दिलचस्प घटनाएँ मात्र विदेशों में ही घटी हों। इस क्षेत्र में अपना देश बिल्कुल पिछड़ा हुआ नहीं है। राजधानी में ही कई मार्मिक वारदातें हुईं। एक कॉलेज के छात्र को इतना मेधावी पाया गया कि शिक्षा-संस्थान की ओर से उसे एक स्वर्ण-पदक दिया गया। उस ग़रीब परिश्रमी छात्र को जब यह पता लगा कि पदक जो है वह सोने का नहीं बल्कि किसी निहायत घटिया धातु का है और उस पर सिर्फ़ सोने का पालिश ही किया गया है तो उसने पुलिस स्टेशन में प्रथम सूचना रिपोर्ट दर्ज़ करवायी और कॉलेज की यूनियन ने प्रिंसिपल को मुअत्तिल करने की माँग की। आगे आगे देखिए, होता है क्या। यदि इस केस में आँखों में धूल झोंकी गयी तो दूसरी घटना ऐसी घटी जिसमें कि आँखों में मिर्च का चूरा झोंका गया। हुआ यह कि एक अस्पताल का ख़जांची कर्मचारियों के वेतन का रुपया बैंक से निकालकर उसे एक सन्दूक में रखकर शायद पैदल आ रहा था जबकि स्कूटर पर सवार दो सज्जनों ने उसकी आँखों में लाल मिर्चों का चूर्ण डाल दिया और जैसे ही ख़जांची ने अपनी आँखें साफ़ करने की कोशिश की वैसे ही वे दोनों सज्जन कैश-बाक्स को लेकर स्कूटर पर अन्तर्धान हो गये। कोई एक लाख रुपया पाँच मिनट में इधर से उधर हो गया। वित्त मन्त्रालय और आडिट के विभाग में आजीवन काम करने के फलस्वरूप मैं यह भली-भाँति जानता हूँ कि ये विभाग इस हानि पर ज़्यादा टीका-टिप्पणी नहीं करेंगे, हाँ यदि ग़रीब ख़जांची कहीं एक लाख रुपयों के लिए टैक्सी भाड़े पर ले लेता तो केस वर्षों तक चलता। एक प्रदेश के मुख्यमन्त्री इतने पान खाते हैं कि उन्हें कभी-कभी उनका पीक थूकने के लिए उपयुक्त स्थान खोजने में बड़ी परेशानी पड़ती है। इस बार तो ऐसा हादसा हुआ कि पूछिए नहीं। अपनी आदत के अनुसार सारा मुखारविन्द ताम्बूलों से भरने के बाद जब वे वायुयान में बैठे तो उन्हें ऐसा कोई स्थान नहीं मिला जहाँ वे पान की पीक का निर्यात कर सकते। अख़बार में छपा है कि भारतीय प्रशासन सेवा के एक उच्च अधिकारी ने अपना बैग खाली किया और मुख्यमन्त्री जी ने उसे पीकदान के स्थान पर प्रयोग किया। इस घटना को पढ़कर क्या आप यह बात ईमानदारी से कह सकते हैं कि नौकरशाही जो है वह राष्ट्र के विकास में जनता के प्रतिनिधियों का साथ नहीं देती? इस सन्दर्भ में एक मज़ेदार टिप्पणी देश के सर्वोच्च ब्यूरोक्रैट (यानी कि कैबिनेट सेक्रेटरी) के बारे में भी छपी है। कैबिनेट सेक्रेटरी (विनोदचन्द्र पाण्डेय) इतने ज़्यादा पान खाते हैं कि उसकी पीक को सुरक्षित रखने के लिए उनके कक्ष में एक विशेष कैबिनेट (यानी कि

बक्सा) फ़िट किया गया है। यदि मुख्यमन्त्री जी पान खा सकते हैं तो फिर कैबिनेट सेक्रेटरी वैसा क्यों नहीं कर सकते? महाजनो येन गतः स पन्थाः (विष्णु शर्मा)।

समाचारपत्र में सबसे अधिक सुखदाई ख़बर यह थी कि लगभग बीस वर्षों के निरन्तर संघर्ष के बाद (और श्रीमती कमलादेवी चट्टोपाध्याय के नेतृत्व के कारण) दिल्ली में विभिन्न प्रकार के कारीगरों के लिए एक अलग गाँव बसाया गया है जिसका नाम है 'आनन्द गाँव'। इन कारीगरों में कठपुतली बनानेवाले हैं, जादूगर हैं, कव्वाली गानेवाले हैं और शेष जितने प्रकार के दस्तकार होते हैं, वे भी हैं। ये लोग देश के दूर-दूर बसे प्रदेशों के निवासी हैं जिन्होंने सबकुछ सहा पर कभी भी भीख नहीं माँगी। इस समाचार-विशेष को पढ़कर मैं यह सोचने लगा कि यदि बाकी किस्म के कलाकारों के लिए एक गाँव बसाया जा सकता है तो क्या साहित्यकारों के लिए वैसा नहीं किया जा सकता? आनन्द गाँव में तो मात्र 546 परिवारों के निवास की ही व्यवस्था है जबकि साहित्यकारों की संख्या तो मात्र राजधानी में ही हज़ारों में होगी। कुछ साहित्यकार ऐसे भी हैं जो काला जादू जानते हैं और कुछ ऐसे भी हैं जो राजनीतिक नेताओं के हाथों में कठपुतली से कहीं ज़्यादा अच्छा नाचते हैं। इनमें से काफ़ी कलाकार तो ऐसे भी हैं जिन्हें भिक्षा माँगने में भी लज्जा नहीं आती। क्या वास्तव में सरकार को साहित्यकारों के प्रति न्याय नहीं करना चाहिए?

मेरे विचार में अब वह समय आ गया है जबकि 'रेणुगाँव' की तर्ज़ पर सरकार 'लेखक गाँव' की स्थापना करे। कवियों में फ़िलहाल सर्वश्रेष्ठ कवि विश्वनाथ प्रताप सिंह हैं क्योंकि कवि होने के साथ-साथ वे देश के प्रधानमन्त्री भी रह चुके हैं। अकबर बेपढ़ा होते हुए भी अपने नवरत्नों से बड़ा था। देश के दूसरे महान् कवि फ़िलहाल अटल बिहारी वाजपेयी हैं क्योंकि वे मात्र गिरधर कविराय की भाँति कुण्डलियाँ ही नहीं लिखते वरन् भारत के भावी प्रधानमन्त्री बनने की सामर्थ्य भी रखते हैं। जूलियस सीज़र, जेम्स प्रथम, बाबर व जहाँगीर उच्च कोटि के साहित्यकार थे क्योंकि लेखक होने के साथ-साथ वे महान् सम्राट् भी थे। संस्कृत में तो काफ़ी राजा लोग अपने चारणों से कहीं ज़्यादा अच्छा स्वयं लिखते थे। 'मृच्छकटिक' व 'नागानन्द' नाटक राजा शूद्रक व महाराज हर्ष ने रचे। हिन्दी की महान् कवयित्री मीरा स्वयं एक महारानी थीं। अटल बिहारी वाजपेयी के बाद देश के सर्वश्रेष्ठ कवि विनोदचन्द्र पाण्डेय हैं क्योंकि वे एक सच्चा कवि होने के साथ-साथ भारत सरकार के कैबिनेट सेक्रेटरी भी हैं। उनके बाद देश के सबसे बड़े कवि हैं आनन्द बख़्शी जिनके रचे गीतों को देश की सारी जनता करोड़ों की तादाद में प्रतिदिन सुनती है। इन सबके बाद आते हैं बच्चन, नागार्जुन, केदारनाथ अग्रवाल और त्रिलोचन। देश में हिन्दी गद्य के सर्वश्रेष्ठ लेखक सर्वश्री गुरुदत, गुलशन नन्दा, ओमप्रकाश शर्मा व कर्नल रंजीत हैं। मेरी सर्वश्रेष्ठ पुस्तक भी एक हज़ार ही छपती है जबकि गुलशन नन्दा की एक पुस्तक का पहला संस्करण एक लाख प्रतियों का हुआ था। हिन्दी

में तो और कोई ऐसा गल्प लेखक है ही नहीं जिसका नाम गुलशन नन्दा के बाद लिया जा सके क्योंकि यशपाल, अमृतलाल नागर, भगवतीचरण वर्मा और जैनेन्द्र कुमार—ये सब कालजयी प्रतिभाएँ काल के गाल में समा गयीं। 'लेखक गाँव' में एक हरिजन कालोनी भी बनेगी जिसमें व्यंग्यकार निवास करेंगे।

मैंने यह योजना एक मित्र को बतायी तो उसने कहा कि सरकार साहित्यकारों से पूर्व हिजड़ों को महत्त्व देगी क्योंकि उनकी संख्या ज़्यादा है। मद्रास नगर से कोई दो सौ किलोमीटर दक्षिण में 'कोवागाम' नाम का एक परम पवित्र स्थल है जहाँ प्रत्येक वर्ष मई के महीने में सारे देश के हिजड़ों का मेला जुड़ता है। मैं तो यह कहता हूँ कि सरकार लेखकों और हिजड़ों के लिए एक ही ग्राम बना दे क्योंकि वैसे भी देश के काफ़ी लेखक, सम्पादक और पत्रकार मात्र हिजड़े ही तो हैं। और वैसे भी देखा जाए तो पता लगेगा कि प्राचीन भारत में 'कंचुकी' और मुस्लिम काल में 'खवास' राज्य के बड़े-बड़े ओहदे सँभालते थे। यह परम सौभाग्य की बात है कि सरकार के कुछ बड़े-बड़े अधिकारी अभी भी उसी पावन परम्परा का पालन करते चले आ रहे हैं। वैसे भी हिजड़ों पर ध्यान देना आवश्यक है क्योंकि अन्ततोगत्वा वे भी तो इंसान ही हैं। भगवान के सच्चे भक्त तो वे ही हैं क्योंकि वे बेचारे कभी भी विषय-वासनाओं का शिकार नहीं बनते। ऐसा गाँव बन जाए तो हमारे पूर्वजों की नीचे लिखी वाणी सत्य हो जाए। वाणी इस प्रकार है :

सर्वे भवन्तु सुखिनः, सर्वे सन्तु निरामयाः
सर्वे भद्राणि पश्यन्तु, मा कश्चिद् दुखभाग्भवेत्

कश्मीरी और डोगरी के कुछ दिलचस्प लोकगीत

देश के सबसे सुन्दर राज्य कश्मीर पर कभी महाराज ललितादित्य और प्रवरसेन ने राज्य किया। बाद में चलकर सम्राट् अशोक ने भगवान बुद्ध के उपदेशों से इसे पवित्र करवाया। 'राजतरंगिणी' का प्रणेता कवि कल्हण कश्मीर का ही निवासी था। पुरानी लोककथाओं के अनुसार महाराज प्रवरसेन ने ही शालीमार बाग़ की आधारशिला रखी थी और उन दिनों इस उद्यान को शालामार (यानी कि मदननिकेतन) के नाम से पुकारा जाता था। सन् सोलह सौ चौदह ईस्वी में शाही बाग़ात का सितारा और भी ज़्यादा चमका। मुग़ल सम्राट् जहाँगीर व उसकी मलिका नूरजहाँ ने सारे बाग़ात का रूप ही बदल दिया। 'तुज़्के जहाँगीरी' के अनुसार जहाँगीर चाहता था कि कश्मीर के उद्यान संसार में सबसे सुन्दर हों। यहाँ के लोकगीत भी इतने सुन्दर हैं कि कुछ कहा नहीं जा सकता।

एक नवयुवक था जो शायद कुछ पैतृक कारणों के वशीभूत होकर एक सुन्दर लड़की से कहने लगा कि "तेरी नाज़ों के ख़रीदार, कितने पागल हैं बेशुमार। मेरी आँखों ने तेरी आँखों में ग़ज़ल पढ़ ली है। तुम तो बिजली-जैसी दुल्हिन बनोगी। मैं भी बम्बुर राजा की भाँति हूँ जिसने अपनी प्रिय रानी लोलरि के कारण राजपाट छोड़ दिया था। और हाँ, तू जवान इतनी जल्दी कैसे हो गयी? सच ही कहा है कि लड़की के और खुबानी के पकने में कितना समय लगता है? तुमने वचन दिया था कि तुम मेरी वधू बनोगी। इतने सुन्दर मुख से दिया वचन न तोड़ो।"

प्रियतम की बातें सुनकर युवती ने भी अपनी भावनाओं को वाणी दी। वह बोली कि "एक समय था जब मैं पीले फूल-जैसी सुन्दर थी, उसके बाद एक समय आया जिसमें मैं सोने के बुन्दे की भाँति चमकती थी। मगर फ़िलहाल जो स्थिति है, वह यह है कि मैं किसी तन्दूर की भाँति तप रही हूँ। हिम्मत है ऐसे में शादी करने की? मेरे प्रेम का पौधा पानी से नहीं बढ़ेगा, उसकी सिंचाई तो तुम्हें दूध से करनी पड़ेगी। और हाँ, क्या तुम अपनी परम पूजनीया माता जी को नहीं जानते? वह मुझे जलते हुए चूल्हे में फूँक देगी और मेरी ननद जो है वह तुम्हारी माता का ही साथ देगी, मेरा नहीं।"

प्रेमी ने हिम्मत नहीं छोड़ी। उसने कहा कि "तुम एक कबूतर हो, मैं भी एक

कबूतर हूँ पर मेरा एक पंख कटा है। अम्माँ की क़ैद से तो निकलना ही पड़ेगा : कठिन बेबसी क़ैद की होती, बीने कौन हार के मोती?" इसके बाद क्या हुआ, वह मुझे मालूम नहीं। मेरे ख़याल से कोर्ट में जाकर उन्होंने शादी की होगी और उसके बाद परिवार-नियोजन किया होगा। सारे समझदार लोग अब ऐसा ही किया करेंगे। कोर्ट की शादी का मज़ा कुछ और ही होता है। वैदिक रीति से तो मेरा विवाह सम्पन्न हुए कोई इकत्तीस वर्ष व्यतीत हो गये मगर कोर्ट में एक शादी मैं भी ज़रूर करना चाहता हूँ चाहे वह शादी मुझे अपनी वर्तमान पत्नी के साथ ही करनी पड़े।

कश्मीर में केसर सबसे क़ीमती चीज़ है। केसर कश्मीर को छोड़कर संसार में और कहीं नहीं होती। इसी कारण केसर को लेकर अनगिनत लोकगीत लिखे गये हैं। कवि कहता है : "रे केसर के फूल, तू तो स्वर्ण की भाँति दमक रहा है और दीपक की भाँति जल रहा है। तबीयत होती है कि अपना तन-मन मैं तुझ पर ही वार दूँ। ओ केसर, तूने इतनी सुगन्ध, इतना रूप और इतने रंग कहाँ से प्राप्त किए?"

एक युवती दूसरी सखी से कहती है कि "आज तो मेरा पति केसर के खेतों की दिशा में गया है। लौटने पर रात-भर सुगन्ध देगा। मगर ओ केसर, कहीं तू अपने रूप पर घमण्ड न कर बैठना क्योंकि मैं तुझसे कहीं ज़्यादा सुन्दर हूँ। चल री सखि, केसर के खेतोंवाले पामपुर की तरफ़ चलें। केसर के पुष्पों ने मेरे हृदय में हलचल (यानी कि असहयोग आन्दोलन) शुरू कर दी है। ओ केसर, तुझे सारी दुनिया देखती है मगर मुझे तो प्यार से देखनेवाला बहुत दूर गया है। पता नहीं कब लौटेगा? उसके लिए मैं पश्मीना कातूँगी, एक बाँका शाल बुनूँगी और फिर उसे केसर से रँगूँगी।"

मुझे यह देखकर अत्यन्त हर्ष हुआ कि कश्मीरी गीतों में "हास्य-व्यंग्य" पर अलग से ध्यान दिया गया है। इस प्रकार के गीतों को 'लड़ीशाह' कहा जाता है जिन्हें कोई ख़ास व्यक्ति ही विशेष अन्दाज़ और विशेष लहजे में गाता है। वह एक वाद्य भी बजाता है जिसे 'दुकरू' कहते हैं। कश्मीरी जनता में हास्य के कवि का अभी भी स्वागत होता है। 'लड़ीशाह' अभी भी बहुत लोकप्रिय है, और रहेगा।

मैं हवाई अड्डे पर बैठा हुआ उन सैलानियों को देख रहा हूँ जो पता नहीं संसार के कौन-कौन से भाग से कश्मीर की यात्रा करने आये हैं। इन विदेशियों में से काफ़ी लोग पेशेवर 'गाइड' के हाथों में पड़ जाएँगे जो उन्हें पता नहीं कहाँ-कहाँ ले जायेगा और न जाने उनके कितने रुपये लुटवाएगा। असल में कश्मीर का सच्चा आकर्षण और उसकी आय का प्रमुख स्रोत वहाँ के सुन्दर मार्ग और गाँव ही तो हैं। पहलगाँव वह गाँव है जो अमरनाथ की गुफ़ा की तरफ़ जाती हुई सड़क पर स्थित है। कश्मीर में शायद मार्ग को मर्ग भी कहते हैं और इसी कारण यहाँ गुलमर्ग, खिलेनमर्ग और सोनमर्ग सबसे ज़्यादा दर्शनीय स्थल हैं। कश्मीर के बारे में फ़ारसी के एक कवि ने कहा है (कहा जाता है कि मलिका नूरजहाँ इस शेर को बहुत पसन्द करती थी):

अगर फ़िरदौस बररूये ज़मीन अस्त
हमीं नस्तो, हमीं नस्तो, हमीं नस्तो

(2)

पिछले चार वर्षों से मैं जम्मू में ही नियुक्त हूँ। आबादी का ज़्यादा हिस्सा डोगरी है। हिमाचल प्रदेश के कुछ भागों में भी डोगरी ही बोली जाती है। डोगरी के लोकगीत काफ़ी मार्मिक हैं। डोगरी कविता और लोकगीतों के कुछ नमूने पेश करता हूँ और आशा करता हूँ कि वे आपको पसन्द आयेंगे।

एक कवि कहता है कि "हिन्दी-जैसी और कोई भाषा नहीं। जो कुछ उच्चारण करो, वही लिखो। इसमें उर्दू की 'ज़ेर' तथा 'जबर' मात्राएँ दुम की भाँति अलग से लगाने की ज़रूरत नहीं और न ही इसमें छोटी 'जे' या बड़ी 'जे' का झगड़ा है। जैसे किसी युवती के माथे पर सुहाग की बिन्दी होती है, वैसे ही इसके माथे पर ओंकार की बिन्दी लगी है। भारतवर्ष के ऋषि लोग बगुलों की भाषा नहीं बोलते थे।" मेरे विचार में इतने सुलझे हुए व्यक्ति को राजभाषा विभाग में जाना चाहिए और वह भी उस युवती के साथ जिसकी चर्चा ऊपर की गयी।

पन्तजी अपने एकाकीपन की बड़ी चर्चा किया करते थे। डुग्गर देश का एक कवि भी ऐसी ही वाणी बोलता है। वह कहता है कि "न कोई पुत्र है, न बहू है, न कोई गाय, बछड़ा, मुर्गा या तोता है। ऐसे में मैं करूँ तो क्या करूँ? मेरे यहाँ यदि कोई हादसा भी हो जाए तो महल्ले की लड़कियाँ मुझे सान्त्वना दिलाने नहीं आयेंगी। मेरी यदि किसी लड़की से कहीं आँखें चार भी हो जाती हैं तो उसकी भी चर्चा होने लगती है। अकेले व्यक्ति का भी भला कोई जीवन है?"

"तू किस देश की सुन्दरी है? जानती है, मैं कौन हूँ? मैं डुग्गर देश का वासी हूँ जहाँ भगवान शिव का हिमालय की पुत्री से विवाह हुआ था। तू मुझ पर अपनी सुन्दर जुल्फों का जाल मत फैला क्योंकि मैं इस जाल में फँसनेवाला नहीं हूँ। मैं हंस की भाँति हूँ, मैं मोती छोड़कर सीपी को हाथ नहीं लगाता।"

"पापों की गठरी बाँधकर तू तीर्थयात्रा पर जा रहा है? अरे मूर्ख, गंगा तो तेरे हृदय में ही बह रही है। जा, उसी में डुबकी लगा।"

"वसन्त आ गया। युवतियों को अपने प्रियतमों की याद आने लगी। अनार के वृक्षों ने लाल रंग का लिबास पहन लिया। ओ मेरी माँ, मुझे पीली ओढ़नी रँगवा दे क्योंकि फाल्गुन की ऋतु आ गयी।"

"यह प्रेम का दरिया है जो बहुत गहरा और बहुत चौड़ा है। मेरे यौवन की भाँति नदी भी उबल रही है। यदि मुझे पता होता कि एक दिन तू नदी के पार जायेगा तो मैं तुझसे कभी भी अंग नहीं मिलाती। सोने का मर्म सुनार जानता है, लोहे का

मर्म लुहार जानता है, मिट्टी का मर्म कुम्हार जानता है मगर मेरे मन के मर्म को तेरे सिवाय और कोई नहीं जानता। बता अब मैं क्या करूँ?"

"जीजा जी ने कुआँ खुदवाया मगर साली वहाँ पानी पीने नहीं गयी। जीजा ने महल बनवाया मगर साली उसे देखने नहीं गयी। जीजा ने पलँग बिछवाया मगर साली उस पर सोने कभी नहीं गयी। सुनो जीजा जी, मैं कभी भी नहीं आऊँगी, लोग ताने देते हैं। मैं क्या करूँ? ननद मेरी, मेरा यौवन तो रोकने पर भी नहीं रुकता। मेरा साजन तो खो गया, उसे गली-गली में खोजो।"

"अरी मेरी सखी, मेरे गले तो बुड्ढा पड़ा। लोग बन्दूक चलाते हैं, वह सिर्फ़ लाठी हाँकता है। और लोगों ने चीते का शिकार किया पर मेरे श्रद्धेय पति जी ने तो मात्र एक चूहे को ही मारा। एक तरफ़ यह स्थिति है और दूसरी ओर गाँव के ज़मींदार का लड़का मेरे पीछे लगा है। ओ ज़मींदार, तू अपने इस होनहार कुलदीपक को समझा दे ताकि बाद में तुझे रोना न पड़े। मेरा असली प्रियतम जो है वह नदी के उस पार रहता है। उस रसिये के बड़े भाग्य, जिसके संग मैं लागी।"

"मेरे मित्रो, मुझे आज मेरी घरवाली ने मारा। चकले से मारा, बेलन से मारा, तवे से मेरा यह चन्द्रमुख काला किया, पलँग भी छीना, बिछौना भी छीना और बच्चों को भी वह साथ ही ले गयी। मैं तो लाज के मारे मरा जा रहा हूँ।" बाद में उसे उसकी साली ने लिखा : "ओ मेरे जीजा, तू हमारे कारख़ाने में आ जा, मैं तुझे लोहे का काम सिखा दूँगी। तेरी माता जी को हम रेलगाड़ी बनाएँगे और तेरे पूज्य पिताजी को इंजन। तेरी बहिनें लाल और हरी झण्डियाँ बनेंगी। तब हम तुझे पूरी दिल्ली दिखाएँगे।"

'ओ मेरे बलम, बारह बजकर पन्द्रह मिनट तक मुझे नये कपड़े ला दे, नहीं तो हम्हारी तुम्हारे साथ नहीं बनेगी। तुम्हें लोग मुंशी कहते हैं पर तुम्हारे घर पर तो कलम व दावात भी नहीं है। तुम कैसे मुंशी हो? लोग कहते हैं कि तुम सेठ हो, मगर तुम्हारे घर में न पलँग है न खेस। तुम कैसे सेठ हो? सच बतलाओ कि तुम वास्तव में क्या हो? मैं तो अब तुम्हारी हो ही गयी, अब कोई बात छिपाने से क्या फ़ायदा। तुम सुन्दर हो, और युवा हो। मैं तुमसे प्रेम करती हूँ। पल-भर रुकना, दो बातें करना, हँसना, और नयन भरना। ओ मित्तरा, पल-भर को रुक जाना।"

एक लोककवि कहते हैं कि "जिस बात को कहने के लिए उमर भर गीत गाने के बाद भी गीतकार नहीं कह सके, वही बात आँखों के इशारे ने क्षण भर में कह दी। जिसने भी दोष दिया, उसने पतझर को ही दिया। किसी ने कभी यह नहीं देखा कि वसन्त भी वन की सुषमा को कभी-कभी हरता है और पतझर की अपेक्षा कहीं ज़्यादा नुक़सान पहुँचाता है। जिसकी गाँठ रास्ते में कभी नहीं खुली हो, ऐसे यात्री मुझे कम ही मिले।" हाँ, अलबत्ता लोककवि का कोई धन किसी ने कभी नहीं छीना। कारण यह था कि लोककवि सदा से निर्धन रहा। "उसने जब भी गीत गाया अकेले

ही गाया : किसी ने उसका साथ नहीं दिया।"

"रात आधी, चाँद छुपते आय बलम पुकारा : ओ आय सजन पुकारा। नींद से मैं चौंकूँ देखूँ चाँद पूनमवाला। ओ मेरा चाँद पूनमवाला। अद्धी राती चन्न घरौंदे, सज्जने दित्ता आला, ओ सज्जने दित्ता आला : सुत्ती दी आऊँ खड़ी-खड़ौती, चन्न चढ़ेगा पुन्नेयाँ वाला।"

कवि कहता है कि "पनघट पर गोरी खड़ी है। उसके सिर पर का सालू हिल रहा है। जिस दर्ज़ी ने ऐसा सालू बनाया, ईश्वर उसका भला करे। गोरी के सिर पर जो गागर है वह कितनी सुन्दर है। जिस कुम्हार ने उसे बनाया, भगवान उसका भला करे। गोरी की नाक में बेसर पड़ी है। जिस सुनार ने यह बेसर बनायी हो, भगवान उसका भला करे। यौवन का कभी गर्व नहीं करना, यह समाप्त हो जाता है। प्रेम जो होता है वह कभी नहीं मरता। प्रेम ही तो ऐसी चीज़ है जोकि प्रेमियों के मरने के बाद भी नहीं मरती।"

डोगरी लोकगीतों में मैंने नये भारत के स्वप्न कम देखे। मेरा ख़याल है कि मैं ग़लत हूँ। मेरा डोगरी-ज्ञान तो सिर्फ़ उन पोथियों तक ही सीमित है जिनमें डोगरी काव्य का अनुवाद मुझे मिला। अब मैं आपको डोगरी के जो लोकगीत मुझे अत्यन्त प्रिय हैं उनमें से दो का अनुवाद नीचे देता हूँ :

(एक)

बावल एक मेरा कहना करना
मुझको राम रतन पति देना :
बेटी, वर तो मैं लाया हूँ खोज के
जैसे केसर कुसुम्बारी घोल के :
बावल एक मुझे पछतावा बड़ा
मैं तो गोरी, पर वर साँवला :
बेटी न कर तू पछतावा बड़ा
है राधा गोरी, श्याम साँवला :

(दो)

हँसे बिना नहीं रहते
छबीले तेरे दाँत गोरी :
खेले बिना नहीं रहते
छबीले तेरे हाथ गोरी :
चले बिना नहीं रहते
छबीले तेरे पाँव गोरी :
ताके बिना नहीं रहते
छबीले तेरे नैन गोरी

ढाई आखर प्रेम का...

तालस्ताय के अनुसार प्रेम का दूसरा नाम भगवान है। हमारे दर्शनशास्त्र में ज्ञानयोग, भक्तियोग, कर्मयोग और हठयोग की भाँति प्रेमयोग को भी पूरी मान्यता दी गयी। चैतन्य महाप्रभु व मीराबाई प्रेमयोग के ही अनुयायी थे। सन्त कबीर ने तो साफ़ ही कह दिया था कि पोथी पढ़ने से कोई पण्डित नहीं बना। जिस किसी ने भी प्रेम के ढाई अक्षर भली-भाँति याद कर लिये बस वही सच्चा ज्ञान प्राप्त कर सका; और कोई नहीं।

प्रेम के इतिहास में कुछ लोग ऐसे सम्राट् बने कि उनका नाम आज भी याद किया जाता है। मजनूं लैला से इतना प्यार करता था कि वह अपनी प्रेयसी के कुत्ते को सरे-आम चूमा करता था। शीरीं और फ़रहाद की कथा आप जानते ही हैं। फ़रहाद ने शीरीं के लिए व उसके राज्य की प्रजा के लिए अपनी प्रेयसी की आज्ञानुसार दूध का पूरा प्रबन्ध किया पर शीरीं उसे फिर भी नहीं मिली। पुन्नू ने अपनी प्रेमिका सस्सी के लिए धोबी का पेशा अख़्तियार किया था और महीवाल ने सोहनी को पाने के लिए उसके बाप की—जोकि एक कुम्हार था—भैंसें चराने की ज़िम्मेदारी ली थी। हीर और राँझा के प्रेम का तो कहना ही क्या; वारिसशाह ने उनकी कथा ऐसे मार्मिक रूप से कही कि उसे सुनकर आँखों से पानी निकलने लगता है। रीतिकाल की एक नायिका प्रेमी के विरह में इतना रोयी थी कि उसके इलाके में बाढ़ आ गयी थी।

सलमान रुश्दी की किताब के अलावा एक और पोथी अभी-अभी प्रकट हुई है जिसका कि प्रथम संस्करण ही छः लाख प्रतियों का छापा गया है। इस पुस्तक में किट्टी कैली नाम की एक भद्र महिला ने संयुक्त राज्य के भूतपूर्व राष्ट्रपति रीगन की पत्नी के बारे में कुछ सनसनीख़ेज़ ख़बरें छापी हैं। यह लेखिका इस प्रकार का साहित्य लिखने में एक विशेषज्ञ मानी जाती है और उन्होंने कई बड़े लोगों के व्यक्तिगत जीवन को लेकर इस प्रकार की छीछालेदर पहले भी की है। इनकी इस नयी पुस्तक के अनुसार राष्ट्रपति रीगन की पत्नी नान्सी, सिनात्रा नाम के एक व्यक्ति से प्रणय करती रहीं और वह प्रणय-गाथा राष्ट्रपति भवन के भीतर भी चलती रही। नान्सी

पर और अभियोग भी लगाये गये हैं जिनमें कि अपना नाम बदलना, अपने परिवार के साथ दगा करना और रीगन साहब के साथ 'बलात्कार' करना प्रमुख हैं। नान्सी रीगन और उसके प्रेमी सिनात्रा के एक साथ होने का एक अन्तरंग चित्र 'वाशिंग्टन पोस्ट' नाम के एक पत्र में मुखपृष्ठ पर छापा गया और बेचारे राष्ट्रपति रीगन लज्जा और संकोच के कारण सहम गये। जो व्यक्ति संसार का सबसे ज़्यादा शक्तिशाली माना जाता था वह भी अपनी पत्नी से मात खा गया।

लार्ड माउण्टबेटन की पत्नी भी बड़ी उदार महिला थीं। वे पण्डित नेहरू से प्रेम करती थीं मगर उनके अतिरिक्त वे न जाने कितने प्रेमियों का पहले ही उद्धार कर चुकी थीं जिनमें लेखक, खिलाड़ी और अभिनेता शामिल थे। उनकी जीवन-गाथा भी हाल ही में प्रकाशित हुई है जो पढ़ने लायक है। इतिहास में ऐसी कई बड़ी नारियाँ हुई हैं जो अपने अपूर्व रूप के कारण अनगिनत प्रेमियों से घिरी रहीं। महारानी क्लियोपेट्रा क़रीब दस हज़ार प्रेमी रख चुकी थीं और रूस की सम्राज्ञी कैथरीन के प्रेमियों की तो सही गिनती किसी को मालूम ही नहीं है। हाँ, अलबत्ता इतना ज़रूर पता है कि उस उदारमना रानी ने अपने प्रेमियों के ऊपर दस करोड़ रूबल ख़र्च किये थे।

प्रेमयोग की साधना में पुरुष स्त्री से पीछे कभी नहीं रहे। चार्ल्स (द्वितीय) और नवाब वाजिद अली शाह की अवैध सन्तानों की सही संख्या कोई नहीं जान सका। राष्ट्रपति कैनेडी भी प्रेम के धन्धे को बड़े पैमाने पर ही चलाते थे, किसी कुटीर उद्योग के रूप में नहीं। अभी-अभी इंग्लैण्ड के एक किसान ने दावा किया है कि इंग्लैण्ड की गद्दी पर बैठने का अधिकार मात्र उसे है, महारानी एलिज़ाबेथ (द्वितीय) को नहीं। इस किसान के पास ऐसे सबूत हैं जिनसे पता चलता है कि जार्ज पंचम उसकी माता से प्रेम करते थे और वह जो है वह जार्ज पंचम का ही पुत्र है। इस किसान के इस दावे से ब्रिटेन का शाही घराना बुरी तरह परेशान है। उन्हें डर है कि अपने सारे सबूतों की मदद से पैंसठ वर्ष का यह किसान कहीं अदालत न चला जाए। मज़े की बात यह है कि सबूत इस किसान को इतने वर्षों बाद सहसा अभी-अभी मिले। जाकी कृपा पंगु गिरि लंघै, रंक चलै सिर छत्र धराई...

इधर एक ऐसा आदर्श प्रेमी नज़र आया कि कुछ कहा ही नहीं जा सकता। जब बारात जा रही थी तो कोई सड़क-दुर्घटना हो गयी और दूल्हे को चोट लग गयी। मगर वर की हिम्मत सचमुच प्रशंसनीय निकली; वह मरहम-पट्टी करवाने अस्पताल नहीं गया; वह तो सीधा अपनी दुल्हिन का हाथ पकड़ने ससुराल ही गया क्योंकि विवाह का मुहूर्त निकला जा रहा था। प्रेम की गली तो हमेशा से साँकरी ही होती आयी और प्रेम करनेवालों को तो सदा कष्ट ही उठाने पड़े। अँग्रेज़ी के प्रसिद्ध लेखक ग्राहम ग्रीन को नोबिल पुरस्कार न मिलने का प्रमुख कारण यह था कि वह स्वीडन की एक ऐसी अभिनेत्री से प्रेम करता था जोकि पहले से ही शादी-शुदा थी। फ्रैंकफ़र्ट में मनचाही लड़की से विवाह सम्पन्न होने के उपरान्त एक युवा व्यक्ति

ख़ुशी से इतना ज़्यादा पागल हो गया कि उसने एक साथी की हत्या ही कर दी। शादी के बाद रात जो थी वह हवालात में गुज़री।

प्रेम का मार्ग बड़ा कठिन है। जिगर मुरादाबादी ने ठीक ही कहा था–इक आग का दरिया है और डूब के जाना है। महँगाई के कारण छोकरी जो है वह नौकरी के बाद ही मिलती है। फिर जो परेशानियाँ पड़ती हैं उनमें सबसे बड़ी परेशानी होती है लड़की का संगदिल होना। एक शायर ने ठीक ही फ़रमाया है कि "ताज तो बनवाता पर मुमताज़ ना मिली।" इन रूपवती कन्याओं के बारे में–जो मूर्ख और इस कारण हृदयहीन होती हैं–अकबर इलाहाबादी ने अपना निजी अनुभव इस प्रकार प्रकट किया :

हमने तो आँसुओं की रो रो झड़ी लगा दी
उस बेवफ़ा ने घूम कर छाता लगा लिया।

अपराधी साहित्यकार

क़िस्सा कहने की कला में संसार के सबसे ज़्यादा सफल फ्रेंच उपन्यासकार अलेग्ज़ेण्डर ड्यूमा के अनुसार संसार का सारा साहित्य मात्र चार चीज़ों पर ही टिका है और वे चीज़ें हैं युद्ध, प्रेम, अपराध और सस्पेंस। चूँकि साहित्य के सन्दर्भ में अपराध एक महत्त्वपूर्ण भूमिका निभाता आया है, आज मैं कुछ ऐसे महान् साहित्यकारों की चर्चा करूँगा जो व्यक्तिगत जीवन में कोई छोटा या बड़ा अपराध करते पकड़े गये।

शेक्सपियर के बारे में कहा जाता है कि जब वे किशोर थे तो एक सामन्त के बगीचे में से सेब चुराया करते थे। कुछ प्रतिभावान् लोगों को सन्देह है कि बड़ा होने पर उन्होंने जो महान् नाटक लिखे वे उनके न होकर मार्लो के थे। मगर उन पर लगाया गया यह अभियोग अभी तक साबित नहीं हो पाया। सर वाल्टर रैले को फाँसी की सज़ा घोषित किये जाने पर भी साढ़े-बारह वर्षों तक 'टावर ऑफ़ लन्दन' में क़ैदी रखा गया। इस अवधि के भीतर वह महान् सामन्त 'विश्व का इतिहास' लिखता रहा। गनीमत यही थी कि इस अवधि में उसकी सुन्दर पत्नी भी उसके साथ रही। अन्त में चलकर इंग्लैण्ड के सनकी बादशाह जेम्स प्रथम ने (जो खुद भी लेखक था) एक दिन उसकी मृत्यु के आज्ञापत्र पर दस्तख़त कर ही दिये और अगले दिन उस वीर पुरुष की गर्दन कुल्हाड़ी से अलग कर दी गयी। सर रैले पर मुक़द्दमा तो राजद्रोह का चलाया गया था पर बादशाह ने उसे फाँसी जो दी वह क्यों दी—इस बारे में विभिन्न इतिहासकारों ने विभिन्न मत प्रकट किये हैं। बहरहाल, उसकी ऊपर चर्चित पुस्तक अभी भी अमर है। 'पिलग्रिम्स प्रोग्रेस' नामक महान् फन्तासी का लेखक जान बनयान कुछ धार्मिक मतभेदों के कारण प्रायः जेल में ही रहा और उसका काफ़ी लेखन-कार्य जेल के भीतर ही सम्पन्न हुआ। अपने समय का वह सर्वश्रेष्ठ गद्य-लेखक था। 'राबिन्सन क्रूसो' का विश्व-विख्यात लेखक डेनियल डिफो भी चर्च के भ्रष्टाचारों पर लिखने के कारण क़ानून की गिरफ़्त में आ गया था। उसे एक ऐसे लकड़ी के खम्बे से चौराहे पर बाँधा गया जिसके ऊपरी भाग में एक ऐसा खोखला स्थान था जिसमें से उसका सिर आगे की ओर निकाला गया था। उन दिनों के रिवाज़ के मुताबिक जनता ने उस पर पत्थर और जूते नहीं फेंके;

उनके स्थान पर उसके प्रशंसकों ने उसे फल खिलाये और शराब पिलायी। जब उसे जेल में भी क़ैद रखा गया तो जेलर ने उसके प्रति बहुत शिष्टता और भद्रता बरती। मिल्टन बराबर क़र्ज़ से दबा रहता था और उसने एक क़र्ज़दार से बचने के लिए अपनी अमर कृति 'पैरेडाइज लॉस्ट' के सारे प्रकाशनाधिकार एक प्रकाशक को मात्र पाँच पौण्ड में ही बेच दिये थे। अँग्रेज़ी के सर्वप्रथम निबन्धकार फ्रांसिस बेकन को भी सरकारी कोष में कुछ गड़बड़ी करने के कारण कई वर्ष जेल में गुज़ारने पड़े थे। 'यूटोपिया' के लेखक सर टामस मोर को हेनरी अष्टम ने प्राणदण्ड दिया। ओलिवर गोल्डस्मिथ प्रायः क़र्ज़ में दबे रहते थे। एक बार जब मकान का किराया न दे पाने के कारण उनकी गिरफ़्तारी का वारण्ट जारी हो गया तो उन्होंने डॉ. सैमुएल जानसन को उसकी तुरन्त ख़बर दी। जानसन ख़ुद फटेहाल रहते थे पर फिर भी उन्होंने एक पाउण्ड का सिक्का गोल्डस्मिथ के पास उसी समय पहुँचाया। इसके बाद जब वे जल्दी से जल्दी गोल्डस्मिथ के पास पहुँचे तो उन्होंने पाया कि गोल्डस्मिथ उतनी ही देर में उस पाउण्ड की शराब मँगा कर पी चुके थे। जानसन को बड़ा गुस्सा आया और उन्होंने गोल्डस्मिथ से पूछा कि क्या कुछ ऐसा लिखा हुआ मैटर है जिसके बदले वे किसी प्रकाशक से कुछ रुपया माँग सकें और उन्हें जेल जाने से बचा सकें? गोल्डस्मिथ ने काग़ज़ों के पुलिन्दों में से एक उपन्यास का मसौदा निकाला जिसे उन्होंने इस कारण नहीं छपाया था क्योंकि वह उसे घटिया समझते थे। डॉ. जानसन ने पाण्डुलिपि को बीच-बीच में से पढ़ा और उन्हें वह कृति पसन्द आयी। प्रकाशक ने जानसन के कहते ही उसे काफ़ी रुपया पेशगी दे दिया और गोल्डस्मिथ की जान बच गयी। वह उपन्यास 'दि विकार ऑफ़ वेकफ़ील्ड' नाम से छपा और छपते ही प्रसिद्ध हो गया। पिछले दो सौ वर्षों में उस उपन्यास को करोड़ों पाठकों ने पढ़ा है और आज भी वह विश्व की सर्वश्रेष्ठ पुस्तकों में गिना जाता है। गोल्डस्मिथ का सरल व दयालु स्वभाव, उनकी आस्तिकता और सादगी—जितनी इस कृति में स्पष्ट हुई उतनी और किसी कृति में नहीं हुई।

शेरिडन और बायरन भी कर्ज़े से दबे रहते थे। डॉ. एच. लारेंस के महान् उपन्यास 'लेडी चैटर्ले'ज़ लवर' को अश्लील होने के कारण ज़ब्त कर लिया गया। इसी प्रकार जेम्स जायस के उपन्यास को भी अमेरिकन सरकार ने ज़ब्त किया पर जब सारे संसार के बड़े-बड़े लेखकों ने इसका प्रतिरोध किया तो अमेरिका के राष्ट्रपति को वह प्रतिबन्ध हटाना पड़ा। इस उपन्यास का नाम था 'युलीसिज़'। सर वाल्टर स्काट को भयंकर आर्थिक परेशानियों के कारण 'लाइफ़ ऑफ़ नैपोलियन बोनापार्ट' नाम की पुस्तक लिखनी पड़ी पर उन्होंने ब्रिटेन के प्रधानमन्त्री से सहायता नहीं माँगी हालाँकि वे उनके घनिष्ठ मित्र थे। 'दि पिक्चर ऑफ़ दि डोरियन ग्रे' जैसे महान् उपन्यास के लेखक ऑस्कर वाइल्ड पर भयंकर मुक़द्दमा चला और जेल में ही उन्होंने 'दि बैलैड फ्राम दि रीडिंग जेल' नामक अमर कविता लिखी। अमेरिका के अँग्रेज़ी कहानीकार

ओ. हेनरी (जिनकी तुलना चेखव व मोपासाँ से की जाती है) एक बैंक में कैशियर थे। उन पर ग़बन का आरोप लगा और अदालत ने उन्हें लम्बी क़ैद की सज़ा दी। उनको सज़ा सुनाते समय जज और जूरी के कई सदस्यों की आँखें नम हो गयीं और अदालत के क्लर्क को फ़ैसला पढ़ना पड़ा। इस सारी घटना के सन्दर्भ में दर्दनाक बात यह थी कि ओ. हेनरी शायद निर्दोष था। ओ. हेनरी की सज़ा अमेरिका के समाचार-पत्रों में प्रथम पृष्ठ पर छपी और अदालत को खुलेआम गालियाँ दी गयीं। जज ने ओ. हेनरी से अपील करने को कहा पर ओ. हेनरी ने वैसा करने से मना कर दिया। ओ. हेनरी ने जज साहब से कहा कि "ईश्वर ने मुझे ज़ेल दी है तो इसमें भी कुछ भला ही छिपा होगा।" उन्होंने जेल में अनेक अपराधियों की जीवन-गाथा सुनी और उसके बाद उन्होंने न्यायपालिका के विरुद्ध और क़ैदी अपराधियों के पक्ष में अनेक मर्मस्पर्शी कहानियाँ लिखीं। फ़िलहाल जिस अँग्रेज़ी पुस्तक को लेकर एक देश ने फाँसी की सज़ा सुनायी है वह सलमान रश्दी की 'दि सैटेनिक वर्सेज़' नामक पुस्तक है। इस सज़ा ने उनकी पोथी को विश्वप्रसिद्ध कर दिया।

फ्रांस के कई लेखकों को अदालत के सामने कठघरे में खड़े होना पड़ा। 'मदाम बावरी' के लेखक फ्लाबर्ट ने अपनी लम्बी स्पीच में अदालत को बताया कि उनकी पुस्तक अश्लील न होकर अश्लीलता के विरोध में है। जूरी की सारी महिला-सदस्यों ने भी यही कहा और अन्त में उन्हें बाइज़्ज़त बरी किया गया। इसी प्रकार 'कैण्डीडा' नामक महान् व्यंग्य-उपन्यास के लेखक वाल्फेयर को कई साल की कड़ी क़ैद हुई और उनको अपने जीवन के बेहतरीन युवा वर्ष 'बैस्तील' की कुख्यात जेल में व्यतीत करने पड़े। बाद में एक दिन ऐसा भी आया जब फ्रांस के सम्राट् ने भरे दरबार में उनका हार्दिक स्वागत किया। बाल्जक बहुत ठाठ से रहता था, वह भड़कीले वस्त्र पहनता था और शानदार बग्घी रखता था। बुरी तरह क़र्ज़ में दबे रहने के बावजूद वह हमेशा खुश रहता था। उसका कहना था कि अगर उसके क़र्ज़ देनेवालों को नींद आ सकती है तो वह क्यों नहीं गहरी नींद सो सकता? क़र्ज़ के दबाव में उसने 'दि ड्राल स्टोरीज़' नामक अश्लील पुस्तक भी लिखी जो लाखों में बिकी। करोड़ों में बिकी।

रूस में अनेक लेखकों को जेल में रहना पड़ा पर जितना दर्दनाक क़िस्सा दोस्तोएवस्की का है, उतना शायद और किसी का नहीं। उन्हें राजद्रोह के अपराध में कई और लोगों के साथ फाँसी की सज़ा सुनायी गयी थी। जिस दिन उन्हें फाँसी लगनी थी और जब वे खम्भों से बाँधे जा चुके थे और 'फायरिंग स्क्वाड' उन्हें जैसे ही बन्दूक की गोलियों का निशाना बनाने जा रहा था वैसे ही एक भागता हुआ घुड़सवार आया और कहने लगा कि "बन्दूकें वापिस खड़ी करो क्योंकि महामहिम जार ने इन सबको प्राणदण्ड के स्थान पर मात्र उम्र क़ैद की सज़ा दी है।" इस घोषणा को सुनकर एक अपराधी उम्र-भर के लिए पागल हो गया। दोस्तोएवस्की ने जेल में अनेक वर्ष गुज़ारे और वहाँ के जीवन पर आधारित 'दि नोट्स फ्राम दि डैड

हाउस' नामक उपन्यास लिखा। स्तालिन जैसे संगदिल तानाशाह तक इस पुस्तक को पढ़ते-पढ़ते भावुक हो जाते थे। साम्यवादी सरकार ने भी कई लेखकों को 'नोबिल पुरस्कार' मिलने पर नाराज़गी दिखायी। इसी कारण उन महान् साहित्यकारों की चर्चा न करना भी असंगत ही होगा जिन्हें नाज़ी अधिनायकवाद ने समाप्त किया। जूलियस फूचिक को हिटलर ने अनेक यातनाएँ देने के बाद मात्र चालीस वर्ष की आयु में फाँसी दे दी। स्टीफेन ज़्वेग ने मानसिक तनाव में आकर आत्महत्या कर ली।

(दो)

अब मैं अपने देश के लेखकों की चर्चा करूँगा। पहले उन लेखकों की चर्चा करूँगा जो मूलतः राजनीतिक नेता थे। जैसा कि हम सभी जानते हैं, लोकमान्य तिलक ने 'गीता-रहस्य' नाम का विख्यात ग्रन्थ तभी लिखा था जब वे जेल में थे। पण्डित नेहरू ने 'भारत की खोज' और 'मेरी कहानी' नामक प्रसिद्ध ग्रन्थ तभी लिखे थे जब वे जेल में थे। यशपाल एक सक्रिय क्रान्तिकारी थे और उन्हें आठ वर्ष की क़ैद सुनायी गयी थी। प्रेमचन्द की भी ब्रिटिश सरकार से ख़ूब चलती थी। इसी कारण उन्हें नाम तक बदलना पड़ा। पर उन्होंने विदेशी हकूमत के सामने कभी घुटने नहीं टेके। एक बार एक बड़ा मज़ेदार क़िस्सा हुआ। ज़िले के अँग्रेज़ कलेक्टर से ही उनकी सीधी झड़प हो गयी जबकि वे सिर्फ़ एक मामूली मुदर्रिस ही थे और ज़माना था जलियाँवाले बाग का। उनके घर और कलेक्टर की कोठी के बीच में सिर्फ़ एक सड़क का फ़ासला था। वे घर के बाहर बैठे दोस्तों के साथ गप कर रहे थे कि कलेक्टर साहिब बहादुर ने उन्हें इशारे से बुलाया और पूछा कि "जब मैं शाम को टहलने निकलता हूँ तो आप सड़क पर आकर मुझे सलाम क्यों नहीं करते?" मुंशी प्रेमचन्द ने जवाब दिया कि "मैं अपने काम में मशगूल रहता हूँ और यह मेरी कोई ड्यूटी नहीं है कि सड़क पर टहलते किसी साहब को सलाम करने मैं बाहर आऊँ चाहे वह कितना भी बड़ा अफ़सर क्यों न हो।" इसके जवाब में कलेक्टर ने कुछ अभद्रता और अशिष्टता दिखायी। प्रेमचन्द ने अगले ही दिन अदालत में कलेक्टर के ख़िलाफ़ मुक़द्दमा दर्ज़ करवा दिया। सारे गोरखपुर शहर को रातोंरात सारी बात का पता लग गया। एक हफ़्ते तक शहर के रईसों ने और सेशन-जज ने कोशिशें कीं और तब कहीं मुंशी प्रेमचन्द और कलेक्टर साहब में सुलह हुई। इसी तरह स्कूलों के एक इन्स्पेक्टर ने भी एक दफ़ा उनसे फ़रमाया कि "तुम बड़े मगरूर हो, मैं तुम्हारे घर के सामने से निकल जाता हूँ और तुम हो कि सलाम तक नहीं करते?" मुंशी जी ने तपाक से जवाब दिया कि "जब मैं स्कूल में होता हूँ बस तभी नौकर होता हूँ, अपने घर पर तो मैं उसका बादशाह हूँ।" इन्स्पेक्टर तो बेचारा चला गया पर मुंशी जी ने उस पर मानहानि का मुक़द्दमा ठोकना चाहा जो दोस्तों के कहने-सुनने

के कारण दायर नहीं किया जा सका। हिन्दी साहित्य की मुकद्दमेबाज़ी के इतिहास में सबसे दिलचस्प मुक़द्दमा वह था जो महाकवि सुमित्रानन्दन पन्त ने कुछ ग़लत किस्म के लोगों की सलाह पर अपने वर्षों पुराने अभिन्न मित्र बच्चन जी के ख़िलाफ़ इलाहाबाद के सेशन-जज की अदालत में दायर किया था। बच्चन जी तो सम्मन मिलते ही दिल्ली से प्रयाग पहुँचे और अदालत में हाज़िर हुए पर पन्तजी की ओर से उनका वकील ही पेश हुआ। यह मुक़द्दमा पन्तजी ने वापिस ले लिया। मेरे विचार में यदि यह फ़ौजदारी का मुक़द्दमा चलता तो जज साहब अपना फ़ैसला कविता में ही देते। 'पोइटिक जस्टिस' का सिद्धान्त यदि यहाँ काम नहीं आता तो कहाँ आता?

बंकिम बाबू ने उन्नीसवीं शताब्दी के अन्त में (जब वे एक मैजिस्ट्रेट थे) 'कपाल कुण्डला' व 'आनन्द मठ' -जैसे विस्फोटक उपन्यास लिखे। शिकायत बहुत ऊपर तक गयी पर कुछ किया नहीं जा सका। इसी प्रकार जब शरत् बाबू देशभक्त चित्तरंजन दास के सम्पर्क में आये तो उन्होंने 'पथेर दावी' नामक उपन्यास लिखा जिसकी सारी प्रतियाँ पुलिस ने अपने अधिकार में ले लीं। शरत् बाबू ने एक मित्र से पूछा कि "जेल में खाने को अफ़ीम मिलती है या नहीं?" दोस्त ने कहा कि नहीं। इस उत्तर को सुनकर शरत् बोले कि "ओह, जेलें शायद भद्र पुरुषों के रहने के लिए बनीं ही नहीं।" बहरहाल शरत् बाबू क़ानून की गिरफ़्त में आते-आते बच गये।

अब यह उचित ही होगा कि मैं फ़ारसी और उर्दू के भारतीय अदीबों के बारे में कुछ बात करूँ। 'आईने-अकबरी' के लेखक और शहंशाह अकबर के नौरतन अबुलफ़ज़ल को जहाँगीर ने एक हिन्दू राजा की सहायता से उस वक़्त क़त्ल करवा दिया था जब वह (यानी कि जहाँगीर) इलाहाबाद का गवर्नर था। जहाँगीर ने तो जो सज़ा पायी वह पायी ही, उस राजा पर अकबर ने आठ करोड़ रुपयों का जुर्माना लगाया। राजा ने यह हत्या दबाव में आकर की थी और वह इतना बड़ा जुर्माना अदा करने की स्थिति में हर्गिज़ नहीं था। महाकवि केशवदास अपने मित्र राजा टोडरमल के पास गये और तब जुर्माना आधा किया गया और उसका भुगतान किस्तों में करने की अनुमति भी प्राप्त हुई। इसी प्रकार हिन्दी के अमर कवि अब्दुर्रहीम ख़ानख़ाना को नूरजहाँ ने क़ैद में डलवाया और उसके साथ वह क्रूरता की गयी कि मैं तो उसे बयान भी नहीं कर सकता।

उर्दू में जहाँ एक ओर ऐसे साहित्यकार हुए जो जज बने (जैसे डॉ. सर मुहम्मद इक़बाल, आनन्द नारायण मुल्ला और 'अकबर' इलाहाबादी) तो काफ़ी शायर ऐसे भी हुए जिन्हें जेल काटनी पड़ी। एक बार किसी सन्दर्भ में मिर्ज़ा ग़ालिब भी कुछ दिनों जेल में रहे। जेल से छूटे तो उनके दोस्त काले ख़ाँ ने उन्हें पकड़ लिया और लगे उनकी खातिर करने। मिर्ज़ा साहब के एक दोस्त ने जब उन्हें रिहाई की बधाई दी तो मिर्ज़ा साहिब ने कहा कि "कौन मरदूद क़ैद से छूटा है? पहले गोरे की क़ैद में था और अब काले की क़ैद में हूँ।" उनका उत्तर सुनकर सब लोग हँस पड़े। इसी

प्रकार 'दाग़' देहलवी के पिता नवाब शमसुद्दीन को अँग्रेज़ रेज़ीडेण्ट को क़त्ल करने के जुर्म में फाँसी हुई थी। कुछ लोगों का ख़याल था कि इस मामले में ग़ालिब ने अँग्रेज़ों की मदद की थी मगर मिर्ज़ा ग़ालिब सारी उम्र इस बात से इनकार करते रहे। शराब की लत के कारण ग़ालिब अक्सर कर्ज़े से दबे रहते थे। उर्दू के बड़े शायर—जिन्हें सबसे ज़्यादा सज़ा मिली—सम्राट् बहादुरशाह 'ज़फ़र' थे। लाल क़िले के दीवाने-ख़ास में (जहाँ शाहआलम के वक़्त तक कम्पनी का गवर्नर-जनरल लार्ड क्लाइव जूते निकालकर आता था, बादशाह को नज़र पेश करता था और बराबर खड़ा रहता था) उस बूढ़े आदमी का कोर्ट-मार्शल किया गया और उसे देश-निकाले की सज़ा दी गयी। क़ैद के दिनों में उसे तीस रुपया प्रतिमाह की रक़म बतौर जेबख़र्च के दी जाती थी और हालत यह हो गयी थी कि काग़ज़-कलम के न होने के कारण वह जेल की दीवारों पर कोयले से ग़ज़लें लिखा करता था। एक दयालु अँग्रेज़ कलेक्टर ने यह हालत देखी तो उसने काग़ज़-कलम वग़ैरह का माकूल इन्तज़ाम किया। शहंशाह ज़फ़र की उम्र उस समय अस्सी से ऊपर थी।

पाकिस्तान में भी कुछ उर्दू साहित्यकारों को मुसीबतें उठानी पड़ीं। मण्टो पर बाक़ायदा मुक़द्दमा चला, इब्ने-इंशा को देश से निर्वासित किया गया और लगभग यही व्यवहार फ़ैज़ अहमद फ़ैज़ के साथ किया गया।

(तीन)

कुछ लोगों की चर्चा छूट गयी है जिसके लिए मैं अपने पाठकों से क्षमा चाहता हूँ। शाहजहाँ का बड़ा शहज़ादा दाराशिकोह साहित्यप्रेमी और उदार विचारों का व्यक्ति था। उसने उपनिषदों का अनुवाद फ़ारसी में करवाया था। जब औरंगज़ेब गद्दी पर बैठा तो धार्मिक अदालत ने दाराशिकोह पर काफ़िर होने का अभियोग लगाया और उसे फाँसी दे दी गयी। इसी प्रकार पण्डित सुन्दरलाल ने जब 'भारत में अँग्रेज़ी राज' नाम की प्रसिद्ध पुस्तक लिखी तो उसे छपने से पहले ही ज़ब्त कर लिया गया। महात्मा गाँधी ने इसे "एक दिन-दहाड़े डाका" कहकर पुकारा। सर तेजबहादुर सप्रू ने हाईकोर्ट में पं. सुन्दरलाल की ओर से ज़बर्दस्त पैरवी की पर वे मुक़द्दमा हार गये क्योंकि ब्रिटिश हकूमत पुस्तक की छपाई पर प्रतिबन्ध लगाने का निश्चय पहले ही कर चुकी थी। लखनऊ के अन्तिम नवाब वाजिद अली शाह भी साहित्यकार थे। वे नाटक लिखते भी थे और मंच पर अभिनय भी करते थे। कर्नल स्लीमैन ने अपनी रिपोर्ट में नवाब के "नाचने-गाने" की विशद चर्चा की थी और कर्नल स्लीमैन की रिपोर्ट के आधार पर ही ईस्ट इण्डिया कम्पनी ने उनसे गद्दी छीनी थी। उर्दू के प्रख्यात लेखक हंसराज रहबर को भी कम्युनिस्ट होने के कारण काफ़ी दिनों 'अण्डरग्राउण्ड' रहना पड़ा। इसी दौरान वे अपने मित्र गोपाल मित्तल से मिलने उनके घर गये। जब

उन्होंने गोपाल मित्तल से कहा कि "मैं इस वक़्त अण्डरग्राउण्ड हूँ" तो मित्तल साहब ने हँसकर कहा कि "हरामज़ादे, तू इस वक़्त तीसरी मंज़िल पर है, अण्डर ग्राउण्ड नहीं।" प्रकाश पण्डित ने जब उर्दू महिला-कहानीकारों की कहानियों का एक संग्रह छापा तो एक कहानी को लेकर मुक़द्दमा चला। इस मुकद्दमे में 'जोश' मलीहाबादी और देवेन्द्र सत्यार्थी को गवाही देनी पड़ी हालाँकि अदालत ने उनकी बात नहीं मानी। 'जोश' साहब ने तो भरी अदालत के सामने कहा था कि जो आदमी इस पुस्तक को अश्लील कहता है, वह ख़ुद अश्लील विचारों का व्यक्ति है। इस्मत चुग़ताई की एक कहानी 'लिहाफ़' के ख़िलाफ़ भी मुक़द्दमा चला था। न जाने कितने और ऐसे साहित्यकार हैं जिनको उनकी निर्भीक कलम ने अदालत तक घसीटा। मैं ख़ुद एक छोटा-सा साहित्यकार हूँ और इस कारण अब तक कोई मुक़द्दमा तो नहीं चला पर धमकियाँ और वकीलों के नोटिस कई बार मिले। सबसे ज़बर्दस्त धमकी मेरे पच्चीस वर्षों के आत्मीय उपेन्द्रनाथ 'अश्क' ने दी थी जो मुझ पर दीवानी और फ़ौजदारी—दोनों तरह का मुक़द्दमा करने को उतारू थे। ग़लती मेरी थी क्योंकि मैंने उनके बारे में जो एक कड़वा मज़ाक़ लिखा था वह ग़लत जानकारी पर आधारित था। मैंने जब 'सारिका' में माफ़ी माँगी तो उन्होंने मुझे एकदम माफ़ कर दिया जो उनके स्वभाव के एक एकदम अनुकूल था।

(चार)

निबन्ध काफ़ी लम्बा हो गया। साहित्यकारों पर पड़ी विपत्तियों को पढ़कर आप भी मेरी भाँति उदास हो गये। आपके इस मनहूस 'मूड' को बदलने के लिए मैं राजा मेहँदी अली खान का वह कलाम पेश करता हूँ जिसमें उन्होंने अपने पूर्वजों की कीर्ति की गाथा गायी है और जिसको लेकर उन पर कभी कोई मुक़द्दमा नहीं चला :

जी, इस बन्दे को वैसे तो अबू-दाउद कहते हैं
बहुत से मेहरबाँ लेकिन अबुल मरदूद कहते हैं,
मेरे वालिद फ़रीदाबाद के मशहूर डाकू थे
ख़ुदा बख़्शे उन्हें अपने ज़माने के हलाकू थे,
फ़रूख़ाबाद का थाना मेरे नाना ने लूटा था
वो ग्यारह सेर का ताला उसी बन्दे से टूटा था,
नहीं था चोर कोई शहर में दादा के पाये का
चुरा कर घर में ले आये थे कुत्ता वायसराए का,
मेरे मामूं के जाली नोट अमरीका में चलते थे
हज़ारों चोर डाकू उनकी निगरानी में पलते थे,
मेरे फूफा छटे बदमाश थे अपने ज़माने के

ख़ुदा बख़्शे, बहुत शौक़ीन थे वे जेलख़ाने के,
मेरे ख़ालू कभी न्यूयार्क में जेबें कतरते थे
लबे-साहिल वे ग्यारह औरतों से इश्क़ करते थे,
लकड़नाना वली अल्लाह थे, सोना बनाते थे
हसीं बेवाओं को रो रो कर सीने से लगाते थे,
ससुर साहब सखावतपूर की रानी भगा लाये
मेरे हम-ज़ुल्फ़ उनकी तीन बहिनों को उठा लाये,
चचा मेरे बहुत मशहूर थे फ़न्ने रज़ालत में
मुक़द्दमा हार कर वे नंगे नाचे थे अदालत में,
मेरे भाई ने की थी फ़ोर-ट्वण्टी चीफ़ जस्टिस से
वो जब बिगड़ा, जला दीं मूँछ उसकी अपनी माचिस से,
बड़े वो लोग थे लेकिन यह बन्दा भी नहीं कुछ कम
ख़ुदा का फ़ज़्ल है मुझ पर नहीं है मुझको कोई ग़म,
मेरे मामूली शागिर्दों ने चौदह बैंक लूटे थे
मेरी कोशिश से बाइज़्ज़त बरी होकर वो छूटे थे,
अदालत मानती थी मेरी क़ानूनी दलीलों को
कराया मैंने अन्दर शहर के पन्द्रह वकीलों को,
अठारह डाकुओं की पगड़ियाँ मैंने उतारी थीं
कमर के थोड़ा नीचे ठोकरें भी उनके मारी थीं,
जो दिन मैंने गुज़ारे वो गुज़ारे शानो-शौक़त से
ज़रा कुछ इन दिनों ही मेरे गर्दिश में सितारे से,
मुझे कर लें जो शामिल आप अब अपनी वज़ारत में
यक़ीनन चन्द दिन में आप खेलेंगे करोड़ों में।

मेरी षष्ठिपूर्ति

आज मैं साठ वर्ष का हो गया। अज्ञेय जी के शब्दों में "एक दिन और दिनों की तरह आया, और जीवन का एक वर्ष लेकर चला गया।" एक धर्म के अनुसार आदमी की आयु 120 वर्ष होती है और इसी कारण 60 वर्ष की आयु प्राप्त होने पर आदमी को अधेड़ कहा जाता है। कहीं-कहीं तो इतनी आयु प्राप्त होने पर आदमी अपनी सगी पत्नी से दुबारा विवाह करता है। मैंने ऐसा कुछ नहीं किया। आँखों का ऑपरेशन हो गया, दाँत टूट गये। कोई भी दाँत ऐसा नहीं निकला जो न्यूटन के दाँतों की भाँति भाग्यशाली होता। सर आइज़क न्यूटन का एक दाँत सन् 1816 में 730 पौण्ड में बिका था; उसे एक अमीर ने अपनी अँगूठी में नग के स्थान पर जड़वा लिया था। बेल्ज़ियम में एक व्यक्ति के दाँत इतने मज़बूत थे कि उसने दाँतों के बीच एक तार दबाकर एक हैलीकोप्टर को उड़ान भरने से रोक दिया था। मेरे केश सफ़ेद नहीं हो पाये; खिज़ाब लगाने के कारण "केशव केसन अस करी" वाली स्थिति नहीं आयी। काम, क्रोध, मोह, लोभ—इनमें से क्रोध और लोभ काफ़ी कम हो गये। आदमी तब बूढ़ा होता है जब वह वैसा महसूस करने लगता है और स्त्री तब वृद्धा मानी जाती है जबकि वह वैसी दिखने लगती है। अगर यह कहावत सत्य है तब तो शायद मैं युवा ही मरूँगा। वृद्धावस्था मेरे-जैसे व्यक्ति के लिए बनी ही नहीं।

यह स्वाभाविक है कि आज के दिन पुराना जीवन याद आये। मेरा बचपन बड़े कष्टों में और बहुत ही ज़्यादा ग़रीबी में बीता। सारे भाई-बहिन इलाज न होने के कारण एक-एक कर मर गये। ईश्वर की कृपा से मैंने किसी तरह उच्च शिक्षा प्राप्त की, देश की एक बड़ी सेवा के लिए चुना गया और साहित्य की सेवा करने की प्रवृत्ति मिली। सत्ताईस वर्ष निरन्तर लिखने और छपने के बावजूद कभी-कभी सम्पादकों की ऐसी कृपा मिलती है कि उसे शब्दातीत ही कहा जा सकता है। एक प्रमुख पत्रिका को मैंने 'निराला की कविता में हास्य-व्यंग्य' नाम का निबन्ध भेजा तो सम्पादक-प्रवर ने पूछा कि कृपया लिखें कि कविता के जो उद्धरण मैंने उस लेख में दिये हैं वे निराला की कौन-कौन-सी कविता-पुस्तक से लिये गये हैं क्योंकि यदि उन पुस्तकों का नाम लेख में नहीं दिया गया तो पाठक समझेंगे कि वे काव्यांश निराला

के न होकर रवीन्द्रनाथ त्यागी के हैं! इसी प्रकार एक और भी बड़ी पत्रिका के सम्पादक ने मेरे लेख में दिये एक शेर में (दारा रहा न रहा सिकन्दर सा बादशाह...) 'दारा' के स्थान पर 'दाराशिकोह' छापा। उस ग़रीब ने इतिहास का ज्ञान अपने से उतनी ही दूर रखा था जितना कि साहित्य का ज्ञान। और इस सबके बाद जो शोषण प्रकाशक करते हैं उसका तो कहना ही क्या! यह मेरा दुर्भाग्य ही रहा कि मैं साहित्यकार बना; वाचस्पति पाठक और गोपालस्वरूप पाठक की भाँति यदि मात्र पाठक ही रहता तो कहीं ज़्यादा श्रेयस्कर रहता। हाँ, अलबत्ता इस बात के लिए मैं ईश्वर के प्रति हृदय से कृतज्ञ हूँ कि उसने मुझे ऐसा मन और ऐसी बुद्धि दी कि मैं संसार के महान् साहित्यकारों को पढ़ सकूँ और उनकी कला को अनुभूत कर सकूँ। मल्लिनाथ ने ठीक ही कहा था : माघे मेघे गतं वयः—माघकाव्य पढ़ने और मेघदूत पढ़ने में उम्र निकल गयी।

आज मैंने कुछ निश्चय किये। यह निश्चय किया कि सम्पादकों और प्रकाशकों को छोड़कर किसी दूसरे से दुर्व्यवहार नहीं करूँगा। नये लेखकों को छोड़कर किसी को निरुत्साह नहीं करूँगा। धूम्रपान मात्र छः सिगरेट प्रतिदिन के हिसाब से करूँगा क्योंकि उनके दाम रोज़ बढ़ते ही जा रहे हैं। आयकर विभाग व पड़ोसियों को छोड़कर किसी से झूठ नहीं बोलूँगा। जब तक पैसा ख़र्च न हो तब तक सबसे प्रेम करूँगा, दयालु रहूँगा। उन लोगों को छोड़कर जो मुक़द्दमा चला सकते हैं (जैसे मेरे पुराने आत्मीय उपेन्द्रनाथ 'अश्क') सबकी निन्दा नाम लेकर करूँगा। रूपवती विधवाओं और अतिरिक्त धन के अलावा किसी और वस्तु की कामना नहीं करूँगा। सारी दिनचर्या में से पन्द्रह मिनट किसी तरह निकालकर उन्हें ईश्वर की उपासना में अवश्य लगाऊँगा। जो व्यक्ति शरीर, मन, बुद्धि, और आत्मा—इन चारों का सुख साथ-साथ नहीं प्राप्त करता वह पूर्ण रूप से विकसित नहीं कहा जा सकता। इसके अलावा एक आदमी को और क्या चाहिए? आदमी खाली हाथ आता है, खाली हाथ जाता है। ना कुछ तेरा ना कुछ मेरा, चिड़िया रैनबसेरा रे। पुत्र भी नदी तक ही साथ जाता है—आगे नहीं (चाणक्य)

कुल मिलाकर मेरा यह जीवन साधारण ही रहा। न मैं विश्व का सबसे लम्बा या मोटा व्यक्ति ही बना और न सबसे नाटा और पतला ही। जान मिनाक इतना मोटा था कि उसे करवट तक बदलने के लिए तेरह व्यक्तियों की मदद लेनी पड़ती थी। मैं यार्कशायर की मिसेज़ सारा क्राश भी कभी नहीं बनूँगा जिसकी मृत्यु के समय उसके 397 नाती-पोते और पड़-नाती तथा पड़-पोते थे। डोन्ना ग्रिफित्स को एक वर्ष में दस लाख छींकें आयी थीं। मिस्टर मेकग्रू को तीन लाख चालीस हज़ार वोल्ट का बिजली का झटका लगा था और फिर भी उन्हें कुछ नहीं हुआ। जान मैकफर्सन ने आठ घण्टों के दौरान साढ़े-चार हज़ार सुन्दरियों के चुम्बन लिये थे। ब्रिटेन के गैरी हार्ली ने 60 मिनट में 987 व्यक्तियों की हजामत सम्पन्न की थी। हेनरीटा राबिन्सन

नाम की महिला ने इलाज से बचने के लिए अपने लड़के की टाँग कटवाई, उम्र भर ठण्डा दलिया खाया और मरते वक़्त उसके सिर्फ़ एक बैंक में ही तीन करोड़ चौदह लाख डालर जमा थे। फ्रांस के मिशेल लॉतीतो ने अपने जीवन में, भोजन के अतिरिक्त दस साइकिलें, एक ट्राली, सात टेलीविज़न सेट, छह झाड़फानूस और एक हल्का हवाई जहाज़ खाया था। बहरहाल यदि मैंने यह सबकुछ नहीं किया तो कोई भयंकर भूल भी नहीं की। अमेरिका के रूपवान् करोड़पति जेम्स बैनेट ने तेईस वर्ष की अवस्था में ऐसी भयंकर भूल की थी जिसका कि जवाब नहीं। यह नवयुवक एक शाम नशे में धुत् होकर अपनी मंगेतर के घर एक पार्टी में सम्मिलित होने गया। वहाँ पता नहीं कैसे, उसने फ़ायर- प्लेस में सैकड़ों लोगों के सामने मूत्रदान कर दिया। उसके इस असभ्य व्यवहार से क्षुब्ध होकर उसकी मंगेतर ने खुलेआम उससे विवाह करने को मना कर दिया और सगाई की अँगूठी उसे लौटा दी। निराशा के उस दौर में उसके मूत्र-धर्मी प्रेमी ने अपनी करोड़ों डालर की सम्पत्ति सट्टे पर लगा दी और वह सब डूब गयी। मात्र ग़लत जगह पेशाब करने से ही प्रेमिका भी गयी और असीम सम्पत्ति भी। वह कंगाल और पागल हो गया।

यद्यपि मैं एक सामान्य व्यक्ति ही रहा पर मैं फिर भी भगवान के प्रति बुरी तरह कृतज्ञ हूँ। मैं सौम्य, शालीन, सम्भ्रान्त, शिष्ट, सरल, कर्मठ, बुद्धिमान और हँसमुख व्यक्ति हूँ। भगवान चाहता तो मुझे अष्टावक्र बना सकता था। इतनी भयंकर परिस्थितियों में भी इलाहाबाद युनिवर्सिटी से एम.ए. में सर्वोच्च स्थान प्राप्त किया हालाँकि उसके बावजूद मैं विश्वनाथ प्रताप सिंह, विनोदचन्द्र पाण्डेय, गोपीकृष्ण अरोरा नहीं बन पाया जोकि मेरे समकालीन थे। भयंकर मानसिक रोग से ग्रस्त होते हुए भी मैं केन्द्रीय सरकार के उच्च पद से रिटायर हुआ। सारे देश की यात्रा की, हवाई जहाज़ से उड़ा और शानदार कोठियों में रहा। भारत सरकार के सर्वोच्च स्तर को पास से देखा। इतनी ग़रीबी से उठकर शानदार बँगला, मोटर और लाइब्रेरी खड़ी की। सर्वगुण सम्पन्न पत्नी, नितान्त होनहार व आज्ञाकारी दो बच्चे और वैसे ही उनके जीवनसाथी मिले। इतने बड़े-बड़े लोगों का मित्र या रिश्तेदार बना। इतना पढ़ा और इतना लिखा। 'मानसिक अवसाद' के अतिरिक्त और कोई बीमारी नहीं हुई। न जाने कितनी तरह के सुख कितनी बार भोगे। इतना क्या कम है? और वह भी उस देश में जिसमें करोड़ों लोग अन्धे, कोढ़ी, अपंग, नंगे और भूखे हैं? प्रजातन्त्र के नाम पर नेता लोगों ने देश खा डाला। चक्रवर्ती श्री राजगोपालाचारी ने ठीक ही कहा था कि यदि सक्षम विरोधी पार्टी न हो तो प्रजातन्त्र, तानाशाही से भी कहीं ज़्यादा भयानक हो जाता है—इसमें सन्देह नहीं।

अब प्रश्न यह उठता है कि शेष जीवन में साहित्य-सेवा और साहित्य-सेवन—इन दोनों के अतिरिक्त क्या करूँ? निराशावादी कहते हैं कि मैं सठिया गया जबकि आशावादी कहते हैं कि साठा सो पाठा। सोचता हूँ कि वायलिन सीख लूँ। फिर

ख़याल आता है कि संन्यासी हो जाऊँ। फिर सोचता हूँ कि कहीं इश्क़ कर लूँ। मण्टो ने लिखा है कि वृद्धावस्था का प्रणय तीव्रतम होता है और मेरे विचार में यह प्रेम 'आयौवन' न चलकर 'आजीवन' ही चलता है क्योंकि वृद्ध व्यक्ति आख़िर कितना जिएगा? हैरी स्टीवेंस ने 103 वर्ष की कच्ची उम्र में विवाह किया था और उसकी बालिका-वधू उस समय मात्र 84 वर्ष की थी। हालीवुड के एक कलाकार ने कितने तलाक लिये और कितने विवाह किये—इसका उसे स्वयं कुछ पता नहीं। चौदह बार तो उसने उसी युवती से शादी की जिसे वह तेरह बार बाक़ायदा तलाक दे चुका था। सारी ग़लती भगवान की है। खुदाया कैसी-कैसी सूरतें तूने बनायी हैं, कि हर सूरत कलेजे से लगा लेने के क़ाबिल है। इलाहाबाद का 'अकबर' वहाँ के अमरूद से कहीं आगे निकल गया।

मेरी षष्ठिपूर्ति के इस ऐतिहासिक अवसर पर न कोई गोष्ठी हुई, न कोई शोक-सभा। किसी पत्रिका ने इस पर कुछ नहीं छापा। ठीक भी है, दस लाइनें मेरे बारे में छपतीं तो उनका वह स्थान बेकार जाता जिसमें उतना बड़ा 'मोटापा घटाने' का विज्ञापन छपता। वैसे मैंने भी यह सूचना किसी को नहीं दी थी। आज मेरा खुशमिज़ाज दिल भी उदास है और इसी कारण शायर का यह कलाम यूँ ही ज़ुबान पर बार-बार आ रहा है :

चला जाता था एक नन्हा सा कीड़ा रात काग़ज़ पर
बिला क़स्दे-ज़रर उसको हटाया मैंने उँगली से।।
मगर वह इतना नाज़ुक था कि फ़ौरन पिस गया बिल्कुल
निहायत ही खफ़ीफ़ एक दाग़ काग़ज़ पर रहा उसका।।
अभी वो रोशनी में शमअ की काग़ज़ पै फिरता था
अभी यूँ मिट गया जम्बिशे-अंगुश्ते-इंसा से।।
लिया मेरे सिवा नोटिस ही किसने उसका दुनिया में
थी फ़ितरत की क्या कारीगरी उसके बनाने में।।
नसवनामा भी उसका आलमे-ज़र्रात में होगा
यही थी उसकी हस्ती और उसमें उसकी मस्ती थी।।
न मातम करने वाला है, न लाइफ़ लिखने वाला है
वो धब्बा-दर्से-इबरत दे रहा है मुझको ऐ 'अकबर'।।
मजाज़ अल्लाह क्या समझा है तूने अपनी वक़अत को
मुझे भी सफ़हे-रूवे-ज़मीं से एक दिन आख़िर।।
मिटा देगी कोई तहरीक फ़ितरते-हुक्मे-बारी से
अजब हैरत से मैं हूँ देखता इस दाग़े-काग़ज़ को।।
मेरी नज़रों में नक्शा यें है, दुनियाये पानी का
सरीहन ज़िस्म था एक जान थी अहसास था उसमें।।

और अब धब्बा सा है क्या जाने कोई कैसा धब्बा है
अजब क्या है जो समझे कोई पेन्सिल की लकीर इसको।।
मआज़ अल्लाह, मआज़ अल्लाह, सन्नाटे का आलम है
बहुत जी चाहता है रोऊँ इस हस्ती के धब्बे पर।।
ये हैं बरसात के दिन, तीसरी भादों गुज़रती है
मैं अपना ग़म ग़लत करता हूँ, कुछ अशआर लिखनेसे।।

क्या क़ानून सचमुच अन्धा होता है?

क़ानून उस पदार्थ का नाम है जोकि ज़्यादातर अदालतों में प्रयोग किया जाता है। अदालत उस लम्बे कमरे को कहा जाता है जिसमें एक अदद जज होता है जोकि हमेशा बैठा रहता है, एक अदद अभियुक्त होता है जोकि हमेशा खड़ा रहता है और कुछ अदद गवाह और वकील होते हैं जोकि कभी खड़े हो जाते हैं और कभी बैठ जाते हैं। इन लोगों के अतिरिक्त कुछ तमाशबीन भी होते हैं जिनके बैठने या खड़े रहने के बारे में निश्चयपूर्वक कुछ नहीं कहा जा सकता।

आप में से कुछ शंकालु पाठक यह ज़रूर जानना चाहेंगे कि मेरे जैसे कवि और व्यंग्यकार का भला अदालत से क्या वास्ता? इस सन्दर्भ में मैं आपको कुछ सूचनाएँ देना चाहूँगा। पहली सूचना तो यह है कि कभी मैं स्वयं एक वकील या अपराधी बनना चाहता था मगर परिस्थितियों ने वैसा होने नहीं दिया हालाँकि अपने इसी क़ानून-प्रेम के कारण जब मैं देश की सर्वोच्च्च सिविल सर्विसेज़ की प्रतियोगिता में बैठा तो मैंने 'अन्तरराष्ट्रीय क़ानून' को भी एक विषय बनाया। दूसरी सूचना यह है कि अदालत से मेरा कई बार साबका पड़ चुका है। जब मैं प्रयाग विश्वविद्यालय का छात्र था तो एक बार मुझे (और मेरे साथियों को) दफ़ा एक सौ चवालीस तोड़ने के कारण बाक़ायदा हिरासत में लिया गया और हमारी पेशी एक मैजिस्ट्रेट के सामने हुई। चूँकि हम लोग काफ़ी थे और अदालत में शायद इतनी जगह नहीं थी कि हम सब साथी उसके अन्दर आ सकते, मैजिस्ट्रेट बेचारे ख़ुद ही अदालत से उठकर बाहर बरामदे में आये। बड़े शालीन और स्नेही व्यक्ति थे। उन्होंने हम लोगों से हाथ मिलाया, परिचय पूछा और फिर भविष्य में क़ानून न तोड़ने की सलाह देने के बाद हम सभी लोगों को बाइज़्ज़त रिहा कर दिया। सज़ा न मिलने के कारण हम लोगों को बड़ी ग्लानि हुई। नौकरी में प्रवेश करने के बाद मैं एक बार शिलांग गया। जहाँ डाक-बँगले में मेरे कमरे के भीतर चोरी हो गयी। एक एंग्लो-इण्डियन ब्रिगेडियर थे जो मुझे लेकर थाने में रिपोर्ट लिखाने गये। पुलिस ने चोर को पकड़ लिया और मेरा चोरी किया गया सामान—जिसमें सबसे ज़्यादा क़ीमती पदार्थ एक बाक्स-कैमरा था (जिसे मैंने पैंतीस वर्ष पूर्व बीस रुपयों में ख़रीदा था)—बरामद कर

लिया गया। इसके बाद मैं तबादले पर प्रयाग चला आया और फिर काफ़ी दिनों बाद मेरे नाम शिलांग की एक अदालत से सम्मन आया ताकि मैं शिलांग जा सकूँ और अपने सामान की शिनाख़्त कर सकूँ। मेरी पत्नी उन दिनों उस स्थिति में थी जिसे हिन्दी में 'गर्भवती' और संस्कृत में 'आसन्न-प्रसवा' कहा जाता है। मेरे एक वकील मित्र ने मेरी ओर से शिलांग की अदालत को एक याचिका भिजवायी जिसमें यह प्रार्थना की गयी थी कि मेरी एकमात्र पत्नी की स्थिति देखते हुए मुझसे प्रयाग की ही किसी अदालत में पूछताछ कर ली जाए। मेरी प्रार्थना स्वीकृत हो गयी। प्रयाग के एक मैजिस्ट्रेट की अदालत से एक दिन मेरे लिए बाक़ायदा निमन्त्रण आया और मैं अदालत गया। मैजिस्ट्रेट काफ़ी सज्जन किस्म के प्राणी थे। जब मैंने शिनाख़्त के लिए सामान माँगा तो अदालत को सहसा यह पता लगा कि मेरा कैमरा ग़ैरहाज़िर था। मुक़द्दमा वहीं ख़त्म हो गया। जिस कैमरे को पुलिस ने इतनी तत्परता के साथ मुजरिम के पास से पकड़ा था, ठीक वही कैमरा अदालत के मालख़ाने से अन्तर्धान हो गया। तीसरी सूचना यह है कि त्यागी जाति का अदालतों से बड़ा घनिष्ठ सम्बन्ध है। मेरी जाति के कई लोग डिस्ट्रिक्ट एवं सेशन्स-जज बने जिनमें से दो तो मेरी पत्नी के बेहद निकट के रिश्तेदार ही रहे। इसके अतिरिक्त मेरी ही जाति के दो शालीन व्यक्ति हाईकोर्ट के भी जज बने। इन दो विभूतियों में से एक विभूति ने तो कमाल ही कर दिखाया। हुआ यह कि जब वे हाईकोर्ट के जज थे तो पता नहीं कैसे, मुख्य न्यायाधीश की मृत्यु हो गयी और वरीयता के आधार पर वे 'कार्यवाहक मुख्य न्यायाधीश' बन गये। इस दुर्घटना के कुछ ही दिन बाद प्रदेश के गवर्नर की भी मृत्यु हो गयी और इन सज्जन को प्रदेश का 'कार्यवाहक राज्यपाल' भी बनना पड़ा। इसके बाद उनकी कोई और पदोन्नति नहीं हुई जिसका उन्हें बड़ा अफ़सोस रहा। और हाँ, कुछ लोग यदि न्यायाधीश बने तो कुछ पक्के अपराधी भी निकले। मेरे परिवार का एक व्यक्ति बड़ा प्रख्यात डाकू बना और बाद में उसे फाँसी भी हुई। एक तरफ़ मेरी जाति ने यदि जजों को जन्म दिया तो दूसरी ओर अपराधी भी देश को दिये। ठीक वही स्थिति जो कभी अकबर इलाहाबादी ने पकड़ी थी : शेख़जी के दोनों बेटे बाहुनर पैदा हुए, एक खुफ़िया पुलिस में हैं एक फाँसी पा गये। वैसे भी अदालतों का हास्य-व्यंग्य से बड़ा घनिष्ठ सम्बन्ध है। जितना लाजवाब मज़ाक़ कभी-कभी अदालतों में चलता है, उसका आनन्द कहीं अन्यत्र पाना दुर्लभ है। और अन्तिम सूचना यह है कि साहित्य का अदालत से निकट सम्बन्ध सदा से रहा। वाल्तेयर, फ्लावर्ट, ओ. हेनरी, ऑस्कर वाइल्ड, दोस्तोएवस्की, फ्रांसिस बेकन—सब पर भयंकर मुकद्दमे चले। कुछ को मात्र जेल ही हुई मगर दोस्तोएवस्की को तो मृत्युदण्ड दिया गया जो परमपिता परमात्मा की कृपा से आजीवन कारावास में बदल दिया गया। और ऐसे भी अनेक जज, वकील और अपराधी हुए जिन्होंने उच्च कोटि की साहित्य-सृष्टि की। जस्टिस इक़बाल एक बहुत ऊँचे पाये के शायर थे और 'बैलेड

फ्राम दि रीडिंग जेल' नाम की अमर कविता ऑस्कर वाइल्ड ने जेल में ही लिखी थी। अदालतों को लेकर उच्च कोटि का व्यंग्य लिखनेवाला विश्व-प्रसिद्ध हेनरी सिसील पेशे से वकील ही तो था। यही स्थिति सर वाल्टर स्काट, गाल्सवर्दी, चकबस्त, और वृन्दावनलाल वर्मा के साथ रही।

इस प्रबन्ध के लिखने का तात्कालिक कारण सुप्रीमकोर्ट के भूतपूर्व न्यायाधीश मिस्टर जस्टिस कृष्ण ऐयर का वह ऐतिहासिक साक्षात्कार है जो बाईस एप्रिल सन् उन्नीस सौ नब्बे के 'इण्डियन एक्सप्रेस' (दिल्ली संस्करण) में छपा है। उन्होंने कहा है कि "अदालत की मानहानि से सम्बन्धित क़ानून में अब बहुत महत्त्वपूर्ण परिवर्तन करने आवश्यक हो गये हैं। न्यायपालिका की प्रतिष्ठा धीरे-धीरे गिरती जा रही है और इस दिशा में सबसे ज़्यादा योगदान माननीय जज लोग स्वयं ही दे रहे हैं। देश की जनता का विश्वास न्यायपालिका से उठता जा रहा है। जब देश की जनता बीसवीं शती में जी रही है तब हमारी न्यायपालिका अभी भी अठारहवीं शती में ही जी रही है। जजों की नियुक्ति के सन्दर्भ में मुख्य न्यायाधीशों की सलाह मानना ठीक नहीं है क्योंकि वे भी पूर्वाग्रह में उतने ही फँसे हैं जितने कि मुख्यमन्त्री लोग। अब तो सारी नियुक्तियाँ राजनीतिक प्रभाव पर निर्भर हैं। न्यायपालिका में संशोधन नहीं वरन् क्रान्तिकारी परिवर्तनों की आवश्यकता है। न्यायाधीशों की संख्या में वृद्धि करने मात्र से जो लाखों मुकद्दमे अदालतों में पड़े हैं, वे कम नहीं होंगे। अदालतों में यदि कम्प्यूटरों का प्रयोग किया जाए तो वह लाभदायक ही सिद्ध होगा।"

मैं न्यायमूर्ति ऐयर की बहुत-सी उक्तियों से पूर्णतया सहमत हूँ। इसमें कोई सन्देह नहीं कि पिछले कुछ वर्षों में न्यायपालिका की गरिमा को काफ़ी चोट पहुँची है और जस्टिस ऐयर के शब्दों में इस दिशा में सबसे ज़्यादा योगदान जजों ने स्वयं ही दिया है। देश की सर्वोच्च अदालत तक ने एक विवादास्पद उद्योगपति के मामले पर घर बैठकर विचार किया क्योंकि वैसे गाँधी जयन्ती होने के कारण अदालत बन्द थी। विचाराधीन मुक़द्दमों की संख्या इतनी ज़्यादा है कि कुछ कहा नहीं जा सकता। अकेले सुप्रीमकोर्ट में दो लाख से ऊपर मुक़द्दमे सुनवाई के लिए पड़े हैं और विभिन्न हाईकोर्टों में पड़े मुक़द्दमों की संख्या लगभग बीस लाख है। अदालतों के फ़ैसले भी कम दिलचस्प नहीं हैं। दहेज के लिए पत्नी की हत्या करने के अपराध के कारण, सेशन्स-जज ने एक अभियुक्त को अपराधी घोषित किया, हाईकोर्ट ने उसे बरी कर दिया और सुप्रीमकोर्ट ने उसे फिर से अपराधी घोषित किया। तथ्य वही रहे, गवाहियाँ वही रहीं और क़ानून वही रहा मगर अदालतों के फ़ैसले बदलते गये। मुजरिम अलबत्ता होनहार था; हाईकोर्ट से बरी होते ही उसने दूसरी शादी कर ली थी और जब तक उच्चतम न्यायालय ने उसे फिर से अपराधी स्वीकार किया तब तक उसकी पत्नी (क्रम संख्या दो) बाक़ायदा गर्भवती हो चुकी थी। आम जनता अपनी पिछली टाँगों पर खड़ी रही और सारा तमाशा देखती रही। आप हाईकोर्ट जाएँगे तो

लोग कहेंगे कि सारा खेल राजनीतिक नेताओं का है और आप ज़िले की अदालत जाएँगे तो सुनने को मिलेगा कि जज लोग जो हैं वे घूस लेते हैं। मैं ख़ुद ऐसे कई न्यायाधीशों को जानता हूँ जो भ्रष्ट रहे हैं मगर मैं उनसे घृणा नहीं करता। जज भी पहले आदमी होता है और जज बाद में होता है। न्यायपालिका एक सत्ता है और विलियम शेक्सपियर ने कहा है कि "सत्ताधारी जो है वह एक ऐसा अड़ियल भालू है जिसे सोने की नकेल से ही वश में किया जा सकता है।" सुप्रीमकोर्ट के जज श्री रंगास्वामी, मद्रास हाईकोर्ट के चीफ़ जस्टिस श्री वीरास्वामी कठघरे में खड़े हैं। बम्बई हाईकोर्ट के जजों पर भी खुलेआम भ्रष्ट होने का इलज़ाम लगाया जा रहा है जो न्यायपालिका को वाक़ई सरकस या काँजीहाउस के स्तर पर ला रहा है। इससे बड़ी ख़ुशी की बात और क्या हो सकती है? बोफ़ोर्स केस की सुनवाई में दिल्ली हाईकोर्ट के जस्टिस चावला ने जो पक्षपात दिखाया, उससे न्यायपालिका की इज़्ज़त और भी नीचे चली गयी। अदालतों में जो समय लगता है वह भी आम निराशा का एक प्रमुख कारण है। सत्ताईस एप्रिल के अख़बार के अनुसार एक मुकद्दमे में गवाहों से गवाही लेने मात्र में तेरह वर्ष लग गये। सुनवाई के दौरान सोलह गवाह तो भगवान को प्यारे हो गये और सरकारी वकील ने पन्द्रह गवाहों से गवाही नहीं ली। यदि सारी गवाहियाँ ली गयी होतीं तो शायद सारा काम इक्कीसवीं शताब्दी तक चलता। जहाँ तक सच्चाई का प्रश्न है, स्थिति यह है कि जस्टिस खोसला ने एक बार रेल में बातचीत करते हुए दो व्यक्तियों के संवाद सुने। एक समझदार इंसान दूसरे इंसान से कह रहा था कि "मैं जो कुछ कह रहा हूँ वह एकदम सच है। यह कोई अदालत थोड़े ही है जोकि मैं झूठ बोलूँ?"

अदालतों की मानहानि के सन्दर्भ में बैरिस्टर पी.आर. दास की याद आना स्वाभाविक ही है। उन्होंने सारी उम्र अदालत की मानहानि की मगर फिर भी इस मुद्दे को लेकर वे स्वयं किसी परेशानी में कभी नहीं पड़े। एक बार हाईकोर्ट के एक जज की टिप्पणी सुनकर उन्हें गुस्सा आ गया और उन्होंने जज से तुरन्त पूछा कि "यह बात कौन साला कहता है?" जज ने शान्तिपूर्वक उन्हें देखा और पूछा कि "आप अदालत को गालियाँ दे रहे हैं और ऐसा करना क्या आपको शोभा देता है?" दास साहब ने उत्तर में तुरन्त कहा कि "मैंने कोई गाली कभी नहीं दी। मैं तो मात्र यह पूछ रहा था कि आपकी जो टिप्पणी थी उसे कौन-सा लॉ (Law) यानी कि क़ानून कहता है?" एक बार जब वे प्रिवी काउंसिल में बहस कर रहे थे तो उन्हें सहसा पता लगा कि जज साहब जो हैं वे नितान्त मूर्ख हैं और वे उनके वक्तव्य का एक अंश भी समझने की कोशिश नहीं कर रहे हैं। उन्होंने जज से बड़ी विनम्रता के साथ पूछा कि 'यौर लार्डशिप, यदि मैं आपको एक गधा कहकर पुकारूँ तो क्या आप मुझ पर मानहानि का मुक़द्दमा चलाएँगे?" जज ने कहा कि "अवश्य।" उनका उत्तर सुनकर दास साहब ने बड़ी नम्रता के साथ निवेदन किया कि "यदि ऐसी स्थिति

है तो मैं आपको गधा हर्गिज़ नहीं कहूँगा।" प्रिवी काउंसिल के सारे सदस्य उनका उत्तर सुनकर हँस पड़े।

अदालतों के प्रति जनता का आदर प्राप्त करने के लिए देश की सरकार व न्यायपालिका को बहुत कुछ करना पड़ेगा। पहला क़दम तो यह होगा कि जजों की अपार शक्ति को ध्यान में रखते हुए उनके वेतन और शेष सुविधाएँ प्रदान करने की दिशा में सरकार को ठोस क़दम उठाने होंगे। जजों का वेतन बहुत ज़्यादा होना चाहिए ताकि उनका स्वाभिमान बढ़े क्योंकि वैसे आमदनी का और ईमानदारी का कोई प्रत्यक्ष सम्बन्ध नहीं है। करोड़पति सेठ सरकार के साथ ऐसा धोखा करते हैं कि एक बार तो हमारे वित्तमन्त्री और वित्तसचिव—दोनों को नौकरी छोड़नी पड़ी थी जबकि बिहार के एक भिखमंगे ने हाल ही में अपनी जीवन-भर की सम्पत्ति (यानी कि चार हज़ार तीन सौ छियानवे रुपये) मरने से पहले बाकी भिखारियों की मदद करने के लिए प्रधानमन्त्री के राहत कोष के लिए छोड़ दी। वेतन के अतिरिक्त ज़िले के न्यायाधीशों के लिए सरकारी वाहन व उनके निवास-स्थान का पूरा-पूरा ध्यान रखा जाना चाहिए। पहले सारे ज़िले में मात्र एक जज होता था जिसके लिए अँग्रेज़ी हकूमत एक बड़ा बँगला (जिसे 'सेशन्स हाउस' या 'जजेज हाउस' कहा जाता था) सुरक्षित रखती थी। इधर स्थिति इतनी नाज़ुक हो गयी है कि फ़ौजदारी ने घरेलू उद्योग का रूप धारण कर लिया है और इसी कारण एक ज़िले में कभी-कभी पाँच-पाँच तक फ़ौजदारी की अदालतें होती हैं। मगर जहाँ तक जज के मकान का प्रश्न है, वह अभी भी एक ही चल रहा है। मैंने प्रयाग में एक ऐसे ईमानदार सब-जज को देखा है जो एक कोठी की गराज में रहते थे और साइकिल पर अदालत जाते थे। यह खुशी की बात है कि न्यायपालिका में अभी भी आधे से ज़्यादा अधिकारी कर्मठ, बुद्धिमान, परिश्रमी और नितान्त ईमानदार हैं। अदालतों के फ़र्नीचर, जजों के गाउन का कपड़ा, उनके तथाकथित 'चैम्बर' की स्थिति पर भी ध्यान दिया जाना है। मैंने ऐसी कोई अदालत नहीं देखी जिसके कठघरों पर वार्निश किया गया हो, हाँ, अलबत्ता ऐसी अदालतें अवश्य देखी हैं जिनमें कठघरे थे ही नहीं। हाँ, हाईकोर्ट व सुप्रीमकोर्ट में इन बातों का पूरा-पूरा ध्यान रखा जाता है हालाँकि सरकारी वकील का कमरा वहाँ भी काँजीहाउस की ही याद दिलाता है—अदालत की नहीं। सरकार को ऐसा वातावरण बनाना चाहिए कि बड़े-बड़े वकील भी जज बनना चाहें। यहाँ मुझे दक्षिण के एक प्रसिद्ध बैरिस्टर की याद आ रही है जिन्हें बहुत कम उम्र में सरकार हाईकोर्ट का जज बनाना चाहती थी मगर जिन्होंने गवर्नर के इस प्रस्ताव को यह कहकर अस्वीकार कर दिया था कि "यौर लार्डशिप, मुझे यह तो मंज़ूर है कि मैं दो घण्टे खड़ा रहूँ और बकवास करता रहूँ मगर मुझे यह कतई मंज़ूर नहीं कि मैं बैठा रहूँ और छः घण्टों तक बकवास सुनता रहूँ।" अदालतों के उद्धार के लिए दूसरा क़दम यह होना चाहिए कि सरकारी वकील का वेतन काफ़ी मोटा होना

चाहिए ताकि सिर्फ़ वे ही लोग सरकारी वकील न बनें जिनकी अपनी प्रैक्टिस न चलती हो। ऊँची अदालतों में जजों की नियुक्ति में कुछ परिवर्तन करने ज़रूरी हैं। इस सन्दर्भ में जस्टिस ऐयर ने अपना सुझाव यह दिया है कि उच्च अदालतों में जजों की नियुक्ति व तबादले के लिए एक विशेष कमेटी का गठन किया जाना चाहिए, जिसके सदस्य प्रधानमन्त्री, विधिमन्त्री, उच्चतम न्यायालय के न्यायाधीश, अवकाशप्राप्त प्रतिभावान् व दूरदर्शी जज और जीवन के बाकी क्षेत्रों के प्रख्यात व्यक्ति शामिल होने चाहिए। न्यायपालिका के उद्धार की दिशा में यह तीसरा क़दम होगा। चौथा क़दम यह होगा कि भविष्य में सरकार जब भी कोई 'लॉ कमीशन' बिठाए तो उसमें किसी पेशेवर अपराधी को सदस्य ज़रूर मनोनीत करे। भुक्तभोगी होने के कारण वह विधिवेत्ताओं की अपेक्षा कहीं ज़्यादा व्यावहारिक सुझाव देगा। यदि पुलिस अकादमी आई.पी.एस. अधिकारियों के सामने लेक्चर देने के लिए प्रख्यात ठग नटवरलाल को आमन्त्रित कर सकती है तो ऐसा कोई व्यक्ति विधि आयोग का सदस्य क्यों नहीं बन सकता? सरकार को पाँचवाँ क़दम यह उठाना चाहिए कि वह इतने ज़्यादा क़ानून बनाना बन्द करे। जितने ज़्यादा क़ानून होंगे, उतने ही अधिक अपराधी होंगे। छठा क़दम यह होगा कि सरकार अपराध कम करने के लिए कुछ मौलिक क़दम उठाये। उदाहरण के लिए रूस की सरकार 'अपराध कम करने के लिए वेश्यालय खोल रही है। ऐसा करने से अपराध कैसे कम होंगे—यह रहस्य ख़ाकसार खुद नहीं जानता। अगला क़दम सरकार यह उठाये कि 'ताज़ीराते-हिन्द' फिर से लिखा जाए। बहुत कम लोग यह जानते हैं कि लॉर्ड मैकाले ने 'इण्डियन पेनल कोड' का जो ड्राफ़्ट तैयार किया वह 'आयरिश पेनल कोड' पर आधारित था। ठीक वही 'आयरिश पेनल कोड' जिसके बारे में ब्रिटेन के महान् सांसद एडमण्ड बर्क ने कहा था कि "इस कोड का सम्पादन बड़ी काबलियत के साथ किया गया है और इसके सारे हिस्से एक-दूसरे से खपते हुए हैं। यह एक बहुत पेचीदा मशीन है जिसे बड़ी अक्लमन्दी के साथ तैयार किया गया है। कभी भी किसी चतुर पर पतित व्यक्ति ने किसी कौम पर अत्याचार करने, उसे दरिद्र बना देने, उसे चरित्रभ्रष्ट कर देने और उसके अन्दर से मनुष्यत्व का सत्यानाश कर देने के लिए इससे अधिक उपयोगी ग्रन्थ तैयार नहीं किया होगा।" इसी कारण 'ताज़ीराते-हिन्द' के छपते ही भारतेन्दु हरिश्चन्द्र ने 'ताज़ीराते-शौहर' व 'अन्धेर नगरी' नामक दो ग्रन्थ लिखे जो 'इण्डियन पेनल कोड' का पर्दाफ़ाश करते हैं। अगला व अन्तिम क़दम वकीलों और जजों को खुद उठाना है और उसमें बाहर की कोई संस्था उनकी मदद नहीं कर सकती। यह अगला क़दम यह होगा कि जब तक सरकार ऊपर लिखे सुझावों को कार्यान्वित न करे तब तक के लिए वकील और जज—दोनों भूख हड़ताल पर चले जाएँ। वकील लोग तो हड़ताल पर वैसे भी जाते ही रहते हैं। एक वकील ने एक कॉलेज के कामन-रूम में रखे किसी महिला के हैण्डबैग में से कुछ चोरी की। बाद में चलकर

उन्हीं वकील साहब ने स्त्रियों के स्नानगृह में कुछ अश्लील चीज़ें लिखीं। पुलिस ने जब उस वकील को गिरफ़्तार किया तो वकील लोग हड़ताल पर चले गये। ठीक इसी भाँति बम्बई हाईकोर्ट के जज श्री केनिया—जो कई करोड़ रुपयों की सम्पत्ति से सम्बन्धित एक मुकद्दमे को सुन रहे थे और जिन्हें उसी दौरान किसी ने धमकी दी थी—आमरण अनशन पर बैठे हैं। जो लोग ज़्यादा जानकारी चाहते हों वे तेईस एप्रिल व पच्चीस एप्रिल का अख़बार पढ़ें। वकीलों ने अपने साथी की हरकतों पर कोई खेद प्रकट नहीं किया, उनकी शिकायत तो मात्र इस बात को लेकर थी कि उसे हथकड़ियाँ क्यों पहनाई गयीं। न दामन पे दाग, न तलवार पे धब्बा; तुम क़त्ल करो हो या करामात करो हो?

अदालतों के बारे में संसार के बड़े-बड़े लेखकों ने काफ़ी लिखा है। विक्टर ह्यूगो के 'नेत्रोदेम' व दोस्तोएवस्की के 'ब्रदर्स कैरेमोजोव' नामक विश्व के महानतम उपन्यासों में फाँसी जो दी जाती है वह निर्दोष व्यक्तियों को ही दी जाती है। अनातोले फ्रांस ने अदालतों के बारे में विस्तार से चर्चा की। उसका कहना है कि "जो लोग यह कहते हैं कि अदालतों में सच्चाई की छानबीन करने के बाद निर्णय दिया जाता है, वे लोग बहुत ख़तरनाक हैं और न्याय के शत्रु हैं। हमारे न्यायाधीश क़ानून के ज्ञाता हैं और इसी कारण वे अपना निर्णय सच्चाई पर आधारित नहीं करते क्योंकि सच्चाई जो है वह सदा संदिग्ध रहती है। वे अपना निर्णय परम्पराओं के अनुसार देते हैं जो निश्चित हैं।" आगे चलकर अनातोले फ्रांस कहता है कि "बिना पुलिसमैन के न्यायाधीश पंगु है।" आगे चलकर वह और भी महत्त्वपूर्ण प्रश्न पूछता है और वह यह है कि "क्या न्याय ने कभी विद्रोहियों और विजेताओं का विरोध किया है? जब भी किसी अन्यायपूर्ण शासक का उदय हुआ, उसने न्याय को अपने शासन में ले लिया और इस प्रकार उसने अपने को न्यायपूर्ण बना लिया।" मैं अपने पाठकों से हार्दिक अनुरोध करूँगा कि वे अनातोले फ्रांस की 'बूढ़ा तरकारीवाला', नामक कहानी अवश्य पढ़ें। "क़ानून एक बेकार चीज़ है : अच्छे लोगों को क़ानून की ज़रूरत नहीं और बुरे लोग क़ानून की परवाह नहीं करते।" "क़ानून एक गधा है—बुद्धिमान लोग उसकी सवारी गाँठते हैं और मूर्ख लोग उसकी दुलत्ती खाते हैं।"

अब आप रचना काफ़ी पढ़ चुके। अब आप ही इस बात का जवाब ढूँढ़ें कि क़ानून क्या सचमुच अन्धा होता है? मैं तो सिर्फ़ इतना ही कह सकता हूँ कि क़ानून का तो मुझे पता नहीं पर इतना मैं निश्चय के साथ कह सकता हूँ कि अपराधी कभी-कभी ज़रूर अन्धे होते हैं। एक अदालत ने एक अन्धे व्यक्ति को तीस दिन जेल में रखा। पुलिस के अनुसार उस अन्धे ने किसी कसूरवार की ज़मानत ली थी जिसे वह अन्धा स्वीकार नहीं करता था। अदालत ने उस पर तीन हज़ार रुपयों का जुर्माना किया जबकि उस ग़रीब अन्धे के पास सिर्फ़ पाँच रुपये थे। जेल में इक्कीस दिन बिताने के बाद एक वकील ने उसका मामला अपने हाथ में लिया

और अदालत से पूछा कि आपने इसके अँगूठे के निशान ज़मानत लेनेवाले व्यक्ति के अँगूठे के निशान से बग़ैर मिलाये सज़ा कैसे दे दी? इसके बाद जैसे ही वकील साहब ने कलकत्ता हाईकोर्ट के जज मिस्टर हैण्डर्सन का निर्णय सुनाना शुरू किया, अदालत ने उस अन्धे को रिहा कर दिया। सबसे ज़्यादा दिलचस्प बात इस हादसे में यह रही कि जज जो थी वह एक महिला थी।

अब मैं रचना समाप्त करता हूँ। कुछ विधिवेत्ता लोग हँसेंगे कि मेरे-जैसा क़ानून से असम्बद्ध व्यक्ति न्यायपालिका के बारे में ऐसे विचार क्यों प्रकट कर रहा है? वे ठीक हैं। मगर इल्लत यह है कि मैं भी ठीक हूँ। जितनी निष्पक्ष और आम जनता की प्रतिनिधि मेरी आवाज़ है, उतनी विधि आयोग की कभी नहीं हो सकती क्योंकि उसके सारे सदस्य या तो जज होंगे या वकील—जो पूर्वाग्रह से पूरी तरह ग्रस्त होंगे जोकि स्वाभाविक है। विशेषज्ञ कहते ही उस व्यक्ति को हैं जो जानता है कि अपेक्षित सुधार किसी प्रकार कार्यान्वित नहीं किये जा सकते। एक बात और कहूँगा और बस। यह आख़िरी बात यह है कि जज की नौकरी से ज़्यादा गन्दी नौकरी दुनिया में और कोई नहीं। अब यह भी कोई ज़िन्दगी है कि सारी उम्र आप सुबह से शाम तक डकैतों, जालसाजों, हत्यारों और धोखेबाजों को ही देखते रहें और यह भी इस शर्त पर कि आप न सिगरेट पी सकते हैं और न पान ही खा सकते हैं? सच्ची बात तो यह है कि जज की अपेक्षा कम-से-कम मैं तो अपराधी बनना कहीं ज़्यादा पसन्द करूँगा। सरकारी काम से मैं जब भी अदालत गया, मेरा यह विश्वास और भी दृढ़ होता चला गया।

अब मैं मुकद्दमेबाज़ी से सम्बन्धित कुछ दिलचस्प आँकड़े प्रस्तुत करूँगा। विश्व का सबसे लम्बा दीवानी का मुक़द्दमा सात सौ इकसठ वर्ष तक चला। सबसे लम्बा फ़ौजदारी का मुक़द्दमा अमेरिका में चला। इसमें सत्तावन हज़ार काग़ज़, चार सौ गवाह और दो हज़ार सबूत अदालत को दिखाये गये। किसी भी अदालत ने जो सबसे ज़्यादा रक़म की ज़मानत माँगी वह मात्र साढ़े-चार करोड़ डालर की थी। क्यूबा में चले एक हत्या के मुकद्दमे में सतरह हज़ार लोग अदालत देखने आये। विश्व में सबसे अधिक जुर्माना ब्रोन के सुप्रीमकोर्ट ने किया; जुर्माने की राशि मात्र साढ़े-छः करोड़ डालर थी। मानहानि का सबसे महँगा मुक़द्दमा अमेरिका की हेनिपिन अदालत में चला जहाँ एक करोड़ साठ लाख डालर की राशि क्षतिपूर्ति के तौर पर दी गयी और इसके साथ-साथ एक करोड़ आठ लाख डालर का दण्ड अलग से दिलवाया गया : तलाक समझौते में इंग्लैण्ड की एक अदालत ने सात लाख पाउण्ड पति से पत्नी को दिलवाए। इसी प्रकार ऐसे ही एक मुकद्दमे में अदालत ने पति से पत्नी के निर्वाह के लिए आठ करोड़ डालर दिलवाये। सबसे लम्बा पट्टा सन् 1868 में लिखा गया जिसकी अवधि मात्र एक करोड़ वर्ष है। दुनिया की सबसे बड़ी वसीयत इंग्लैण्ड के एक व्यक्ति ने लिखी जो चार जिल्दों में है और जिसमें लगभग एक लाख शब्द हैं।

सबसे अधिक उम्र के जज अमेरिका के अलबर्ट एलेग्ज़ेण्डर थे जिन्होंने एक सौ पाँच वर्ष की आयु तक न्यायाधीश की कुर्सी सँभाली। लायोलिन लक्खू दो सौ पैंतालीस फ़ौजदारी के मुकद्दमे से बरी हुआ था। बहराम ठग ने नौ सौ इकत्तीस क़त्ल किये थे। पेड्रो लापेज़ ने तेरह वर्ष से कम आयुवाली लगभग तीन सौ लड़कियों की हत्या की थी। अब तक फिरौती में दी गयी सबसे ज़्यादा रक़म सतहत्तर करोड़ डालर है। एक और अपहरण काण्ड में ढाई करोड़ पाउण्ड की राशि बतौर फिरौती के अदा की गयी। बैंक में ग़बन का सबसे बड़ा मामला स्विट्ज़रलैण्ड में सम्पन्न हुआ जिसमें सिर्फ़ तीन करोड़ पाउण्ड की हेराफेरी की गयी। जापान में एक ऐसा क़ैदी बन्द है जो पिछले चालीस वर्ष से फाँसी की प्रतीक्षा कर रहा है। पाल गीडेल ने अपनी पिचासी वर्ष की आयु में से अड़सठ वर्ष जेल में गुज़ारे हैं। आस्ट्रेलिया का एक व्यक्ति किसी न किसी अपराध के कारण अब तक दो हज़ार बार अदालत में पेश किया जा चुका है। अमेरिका का फ्रिस्टो नामक व्यक्ति जेल से छियालीस वर्ष तक फ़रार रहा। इससे ज़्यादा आपको क्या चाहिए? हाँ, अलबत्ता मैं यूरोप के उस व्यक्ति को तो वाक़ई भूल गया जिसे अपने विभिन्न अपराधों के कारण विभिन्न अदालतों द्वारा कुल मिलाकर सिर्फ़ दो सौ पैंसठ वर्ष की बामशक्कत क़ैद की सज़ा सुनाई गयी थी।

सारी गम्भीर बातों की चर्चा करने के बाद, मैं आपको एक अदालत में घटी एक सच्ची कथा सुनाता हूँ। एक व्यक्ति पर एक मकान में सेंध लगाने, क़ीमती आभूषणों की चोरी करने और घर के एक व्यक्ति पर पिस्तौल चलाने के अपराध में अदालत में पेश किया गया। जब उसका वकील उसे नहीं बचा पाया तो उसने अदालत से एक विनम्र प्रार्थना की। उसने कहा कि "योर हौनर, यदि आपका फ़ैसला मान भी लिया जाए तो भी आप देखेंगे कि तथाकथित सारे अपराध अभियुक्त के मात्र दायें हाथ ने किये हैं और इस बात को दृष्टि में रखते हुए क्या यह न्यायपूर्ण होगा कि मात्र एक हाथ के कारण अभियुक्त के सारे शरीर को सज़ा दी जाए?" जज और जूरी इस तर्क को सुनकर हँस पड़े। बहरहाल अदालत ने बड़ा न्यायपूर्ण फ़ैसला दिया; अदालत ने कहा कि "अभियुक्त के दायें हाथ को दस वर्ष की कड़ी क़ैद दी जाती है; यह बात अभियुक्त पर ही छोड़ी जाती है कि वह दायें हाथ के साथ स्वयं जेल जाए या न जाए।" थोड़ी देर बाद सारे वकील, जूरी के सदस्य, जज और बाकी लोग यह देखकर दंग रह गये कि अभियुक्त ने अपने वकील की सहायता से अपना दायाँ और अपराधी हाथ कोट में से निकाला और उसे अदालत की मेज़ पर रख दिया। उसका वह हाथ नकली था। इसी प्रकार एक बार एक सेठजी के नाम किसी सन्दर्भ में अदालत का सम्मन आया। सेठजी का नाम था घासीराम लक्कड़शाह। क्योंकि सेठजी एकदम अन्धे थे, वे एक नौकर लड़के को अपने साथ अदालत ले गये। जज साहब इत्तफ़ाक से ज़रूरत से ज़्यादा खुशमिज़ाज थे। उन्होंने सेठजी का नाम पूछा जो सेठजी ने आदरपूर्वक बता दिया। नाम सुनकर जज साहब ने मज़ाक़

में कहा कि "वाह, क्या नाम पाया है आपने! मैंने तो ऐसा दिलचस्प नाम अपनी ज़िन्दगी में कभी नहीं सुना। नाम का नाम और ईंधन का ईंधन।" जज साहब की यह टिप्पणी सुनते ही बुज़ुर्ग सेठजी ने अपने नौकर के मुँह पर थप्पड़ मारा और ज़ोर से कहा कि "अबे, उल्लू के पट्ठे, यहाँ भाँडों की मजलिस में कहाँ ले आया, हाकिम की अदालत में चल।" अदालती क्षेत्र का सबसे बड़ा मज़ाक़ यह है कि जब अमेरिका (ओकलहामा) के भूतपूर्व मुख्य न्यायाधीश अर्स वेल्थ पर भ्रष्टाचार का मुक़द्दमा चला (जिसके कारण उसे तीन वर्ष की क़ैद व 13,500 डालर का जुर्माना अदा करने की सज़ा हुई) तो सुनवाई के दौरान उससे पूछा गया कि क्या उसे ऐसा कोई अवसर याद है जबकि उसने बिना घूस लिये कोई निर्णय सुनाया हो? इस प्रश्न के उत्तर में अभियुक्त ने बताया कि एक न्यायाधीश के रूप में अपने पूरे कार्यकाल में उसे ऐसा एक भी अवसर याद नहीं है। आमीन।

एक मुदर्रिस की रामकहानी

पण्डित खचेड़ूमल शास्त्री हमारे स्कूल में संस्कृत के अध्यापक थे। बड़े नम्र, विनयी और संकोची। वे स्कूल में चपरासी से लेकर ब्लैकबोर्ड तक की सारी सेवाएँ स्वयं ही प्रदान करते थे। प्रातःकाल जब स्कूल खुलता था तो वे सबके सामने प्रधानाध्यापक के चरण छूते थे, प्रार्थना करवाते थे और बाद में सारा दिन स्कूल के ही किसी न किसी काम में व्यस्त रहते थे। आदमी बड़े परिश्रमी थे और इसी कारण उन्होंने एक ओर तो छः वर्ष लगातार फ़ेल होकर भी बी.ए. की परीक्षा प्राइवेट तौर पर पास की थी और दूसरी ओर अपनी दुबली-पतली पत्नी को सात बच्चों का सुख प्रदान किया था। शास्त्री जी का वेतन स्कूलों के इन्स्पेक्टर के कुत्ते पर ख़र्च किये जानेवाले ख़र्चे से कम था और सैयद मुजतबा अली की अमर बँगला कहानी 'पाद-टीका' उन पर एकदम सटीक बैठती थी। वे छुट्टी के दिन स्कूल के मैनेजर के यहाँ हाज़िरी देने जाते थे और उनके यहाँ खुशी या गमी का सारा भार वे अकेले ही उठाते थे। बड़े लोगों के यहाँ जब शादियाँ होती थीं तो सेहरा भी वही पढ़ते थे और जूठे बर्तन भी वे ही साफ़ कर लेते थे। एक बार ऐसी तेज़ हवा आयी कि वे घण्टों तक पण्डाल का एक बाँस पकड़े खड़े रहे और उसे गिरने नहीं दिया।

शास्त्री जी के हैडमास्टर साहब से ठीक वही सम्बन्ध थे जो राजा रामचन्द्र के साथ हनुमान जी के रहे होंगे। हैडमास्टर का प्रत्येक आदेश उनके लिए पत्थर की लकीर होता था। वे साधारण कपड़े पहनते थे, ग़रीब विद्यार्थियों की सहायता करते थे और क्लास लेने में भी वे अद्वितीय ही थे। वे सब लड़कों को रजिस्टर में सदा हाज़िर दिखाते थे और अच्छे-ख़ासे प्रसंगों को भी अश्लील बना देते थे। जब वे तुलसीदास की चौपाई गा-गाकर पढ़ते थे तो सुन्दरलाल गुप्त—जो क्लास का मानीटर होता था—पीछे से डेस्क को तबले की भाँति बजाकर उनकी संगत देता था। अगर हम लोगों में से कोई उनकी दराज में मेंढक बन्द कर देता था तो वे बहुत खुश होते थे। एक बार सालाना जलसे पर मैंने उनकी धोती से एक बकरी बाँध दी थी मगर उसे भी उन्होंने हँस कर ही टाल दिया था।

दसवाँ दर्जा पास करने के बाद मैं बाहर चला गया। एक बार गया तो बस

परदेसी ही हो गया। बरसों तक पुराना स्कूल नहीं देख पाया। मगर हाँ, शास्त्री जी के बारे में मैं लोगों से हमेशा पूछता रहता था। पता लगा कि हमारा कॉलेज पहले इण्टरमीडिएट कॉलेज हुआ और बाद में डिग्री कॉलेज भी बना दिया गया। मगर सबसे ज़्यादा विस्मय मुझे तब हुआ जबकि मैंने एक दिन सुना कि शास्त्री जी जो थे वे डिग्री कॉलेज के प्रिंसिपल बना दिये गये थे और यही नहीं, यह भी सुना कि अब वे पुराने फटीचर शास्त्री जी नहीं रहे थे वरन् एकदम विलायती साहब बन गये थे।

मुझे ऊपर दिये गये समाचार पर विश्वास नहीं हुआ। मगर जब एक के बाद एक विशेष संवाददाता ने भी यही सूचना दी तो मुझे मानना पड़ा। लोगों का कहना था कि अब तो वह कॉलेज एक जूता-फ़ैक्ट्री की भाँति चलाया जाता है। शास्त्री जी सूट पहनते हैं, सिगार पीते हैं, होटलों में सामिष भोजन करते हैं, हर परायी माता को अपनी पत्नी मानते हैं, वग़ैरह-वग़ैरह। एक विश्वस्त वृद्ध महोदय ने बताया कि उस कॉलेज का कोई बच्चा फ़ेल नहीं होता; घूस ली जाती है और खुलेआम नक़ल करवायी जाती है। कॉलेज का कोई ऐसा काम नहीं जिसमें मैनेजिंग कमेटी के सदस्य और शास्त्री जी मिलकर पैसा न लेते हों। परिणाम सबके सामने था : बिना किसी सरकारी सहायता के कॉलेज की शानदार इमारत बन गयी थी और एक कोठी शास्त्री जी की भी निकल आयी थी। कॉलेज की स्थिति यह हो गयी थी कि प्रोफ़ेसर या तो महँगे-महँगे ट्यूशन करने लगे थे या फिर किताबों की कुंजियाँ लिखने लगे थे। शास्त्री जी हैं तो आधा समय लखनऊ गुज़ारते हैं और आधा समय स्थानीय नेताओं की आवभगत करते हैं। कॉलेज की यूनियन क्या है—राजनीति का एक अखाड़ा है। प्रोफ़ेसर हैं; मुश्किल से एक सप्ताह में डेढ़ क्लास लेते हैं और खुलेआम लड़कियों से इश्क़ करते हैं। जो तुमसे होता हो वह कर लो। महाप्राण निराला ने कहा है कि जो समर्थ होता है वह भोक्ता तो अवश्य ही होता है। पन्तजी ने इस बारे में क्या कहा, मुझे पता नहीं। हाँ, अज्ञेय जी के बारे में ज़रूर कहा जा सकता है कि वे पवित्र प्रेम में ही विश्वास रखते थे, वासना में नहीं। अरी ओ करुणा, प्रभामय।

पिछली बार दिल्ली गया तो युनिवर्सिटी ग्राण्ट्स कमीशन के पास एक शानदार सूट पहने व्यक्ति को देखा। चेहरा कुछ-कुछ पहचाना हुआ-सा लगा। बहरहाल उस चेहरे ने मुझे नहीं पहचाना। हर्गिज़ नहीं। इत्तफ़ाक की बात कि जैसे ही वे शानदार सज्जन अपनी मोटर में बैठने लगे तभी उनका चरणकमल (क्रम संख्या एक) किसी छिलके पर फिसल गया। छिलका शायद केले का था क्योंकि तीव्र यातायात के सन्दर्भ में जो प्रतिष्ठा केले के छिलके ने पायी है वह नारियल के छिलके तक को कभी नहीं मिली। मैंने ड्राइवर की सहायता से उन्हें बटोरा और मोटर में बिठाया। उनके मुँह से शराब की गन्ध आ रही थी। मैंने अब उन्हें ध्यान से देखा और एकदम पहचान लिया। वे खचेडूमल शास्त्री ही थे, डॉक्टर के.एम. शास्त्री नहीं। मैंने अपना वंशवृक्ष उन्हें सुनाना शुरू किया और जैसे ही उन्हें बताया कि मैं वही पुराना रवीन्द्र हूँ जिसने

उनके सोने के कमरे में एक दिन एक गधा और दूसरे दिन दो गधे बन्द किये थे, तब तो वे मुझे एक ही किस्त में पहचान गये। उन्होंने मुझे छाती से लगा लिया।

विदा के समय मैंने उनके चरण छूने चाहे मगर उन्होंने मुझे वैसा नहीं करने दिया। आँखों में आँसू भरकर वे केवल इतना ही कह पाये कि "बेटा, अब मैं इस लायक नहीं रहा।"

उनकी मोटर चली गयी। मैं खड़ा रहा और लार्ड क्लाइव के बारे में सोचता रहा जिसे प्रिवी काउंसिल ने रिहा कर दिया था पर जिसने घर जाकर फिर भी आत्महत्या कर ली थी। इससे ज़्यादा मैं नहीं सोच पाया क्योंकि तब तक चन्द सर्वोदयी किस्म के कुत्ते मेरी पैण्ट से बुरी तरह उलझ गये थे और उसमें घुसने की कोशिश कर रहे थे। मैंने कुत्तों को हटाया और कवि 'धूमिल' की कुछ पंक्तियाँ दुहरायीं:

इससे पहिले कि
ईमानदारी तुम्हें उस जगह ले जाए
जहाँ बेटा तुम्हें बाप कहते हुए
शरमाए,
तुम वापिस चले आओ....

गाँधी जी के बन्दर और गधे

इस वर्ष इटली में फुटबाल की महान् प्रतियोगिता रखी गयी जिसमें विश्व के चौबीस देशों ने भाग लिया। इस सन्दर्भ में दो समाचार ऐसे हैं जिनकी उपेक्षा नहीं की जा सकती। पहला समाचार तो यह है कि खेल प्रारम्भ होने के लगभग तीन माह पूर्व से रोम के जेबकतरों ने विशेष प्रशिक्षण लेना शुरू किया और अपने हथियार तेज़ करने शुरू कर दिये। इस प्रतियोगिता को देखने लाखों यात्री विदेशों से आने थे और उनकी जेबें हल्की करने की सुखद ज़िम्मेदारी यदि रोम-निवासी नहीं उठाते तो और कौन उठाता? दूसरा समाचार यह रहा कि इटली व उरुग्वे के कुछ महान् खिलाड़ियों ने यह मत प्रकट किया कि खेल के दौरान कोई भी खिलाड़ी किसी युवती के साथ प्रेम नहीं करेगा। इस दूसरे समाचार को सुनकर लाखों लोगों को बड़ा खेद हुआ। किसी को यह आशा नहीं थी कि इटली में–जहाँ कि रोम्यो और जूलियट पैदा हुए थे और जिसे वैसे भी प्रेम का देश कहा जाता है–ऐसी दक़ियानूसी निषेधाज्ञा जारी की जायेगी। इस दुखान्त सूचना ने अनेक खिलाड़ियों को बुरी तरह हताश कर दिया क्योंकि काफ़ी खिलाड़ी ऐसे थे जिनकी रुचि फुटबाल में कम और सुन्दर युवतियों में ज़्यादा थी। अगर आज जैनेन्द्रकुमार जीवित होते तो इस मुद्दे को लेकर कम-से-कम एक परिचर्चा तो अवश्य ही छेड़ देते।

कितने सन्तोष की बात है कि जैनेन्द्र जी की ग़ैरहाज़िरी में भी प्रेम की घटनाएँ लगातार घट रही हैं। अपने ही देश में घटी कुछ घटनाएँ आपकी सेवा में प्रस्तुत करता हूँ।

एक हज़रत थे कि प्रेम एक लड़की से करते थे और शादी उस लड़की से करने को तैयार हो गये जिसे उनके पूज्य पिताजी और आदरणीया माताजी ने पसन्द किया था। बहरहाल वे भले ही कायर रहे हों, उनकी प्रेमिका हर्गिज़ कायर नहीं थी। वह ठीक शादी के समय वहाँ प्रकट हुई जहाँ कि उनका पाणिग्रहण संस्कार सम्पन्न हो रहा था और वहाँ पहुँचने के बाद सबसे पहला काम उस वीर बालिका ने यह किया कि होनेवाली वधू को उठाकर पण्डाल के बाहर फेंक दिया। उसके बाद उस कन्या ने माला उठायी और अपने प्रेमी के कण्ठ में डाल दी। उस बालिका के साहस और उसकी चुस्ती को देखकर लोग चकित रह गये और सुभद्राकुमारी चौहान की "ख़ूब

लड़ी मर्दानी वह तो झाँसीवाली रानी थी" वाली कालजयी कविता याद करने लगे। इसी प्रकार एक और चरित्रवती युवती ने पुलिस, गृहमन्त्री, हाईकोर्ट व सुप्रीमकोर्ट—इन सबके पास यह सूचना पहुँचायी है कि उसके सगे बाप उसकी और उसके पति की हत्या करवाना चाहते हैं क्योंकि शादी जो थी वह उनकी रज़ामन्दी से नहीं की गयी थी। संयोग की बात देखिए कि लड़की के जो पिता हैं वे स्वयं भी एक जज ही हैं। प्रणय व अपराध—इन दोनों के बीच सदा से घनिष्ठ सम्बन्ध रहता आया। राजधानी के एक अस्पताल में अस्पताल के एक कर्मठ कर्मचारी ने एक रोगी युवती के साथ बलात्कार सम्पन्न किया और उसके ख़िलाफ़ किसी ने कोई 'एक्शन' नहीं लिया। कोई क़दम इस कारण नहीं उठाया गया क्योंकि वैसा करने से अस्पताल के काफ़ी कर्तव्यपरायण कर्मचारियों का हड़ताल पर चले जाने का ख़तरा था। कुछ वर्ष पूर्व भी उस अस्पताल में एक और रोगी स्त्री के साथ ऐसी ही सहानुभूति दिखायी गयी थी और किसी भी अपराधी को किसी प्रकार का कोई दण्ड एकदम नहीं दिया गया था। दोनों स्त्रियों का कसूर एक था और वह कसूर मात्र यह था कि वे दोनों बिना किसी कारण के ज़रूरत से ज़्यादा रूपवती और युवा थीं।

महाराष्ट्र सदा से सूरमाओं की धरती रहा है। अभी-अभी वहाँ एक प्रेमी ने अपनी प्रेमिका की मात्र इस मुद्दे को लेकर हत्या कर दी कि वह उससे प्रेम तो करती थी पर वह उससे विवाह नहीं करना चाहती थी। ज़रा-सी सावधानी, उम्र-भर की आसानी। और यह तो आदमी की कथा है जबकि स्थिति यह है कि एक विदेश में एक गधे ने अपने मालिक की खुलेआम हत्या इस कारण सम्पन्न कर दी क्योंकि वह उसके प्रेम के क्षणों में व्यवधान पहुँचा रहा था। खुदा जब मेहरबान होता है, गधा पहलवान होता है। सत्य है कवि की वाणी।

अपने ही देश में एक स्थान पर एक बड़ा दिलचस्प हादसा हो गया। दो युगलों का विवाह एक साथ होनेवाला था मगर दुर्भाग्य या सौभाग्य देखिए कि घूँघट के कारण वधुएँ जो थीं वे परिवर्तित हो गयीं। सबको बड़ा धक्का पहुँचा मगर भगवान की इच्छा में कौन दख़ल डाल सकता है? यह सारा हादसा मात्र पर्दे के कारण हुआ। यदि अकबर इलाहाबादी आज जीवित होते तो "बेपर्दा नज़र आयीं जो कल चन्द बीवियाँ, अकबर ज़मीं में ग़ैरते-कौमी से गड़ गया" वाली पंक्तियाँ नहीं लिखते।

वक़्त वाक़ई बदल गया। एक समय था जबकि हैदराबाद के निज़ाम संसार के सबसे अमीर व्यक्तियों की गिनती में आते थे और एक आज का दिन है कि उन्हीं का पौत्र इस बात को लेकर अनिश्चित काल के अनशन कर बैठा है कि निज़ाम का जो ट्रस्ट है वह उनके पौत्रों को प्रतिमाह के हिसाब से आर्थिक सहायता प्रदान करे। शहज़ादे का नाम है दिलशाद जाह जो निज़ाम के चौदहवें बेटे नवाब इमदाद जाह की सन्तान है। जिनके महलों में हज़ारों झाड़ और फ़ानूस थे, झाड़ उनकी क़ब्र पर है और निशाँ कुछ भी नहीं। जब मैं औरंगाबाद में महान् सम्राट् औरंगज़ेब

आलमगीर की कच्ची और निहायत मामूली क़ब्र देखने गया तो मुझे यही शेर याद आता रहा। मैं यह बात दावे के साथ कहता हूँ कि औरंगज़ेब को जितना कट्टर बताया जाता है, उतना वह हर्गिज़ नहीं था। यदि ऐसा नहीं होता तो वह चित्रकूट के एक मन्दिर को इतनी जागीर कैसे दे गया? अँग्रेज़ों ने हम पर जितने भी अत्याचार किये उनमें सबसे बड़ा अत्याचार यह है कि उन्होंने हमारा इतिहास जानबूझकर ग़लत किया ताकि हिन्दू और मुसलमान हमेशा आपस में लड़ते रहें। हम लोगों ने भी उन्हें निराश नहीं किया।

अनशन और प्रेम की बात चले तो गाँधी जी और तालस्ताय की याद आना स्वाभाविक ही है। गाँधी जी के कुछ पत्र लन्दन में हाल ही में साठ हज़ार पाउण्ड में बिकनेवाले हैं। कितनी ख़ुशी की बात है कि इस देश की जनता भी गाँधी जी को अभी भी उतने ही स्नेह और उतनी ही श्रद्धा से देखती है। बीस जून सन् उन्नीस सौ नब्बे के 'इण्डियन एक्सप्रेस' के अनुसार महात्मा गाँधी के पौत्र को अकोला स्टेशन पर तेज़ बुख़ार से पीड़ित होने के बावजूद रेल से उतारा गया हालाँकि उनके पास टिकट था और उनकी सीट भी आरक्षित थी। उनकी पुत्रवधू ने जब टिकटों का पैसा और शिकायत का रजिस्टर माँगा तो भारतीय रेलवे के कर्मचारियों ने बेहद अभद्रता और अशिष्टता का व्यवहार किया। अपने पितामह महात्मा मोहनदास करमचन्द गाँधी (जिनके इसी प्रकार दक्षिणी अफ्रीका की एक रेलगाड़ी से उतारे जाने की घटना ने विश्व के इतिहास को एक नया मोड़ दिया) की भाँति अरुन मनीलाल गाँधी भी सबसे निचले दर्जे में रेल-यात्रा कर रहे थे। हमारी सरकार भी शायद अख़बार पढ़ती हो मगर मुझे पूरा विश्वास है कि पूरी जानकारी होने के बावजूद वह किसी के ख़िलाफ़ कुछ नहीं करेगी। हमारी सरकार गाँधी जी की अपेक्षा उनके बन्दरों की कहीं ज़्यादा क़द्र करती है। वह न कुछ सुनेगी, न कुछ देखेगी और न कुछ बोलेगी। गाँधी जी पीछे रह गये और उनके बन्दर और गधे कहीं आगे निकल गये।

इतिहास का शव

दिल्ली को पूरब का रोम कहा जाता है। मेरा लड़का अभी-अभी रोम से लौटा है और उसका कहना है कि गन्दगी, भीड़भाड़ और पुरानी इमारतों को यदि ध्यान में रखें तो दिल्ली जो है वह रोम से बेहतर जगह है। दिल्ली एक ऐसा नगर है जो बार-बार उजड़ा और बार-बार बसा। कम-से-कम ग्यारह दिल्लियों के खँडहर तो हमें अभी प्राप्त हैं। बारहवीं दिल्ली वह है जो नयी दिल्ली के नाम से जानी जाती है। ऐसे ऐतिहासिक नगर में पुरानी इमारतों का होना स्वाभाविक ही ठहरा।

दिल्ली का पुराना क़िला शायद दिल्ली की सबसे पुरानी इमारत है। कुछ लोग तो यहाँ तक विश्वास करते हैं कि यह क़िला स्वयं पाण्डवों ने ही बनवाया था। यह वही क़िला है जिसकी दीवार पर शहंशाह बाबर दो आदमियों को बग़ल में दबाकर सुबह-सुबह भागा करता था। क्या अजीब शौक़ था और सुबह-सुबह कसरत करने का क्या होनहार तरीका था। बहरहाल पिछले सैकड़ों वर्षों में लाखों लोगों ने इस क़िले की दीवारों को इतनी श्रद्धांजलि अर्पित की है और फ़िलहाल यदि बाबर होता तो कसरत करने का कोई और ढंग अख़्तियार करता। इसी क़िले में वह शाही लाइब्रेरी की इमारत भी है जिसकी सीढ़ियों से फिसलकर शहंशाह हुमायूँ ने इस दुनिया को छोड़ दिया था। मैं तो बरसों से उस पुस्तक का नाम जानना चाहता हूँ जिसे पढ़कर (या जिसे पढ़ते हुए) शहंशाह हुमायूँ गुरुत्वाकर्षण के सिद्धान्त के शिकार हुए हालाँकि उस रहस्य को प्रतिपादित करनेवाला वैज्ञानिक सैकड़ों वर्षों बाद पैदा हुआ था।

महरौली का नाम था मिहिरपुरी। कालका देवी का वर्तमान मन्दिर भी सन् 1764 में बना था। पिथौरागढ़ की फ़सील लगभग तीन मील थी। यहाँ का बदायूँ दरवाज़ा क़ाबिले-तारीफ़ है। डाकुओं के डर से सुलतान बलबन तक इस दरवाज़े को दिन में भी प्रायः बन्द ही रखता था। इसी क्षेत्र में अलाउद्दीन ख़िलज़ी ने एक दिन अपने सारे शराबघर की मदिरा उँडलवा दी थी जिस कारण पूरे क्षेत्र में दलदल हो गयी थी। एक बार मलिक काफ़ूर यहाँ दक्षिण से 312 हाथी, 20,000 घोड़े, 96 मन सोना और रत्नों व गहनों से भरे हज़ारों सन्दूक लाया था। उत्तर भारत ने दक्षिण भारत को हमेशा लूटा। तुग़लकाबाद जैसे विशाल नगर के निर्माण में केवल

दो वर्ष लगे थे। फ़ीरोज़शाह कोटले में मुग़ल सम्राट् आलमगीर (द्वितीय) को धोखे से बुलवाकर उसके ख़ास वज़ीर ईमादुलमुल्क ने उसकी हत्या करवा दी थी और उस मुग़ल सम्राट् की लाश मात्र बारह घण्टों तक यमुना की रेती पर पड़ी रही थी। लाल क़िले का निर्माण उन्हीं दो उस्तादों ने किया था जिन्होंने ताजमहल बनाया था। एक भाई के नाम पर हामिद के कूचे के नाम से एक कूचा अभी भी प्रसिद्ध है। चाँदनी चौक को जहानआरा ने बनवाया था। नयी दिल्ली का निर्माण सर एडविन लिटिन्स और सर हरबर्ट बेकर ने किया। तुग़लक सुलतान अपनी क़ब्रें और मकबरे अपने जीवनकाल में ही बनवा डालते थे क्योंकि उन्हें यह विश्वास कभी नहीं रहता था कि उनकी अगली पीढ़ी उनके लिए इतने भव्य मकबरों का निर्माण करेगी। तुग़लक वंश के एक सुलतान ने अपने कुत्ते की क़ब्र बनवायी थी और ठीक यही मेहरबानी अकबर ने अपने एक हाथी के साथ की थी। लाल क़िले से नादिरशाह करोड़ों रुपये ले गया और बाद में सन् 1760 में मराठा सरदार सदाशिवराव भाऊ ने क़िले की छत की चाँदी उतरवायी जिसके सतरह लाख सिक्के बने। जिस सुनहरी मस्जिद पर खड़े होकर नादिरशाह ने क़त्लेआम का हुक्म जारी किया था वह अभी भी मौजूद है। जामा मस्जिद के बनाने में 5,000 मज़दूरों और कारीगरों को छः वर्ष लगे थे और कुल ख़र्चा दस लाख रुपये आया था। जन्तर-मन्तर राजा जयसिंह ने बनवाये थे जिन्हें खगोलशास्त्र के साथ-साथ ज्योतिष का भी बड़ा ज्ञान था। मगर उन्हें यह पता नहीं था कि दक्षिण में पराजित होने के कारण उन्हें उस आक्रमण का सारा ख़र्चा खुद उठाना पड़ेगा। यह ख़र्चा सिर्फ़ एक करोड़ रुपये का था। अँग्रेज़ी हकूमत की सबसे ज़्यादा शानदार इमारत मेटकाफ़ हाउस है जिसमें कभी बहुमूल्य कलाकृतियों का संग्रह था। मेटकाफ साहब की व्यक्तिगत लाइब्रेरी 25,000 पुस्तकों की थी और नैपोलियन बोनापार्ट से तो सर मेटकाफ को इतनी मुहब्बत थी कि उन्होंने उसकी प्रतिमा बनवाकर मेटकाफ हाउस में खड़ी की थी। 'एनशिएंट साइट्स एण्ड मौन्यूमेण्ट्स ऐक्ट' सन् 1903 में बना था। इस क़ानून के तहत 5,000 प्रमुख ऐतिहासिक इमारतें आती हैं जिनमें सरकारी चौकीदार रहता है जो दस रुपये की घूस के बदले आपको इमारत का एक पत्थर क्या, पूरी इमारत उठा ले जाने की इजाज़त दे सकता है। मगर 5,000 इमारतों के अलावा देश में न जाने कितने क़िले और महल ऐसे पड़े हैं जिनकी मरम्मत और देखरेख होनी बाकी है। महरौली का ज़फ़र महल, रज़िया सुलतान का मकबरा, खिरकी गाँव की शानदार मस्जिद, ज़िले बिजनौर में खड़ा फ़ैज़ी का मकबरा, हौज़ख़ास, मदरसा, ख़्वाजा कुतुबुद्दीन बख़्तियार की दरगाह, शेख़ निज़ामुद्दीन औलिया की दरगाह (जिसके पास की बावली में गन्दा पानी भरा पड़ा है) और न जाने कितनी और महत्त्वपूर्ण जगहें बिना हिफ़ाज़त के पड़ी हैं। इनके चारों ओर या तो भैंसें गोबर करती फ़िरती हैं (जिनका मालिक प्रायः उस इमारत का चौकीदार ही होता है) या फिर उनके चारों तरफ़ बहुमंज़िली इमारतें

बन रही हैं जो उनकी रही-सही गरिमा भी नष्ट कर देंगी। कुतुब मीनार की मरम्मत ग़लत ढंग से की जा रही है, लाल क़िले का शाहबुर्ज टूट गया है और मुमताज़ महल में अजायबघर खुला है। हाली साहब ने दिल्ली का जो मरसिया लिखा था वह अब और भी सच हो गया है। वैसे भी लोगों को राम-जन्मभूमि व बाबरी मस्जिद से फ़ुर्सत ही कहाँ है कि वे बाकी इमारतों पर ध्यान दें और थोड़े दिनों में तो पुरातत्त्व विभाग रेल भवन, डाक भवन, शास्त्री भवन, उद्योग भवन और विज्ञान भवन जैसी इमारतों को भी अपने क़ानून के तहत ले लेगा क्योंकि उनमें जो सीमेण्ट लगा है वह अभी से हटना शुरू हो गया है। जिस हालत में कुतुब मीनार हज़ार बरस बाद पहुँची है, वह स्थिति ये भवन अगले पचीस वर्षों में ही प्राप्त कर लेंगे। हाँ, अलबत्ता तिहाड़ जेल ज़रूर मज़बूत बनी है। यदि ऐसा नहीं होता तो चार्ल्स शोभराज जैसा विश्व-प्रसिद्ध अपराधी वहाँ से कैसे भाग सकता था?

मैंने अपने इस क्षणभंगुर जीवन में अपने देश का बहुत भ्रमण किया है। मैंने अकबर के चारों क़िले, दौलताबाग़ और गोलकुण्डा के दुर्ग और झाँसी, ग्वालियर, चुनार और कलकत्ता देखे हैं, जहाँ के क़िलों ने इस देश का इतिहास बनाया। जहाँगीर और बाबर को छोड़कर शायद शेष सारे सम्राटों और सुलतानों की क़ब्रें मैंने देखी हैं। ताजमहल और बीवी का मकबरा देखे हैं। यदि पहली इमारत हमारी स्थापत्य कला की उत्कृष्टता प्रकट करती है तो दूसरी इमारत हमारी कला का पतन हमें दिखलाती है। अहिल्या बाई की समाधि और औरंगज़ेब आलमगीर की क़ब्र अपनी सादगी से हमारे मन पर वह प्रभाव छोड़ती हैं कि कुछ कहा नहीं जा सकता। ईस्ट इण्डिया कम्पनी के समय की क़रीब आधा दर्जन इमारतें ही ऐसी हैं जो देखने लायक हैं। कलकत्ते का विक्टोरिया मैमोरियल, बम्बई का विक्टोरिया टर्मिनस स्टेशन, गाज़ीपुर में मरे लार्ड कार्नवालिस की मूर्ति और दिल्ली में स्थित जनरल निकलसन का मकबरा शायद सर्वश्रेष्ठ हैं। यदि इलाहाबाद युनिवर्सिटी की इमारत और वहाँ के गिरजे अपनी सुन्दरता और भव्यता से आपका मन आकृष्ट करते हैं तो लखनऊ के इमामबाड़े, दौलताबाद का चाँदबीवी का मकबरा और हैदराबाद की चार मीनार अपने बड़प्पन का वह असर आप पर छोड़ती है कि आप उन्हें भूल नहीं सकते। ये सारी जानी-अनजानी इमारतें इतिहास का शव हैं। इनका यदि समय रहते कुछ नहीं किया गया तो ये सड़ जायेंगी और बदबू फैलाने लगेंगी। मैं इसे 'मौन्युमेण्टल एरर' कहूँगा जैसा कि सर जान मार्शल ने सन् 1923 में कहा था। यदि सारे पूजा-स्थलों को 'मौन्यूमेण्ट प्रिज़र्वेशन ऐक्ट' के तहत कर दिया जाए और उनमें घुसने पर टैक्स लगा दिया जाए (जैसा कि कुछ इमारतों में अब भी लगाया जाता है) तो न साम्प्रदायिक दंगे होंगे और न सरकार को हर साल सिगरेट महँगी करनी पड़ेगी। वैसे भी, धर्म एक व्यक्तिगत चीज़ है, सार्वजनिक नहीं।

कई महीनों से सर जदुनाथ सरकार और पावेल प्राइस को पढ़ रहा था जिसके

कारण इस छोटे-से निबन्ध का प्रसव हुआ। लेख रात को लिखा और लिखते-लिखते मन उदास हो गया। अब सुबह होनेवाली है जब सूरज फिर चमकेगा और मृत्यु के बाद जीवन आने का एहसास होगा। यह अन्तिम एहसास मुझे व्यक्तिगत रूप से कभी नहीं हुआ जिसका कि मुझे खेद है। मैं बाहर निकलता हूँ और पूरब का एक गीत यूँ ही अनायास गुनगुनाने लगता हूँ :

कहवाँ बोलै काली कोइलिया
कहवाँ बोलै कागा
सजना दुआरे बोलै कोइलिया
अँगना में बोलै कागा :
भोरवे भये मन लागा...

विश्व के महान् राजनेताओं का हास्य-व्यंग्य

मेरे विचार में ऐसा कोई पेशा नहीं है और ऐसा कोई स्थान नहीं है जहाँ कि मज़ाक़ न चलता हो। ऐसे डॉक्टर अभी ज़िन्दा हैं जो जटिल से जटिल ऑपरेशन करते हुए भी अपनी खुशमिज़ाजी नहीं छोड़ते हैं और जहाँ तक स्थान का प्रश्न है, स्थिति यह है कि अदालतों तक में भी हँसी-मज़ाक़ चलता है। राजनीति के क्षेत्र में भी स्थिति यह है कि बड़े-बड़े राजनीतिज्ञ भी बेहद विनोदी और खुशमिज़ाज रहे। आज मैं कुछ ऐसे ही प्रख्यात राजनीतिक नेताओं की छेड़छाड़ आपके सामने पेश करता हूँ।

ब्रिटेन के दो प्रधानमन्त्री ऐसे हुए हैं जिनमें जीवन भर छेड़छाड़ चलती रही और यह कहना कठिन है कि उनमें से कौन जीता और कौन हारा। इन प्रधानमन्त्रियों के नाम हैं डिज़रायली और ग्लैडस्टन। कभी एक प्रधानमन्त्री रहता था तो कभी दूसरा। एक टोरी पार्टी का नेता था तो दूसरा लिबरल पार्टी का। उन दोनों के उत्तर और प्रत्युत्तर सुनने के लिए महारानी विक्टोरिया भी प्रायः प्रतिदिन ही संसद आती थीं। डिज़रायली राजनीति में आने से पूर्व साहित्यकार रह चुका था और उसके अलावा वह और भी काफ़ी धन्धे कर चुका था। जब उसने एक दिन यह कहा कि "राजनीति जो है वह एक धूर्त व्यक्ति की अन्तिम शरण होती है" तो ग्लैडस्टन ने तुरन्त कहा कि "आपने अपने जीवन में यही सिद्धान्त सही साबित किया है।" इसी प्रकार जब डिज़रायली ने ग्लैडस्टन को चैलेंज देते हुए कहा कि "तुम या तो किसी गुप्त रोग से मरोगे या फिर फाँसी पाओगे" तो ग्लैडस्टन ने तुरन्त उत्तर दिया कि "मैं आपसे सहमत हूँ मगर यह तभी सम्भव है जबकि या तो मैं आपकी प्रेमिका को अपनाऊँ या आपके सिद्धान्तों को अपनाऊँ।" एक दिन जब ग्लैडस्टन ने कहा कि "मैंने अपने जीवन का निर्माण स्वयं किया है" तो डिज़रायली ने तुरन्त कहा कि "आज आपने यह बात स्वीकार करके भगवान को एक भयंकर ज़िम्मेदारी से मुक्त कर दिया।" इसी प्रकार जब एक दिन किसी पत्रकार ने डिज़रायली से पूछा कि "दुर्घटना और विभीषिका में क्या अन्तर है?" तो डिज़रायली ने बहुत शान्त होकर बड़ी ही गम्भीरता से कहा कि "यदि हमारे प्रधानमन्त्री मिस्टर ग्लैडस्टन किसी प्रकार टेम्स नदी में गिर जायें तो वह एक दुर्घटना होगी और यदि कोई व्यक्ति अपनी जान पर खेलकर उन्हें

डूबने से बचा ले तो उसे विभीषिका माना जायेगा।" उनका यह स्पष्टीकरण अगले दिन इंग्लैण्ड के सारे अख़बारों में छपा। इसी प्रकार यदि डिज़रायली यह कहता था कि बच्चे और बड़े आदमी में प्रमुख अन्तर यह है कि बच्चों के खिलौने सस्ते होते हैं और वयस्कों के महँगे तो ग्लैडस्टन ने यह मत प्रकट किया कि जो लोग स्त्रियों को पुस्तक की भाँति पढ़ सकते हैं वे प्रायः वे लोग होते हैं जो बिस्तर में लेटकर पढ़ना ज़्यादा पसन्द करते हैं। डिज़रायली का यह सिद्धान्त तो हम सभी जानते हैं कि किसी भी स्त्री का इतिहास उसके भूगोल पर निर्भर रहता है; और किसी चीज़ पर नहीं।

लॉयड जार्ज अगले ऐसे प्रधानमन्त्री थे जो किसी भी आक्षेप का उत्तर तुरन्त दे सकते थे और तीखे से तीखे व्यंग्य के साथ दे सकते थे। जब पार्लियामेण्ट में चल रही एक बहस के दौरान एक सांसद ने कहा कि "मिस्टर प्राइम मिनिस्टर, मैं आपको तब से जानता हूँ जबकि आप गधागाड़ी हाँका करते थे" तो लॉयड जार्ज ने तुरन्त कहा कि "आप ठीक कहते हैं और मुझे आपको यह सूचना देते हुए प्रसन्नता होती है कि वह गाड़ी तो अब टूट चुकी है मगर वह गधा अभी तक ज़िन्दा है।" इसी प्रकार जब वे एक दिन अपने जूते पालिश कर रहे थे तो टोरी पार्टी के एक सांसद आ गये और कहने लगे कि "मिस्टर जार्ज, आप अपने जूतों पर स्वयं पालिश करते हैं?" लॉयड जार्ज ने उत्तर दिया कि "श्रीमान्, मैं अपने जूता पर पालिश करता हूँ यह तो आपने देख ही लिया। अब आप यह बताने की कृपा करें कि आप किसके जूतों पर पालिश करते हैं?" इसी प्रकार एक दिन ऐसा हुआ कि लॉयड जार्ज और एक नवयुवक सांसद गाड़ी से कहीं जा रहे थे कि घने कोहरे के कारण वे रास्ता खो बैठे। लॉयड जार्ज ने गाड़ी में बैठे-बैठे एक पैदल घूमते व्यक्ति से पूछा कि "श्रीमन्, क्या आप यह बता सकते हैं कि इस वक़्त हम कहाँ पर हैं?" उस व्यक्ति ने बड़ी भद्रता के साथ कहा कि "इस वक़्त आप मोटरगाड़ी में हैं।" उसका उत्तर सुनते ही प्रधानमन्त्री गाड़ी से बाहर निकले और उन्होंने उस व्यक्ति से हाथ मिलाया और उसे धन्यवाद दिया। इसके बाद उन्होंने साथ बैठे नवयुवक सांसद को बताया कि "पार्लियामेण्ट में पूछे गये प्रश्नों का उत्तर ठीक इसी तरह दिया जाना चाहिए। इस उत्तर में तीनों गुण हैं। पहला गुण तो यह है कि यह उत्तर संक्षिप्त है, दूसरा गुण यह है कि तथ्यात्मक दृष्टि से यह उत्तर एकदम सच्चा है और तीसरा और सबसे बड़ा गुण इस उत्तर में यह है कि इस उत्तर के पाने के बाद प्रश्न पूछनेवाला व्यक्ति ठीक उतना ही ज्ञान रखता है जितना कि वह उत्तर पाने से पहले रखता था।" उनकी इस व्यंग्यपूर्ण उक्ति को सुनकर वे नवयुवक सांसद हँस पड़े। लॉयड जार्ज की न जाने कितनी उक्तियाँ ऐसी हैं जो अँग्रेज़ी का मुहावरा बन गयी हैं। उनका कहना था कि अच्छी आदतों को छोड़ना बुरी आदतों के छोड़ने की अपेक्षा कहीं अधिक आसान होता है। यह वाक्य भी उन्हीं का है कि किसी देश का भाग्य उसके प्रधानमन्त्री के अच्छे या बुरे हाज़मे पर निर्भर होता है, और किसी परिस्थिति पर नहीं। एक बार

चुनाव में ऐसे दो व्यक्ति खड़े हुए जिनसे लॉयड जार्ज नफ़रत करते थे क्योंकि वे दोनों बदनाम थे। जब पत्रकारों ने उनसे पूछा कि आपकी राय में कौन-सा उम्मीदवार जीतेगा तो लॉयड जार्ज ने बड़े सन्तोष के साथ कहा कि "भगवान की बड़ी कृपा है कि उन दोनों में से एक ही जीतेगा दोनों नहीं।" इसी प्रकार उन्होंने अपने एक मित्र के बहुत बार कहने पर भी घुड़दौड़ का टिकट नहीं ख़रीदा; उन्होंने बस यही कहा कि "मैं तो घुड़दौड़ का टिकट तभी ख़रीद सकता हूँ जबकि उसमें मात्र एक ही घोड़े के दौड़ने की व्यवस्था हो।" एक बार उन्होंने समुद्र-तट पर घूमती ऐसी युवतियों को देखा जिन्होंने बहुत महीन कपड़े पहन रखे थे। उन्होंने अपने साथी से कहा कि "क्या इन युवतियों को पुरुषों की कल्पना-शक्ति पर बिल्कुल भरोसा नहीं है?"

व्यंग्य व विनोद की इस शानदार परम्परा को मिस्टर विंस्टन चर्चिल ने और भी निखार दिया। उनके न जाने कितने ऐसे मज़ाक़ हैं जो सदा-सदा के लिए अमर हैं। युद्ध के दिनों में भी—जबकि वे बेहद व्यस्त रहते थे—उनका विनोदी स्वभाव सबको खुश रखता था। एक दिन जब उनकी प्राइवेट सेक्रेटरी काफ़ी सारी डाक लेकर उनके पास आयी तो उन्होंने पूछा कि "मैडम, क्या कोई ऐसा काग़ज़ है जिसे मुझे देखना चाहिए?" सेक्रेटरी ने कहा कि "नहीं।" इस पर चर्चिल साहब ने पूछा कि "क्या कोई ऐसा काग़ज़ है जो मुझे नहीं देखना चाहिए?" तो उनके इस प्रश्न के उत्तर में वह लेडी सेक्रेटरी खिलखिलाकर हँस पड़ी। इसी प्रकार दूसरे विश्वयुद्ध के दौरान जब मिस्टर चर्चिल अमेरिका गये तो राष्ट्रपति भवन में ही ठहरे। एक दिन राष्ट्रपति रूजवेल्ट अपनी कुर्सी पर बैठे-बैठे (पक्षाघात के कारण राष्ट्रपति हमेशा पहियागाड़ी में ही रहते थे) उनके कमरे में गये और देखा कि बाथरूम खुला पड़ा है और चर्चिल साहब नंगधड़ंग होकर नहा रहे हैं। उन्होंने पूछा कि "मिस्टर प्राइम मिनिस्टर, यह क्या हरकत की जा रही है?" तो चर्चिल ने बाथरूम से उसी दिगम्बर स्थिति में उत्तर दिया कि "महामहिम राष्ट्रपति जी, मैं आपको सिर्फ़ यह बताना चाहता था कि संकट की इस घड़ी में ग्रेट ब्रिटेन की सरकार के पास ऐसा कुछ भी नहीं है जोकि अमेरिका के राष्ट्रपति के सामने गुप्त रखा जाए।" उनका उत्तर सुनकर प्रेसीडेण्ट रूजवेल्ट हँसी के मारे लोटपोट हो गये। एक बार ब्रिटेन ने एक नया वायुयान तैयार किया तो साठ सांसदों ने उसमें उड़ान भरने की इच्छा प्रकट की। मिस्टर चर्चिल ने यह माँग स्वीकार नहीं की। उन्होंने कहा कि "एक तो मैं वैसे ही सारे अण्डे एक ही बास्केट में रखने के ख़िलाफ़ हूँ मगर दूसरी बात—जो ज़्यादा महत्त्वपूर्ण है—यह है कि यदि कोई दुर्घटना हो गयी तो साठ सीटों के लिए उप-चुनाव कराना पड़ेगा जोकि युद्ध के इस आपात्काल में इतना महँगा पड़ेगा कि देश का बजट उसे बर्दाश्त नहीं कर सकेगा।" हाउस आफ़ कॉमन्स उनकी इस उक्ति पर खिलखिलाकर हँस पड़ा। यह उक्ति भी उन्हीं की है कि "प्रत्येक स्त्री को बदसूरत होने का अधिकार है हालाँकि यह होना उस विशेषाधिकार का दुरुपयोग ही है।" लेडी एस्टर ने एक बार

चर्चिल से कहा कि "यदि मैं तुम्हारी पत्नी होती तो किसी दिन कॉफ़ी के साथ तुम्हें ज़हर दे देती।" चर्चिल ने उत्तर दिया कि "मैडम, मैं यदि तुम्हारा पति होता तो उस ज़हर को एकदम पी जाता।" चर्चिल की अस्सीवीं वर्षगाँठ पर जब एक नवयुवक फ़ोटोग्राफ़र ने कहा कि "मैं आशा करता हूँ कि आपकी सौवीं वर्षगाँठ पर भी मैं आपका फ़ोटो ले सकूँगा" तो चर्चिल ने मुस्कराकर कहा कि "क्यों नहीं? मुझे तो आप काफ़ी हट्टे-कट्टे दिखायी पड़ते हैं।" एक बार एक दोस्त ने उनसे पूछा कि "आपके हर भाषण पर इतनी भीड़ होती है कि कुछ कहा नहीं जा सकता। आप इस बारे में क्या सोचते हैं?" चर्चिल ने गम्भीर होकर उत्तर दिया कि "मैं तो हर बार यही सोचता हूँ कि यदि मेरे भाषणों पर इतनी भीड़ इकट्ठी होती है तो यदि मुझे खुले स्थान में फाँसी दी जाए तब कितनी भीड़ इकट्ठी होगी?" एक बार हाइड पार्क में एक भारी भीड़ ने उनसे शराब पीने के बारे में कुछ कहने को कहा। चर्चिल ने कहा कि "अगर आपका मतलब उस शैतान से है जो कार दुर्घटनाएँ कराता है, जो आदमी को नाकारा कर देता है और जो पत्नियों को पतियों से अलग करता है तो मैं उसके सख़्त ख़िलाफ़ हूँ। हाँ, यदि शराब से आपका अभिप्राय उस पेय से है जो आदमी को स्फूर्ति देता है उसके ग़म दूर करता है और सरकार को इतना बड़ा उत्पादन-शुल्क देता है तो मैं उसके पक्ष में हूँ।" उनकी राय जानकर सारी भीड़ ने उनके समर्थन में तालियाँ बजायीं। मगर कभी-कभी चर्चिल को भी मात खानी पड़ती थी और इस सम्बन्ध में मैं मात्र एक घटना की ही चर्चा करूँगा। एक बार जब एक पत्रकार उनसे मिलने आया तो उन्होंने उसे डाँटकर कहा कि "मैं आज इतना व्यस्त हूँ कि सुबह से अब तक सात पत्रकारों को बाहर निकाल चुका हूँ" उस पत्रकार ने हँसकर कहा कि "वह अभागा पत्रकार मैं ही हूँ जिसे आपने सुबह से अब तक सात बार बाहर निकलवाया है।" उसकी यह बात सुनकर चर्चिल हँस पड़े और उन्होंने उसे इण्टरव्यू भी दिया और चाय भी पिलायी।

(2)

इंग्लैण्ड के प्रधानमन्त्रियों के बाद मैं अमेरिका के कुछ राष्ट्रपतियों की चर्चा करूँगा। अब्राहम लिंकन जितना हाज़िरजवाब और कोई राष्ट्रपति वहाँ नहीं पैदा हुआ। लिंकन वकील था और सिसरो की भाँति वह भी कहा करता था कि "क़ानून तो एक गधा है: समझदार आदमी उसकी सवारी गाँठता है और बेवकूफ़ आदमी उसकी दुलत्ती खाता है।" एक बार वह स्प्रिंग फ़ील्ड में नाटक देखने गया। असावधानी में उसने अपना हैट बराबर की कुर्सी पर रख दिया जोकि खाली थी। तभी एक मोटी नारी आयी और उस सीट पर बैठ गयी। उसके बैठते ही आवाज़ हुई और वह स्त्री एकदम खड़ी हो गयी। उसके भार के कारण लिंकन का मुँहखुला हैट पिचककर एक काला

रूमाल बन गया था। लिंकन ने उस महिला से कहा कि "मैडम, यदि आप मुझसे पूछतीं तो मैं आपको पहले ही बता देता कि यह हैट आपके फ़िट नहीं आयेगा।" इसी प्रकार एक बार एक स्त्री ने लिंकन से कहा कि "राष्ट्रपति महोदय, मैं चाहती हूँ कि आप मेरे पुत्र को सेना का अधिकारी बनाएँ। मेरे पति युद्ध में मारे जा चुके हैं, मेरे चाचा एक ऐसे अकेले व्यक्ति थे जो युद्ध से कभी नहीं भागे थे और मेरे भाई ने परमवीरता के लिए पदक पाया था।" लिंकन ने सारी बात सुनी और फिर बड़ी कृतज्ञता के साथ उत्तर दिया कि "आपका परिवार देश के लिए बहुत बलिदान कर चुका है और अब समय आ गया है कि हम दूसरों को भी वैसा करने के लिए मौक़ा दें।" अब्राहम लिंकन अन्धविश्वासों का बड़ा मज़ाक़ उड़ाया करते थे। एक व्यक्ति का विचार था कि जेब में प्याज़ रखने से गठिया का रोग नहीं होता। उसकी बात सुनकर एक दिन राष्ट्रपति ने कहा कि "इस दवा का असर भविष्य पर ही नहीं वरन् अतीत पर भी पड़ता है।" इतना कहने के बाद लिंकन ने अपनी जेब में से एक प्याज़ निकाली और कहा कि "देखिए, मैंने यह प्याज़ आज ही जेब में रखी है और इसका परिणाम यह है कि जन्म से लेकर आज तक मुझे गठिया नहीं हुआ।" गृहयुद्ध के दिनों में एक बार दो सम्भ्रान्त महिलाओं में इस बात को लेकर बहस छिड़ गयी कि युद्ध में जीत किसकी होगी। एक महिला ने कहा कि "जीत जैफर्सन डेविस की होगी क्योंकि वह भगवान पर भरोसा रखता है।" दूसरी महिला ने कहा कि "लिंकन भी तो धर्मात्मा है और ईश्वर पर विश्वास रखता है। उसकी जीत क्यों नहीं होगी?" पहली महिला ने उत्तर दिया कि "उसकी प्रार्थना सुनकर ईश्वर को सदा यह सन्देह होगा कि लिंकन कहीं मेरे साथ मज़ाक़ तो नहीं कर रहा है?" एक बार लिंकन ने एक दुकानदार से एक विशिष्ट विषय पर पुस्तक माँगी। दुकानदार ने एक पुस्तक निकाली और राष्ट्रपति से कहा कि "लीजिए, इस पुस्तक से आपको अपने मनचाहे विषय पर आधी जानकारी मिल जायेगी।" लिंकन ने मुस्कराकर कहा कि "ठीक है, आप मुझे इस पुस्तक की दो प्रतियाँ दे दीजिए ताकि मुझे पूरी जानकारी मिल सके।" लिंकन को एक बार चेचक हो गयी तो वे प्रसन्न होकर बोले कि "अब मुझसे मिलने जो कोई भी आये, उसे बिना रोके भीतर भेज दो। ईश्वर की कृपा से आज मैं इस स्थिति में हूँ कि प्रत्येक मुलाक़ाती को कुछ दे सकता हूँ।" उनका अभिप्राय चेचक की छूत देने से था। इसी प्रकार एक दिन एक व्यक्ति राष्ट्रपति हार्डिंग से मिलने गया और कहने लगा कि "मैं आपको आज एक नया मज़ाक़ सुनाऊँगा।" राष्ट्रपति ने कहा कि "यह असम्भव है क्योंकि देश में जितने भी मज़ाक़ थे उन सबको मैंने अपनी कैबिनेट में शामिल कर लिया है।" वुडरो विल्सन ने भी एक बार कहा था कि "दस मिनट का भाषण तैयार करने में मुझे एक सप्ताह लगता है, एक घण्टे का भाषण मैं एक दिन में तैयार कर सकता हूँ और दो घण्टे का भाषण तो मैं ठीक इसी वक़्त शुरू कर सकता हूँ।" अमेरिका

के सर्वप्रथम राष्ट्रपति जार्ज वाशिंगटन भी निहायत हाज़िरजवाब थे। एक बार किसी बड़े आदमी के यहाँ भोज था जिसमें राष्ट्रपति भी शामिल थे। वे 'फ़ायर प्लेस' की तरफ़ पीठ किये हुए खड़े थे। आग तेज़ थी और राष्ट्रपति ने उसकी शिकायत की। एक भद्र महिला ने कहा कि आप जनरल होकर आग से घबराते हैं? राष्ट्रपति ने तुरन्त उत्तर दिया कि जनरल होने के नाते उन्होंने अपने सामने से आती हुई आग का मुक़ाबला किया है, पीछे से आती हुई आग का नहीं।

(3)

डिक्टेटर लोग प्रायः मज़ाक़पसन्द नहीं होते। यही कारण है कि हिटलर, मुसौलिनी और स्तालिन का कोई मज़ाक़ प्रसिद्ध नहीं है। हाँ, अलबत्ता उनके बारे में काफ़ी मज़ाक़ प्रचलित हैं। एक बार हिटलर एक नदी में गिर गया। पास के खेत में काम करते एक किसान ने फ़ौरन नदी में कूदकर उसकी जान बचा ली। जब हिटलर ने प्रसन्न होकर पूछा कि "मैं तुम्हारा एहसान किस प्रकार उतार सकता हूँ?" तो किसान ने हाथ जोड़कर कहा कि "श्रीमन् आप किसी को यह नहीं बताइए कि आपकी जान मैंने बचायी।" मुसोलिनी एक बार काम से थककर अचानक सिनेमा देखने चला गया। सिनेमा समाप्त होने पर पर्दे पर मुसोलिनी का चित्र आया और सारे लोग खड़े हो गये। मुसोलिनी अपनी सीट से नहीं उठा और वहीं बैठा रहा। उसके पास खड़े एक वृद्ध व्यक्ति ने उससे कहा कि "ऐ मेरे नौजवान दोस्त, मेरी भी भावनाएँ वही हैं जो तुम्हारी हैं पर फिर भी यदि प्राण बचाना चाहते हो तो उचित यही होगा कि तुम भी खड़े हो जाओ।" याल्टा कान्फ्रेंस के दौरान स्तालिन ने एक दिन चर्चिल से इंग्लैण्ड की बड़ी प्रशंसा की। उसने कहा कि "आपका देश महान् है जहाँ इतने बड़े-बड़े सेनापति, साहित्यकार और वैज्ञानिक हुए हैं।" चर्चिल ने तुरन्त उत्तर दिया कि "मैं आपको इस सन्दर्भ में यह स्पष्ट करना ज़रूरी समझता हूँ कि यह सब 'प्राइवेट सेक्टर' का उत्पादन रहा है, 'सरकारी सेक्टर' का नहीं।" चर्चिल की इस उक्ति पर स्तालिन बहुत हँसे। इसी प्रकार लेटिन अमेरिका का एक तानाशाह था। उसने एक दिन पोस्टमास्टर-जनरल को बुलाया और पूछा कि "क्या कारण है कि नये डाक-टिकटों की बिक्री घटती जा रही है?" अधिकारी ने संकोच के साथ कहा कि "हुज़ूर, वे चिपकते नहीं।" तानाशाह ने कहा कि "क्या उन पर गोंद ठीक नहीं लगाया जाता?" पोस्टमास्टर-जनरल ने बड़े ही संकोच के साथ कहा कि "श्रीमन् गोंद तो ठीक लगाया जाता है पर लोग थूक उधर नहीं लगाते जिधर गोंद लगा होता है; लोग थूक उधर लगाते हैं जिस ओर आपका चित्र छपा होता है।" चीन के राष्ट्रपति माओ काफ़ी विनोदी थे। एक बार एक पश्चिमी पत्रकार ने उनसे पूछा कि "यदि राष्ट्रपति कैनेडी के स्थान पर श्री ख्रुश्चेव की हत्या की जाती

तो आपके विचार में क्या परिणाम होते?" माओ ने सोच-विचारकर कहा कि "उस स्थिति में मि. ओनासिस श्रीमती ख़ुश्चेव से शायद विवाह नहीं करते।" उनका उत्तर सुनकर वह अमेरिकी पत्रकार बुरी तरह हँस पड़ा।

(4)

हमारे अपने देश के नेताओं में भी कुछ लोग हद्दर्जा मज़ाक़पसन्द थे। महात्मा गाँधी, मदनमोहन मालवीय, जवाहरलाल नेहरू, राजा जी, आचार्य कृपलानी, सरदार पटेल, श्रीप्रकाश व सरोजिनी नायडू के कितने ही मज़ाक़ अभी तक लोगों को बराबर याद हैं। अब मैं इन्हीं देशी नेताओं की चर्चा करूँगा।

गाँधी जी बड़े हँसमुख और विनोदी स्वभाव के महापुरुष थे। हँसना-हँसाना उनके स्वभाव का एक अंग ही बन गया था। जब वे गोलमेज कान्फ्रेंस में भाग लेने लन्दन गये तो इंग्लैण्ड के सम्राट् ने उन्हें दोपहर का भोज दिया। गाँधी जी वहाँ भी अपनी घुटनों तक की धोती और चादर में ही गये। जब पत्रकारों ने उनसे इस बारे में कुछ ज़्यादा जाँच-पड़ताल की तो गाँधी जी ने हँसकर कहा कि "मेरे दोस्तो, बादशाह ने स्वयं इतने कपड़े पहन रखे थे कि वे हम दोनों के लिए काफ़ी थे। अब मैं और कपड़े पहनकर क्या करता?" एक बार सरदार पटेल जब जेल में थे तो उनकी नाक का कुछ छोटा-मोटा ऑपरेशन किया गया। जेल से छूटकर जब वे वापिस आये तो बापू ने सबके सामने कहा कि "बल्लभभाई, तो तुम नाक कटवा करके ही जेल से आये।" उनकी इस उक्ति से वहाँ उपस्थित सारे बड़े-बड़े लोग एकदम हँस पड़े। एक बार पण्डित नेहरू ने गाँधी जी से पूछा कि "आप लाठी क्यों रखते हैं?" बापू ने तुरन्त कहा कि "तुम-जैसे शरारती बच्चों को ठीक रखने के लिए मुझे यह लाठी रखनी ही पड़ती है।" पण्डित जी इस उक्ति पर दिल खोलकर हँसे। इसी प्रकार जब बापू लन्दन गये तो उन्हें एक दिन एक नृत्य देखने जाना पड़ा। वहाँ एक महिला ने पूछा कि "मिस्टर गाँधी, क्या आप नृत्य नहीं करेंगे?" बापू ने उत्तर दिया कि "ज़रूर करूँगा। इसी कारण तो मैं अपने साथ नाचने के लिए साथी लेकर आया हूँ।" इसके बाद जब उन्होंने अपनी लाठी की तरफ़ इशारा किया तो सारे दर्शक हँस पड़े।

जब पं. मदनमोहन मालवीय काशी विश्वविद्यालय के लिए धन इकट्ठा कर रहे थे तो उनका साबका एक ऐसे नवाब से पड़ा जिसने कि कुछ भी देने से साफ़ मना कर दिया। मालवीय जी भी तैश में आ गये और बोले कि "मैं बिना कुछ लिये नहीं टलूँगा।" नवाब ने अपने जूती उनके झोले में डाल दी। मालवीय जी खुशी-खुशी काशी आये और अख़बारों में ख़बर छपवा दी कि "फ़लाँ नवाब की जूती फ़लाँ दिन नीलाम की जायेगी।" नवाब साहब इस बात से बड़े शर्मिन्दा हुए और उन्होंने कई हज़ार रुपये देकर मालवीय जी से वह जूती वापिस बरामद की।

डॉ. राधाकृष्णन् उन लोगों से कोई सहानुभूति नहीं रखते थे जोकि काल्पनिक बीमारियों में फँसे रहते थे। एक बार एक ऐसी ही रुग्ण महिला अस्पताल से वापिस आना नहीं चाहती थीं। अन्त में चलकर डॉ. राधाकृष्णन् स्वयं अस्पताल गये और उस महिला से बोले कि "या तो तुम बिस्तर छोड़ो या फिर मैं भी तुम्हारे बिस्तर में घुस जाता हूँ।" उनकी इस धमकी को सुनते ही उस महिला ने तुरन्त बिस्तर छोड़ दिया।

पण्डित नेहरू को गुस्सा तो क्षण-भर के लिए ही आता था पर उनका विनोदी स्वभाव सदा उसी प्रकार ताज़ा रहता था। एक बार जब वे प्रयाग में थे तो रघुपति सहाय 'फ़िराक़' उनसे मिलने गये। उन्होंने पर्ची पर पूरा नाम न लिखकर मात्र 'सहाय' ही लिखा पर पण्डित जी ने पहचान लिया और उन्हें तुरन्त बुला भेजा। बातचीत के बाद उन्होंने फ़िराक़ साहब को सलाह दी कि "भविष्य में तुम 'सहाय' की जगह सिर्फ़ 'हाय' ही लिखा करो तो कहीं ज़्यादा उपयुक्त रहेगा।" फ़िराक़ साहब ने यह मज़ाक़ इस लेख के लेखक को खुद ही सुनाया था। इसी प्रकार एक दिन जेल में महावीर त्यागी ने कहा कि "इश्क़ ने हमको निकम्मा कर दिया, वरना हम भी आदमी थे काम के।" पण्डित जी ने कहा कि "महावीर, भविष्य में तुम इस शेर को इस तरह पढ़ा करो—काम ने हमको निकम्मा कर दिया, वरना हम भी आदमी थे इश्क़ के।" उनका संशोधन सुनकर सारे साथी हँसी से लोटपोट हो गये। एक बार राजा जी ने कुछ दोस्तों को बताया कि "मैंने अपना काफ़ी जीवन एक और व्यक्ति की पत्नी की गोद में गुज़ारा है।" सब लोग पूछने लगे कि वह स्त्री कौन थी? राजा जी ने हँस कर बताया कि वह स्त्री उनकी अपनी माँ थी। अगले दिन एक मूर्ख नेता ने दोस्तों से कहा कि "क्या आप जानते हैं कि वह परायी स्त्री कौन थी जिसकी गोद में मैंने जीवन के अनेक वर्ष गुज़ारे हैं? वह महिला थीं श्री राजा जी की अम्माँ।" जब यह मज़ाक़ राजा जी ने सुना तो वे बेहद हँसे। पण्डित जी जब प्रधानमन्त्री थे तो सरकारी कर्मचारियों का एक डेपुटेशन उनसे मिला और प्रार्थना की कि उनके प्रोमोशन के लिए कुछ किया जाए। पण्डित जी हँसकर बोले कि "पता नहीं क्यों, आप लोग हमेशा प्रोमोशन की ही चिन्ता करते रहते हैं? मुझे देखिए, पिछले सतरह सालों से मैं महज़ प्रधानमन्त्री ही चल रहा हूँ और कोई प्रोमोशन नहीं हुआ।" उनके इस प्रश्न से सारा तनाव ख़त्म हो गया और बाद में पण्डित जी ने उनकी माँगें ध्यानपूर्वक सुनीं और उन पर उचित कार्रवाई भी की। इसी प्रकार जब बुल्गानिन और ख्रुश्चेव भारत आये तो एक दिन पण्डित जी के साथ उस समय बाहर निकले जबकि दफ़्तरों के बन्द होने का समय था। अनगिनत कर्मचारी साइकिलों पर बाहर निकल रहे थे और मन्त्री लोग अपनी बड़ी-बड़ी गाड़ियों पर घर जा रहे थे। ख्रुश्चेव के प्रश्न करने पर पण्डित जी ने हँसकर कहा कि "जो लोग पैदल या साइकिलों पर हैं, वह जनता है और जो लोग मोटरों में हैं, वे जनता के सेवक हैं।" पण्डित जी ने जब सांसदों का मासिक वेतन चार सौ बीस रुपया तय किया तो क़ानून मन्त्री जगन्नाथ कौशल

ने कहा कि "आप तो ख़ुद वकील हैं। चार सौ बीस कहना कुछ शरारतपूर्ण लगता है।" पण्डित जी हँस पड़े और उन्होंने वेतन की दर चार सौ इकीस रुपये कर दी। इसी प्रकार जब एक व्यक्ति को चुनाव का टिकट दिया जा रहा था तो पण्डित जी ने उसका विरोध किया क्योंकि वह व्यक्ति भ्रष्ट था। प्रदेश के मुख्यमन्त्री ने उसकी सिफ़ारिश करते हुए कहा कि वह कई बार जेल गया है। पण्डित जी ने तुरन्त कहा कि "हाँ, अब तो एक कांग्रेसी और एक गुण्डे में बस यही अन्तर रह गया है कि कांग्रेसी पहले जेल जाता था और फिर मन्त्री बनता था और अब बदमाश जो है वह पहले मन्त्री बनता है और फिर जेल जाता है।"

सरदार पटेल भी काफ़ी विनोदप्रिय व्यक्ति थे और वे गाँधी जी तक को नहीं बख़्शते थे। गाँधी जी सदा पानी में नीबू मिलाकर पीते थे। एक दिन गाँधी जी ने कहा कि "नीबू के स्थान पर अब मैं इमली का प्रयोग किया करूँगा।" सरदार पटेल ने इस प्रस्ताव का विरोध किया और कहा कि "इमली हानिकारक होती है; उससे हड्डियाँ गल जाती हैं।" बापू ने कहा कि "जमनालालजी तो उसका बराबर सेवन करते हैं।" पटेल साहब ने तुरन्त उत्तर दिया कि "आप जानते ही हैं, जमनालालजी कितने मोटे हैं। इमली उनकी हड्डी तक कैसे पहुँच सकती है?" सरदार की इस उक्ति पर बापू निरुत्तर हो गये। इसी प्रकार एक बार जेल में गाँधी जी के लिए नारियल की रस्सी से बुनी चारपाई आयी। पटेल साहब ने कहा कि "इसके बजाय निवाड़ से बुनी चारपाई मिल जाती तो अच्छा रहता।" बापू ने बड़े तर्क दिये पर सरदार नहीं माने। अन्त में चलकर बापू ने अन्तिम तर्क दिया और कहा कि "मेरी माँ ऐसी ही खाट पर अदरक छीला करती थीं।" सरदार पटेल ने हँसकर कहा कि "इसीलिए तो मैं कहता हूँ कि इस पर सोने से आपकी जो थोड़ी-बहुत चमड़ी है वह भी छिल जायेगी।" उनकी इस उक्ति का बापू के पास सिवा हँस देने के और कोई उत्तर नहीं था।

कृपलानी जी बड़े मुँहफट व्यक्ति थे। उनके अनुसार देशभक्ति की चरम सीमा यह थी कि खादी का बना 'निरोध' प्रयोग किया जाए। एक दिन वे कुछ बच्चों के साथ कहीं जा रहे थे। रास्ते में उनके परिचित एक सेठजी मिले जिनसे थोड़ी देर बातचीत हुई। उसके बाद बच्चों ने पूछा कि ये कौन थे? कृपलानी जी ने बताया कि वे एक उद्योगपति थे। आगे चलकर उन्हें एक स्थान पर बच्चों की ऐसी भीड़ मिली जो अपने माता-पिता के साथ पिकनिक जा रही थी। साथ के बच्चों ने कृपलानी जी से पूछा कि "इतने सारे बच्चे कहाँ से एक ही परिवार में आये?" कृपलानी जी ने समझाया कि "पहले तुम्हें एक 'उद्योगपति' मिले थे और यह जो तुमने देखा यह 'पति-उद्योग' कहलाता है। एक बार कृपलानी जी संसद में जान मथाई से भिड़ गये। वे कहने लगे कि "जो आदमी एकदम नाकारा होता है वह सरकार की नौकरी में ही आता है—हैसियत चाहे बाबू की हो या मन्त्री की।" जान मथाई ने बड़े शान्त ढंग से उत्तर दिया कि "मुझे यह देखकर सुख होता है कि आचार्य कृपलानी भी सरकारी

नौकरी के लिए दिन-प्रति-दिन उपयुक्त होते जा रहे हैं।"

श्रीमती सरोजिनी नायडू बहुत ज़्यादा विनोदप्रिय थीं। जब राजा जी भारत के गवर्नर-जनरल नियुक्त हुए तो सरोजिनी नायडू उनसे मिलने गयीं।

सारे मकान (जिसे अब राष्ट्रपति भवन कहा जाता है) को दिखाने के बाद राजा जी ने उन्हें अपना शयन-कक्ष दिखलाया और पूछा कि "इतने बड़े पलँग पर मैं भला अकेला कैसे सो सकता हूँ?" श्रीमती नायडू ने तुरन्त उत्तर दिया कि "मैंने बड़ी-बड़ी कठिनाइयों में आपकी मदद की है मगर इस समस्या के समाधान के लिए मैं आपकी कोई सहायता नहीं कर सकती।" जब वे संयुक्त प्रान्त की राज्यपाल थीं तो एक कम पढ़े-लिखे राज्यमन्त्री उनसे मिलने आये। उन्होंने श्रीमती नायडू से कहा कि "आपका आगेवाला हिस्सा (मुराद राजभवन के आगेवाले भाग से थी) बहुत सुन्दर है।" श्रीमती नायडू ने तुरन्त कहा कि "आपने मेरा पिछला हिस्सा अभी नहीं देखा, वह तो और भी ज़्यादा सुन्दर है।" एक बार लुई फ़िशर वर्धा गये तो देखा कि बाहर तीन प्राणी बैठे हैं जो स्त्री-जैसे लगते हैं। वे लोग वास्तव में सर्वश्री सरदार पटेल, राजेन्द्र प्रसाद व कृपलानी जी थे जिन्होंने सर्दी के मारे अपने सिरों तक शाल ओढ़ रखी थी। लुई फिशर पहली बार भारत आये थे। उन्होंने सरोजिनी नायडू से पूछा कि "कांग्रेस वर्किंग कमेटी में कितनी महिलाएँ हैं?" श्रीमती नायडू ने बताया कि "मैं अकेली ही महिला हूँ जो वर्किंग कमेटी की सदस्य हूँ।" इस पर लुई फ़िशर ने उपर्युक्त तीनों नेताओं की ओर इशारा किया जो सिर को शाल से लपेटकर बैठे थे और औरत-जैसे लग रहे थे और पूछा कि "वे स्त्रियाँ कौन हैं?" सरोजिनी नायडू ने बताया कि "ओह, वे तीनों तो गाँधी जी की विधवा हैं।"

(5)

उन दिनों संसद में भी ज़ोरदार मज़ाक़ चलते थे। एक बार पण्डितजी ने यह कह दिया कि "चीन ने भारत का जो हिस्सा अपने क़ब्ज़े में ले लिया है, उसकी आप लोग ज़्यादा चिन्ता न करें क्योंकि वह क्षेत्र बंजर है और वहाँ कुछ भी पैदा नहीं होता।" महावीर त्यागी तुरन्त उठ खड़े हुए और अपना गंजा सिर आगे झुकाकर बोले कि "प्रधानमन्त्री जी, क्या मेरा यह सिर बेकार है क्योंकि इस पर कुछ पैदा नहीं होता?" उनके उस प्रश्न को सुनकर सारी लोकसभा कहकहों से गूँजने लगी। इसी प्रकार एक बार श्री डाँगे ने यह पूछा कि "सरकार अनाथों के लिए कुछ क्यों नहीं करती?" पण्डित पन्त तुरन्त खड़े हुए और बोले कि "जब तक आप-जैसे लोग भी देश की संसद में हैं, तब तक सरकार पर अनाथों के प्रति उपेक्षा का दोष कैसे लगाया जा सकता है?" उनका उत्तर सुनकर श्री डाँगे स्वयं भी हँस उठे। इसी प्रकार एक बार गृहमन्त्री श्री लालबहादुर शास्त्री ने यह कहकर सांसदों को काफ़ी हँसाया कि "वे शायद ऐसे प्रथम गृहमन्त्री हैं

जिसके पास अपना कोई गृह नहीं है।" श्री श्रीपाद अमृत डाँगे ने सरकार के ख़िलाफ़ एक ऐसी याचिका पेश की थी कि जिसका वज़न कई मन था और जिसे संसद तक लाने के लिए बैलगाड़ी का इस्तेमाल करना पड़ा था। एक बार ऐसा हुआ कि एक संसद-सदस्य की मृत्यु हो गयी। एक सांसद दिवंगत सदस्य को श्रद्धांजलि देने के लिए उठा मगर ग़लती से उसने मृत व्यक्ति के स्थान पर एक ऐसे सांसद का नाम लिया जो जीवित था और अगली सीट पर ही बैठा था। शोक का क्षण अनायास ही उपहास का विषय बन गया। एक बार श्री फ़ीरोज़ गाँधी खड़े हुए और प्रधानमन्त्री से पूछने लगे कि "क्या कारण है कि जहाँ भी कोई स्त्री मन्त्री बनती है, वहीं 'अफ़ेयर' शुरू हो जाता है।" यह बात श्री गाँधी ने ऐसे वक़्त पर कही थी जबकि डिपार्टमेण्ट ऑफ़ इकोनोमिक अफ़ेयर्स, डिपार्टमेण्ट ऑफ़ फ़ारेन अफ़ेयर्स तथा डिपार्टमेण्ट ऑफ़ होम अफ़ेयर्स--इन तीनों में स्त्रियाँ ही राज्यमन्त्री थीं। एक बार बड़ा मज़ा आया। राष्ट्र का बजट पेश हो रहा था मगर काफ़ी संसद-सदस्य उस विदेशी सुन्दरी को निहार रहे थे जो लगभग आधी नंगी स्थिति में दर्शकों की गैलरी में बैठी थी। श्री एस.के. पाटिल ने खड़े होकर सदस्यों से कहा कि "आप बजट में उन्हीं हिस्सों को देखें जो साफ़ हैं, खुले हैं : उन अंगों को देखने की चेष्टा न करें जो थोड़ा-बहुत ढके हैं।" उनकी इस व्यंग्योक्ति को सुनकर पण्डित जी तक हँस पड़े।

संसद-भवन में प्रधानमन्त्री जी का एक अलग कमरा भी है। जब भी कोई बड़ा आदमी संसद की कार्यवाही देखने आता है तो वह यथासम्भव प्रधानमन्त्री से भी मिलकर ही जाता है। एक प्रसिद्ध साम्यवादी नेता जब पण्डित जी से मिले तो उन्होंने पूछा कि "मिस्टर नम्बूद्रीपाद, क्या आप हमेशा हकलाते हैं?" श्री नम्बूद्रीपाद ने तुरन्त उत्तर दिया कि "नहीं, मैं हमेशा नहीं हकलाता; मैं तो सिर्फ़ बोलते हुए ही हकलाता हूँ।" उनका उत्तर सुनकर पण्डित जी ने उन्हें गले लगा लिया। इसी प्रकार प्रसिद्ध अभिनेता मोतीलाल जब पण्डित जी से मिला तो उसने यही कहा कि "आपके सामने मैं अपना नाम लेते डरता हूँ।" पण्डित जी ने ज़ोर दिया तो उसने कहा कि "मेरा नाम मोतीलाल है।" पण्डित जी बहुत हँसे (पण्डित जी के पिताजी का नाम भी मोतीलाल नेहरू ही था) और उन्होंने मोतीलाल से यह भी कहा कि "मेरे और तुम्हारे पेशे में कोई ख़ास अन्तर नहीं है। अन्ततोगत्वा मैं भी एक पब्लिक एण्टरटेनर ही हूँ।" बाद में जो प्रधानमन्त्री रहे वे उतने विनोदी नहीं रहे। जनता सरकार के दिनों में मोरारजी देसाई का 'राष्ट्रीय पेय' ज़रूर चर्चा का विषय बनता था मगर और कुछ नहीं।

(6)

अब न वे दिन रहे न वे लोग। इधर नेताओं और मन्त्रियों का जो स्तर है वह हम सभी को मालूम है। एक मन्त्री जी प्रायः अपने सचिवों को कहा करते थे कि "आप लोग मेरे

भाषणों में इतने कठिन शब्द क्यों भर देते हैं? आख़िर कम-से-कम मुझे तो यह जानने का पूरा हक़ है कि मैं जनता से क्या कह रहा हूँ।" एक नेता भाषण देकर मंच से उतरे और अपने एक मित्र से पूछने लगे कि भाषण कैसा रहा? मित्र ने बताया कि "भाषण तो बहुत श्रेष्ठ था, हाँ, अलबत्ता उसमें तीन कमियाँ ज़रूर थीं। पहली कमी तो यह थी कि भाषण लिखा हुआ था, दूसरी कमी यह थी कि वह ठीक से पढ़ा नहीं गया और तीसरी कमी यह थी कि वह पढ़े जाने योग्य भी नहीं था।" एक मन्त्री को लोकसभा में एक आवश्यक भाषण देना था। विभाग के सचिव ने बताया कि "जो आँकड़े आप चाहते हैं उनको इकट्ठा करने में कम-से-कम एक वर्ष लगेगा।" मन्त्री जी ने कहा कि "यदि सही आँकड़े मिलने में इतना समय लगेगा तो आप कुछ भी आँकड़े दे दें। विरोधी पक्ष कम-से-कम एक वर्ष तक तो कुछ ग़लती पकड़ नहीं सकता और मेरे लिए इतना काफ़ी है।" एक जननेता ने अपनी पार्टी की एक महिला-सदस्या के निधन पर दी गयी अपनी शोक-स्पीच में कहा कि "मृत देवी श्री सक्सेना की पत्नी ही नहीं, वह तो हम सबकी पत्नी थीं। उनके मरने से जो स्थान रिक्त हुआ है, उसका भरना बहुत मुश्किल है।" कहते हैं कि रूस, अमेरिका व भारत के महान् नेता भगवान से एक साथ मिले और पूछा कि हमारे देश से भ्रष्टाचार कब दूर होगा? भगवान ने अमेरिका के लिए बीस साल और रूस के लिए दस वर्ष की अवधि बतायी। भारत के बारे में ईश्वर ने यही कहा कि "भारत जब तक भ्रष्टाचार से मुक्त होगा, तब तक मैं शायद जीवित नहीं रहूँगा।" देश के एक भूतपूर्व प्रधानमन्त्री ने एक बार कहा था कि "हम लोग तो अपने देश की सरकार के कामों में भी कोई दख़लअन्दाज़ी नहीं करते, हम दूसरे देश की सरकारों में क्यों ख़लल डालेंगे?" चुनाव के दौरान एक पार्टी के नेता ने खुलेआम कहा था कि "भाइयो और बहिनो, कांग्रेस ने देश को चालीस वर्ष तक लूटा है और अब वह समय आ गया है जबकि एक अवसर आप हमें भी दें।" अदालत से सज़ायाफ़्ता लोग चुनाव के लिए चुने जा रहे हैं—इससे बड़ा मज़ाक़ और क्या होगा?

इस प्रबन्ध के लिखने में मैंने 'दि एन्साइक्लोपीडिया ऑफ़ मर्थ एण्ड ह्यूमर', ख़ुशवन्त सिंह की 'जोक-बुक', 'दी वर्ल्ड'स बैस्ट जोक्स' और 'जोक्स एण्ड जोक्स' नामक अँग्रेज़ी पुस्तकों से और अख़बारों की ढेर सारी कतरनों से सामग्री ली है जिसके लिए मैं उन सबका आभारी हूँ। कुछ मज़ाक़ मैं नहीं दे सका क्योंकि जयदेव की कविता की भाँति उनका हिन्दी अनुवाद असम्भव था। और इस बात का तो मुझे बहुत ही खेद है कि कुछ बेहतरीन मज़ाक़ मैं मात्र इस कारण नहीं दे सका क्योंकि वे अश्लील थे। जो लोग उनका आनन्द उठाना चाहें वे देहरादून आकर मुझसे मिलें। मैं यक़ीन दिलाता हूँ कि मैं उनको निराश नहीं करूँगा। मैं उन्हें ठीक वही आनन्द दूँगा जोकि अश्लील शायरी के सन्दर्भ में मुझे कभी गिरिजाकुमार माथुर ने दिया था। ❑

देश-विदेश की कथा
(1994)

आओ मेरे वर्य, तुम साहित्यकार बनो...

संसार में जो कुछ भी है, उसमें कला और प्रेम के अतिरिक्त ऐसा कुछ नहीं है जिसके लिए जिया जाए। पाल गागिन ने पेण्टिंग के चक्कर में अपने एक सफल दलाल के जीवन को ठोकर मार दी थी। उसने एक सम्भ्रान्त, शालीन और समृद्ध जीवन को छोड़कर भुखमरी और मुफ़लिसी की ज़िन्दगी को स्वीकारा था और भटकते-भटकते वह हवाई द्वीपों में गया जहाँ उसे कोढ़ तक हो गया। सामरसेट माम के शब्दों में उसके लिए कला एक चन्द्रमा थी जिसे पाने के लिए पाल गागिन ने जो कुछ भी छोड़ा वह छह पेन्स से ज़्यादा नहीं था। पिछले दिनों सोवियत संघ में तो साइबेरिया में बहने वाली उत्तरमुखी नदियों को दक्षिणमुखी बनाने की योजना मात्र लेखकों के कहने के कारण ही रोक दी गयी। कलाओं में साहित्य और संगीत—ये दो कलाएँ ऐसी हैं जो मात्र 'शब्द' पर आधारित हैं और हमारे शास्त्रों में 'शब्द' को 'ब्रह्म' कहकर पुकारा गया क्योंकि शब्द जो है वह अक्षरों से बनता है और 'अक्षर' एक ऐसी चीज़ है जिसका कि 'क्षरण' कभी भी नहीं होता। इसी कारण 'शब्द' की शक्ति अनन्त है, चाहे वह 'शब्द' गधे का हो और चाहे रवीन्द्रनाथ त्यागी का हो। हिन्दी के एक सिद्ध साहित्यकार ने सदा के ग़रीब पूर्वी उत्तरप्रदेश में एक मोटी रक़म जेब में रखते हुए कहा कि "मेरे लिए जीवन का अर्थ साहित्य है और साहित्य का अर्थ जीवन है।" जब जेब में मुद्रा हो और पेट में मदिरा हो तो मुँह से सदा ऐसे ही सुभाषित निकलते हैं। 'अज्ञेय' जैसे महान् लोग बहुत कम होते हैं जो इतने अमीर और यशस्वी होने पर भी चुप ही रहते थे और 'मौन भी अभिव्यंजना है' जैसी पंक्तियाँ लिखते थे। संस्कृत में तो स्पष्ट रूप से कहा गया कि साहित्य, संगीत और कला से विहीन जीवन जीने वाला मनुष्य मात्र एक पशु ही है, और कुछ नहीं। विवेकशील व्यक्ति वही है जो अपना समय काव्य, शास्त्र व विनोद में ही गुज़ारता है; निद्रा, व्यसन या कलह में नहीं। इन्हीं सारे मुद्दों को ध्यान में रखते हुए मैं आज नयी पीढ़ी को सम्बोधित करता हूँ और कहता हूँ कि "वत्स, आओ और मेरा शंखनाद सुनो। डॉक्टर, इंजीनियर, नेता, मैजिस्ट्रेट, जज, वकील या अपराधी बनने की इच्छा छोड़ दो और साहित्यकार बनो। इस नश्वर व क्षण-भंगुर जीवन में यदि अजर और अमर बनना है तो साहित्य के मन्दिर में लुंगी पहिन कर देवी सरस्वती की आरती उतारो।

मैं तुम्हारी प्रतीक्षा में खड़ा हूँ और जब तक बैठ नहीं जाऊँगा तब तक ऐसे ही इसी मुद्रा में खड़ा रहूँगा। आओ, इस मन्दिर में प्रवेश करो और कुमारी सरस्वती के साथ रमण करो। यही वह पवित्र स्थल है जहाँ हज़ार गुनाह करने के बाद भी तुम देवता ही कहलाओगे। आओ और पत्नी-सहित गाओ। यदि किसी कारण पत्नी न आ सके तो तुम अकेले ही आओ। एकला चलो रे! देखो मैं तुम्हारी ही प्रतीक्षा में अपनी हजामत बीच में ही छोड़कर मात्र इस जाँघिये में ही यहाँ खड़ा हूँ और कब से खड़ा हूँ...। आओ, ओ मेरे वर्य, तुम आओ..."

साहित्यिक जीवन जीने के जो आनन्द हैं वे अभी तक मौलिक व अप्रकाशित हैं। साहित्यकार की कोई जीवनचर्या कभी निश्चित नहीं की जा सकी। वह चाहे तो सुमित्रानन्दन पन्त, रेणु और अज्ञेय की भाँति सुन्दर वस्त्र पहने और चाहे तो नागार्जुन और निराला की भाँति गन्दे वस्त्र पहने या अधनंगा रहे। पहली स्थिति में उसे 'सौम्य सन्त' कहकर पुकारा जायेगा और दूसरी स्थिति में वह 'औघड़ कबीर' कहलाएगा। वह चाहे अविवाहित रहे या चार पत्नियाँ रखे—कोई पूछने वाला नहीं। वह बीमार होगा तो यार लोग चन्दा बटोरेंगे। वह खुद भले ही बीड़ी पीता-पीता किसी झोंपड़ी में मरे, उसकी समाधि अवश्य संगमर्मर की बनेगी। रेल में टिकिट लेने की कोई ज़रूरत नहीं। टिकिट-चेकर आएगा तो उसकी असलियत जानकर अपनी जेब से कुछ दे जायेगा। जो घटिया साहित्यकार हैं, वे प्रथम श्रेणी का भाड़ा लेकर दूसरे दर्जे में चलते हैं और जो बढ़िया साहित्यकार हैं, वे प्रथम श्रेणी का भाड़ा लेकर बिना टिकिट चलते हैं। गला अच्छा हो तो एक वर्ष में एक लाख की आय भी कम है। एक हास्य-कवि हैं जो बल्लाल के 'भोजप्रबन्ध' में वर्णित कवियों की भाँति एक-एक पंक्ति की एक-एक हज़ार मुद्रा प्राप्त करते हैं और एक पैसे का आय-कर कभी नहीं देते। नये हास्य कवि भी कवि-सम्मेलनों में चुटकुले तुक मिलाकर सुनाएँगे और तालियाँ लूटेंगे। जो ज़्यादा समय-सिद्ध साहित्यस्रष्टा होंगे, वे एक शानदार पत्रिका निकालेंगे जिसमें हर पृष्ठ की पृष्ठभूमि पर एक फड़कता हुआ विज्ञापन होगा। वर्ष भर का चन्दा वसूल किया जायेगा, लेखकों को मात्र आभार दिया जायेगा, आजीवन-सदस्य -बनाये जाएँगे और अगला अंक कभी नहीं छापा जायेगा। इस धन्धे में इतनी आमदनी है कि पत्नी पति से विमुख हो जाती है, पिता और पुत्र में झगड़ा हो जाता है और प्रेयसी जो है वह प्रेमी बदल लेती है। मिश्रबन्धु कहते थे—महाकवि केशवदास जैसा अमीर हिन्दी का कोई कवि नहीं हुआ। और हाँ, साहित्यकार को सुन्दर रमणियाँ इस तरह घेरती हैं जैसे परवाने जो हैं वे खुद शमा को घेरते हैं। आयु के बढ़ने से भी इस आकर्षण पर कोई प्रभाव नहीं पड़ता। अज्ञेय और जैनेन्द्र के विचार इस सन्दर्भ में पढ़ने योग्य हैं। बहरहाल आप साहित्य की सेवा की आड़ में कुछ भी कर लो, आपके सब कसूर क्षम्य हैं। साहित्य की देवी है सरस्वती। सरस्वती के पिता थे ब्रह्मा। ब्रह्मा के पौत्र थे कामदेव। पौत्र ने अपने

पितामह पर ही पाँचवाँ बाण छोड़ा था और ब्रह्मा ने अपनी सगी पुत्री सरस्वती का उपभोग किया था। जब साहित्य की अधिष्ठात्री स्वयम् कुमारी सरस्वती का यह हाल है तो साहित्यकारों को दोष देने से क्या लाभ? कोई भी पाप हो, चलेगा। "त्रिभुवन मोहिनी ने जिस रूप में तुझे मोह लिया है, तू उसी रूप की पूजा कर, वही तेरा देवता है।" उपदेश न देने वाले फक्कड़ ऋषि प्रसन्न हुए और राजा की सुन्दर कन्या का मुख अपनी ओर उठाकर बोले कि "हे शूद्र, इस सुन्दर मुख के कारण तुम मुझे बोलने को बाध्य कर रहे हो।" (हजारीप्रसाद द्विवेदी)

साहित्य की सृष्टि में अनेक कष्ट आते हैं। इक आग का दरिया है और डूब के जाना है (जिगर) मगर दिक्कतों से डरना क्या। जीवन का तो अर्थ ही संघर्ष है (हिटलर की आत्मकथा : मीन कैफ़) फिर भी कुछ ख़ास और मोटी-मोटी बातों की चर्चा करना नये लेखकों के हित में ही होगा और इसी कारण यह उचित ही होगा कि उनकी चर्चा कर ही दी जाए।

सबसे पहले जो दिक्कत सामने आती है, वह भाषा की है। भाषा पर अधिकार पाना बहुत परिश्रम और अभ्यास की माँग करता है। कि आती है उर्दू ज़ुबाँ आते-आते। हिन्दी में व्याकरण की कठिनाइयाँ बहुत हैं। 'घड़ा' का स्त्रीलिंग 'घड़ी' है और 'दीवाला' का स्त्रीलिंग 'दीवाली' है। इसी प्रकार 'कोठी' का पुल्लिंग 'कोठा' है और 'सन्तरी' का पुल्लिंग 'सन्तरा' है। कभी-कभी सन्तरी स्वयं भी पुल्लिंग होता है जो वैधानिक दृष्टि से उचित होते हुए भी व्याकरण की दृष्टि से ग़लत है। इसी प्रकार 'आना' और 'जाना' तो समझ में आता है पर 'आजाना' का अर्थ समझना कम-से-कम विदेशी पाठकों के लिए तो बहुत ही कठिन है। मुझे यह समस्या एक जापानी विद्वान् ने जतायी थी। दूसरी कठिनाई जो है वह कथ्य की है। आप कितना भी बढ़िया लिखें मगर कुछ छिद्रान्वेषी लोग फिर भी यही कहेंगे कि आपने चोरी की है। निराला जी इस 'चौर्यकला' की चर्चा पन्त और रवीन्द्रनाथ—दोनों के सन्दर्भ में किया करते थे। और स्थिति यह है कि रवीन्द्रनाथ ठाकुर क्या रवीन्द्रनाथ त्यागी तक पर यह आरोप लगाया जाता है। इन दोषान्वेषी विद्वानों को यह पता नहीं कि सूर, तुलसी, देव, बिहारी और अज्ञेय तक अपने पूर्ववर्ती रचनाकारों से चोरी करते थे। शेक्सपियर के एक प्रसिद्ध नाटक में 6043 पंक्तियाँ हैं जिनमें से 4144 पंक्तियाँ दूसरों की हैं। मिश्र-बन्धुओं के अनुसार इस नाटक का नाम 'हेनरी षष्ठ' है। सौन्दर्य-संहार तो निन्दनीय माना गया है पर 'सौन्दर्य-सुधार' नहीं। संस्कृत और अँग्रेज़ी विद्वानों का भी सदा से यही मत रहा। और जहाँ तक भाषा का प्रश्न है, स्थिति यह है कि संसार के महानतम साहित्यकार विलियम शेक्सपियर तक ने उसके साथ इतना बलात्कार किया है कि एबट नामक विद्वान् ने मात्र 500 पृष्ठों की 'दी शेक्सपीरियन ग्रामर' नामक एक छोटी-सी पुस्तिका लिखी है जो उसकी भाषा और व्याकरण की ग़लतियों का पर्दाफ़ाश करती है। इस सन्दर्भ में आचार्य महावीरप्रसाद द्विवेदी की

'कालिदास की निरंकुशता' नामक पोथी भी पठनीय है। विलियम मिजनर का यह कथन भी एकदम सटीक है कि "जब आप किसी लेखक की कृति से 'कुछ' लेते हैं तो उसे साहित्यिक चोरी कहा जाता है पर जब आप उसी लेखक की उसी कृति से 'बहुत कुछ' लेते हैं तो उसे 'शोध' कहा जाता है।" तीसरी कठिनाई उन आलोचकों द्वारा पैदा की जाती है जो या तो कुछ नहीं जानते या फिर बहुत कुछ जानते हैं। इस सन्दर्भ में मैं सिर्फ़ एक घटना की चर्चा करता हूँ। रक्षा-मन्त्रालय में एक बैठक रक्षा-सचिव के कमरे में हुई जिसमें थल-सेना के उपाध्यक्ष स्वयं मौजूद थे। उन्होंने स्वयम् एक बेहद शानदार प्रस्ताव बनाया था पर वित्त-सचिव (रक्षा) ने उसे आधे घण्टे में तहस-नहस कर दिया। इस भयंकर विनाशलीला को देखकर रक्षा-सचिव ने उपसेनाध्यक्ष की दिशा में देखा। जनरल रौले ने मात्र इतना ही कहा कि महल के बनाने में बरस लगते हैं जबकि उसे ढाहने के लिए आधा घण्टा क्या, पाँच मिनिट ही काफ़ी हैं! निर्माण की अपेक्षा विनाश सदा से कम समय लेता आया। यही तो वह असली कारण है जिसके कारण विनाश के स्वामी शिव को, उनकी पत्नी को, उनके पुत्र को और पुत्र के विशिष्ट वाहन को सारा देश पूजता है जबकि निर्माण के स्वामी ब्रह्मा को कोई कभी नहीं पूजता।

निदान करने के उपरान्त चिकित्सा भी मुझे ही बतानी पड़ेगी। जो बोले, वही द्वार भी खोले। इस सन्दर्भ में मैं नये लेखकों को पाँच या छह अदद सलाह देना चाहूँगा। जिन पाठकों को दिलचस्पी हो वह इस निबन्ध की कमर के नीचे वाले अंगों को देखें।

सलाह क्रम-संख्या एक तो यह है कि आप लोग ईमानदार रहें। 'क़िस्सा साढ़े तीन यार' या 'क़िस्सा साढ़े तीन परी' के लेखक बेहद ईमानदार लोग थे। अगर किताब का नाम साढ़े तीन यार (या परी) है तो मजाल है कि पोथी में उनकी मात्रा तनिक भी कम मिले। बिहारी ने अपनी 'सतसई' में 719 दोहे दिये ताकि यदि कोई दोहा रास्ते में खो भी जाए तो भी पाठक सात सौ से कम दोहे पाकर उसे गाली न दे। दूसरी सलाह यह है कि लेखक बनने वाले लोग ख़ूब पढ़ें और ख़ूब घूमें। शायरी के लिए इल्म ज़रूरी हो या नहीं, साहित्य की शेष विधाओं के लिए इस संसार का अधिक से अधिक ज्ञान प्राप्त करना सदा से अपेक्षित रहा। मैं स्वयं अब यूरोप घूमना चाहता हूँ। महाकवि देव और बिहारी—दोनों बहुज्ञ थे। देव ने देश के प्रत्येक प्रान्त की सुन्दरियों का विशद वर्णन किया है और इस दिशा में वे इतने उदार रहे हैं कि कहारिनों और मछली पकड़ने वाली कन्याओं को भी अपने जाल में फँसा लेते हैं। तीसरी सलाह है लगे रहना। अश्कजी से मैंने यदि कुछ सीखा तो यही सीखा। केशवचन्द्र वर्मा खुद कुछ नहीं कर पाये क्योंकि उनमें लगन नहीं थी मगर एक वरिष्ठ कथाकार को उन्हीं ने बेड़ियों की माँद में से निकाला और अन्ततः स्थिति यह रही कि गुरु तो सुलेमान ही रहा पर चेला पहिलवान साबित हुआ।

चौथी सलाह यह है कि किसी न किसी भाँति कोई बड़ा पुरस्कार ज़रूर हथिया लो। नोबिल प्राइज़ कैसे मिलता है यह प्रक्रिया अँग्रेज़ी के प्रख्यात उपन्यास 'दी प्राइज़' में समझायी गयी है और उसी प्रक्रिया को अपना कर एक लेखक ने सचमुच नोबिल प्राइज़ जीत ही लिया। साहित्य अकादेमी के दर्तमान सचिव सरे-बाज़ार कहते फिर रहे हैं कि साहित्य के पुरस्कार सदा 'सबजेक्टिव' होते हैं; यदि उन्हें 'आबजेक्टिव' किया गया तो कला व विज्ञान के बीच में जो अन्तर है, वह मिट जायेगा। दूसरे शब्दों में यह स्वयं साहित्य के हित में ही है कि साहित्य अकादेमी का वह 'सर्वोच्च सम्मान', जिसे पाकर मेरे एक समानधर्मा अपना विवेक ही खो बैठे हैं, बेईमानी के साथ दिया जाए। अश्कजी इस अवार्ड को 'टुच्चा' कहकर अपनी हीन भावना ही बाहर नहीं निकालते, वे सच भी कहते हैं। और अवार्ड मिलने के बाद क्या होता है। यह वे ही लोग जानते हैं जो अज्ञेय के सम्पर्क में आये। ज्ञानपीठ पुरस्कार पाने से पूर्व अज्ञेय बाकी लोगों को मात्र 'कीड़ा' ही समझते थे पर उस अवार्ड के मिल जाने के बाद वे शेष लेखकों को 'पाखाने का कीड़ा' समझने लगे थे। इस पदोन्नति से कुछ लेखक काफ़ी प्रसन्न रहते थे। अन्तिम सलाह यह है कि आप समत्व बुद्धि वाले व्यक्ति रहें और बिना फल की आशा करते हुए बराबर उसी तरह लिखते रहें जैसे कि मैं लिख रहा हूँ। निराला को साहित्य अकादेमी का अवार्ड नहीं मिला पर क्या इस बात के कारण वे पन्त से हीन हो गये? मैं पूछता हूँ कि कालिदास, जयदेव व भवभूति—इनमें से किसे अकादमी-अवार्ड मिला था? नये लेखकों को उचित होगा कि अपना हृदय कोमल व उदार रखें पर खाल को मोटा करें। यदि कोई बुराई ही बुराई देखने पर तुला है तो आप कुछ नहीं कर सकते। आस्कर वाइल्ड ने कहा था कि पत्रकारिता पढ़ने लायक नहीं होती और साहित्य कोई पढ़ता नहीं। सामरसेट माम के अनुसार "एन आथर शुड नाट ओनली बी ल्यूमिनस; ही शुड आलसो बी वोल्यूमिनस"। और पर्ल बक ने अपनी आत्मकथा में लिखा है कि साहित्य में प्रवेश करने से पूर्व ही आप यह तय कर लें कि आपको 'आथर' बनना है या कि 'सैलेब्रिटी'। लिखो और ख़ूब लिखो। विदेशी भाषा में छपना हो तो अश्लील लिखो और लाखों कमाने हों तो गुलशन नन्दा की भाँति 'जनप्रिय' साहित्य लिखो। वह अकेला हिन्दी लेखक था जिसकी एक पुस्तक का प्रथम संस्करण ही एक लाख प्रतियों का छपा था। एक ये जनप्रिय लेखक हैं जो मुग़लों की भाँति रहते थे और एक प्रेमचन्द और निराला थे जो रात-रात भर बीड़ी फूँकते हुए 'गोदान' लिखते थे या आय की कमी के कारण अपनी प्रिय पुत्री तक का समुचित इलाज नहीं करा सके थे और उसी दुख में विक्षिप्त हो गये थे। मृत्यु के बाद ये दोनों सचमुच महान् साहित्यकार प्रगतिशीलों की जागीर बन गये जबकि मरने से पहले किसी साम्यवादी शक्ति ने उनकी कोई मदद नहीं की। महाप्राण बनने से पूर्व अपनी कविता 'सरोज-स्मृति' में पं. सूर्यकान्त त्रिपाठी 'निराला' ने सन् 1935 में लिखा था : (नये लेखक इस प्रसंग को ध्यान से

पढ़ें और रचना की वापसी पर दुखी न हों)

लिखता अबाध गति मुक्तछन्द
हर सम्पादकगण निरानन्द
वापस कर देते पढ़ सत्वर
दे एक-पंक्ति-दो में उत्तर
लौटी रचना लेकर उदास
ताकता हुआ मैं दिशाकाश

(अपरा : चौदहवाँ संस्करण, पृष्ठ 149)

सोचता हूँ कि लेख लिखने से कुछ नहीं होगा। ज़्यादा अच्छा तो यह होगा कि महासमुन्द जाऊँ और लतीफ़ घोंघी की साझेदारी में एक 'साहित्यकार निर्माणी' खोल लूँ। निर्माणी का नाम होगा 'लतीफ़ घोंघी एण्ड सन्स लिटरेरी बिल्डर्स इंस्टीट्यूट'। लतीफ़ घोंघी जो हैं वे लतीफ़ घोंघी की ज़िम्मेदारी सँभालेंगे और 'एण्ड सन्स' की ज़िम्मेदारी मैं सँभालूँगा। चाइल्ड इज़ दी फ़ादर आफ़ मैन (वर्ड्सवर्थ)। संस्था का नाम यदि हिन्दी में रखूँगा तो सम्भ्रान्त परिवार के कुलदीपक व कुल-दीपिकाएँ नहीं आयेंगी। फ़ीस डटकर ली जायेगी। दिन में नवयुवक पढ़ेंगे और स्त्रियाँ उन्हें नायिका-भेद समझाएँगी और रात्रि को बालिकाएँ पढ़ेंगी और जिन्हें नवयुवक श्रृंगार रस पढ़ाएँगे। कॉलेज का विज्ञापन छपेगा और ठीक उसी तरह छपेगा जिस प्रकार खिज़ाब, गर्भ-निरोधक दवा और गुप्तांगों के बाल हटाने वाले साबुन का विज्ञापन छपता है। और उसके बाद मैं गले में ढोल डाल कर गली-गली चीख़ूँगा कि "आओ, मेरे वर्य आओ और साहित्यकार बनो। ओ गोरी, तू भी आ और ओ श्यामा, तू भी आ। समुद्र तक जाने तक का उदार उद्यम तुम्हारा होगा और फिर वहाँ जो सुनहली तरी होगी, अरुण सबेरा होगा, वह मेरा होगा। तुम मुझे कभी नहीं पकड़ पाओगे क्योंकि तुम तो मेरे पाँवों की छाप पर अपने पाँव रखते-रखते आओगे। तुम्हारी दीठ मेरे मुख-चन्द्र को ग्रहण नहीं लगा सकेगी। तो ओ मेरे वर्य, यदि तुम्हें मेरी शर्तें स्वीकार हैं तो आओ और साहित्यकार बनने की शिक्षा प्राप्त करो। पूरा कोर्स तीन वर्ष का और 'इण्टैन्सीफ़ाइड कोर्स' मात्र नौ महीने का। यह सुनहला अवसर हाथ से न जाने दो। आओ मेरे वर्य, आओ और साहित्यकार बनो। मैं तुम्हारी ही प्रतीक्षा में न जाने कब से खड़ा हूँ..."

राष्ट्र के एक नेता को श्रद्धांजलि

भाइयो और बहिनो,

जैसा कि आप भलीभाँति जानते हैं, आज हम अपने एक महान् जननेता को श्रद्धांजलि अर्पण करने के लिए यहाँ एकत्रित हुए हैं। हमारे इस नेता के चले जाने से हम लोगों की जो क्षति हुई है, उसका पूरा पता हमें दस वर्ष बाद ही लगेगा। इस शोक सभा का अध्यक्ष आपने मुझे बनाया है, इसका मुझे हर्ष है। मुझे स्वप्न में भी यह अनुमान नहीं था कि हमें यह दिन भी देखना पड़ेगा।

इन नेता का व्यक्तिगत जीवन उनके सामाजिक व राजनीतिक जीवन से इतना जुड़ा हुआ था कि हम उसे अलग-अलग करके देख ही नहीं सकते। एक जीवन की चर्चा करते हुए हमें उनके शेष जीवनों पर भी ध्यान देना पड़ेगा। सच्ची बात तो यह है कि उनका अपना जीवन तो कोई था ही नहीं। उनका तो सारा जीवन देश को ही समर्पित था। वे देश की सेवा के लिए ही पैदा हुए थे और वे देश की सेवा के लिए ही शहीद भी हुए।

वे बेहद सादे किस्म के आदमी थे। उनकी कोठी बेहद विशाल है पर फिर भी वह बेहद सादी है। कोठी में वैसे भी मात्र तीस ही कमरे हैं जो निहायत सादगी के साथ सजे हैं। सारे पर्दे, कालीन, सोफ़े, कलाकृतियाँ, पुस्तकें, फ़र्नीचर और अतिथिकक्ष मात्र खादी के सहारे ही सजे हैं और ऊपर बतायी गयी सारी वस्तुएँ वैसे भी देशी ही हैं। मदिरा के अलावा उन्होंने किसी विदेशी वस्तु को हाथ तक नहीं लगाया। उनकी कोठी की तीस एकड़ भूमि में लगे बाग़ के सारे पेड़ देसी हैं, उनके विशाल लॉन पर जो घास उगी हुई है वह भी देसी ही है और उनके चार खानसामा, पन्द्रह नौकर और तीन ड्राइवर जो हैं, उनकी वर्दियाँ भी पवित्र खादी की ही बनी हैं। अपनी विदेशी कारों में भी उन्होंने जो पर्दे लगवाये वे उन्हीं के द्वारा काते गये सूत के थे। उनकी जितनी भी पत्नियाँ, उपपत्नियाँ व प्रिय दासियाँ हैं वे भी भारत में ही बने रेशम के वस्त्र पहनती हैं। और उनका अपना जीवन तो एक खुली हुई किताब थी। यदि गाँधी जी ऊपर से नंगे रहते थे तो हमारे ये महान् नेता सदा नीचे से नंगे रहते थे। उन्होंने इतने बड़े-बड़े पदों को सुशोभित किया मगर कभी काँटा-छुरी

तक का उपयोग नहीं किया। अपनी मितव्ययिता के कारण ही उन्होंने उसी युवती को अपनी प्रेमिका रखा जो उनके सुपुत्र की प्रेमिका भी थी। जो काम फिलिस्तीनी नेता यासर अराफात ने अब किया है, वह हमारे ये नेता वर्षों पहले तब कर चुके थे जब पिचहत्तर वर्ष की आयु में उन्होंने तीस वर्ष की कन्या से वैदिक रीति से अपना अन्तिम विवाह सम्पन्न किया था। आज जिस कफ़न को हमने उनके पवित्र शव पर डाला वह भी तो खादी का ही था। चिता में जो सामग्री और चन्दन की लकड़ी लगी वह भी इसी देश की थी, बाहर की नहीं।

हमारे ये नेता गाँधी जी के 'ट्रस्टीशिप' वाले पवित्र सिद्धान्त में पूरी आस्था रखते थे। उन्होंने न जाने कितना धन कमाया और न जाने किस-किस तरह कमाया पर उन्होंने उसे सदा बेनामी ही रखा, उसके सूद से ग़रीबों की सहायता की और जब उन्होंने अपने प्राण छोड़े तो वे वह सारा धन भी यहीं छोड़ गये—उसे अपने साथ नहीं ले गये। बाढ़ व सूखा—इन दोनों के न आने पर वह बच्चों की भाँति विलाप किया करते थे। ऐसा दूरदर्शी नेता अब हमें कहाँ मिलेगा? उनकी मृत्यु से हम क्या, सारा देश ही अनाथ हो गया।

वे एक कुशल प्रशासक थे। उनके विचार निश्चित थे पर उनकी कार्यप्रणाली हमेशा लचीली ही रहती थी। ब्यूरोक्रेसी को पतन से बचाने के लिए उन्होंने सारी रिश्वत सदा अपने आप ही ली, किसी और को नहीं लेने दी। सारा विष उन्होंने भगवान नीलकण्ठ की भाँति सदा स्वयं ही पिया और उस विष की गर्मी को खलास करने के लिए उन्होंने कोई न कोई चन्द्रमा अपनी गोद में हमेशा रखा। देश की जनता ने उन्हें सोने का मुकुट दिया, चाँदी की कटार भेंट करी और उन्हें रुपयों से तोला। उन्होंने यह सारी सम्पत्ति अपने ही तहखाने में रखी, उसे किसी ग़रीब प्रतिद्वन्द्वी को पराजित करने के लिए चुनाव में कभी नहीं ख़र्च किया।

स्त्रियों और हरिजनों के उद्धार पर जितनी शक्ति, जितना समय और जितना धन उन्होंने ख़र्च किया, उसका सानी आपको नहीं मिलेगा। इन दोनों चीज़ों का एक साथ ही उद्धार करने के लिए उन्होंने जो मौलिक रास्ता खोजा था वह भी उनका अपना ही था। जो समय भी उनके पास बचता था, उसे वे पिछड़ी जातियों की सुन्दर स्त्रियों के साथ ही बिताते थे। उन्होंने हरिजनों और ब्राह्मणों के साथ समान वादे किये और अपनी निष्पक्षता के कारण उन्होंने दोनों को दिये किसी भी वचन का कभी भी पालन नहीं किया। नौकरशाही व विरोधी पार्टियाँ भी उनकी इस सफलता की दाद देती थीं। आज देश में एक युवती अपने प्रेमी के साथ विवाह के मुद्दे को लेकर भूख हड़ताल पर बैठी है। उनके जाने के बाद इस देश में यही सब होगा। आज यदि वे ज़िन्दा होते तो उस कन्या को सुख देने के हेतु वह उससे स्वयं विवाह कर लेते। गन्धर्व-विवाह से लेकर राक्षस-विवाह तक उन्होंने कोई ऐसा विवाह नहीं छोड़ा था जो कि स्त्री-जाति को सुख पहुँचाने के लिए उन्होंने न किया हो। मैं पूछता

हूँ कि स्त्रियों की इतनी चिन्ता करने वाला क्या कोई और नेता इस देश में है?

वे भारतीय आर्ष संस्कृति के कट्टर पुजारी थे। देवताओं की भाँति वे भी सोमरस पीते थे और सुन्दर अप्सराओं के साथ सुख पाते थे। उनके लेटर-पैड पर 'श्री गणेशाय नमः' सदा लिखा रहता था। वह जब भी हरिद्वार, प्रयाग या वाराणसी जाते थे तो गंगाजल पिये बिना कभी नहीं लौटते थे। वयोवृद्ध कवियों व अज्ञात-यौवना कवयित्रियों के लिए उन्होंने अपना जीवन समर्पित कर दिया। चुनाव में शत्रुओं की कूटनीति के कारण पराजित होने के बाद उन्होंने एक महायज्ञ किया जिसमें उनकी दस लाख मुद्राएँ ख़र्च हुईं। कुलपति बनने पर उन्होंने मैथिलीशरण जी को कोर्स में से 'गुप्त' किया और नयी पीढ़ी को राष्ट्र-कवि बनने में सहायता दी। उनके पास जो भी समय बचता था वह लोकचित्र व लोकगीतों के विकास को ही दिया जाता था। 'रामायण' व 'कृष्णायन' की तर्ज़ पर उन्होंने 'हनुमानायन' लिखी और अपने पुत्र का नाम 'पवन' व पुत्री का नाम 'अंजनि' रखा। उन्होंने न जाने कितनी बहुत प्राचीन मूर्तियाँ विदेश भिजवायीं और विदेशी मूर्तियों को गले से लगाया। यदि विदेशी लोग हमारी संस्कृति से घनिष्ठ परिचय नहीं करेंगे तो विवेकानन्द को फिर विदेश जाने के लिए फिर जन्म लेना पड़ेगा। यदि आज वे जीवित होते तो बन्दर न निर्माण-भवन पर चढ़ाई करते और न बेहद क़ीमती मशीनों को अस्पतालों में बेकार पड़ा रहने देते जैसा कि एक प्रदेश में अभी-अभी पाया गया।

गाँधी जी के आदेशानुसार हमारे इन दिवंगत नेता ने भी कुटीर उद्योगों पर विशेष ध्यान दिया। उन्होंने शराब के कारख़ाने नहीं खुलवाये; उनके स्थान पर देसी दारू की भट्ठियाँ खुलवायीं। लालफ़ीताशाही से उन्हें नफ़रत थी और इसी कारण उन्होंने इन भट्ठियों को बिना लाइसेंस के ही चलाया। उन्होंने गाँव-गाँव डकैतों के दल खड़े किये। भाँग, धतूरा और चरस—इनका स्मगलिंग इन्हीं स्वयंसेवक डाकुओं द्वारा सम्पन्न किया गया। गाँव-गाँव में वेश्यावृत्ति को प्रोत्साहन दिया गया ताकि संसार का यह पुरातनतम उद्योग कहीं पूँजीपतियों के प्रभाव से समाप्ति को न प्राप्त हो जाए। उनका परिवार-नियोजन में भी बड़ा विश्वास था। इतनी पत्नियों के होते हुए भी उनके मात्र सत्तरह ही बच्चे थे जो शव में अग्नि देने के लिए श्मशान में ही सबके सामने झगड़ने लगे थे। ऐसी पितृभक्ति इस कलिकाल में कहाँ देखने को मिलती है? जब वे मुख्यमन्त्री बने तो उनके मन्त्रिमण्डल में मात्र सत्तर मन्त्री थे जो सब के सब भेदभाव मिटाने की दृष्टि से कैबिनेट स्तर के ही रखे गये थे। विधान सभा में जो दस सदस्य ऐसे बचे, जो मन्त्री बनना नहीं चाहते थे, उन्हें सार्वजनिक संस्थाओं का कर्ता-धर्ता और हर्ता बना दिया गया और जर, जोरू व ज़मीन की वे सब सुविधाएँ भी उन्हें बराबर दी गयीं जो अब तक मात्र मन्त्रियों को ही दी जाती थीं। पाण्डवों की तरह वे सत्ता की द्रौपदी को बाँट कर ही भोगते थे, अकेले नहीं। उनके रहते किसी भी विरोधी पार्टी को सबके सामने चीर-हरण का अवसर कभी

नहीं मिला, अकेले में मिला हो, वह दूसरी बात ठहरी।

यूँ तो वे 'वसुधैव कुटुम्बकम्' के सिद्धान्त को मानने के कारण प्रायः विदेश जाते रहते थे पर हृदय उनका सदा अपने चुनाव क्षेत्र में ही पड़ा रहता था। उन्होंने अपने चुनाव क्षेत्र में पक्की सड़कें बनवायीं जिन पर दिन में ज़िला-विकास अधिकारी की और रात को पुलिस की जीप बराबर दौड़ती हैं। उनके चुनाव-क्षेत्र का कोई स्टेशन ऐसा नहीं बचा था जहाँ कि डाकगाड़ी न रुकती हो, चाहे चढ़ने वाला या उतरने वाला कोई यात्री हो या न हो। उन्होंने स्कूल खुलवाए जहाँ कि ब्लैक-बोर्ड हों या न हों, सुन्दर अध्यापिका सदा रहीं। इसी प्रकार उन्होंने जगह-जगह अस्पताल खुलवाये जिनमें डॉक्टर और दवाइयाँ भले ही न रही हों, प्राकृतिक चिकित्सा प्रदान करने वाली हसीन नर्सें दिन-रात जनता की सेवा करती थीं। वे चाहते थे कि प्रदेश का कोई भी भाग अविकसित न रहे और इसी कारण वे हर चुनाव के बाद अपना चुनाव-क्षेत्र बदलते रहते थे। ऐसा दूरदर्शी नेता अब हमें चित्रों के अतिरिक्त और कहाँ देखने को मिलेगा? इधर तो वे प्रत्येक नगर और क़स्बे में अपने हवाई जहाज़ के लिए हवाई-अड्डे बनवा रहे थे ताकि ग़रीब जनता हवाई जहाज़ को कम-से-कम पास से देख तो सके। क्रूर विधाता ने उनकी यह इच्छा पूरी नहीं होने दी।

हमारे इन नेता का दैनिक जीवन बेहद व्यस्त रहता था। वे न जाने कितने पुलों, बाँधों, फ़ैक्टरियों, पुस्तकों और नवयुवतियों का विमोचन या उद्घाटन करते रहते थे और आश्चर्य की बात तो यह है कि यह सब कुछ होते हुए भी वे सदा प्रत्येक से मिलने को तैयार रहते थे। उनका जीवन बेहद नियमित था, वे कभी दिन के नौ बजे से पहले उठते नहीं थे और रात के दो बजे से पहले सोते नहीं थे। इतनी कार्यतत्परता अब कहाँ देखने को मिलेगी? वे दिन भर पुरुषों की समस्याएँ सुलझाते थे और रात भर स्त्रियों की। यदि वे ब्रिटेन में पैदा हुए होते तो वहाँ वह जघन्य घटना न घटी होती जो आज अखवार के मुखपृष्ठ पर छपी है। उस पतित देश में एक पतित पति पिछले पचास वर्षों से जब भी बाहर जाता था, तभी अपनी कोमल पत्नी को कोयलों के गोदाम में बन्द करके जाता था। भगवान की कृपा है, यह समाचार उनके मरने के बाद छपा है, पहले नहीं। स्त्रियों के ऊपर वे कोई अत्याचार कभी सहन कर ही नहीं सकते थे। मैं उनके निकट सम्पर्क में रहा हूँ और इसी आधार पर मैं कह सकता हूँ कि किसी भी स्त्री को उनसे मुलाक़ात करने में कभी भी विलम्ब नहीं होता था। हाँ, यदि नारी सुन्दर होती थी तो मुलाक़ात के बाद कोठी के बाहर निकलने में उसे अवश्य देर लगती थी क्योंकि वे उस युवती-विशेष के सामने उठी हुई समस्याओं पर बहुत ध्यान देते थे, अपने उदात्त प्रश्नों का उत्तर प्राप्त करते थे और फिर पूरी गहराई में जाकर उसके दुख की अग्नि को यथाशक्ति शान्त करते थे। उनके जीते जी उनकी उस विशाल कोठी ने सदा कोठे का सुख प्रदान किया। सादा जीवन, सादे विचार।

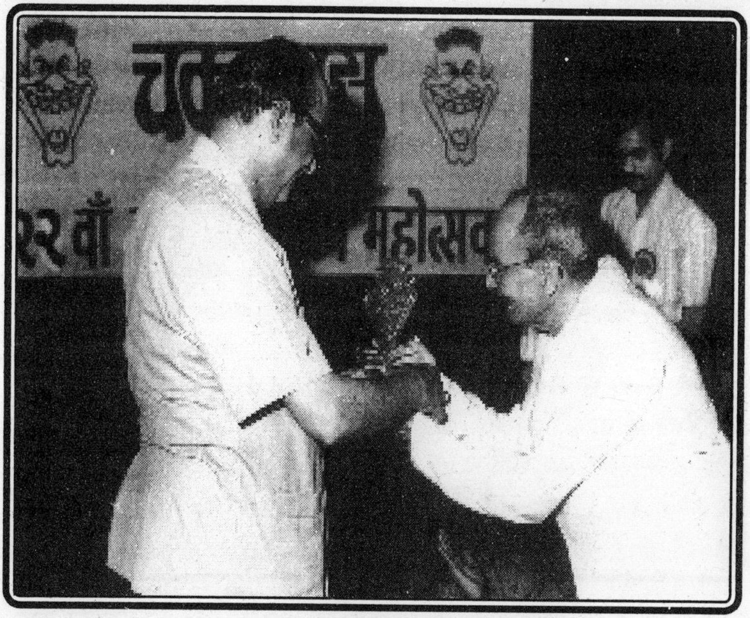

रवीन्द्रनाथ त्यागी – 1985, मुम्बई में पं॰ नरेन्द्र शर्मा से
'चकल्लस पुरस्कार' प्राप्त करते हुए।

रवीन्द्रनाथ त्यागी – 1988 में उज्जैन में आयोजित 'टेपा सम्मेलन' में डॉ॰ शिवमंगल सिंह 'सुमन' द्वारा सम्मानित होते हुए।

हमारे ये दिवंगत नेता धार्मिक व्यक्ति थे। वे एकादशी का व्रत रखते थे, सन्तोषी माता की पूजा करते थे और सत्यनारायण स्वामी की ठीक वही कथा सुनते थे जिसमें चन्द्रमा के समान सुन्दर कलावती नाम की कन्या की कथा भी कही जा चुकी है। वे तुलसी के बिरवे के नीचे प्रतिदिन दीपक जलाते थे, पूजा करते थे और दिन में अनेक बार अपना यज्ञोपवीत अवश्य धोते थे। वे एक योगी पुरुष थे; वे पत्रकारों को ज्ञानयोग से जीतते थे, हाईकमाण्ड के सामने भक्तियोग का प्रदर्शन करते थे, जनता को प्रेमयोग से जीतते थे, रात्रि को कर्मयोग का अभ्यास करते थे और दिन को विरोधी विधायकों को हठयोग से जीतते थे। वे नेता नहीं, सचमुच एक देवता थे।

हमारे इन दिवंगत नेता का सबसे बड़ा गुण यह था कि वे एकदम निडर व्यक्ति थे। देश की प्रगति के लिए वे साम्प्रदायिक दंगे करवाते थे, चुनाव को लाठी और बन्दूक के बल से जीतते थे और ज़रूरत पड़ने पर विरोधी प्रत्याशी की हत्या भी करवा देते थे। वे विधान सभा तक में हाथापाई के लिए हमेशा तैयार रहते थे। उनका हृदय भी विशाल था, शरीर भी विशाल था और उनका दिमाग़ भी स्थूल ही था और कई मंज़िलों वाला था। मगर भगवान साक्षी है, उन्होंने जो कुछ भी किया, वह अपने लिए कभी नहीं किया, वह सब देश के लिए ही किया, देश की जनता के लिए किया और गाँधी जी के सिद्धान्तों के लिए किया। उनका जीवन समझने में हमें देर लगेगी। और किसी हत्या के लिए तो किसी को भी ज़िम्मेदार ठहराना एकदम ग़लत है। जीवन और मृत्यु तो प्रभु के अधीन हैं। हानि-लाभ, जीवन-मरण, यश-अपयश विधि हाथ। और हत्या तो मात्र शरीर से सम्बन्ध रखती है; असली माल तो आत्मा है जो एकदम अजर और अमर है। नितान्त शारीरिक स्तर पर जीवित रहते हुए भी हमारे ये दिवंगत नेता अपने आध्यात्मिक स्तर को कभी नहीं भूलते थे। उन्होंने जब कभी भी किसी विरोधी के प्राण लिये, तभी-तभी उन्होंने तीर्थराज प्रयाग में स्नान किया, पाँच ब्राह्मणों को भोजन कराया और उन्हें अंगवस्त्र भी प्रदान किया। अपनी इसी आध्यात्मिक शक्ति के कारण वे अपने और पराये में कभी कोई अन्तर नहीं मानते थे। दूसरों की पत्नियाँ उनकी अपनी पत्नियाँ थीं और दूसरों का धन सदा उनका अपना धन था। दूसरों को अपने धन की कीचड़ से मुक्त करना सदा उनके जीवन का प्रथम लक्ष्य रहा। इस मूल सिद्धान्त को उन्होंने कभी नहीं छोड़ा। जनता ने चाहा या न चाहा, चुनाव उन्होंने सदा जीता।

हमारे ये स्वर्गयात्री नेता एक सच्चे मित्र थे। अपने मित्रों और निकट रिश्तेदारों को उन्होंने कभी नहीं छोड़ा। क्या बस, क्या पेट्रोल पम्प, क्या राशन की दुकान—इन सब के ठेके इन्होंने सदा इन्हीं लोगों को दिये। इन लोगों में से यदि कोई किसान था तो उसकी बिजली और पानी का बिल और लगान इन्होंने सदा माफ़ करवाया। जो क्षत्रिय थे वे पुलिस में लिए गये। जो वैश्य थे उन्हें बिक्रीकर और लाइसेंस की इल्लतों से बचाया गया। जो ब्राह्मण और शूद्र थे उन्हें क्रमशः मन्दिरों का पुजारी

व धार्मिक स्थलों का रक्षक नियुक्त किया गया। उन्होंने अपने तथाकथित अनैतिक बच्चों को भी डिप्टी-कलेक्टर से कम नहीं रहने दिया। उन्होंने वर्ण परम्परा, चारों आश्रम व सोलहों संस्कारों की समुचित रक्षा की। वे देश के नेता बन कर भी पुरानी परम्पराओं को नहीं भूले। शाहजहाँ के बाद वे देश के दूसरे सच्चे निर्माता थे। उन्होंने अपने शासनकाल में पता नहीं कितनी इमारतें बनवायीं और उनके निर्माण का ठेका भी उनके दामादों को ही मिला। कितने हर्ष की बात है कि ऐसी अधिकांश इमारतें उनके जीवन काल में ही ढह गयीं।

मैं उनका घनिष्ठ साथी रहने के कारण यह कह सकता हूँ और दावे के साथ कह सकता हूँ कि वे पशुओं से भी उतना ही प्यार करते थे जितना कि मनुष्यों से। वे आदमी में और शेष जानवरों में कोई अन्तर नहीं समझते थे और इसी कारण उनकी गाय और भैंसें तक उसी प्रकार वातानुकूलित वातावरण में रहती थीं जैसे कि उनकी रखैलें रहती थीं। कबाब वे सिर्फ़ शायराना तबीयत होने के कारण ग्रहण करते थे, वैसे नहीं। अगर कबाब की तुक शराब व शबाब से न मिलती तो वे उसे हर्गिज़ नहीं खाते। इन तीनों चीज़ों के सेवन करने से वे सबाब के बाकी और भी सारे काम बदस्तूर करते थे। ऐसे व्यक्तित्व का अभाव हमें कितना खलेगा—इस बात को समझने में हमें देर लगेगी। वे बड़े हँसमुख और हाज़िर-जवाब थे और इसी कारण खिज़ाब को भी पेशाब में मिलाकर लगाया करते थे।

हमारे ये देशनेता एक सच्चे त्यागी थे। उन्हें किसी से कोई मोह कभी नहीं रहा। उन्होंने पत्नियाँ छोड़ीं, पार्टियाँ छोड़ीं, चरित्र छोड़ा पर सिद्धान्त कभी नहीं छोड़े। उम्र बढ़ने पर उन्होंने देश को नयी पीढ़ी के लिए छोड़ दिया और स्वयं राज्यपाल रह कर भी सदा लेखपाल की भाँति सादगी से रहे और प्रसन्नता से रहे। वे भस्म व कुश्ते खाते रहे और राज्यपाली के साथ-साथ आम्रपाली का सेवन भी करते रहे। समय बदला पर उनका मापदण्ड कभी नहीं बदला।

आज देश का वह महान् नेता शहीद हो गया। भगतसिंह, चन्द्रशेखर आज़ाद, खुदीराम बोस व रामप्रसाद बिस्मिल ने जिस देश को आज़ाद कराने के लिए अपने प्राण दिये, उसी देश की सेवा करते-करते वे भी शहीद हो गये। प्रेसवाले ग़लत कहते हैं कि उनकी हत्या व्यक्तिगत कारणों से की गयी, सच्ची बात यही है कि वे आतंकवादियों की गोली का शिकार हुए। प्रेस तो उनका सारी उम्र दुश्मन रहा पर क्या कर पाया। उन पर भ्रष्टाचार, बलात्कार, रिश्वतखोरी और पता नहीं किस-किस अपराध के आरोप लगाये गये, मगर इतिहास साक्षी है कि क्या कोई भी जाँच आयोग उनके ख़िलाफ़ कुछ साबित कर पाया? क्या सारे जज ही भ्रष्ट और निकम्मे थे और क्या सारी अदालतें ही रिश्वतखोर थीं? हर्गिज़ नहीं। सच्ची बात तो यह है कि प्रेस का कोई भी भ्रष्ट संवाददाता उन जैसे देवता के विरुद्ध और कर ही क्या सकता था?

अन्त में मैं वही कहूँगा जो कि ऐसे पवित्र अवसरों पर प्रायः कहा जाता है।

यदि सारे समुद्रों की दवात बने, सारे पर्वतों की स्याही बने और यदि स्वयं कुमारी सरस्वती जी भी उनकी यशोगाथा लिखने बैठें तो वे भी शायद गर्भवती हो जायेंगी और उनकी कथा अपूर्ण रह जायेगी। सच्ची श्रद्धांजलि यही होगी कि नयी पीढ़ी उनके चरण-चिह्नों पर चले और उनका बाकी काम फल की इच्छा त्याग कर पूरा करे। इन महान् नेता को भी जब से मधुमेह हुआ था तब से फलों से सख़्त एतराज़ हो गया था। जयहिन्द कहने से पूर्व मैं इस बात के लिए नये मुख्यमन्त्री को धन्यवाद दूँगा कि इन नेता की विशाल समाधि बनाने का ठेका उन्होंने मुझे ही दिया हालाँकि मेरा टेण्डर सबसे महँगा था और इस महान् नेता के आलोचकों से यही कहूँगा कि वे कभी भी झूठ को सच नहीं बना सकते। उर्दू के एक शायर ने एक शेर अर्ज़ किया है जो मैं आपको सुनाता हूँ और अपनी वाणी को विश्राम देता हूँ :

हक़ीक़त छिप नहीं सकती कभी नक़ली उसूलों से
कि ख़ुशबू आ नहीं सकती कभी काग़ज़ के फूलों से

हर अगले महीने का भविष्यफल

प्रथम सप्ताह

इस सप्ताह आय होने की सम्भावना है। वेतन-भोगियों को वेतन व ओवर-टाइम का भुगतान मिलेगा। पुराने कर्ज़े मय सूद के काफ़ी हद तक अदा कर दिये जाएँगे। कुछ लोग दारू पिएँगे या सिनेमा जाएँगे। कुछ लोग ऐसे भी हो सकते हैं जो कि दोनों काम करेंगे। कोई-कोई सज्जन एक अदद जेबी किताब या कोई हसीन मुखपृष्ठ वाली पत्रिका भी ख़रीद सकते हैं। कवि लोग महाकाव्य लिखना शुरू करेंगे। मंगल को व्रत नहीं रखा जायेगा। दोस्तों की दावत होगी और पुराना ग्रामोफ़ोन फिर बजाया जायेगा। बैठक की सफ़ाई होगी और बिस्तरों की चादर व तकियों के गिलाफ बदले जाएँगे। रिश्वत नहीं लेनी पड़ेगी और विचार धार्मिक रहेंगे। चोरों से सावधान रहना पड़ेगा। दान देने की इच्छा होगी। बाज़ार जाने पर कुछ उदासी होगी पर इच्छा-शक्ति के बल पर उसे दबा दिया जायेगा। अपनी पत्नी फिर से सुन्दर लगेगी और जिन लोगों के पास किसी कारण अपनी पत्नी नहीं होगी, उन्हें दूसरों की पत्नी अच्छी लगने लगेगी। अतिथि नहीं आयेंगे। कुछ लोग बालों पर खिज़ाब लगायेंगे और कपड़ों पर इस्त्री करेंगे। पास के मकान में अकेले रहने वाली युवती के प्रति आकर्षण बढ़ेगा और उस स्थिति में नीचे लिखे शेर आपकी मदद करेंगे :

(एक)

कहने वाले न मालूम तुझे क्या कहते हैं
इक हमीं हैं जो तुझे जाने-वफ़ा कहते हैं

(दो)

चमन तुमसे इबारत है, बहारें तुम से ज़िन्दा हैं
तुम्हारे सामने फूलों से मुरझाया नहीं जाता

दूसरा सप्ताह

सप्ताह का प्रारम्भ ठीक रहेगा। परिवार व पड़ोस में शान्ति रहेगी। पत्नी मोज़े धोएगी, आपके पहने-पहने आपकी पतलून में बटन लगाएगी और सोलह शुक्रवारों के व्रतों की शृंखला फिर शुरू करेगी। पत्नी यदि नये डिजाइन की है तो वह हेयर-ड्रेसर के यहाँ जायेगी। पत्नी का सौन्दर्य कुछ कम लगेगा पर फिर भी पति-पत्नी एक ही साथ सोयेंगे। सिगरेट की क़ीमत, पेटीकोट के लिए ख़रीदा गया नया कपड़ा, बच्चों की फ़ीस व पिकनिक—इन मुद्दों को लेकर घर में शीत-युद्ध छिड़ेगा। पास वाली मिस डिसूज़ा इस शीतयुद्ध की अवधि में गर्मी प्रदान करेंगी और आपको अपनी प्रिय पत्नी के पिछड़ेपन की विस्तृत जानकारी देंगी। आपको पता लगेगा कि आपकी व मिस डिसूज़ा की परेशानियाँ आप दोनों आपस में हल कर सकते हैं। नैतिक विचार प्रकट करते-करते आप दोनों अनैतिक कर्मों को गुप्त रखने की दिशा में बढ़ेंगे। अख़बारों में छपा हँसी का कॉलम अच्छा लगेगा और यह भी सम्भव है कि उसे पढ़ते-पढ़ते आप हँस भी पड़ें। कविता की प्रगति घटेगी, कहानी का विकास होगा। कविता के साथ-साथ कुछ कवियों का भी ह्रास होगा जिसे देखकर आलोचकों को ख़ुशी होगी। अतिथि आयेगा और सामान चोरी करके चला जायेगा। आप नीचे लिखे दो शेरों का मर्म समझेंगे :

(एक)

जो मेरे ज़िस्म की चादर बना रहा बरसों
न जाने क्यूँ वो मुझे बेलिबास छोड़ गया

(दो)

अब खिजाँ आयी तो किस लब से करेंगे शिकवा
हम से ख़ुद अपनी बहारों को सँभाला न गया

तीसरा सप्ताह

आपको इस बात का बेहद अफ़सोस होगा कि अतिथि द्वारा की गयी चोरी की आपने पुलिस में रिपोर्ट क्यों नहीं लिखवायी और यदि लिखवायी तो क्यों लिखवायी। इस बात का भी बेहद अफ़सोस होगा कि अतिथि आपके कपड़ों व नकदी के स्थान पर आपकी पत्नी को क्यों नहीं ले गया। इस सप्ताह पत्नी की सुन्दरता और घटेगी और मिस डिसूज़ा और भी ज़्यादा शोख़ व हसीन लगेंगी। आप उनके लिए अड़तीस नम्बर की 'ब्रा' ख़रीदेंगे जो उन्हें शायद छोटी पड़ेगी और जिसे देखकर मिस डिसूज़ा

को अपनी अम्माँ की याद आयेगी। भगवान उन्हें वैसी ही शान्ति दे जैसी कि मिस डिसूज़ा इस सप्ताह आपको देगी। पानी और बिजली के बिल को लेकर गृहयुद्ध होगा जिसमें बच्चे भी बराबर भाग लेंगे। साइकिल का पंचर ठीक कराया जायेगा या स्कूटर के पहियों की हवा चेक करवायी जायेगी। क्राकरी टूट सकती है और आपको पानवाले की यह सलाह भी पसन्द आ सकती है कि बीड़ी जो होती है वह सिगरेट से कम हानिदायक होती है। हत्या करने की इच्छा प्रबल होगी और इसी कारण पति-पत्नी का अलग ही अलग सोना ठीक रहेगा। आपकी पत्नी आपको ट्यूशन ढूँढ़ने की सलाह देगी और उसके जवाब में आप पत्नी को उसके मैके चले जाने की सलाह देंगे। मगर आपकी पत्नी वैसा नहीं करेगी क्योंकि वह इस हफ़्ते मिस डिसूज़ा की वही चोली फाड़ेगी जो पिछले हफ़्ते आप लाये थे। कच्चा माल इफ़रायत के साथ नज़र आयेगा। आप अख़बारों में राशिफल देखना शुरू कर देंगे और एक झूठा मेडिकल क्लेम भी दफ़्तर में सबमिट करेंगे। बड़ा बाबू क्लेम देखेगा और मुस्कुराएगा। आप मिस डिसूज़ा की सिफ़ारिश से छोटे साहब के साथ दौरे पर जाना चाहेंगे पर यह होगा नहीं क्योंकि इसी बीच बड़े साहब ख़ुद ही मिस डिसूज़ा के साथ दौरे पर निकल जाएँगे। वह बड़े साहब की स्टेनोग्राफ़र जो ठहरी। साहित्य में कविता और कहानी पीछे छूट जायेगी और नाटक आगे बढ़ेगा। आप ज़र्दे का पान खाएँगे और किशन चन्दंर पहलवान की वह बहरे-तहवील गाना चाहेंगे जो उसने अपने मशहूर ड्रामे 'गुलबदन उर्फ़ मुहब्बत का फूल' में अपनी फ़ोटो के नीचे छपवायी है। आप मकान बदलने की सोचेंगे मगर आपको वे मकान पसन्द नहीं आयेंगे। मकान की जगह आपको वे दो शेर कहीं ज़्यादा पसन्द आयेंगे जो नीचे लिखे जाते हैं :

(एक)

मौसम के बदलने का कुछ अन्दाज़ तो होता
जब घर ही बनवाया था तो दरवाज़ा तो होता

(दो)

ज़िन्दगी तूने मुझे क़ब्र से कम दी है ज़मीन
पाँव फैलाऊँ तो दीवार से सर लगता है

चौथा सप्ताह

प्रारम्भ में यह सप्ताह कुछ बुरे योग देने वाला है पर अगले सप्ताह की उम्मीद में यह सब ठीक हो जायेगा। आपको वे दोस्त याद आयेंगे जो आपको मुफ़्त में चाय और सिगरेट पिला सकते हैं। घर की रद्दी और बेकार का सामान बेचा जायेगा।

साहित्य में स्थिति यह हो जायेगी कि महाकाव्य लिखने वाले कवि हाइकू लिखेंगे और प्रकाशक से अपने काव्य-ग्रन्थ के स्थान पर कुंजी प्रकाशित करने को कहेंगे। रिश्वत लेनी शुरू हो जायेगी। मंगल व शनि का व्रत भी शुरू हो जायेगा। बच्चों और बीवी से नफ़रत हो जायेगी। हत्या के स्थान पर आत्महत्या की ओर रुचि बढ़ेगी पर प्राण जाने के डर से आप वैसा करेंगे नहीं। मिस डिसूज़ा और आपकी पत्नी के सम्बन्ध फिर से मधुर-हो जाएँगे। रात को पति और पत्नी—दोनों में से कोई नहीं सोएगा। जवान लड़की घर छोड़ सकती है। साहित्य में आलोचना का विकास होगा। छुट्टी के दिन दफ़्तर बन्द होगा और मिस डिसूज़ा खुलेंगी और आपको कुछ ऋण भी देंगी। आपको अपनी पत्नी भूतनाथ का स्त्रीलिंग लगेगी और मिस डिसूज़ा जो आपको सदा 'चन्द्रकान्ता' लगती थीं—अब 'चन्द्रकान्ता-सन्तति' लगेंगी। आपके आत्मसंयम का तिलस्म टूटने लगेगा और आप 'हनुमान चालीसा' का पाठ करने लगेंगे। फालतू वक़्त ज्योतिष, देसी दवाइयाँ और शास्त्रीय संगीत को दिया जायेगा। आप महाजन के पास जाना चाहेंगे और वहाँ से आपको घर लौटने की इच्छा नहीं होगी। इस स्थिति में आपको हर बार की तरह दो शेर नहीं वरन् तीन शेरों की ज़रूरत पड़ेगी जो नीचे दिये जाते हैं :

(एक)

तेरे दर पे गुज़र औकात की है बात कुछ और
वरना हम ख़ाकनशीनों के ठिकाने हैं बहुत

(दो)

मेरे टूटे हुए पाये-तलब का मुझ पे एहसाँ है
तुम्हारे दर से उठकर अब कहीं जाया नहीं जाता

(तीन)

मुझको क्या जल्दी पड़ी है अपने घर को जाने की
जिसमें न जीने की इजाज़त है और न मर जाने की

अंजामे-गुलिस्ताँ क्या होगा?

मुझे आपको यह सूचना देते हुए हर्ष होता है कि हिन्दी के महान् लेखक अज्ञेय जी कभी-कभी सच भी बोल दिया करते थे। शीराज़ा (हिन्दी) ने जब आलोचना पर अपना विशेषांक प्रकाशित किया तो उसमें एक लेख अज्ञेय जी का भी था जिसका शीर्षक था—'हिन्दी में आलोचना है ही कहाँ?' अच्छे आलोचकों के न होने के कारण अज्ञेय जी कभी-कभी ऐसे काम सम्पन्न किया करते थे जो कि काफ़ी दिलचस्प होते थे। एक बार उन्होंने एक पुस्तक अँग्रेज़ी में छापी। सम्पादक का नाम था स.ही. वात्स्यायन। उस पुस्तक के भीतर अज्ञेय नामक हिन्दी के एक कवि की बड़ी प्रशंसा की गयी थी और उसे महान् घोषित किया गया था। अँग्रेज़ी के विदेशी पाठकों को भला यह पता कैसे लग सकता था कि 'वात्स्यायन' व 'अज्ञेय' एक ही आदमी को कहते हैं?

अभी-अभी जर्मनी के एक विद्वान् ने बताया है कि रवीन्द्रनाथ ठाकुर जर्मनी तीन बार गये थे और नाजीवाद के समय के दस्तावेज़ों में बताया गया है कि वे एक यहूदी थे जिनका वास्तविक नाम 'रब्बी नाथान्' था। रवीन्द्रनाथ ठाकुर शरतबाबू से बहुत स्नेह करते थे मगर उन्होंने कई लोगों के कहने पर भी शरत्चन्द्र का नाम नोबिल प्राइज़ के लिए आगे नहीं भेजा था।

हिन्दी में तो यह एक आम बात है कि यदि किसी साहित्यकार की कृतियों में कोई त्रुटि दृष्टिगोचर न हो तो उसके व्यक्तिगत जीवन को पकड़ लो। बाबू श्यामसुन्दरदास के कृतित्व की शास्त्रीय विवेचना करते हुए एक विद्वान् ने लिखा है कि "राजापुर के एक दरिद्र ब्राह्मण के घर गोस्वामी तुलसीदास के हाथ की लिखी सुन्दरकाण्ड की एक प्रति थी। बाबू जी ने कुछ द्रव्य देकर उक्त प्रति को लेना चाहा पर यह प्रस्ताव उस ब्राह्मण ने स्वीकार नहीं किया। उसने बाबू जी को उस हस्तलिखित प्रतिलिपि की नक़ल भी करने की अनुमति नहीं दी। बाबू जी निराश तो हुए पर उन्होंने अपना अध्यवसाय जारी रखा। संयोग से ज़िले के कलेक्टर एक हिन्दी-प्रेमी सिविलियन थे। बाबू जी ने उनकी सहायता माँगी पर ब्राह्मण देवता टस से मस न हुए। अन्त में चलकर परिणाम यह रहा कि उस ब्राह्मण के घर एक रात चोरी हो गयी और सुन्दरकाण्ड की वह प्रति बाबू श्यामसुन्दर दास के पास पहुँचा दी

गयी।" निराला जी ने लिखा है कि "रवीन्द्रनाथ ठाकुर ने बँगला के वैष्णव कवियों से इतना लिया है कि कुछ ठिकाना नहीं परन्तु ब्याज में उन्होंने उन्हें एक कौड़ी भी नहीं दी।" जब सुमित्रानन्दन पन्त की अमर कृति 'पल्लव' छपी तो निराला जी ने कहा कि "पन्तजी चौर्य कला में बहुत निपुण हैं। वे एक पंक्ति कहीं से लेते हैं, दूसरी कहीं और से और यह क्रम इस तरह चलता है कि सचाई पकड़ने में समालोचक को बड़ी दिक्कत होती है।" बाद में चलकर उपेन्द्रनाथ 'अश्क' ने एक स्थान पर लिखा कि "तुक मिलाने के लिए सही शब्द ढूँढ़ने के सन्दर्भ में पन्तजी कोश की सहायता लिया करते थे।"

पिछले दिनों मैं सेठ गोविन्ददास के नाटकों का एक संग्रह पढ़ रहा था। पुस्तक में सेठजी का जीवन-वृत्त भी छपा था। अपने एक मित्र को सेठजी ने लिखा था कि "मैंने सारी पैतृक सम्पत्ति का त्याग कर दिया है। फ़िलहाल मैं एक देवालय में रह रहा हूँ। मेरे पूर्वज कभी लोटा-डोर लेकर राजस्थान से आये थे। समय आ गया है कि हम अपनी परित्यक्ता भूमि की गोद में फिर लौट जाएँ। हमारे भरण-पोषण के लिए पचास-साठ रुपये प्रति माह काफ़ी होंगे। आशा है, आप सब मित्रों के सहयोग से इतनी तो व्यवस्था हो ही जायेगी।" बाद में पुस्तक के सम्पादक को पता लगा कि वह सब तो मात्र एक 'नाटक' था। जब सत्याग्रह का भय समाप्त हो गया और अँग्रेज़ी सरकार की प्रतिहिंसा-वृत्ति शान्त हो गयी तो सेठजी अपने पैतृक महल में फिर लौट आये। सारा ड्रामा इस डर से किया गया था कि सरकार कहीं सारी सम्पत्ति को ज़ब्त न कर ले। यह पढ़ने पर मेरी गर्दन सेठजी के चित्र के सामने श्रद्धा से झुक गयी। वे नाटककार भले ही कैसे रहे हों, अभिनय-कला में वे अत्यन्त निपुण थे।

मैं दूरदर्शन बहुत कम देखता हूँ। हाँ, चित्रहार या चित्रमाला अवश्य देखता हूँ; उन्हें मैं कभी नहीं छोड़ता। चित्रमाला में प्रादेशिक भाषाओं की फ़िल्मों के गीत दिखाये जाते हैं। मैं उन भाषाओं को नहीं जानता पर यदि अभिनेत्री सुन्दर है और गीत की धुन मधुर है तो भाषा न जानने से कोई अन्तर नहीं पड़ता। स्त्री और पुरुष के बीच जो सनातन सम्बन्ध हैं उन पर एक-दूसरे की भाषा न जानने से कोई फ़र्क़ नहीं पड़ता है—कुछ अतिरिक्त सुविधा हो जाती हो, वह एक दीगर बात है। बहरहाल एक दिन यूँ ही दूरदर्शन खोला तो देखा कि श्रीलाल शुक्ल इण्टरव्यू दे रहे हैं। उन्होंने अपनी कला पर प्रकाश डालने के बाद कहा कि परसाईजी को (और उन्हें ख़ुद को) छोड़कर जो बाकी व्यंग्यकार हैं वे मात्र 'चिकोटी' काटना ही जानते हैं। मुझे बड़ा दुख हुआ कि उन्होंने शेष व्यंग्यकारों की चर्चा इस प्रकार की। मुझे अपना प्रशंसात्मक उल्लेख न होने पर उतना कष्ट नहीं हुआ (वैसे असलियत यही है कि दुख मुझे इसी बात पर हुआ था) जितना कि शरद जोशी का वैसा उल्लेख न होने पर। मैं जानता हूँ कि शरद जोशी परसाईजी व श्रीलाल शुक्ल की भाँति साहित्य अकादेमी का 'सर्वोच्च सम्मान' नहीं पा सके (ये पुरस्कार कैसे मिलते हैं, यह आप

सब लोग जानते हैं) पर हास्य और व्यंग्य की दिशा में शरद जोशी की प्रतिभा और उपलब्धि शुक्लजी से कहीं ज़्यादा थी। मेरे विचार में परसाईजी की चर्चा भी श्रीलाल शुक्ल ने मात्र इस कारण की क्योंकि एक तो उन्हें भी वही अकादमी अवार्ड मिल चुका है जिसके मिलने के बाद श्रीलाल शुक्ल बाकी सब को मात्र विदूषक समझते हैं और दूसरी बात यह है कि श्रीलाल यदि परसाईजी की चर्चा भी न करते तो लोगों को उनकी नीयत पर शक होता। वैसे जहाँ तक मेरी कल्पना काम करती है, श्रीलाल भाई परसाईजी को भी अपने से नीचा ही समझते होंगे। उर्दू के एक बड़े शायर से एक कुछ कम बड़े शायर ने एक बार पूछा था कि उर्दू में आपके विचार में कितने शायर हैं? उस्ताद बोले कि "डेढ़; एक मैं और आधे तुम।" कम बड़े शायर ने जब यह स्थिति स्वीकार कर ली तो बड़े शायर ने कहा कि "और अमां, तुम भी क्या! शायर तो फ़िलहाल एक ही है और वह मैं हूँ।" मुझे पूरा विश्वास है कि शरद जोशी को जो दिल का दौरा पहले पड़ा था, वह ज़रूर श्रीलालजी की सरस्वती सुनकर ही पड़ा था। मुझे कोई विशेष दुख नहीं हुआ क्योंकि मैं हल्के-फुल्के गद्य के साथ-साथ सीरियस कविता भी लिखता हूँ और मेरी स्ट्रेटैजी हमेशा यह रहती है कि जब कोई मेरी कविता की आलोचना करता है तो मैं कहता हूँ कि वत्स, मेरा प्रथम क्षेत्र तो व्यंग्य है और जब कोई दानिशमन्द मेरी व्यंग्य-रचनाओं की त्रुटियाँ गिनाता है तो मैं बड़े ही तटस्थ भाव से कहता हूँ कि तात, यह न भूलिए कि मूलतः मैं एक कवि ही हूँ और कुछ नहीं। मैं हर हालत में उसी मुद्रा में रहता हूँ जिसमें कि इंग्लैण्ड के सम्राट् व कभी हमारे राष्ट्रपति भी रहा करते थे। यदि राजपत्र में किसी की मृत्यु की सूचना भी छपती थी तो इस प्रकार छपती थी कि "राष्ट्रपति को यह सूचना देते हुए हर्ष होता है कि वायु सेना के सेनाध्यक्ष एयर मार्शल सुब्रोतो मुकर्जी का पाँच सितम्बर को देहान्त हो गया।" राष्ट्रपति ने एक दिन 'राजपत्र' का जब हिन्दी-संस्करण देखा तो उसे भविष्य के लिए सुधारा। इंग्लैण्ड में अभी भी वही प्रथा जारी है। जिस दिन ड्यूक आफ़ एडिनबरा की मृत्यु होगी, उस दिन भी राजपत्र में यही छपेगा कि "दी क्वीन आफ़ इंग्लैण्ड इज़ प्लीज्ड टु स्टेट दैट ड्यूक आफ़ एडिनबरा इज़ नो मोर एण्ड देयर विल बी ए स्टेट-मोर्निंग फ़ार थ्री डेज़।" और श्रीलाल भाई का दिमाग़ रघुवीर सहाय जैसे उन लोगों ने बिगाड़ा है जो निहायत ग़ैरज़िम्मेदार थे। श्रीलालजी के एक व्यंग्य-संग्रह की भूमिका में वे लिखते हैं कि "श्रीलाल शुक्ल रवीन्द्रनाथ त्यागी व शरद जोशी से तो एकदम भिन्न हैं जिन्होंने कुछ चुनी हुई चीज़ों पर हँसने-हँसाने की दक्षता अर्जित की है। वे प्रेमचन्द और अज्ञेय के निकट हैं।" यह व्यंग्य-संग्रह वह है जिसमें श्रीलाल शुक्ल ने उस युवती का विशद वर्णन किया है "जिसका इतिहास उनका जाना हुआ था और जिसका भूगोल उनका देखा हुआ था।" रघुवीर सहाय ने एक बार कहा था कि 'अकविता' एक राजनीतिक आन्दोलन है जबकि असलियत यह थी कि 'अकविता' नामक वह पत्रिका डॉ. श्याम परमार,

जगदीश चतुर्वेदी व ख़ाकसार ने अपने पैसे और साहित्यकारों द्वारा दिये गये चन्दे से खुद निकाली थी और उसके राजनीतिक होने का तो कोई प्रश्न ही नहीं उठता था। और प्रेमचन्द–जिनके सारे पात्र सज्जन हैं–का मुक़ाबला क्या श्रीलाल कर सकते हैं जिनके 'राग दरबारी' का एक भी पात्र किसी भी दृष्टि से पवित्र नहीं है? एक लँगड़ है और वह अपनी ईमानदारी के कारण बुरी तरह बरबाद हो जाता है। मगर सोचे-समझे बग़ैर फ़तवा देने वाले रघुवीर सहाय-जैसे ग़ैरज़िम्मेदार आदमी के साथ आप कर ही क्या सकते हैं? कभी-कभी मैं सोचता हूँ कि श्रीलाल जैसे भद्र पुरुष ऐसे धूर्त और पतित चरित्रों की सृष्टि कैसे कर पाये?

इधर मेरा एक मोहभंग और हुआ। मैं सोचता था कि हरिशंकर परसाई अपनी प्रतिभा, सात्त्विकता, संवेदनशीलता और अपनी जन्मजात विनोदवृत्ति के कारण आगे आये हैं। मगर मैं ग़लत था। उनका सारा बड़प्पन तो मात्र इस कारण था कि डॉ. नामवर सिंह ने उनका सही मूल्यांकन किया। अपने एक इण्टरव्यू में डॉक्टर साहब फ़रमाते हैं कि "परसाई के महत्त्व को पहली बार मैंने ही खुले रूप में स्वीकार किया वरना लोग उनको हास्य-लेखक व व्यंग्य-लेखक के ही रूप में जानते थे। स्वाधीन भारत की सच्ची प्रखर आलोचनात्मक चेतना का मुख्य स्वर मैंने ही परसाईजी को कहा था.. ।" लीजिए, परसाईजी भी गये। डॉ. नामवर सिंह बचते हैं, जो चाहो वह कर लो।

मैं यह बात तो सदा से जानता था कि मनुष्य एक मरणशील प्राणी होता है मगर मैंने यह बात कभी नहीं सोची थी कि मैं खुद भी कभी मरूँगा। शरद जोशी की मृत्यु के बाद मैंने पहली बार सोचा कि अरे, मैं भी तो साठ से ऊपर हूँ, पता नहीं किस दिन महाप्रयाण का शुभ निमन्त्रण आ जाए। अँग्रेज़ी के एक बहुत प्रख्यात लेखक ने ग़लत आलोचना के कारण आत्महत्या कर ली थी। भवभूति तक सही प्रशंसा न मिलने के कारण व्यथित रहते थे और निराला महाप्राण होने के बावजूद ऐसी ही दर्द भरी स्थिति स्वीकार करते थे : 'ठाठ जीवन का वही जो ढह गया है, मैं अलक्षित हूँ यही कवि कह गया है।' विमल मित्र ने अपनी अन्तिम इच्छा प्रकट करते हुए कहा था कि भगवान मुझे अगले जन्म में हिन्दी लेखक बनाये। मरने के बाद मध्यप्रदेश के भारत-भवन में शरद जोशी की मृत्यु को लेकर एक बढ़िया शोकोत्सव आयोजित किया गया जबकि जीते-जीते वही शरद जोशी उसी भारत-भवन के गलियारे तक में नहीं घुस सकता था। सारी स्थिति देखकर मेरी हालत तो ठीक वही हो गयी जो कभी उर्दू के एक महान् कवि ने वर्णित की थी। 'शाम से ही बुझा-सा रहता है, दिल हुआ है चिराग़ मुफ़लिस का...'

इस रचना के लिखने से दिल हल्का हो गया। राष्ट्रकवि मैथिलीशरण गुप्त ठीक ही कहा करते थे कि निन्दा से बड़ा और कोई रस नहीं है। हिन्दी में समर्थ व तटस्थ आलोचना न होने से जो नुक़सान हिन्दी का हो रहा है वह बताया नहीं जा सकता। क्या आप समझते हैं कि ठाकुरप्रसाद सिंह, शरद जोशी, विनोदचन्द्र पाण्डेय (जिनके

लगभग पन्द्रह काव्य-ग्रन्थ बड़े-बड़े प्रकाशकों से निकल चुके हैं और जिन्हें मैं अपने से भी बड़ा कवि स्वीकार करता हूँ), विद्यानिवास मिश्र, कुबेरनाथ राय, शेखर जोशी और किसी सीमा तक उपेन्द्रनाथ अश्क भी सचमुच साहित्य अकादेमी का अवार्ड मिलने के लायक नहीं हैं? क्या अमरकान्त, शैलेश मटियानी, लतीफ़ घोंघी, हृदयेश और ज्ञान चतुर्वेदी को सही मान्यता मिली है? क्या बच्चन, नागार्जुन व जैनेन्द्रकुमार सचमुच ज्ञानपीठ अवार्ड के लिए उपयुक्त नहीं थे? मगर यह सब तभी सम्भव हो सकता था जबकि हिन्दी में समर्थ व तटस्थ आलोचक हों, वैसे नहीं। फ़िलहाल आलोचक के नाम पर जो लोग काम कर रहे हैं वे कला को परखना नहीं जानते, वे गुटबाज़ हैं, राजनीतिक पार्टियों से प्रतिबद्ध हैं और ख़ुशामद-पसन्द। आप कितना भी बढ़िया लिखें, सम्मान उन्हीं तीसरे दर्जे के लेखकों को मिलेगा जो सम्पादकों, प्रकाशकों व इन तथाकथित आलोचकों को न जाने कैसे-कैसे अपनी जेब में रखते हैं, अश्लील व जनप्रिय लेखन के बावजूद चिन्तक कहाते हैं और बड़े लोगों से दोस्ती रखने के कारण विदेश जाते हैं। बस एक शायर का कलाम आपकी ख़िदमत में पेश करता हूँ और हीन भावना से ग्रस्त यह बकवास बन्द करता हूँ। कवि कहता है :

एक ही उल्लू काफ़ी था, बर्बाद गुलिस्ताँ करने को
हर शाख पे उल्लू बैठा है, अंजामे-गुलिस्ताँ क्या होगा?

कुछ और सरकारी संस्मरण

(एक)

महावीर त्यागी वित्त-मन्त्रालय में राज्य-मन्त्री रहने के बाद रक्षा-मन्त्रालय में राज्य-मन्त्री बने। उनका चुनाव-क्षेत्र देहरादून था जिसके विकास के लिए उन्होंने बहुत कुछ किया। एक बार ऐसा हुआ कि शायद पानी की कमी के कारण वहाँ के एक क्षेत्र के निवासियों ने छावनी की लाइन में कुछ गड़बड़ी करके काफ़ी पानी मिलिट्री से ले लिया। छावनी के अधिकारियों ने उस क्षेत्र के निवासियों से पानी का दाम देने को कहा और इस बात को लेकर नगर के कुछ प्रमुख नागरिक त्यागीजी से दिल्ली जाकर मिले। त्यागीजी ने उनसे वादा कर लिया कि वे लोग चिन्ता न करें और पानी का दाम उनसे नहीं लिया जायेगा। इसके बाद उन्होंने एक नोट तैयार करवाया और अपने दस्तख़त करके उसे वित्त-मन्त्रालय भेजा। वित्त-मन्त्रालय में सम्बन्धित संयुक्त सचिव थे ठाकुर बटुकसिंह। वे ज़िला जौनपुर के निवासी थे और उनके पुरखों ने सन् अठारह सौ सत्तावन की क्रान्ति में बाबू कुँवरसिंह की सहायता की थी जिसके कारण उनके पुरखों में से अनेक को ईस्ट इण्डिया कम्पनी ने फाँसी दे दी थी। भारत सरकार द्वारा प्रकाशित 'अठारह सौ सत्तावन' नामक प्रख्यात पुस्तक की भूमिका में पुस्तक के लेखक सुरेन्द्रनाथ सेन ने ठाकुर साहब द्वारा दी गयी सामग्री की चर्चा उनका नाम लेकर की है। वे मेरी ही सर्विस के थे (इन सर्विसों को अँग्रेज़ी राज में 'इम्पीरियल सर्विसेज़' कहा जाता था) और इतने सीनियर थे कि कई आई.सी.एस. अधिकारी उनके नीचे काम करते थे। उन्होंने त्यागीजी का नोट पढ़ा और यह देखते हुए कि पानी की रक़म ज़्यादा नहीं है और मन्त्री जी उसके माफ़ करने का वचन दे चुके हैं, उन्होंने उनका प्रस्ताव मान लिया और नोट पर लिखा कि "सारी परिस्थितियों को देखते हुए यह नुक़सान सरकार वहन कर लेगी।" त्यागीजी ने नोट पढ़ा और ठाकुर साहब से फ़ोन पर कहा कि "ठाकुर साहब, मैं यह नहीं चाहता था कि यह हानि भारत सरकार वहन करे; मैंने तो यही लिखा था कि यह नुक़सान 'राइट-आफ' कर दिया जाए।" ठाकुर साहब ने स्थिति समझायी कि "रक़म को बट्टे-खाते में डालने

का अर्थ यही होता है कि हानि सरकार बर्दाश्त करे; आख़िरकार सरकार के हिसाब में यह रक़म किसी न किसी तरह तो आनी ही है।" उनकी बात सुनकर त्यागीजी सचमुच दुखी हुए क्योंकि एक बेहद ईमानदार व्यक्ति होने के नाते वे सरकार को हानि देना हर्गिज़ नहीं चाहते थे।

मेरी पत्नी के दादा चौधरी भोपालसिंह सात गाँवों के ज़मींदार थे और फ़ारसी के पण्डित थे। महावीर त्यागी उनके भतीजे लगते थे। वे बेहद स्पष्ट-वक्ता थे और इस बात का कभी कोई ध्यान नहीं रखते थे कि वे जो कुछ कह रहे हैं, उससे दूसरे व्यक्ति की भावनाओं पर कोई चोट तो नहीं लग रही। एक बार वे दिल्ली आये तो त्यागीजी से मिलने उनकी कोठी पर गये। त्यागीजी ने बातों-बातों में उनसे पूछा कि "देश की सरकार के बारे में आपका क्या विचार है?" चौ. भोपालसिंह ने छूटते ही कहा कि "जिस सरकार में तुम और हाफ़िज़ जैसे वज़ीर हों, उसके बारे में कहने को रह ही क्या जाता है?" त्यागीजी ने टिप्पणी सुनी और हँस पड़े। (हाफ़िज़ मुहम्मद इब्राहीम एक बेहद शरीफ़ और ईमानदार व्यक्ति थे। वे पहले पन्तजी के मन्त्रिमण्डल में उत्तर प्रदेश के मन्त्री रहे और बाद में केन्द्रीय सरकार के मन्त्री व पंजाब के गवर्नर रहे। आज़ादी मिलने से पहले वे वकालत करते थे और मेरी पत्नी के दादा जी ने काफ़ी मुकद्दमे उनकी पैरवी के कारण ही हारे थे। उनके वकील सदा हाफ़िज़ जी ही रहे।)

त्यागीजी से कभी-कभी मेरी बातचीत भी होती रहती थी। एक बार 'त्यागी' जाति की उत्पत्ति के बारे में चर्चा चली। त्यागीजी ने बतलाया कि हम सब लोग ब्राह्मण हैं मगर किसी राजा द्वारा जागीर प्रदान किये जाने पर हम लोग खेती करने लगे और दान लेना छोड़ दिया। दान के 'त्याग' के कारण ही हम लोग 'त्यागी' कहलाये। मेरी पत्नी के मामा श्री विश्वेश्वरदयाल अपने नाम के साथ 'दान त्यागी' ही लिखा करते थे। वे 'आई.ए. एण्ड ए.एस.' के सदस्य थे जिसका पूरा फ़ार्म है 'इण्डियन आडिट एण्ड एकाउण्ट्स सर्विस'। आज़ादी के पूर्व दक्षिण भारत के लोग सरकारी नौकरियों में ज़्यादा आते थे और इसी कारण कुछ मज़ाक़-पसन्द लोग इस सर्विस को 'इण्डियन ऐयर एण्ड ऐयंगर सर्विस' भी कहकर पुकारा करते थे। बाद में चलकर मैंने 'भारतीय जाति-कोश' में त्यागी जाति का सन्दर्भ ढूँढ़ा और पता लगा कि यह शब्द 'तगा' शब्द से बना है। ये लोग तुर्क थे और केन्द्रीय एशिया से बाद में उत्तरी भारत में आकर बस गये थे। बंगाल में जो लोग 'तेगोर' कहलाते हैं वे भी इसी जाति के हैं। बाद में चलकर एक और महामति ने मुझे सूचना दी कि सारे 'त्यागी' लोग एक वेश्या की सन्तान हैं जिन्हें राज्य बाँटते समय एक राजा ने 'त्याग' दिया था। हालाँकि पं. पद्मसिंह शर्मा की भाँति मेरे पिताजी भी अपने को पं. मुरारिदत्त शर्मा ही लिखा करते थे पर पता नहीं क्यों, मैं व्यक्तिगत रूप से इस वेश्या वाली 'थ्योरी' में ही विश्वास रखता हूँ, बाकी में नहीं। वैसे ग्रामीण इलाकों में 'तगा' शब्द अभी भी ख़ूब प्रचलित है।

(दो)

बात शायद सन् उन्नीस सौ पैंसठ की है। मुरारजी देसाई देश के वित्त-मन्त्री थे। उन्हीं दिनों वित्त-मन्त्रालय में एक अधिकारी थे जिनका नाम था टी.वी. बालाकृष्णन्। बे एक बेहद शिष्ट, निष्पक्ष, ईमानदार व निर्भीक व्यक्ति थे और उन दिनों 'फ़ॉरेन-एक्सचेंज' देने वाली शाखा में नियुक्त थे। कोई अर्ज़ी आयी और मन्त्रालय ने निश्चित नियमों के अनुसार विदेशी मुद्रा 'एलाट' कर दी। अर्ज़ी देने वाले सज्जन सन्तुष्ट नहीं हुए और उन्होंने फ़ोन पर भी बालाकृष्णन् से मुलाक़ात का समय माँगा जो उन्हें दे दिया गया। वे आये पर उनकी दलीलों से बालाकृष्णन् पर कोई प्रभाव नहीं पड़ा और वे निराश होकर लौट गये। इसके ठीक अगले दिन बालाकृष्णन् साहिब के पास वित्त-मन्त्री के निजी सचिव का फ़ोन आया और उनसे बताया गया कि वित्त-मन्त्री उनसे शाम को पाँच बजे मिलना चाहते हैं। उन्हें यह भी बताया गया कि बातचीत उन सज्जन के बारे में होनी है जो उनसे एक दिन पूर्व मिले थे और जिन्हें विदेशी मुद्रा माँगी हुई रक़म से कम दी गयी थी।

टी.वी. बालाकृष्णन् ने फ़ाइल सँभाली और निश्चित समय पर वित्त-मन्त्री से मिलने उनके कक्ष में पहुँचे। देसाई साहब समय के बड़े पाबन्द थे और सारे अधिकारियों से बेहद शिष्टता का व्यवहार करते थे। उन्होंने सारा विवरण पूछा और फिर शान्त स्वर में बालाकृष्णन् साहिब को बताया कि "वे सज्जन मेरे पुत्र के श्वसुर हैं और मैं चाहता हूँ कि भविष्य में भी आप उन्हें नियम के अनुसार ही मुद्रा देंगे और उन्हें मुलाक़ात का अवसर भी कभी नहीं देंगे।" बालाकृष्णन् साहिब ने काग़ज़ उठाये, धन्यवाद दिया और अपने कक्ष में वापिस आ गये। यह बात उन दिनों से काफ़ी पहले की है जब कुछ निहित स्वार्थी तत्त्व श्री देसाई के बारे में ग़लत सूचनाएँ फैलाने लगे थे। बहुत कम लोगों को पता है कि श्री देसाई जैसा ईमानदार मन्त्री होना कितना कठिन है। श्री देसाई प्रधानमन्त्री भी रहे पर श्री गुलजारीलाल नन्दा व श्री शास्त्री की भाँति उनका भी कहीं कोई अपना मकान तक नहीं था! प्रधानमन्त्री का पद छोड़ने के बाद भी वे बम्बई में एक किराये के फ़्लैट में ही रहते थे। यदि महाराष्ट्र की सरकार उन्हें सरकारी फ़्लैट न देती तो वे आज शायद सड़क पर होते क्योंकि किराये के मकान को खाली करने का अदालती नोटिस उन्हें मिल चुका था।

श्री बालाकृष्णन् के साथ भाग्य ने विचित्र खेल खेला। उनकी आँखों की ज्योति धीरे-धीरे कम होने लगी और एक दिन ऐसा आया कि वे निपट अन्धे हो गये। मगर फिर भी वे उतनी ही दक्षता से काम करते थे, टेलीफ़ोन मिलाते थे और फ़ाइल सुनने के बाद बेहद उम्दा निर्णय डिक्टेट करते थे। मेरा सम्पर्क उनसे इन्हीं दिनों हुआ और मुझे यह देखकर विस्मय होता था कि इतनी बड़ी विपत्ति के बावजूद वे इतना प्रसन्न कैसे रह पाते थे। वे टायलेट जाते थे, ऊपर की मंज़िल पर स्थित संयुक्त-सचिव

के कक्ष में मीटिंग अटेण्ड करते थे और यह सारा काम वे इतनी स्वाभाविकता के साथ करते थे कि कोई उन्हें नेत्रहीन समझ ही नहीं सकता था। यदि श्री देसाई वित्त-मन्त्री रहते तो उनकी पदोन्नति होनी निश्चित थी। दुर्भाग्यवश देसाई साहिब को जाना पड़ा और श्री टी.टी.कृष्णमाचारी वित्त-मन्त्री बने। वे चाहते हुए भी उन्हें संयुक्त सचिव नहीं बना पाये क्योंकि श्री बालाकृष्णन् उनके दूर के एक रिश्तेदार निकलते थे और श्री कृष्णमाचारी नहीं चाहते थे कि उनके विरोधियों को उन पर फब्ती कसने का कोई और मौक़ा मिले। मूँदड़ा-काण्ड ने उन्हें बुरी तरह हिला दिया था। उनकी ईमानदारी के कारण बालाकृष्णन् जैसे योग्य व्यक्ति को भी तरक्की नहीं मिली। मगर मैं जानता हूँ कि इस सबसे भी उनकी कार्य-क्षमता व विनोद-वृत्ति पर कोई प्रभाव नहीं पड़ा। हाँ, दफ़्तर आने-जाने के लिए उन्हें टैक्सी ज़रूर लेनी पड़ती थी जो एक उप-सचिव के लिए उन दिनों भी एक महँगी सुविधा थी।

(तीन)

वैसे में अपने व्यक्तिगत जीवन में काफ़ी सतर्कता से काम करता हूँ पर फिर भी कभी न कभी कोई भूल हो ही जाती है। एक बार एक मित्र को चिट्ठी लिखी तो बजाय इसके कि मैं उनकी सुन्दर पत्नी को प्रणाम व उनके बच्चों को प्यार लिखता, मैं इसके ठीक विपरीत कर गया। मैंने बच्चों को प्रणाम व उनकी पत्नी को प्यार लिख दिया। परिणाम यह रहा कि वह मित्र मुझे आज तक शंका की दृष्टि से ही देखता है, वैसे नहीं।

सन् बासठ में मैं पटना में नियुक्त था। गणतन्त्र-दिवस की शाम को राजभवन में होने वाली चाय-पार्टी का निमन्त्रण मिला और मैं सपत्नीक वहाँ गया। राज्यपाल थे डॉ. ज़ाकिर हुसैन जिन्होंने बड़े तपाक से हाथ मिलाया। पार्टी में एक पुराना दोस्त मिल गया जो प्रयाग के झा-होस्टल में मेरे साथ ही रहता था। वह अब इण्डियन पुलिस-सर्विस का अधिकारी था और मुझे देखते ही वह मुझसे लिपट गया। हम लोग बातें करते रहे और हमें यह पता भी नहीं लगा कि कब राष्ट्रीय धुन बजी और कब पार्टी समाप्त हो गयी। राष्ट्रीय धुन बजने के बाद एक मँझले क़द के पुलिस-अधिकारी आये और उन्होंने मेरे उस मित्र के पेट में अपना डण्डा कोई तीन इंच घुसा दिया और लगे उस ग़रीब को डाँटने। उनके जाने के बाद मेरे उस मित्र ने बड़े दुख के साथ मुझे यह सूचना दी कि ये हज़रत बिहार के इन्स्पेक्टर-जनरल पुलिस थे, और कुछ नहीं। अपने सर्वोच्च अधिकारी के सामने अपने लापरवाह व्यवहार के कारण उसका और मेरा उदास हो जाना स्वाभाविक ही था। तेजप्रताप सिंह बाद में डाइरेक्टर-जनरल पुलिस बना।

डॉ. ज़ाकिर हुसैन एक नितान्त शालीन और सम्भ्रान्त व्यक्ति होने के साथ-साथ

बेहद धर्म-निरपेक्ष व साहित्यप्रेमी व्यक्ति थे। जिन दिनों वे देश के राष्ट्रपति थे उन्हीं दिनों मेरी सर्विस के श्री धर्मस्वरूप नकरा ने (जो उर्दू और अँग्रेज़ी के पण्डित थे) स्वामी विवेकानन्द के भाषणों का उर्दू में अनुवाद किया। उस समय वे वित्त-मन्त्रालय में अतिरिक्त सचिव थे। एक दिन सहसा राष्ट्रपति के सचिव का फ़ोन आया जिसमें कहा गया कि "आपकी पुस्तक राष्ट्रपति को बेहद पसन्द आयी है और वे आपकी सुविधानुसार आपसे लगभग एक घण्टा बातचीत करना चाहते हैं।" नकरा साहब राष्ट्रपति से मिले और घण्टों तक उनसे साहित्य-चर्चा करते रहे। नकरा साहब ने चुनी हुई अँग्रेज़ी कविताओं का उर्दू में और चुनी हुई उर्दू कविताओं का अँग्रेज़ी में तर्जुमा किया जिसकी अली सरदार जाफ़री जैसे चोटी के कवियों ने भी प्रशंसा की। नकरा साहब ने मेरी कुछ कविताओं को भी अँग्रेज़ी में अनूदित किया। ज़ाहिर है कि उनकी साहित्यिक रुचि बाद में चलकर कुछ गिर गयी थी।

(चार)

भारत का 'कण्ट्रोलर एण्ड आडीटर-जनरल' एक बहुत महत्त्वपूर्ण व्यक्ति होता है और विधान में उसकी तुलना स्पष्ट शब्दों में सुप्रीम कोर्ट के न्यायाधीश से की गयी है। इस सन्दर्भ में मैं दो व्यक्तियों की चर्चा करूँगा। एक तो थे मेरी पत्नी के सगे मामा जो 'आई.ए. एण्ड ए.एस.' के वरिष्ठतम अधिकारी होते हुए भी आडीटर-जनरल नहीं बनाये गये और इसी दुख में दिल के दौरे से उनके प्राण चले गये। दूसरे व्यक्ति एक ऐसे सज्जन थे जो शायद 'न चाहते हुए भी' आडीटर-जनरल बनाये गये।

नौकरी में प्रवेश करने के बाद मैं मेरठ के कलेक्टर व डिस्ट्रिक्ट-मैजिस्ट्रेट श्री ज्ञानप्रकाश से मिलने गया। (कलेक्टर का काम होता है लगान वसूल करना और डिस्ट्रिक्ट-मैजिस्ट्रेट का काम होता है ज़िले में क़ानून व व्यवस्था क़ायम रखना। जब इतने से काम नहीं चला तो लार्ड कार्नवालिस ने इकट्ठे हुए लगान का कुछ प्रतिशत भाग कमीशन के तौर पर एक और उच्च अधिकारी को देना शुरू किया जो मात्र इस कमीशन मिलने के कारण ही कमिश्नर कहलाया।) श्री ज्ञानप्रकाश ने काफ़ी शिष्टता व स्नेह के साथ कॉफ़ी पिलायी और यह भी बताया कि 'भारतीय प्रशासन सेवा' में आने से पहले वे भी 'इण्डियन आडिट एण्ड एकाउण्ट्स सर्विस' के ही सदस्य थे और उत्तर प्रदेश के असिस्टेण्ट-एकाउण्टेण्ट-जनरल थे। थोड़े दिनों बाद वे मुझे एक दावत में मिले जो एक रेलवे-मैजिस्ट्रेट ने कुछ मित्रों को दी थी।

इसके बाद मैं फिर कभी ज्ञानप्रकाश जी से नहीं मिल पाया। वे एक के बाद एक प्रोमोशन पाते गये और बाद में उत्तर प्रदेश के चीफ़ सेक्रेटरी बने। कार्य-क्षमता व ईमानदारी के कारण वे मुख्य मन्त्री चरणसिंह जी के प्रिय पात्र रहे। उत्तर प्रदेश से वे केन्द्र में गये जहाँ उन्होंने रक्षा-सचिव का पद सँभाला। इसके बाद जब जनता

पार्टी की सरकार आयी तो श्री मुरारजी देसाई ने उन्हें भारत का आडीटर-जनरल बनाया। मेरा विश्वास है कि यह सब कुछ श्री चरणसिंह की कृपा से ही हुआ था क्योंकि वे न केवल स्वयं एक नितान्त ईमानदार प्रशासक थे बल्कि वे ईमानदार अधिकारियों को आगे बढ़ाने के लिए भी प्रख्यात थे।

मैं सन् उनासी में वायुसेना का 'कण्ट्रोलर आफ़ डिफेंस एकाउण्ट्स' बन कर देहरादून में नियुक्त हुआ और फिर कई वर्ष वहीं रहा। एक दिन डाक में एक काग़ज़ देखा जिसके अनुसार आडीटर-जनरल अपने एक दफ़्तर का मुआयना करने देहरादून आने वाले थे। मेरा उनसे कोई सीधा सम्बन्ध नहीं पड़ता था मगर एक दिन टेलीफ़ोन आया कि आडीटर-जनरल आपसे मिलना चाहते हैं। मैंने गाड़ी दौड़ायी और उनके पास पहुँच गया। जब मैं मिला तो मैंने देखा कि ज्ञानप्रकाश जी इतने वर्षों बाद भी वैसे ही थे जैसे कि वर्षों पहले थे। हाँ, कुछ मोटे और अधेड़ ज़रूर हो गये थे। उन्होंने मुझे नहीं पहचाना। सरकारी बातचीत हुई, चाय पी और इसके बाद जब वे मुझे अपने दफ़्तर आने के लिए धन्यवाद देने लगे तो मैंने मज़ाक़ में कहा कि "आपने तो एकाउण्ट्स को छोड़ने की बहुत कोशिश की पर एकाउण्ट्स ने आपको नहीं छोड़ा।" वे मुस्कुराये और उनके पूछने पर मैंने वर्षों पहले उस भेंट की चर्चा की जिसमें उन्होंने बताया था कि उन्होंने अपना सरकारी जीवन एक 'असिस्टेण्ट एकाउण्टेण्ट-जनरल' के रूप में शुरू किया था। मेरी बात सुनकर वे खिलखिला कर हँस पड़े और दो कॉफ़ी का ऑर्डर और दिया गया।

(पाँच)

जब मैं रक्षा-मन्त्रालय में उपसचिव था तो एक दिन मेरे अतिरिक्त-सचिव श्री कृष्णामूर्ति ने मुझे अपने साथ एक मीटिंग में चलने को कहा जो गृहसचिव एन. के. मुखर्जी के कक्ष में होनी थी। श्री मुखर्जी अपने हँसमुख स्वभाव व निडरता के लिए विख्यात थे और मैं उनके दर्शनों के लिए वैसे भी उत्सुक था। बहरहाल हम जब उनके शानदार कक्ष में पहुँचे तब वे एक राज्यपाल के नियुक्ति-पत्र (वारण्ट आफ़ एपाइण्टमेण्ट) को अपने दस्तख़त करके राष्ट्रपति के दस्तख़तों के लिए भेजने से पूर्व ध्यानपूर्वक पढ़ रहे थे। नियुक्ति-पत्र हिन्दी और अँग्रेज़ी—दोनों भाषाओं में साथ-साथ छपा था। नीचे के वरिष्ठ अधिकारी ने अँग्रेज़ी में तो राज्यपाल के नाम के पूर्व 'मिसेज़' काट कर 'मिस्टर' वाला अंश रहने दिया था पर अपने हिन्दी के अज्ञान के कारण हिन्दी वाले भाग में उन्होंने 'श्री' काट कर 'श्रीमती' ही रहने दिया था। गृहसचिव (जो पंजाब काडर के आई.सी.एस. थे) नियुक्ति-पत्र देख रहे थे और हँस रहे थे। उन्होंने फ़ोन पर उस बेहद महत्त्वपूर्ण संयुक्त सचिव से कहा कि "गवर्नर अँग्रेज़ी में पुल्लिग दिखाया गया है और हिन्दी में स्त्रीलिंग लिखा गया है। आप उनके यौन का सही-सही पता

लगाएँ और उसके बाद ही दूसरा नियुक्ति-पत्र तैयार करें।" उन्होंने फ़ोन पर हँसते हुए यह भी अनुमति दी कि "यदि ज़रूरी हो तो गवर्नर की डॉक्टरी जाँच करवायी जा सकती है और वैसी जाँच की जाने में उन्हें न तो स्वयं और न उन होने वाले गवर्नर को कोई आपत्ति होगी।" उनकी विनोद-प्रियता को देखकर कक्ष में मीटिंग के लिए जमा सारे अधिकारी खिलखिला कर हँस पड़े।

श्री मुखर्जी सचमुच एक निर्भीक पुरुष थे। जब यह ख़बर अख़बारों में छपी कि अगले दिन रामलीला मैदान में बाबू जयप्रकाशनारायण एक विशाल जन-सभा के सामने भाषण देंगे तो तत्कालीन प्रधानमन्त्री ने श्री मुखर्जी से कहा कि वे दिल्ली के उप-राज्यपाल से कह दें ताकि उस इलाके में दफ़ा एक सौ चवालीस लगा दी जाए और बाबू जयप्रकाशनारायण का भाषण न हो सके। श्री मुखर्जी ने साफ़ मना कर दिया और ऐसे ही अनेक हादसों के कारण वे अपना समय आने पर सबसे सीनियर होते हुए भी कैबिनेट सेक्रेटरी नहीं बनाये गये। संयोग की बात, सरकार का तख़्ता पलट गया और मुरारजी देसाई देश के प्रधानमन्त्री व चौ. चरणसिंह देश के गृहमन्त्री बने और नयी सरकार ने सबसे पहले श्री मुखर्जी को कैबिनेट सेक्रेटरी बनाया हालाँकि श्री मुखर्जी ने नये प्रधानमन्त्री की भी अनेक आज्ञाओं को मानने से साफ़ इनकार कर दिया। बाद में चलकर श्री मुखर्जी पंजाब के राज्यपाल बनाये गये हालाँकि वहाँ वह कोई ठोस परिणाम नहीं दिखा पाये। वे बूढ़े हो चुके थे या शायद जितनी स्वतन्त्रता वे चाहते थे, उतनी स्वतन्त्रता उन्हें नहीं दी गयी थी।

(छह)

भारत-पाकिस्तान के एक युद्ध के बाद सेना-मुख्यालय ने एक विशेष सुविधा की माँग की जो जंग में वीरगति-प्राप्त सेना-अधिकारियों व सिपाहियों के परिवारों के लिए थी। माँग उचित थी पर ज़्यादा थी। सेना-मुख्यालय ने जो नोट भेजा उस पर स्वयं सेनाध्यक्ष के दस्तख़त थे और फ़ाइल में दस्तूर के मुताबिक ड्राफ़्ट सरकारी ऑर्डर भी रखा हुआ था। रक्षा-सचिव जानते थे कि जितना माँगा गया है उतना वित्त-मन्त्रालय देगा नहीं। बहरहाल उन्होंने आपस में परामर्श करके मामला तय करने की सिफ़ारिश की और फ़ाइल को सशस्त्र सेनाओं के वित्तीय सलाहकार (जो सचिव का पद रखता था और जो वित्त-मन्त्रालय का अधिकारी होता था, रक्षा-मन्त्रालय का नहीं) के पास विचारार्थ भेज दिया। पहले सचिव-स्तर पर विचार-विमर्श हुआ और बाद में मन्त्री-स्तर पर बात हुई। बात शायद और ऊपर भी गयी पर उसका मुझे पता नहीं। समझौता किया गया और यदि 'तीन' की माँग की गयी थी तो 'दो' की स्वीकृति दी गयी। फ़ैसला दोपहर को हुआ और तीसरे पहर रक्षा-सचिव ने मेरी सर्विस के जगदीश प्रसाद कक्कड़ को फ़ोन किया और कहा कि अब फ़ाइल पर स्वीकृति तुरन्त

मिलनी चाहिए ताकि आज शाम तक ऑर्डर जारी किये जा सकें और रात को रेडियो पर समाचार प्रसारित किया जा सके। सारा काम तुर्ता-फुर्ती से हुआ और जैसा कि होता है, जल्दी का काम शैतान का ही हुआ। सम्बद्ध अवर-सचिव ने फ़ाइल पर बड़े लोगों की स्वीकृति देखी और सेना-मुख्यालय के ड्राफ़्ट ऑर्डर को 'प्रतिहस्ताक्षरित' कर दिया। इस जल्दी में वह ग़रीब अवर-सचिव सेना-मुख्यालय के पुराने ड्राफ़्ट में 'तीन' को 'दो' करना भूल गया। 'तीन' के आदेश जारी हो गये और जब रात को रेडियो पर रक्षा-सचिव पी.वी.आर. राव (आई.सी.एस.) व वित्त-मन्त्रालय के संयुक्त सचिव श्री कक्कड़ ने समाचार सुना तो वे जड़ीभूत हो गये। सारा किया-धरा बेकार हो गया। और एक बार ऑर्डर निकल जाने पर उन्हें वापिस लेने का तो प्रश्न ही नहीं उठता था।

अगले दिन ठीक दस बजे श्री कक्कड़ रक्षा मन्त्री श्री यशवन्तराव चह्वाण से मिले और उन्हें बताया कि उनके मन्त्रालय से इतनी बड़ी ग़लती कैसे हुई। सदा के विनोद-प्रिय श्री चह्वाण ने कहा कि "कितना अच्छा हो यदि वित्त मन्त्रालय ऐसी ग़लतियाँ ज़रा कुछ ज़्यादा किया करे।" बहरहाल कक्कड़ साहब की घबराहट देखकर रक्षा-मन्त्री चिन्तित हो उठे और उन्होंने उनकी पूरी मदद करने का वादा किया। कक्कड़ साहब शाम को पाँच बजे वित्त-मन्त्री से मिले जो सारा दिन रिज़र्व बैंक के गवर्नर के साथ गुज़ार कर थके-माँदे बैठे थे। श्री टी.टी. कृष्णामाचारी ने कक्कड़ साहब को एकदम भीतर बुलाया और कहा, "कक्कड़, क्या ग़लती हो गयी है तुमसे जिसे लेकर चवन मेरे पीछे सुबह से पड़ा है?" कक्कड़ साहब ने सारी स्थिति समझायी और वित्तमन्त्री ने शान्त स्वर में कहा कि "देखो, ग़लती आदमी से ही होती है और जो आदमी ज़्यादा काम करता है, उससे ग़लतियाँ भी ज़्यादा ही होती हैं। जाओ और आराम करो। इस मामले को तो एकदम भूल जाओ। तुम्हारे जैसा अधिकारी बड़े सौभाग्य से मिलता है। अगर तुम दुखी होओगे तो मुझे दुख होगा।"

कक्कड़ साहब फिर नार्मल हो गये और धीरे-धीरे वित्त-मन्त्रालय के व्यय-विभाग के सचिव बने। वहाँ उन पर बेहद काम था और उन्हीं दिनों मुझे नाश्ते पर किसी और सन्दर्भ में एक दिन बुला कर उन्होंने यह सारा क़िस्सा मुझे सुनाया था। सारे प्रसंग में जो बड़ी बात रही वह यह थी कि उस अण्डर-सेक्रेटरी को कोई सज़ा नहीं दी गयी जिसने जल्दी में ग़लत ड्राफ़्ट-ऑर्डर को 'काउण्टर-साइन' किया था क्योंकि उससे जो कुछ हुआ था वह जल्दी में हुआ था और वैसे वह एक प्रतिभावान, परिश्रमी और ईमानदार अधिकारी था।

कक्कड़ साहब सरकार के करोड़ों रुपयों के बचाने में ऐसे फँसे कि ख़ुद को नहीं बचा सके। ज़्यादा काम और तनाव के कारण वह शाकाहारी, सात्त्विक व मात्र नीबू-पानी पीने वाला भारत-सरकार का एक शक्तिशाली स्तम्भ दिल के दौरे से प्राण खो बैठा। ठीक उन्हीं स्थितियों में दो रक्षा-सचिव एक के बाद एक—दिल के

दौरे से मरे। बड़ी ब्यूरोक्रेसी को गालियाँ देना आसान है पर उनकी मुसीबतों का पता कितनों को है?

सोचता हूँ कि वे संस्मरण आम पाठकों को सुनाने से शायद कोई विशेष फ़ायदा नहीं। भूतपूर्व कैबिनेट-सेक्रेटरी और अभूतपूर्व कवि विनोदचन्द्र पाण्डेय, उत्तर प्रदेश के मुख्य-सचिव और बाद में भारत-सरकार के उद्योग-सचिव सुरतदास श्रीवास्तव, बंगाल के भूतपूर्व डाइरेक्टर-जनरल पुलिस देवेन्द्रनाथ पाण्डेय और फ़िल्मी जगत् की इन्द्रपुरी बम्बई के इन्कम-टैक्स कमिश्नर गोविन्द मिश्र जैसे आत्मीय मित्रों को यदि ये संस्मरण सुनाता तो स्थिति यह रहती कि शायरों का नीचे लिखा कलाम याद आ जाता :

कोई हद ही नहीं शायद मुहब्बत के फ़साने की
सुनाता जा रहा है जिसको जितना याद होता है

(जिगर)

मज़ा आता अगर गुज़री हुई बातों का अफ़साना
कहीं से हम बयाँ करते, कहीं से तुम बयाँ करते

(वहशत)

देश की आर्थिक स्थिति ख़राब है...

सरकार का सबसे ज़्यादा 'अलोकप्रिय' व्यक्ति वित्तमन्त्री होता है। स्वतन्त्र भारत के सर्वप्रथम वित्तमन्त्री श्री षण्मुखम् चेट्टी थे। दुर्भाग्य से उनका बजट 'लीक' हो गया था और उन्होंने—अपना कोई कसूर न होते हुए भी—त्यागपत्र दे दिया था जो नैतिक दृष्टि से एक सही क़दम था। उसके बाद अनेक प्रतिभाशाली और सच्चे देशभक्त लोग (जैसे जान मथाई, चिन्तामणि देशमुख, मुरारजी देसाई, टी.टी. कृष्णामाचारी, विश्वनाथ प्रताप सिंह व यशवन्त सिन्हा) वित्तमन्त्री बने पर लोकप्रिय कोई नहीं रहा। वित्तमन्त्री का पद ही कुछ ऐसा है कि जनता उससे कभी ख़ुश नहीं रह सकती। एक ओर तो वह प्रदेशों की सरकारों तथा केन्द्रीय मन्त्रालयों के भ्रष्टाचार व अपव्यय को रोक नहीं सकता और दूसरी ओर उनके ख़र्चे को पूरा करने के लिए उसे न चाहते हुए भी कर लगाने ही पड़ते हैं जिनसे असन्तोष और महँगाई बढ़ती है। हमारे नये वित्तमन्त्री डॉ. मनमोहन सिंह पहले ऐसे शक्तिशाली वित्तमन्त्री हैं जिनका बजट देश की आर्थिक स्थिति को एक नयी दिशा देने की कोशिश करता है हालाँकि उनकी भी सारी सिफ़ारिशों से सब लोग ख़ुश नहीं हो सकते। जब से देश स्वतन्त्र हुआ है तभी से प्रत्येक वित्तमन्त्री दो बातें ज़रूर कहता है। पहली बात तो यह कि देश की आर्थिक स्थिति निराशाजनक है और दूसरी बात यह कि धूम्रपान जो है वह सेहत के लिए ख़तरनाक है। जब मैंने सरकारी नौकरी शुरू की थी तो मैं सिगार पीता था। फिर गोल्ड-फ़्लैक, कैप्सटन और विल्स पर से गुज़रता हुआ चारमीनार व पनामा पर आ गया। बजट ने सिर्फ़ फ़िल्टर्ड सिगरेटों के दाम बढ़ाये हैं पर दाम बाकी सिगरेटों के भी बढ़ गये हैं। वह दिन दूर नहीं है जबकि उच्च-मध्यम वर्ग का नागरिक होते हुए भी मुझे बीड़ी ही फूँकनी पड़ेगी। और अगर हालत और ज़्यादा बिगड़ी तो मुझे मध्यप्रदेश जाना पड़ेगा जहाँ किसी बीड़ी बनाने वाली फ़ैक्टरी में काम ढूँढूँगा और मुफ़्त की बीड़ी पियूँगा। वित्तमन्त्री की इस दूरदर्शिता की मैं अवश्य प्रशंसा करूँगा कि एक ओर तो उन्होंने कर-मुक्ति की सीमा को बढ़ा दिया और दूसरी ओर उन रियायतों को भी छीन लिया जो मेरे जैसे निश्चित आय वालों को अब तक मिलती थीं। वस्तुस्थिति यह है कि अब तक मुझे जो बाईस हज़ार रुपयों तक आय-कर में

छूट मिलती थी, उसकी सीमा घट कर अब पन्द्रह हज़ार हो गयी। यह सरकार का एक बहुत बड़ा जादू है जिसे केवल शरद जोशी ही समझ सकते थे। कर की दरें कम हो गयीं, छूट की सीमा बढ़ गयी पर मुझे जो आयकर देना पड़ेगा उसमें फिर भी वृद्धि हो गयी। वैसे भी पेट्रोल का मूल्य और आयकर की दरें जितनी ज़्यादा इस देश में हैं, उतनी संसार में कहीं नहीं हैं। मगर फिर भी मुझे गर्व है कि महामानवसमुद्र इस देश में मैं उन पचहत्तर लाख सम्भ्रान्त व्यक्तियों में से हूँ जो कि आयकर देते हैं। मेरे इस 'गर्व' पर भी कभी न कभी कर लगेगा।

आप सब लोग मेरी भाँति सरकार के उन तन्त्रों से शायद उतने परिचित नहीं होंगे जिन्हें मैं जानता हूँ और जो सरकार के ख़र्चे को नियन्त्रित करते हैं। बजट का भाषण तो मात्र उनका प्रारम्भ है–इससे ज़्यादा कुछ नहीं। सबसे पहले तो सरकार बजट पास होने तक सरकार का खर्चा चलाने के लिए तीन महीने का अनुदान संसद से माँगेगी जो पिछले वर्ष के व्यय का एक चौथाई ही होगा–ज़्यादा नहीं। बजट पर संसद में बहस चलेगी जबकि विधान-सभाओं में सिर्फ़ हाथापाई होगी। इसके बाद विभिन्न मन्त्रालयों की माँगें लोकसभा में पेश की जायेंगी। कुछ बेहद महत्त्वपूर्ण मन्त्रालयों के लिए बहस की अवधि निश्चित की जायेगी और शेष मन्त्रालयों के ख़र्चे को 'गिलोटीन' की पद्धति द्वारा स्वीकार किया जायेगा। 'गिलोटीन' शब्द डॉ. गिलोटीन के नाम के कारण पड़ा। यह वह मशीन थी जिससे फ्रांस की रक्त-क्रान्ति के दौरान सम्राट् से लेकर सामन्तों तक के शरीर को उनकी आत्मा से अलग किया गया था। बहरहाल वस्तुस्थिति यह है कि महत्त्वपूर्ण मन्त्रालयों की माँगों के लिए निश्चित किये गये दिनों में भी हाउस लगभग खाली पड़ा रहता है, सांसद आते हैं मगर प्रायः मात्र मतदान के ही समय। सारी बहस के बाद वित्तमन्त्री सरकारी आय और सरकारी व्यय को 'फाइनेंस-बिल' के रूप में लोकसभा के सम्मुख पेश करते हैं। बिना लोकसभा की अनुमति के सरकार एक कौड़ी ख़र्च नहीं कर सकती; हाँ अलबत्ता लोकसभा की अनुमति लेने के बाद वह चाहे तो करोड़ों की सम्पत्ति को बेकार फूँक सकती है जो एक दीगर बात है। हमारे देश के राष्ट्रपति भी यदि कभी संसद भंग करके सारा शासन अपने हाथों में ले लें तो वे भी मात्र इकत्तीस मार्च तक ही शासन कर सकते हैं, उसके बाद नहीं। इकत्तीस मार्च के बाद सरकारी ख़र्चा चलाने के लिए उन्हें संसद बुलानी पड़ेगी। इसी सिद्धान्त के लिए इंग्लैण्ड के राजा चार्ल्स प्रथम को मात्र अपने प्राण ही देने पड़े थे, और कुछ नहीं। आत्मा तो सदा से अजर और अमर होती आयी।

'फ़ाइनेंस-बिल' राष्ट्रपति द्वारा स्वीकृत करते ही 'फ़ाइनेंस-एक्ट' बन जाता है। इसके बाद वित्त-मन्त्रालय का अंकुश काम करना शुरू करता है। प्रत्येक मन्त्रालय अपने सारे वे ख़र्चे जो नियमों के तहत नहीं आते, वित्त-मन्त्रालय की स्वीकृति के लिए उसके पास भेजता है। वित्त-मन्त्रालय की शक्ति महान् है। कांग्रेस ने अन्तरिम सरकार में मुस्लिम लीग को वित्त-मन्त्रालय देना चाहा था पर श्री मुहम्मद अली जिन्ना

उसे महत्त्वहीन समझते थे। मेरी सर्विस के एक उच्च अधिकारी मोहम्मद अली ने जिन्ना साहब से तुर्ता-फुर्ती के साथ बात की और लियाकत अली खान वित्तमन्त्री बन गये। एक सप्ताह के भीतर ही पण्डित नेहरू और सरदार पटेल को पता लग गया कि वे वित्त-मन्त्रालय की स्वीकृति के बिना एक अदद अतिरिक्त चपरासी तक नियुक्त नहीं कर सकते थे। अन्तरिम सरकार टूट गयी और 'सारे जहाँ से अच्छा हिन्दोस्ताँ हमारा' तीन टुकड़ों में बँट गया। बहरहाल हमारे स्वतन्त्र भारत ने बाद में चलकर वित्त-मन्त्रालय के सम्बद्ध अधिकारियों को प्रशासनिक मन्त्रालयों का ही अंग बना लिया जिसकी काफ़ी ज़िम्मेदारी वित्त-मन्त्रालय के उन छोटे अधिकारियों पर जाती है जो सौ रुपयों के ख़र्चे के लिए भी फ़ाइल दस बार लौटाते थे। बहरहाल 'इण्टिग्रेटेड फाइनेंस' के सिद्धान्त के कारण देश की हानि ही हुई, लाभ नहीं।

संसद की दो समितियाँ ऐसी हैं जो सरकार के ख़र्चे के औचित्य को जाँचती हैं। 'एस्टिमेट्स कमेटी' की सिफ़ारिशें प्रायः कोई ख़ास महत्त्व अभी तक सिद्ध नहीं कर सकीं। अभी-अभी 'एस्टिमेट्स कमेटी' ने आय-कर के बारे में जो सिफ़ारिशें की हैं, वे बेहद महत्त्वपूर्ण है और सरकार को उचित होगा कि उनको निष्पक्षता और साहस के साथ देखे। सबसे महत्त्वपूर्ण संस्था है 'पब्लिक एकाउण्ट्स कमेटी' जो आडीटर-जनरल की वार्षिक रिपोर्ट पर सम्बद्ध अधिकारियों की बखिया उधेड़ती है। इस कमेटी का अध्यक्ष सदा विरोधी पक्ष का होना चाहिए पर हमारे देश में कभी-कभी शायद सदा ऐसा नहीं किया गया। सबसे बड़े दुख की बात यह है कि इस कमेटी के द्वारा अपव्यय करने वाले विभागों या भ्रष्टाचार करने वाले अधिकारियों के ख़िलाफ़ सरकार ने कोई ठोस क़दम शायद कभी नहीं उठाया। कितना अच्छा हो कि फ्रांस की भाँति हमारे यहाँ भी 'कोर्ट्स आफ़ एकाउण्ट्स' हों जो भ्रष्ट व अपव्ययी अधिकारियों को दण्ड दे सकें। मैं तो इतना जानता हूँ कि एक केन्द्रीय मन्त्री न तो विदेश से देश की रक्षा कर सके और न पार्टी के ख़िलाफ़ अपनी। जब आडीटर-जनरल ने एक विशेष प्रकार के संस्थानों की कड़ी आलोचना की तो उन्होंने वैसे ही दो संस्थान और खोल लिये। सच्चाई यह है कि सारी सार्वभौम शक्ति रखने के बाद भी हमारी व्यवस्थापिका जो रही, वह कभी भी कार्यपालिका को पूरी तरह नियन्त्रित नहीं कर सकी। विधान में सब कुछ है पर यह बात भी ठीक ही है कि 'संसार का कोई क़ानून ऐसा नहीं है जिसे क़ानून के मुताबिक ही तोड़ा न जा सके।' देयर इज़ नो ला ह्विच कैन नाट बी लाफुल्ली इवेडेड (सिसरो)।

देश की आर्थिक स्थिति ख़राब होने के कुछ ठोस कारण हैं। अब मैं अपनी जानकारी की सीमा में उन्हीं की चर्चा करूँगा।

देश की आर्थिक स्थिति ख़राब होने के ठोस कारणों में सबसे पहला कारण है—अपव्यय। ऐसे अनेक बड़े लोग हैं जो प्रदेशों से विधान-परिषदों के हटाये जाने के पक्ष में हैं। सरकार को उचित होगा कि इस बारे में सबकी सलाह से जाँच करवाए

और इसके लिए मेरे जैसे सयानों की बैठक बिठाए और उस बैठक की रिपोर्ट को उस भाँति 'कोल्ड स्टोरेज' में न डाले जैसा कि के. सन्तानम् की 'भ्रष्टाचार-विरोधी रिपोर्ट' या डॉ. कुंजरू की 'रेल-दुर्घटनाओं की जाँच रिपोर्ट' को भी किसी हद तक डाला गया। अपव्यय का हाल यह है कि तृतीय वेतन-कमीशन ने देश के सबसे महत्त्वपूर्ण एक संस्थान के बारे में कहा था कि "एक महत्त्वपूर्ण गवाह के अनुसार यह संस्थान इतनी ही कुशलता के साथ दो तिहाई ख़र्चे में चल सकता है" मगर सरकार ने इस सिफ़ारिश की जाँच के लिए ऐसे प्रतिभावान् संयुक्त सचिव को नियुक्त किया जो अपनी अक्षमता के लिए सारे मन्त्रालयों में विख्यात थे। परिणाम वही रहा जो होना था। शून्य का आविष्कार आख़िर हमारे देश में ही तो हुआ था। शून्य से ज़्यादा अनादि और अनन्त सृष्टि में क्या है? एक ईश्वर बचता है मगर उसने भी सही काम करने की ज़िम्मेदारी आदमी पर ही छोड़ी है, और किसी पर नहीं। उसके हाथ में तो फल देने या न देने की शक्ति ही बचती है और कुछ नहीं। हल्का-सा मधुमेह होने के कारण मैं तो वैसे भी किसी प्रकार के फल की कभी इच्छा नहीं करता। वैसे भी ऊपर चर्चित वे महत्त्वपूर्ण गवाह व वे प्रतिभाशाली संयुक्त सचिव अब दिवंगत हो चुके हैं और उनका नाम लेने से कुछ हासिल नहीं होगा। अब तो हम 'भारत-रत्न' भी इस मुद्दे को लेकर नहीं देते कि वह व्यक्ति कैसे जिया? अब तो मापदण्ड शायद यह रह गया है कि वह व्यक्ति कैसे मरा या कैसे मरने जा रहा है?

न जाने कितने प्रधानमन्त्री देश की जनता से गला फाड़-फाड़कर कहते आ रहे हैं कि हम सब लोग किफ़ायत से रहें मगर स्थिति यह है कि सात मार्च सन् बानबे के अख़बार के अनुसार पिछले आठ वर्षों में प्रधानमन्त्रियों के ही निवास-स्थानों पर मात्र तीन करोड़ रुपयों की क्षुद्र राशि ख़र्च की जा चुकी है। वर्तमान प्रधानमन्त्री श्री राव सचमुच एक सादा जीवन व्यतीत करने वाले व्यक्ति हैं और इसी कारण वे यह परम्परा भी डाल रहे हैं कि वे जब विदेश जायें तो उन्हें विदाई उनके घर पर ही दे दी जाए ताकि इतनी गाड़ियों को हवाई-अड्डे तक न जाना पड़े। जहाँ तक मुझे याद है, उन्होंने किसानों को दिये हुए करोड़ों रुपयों के कर्ज़े भी माफ़ नहीं किये जिसे मैं मात्र अपव्यय ही नहीं वरन् अपराध समझता हूँ। मुझे यह कहते हुए हर्ष होता है कि उनके सादे जीवन के प्रभाव से कुछ शेष सांसदों के विचार भी उच्च होते जा रहे हैं। राष्ट्रपति व प्रधानमन्त्री ने स्वेच्छा से अपने वेतन में कटौती की और जब इस बात की सूचना एक ऐसे सांसद को मिली जो देश के हित के लिए विदेश गये हुए थे तो उन्होंने देश में स्थित अपने व्यक्तिगत सहायकों से बात की। उन्होंने उन्हें फ़ोन पर बताया कि वे भी अब अपनी तनख़्वाह पर दस प्रतिशत की कटौती करेंगे। उनके दफ़्तर ने उन्हें फिर फ़ोन किया और पूछा कि यह कटौती वे अपनी 'सैलरी' पर करेंगे या कि 'वेतन' पर? सांसद महोदय ने फ़ोन पर ही बताया कि कटौती मात्र 'सैलरी' पर ही होगी, 'वेतन' पर नहीं। सांसद समझदार व्यक्ति थे और उन्होंने जो

कहा वह एकदम ठीक ही कहा। वेतन पर कटौती बहुत ज़्यादा बैठती है क्योंकि उसमें अनेक प्रकार के भत्ते व शेष सुविधाएँ भी शामिल होती हैं और सांसद यदि अपना भी हित नहीं देखेंगे तो राष्ट्र का हित कैसे देखेंगे? अख़बारनवीसों ने सदा की भाँति फिर नीचता दिखायी और सांसद महोदय की प्रशंसा करने के स्थान पर यह पूछना शुरू कर दिया कि विदेशों से बार-बार फ़ोन करने पर जो ख़र्चा आया, उसका ध्यान क्यों नहीं रखा गया? जो निर्लज्ज नागरिक इस विषय में ज़्यादा जानना चाहते हों वे कृपा करके बीस जनवरी सन् बानबे का अख़बार पढ़ें। गाज़ियाबाद से छपने वाले 'सच का साया' नामक साप्ताहिक के बीस मार्च सन् बानबे के अंक के अनुसार केन्द्र के एक मन्त्री के ऊपर प्रतिवर्ष मात्र एक करोड़ रुपया ख़र्च किया जाता है। सुरक्षा के नाम पर भी जो ख़र्चा किया जाता है वह करोड़ों में आता है। जिस मन्त्री की सुरक्षा जितनी ज़्यादा की जाती है, वह उतना ही महत्त्वपूर्ण समझा जाता है। गाड़ियाँ, कोठियाँ और टेलीफ़ोन का बिल सब लोग समय पर अदा नहीं करते। प्रदेश-सरकारों की स्थिति क्या होगी—यह आप स्वयं सोच सकते हैं। चुनाव जीतने से पूर्व समाज-सेवक रहने वाले नेता लोग चुनाव जीतने के बाद जनता के स्वामी बन जाते है। मन्त्री बनने के बाद तो बच्चन की वही कविता याद आती है जिसमें उन्होंने कभी कहा था—कुछ करो इस चाँदनी में सब क्षमा है। समरथ को नहिं दोष गुसाईं (तुलसीदास)

देश में ख़राब आर्थिक स्थिति का दूसरा कारण हैं हमारे सार्वजनिक औद्योगिक संस्थान जो पिछले न जाने कितने वर्षों से घाटे में ही चलते आ रहे हैं और अब तक उठाया गया घाटा खरबों रुपये का बैठता है। जब वर्तमान वित्तमन्त्री ने कहा (और एकदम ठीक ही कहा) ऐसे संस्थानों का निजीकरण कर दिया जाना चाहिए तो एक कुशाग्र और विनोदी सांसद ने कहा कि "घाटे में चलने वाला सबसे बड़ा सार्वजनिक संस्थान तो भारत-सरकार स्वयं है और क्या यह ठीक नहीं होगा कि उसका भी निजीकरण कर दिया जाए?" मुझे याद है कि जब मैं वह संस्थान देखने गया जहाँ सरकार का घाटा पूरा करने के लिए नये नोट छापे जाते हैं तो चलते समय संस्थान के शीर्षस्थ अधिकारी (जिसे मिण्ट-मास्टर कहा जाता है) ने मुझसे कहा कि "दिस इज़ दी ओनली पब्लिक अण्डरटेकिंग व्हिच मेक्स मनी।" मैं उनकी व्यंग्योक्ति पर बुरी तरह हँस पड़ा।

देश के कर्णधार यह नहीं समझते कि दान सदा घर से ही शुरू होता है। देश के सांसदों व विधायकों को जो वेतन, पेंशन, रेल व वायुयान से यात्रा, भत्ते, चिकित्सा इत्यादि की सुविधाएँ मिलती हैं उनका कुल ख़र्चा (जिसे वे जब चाहें तब स्वयं ही बढ़ा भी सकते हैं) राष्ट्रपति के वेतन से ज़्यादा ही बैठता है, कम नहीं। इस देश की ग़रीब जनता के चुने हुए प्रतिनिधि जो सामन्ती जीवन बिता रहे हैं, वह क्या सचमुच उचित है? गाँधी जी के सिद्धान्त क्या सिर्फ़ गाँधी-जयन्ती के दिन भाषण

देने के लिए ही रह गये हैं? आठ मार्च सन् बानबे के अख़बार के अनुसार काफ़ी सांसद इस कारण क्षुब्ध हैं कि राष्ट्रपति ने अभी तक उस बिल को स्वीकृति नहीं दी है जिसमें भूतपूर्व सांसदों की पेंशन बढ़ायी गयी थी। एक सांसद ने एक प्रदेश में एक भारतीय प्रशासन-सेवा के अधिकारी के मुँह पर थप्पड़ मार दिया मगर इस बात की आलोचना किसी भी राजनेता ने नहीं की। क्या इन कर्मों से जनता के चुने हुए माननीय प्रतिनिधियों की प्रतिष्ठा बढ़ती है?

आर्थिक स्थिति के निरन्तर ख़राब होते जाने का अगला कारण है हमारी प्रादेशिक सरकारों की गतिविधियाँ। एक-एक प्रदेश में साठ और सत्तर तक मन्त्री हैं। मुख्यमन्त्री से यह अपेक्षा की जाती है कि वह बहुमत वाली पार्टी के प्रत्येक विधायक को मन्त्री बनाये। मुख्यमन्त्री हैं कि सुलतानों की भाँति रहते हैं। एक मुख्यमन्त्री की सन्तान के विवाह पर कई करोड़ रुपये ख़र्च किये गये। कई मुख्यमन्त्री सरकारी गाड़ी के अलावा अपनी आधा दर्जन मोटरें रखते हैं और हवाई जहाज़ जो है वह अलग है। ऊपर बताये अख़बार के अनुसार प्रदेशों के साधारण विधायक भी लगभग दस हज़ार प्रति माह का वेतन, भत्ते व सुविधाएँ पाते हैं। और जब तथाकथित नेता लोग ऐसा करते हैं तो सरकार का अफ़सर और बाबू क्या पीछे रहेगा? हर्गिज़ नहीं। राम नाम की लूट है, लूट सके तो लूट, पीछे फिर पछताएगा प्राण जाएँगे छूट। एक प्रदेश के मुख्यमन्त्री ने कहा कि उनकी सड़कें एक फ़िल्म-अभिनेत्री के कपोलों की भाँति सुन्दर हैं तो उसके उत्तर में एक विरोधी-पक्ष के नेता ने कहा कि स्थिति यह नहीं है, सच्चाई तो यह है कि उस प्रदेश की सड़कें एक भद्दे अभिनेता के खुरदरे गालों की भाँति हैं जिनमें गड्ढे पड़े हैं। केन्द्रीय सरकार में यदि अपव्यय ज़्यादा है तो प्रादेशिक सरकारों में भ्रष्टाचार ज़्यादा है। निचले अफ़सर और गाँव के सरपंच 'बलचनवाँ', योजना के नाम पर दिये गये धन का कम-से-कम आधा हिस्सा खा जाते हैं। अब आप ही बताइए कि ऐसे में सिगरेट का दाम बढ़ाने और आयकर में परिवर्तन करने से क्या स्थिति सँभल सकती है? जिस देश में चोटी से लेकर नीचे तक, क्या नेता और क्या सरकारी अफ़सर आधे से ज़्यादा भ्रष्ट हैं, वहाँ इस किफ़ायती क़दम से क्या होगा कि मुरारजी देसाई को भारत-रत्न प्रदान करने के लिए राष्ट्रपति या राज्यपाल के स्थान पर मात्र एक संयुक्त सचिव को ही भेजा गया?

मैं सचमुच देश की स्थिति से दुखी हूँ। सिगरेट के दाम बढ़ने की चिन्ता और आयकर में की गयी मज़ाक़ के बाद यदि मुझे सचमुच कोई चिन्ता है तो वह राष्ट्र की ही है। मगर मैं एक अकेला नागरिक आत्महत्या के अतिरिक्त और कर ही क्या सकता हूँ? और फिर एक समस्या हो तो कुछ किया भी जाए। एक पुराने श्लोक के अनुसार रावण की माता को यही दुख सालता रहता था कि उसके दस मुखों को अपने मात्र दो स्तनों से दूध पिलाये तो कैसे पिलाये?

आइए, रचना समाप्त करने से पहले मैं अपना और आपका मन हल्का करने के

लिए कुछ मज़ाक़ आपको सुना दूँ। अमेरिका के राष्ट्रपति रीगन ने आर्थिक व्यवस्था पर चिन्ता प्रकट करते हुए एक बार कहा था कि "अब आप पाल का भुगतान करने के लिए पीटर को नहीं लूट सकते। आज हम सब पाल ही हैं क्योंकि पीटर जो था उसका तो दिवाला कब का निकल चुका।" इसी प्रकार राष्ट्रपति फ्रैंकलिन रूजवेल्ट के वित्तमन्त्री हैरी और उनके बजट-निदेशक स्मिथ में एक बार कोई गम्भीर मतभेद हो गया। जब मतभेद नहीं सुलझा तो राष्ट्रपति रूजवेल्ट ने उन दोनों को बुलाकर कहा कि "देखो अब मैं तुम दोनों को एक ही कमरे में बन्द करने जा रहा हूँ। कमरा चौबीस घण्टे बाद खोला जायेगा और तुम दोनों में से जो भी ज़िन्दा बचेगा, मैं उसी के मसौदे पर विचार करूँगा।"

मैंने सुना था कि हिन्दू देवी-देवताओं की संख्या तेंतीस करोड़ है। मैं पहले इस बात पर विश्वास नहीं करता था पर अब करता हूँ। मेरे चारों ओर गाँव के प्रधान, सरपंच, पटवारी, तहसीलदार, चकबन्दी व सहकारिता के अधिकारी, बिक्री-कर और म्युनिसिपैलिटी के कर्मचारी, कलेक्टर, जज, कमिश्नर, विधायक, मन्त्री, भारत सरकार के विभिन्न श्रेणियों के सचिव, राज्य-मन्त्री व मन्त्री खड़े हैं जिनमें से आधे जो हैं वे सबके सामने भारतमाता का चीरहरण सम्पन्न कर रहे हैं और जो कुछ हो रहा है वह क़ानून व विधान के अनुसार ही हो रहा है, वैसे नहीं। मैं सारी दिशाओं में इन्हीं देवी-देवताओं को देखता हूँ और गोस्वामी तुलसीदास की भाँति यही निवेदन करता हूँ:

सियाराममय सब जग जानी
करहुँ प्रनाम जोरि जुग पानी

आकाशवाणी पर साक्षात्कार

हिन्दी में लिखते हुए मुझे लगभग तीस वर्ष हो गये। इस अवधि में आकाशवाणी के विभिन्न केन्द्रों ने मेरे कई साक्षात्कार (जिसे रेडियो वाले 'भेंटवार्ता' कहते हैं) लिये। यूँ तो हर बार कुछ ऐसा हुआ कि उम्र भर याद रहेगा पर जिस घटना का ज़िक्र मैं आज करने जा रहा हूँ वह सचमुच अद्‌भुत थी।

जहाँ मैं निवास करता हूँ वहाँ से कोई सौ मील दूर एक मुफ़स्सिल शहर में आकाशवाणी का केन्द्र है जो उस गन्दे शहर में अपनी इमारत की भव्यता के कारण दूर से ही पहचान लिया जाता है। वहाँ से साक्षात्कार का निमन्त्रण आया तो मैंने तुरन्त स्वीकार कर लिया। जिस तारीख़ को रिकार्डिंग होनी थी उस दिन सुबह पाँच बजे बस पकड़नी थी और इस चिन्ता में मुझे रात भर नींद नहीं आयी। मैं जागता रहा और उर्दू का वह शेर याद करता रहा जिसमें शायर ने कहा था कि "वस्ल हो या फ़िराक़ हो अकबर, जागना रात भर मुश्किल है।" सुबह चार बजे उठा, हजामत बनायी, कुछ नाश्ता किया और फिर बीवी को गाड़ी में बिठा कर बस-स्टैण्ड पहुँचा। यहाँ यह स्पष्ट करना मुझे ज़रूरी लगता है कि बीवी और गाड़ी—दोनों मेरी अपनी ही थीं। मुझे बस-स्टैण्ड छोड़कर पत्नी गाड़ी को वापिस लेकर कोठी पर चली गयी क्योंकि खाली सड़क पर पन्द्रह मील प्रति घण्टा की स्पीड पर कार चलाने में उसे कभी कोई दिक्कत नहीं होती। मैं बस के शानदार अड्डे पर सारी खिड़कियाँ देख आया। रोशनी तो हर कमरे में जली थी मगर कर्मचारी कहीं नहीं था। एक अधेड़ आदमी ने मुझे परेशानी में देखा तो पूछा कि आपको कहाँ जाना है? मेरे उत्तर को सुनते ही वह मुझे एक बस के पास ले गया जिसमें मैं बैठ गया। थोड़ी देर बाद बस भर गयी और चलने लगी। मेरी मदद करने वाला वह इंसान उसी बस का ड्राइवर था जिसकी फ़िलहाल मैं शोभा बढ़ा रहा था। रास्ते से यात्री लोगों को बटोरती वह बस लगभग नौ बजे वहाँ पहुँच गयी जहाँ मुझे जाना था। वह शहर कभी नजीब ख़ाँ नामक उस रुहेले ने बसाया था जिसके लख्ते-जिगर गुलामकादिर ने दिल्ली के एक शहंशाह को भरे दरबार में अन्धा किया था। जो लोग इस बारे में ज़्यादा जानना चाहते हों वे 'शाहआलम की आँखें' नामक सशक्त उपन्यास पढ़ें जिसे कभी इन्द्र

विद्यावाचस्पति नामक लेखक ने लिखा था।

उस मुफ़स्सिल शहर में पहुँच कर मैंने पहले तो अपने गुर्दे को खाली किया और फिर एक ढाबे में बैठकर अपना पेट भरा। उसके बाद मैंने रिक्शा लिया और आकाशवाणी की राह पकड़ी। लगभग दस बजे मैं रेडियो-स्टेशन पहुँच गया जहाँ दरवाज़ा बाक़ायदा बन्द था और साथ ही साथ एक हथियारबन्द सन्तरी (सन्तरी को सन्तरे का स्त्रीलिंग समझने की ग़लती नहीं करेंगे) उस ताले की हिफ़ाज़त कर रहा था जो कि उस इमारत के बुलन्द दरवाज़े पर लगा था। ताला ठीक उतना ही बड़ा था, जितना बड़ा ताला देखकर मिर्ज़ा ग़ालिब ने कभी कहा था कि यह 'ताला' नहीं है, यह तो 'अल्लाताला' है। पहले तो सन्तरी ने मुझे कोई आतंकवादी समझा मगर जब मैंने उसकी बन्दूक छीनने की कोशिश नहीं की तो उसने जंज़ीर और ताले से बन्द दरवाज़ों के बीच में से भीतर आने की सलाह दी। सिर झुका कर करवट के बल सरकते-सरकते मैं भीतर पहुँचा और 'स्वागती' के कमरे में गया। 'स्वागती' तो नहीं थे पर उनका रजिस्टर मेज़ पर ज़रूर पड़ा था। मैंने खानापूरी की और मैं 'अतिथि-कक्ष' में चला गया और एक बेहद शानदार सोफ़े पर बैठ गया। मुझे लगा कि सारी इमारत में मेरे अलावा और कोई आदमी नहीं है। ग्यारह बजे तक स्थिति ठीक यही रही और उसके बाद एक कन्या वहाँ प्रकट हुई जिसकी कि रिकार्डिंग मेरी भाँति ठीक ग्यारह बजे ही होनी थी। हम दोनों ने एक-दूसरे से सहानुभूति प्रकट की और हम ऊपर की मंज़िल पर चले गये। वहाँ एक चपरासी टाइप सज्जन ने हमें प्रोग्राम-एक्जीक्यूटिव के कमरे में बैठने की सलाह दी और यह सूचना भी दी कि सब अधिकारी एक मीटिंग में व्यस्त हैं और वे लोग साढ़े ग्यारह बजे तक अपने-अपने कमरों में अवश्य पधार लेंगे। मैंने 'रेडियो का सम्मन' फिर खोला और देखा कि समय तो उसमें ग्यारह बजे का ही दिया गया था अलबत्ता यह नहीं लिखा था कि ग्यारह बजे दिन के थे या कि रात के। बहरहाल मैं आराम से बैठ गया और सिगरेट पीने लगा।

कोई बारह बजे हमारे काम से सम्बन्धित अधिकारी अपनी तशरीफ़ के साथ आये और बड़ी शिष्टता से मिले। चाय का ऑर्डर दिया गया। कोई एक घण्टे बाद चाय आयी। ध्यान से देखने पर पता लगा कि चाय मात्र आधा कप ही थी, पूरा कप नहीं। महँगाई के कारण चाय के दाम नहीं बढ़ाये गये थे, मात्र उसकी मात्रा कम कर दी गयी थी। बाकी दुकानों की भाँति इस चाय वाले ने नये छोटे साइज़ के कप नहीं ख़रीदे थे क्योंकि उनके दाम भी बढ़ गये थे। सम्बन्धित अधिकारी ने हमारी तरफ़ देखा और आकाशवाणी की कि क्या किया जाए, अब तो फ़क़ीर भी एक रुपये से कम की भीख स्वीकार नहीं करता। इसके बाद उस अध्ययनशील अधिकारी ने सरकार के उन सब क़दमों की विशद चर्चा की जो क़ीमतें कम करने के लिए उठाये गये थे और जिनमें से हर एक क़दम ने क़ीमतों को और ऊँचा उछाला था।

जिन देवी जी को मेरा साक्षात्कार लेना था, उनको उसी रात बच्चा हुआ था। वे छुट्टी पर थीं। स्थिति यह थी कि धर्मराज हर प्रश्न का उत्तर देने को तैयार था पर कोई प्रश्न पूछने वाला यक्ष ही नहीं था। अन्त में प्रश्न भी मैंने ही तैयार किये। इसके बाद जब हम लोग स्टूडियो में गये तो देखा कि वहाँ एक स्त्री-रत्न अपनी एक लघुकथा पढ़ रही थीं जो मात्र आठ पूरे साइज़ के पृष्ठों की थी। वे लेखिका इतनी 'प्रतिभावती' थीं कि हर बार पृष्ठ चार के बाद पृष्ठ छः पढ़ने लगती थीं और अपनी इस ग़लती का उन्हें ख़ुद कोई एहसास नहीं होता था। उन्होंने लगभग एक घण्टा लिया और उसके बावजूद उनकी रचना रिकॉर्ड नहीं हो पायी। उन्हें अगली तारीख़ दी गयी और उसके बाद लंच हो गया। मेरा तो निश्चित मत है कि वह रचना उनकी अपनी थी ही नहीं।

कोई ढाई बजे हम लोग फिर घटना-स्थल पर इकट्ठे हुए। मेरे साथ जो कन्या थी, उन्हें जल्दी थी। उनके लोकगीत रिकॉर्ड किये गये। वे गीत थे तो उल्लास के और देश की प्रगति के मगर उस कन्या का स्वर इतना करुण था कि वे गीत 'लोकगीत' कम और 'शोकगीत' ज़्यादा लगते थे। जैसे ही मेरा नम्बर आया, एक चपरासी साहिब तशरीफ़ लाये और मुझसे कहने लगे कि "स्टेशन-डाइरेक्टर ने सलाम भेजा है और वे चाय पर आपका इन्तज़ार कर रहे हैं।"

मैं स्टेशन-डाइरेक्टर के पास काफ़ी देर बैठा। ख़ूब कस कर बिस्कुट खाये, फलों का स्वाद लिया और 'कॉफ़ी' भी ख़ूब पी। बात दरअसल यह थी कि मैं लंच नहीं ले पाया था और इस कारण काफ़ी भूखा था। मैं खाता रहा और स्टेशन-डाइरेक्टर लतीफ़े के बाद लतीफ़ा सुनाते रहे और ख़ुद ही कहकहे भी लगाते रहे। एक बार तो वे इतने ज़ोर से हँसे कि लगा जैसे आकाशवाणी कार्यालय में आकाशवाणी ही होने लगी है। शब्द में बड़ी शक्ति होती है और इसी कारण हमारे प्राचीन ग्रन्थों में शब्द को 'ब्रह्म' माना गया है। बहरहाल स्टेशन-डाइरेक्टर थे साहित्य के मर्मज्ञ। शेक्सपियर के तो वे भयंकर प्रेमी थे; हालाँकि कभी-कभी वे 'हैमलेट' को 'हैल्मेट' ज़रूर कह जाते थे।

साढ़े तीन बजे मैं फिर स्टूडियो गया। प्रश्न पूछे गये और उत्तर दिये गये। कार्यक्रम के बाद जब मैंने टेप सुनाने को कहा तो पता चला कि टेप ख़राब था। आधा घण्टा नया टेप लाने में लगा और जब नया टेप आया तो रेडियो-स्टेशन की बिजली भाग गयी। जब मुझसे रेडियो के अधिकारी क्षमा माँगने लगे और कहने लगे कि "आप रात को इसी नगर की शोभा बढ़ाएँ ताकि हम कल सुबह आपकी रिकार्डिंग कर सकें" तो मैंने उन्हें धन्यवाद दिया और कहा कि "मैं तो शहर में अनजान हूँ और इस कारण आपमें से ही किसी के पास ठहरूँगा।" मेरी वाणी सुनकर उन सबके चेहरे उतर गये। बहरहाल उनका सामूहिक विलाप प्रारम्भ होने ही जा रहा था कि बिजली आ गयी और मेरे अलावा और सबके चेहरे खिल उठे। मैं इस कारण उदास हो गया

था क्योंकि उस भयंकर सर्दी में मुझे सौ मील दूर घर लौटना था और जितनी भी रेलगाड़ियाँ थीं, वे विदा ले चुकी थीं। मेरे शरीर और मन के बीच गृहयुद्ध चल ही रहा था कि मुझे सहसा याद आया कि अभी तो रेडियो से चेक भी लेना है। चेक तीन बार बनाया गया क्योंकि टाइप-राइटर वह था जो कभी पाटलिपुत्र की ख़ुदाई से निकला था। अन्त में चलकर चेक हाथ से ही लिखा गया, सक्षम अधिकारी के दस्तख़त कराये गये और मेरी सेवा में प्रस्तुत किया गया। चार सौ छह रुपयों का चेक देखते ही मैं अपनी सारी चिन्ता और थकान भूल गया। मैंने बहुत कोशिश की कि चेक के बजाय यदि नकद रुपया मिल जाए तो कहीं अच्छा रहे (क्योंकि उस स्थिति में मैं क़रीब सवा सौ रुपया बतौर आयकर के देने की स्थिति से बच सकता था) मगर वैसा नहीं हो सका। अधिकारियों ने बताया कि दफ़्तर में नकदी रखने से चोरी, डकैती और ग़बन वग़ैरह का भय रहता है और इसी कारण चेक के अलावा भुगतान की और कोई 'विधा' ऐसी नहीं है जो अपनायी जा सके। मैंने चेक लिया और किसी तरह काफ़ी रात गये अपने घर लौटा। अगले दिन सुबह जब चेक जमा करने मैं बैंक गया तो काउण्टर वाला बाबू मुस्कुराने लगा। मुझे लगा कि शायद यह समझ रहा है कि चेक जाली है, क्योंकि वह हाथ से लिखा गया है और हिन्दी लिपि में लिखा गया है—मगर मैं ग़लत था। बाबू साहब ने हार्दिक सहानुभूति जताते हुए कहा कि चेक तो ठीक है मगर इस रेडियो-स्टेशन के काफ़ी चेक बग़ैर भुने वापिस आ जाते हैं। उसकी बात सुनकर में दंग रह गया; जिस रेडियो-स्टेशन के पास लाखों की इमारत है, लाखों का ट्रान्समिटर है और जो केन्द्रीय सरकार का इतना सम्मानित संस्थान है, उसके बैंक के हिसाब में चार सौ छह रुपये नहीं निकलेंगे?

बैंक के बाबू ने मेरी कमर तोड़ दी। मैंने निश्चित कर लिया कि कुछ हो, मैं इस विशिष्ट रेडियो-स्टेशन पर भविष्य में कभी नहीं जाऊँगा। इतनी परेशानी और इतनी इल्लत; आख़िर किसलिए? मगर इस रचना के लिखते-लिखते फिर ख़याल आने लगा कि रेडियो पर मेरा नाम कितने लोग सुनेंगे और कहाँ-कहाँ सुनेंगे! जहाँ न जाए रवि, वहाँ जाए कवि। मेरा तो वैसे भी रवीन्द्रनाथ नाम है और मुझे तो यह कहावत सच करनी ही पड़ेगी। और वैसे भी चार सौ छह रुपये और मुफ़्त का पिकनिक। नहीं-नहीं, मैं इस रेडियो-स्टेशन पर जाऊँगा और ज़रूर जाऊँगा। इतने सुख को कालिदास के शब्दों में 'को विहातुं समर्थः?' अर्थात् कौन, छोड़ सकता है?

एक साहित्यकार की मृत्यु पर

साहित्यकार एक बहुत बड़ी चीज़ होता है। रोम के सम्राट् रसातल को चले गये पर होमर अभी ज़िन्दा है। महारानी एलिज़ाबेथ इतिहास की जिल्दों में बन्द हो गयीं पर शेक्सपियर आज भी हमारे लिए खुला है। सम्राट् विक्रमादित्य को लोग भूल सकते हैं पर कालिदास को नहीं। संस्कृत में एक कवि ने कहा है कि साहित्य और संगीत को न जानने वाला व्यक्ति एक ऐसे पशु के समान होता है जिसके कि न सींग होते हैं और न पूँछ। इस मत को प्रकट करने वाले कवि ने उस पशु का नाम अलबत्ता नहीं बताया जिसकी उन्होंने चर्चा की। बात यह है कि ये कवि व्यक्तिगत जीवन में एक राजा थे और उनकी पत्नी किसी ऐसे व्यक्ति से प्रेम करती थी जो साहित्य-प्रेमी नहीं था। अपनी राजकीय व्यस्तता व दाम्पत्य जीवन के दुख के कारण वे कवि महोदय उस पशु-विशेष का नाम, वल्दियत और पता बताना भूल गये जिसे देखकर उन्हें साहित्य से विमुख व्यक्ति की याद आयी थी।

साहित्यकार सर्जक होता है और इस कारण उसका स्थान स्वयं ब्रह्मा के बराबर बैठता है। आज हम जिस व्यक्ति को श्रद्धांजलि देने के लिए यहाँ इकट्ठे हुए हैं, वह भी एक साहित्यकार ही था। उसने अपना सारा जीवन जन्म लेने से पूर्व ही साहित्य को समर्पित कर दिया था। वह साहित्य का सच्चा साधक था; वह साहित्य ही खाता था और साहित्य ही पीता था, वह साहित्य ही पहनता था और साहित्य ही ओढ़ता-बिछाता था। बीमार पड़ने पर उसने साहित्य का ही सेवन किया और इसी कारण आज हम लोग इस सुखद स्थिति में खड़े हैं कि उन्हें एक साहित्यिक श्रद्धांजलि अर्पित कर सकें। इससे उनकी साहित्यिक आत्मा को साहित्यिक शान्ति मिलेगी।

यह साहित्यकार महान् था क्योंकि मृत्यु हो जाने के उपरान्त सभी साहित्यकार प्रायः महान् हो जाते हैं। वह बड़ा अक्खड़ था, दयालु था और शिष्ट तो इतना था कि एक बार उसने अपने एक समकालीन कवि के सामने अपनी लुंगी ही खोल दी थी, उसे साहित्य का डाकू बताया था और एक बार उसे कुश्ती के लिए भी ललकारा था। वह ऐसे सारे गुर जानता था जिससे उसका प्रचार हो सके, वह प्रसिद्ध बन सके। वह कवि सम्मेलनों में कभी वेश्या की माँग पेश करता था तो कभी बिना किसी

कारण के अँग्रेज़ी में बातें करने लगता था। कुछ लोग तो उसे विक्षिप्त ही समझने लगे थे जो एकदम ग़लत था। वह रेशम से घने केश रखता था क्योंकि वे उसे अपनी प्रेयसी की याद दिलाते थे। वह 'पीयर्स सोप' व 'विक्स इनहेलर' के बिना जीवित नहीं रह सकता था। उसने अपनी कविता प्रकृति से शुरू की और स्त्री की जंघाओं पर समाप्त की। उसने वैदिक दर्शन, मार्क्सवाद और अरविन्द-दर्शन की ऐसी उम्दा खिचड़ी पकायी कि आलोचक तो क्या, वह स्वयं भी उसे नहीं पचा सका। उसने रश्मिपदी कविता की सृष्टि की और रहस्यवाद नामक एक ऐसे बाद की सृष्टि भी की जिसका रहस्य कोई नहीं जान पाया। सच, कोई भी तो नहीं।

हमारे इस महान् साहित्यकार ने कभी विवाह नहीं किया। कुछ का कहना था कि वे अपनी प्रेयसी की स्मृति में ऐसे खोये कि फिर कभी हाथ ही नहीं आये। कुछ का कहना था कि वे आर्थिक संकटों के कारण अविवाहित रहे। कुछ धूर्त लोगों का विचार था कि वे नपुंसक थे। इसी बदनामी से टक्कर लेने के हेतु उन्होंने सिर के बाल कटवाये और दाढ़ी बढ़ायी। उन्होंने इसके बाद शादी की और कुछ अज्ञात-यौवनाओं को शादी के बिना भी अपने पास रखा। मगर लोग थे कि उन्हें अभी भी पवित्र अर्थात् नपुंसक ही मानते थे। बहरहाल हमारे इस दिवंगत साहित्यकार ने इन तुच्छ बातों पर कभी कोई ध्यान नहीं दिया। वे विदेश घूमे, विदेशी साहित्य को अपने नाम से हिन्दी में छापा और गुटबाज़ बने। उन्होंने कोई न कोई अख़बार अपने हाथ में हमेशा रखा और यह सब कर लेने के बाद, वे चुप रहने लगे। अब उनके भक्त उन्हें चिन्तक व मनीषी कहने लगे।

साहित्य में जमने के बाद उन्होंने राज्याश्रय लिया जिसके फलस्वरूप वे राज्यसभा के सदस्य बने, विदेश गये और एक के बाद एक अवार्ड पाये। यह सब पा जाने पर भी उनका हृदय दुखी ही रहा। एक महान् साहित्यकार होने के कारण उन्हें उदास तो रहना ही था। मन बदलने के लिए वे गीतकार हो गये और कवि-सम्मेलनों में कसरत के साथ जाने लगे। इस क्षेत्र में उन्हें अपूर्व सफलता मिली जिसका कारण उनकी कला नहीं थी वरन् उनका गला था। हिन्दी में गलाकार जो रहा वह कलाकार से सदा आगे रहा। गीतकार की हैसियत से उन्होंने भाषा की किफ़ायत पर बेहद ध्यान दिया और अपनी सारी कवि-सम्मेलनी दिग्विजय 'अंगना' और 'कंगना', 'मरघट' और 'पनघट' तथा 'मितवा' और 'बिरवा' जैसे चन्द गिने-चुने शब्दों के सहारे ही सम्पन्न कर ली। गीतकार होने के कारण अनेक कन्याओं ने उन पर जाल डालने शुरू कर दिये और कई बार तो उन्हें अपना नगर रातोंरात छोड़ना पड़ा। उनका स्वर सचमुच बहुत करुण था और इसी कारण उनकी कविता सुनकर कई नवयुवकों ने आत्महत्या कर ली। स्त्रियों से उन्हें बहुत प्रेम हो गया था और पामेला बोर्ड्स का यह कथन उन पर शत-शतिशत लागू होता था कि "आम तौर पर पुरुष नौ महीने तो अपनी अम्माँ के गर्भ में रहते हैं और बाकी सारी ज़िन्दगी वे वापिस वहीं घुसने

की कोशिश में गुज़ार देते हैं।"

हमारे ये दिवंगत साहित्यकार जनता में काफ़ी प्रिय थे। वे हमेशा प्रथम श्रेणी का भाड़ा वसूल करते थे और बग़ैर टिकट यात्रा करते थे। वे सचमुच ही फक्कड़ थे; प्रगतिवादी भी थे और पूँजीवादी भी थे। लिखते समय प्रगतिवादी रहते थे और उसके बाद पुस्तक की बिक्री से सम्बन्धित प्रकाशक की सारी सहायता भी करते थे। मन्त्री जी से मिलते थे और अपनी पुस्तक सदा किसी सत्ताधारी को ही समर्पित करते थे। इसी पहुँच के कारण वे बार-बार विदेश गये, उनकी कृतियाँ पाठ्यक्रमों में लगीं और वे पुरस्कृत भी हुए और अलंकृत भी हुए। अधेड़ होने पर वे 'अकवि' हो गये और टट्टी, पेशाब, गुबरैले व इसी किस्म की और चीज़ों पर कविता लिखते रहे और ठाठ से रहते रहे।

कविता से ऊब कर वे गद्य के क्षेत्र में आये और एक राष्ट्रकवि के शब्दों में उन्होंने हिन्दी जगत् को रवीन्द्र व शरत्—दोनों दिये और एक साथ दिये। वे प्रेयसी रखने के पक्ष में थे। उनकी वाणी प्रायः अस्पष्ट, असंगत व उलझी हुई होती थी और उसका सच्चा अर्थ कभी-कभी वे स्वयं भी नहीं जानते थे। बात में से बात निकालने की क्रिया उन्हें अच्छी तरह आती थी। बाद में चलकर उन्होंने अपना प्रकाशन भी खोल लिया था। बाकी प्रकाशकों ने जो उदारता उन्हें दिखायी थी वही उदारता उन्होंने अपने लेखकों के प्रति दिखायी। घायल की गति यदि घायल नहीं जानेगा तो और कौन जानेगा? वे सदा विवादों के घेरे में रहते थे, अपनी प्रशंसा का सारा प्रबन्ध स्वयं ही करते थे और नयी लेखिकाओं को आगे बढ़ाते थे। उन्होंने एक पत्रिका भी निकाली जिसमें अपनी प्रशंसा व शेष लेखकों की निन्दा की। रचनाएँ जो छपती थीं वे या तो उनकी स्वयं की होती थीं या फिर उनकी पत्नी की, पुत्र की या पुत्रवधू की होती थीं। वे सचमुच बहुमुखी प्रतिभा रखते थे।

मैं अपनी श्रद्धांजलि संक्षिप्त रखना चाहता था पर फिर भी वह हो नहीं पाया। ऐसे महान् साहित्यकार के ऊपर बोलने के लिए किसी भी साहित्य प्रेमी को कई घण्टे लगेंगे। मुझे उनकी सारी विधाओं में रचित सारी कृतियाँ बराबर पसन्द थीं। कोई भी पुस्तक पढ़ते-पढ़ते मुझे रात तो क्या, दिन में भी नींद आ जाती थी। वे उन लेखकों में नहीं थे जो भूखे रहते हैं, नंगे रहते हैं, रात-रात भर बीड़ी फूँकते हैं और जिन्हें मरने पर कफ़न भी नहीं मिलता। वे आज़ाद हिन्दुस्तान के कलम-कार थे, उन्हें किसी चीज़ की कभी कोई कमी नहीं रही। मकान किसी का था, पत्नी किसी की थी, साहित्य किसी का था मगर यश व धन उनका अपना ही था। यश की भी उन्होंने स्वयं कोई इच्छा नहीं की—ठीक उसी तरह जैसे कि न्यूयार्क की उस विश्वसुन्दरी को भी यश की कोई इच्छा नहीं रही जिसके साथ माइक टाइसन नामक विश्व प्रसिद्ध घूँसेबाज़ ने बलात्कार किया। इस प्रख्यात साहित्यकार की मृत्यु की सारी ज़िम्मेदारी प्रशासन पर जाती है; एक ओर यह कलाकार गुप्त रोग को गुप्त रखता

रहा और दूसरी ओर प्रशासन सोता रहा। मिदनापुर में स्कूल के होनहार बच्चे अपने एक अध्यापक को जो कक्षा में पढ़ाने के स्थान पर खुर्राटे भर रहा था—उठा कर तालाब में डाल दिया। हमें भी इस सोते हुए प्रशासन के साथ ऐसा ही करना उचित होगा। भगवान ने बड़ी कृपा की कि दिवंगत कलाकार ने कोई पुत्र नहीं छोड़ा। एक और महान् लेखक ने जो पुत्र छोड़ा था, उसने प्रशासन द्वारा दिये गये सस्ते काग़ज़ को काले बाज़ार में बेचा और अपना मुँह काला किया। 'गीता रहस्य' नामक महान् ग्रन्थ के लेखक लोकमान्य बाल गंगाधर तिलक के पुत्र ने भी तो आत्महत्या ही की थी। ऐसे पुत्रों से क्या फ़ायदा?

मैं नयी पीढ़ी का आह्वान करता हूँ कि वह आगे आये और दिवंगत आत्मा के छोड़े हुए काम को पूरा करे। वह उस मदिरा को पिये जो बाकी बची है और उस साहित्य की राशि को चोरी करके माँ भारती की झोली भरे जो इन दिवंगत आत्मा से छूट गयी। काम कठिन है पर यदि रावण की माता शिशु रावण के दस मुखों को दूध पिला सकती थी तो आने वाली पीढ़ी वैसा क्यों नहीं कर सकती? यदि विदेश 'शेक्सपियर' पैदा कर सकता है तो हम 'सैक्सपीयर' क्यों नहीं पैदा कर सकते? आइए अब हम लोग माँ भारती के इस महान् शिवलिंग को अपनी आँखों का जल चढ़ाएँ और उन सारे साहित्यकारों को याद करें जिनका गुणगान मैंने जाने-अनजाने अब तक किया है। अनेक में एक और एक में अनेक—इस सिद्धान्त को जानने के लिए उचित होगा कि आप गीता को फिर से पढ़ें। यह दिवंगत साहित्यकार एक महान् व्यक्ति था जिसकी तुलना जयशंकर 'प्रसाद' तो क्या, राधेश्याम कथावाचक तक से भी नहीं की जा सकती। जब दुलारेलाल भार्गव ने 'दुलारे-दोहावली' लिख ली थी तो उन्होंने चाहा था कि एक प्रसिद्ध समालोचक उसकी तुलना 'बिहारी-सतसई' से कर दें। आलोचक-प्रवर ने दोनों पोथियाँ पढ़ी और कहा:

एक बिहारीलाल थे, एक दुलारेलाल
एक मूँछ के बाल थे, एक पूँछ के बाल

धर्म-चर्चा

मैं एक धार्मिक व्यक्ति हूँ और इसी कारण मैं संसार के विभिन्न धर्मों, मतों व सम्प्रदायों के बारे में प्रायः पढ़ता और सोचता रहता हूँ। इस अध्ययन के बीच कभी-कभी मुझे काफ़ी दिलचस्प बातें पढ़ने को मिलती हैं और आज मैं उन्हीं की चर्चा करूँगा।

पुराने ज़माने के मिस्र देश के धर्म में बताया गया था कि स्वर्ग मात्र पवित्र आचरणों से ही नहीं मिलता; उसकी प्राप्ति मन्त्र, तन्त्र और जादू से भी हो सकती है। बेबीलोनिया में पुराने ज़माने में पैंसठ हज़ार देवी-देवताओं की पूजा की जाती थी और मन्दिर के पशुओं का इतना ध्यान रखा जाता था कि कुत्तों तक को दूध-मलीदा दिया जाता था। ये लोग भलाई और बुराई में कोई अन्तर नहीं मानते थे और उनका कहना था कि ये दोनों गुण एक ही सिक्के के दो पहलू थे। सुमेरिया में देवदासी रखने की प्रथा ज़ोरों पर थी और मन्दिर के लिए कन्यादान करना एक सराहनीय काम माना जाता था। ये सुन्दर देवदासियाँ पुरोहितों के 'घरेलू कामों' के लिए उपयोग की जाती थीं। असीरिया के धर्म के अनुसार उनकी देवी का नाम नीना देवी था जिसे शायद भारत से ही आयात किया गया था। इस नाम की देवियाँ हमारे देश में अभी भी प्राप्त होती हैं हालाँकि दुर्भाग्यवश उनका उपयोग धर्म के लिए नहीं किया जाता। ईरानी लोगों का विश्वास था कि मृत्यु के बाद सारे प्राणी एक झूले जैसे पुल पर से गुज़रते थे। जो पापी होते थे वे पुल पर से गिर जाते थे और उन्हें नरक की यातना भोगनी पड़ती थी और जो अनुभव-सिद्ध लोग पुल पार कर जाते थे उन्हें स्वर्ग मिलता था। जहाँ इस बात का समुचित प्रबन्ध था कि सुन्दर स्त्रियाँ उनकी सेवा करें। मिस्र में राजाओं की मृत्यु होने पर काफ़ी सुन्दर युवतियाँ, उम्दा भोजन और वज़ीर लोग भी राजा के साथ ही साथ पिरामिडों में दफ़न कर दिये जाते थे ताकि वे सब वक़्त-ज़रूरत राजा की सेवा कर सकें। जापान में मुर्दे के साथ तलवार और दर्पण रखे जाते थे ताकि मृत व्यक्ति चाहे वीरगाथाकाल में रहे और चाहे रीतिकाल का आनन्द ले।

ईसा मसीह पर जो अभियोग लगाया गया था वह साबित नहीं हो सका था। न्यायाधीश उन्हें छोड़ना चाहता था पर जनता उन्हें मारना चाहती थी। जूरी ने उन्हें

मृत्युदण्ड दिया। हज़रत मुहम्मद जैसे पवित्र पैग़म्बर के उत्तराधिकारी होने के सन्दर्भ में भी तीन महान् व्यक्तियों की हत्या की गयी थी जिनमें हज़रत मुहम्मद के नेकदिल रिश्तेदार भी शामिल थे। इस तमाम हादसे का कारण यह था कि हज़रत मुहम्मद ने मात्र इस्लाम धर्म को ही जन्म नहीं दिया वरन् सर्वप्रथम 'मुस्लिम साम्राज्य' को भी उन्होंने ही स्थापित किया हालाँकि व्यक्तिगत जीवन में वे सदा फटेहाल ही रहे। उत्तराधिकारियों की हत्या का प्रमुख कारण राजनीतिक था, धार्मिक नहीं। जैन धर्म में ईश्वर को नहीं स्वीकारा गया पर आम श्रद्धालु-वर्ग अपने तीर्थंकरों की ही पूजा करने लगा और महावीर को ही भगवान स्वीकार करने लगा। तारणपन्थी जैन मूर्तिपूजा के विरुद्ध हैं पर वे तारण स्वामी द्वारा रचित चौदह ग्रन्थों की पूजा बराबर करते हैं। जैसे जैन लोग दिगम्बर और श्वेताम्बर नाम के दो वर्गों में विभाजित हो गये वैसे ही बौद्ध लोग भी 'हीनयान' व 'महायान' के पवित्र चक्कर में पड़ गये। इत्सिंग ने लिखा है कि जब वह भारत आया था तो बिहार के क्षेत्र में सारी भूमि उजाड़ पड़ी थी। लोग भूखा रहते थे मगर खेती नहीं करते थे क्योंकि हल चलाने से कीड़ों और मकोड़ों की जान जाने का ख़तरा रहता था।

हिन्दू धर्म सब धर्मों से श्रेष्ठ है। जहाँ इस्लाम और ईसाई धर्म मात्र एक-एक पवित्र पुस्तक पर ही आधारित है, वहाँ हिन्दू धर्म में इतनी पवित्र पुस्तकें हैं कि उनकी सही गिनती बताना मुश्किल है। कहने को तो वेद चार ही हैं पर स्थिति यह है कि ऋग्वेद की इक्कीस शाखाएँ हैं और सामवेद की एक हज़ार शाखाएँ हैं जिनमें से फ़िलहाल मात्र तीन ही प्राप्त हैं। वेदों के बाद ब्राह्मण ग्रन्थ हैं जिनमें बताया गया है कि यज्ञ इत्यादि जो ब्राह्मणों के हित के कर्म हैं वे कैसे सम्पन्न किये जाते हैं। ब्राह्मण ग्रन्थ भी पन्द्रह से ऊपर हैं और उनमें से शतपथ ब्राह्मण जैसे जो ग्रन्थ हैं उनमें अकेली पुस्तक के इकत्तीस काण्ड हैं। ब्राह्मण ग्रन्थों के बाद उपनिषदों का नम्बर आता है जिनकी संख्या मात्र दो सौ पचहत्तर है। यह हमारा सौभाग्य है कि फ़िलहाल जो उपनिषद् प्राप्त हैं वे मात्र तेरह ही हैं। इनके अलावा वेदों के श्रौत सूत्र भी हैं जिनकी संख्या काफ़ी है। सूत्रों के बाद वेदांग जो हैं वे भी अनेक हैं। और सबके बाद पुराणों का नम्बर आता है जो अठारह हैं। कुल मिलाकर स्थिति यह है कि हिन्दू धर्म की पूरी जानकारी किसी भी एक जन्म में नहीं प्राप्त हो सकती और शायद गीता में पुनर्जन्म की व्यवस्था इसी कारण रखी गयी। हिन्दू धर्म के पतन का प्रमुख कारण मात्र यह रहा कि वह इतना जटिल और कठिन था कि कुछ कहा ही नहीं जा सकता। यह कहना बड़ा आसान है कि फ़लाँ धर्म जो है वह तलवार के ज़ोर पर फैला मगर सच्ची बात यह है कि ईसाई धर्म, इस्लाम धर्म और बौद्ध धर्म के लोकप्रिय होने का प्रथम कारण यह रहा कि उनके पवित्र ग्रन्थ बेहद कम हैं और जो हैं, वे भी काफ़ी सरल हैं। हमारे यहाँ तो स्थिति यह है कि वेदों का व्याकरण तक भी अलग ही है जो 'निरुक्त' कहलाता है। वैदिक व्याकरण के विपरीत लौकिक

संस्कृत का जो व्याकरण है वह पाणिनि की 'अष्टाध्यायी' नामक पुस्तक में संगृहीत है। हमारे पूर्वज शायद सोचते थे कि यदि हमारे धर्म-ग्रन्थ सरल हो गये तो वे पवित्र नहीं रहेंगे। पुराणों में यह भी लिखा है कि विश्व में सर्वप्रथम ब्राह्मण, गाय, अग्नि और वेदों की उत्पत्ति की गयी। एक पुराण में कहा गया है कि गाय के तो रोम-रोम में देवता निवास करते हैं। मेरे ख़याल में देवता भी काफ़ी होनहार किस्म की चीज़ होते थे जो निवास करने के सारे स्थान छोड़कर गाय के रोमों में निवास करते थे।

हमारा देश एक धार्मिक देश है। धर्म न हो तो मनुष्य और पशुओं के बीच में अन्तर ही क्या रहे! धर्मेण हीनाः पशुभिः समानाः। धर्म न हो तो दंगे कैसे हों, चुनाव कैसे लड़ा जाए और देश का विभाजन कैसे हो? धर्म न रहा तो हम विश्व के बाकी देशों के सामने अपना मुख कैसे दिखा पायेंगे? तब तो हम उन्हें अपने शरीर का मात्र वही भाग दिखा सकेंगे जो कमर के नीचे होता है। इस दिशा में ज़्यादा जानकारी प्राप्त करनी हो तो आप 'ब्राह्मण-टोला' वाली वह मज़ाक़ पढ़िए जो राष्ट्रकवि मैथिलीशरण गुप्त ने गोपालप्रसाद व्यास को कभी सुनायी थी। इस दिशा में आप मुझसे या व्यास जी से पत्र-व्यवहार कर सकते हैं। मज़ाक़ बढ़िया होने की पूरी गारण्टी। पसन्द न आने पर दाम वापिस। धर्म के नाम पर बताइए, आपको और क्या चाहिए?

माइक से त्रस्त मेरा नगर

मैं विज्ञान का प्रशंसक हूँ बशर्ते कि वह मेरे धार्मिक विश्वासों पर आघात न पहुँचाए और मेरे दैनिक क्रियाकलापों में कोई बाधा न डाले। मगर इस नगर में इतने माइक्रोफ़ोन हैं और वे सब के सब अपनी ड्यूटी देने में इतने तत्पर हैं कि कुछ कहा नहीं जा सकता। आज अपने इसी दुख की चर्चा करता हूँ। शरद जोशी के शब्दों में भोंपू बजाने की कला तो नष्ट हो गयी पर माइक का प्रयोग भोंपू से कहीं आगे निकल गया।

रिटायर होने के बाद भगवान की कृपा से मात्र दो ही काम रह गये हैं। पहला काम है पेंशन लेना और दूसरा काम है साहित्य का लिखना-पढ़ना। वैसे कुछ प्रतिभावान लोग हैं जो लिखने को कार्य नहीं मानते। एक बार गुरुदेव रवीन्द्रनाथ ठाकुर शान्तिनिकेतन से कलकत्ता जा रहे थे। बोंलपुर स्टेशन पर उन्हें विदा करने बड़े-बड़े लोग आये थे। गुरुदेव को जो श्रद्धा व सत्कार दिया गया, उसे देखकर प्रथम श्रेणी के डिब्बे में बैठे एक मारवाड़ी सेठ को बड़ी उत्सुकता हुई। जब गुरुदेव भी उसी डिब्बे में चढ़ गये और गाड़ी चल पड़ी तो सेठजी ने उनसे पूछा कि "आप करते क्या हैं?" गुरुदेव ने शान्त स्वर में कहा कि "मैं लिखता हूँ।" सेठजी ने फिर यही प्रश्न पूछा और उन्हें फिर वही उत्तर मिला। अन्त में चलकर सेठजी ने पूछा कि "आप कामकाज क्या करते हैं? लिखना-पढ़ना कोई धन्धा थोड़े ही हो सकता है?" इसी प्रकार कहीं पढ़ा था कि एक विदेशी एक पुराने राजमहल को देखने गया। यहाँ उसने गाइड से एक पेण्टिंग के बारे में यह पूछताछ की कि उसमें चित्रित महानुभाव काम क्या करते थे। गाइड ने उत्तर में बताया कि "ये ही वे व्यक्ति हैं जिन्होंने इस राजवंश की नींव डाली।" अमेरिकन यात्री ने फिर वही प्रश्न पूछा और उन्हें फिर वही उत्तर मिला। अन्त में चलकर अमेरिका के उस पूँजीवादी यात्री ने गाइड से अन्तिम बार पूछा कि "मैं मानता हूँ कि इन्हीं व्यक्ति ने इस राजवंश की नींव डाली मगर मैं यह जानना चाहता हूँ कि बाकी वक़्त में वे क्या करते थे?" मुझे काफ़ी महल्लेदार और सगे-सम्बन्धी हिकारत की निगाह से देखते हैं क्योंकि उनकी दृष्टि में लेखक होना जीवन को बर्बाद करना है। कभी-कभी मैं स्वयं भी ऐसा ही महसूस करता हूँ मगर वह मात्र तभी होता है जब नागपुर का 'युगधर्म' बराबर चिट्ठी लिखने के बावजूद

कुछ नहीं देता है या जब मध्यप्रदेश का 'अमृत-सन्देश' एक श्रेष्ठ रचना के बदले पन्द्रह रुपयों का मनीऑर्डर भेजता है। वे लोग ग़लत हैं जो समझते हैं कि हिन्दी की सबसे ज़्यादा बिकने वाली पुस्तकें 'गोदान', 'चित्रलेखा', 'मधुशाला', 'साकेत', 'गुनाहों का देवता' या 'कामायनी' हैं। सच्ची बात यह है कि हिन्दी के सबसे ज़्यादा बिकने वाले लेखक गुलशन नन्दा और काका हाथरसी ही हैं। गुलशन नन्दा हिन्दी के प्रथम व अन्तिम साहित्यकार थे जिनके उपन्यास 'झील के उस पार' का प्रथम संस्करण एक लाख प्रतियों का छपा था और जहाँ तक काका जी का प्रश्न है, स्थिति यह है कि उनकी मात्र एक ही कृति—जिसका नाम 'काका की फुलझड़ियाँ' था—अब तक दो लाख बिक चुकी है। अब आप ही बताइए, इन महान् साहित्यकारों के सामने पन्त, निराला, प्रेमचन्द और रवीन्द्रनाथ त्यागी कहाँ ठहरते हैं?

हाँ तो मैं बात माइक्रोफ़ोन की कर रहा था मगर सदा की तरह आज भी पटरी से उतर गया। मैं दिन-भर पढ़ता-लिखता हूँ और शाम को जल्दी ही सो जाता हूँ। आर्य होने के कारण मैं इस परम्परा का पालन करता हूँ हालाँकि मैं जानता हूँ कि यह परम्परा आर्यों ने उस समय निश्चित की थी जब बिजली का आविष्कार नहीं हुआ था। मगर आजकल शादियों का मौसम है और शाम से ही माइक्रोफ़ोन पर बिस्मिल्लाखान शहनाई बजाना शुरू कर देते हैं। मैं थका-माँदा होने पर भी सो नहीं पाता। बिस्तर पर शवासन में पड़ा रहता हूँ और कवि की पंक्तियाँ याद करता रहता हूँ : सो न सका मैं याद तुम्हारी आयी सारी रात, और पास ही बजी कहीं शहनाई सारी रात। बड़ा संगदिल कवि था जिसको जगाने के लिए प्रेयसी और शहनाई—दो चीज़ों की ज़रूरत पड़ती थी। मैं तो इतना मृदुल हूँ कि अकेली शहनाई के कारण ही नहीं सो पाता।

कोई बारह बजे बिस्मिल्लाखान थककर शहनाई छोड़कर शायद शहर ही छोड़ गये। मगर मैंने सोने के लिए चादर तानी ही थी कि किसी भक्त ने माइक्रोफ़ोन पर ही चण्डिपाठ शुरू कर दिया। मैं "या देवी सर्वभूतेषु निद्रारूपेण संस्थिता" का पाठ करना चाहता था मगर इस भक्तविशेष के कारण 'निद्रा' के स्थान पर 'दुर्गा' का पाठ सुनना पड़ा। मैं मानता हूँ कि हमारे विधान में हर एक को अपने देवी-देवता की पूजा करने का अधिकार है पर इसका अभिप्राय यह तो नहीं है कि आप अपनी प्रार्थना को नगर के सारे निवासियों पर लादें। क्या मैं ग़लत कह रहा हूँ?

नींद तो खलास हो गयी। मेरा मन डरने लगा। राजा रामचन्द्र पत्नी के विरह में डरते थे (प्रियाहीन डरपत मन मोरा) और ख़ाकसार है कि वह पत्नी के सान्निध्य से डरता है। अगर मैंने पढ़ने के लिए बत्ती जला ली तो वह महिषासुर-मर्दिनी अपने रौद्र-रूप में प्रकट हो जायेगी। बहरहाल पत्नी का तो नहीं पर कुछ और स्त्रियों का विरह सताने लगा। नंगल की टाउनशिप में ऐसे पति-पत्नी हैं जो एक-दूसरे से पिछले पन्द्रह वर्षों से नहीं बोले। एक गुज़ुरग लिओण्टीना नाम की सुन्दरी हैं जिनकी आयु

मात्र पैंसठ वर्ष है और इस क्षुद्र अवधि में वे मात्र पैंसठवीं बार गर्भवती हुई हैं। मद्रास में एक परिवार है जहाँ कन्या ही कन्या जन्म लेती हैं, पुरुष नहीं। उनके यहाँ जो वफ़ादार कुतिया पाली जाती है वह भी कुतियों को ही जन्म देती है, कुतों को नहीं। नेपाल में दो सुन्दर नवयुवतियों ने एक साथ आत्महत्या सम्पन्न की ताकि वे अगले जन्म में पति-पत्नी बन सकें। दिल्ली में एक प्रतिभाशाली नवयुवक ने अपनी प्रेयसी के साथ शादी करने के लिए एक अदद डकैती डाली और एक अदद क़त्ल किया। आदमी का इरादा नेक था हालाँकि काम बुरा रहा। पत्नी की प्राप्ति के लिए छोटे-मोटे अपराध सदा से होते आये। रमणी के कारण ही तो घर सुखी होता है। संसार सुखेर हय रमणीर गुणे।

युवतियों की चर्चा करते-करते मुझे सहसा याद आया कि विरह का दुःख शायद स्त्रियों को भी होता है। पंजाब के एक पुराने लोकगीत में विरहिणी कहती है कि "ओ फ़िरंगी बादशाह, तेरा नाश हो। तू हमारे पतियों को फ़ौज में भर्ती करता है और फिर उन्हें छुट्टी तक नहीं देता। तू अपनी पलटन में मात्र क्वारों को ही भर्ती क्यों नहीं करता?"

चण्डिपाठ समाप्त हुआ तो शायद नगरपालिका के किसी प्रत्याशी के नारे माइक पर लगने लगे। मैं सोचता हूँ कि जब अब्राहम लिंकन, डिज़राएली, लाला लाजपतराय और देशबन्धु चित्तरंजन दास बिना माइक्रोफ़ोन के लाखों लोगों का दिल जीत लेते थे तो वैसा अब क्यों नहीं किया जाता? क्या मेरी आवाज़ तुम तक पहुँचती है? अब तो सचमुच स्थिति यह हो गयी है कि प्रेमी यदि प्रेमिका से (या उसकी माता या बहिन से) शाम को सात बजे के बाद कम्पनी-बाग़ में मिलने को कहता है तो यह बात भी वह माइक्रोफ़ोन पर ही कहता है वैसे नहीं। और यदि कोई समझदार नवयुवक वैसे कहता भी है तो लड़की (या उसकी माता या बहिन) उसका निशा-निमन्त्रण सुनती ही नहीं।

माइक बज रहा है और बज रहा है। नारेबाज़ थक गये हैं और इस कारण फ़िलहाल लता मंगेशकर व किशोरकुमार जनता की सेवा में तल्लीन हैं। हर माइक्रोफ़ोन की ध्वनि अलग प्रकार की होती है—ठीक वही स्थिति जो कभी शंखों के साथ होती थी। हमारे परम पवित्र ग्रन्थ श्रीमद्‌भगवद्‌गीता (जिसमें त्यागी लोगों का विशद वर्णन किया गया) के अनुसार युद्ध के समय भगवान श्रीकृष्ण ने पांचजन्य नामक शंख बजाया था, अर्जुन ने देवदत्त नामक शंख बजाया था, भीमसेन ने पौण्ड्र नामक शंख बजाया था और युधिष्ठिर, नकुल व सहदेव ने क्रमशः अनन्तविजय, सुघोष तथा मणिपुष्पक नामक शंख बजाये थे।

माइक्रोफ़ोन जो बन्द हो गया था, अब दूसरी दिशा से बजने लगा। अब वे गीत गाये जा रहे थे जो पुत्रजन्म के शुभ अवसर पर गाये जाते हैं। लगता है कि जिस कन्या का शाम विवाह सम्पन्न हुआ था, उसने अब बच्चा दे दिया। इस

बार जो रिकॉर्ड बजाया जा रहा था उसे सुनकर आत्महत्या करने की इच्छा प्रबल हो उठी। मगर शास्त्रों में लिखा है कि बैल को परलोक में भी कोल्हू ही खींचना पड़ता है। अब यदि अगले जन्म में भी वही प्रकाशक, सम्पादक, आलोचक व पत्नी प्राप्त होनी है तो आत्महत्या से भी क्या लाभ होगा? एक महात्मा का कहना है कि आत्महत्या करने से दूसरा जन्म नहीं होता। यदि यह बात सच है तो यही जीवन क्या बुरा है?

आत्महत्या से बचने के लिए मैं चाय बनाना शुरू करता हूँ। चाय बनाने के साथ-साथ अख़बार भी पढ़ता जाता हूँ। हमारे देश के एक व्यक्ति ने चालीस घण्टों तक दूसरों की आवाज़ों की नक़ल सुनायी। मैं सोचता हूँ कि हिन्दी में तो कम-से-कम दो ऐसे प्रसिद्ध साहित्यकार हुए हैं जो चालीस घण्टे क्या, चालीस वर्ष तक दूसरों की नक़ल हमें सुनाते रहे। एक ने कथ्य की तस्करी की और दूसरे ने शिल्प की। दोनों लेखक खलास होने के बाद मनीषी और चिन्तक कहलाने लगे।

क्या कोई ऐसा स्थान नहीं है जहाँ माइक का इतना ज़्यादा सदुपयोग न होता हो? कहते हैं कि सप्तर्षि अभी तक ऐसे स्थान की खोज में हैं जहाँ कोई शव न जलाया गया हो। क्या कोई देश ऐसा है जहाँ माइक रात को न बजता हो? मैं अमेरिका जाना चाहता हूँ। चाहे जितनी पत्नियाँ बदलो और चाहे जितनी मोटरें बदलो। अमेरिका में रुपया काग़ज़ का है और साथ ही साथ क्राकरी और फ़र्नीचर तक काग़ज के हैं। वह भारत की भाँति नहीं है जहाँ भगवान विष्णु के भी सहस्र नाम हों। वहाँ चिट्ठी क्या, पत्नी तक को टिकट लगाकर लेटरबाक्स में डाला जा सकता है। जिन कपड़ों पर जितने ज़्यादा पैबन्द लगे होते हैं, वे उतने ही ज़्यादा क़ीमती माने जाते हैं। कुछ प्रान्तों में तो अतिथि को क्रीतदास या क्रीतदासी समझा जाता है। वहाँ बच्चा पैदा करने के लिए विवाह की या माइक्रोफ़ोन की ज़रूरत नहीं पड़ती। वह कोई भारतवर्ष थोड़े ही है जहाँ देह में दशद्वार होते हैं, पृथ्वी के पाँच गुण होते हैं, गन्ध नौ प्रकार की होती है, रूप सोलह प्रकार का होता है और शब्द सात प्रकार का होता है। मगर मैं हूँ एक धार्मिक व्यक्ति और इस कारण मैं अमेरिका नहीं जाना चाहता। हमारे यहाँ कभी पाशुपत नाम का एक बेहद विकसित सम्प्रदाय पाया जाता था। इसके अनुयायियों को बैल की भाँति बोलना पड़ता था, लँगड़े की भाँति चलना पड़ता था और बिना किसी कारण के अपने कण्ठ से हा-हा स्वर निकालना पड़ता था। ऐसे दिलचस्प देश को छोड़कर अमेरिका कौन जाना चाहेगा?

मैं सोचता हूँ कि माइक्रोफ़ोन की ध्वनि को क्या मधुर नहीं बनाया जा सकता? बम्बई में एक अलौकिक व्यक्ति प्रकट हुआ है जो मात्र अपने स्पर्श से ही युवती से लेकर मोटर साइकिल तक को मधुर बना सकता है। क्या वह भी मेरी कोई मदद नहीं कर सकता?

रात समाप्त हो रही है। माइक्रोफ़ोन (जो कुछ देर पहले बन्द हो गया था)

फिर काम करने लगता है। इस बार माइक पर किसी पवित्र स्थल से अज़ान पढ़ी जा रही है। मैं निराश हो जाता हूँ और महाकवि दाग़ देहलवी का यह शेर याद करने लगता हूँ :

दी मुअज़्ज़न ने अज़ाँ शबे-वस्ल पिछले पहर
हाय, कम्बख़्त को किस वक़्त ख़ुदा याद आया?

साक्षात्कार का नाटक

जो घटना मैं आपको सुनाने जा रहा हूँ वह वसन्त की ऋतु में घटी थी। वह चैत्र या बैसाख में नहीं घटी थी—ठीक वे ही दो महीने जिनके बारे में फणीश्वरनाथ 'रेणु' ने यह लिखा है कि ये महीने इतने उदास हैं कि बिना बात ही रोने को जी चाहता है। वसन्त की तो बात ही अलग है। वनों में फूलों की मशाल जल जाती है। सेमली की बगिया अगिया लागी री। मैं ठहरा एक कविहृदय कवि। वसन्त के आने पर मन और तन दोनों बदल जाते हैं। पद्‌माकर के शब्दों में "औरे रस, औरे रीति, औरे राग औरे रंग; औरे तन औरे मन औरे बन है गयो।"

वसन्त की शोभा निहार ही रहा था कि टेलीफ़ोन की घण्टी बज उठी। मैंने चोंगा उठाया और फ़ोन करने वाले को नमस्कार कहा। वे पूछने लगे कि क्या मैं त्यागी बोल रहा हूँ? मैंने कहा, 'हाँ'। उन्होंने कहा कि मात्र त्यागी ही बोल रहा हूँ या कि रवीन्द्रनाथ त्यागी? मैंने अपना अपराध फिर स्वीकार कर लिया। इतना सम्पन्न होने के बाद उन्होंने अपनी वाणी को फिर कष्ट दिया और कहा कि वे एक बड़ी पत्रिका के साहित्य-सम्पादक हैं और मेरा साक्षात्कार लेना चाहते हैं। फ़ोटो का प्रबन्ध भी है। मैं बड़ा प्रसन्न हुआ और उन्हें तुरन्त आने को कहा।

दिन के लगभग ग्यारह बजे वे फ़ोटोग्राफ़र के साथ प्रकट हुए। दोनों व्यक्ति इतने मोटे और काले थे कि ऐसा लगता था जैसे साक्षात् यमराज अपने साक्षात् वाहन यानी भैंसे के साथ मेरी कुटिया को पवित्र करने आये हैं। मैंने उन्हें बिठाया, अपनी इकलौती पत्नी को कॉफ़ी तैयार करने को कहा और बातचीत शुरू की। उन्होंने बताया कि उनकी प्रश्नावली काफ़ी बड़ी है और उन्हें लगभग दो घण्टे लगेंगे। इण्टरव्यू देश के एक प्रसिद्ध दैनिक में छपेगा और वह भी चित्र के साथ, यह सोचकर मैंने उनकी प्रार्थना स्वीकार कर ली। मैंने उन्हें बताया कि मैं कवि भी हूँ और व्यंग्यकार भी और पूछा कि वे मेरे समूचे साहित्य के बारे में पूछताछ करेंगे या मात्र कविता या मात्र व्यंग्य के बारे में बात करेंगे। मेरा प्रश्न सुनकर यमराज बोले कि "अच्छा आप कवि और व्यंग्यकार दोनों एक साथ हैं?" उन्होंने बताया कि वे वास्तव में यही समझते थे कि कवि रवीन्द्रनाथ त्यागी कोई और व्यक्ति हैं और मुझसे उनका

कोई सम्बन्ध नहीं है। इसके बाद वे ख़ूब हँसे। उन्हें हँसता देखकर वह फ़ोटोग्राफ़र भी हँसने लगा और उन दोनों को हँसते देखकर मैं भी हँस पड़ा। हँसने के कार्यक्रम के बाद उन्होंने बताया कि वे मेरे व्यंग्य मात्र को लेकर ही प्रश्न करेंगे। इसके बाद वार्तालाप लगभग इस प्रकार चला। प्रश्न उनके हैं और उत्तर मेरे।

प्रश्न : त्यागीजी, आपका अपने हास्य-व्यंग्य के बारे में क्या मत है?

उत्तर : इससे पहिले कि मैं आगे बढ़ूँ; मैं जानना चाहूँगा कि आपने हिन्दी में किस-किस व्यंग्यकार को पढ़ा है? किसी विदेशी व्यंग्य को पढ़ा हो तो वह भी बता दीजिए।

प्रश्न : त्यागीजी, काका हाथरसी और जी.पी. श्रीवास्तव मैंने पूरा पढ़ा है। आधुनिक लेखकों में तो आप ही सर्वश्रेष्ठ हैं। तेरे ही जलवे से जग के कर्ता, ये बागे-आलम महक रहा है। ठीक है न?

उत्तर : आप एकदम ठीक कहते हैं। कृपा करके यह और बता दीजिए कि मेरी कौन-कौन-सी किताबें आपने पढ़ी हैं।

प्रश्न : देखिए त्यागीजी, झूठ तो हम कभी बोलेंगे नहीं। सच्ची बात यह है कि मुझे तो पता ही नहीं था कि आपकी कोई कृति छपी भी है। आगे बढ़ूँ वैसे हमने तो आपको अख़बारों में ही पढ़ा है।

उत्तर : (थोड़ा क्रोध के साथ) यदि आपने कुछ भी नहीं पढ़ा तो आप साक्षात्कार क्या खाक लेंगे? आप वापस जाइए; परसाई, शरद जोशी, श्रीलाल शुक्ल और लतीफ़ घोंघी की किताबों को ध्यानपूर्वक पढ़िए और फिर आइए। तब आपको मैं साक्षात्कार दूँगा। हो सके तो मेरे व्यंग्य-संग्रह भी पढ़िए।

प्रश्न : आप कैसी बातें कर रहे हैं, त्यागीजी? अरे हमने तो क्या जैनेन्द्र क्या अज्ञेय, सभी के इण्टरव्यू लिये हैं हालाँकि हमने इनकी कोई भी किताब कभी नहीं पढ़ी। हमारे प्रश्न तो सार्वभौमिक व चिरन्तन किस्म के हैं और किताबें पढ़ने या न पढ़ने से उन पर कोई फ़र्क़ ही नहीं पड़ता। और हाँ, यह पाँच सौ रुपये का चेक स्वीकार कीजिए ताकि हम आगे बढ़ें।

उत्तर : आप समझते हैं कि आप मुझे ख़रीद सकते हैं? आप बड़े कमीने हैं। ख़ैर, यह चेक मुझे दीजिए और इण्टरव्यू शुरू कीजिए।

प्रश्न : (चेक देने के बाद) आपका घरेलू नाम क्या है?

उत्तर : गाँव में सब लोग 'नत्थू' कहते थे और यहाँ 'बाबू'।

प्रश्न : आपकी शादी किसके साथ हुई? बच्चे कितने हैं?

उत्तर : शादी अपनी पत्नी के साथ हुई है और बच्चे दो हैं। हालाँकि चाहता मैं हमेशा यही था कि बच्चा एक हो और पत्नियाँ दो हों।

प्रश्न : आपने कभी प्रेम किया है? क्या प्रेम करने से साहित्य-सृष्टि के लिए सचमुच प्रेरणा मिलती है?

उत्तर : मैंने प्रेम किया है और कसकर किया है। बचपन में मैं माता-पिता से प्रेम करता था, बाद में मैंने वही प्रेम अपनी पत्नी से किया और ठीक वही प्रेम मैं अब अपने दोनों बच्चों से करता हूँ। कोई एतराज़?

प्रश्न : आपको कौन-सा फल पसन्द है? तरकारी कौन-सी ज़्यादा अच्छी लगती है?

उत्तर : नारियल से अच्छा फल और कौन-सा हो सकता है बशर्ते कि आप उसे खप्पर उतारे बिना खाएँ? यही बात लीची, सन्तरा, केले और गन्ने के साथ है। इन्हें छिलका समेत खाइए और खुश रहिए। जहाँ तक भाजी का प्रश्न है, मुझे 'तुरई' बहुत पसन्द है। एक रीतिकालीन कवि ने कहा है : 'बलि नेकु मया करि हेरौ हहा, अबला किधौं फूली रही तुरई।'

प्रश्न : आपका प्रिय लेखक कौन है?

उत्तर : गुलशन नन्दा और किशन चन्दर पहिलवान (कानपुर वाले)।

प्रश्न : क्या आप कभी किसी चरित्रहीन युवती के सम्पर्क में आये हैं?

उत्तर : मुझे खेद है कि मैं आपके परिवार की युवतियों से अब तक नहीं मिल सका। क्षमा तो कर देंगे न?

प्रश्न : आपकी 'हाबी' क्या है?

उत्तर : जो मेरे पीछे पड़ जाता है, उसके पीछे मैं अपने अलसेशियन कुत्तों को लगा देता हूँ। अब आप सोच-विचार कर अपनी सरस्वती को कष्ट दें।

प्रश्न : आपको मिठाई कौन-सी पसन्द है? आपका प्रिय साबुन कौन-सा है?

उत्तर : पेठा मुझे बहुत पसन्द है। लक्स से बढ़कर और कोई साबुन है क्या? मेरे एक मित्र थे जो लक्स लगाते-लगाते पुरुष से स्त्री हो गये। मैं भी यही होना चाहता हूँ। पुरुष होकर तो जीवन के सुख भोग लिये, अब स्त्री वाला पक्ष भी देखना चाहता हूँ। वैसे भी सुनता हूँ कि स्त्रियों की रचनाएँ सम्पादक लोग हमेशा छापते हैं।

प्रश्न : आप सिनेमा तो देखते ही होंगे। आपका प्रिय कलाकार कौन है?

उत्तर : पुरुषों में 'धूमल' और स्त्रियों में मनोरमा। इन दोनों का डीलडौल आपसे और मुझसे काफ़ी मिलता है।

प्रश्न : देश में कौन-सा राजनीतिक नेता आपको प्रिय है?

उत्तर : वर्तमान प्रधानमन्त्री मुझे सदा पसन्द रहे हैं। हो सकता है कि राज्यसभा की सदस्यता प्राप्त हो जाने पर मेरे विचार बदल जाएँ;

फ़िलहाल नहीं।

प्रश्न : आपके प्रिय कवि कौन हैं?

उत्तर : चिरकीन। इतना जायकेदार कवि 'न भूतो न भविष्यति'।

प्रश्न : मानवता के लिए आपका सन्देश क्या है?

उत्तर : मैं तो यही कहूँगा कि साहित्यकार कभी लालच में न पड़ें और साहित्य-सृजन करते रहें। बाकी जनता से मैं यही कह सकता हूँ कि वे स्वयं महात्मा गाँधी मार्ग पर चलें और देश को अपने हाल पर छोड़ दें।

इण्टरव्यू के बाद फ़ोटो खिंचे। इसके बाद मैंने चेक सँभाला, उन्हें हार्दिक धन्यवाद दिया और उसके बाद एक मन्त्र पढ़कर उन्हें दीक्षा भी दी। मन्त्र इस प्रकार है जिसे भारतभूषण अग्रवाल ने लिखा है :

न लेना नाम भी तुम अब इलम का
लिखो बस गीत हुक्के का चिलम का
अभी खुल जायेगा रस्ता फ़िल्म का

ऋषि-क्रोध

हमारे जितने भी शास्त्र हैं उन सब में विस्तार से बताया गया है कि जब तक प्राणी काम, क्रोध, मोह और लोभ को नहीं छोड़ देता, तब तक उसे सच्ची शान्ति नहीं मिलती। यह एक सन्तोष की बात है कि हमारे काफ़ी बड़े-बड़े ऋषि और मुनि ज़रूरत से ज़्यादा क्रोधी रहे। आज मैं कुछ ऐसी विभूतियों की ही चर्चा करूँगा।

दुर्वासा ऋषि अपने क्रोध के कारण काफ़ी प्रख्यात थे। शकुन्तला को शाप उन्होंने ही दिया था। जिस तरह तू आज मुझे भूल गयी, उसी प्रकार तेरा पति भी तुझे भूल जायेगा। तू जिसके डूबी है ख़याल में, ठुकराएगा वही तुझे दरबार में (किशनचन्दर पहलवान) एक बार वे अम्बरीष के यहाँ गये और वहाँ से भोजन करने के पहले नदी में स्नान करने चले गये। भूखे अम्बरीष ने ज़रूरत से ज़्यादा प्रतीक्षा की और बाद में विवश होकर एक चुल्लू पानी पी लिया। दुर्वासा को बस इतनी-सी ही बात पर गुस्सा आ गया और वे उसे भस्म करने पर उतारू हो गये। कई ऊँचे पद वाले देवताओं ने सिफ़ारिश की तब जाकर कहीं स्थिति सँभली। शाप देने में दुर्वासा अपना-पराया नहीं देखते थे; उन्होंने अपनी सगी पत्नी तक को शाप से जला दिया था।

दुर्वासा का क़द आम आदमी से अधिक लम्बा था, उनका शरीर बेहद दुबला-पतला था, वे कई विद्याओं के ज्ञाता थे, वे लम्बी दाढ़ी रखते थे और चिथड़े पहनते थे। वे बराबर यात्रा पर ही रहते थे। पत्नीविहीन होने के कारण उनका इस प्रकार जीना स्वाभाविक ही था। यदि वे इन दिनों होते तो केन्द्रीय सरकार में गृहमन्त्री होते। न पुलिस की ज़रूरत रहती और न न्यायपालिका की। वैसे हमारे मन्त्री लोग जनता को अभी भी भस्म करते हैं मगर वह पुराना मज़ा अब कहाँ?

कर्दम ऋषि सरस्वती के तट पर एक आश्रम में रहते थे। बड़े 'कुशल' ब्रह्मचारी थे। एक बार राजा मनु अपनी सुन्दर कन्या देवहूति को साथ लेकर उनके आश्रम में पिकनिक पर आये। कर्दम ने उनसे कन्या का हाथ माँगा और लड़की के पिता ने हाथ क्या, पूरी की पूरी कन्या ही उन्हें दे दी। उस कन्या का पुत्र था कपिल जिसने 'कपिल संहिता' लिखी और सांख्यशास्त्र को प्रवर्तित किया। इस विद्या का सम्बन्ध शायद 'संख्याओं' से था जिसे आजकल 'स्टेटिस्टिक्स' कहा जाता है। उन्होंने राजा सगर के पुत्रों को भस्म किया था जिनकी संख्या मात्र साठ हज़ार थी। ऋषि क्या

थे, एकदम एटम बम थे।

विश्वामित्र कन्नौज के निवासी थे और एक क्षत्रिय राजा के पुत्र थे। नाम से तो विश्वामित्र थे परन्तु थे वे विश्वशत्रु ही। एक बार वसिष्ठ जी की गाय पर तबीयत आ गयी और इसी छोटे-से मुद्दे को लेकर रण छिड़ गया। उस समय राजा सत्यव्रत राज्य चलाते थे और ठीक उसी तरह चलाते थे जैसे कि बाद में मुग़ल वंश के रँगीले सम्राट् मुहम्मदशाह चलाया करते थे। वसिष्ठ के शाप से उनके सिर पर तीन सींग निकल आये थे और इसी कारण उनका घरेलू नाम 'त्रिशंकु' पड़ गया था। विश्वामित्र ने वसिष्ठ को मन्त्रीपद से हटाया और त्रिशंकु को स्वर्ग भिजवाया। नारियल की खेती सर्वप्रथम विश्वामित्र ही ने शुरू की। शाप देने के बाद जितना भी समय बचता था, उसमें विश्वामित्र या तो बागबानी करते थे या फिर मेनका जैसी अप्सरा से प्रेम करते थे। जब शकुन्तला जैसी कोई अवैध सन्तान हो जाती थी तो उसे किसी नदी या आश्रम के किनारे छोड़ आया करते थे। सादा जीवन, उच्च विचार।

अब मैं आपको भृगु महाराज की कथा सुनाता हूँ। एक बार इन्द्र ने एक ब्राह्मण की हत्या कर दी और इस कारण उसे अपना पद छोड़ना पड़ा। राजा नहुष को इन्द्र की कुर्सी दी गयी और कुर्सी मिलते ही नहुष बदल गया और मनमानी करने लगा। उसने उन देवताओं को भी सताना शुरू कर दिया जिन्होंने उसे इन्द्र का शासन दिलवाया था। उसकी पालकी ऋषि लोग उठाते थे। भृगु ऋषि ने शाप दिया और नहुष बेचारे पदच्युत होकर पेंशन पर चले गये। उन्होंने एक बार भगवान विष्णु की छाती पर भी लात मारी थी। विष्णु थे रोज़ दिन में पाँच बार खीर खाने वाले (रहते ही क्षीर सागर पर थे) और इसी कारण उन्हें कोई विशेष चोट नहीं पहुँची।

भृगुकुल में ही बाद में चलकर ऋषि जमदग्नि ने जन्म पाया। वे तेजस्वी, विद्वान् और वेदोपदेशक थे मगर क्रोध उन्हें विरासत में मिला था। एक बार वे तीर चलाने का अभ्यास कर रहे थे और उनकी पत्नी रेणुका (जो राजा प्रसेनजित् की कन्या थीं) तीरों को वापस लाकर उन्हें देती थी। एक बार रेणुका थक कर कहीं बैठ गयी। कुछ देर बाद जब वह आयी तो जमदग्नि ने बड़े प्यार से पूछा कि "बता, किस जार के साथ गयी थी?" ऋषि ने अपने पुत्रों से माता की हत्या करने को कहा परन्तु सदा के होनहार परशुराम के अतिरिक्त कोई भी पुत्र उनकी आज्ञा का पालन नहीं कर सका।

परशुराम के पराक्रम के बारे में कौन नहीं जानता? इतना क्रोधी ऋषि तो शायद और कोई हुआ ही नहीं। शिव का धनुष टूटने पर उनकी व चिरंजीव लक्ष्मण की जो झड़पें हुई थीं उनका आँखों देखा हाल गोस्वामी तुलसीदास ने लिखा। परशुराम शास्त्र व शस्त्र दोनों में पारंगत थे। फरसा तो वे चुनाव-चिह्न की भाँति हर समय हाथ में रखते थे। उन्होंने पृथ्वी पर केवल इक्कीस बार क्षत्रिय-विनाश किया था और इसी डर से कुछ क्षत्री तो अपने को 'खत्री' कहने लगे थे। उनके द्वारा मारे गये कुल क्षत्रियों की संख्या लगभग चौदह करोड़ बैठती है। वीर क्षत्रियों को केवल

मारा ही नहीं जाता था, वरन् उनके नाक-कान भी काट लिये जाते थे। पृथ्वी को क्षत्रिय-विहीन कर देने के बाद वे शिव के उपासक हो गये थे। साँड़ की सवारी करते थे और भंग खाते थे।

नारद बड़े पण्डित थे। वे बड़े 'प्रैक्टिकल' किस्म के प्राणी थे और गाने-बजाने का शौक़ भी रखते थे। उनके सिर पर चोटी और हाथ में वीणा सदैव रहती थी। कच्चा गाना गाने के कारण इन्हें लक्ष्मी ने दरबार में से निकलवा दिया था और इसी कारण इन्हें पक्का गाना उस्ताद तुम्बरु के यहाँ सीखना पड़ा। तुम्बरु गन्धर्व थे और सुन्दर युवतियों को शास्त्रीय संगीत सिखाने में विशेष रुचि रखते थे। वे 'उस्ताद' तो थे ही, साथ-साथ 'उस्ताद जी' भी थे।

एक बार नारद ने एकरूपवती राजकन्या को देखा तो दिल खो बैठे। स्वयंवर में भाग लेने का निश्चय किया। स्वयं विष्णु भगवान ने उनका मेक-अप किया और मुखड़े को शोभा दी। राजकुमारी हँसी तो नारद को देखकर पर उसने माला डाली एक और राजा के कण्ठ में। नारद ने विष्णु को शाप दिया कि "आपने आज जान-बूझकर मुझे बन्दर की शक्ल दी है मगर यह न भूलिए कि एक दिन अपनी पत्नी को प्राप्त करने के हेतु आपको स्वयं भी बन्दरों ही की सहायता लेनी पड़ेगी।" अन्त में चलकर वही हुआ। यदि विश्वास न हो तो आप रामायण पढ़ लें।

रचना समाप्त हो गयी। अब आप ही सोचिए कि यदि तपस्वियों तक को इतना क्रोध आ जाता था तो यदि हमारे प्रधानमन्त्री को किसी सचिव पर गुस्सा आ जाता है तो क्या बड़ी बात हो गयी? यदि तपस्वियों और देवताओं में कभी-कभी ग़लतफ़हमी हो जाती थी तो राष्ट्रपति और प्रधानमन्त्री के बीच वैसा क्यों नहीं हो सकता? और यदि त्रिशंकु पहले भी थे तो यदि आज हमारे कुछ नेता वैसी स्थिति में ही अपने को पाते हैं तो क्या अनर्थ हो गया?

डाकिये के बारे में

आज का निबन्ध डाकिये पर होगा। 'डाकिया' शब्द 'डाक' से बना है और 'डाक' शब्द जो है वह सम्भवतः 'डाकू' शब्द से निकला है। डाकू का पेशा बहुत पुराना है। आदिकवि वाल्मीकि ने अपना पवित्र जीवन डाकू बनकर ही शुरू किया था। डाकू को उन दिनों 'दस्यु' कहा जाता था। बाद में बेचारे वाल्मीकि बुरी संगति में पड़ गये और राम की भक्ति में फँस गये। क्रौंच नामक पक्षी के करुण क्रन्दन को श्रवण करने के कारण वे कवि भी हो गये। उनकी भाँति शेष डाकू भी सदा से दयालु ही होते आये। वे अमीर लोगों को लूटते थे और ग़रीब कन्याओं की चिट्ठियाँ एक गाँव से दूसरे गाँव मुफ़्त पहुँचाया करते थे। डकैती जो है वह समाजवाद का प्राचीन संस्करण ही है, और कुछ नहीं। यही वह मूल कारण था जिसके कारण प्रख्यात समाजवादी नेता बाबू जयप्रकाशनारायण ने चम्बल की घाटियों के डाकुओं से घनिष्ठ सम्बन्ध स्थापित किया और उसके बाद उनसे सरकार के सामने आत्म-समर्पण करवाया। खादी पहनने वाले भद्र-रूप डाकुओं का वे कुछ नहीं कर पाये; यह एक दूसरी बात ठहरी। ये सफ़ेदपोश डाकू इतने मूर्ख नहीं थे कि जयप्रकाश बाबू के चक्कर में फँस जाते।

डाक-विभाग तभी से स्थित है जब से कि 'प्रेमयोग' की परम्परा चली और प्रेमी और उनकी प्रेयसियों के बीच पत्र-व्यवहार प्रारम्भ हुआ। पहले यह काम दूत द्वारा सम्पन्न किया जाता रहा। आप कभी आचार्य महावीरप्रसाद द्विवेदी का एक अमर निबन्ध (नल का दुस्तर दूत-कार्य) पढ़ें और फिर जानें कि पुरुषों द्वारा दूत कार्य क्यों समाप्ति को प्राप्त हुआ। दमयन्ती ने बजाय और प्रेमियों के उनके दूत स्वयं नल से ही प्रेम कर लिया। ठीक उसी तरह जैसे कि अपने पति का प्रेम-पत्र प्रतिदिन पाने वाली एक रूपसी एक दिन डाकिये के साथ ही भाग गयी थी। रामायण में कहीं-कहीं पत्र भेजने की बात कही गयी है पर महाभारत में ऐसा कम-से-कम मुझे कहीं नहीं मिलता। बात भी ठीक है; यदि पाँचों पाण्डवों की पत्नी द्रौपदी भीम के नाम पत्र लिखती और वह पत्र यदि अर्जुन के हाथ पड़ जाता तो एक गृहयुद्ध और शुरू हो जाता। गोपियों ने उद्धव के हाथ कृष्ण के पास सन्देश भिजवाया था जिसका आँखों देखा हाल कवि 'रत्नाकर' ने अपने 'उद्धव-शतक' में विस्तार से लिखा। बड़ी सुन्दर

कृति है जिसमें ‘ऊधो, यह ऊधम बताय दियो मोहन को’ जैसी अनुप्रास-युक्त मधुर भाषा का व्यवहार किया गया है। बहरलाल नल-दमयन्ती की कथा का जो कलात्मक विवरण ‘नैषध-काव्य’ में पाया जाता है वह शायद और कहीं नहीं मिलता। कवि श्रीहर्ष (जिन्हें महाकवि निराला कालिदास से भी ज़्यादा गहन मानते थे) अनेक स्थानों पर अश्लील हो गये हैं। अश्लीलता के धनी श्रीहर्ष कवि होने के साथ-साथ दार्शनिक भी थे। यह लोक भी ठीक और वह लोक भी ठीक। भूल-चूक लेनी-देनी। पंचतन्त्र में भी पत्रों की चर्चा की गयी है और एक मूर्ख विद्वान् एक स्थान पर कहता है कि ‘आगमिष्यति यत्पत्रं तदस्मान् तारयिष्यति’।

दूतों की प्रथा धीरे-धीरे समाप्त हो गयी। उन्हें बाद में ‘राजदूत’ बना दिया गया। राजदूतों की परिभाषा अनेक महामतियों ने अनेक प्रकार से की है। एक विद्वान् कहते हैं कि “राजदूत वह व्यक्ति होता है जिसे अपने देश के लिए झूठ बोलने के वास्ते विदेश भेजा जाता है।” एक और शास्त्रज्ञ कहते हैं कि “दूत वह व्यक्ति है जिसकी ‘हाँ’ का अर्थ ‘सम्भवतः’ होता है और जिसके ‘सम्भवतः’ का अर्थ ‘नहीं’ होता है और यदि वह ‘नहीं’ कहता है तो वह राजदूत बनने के योग्य ही नहीं है।” एक महान् व्यंग्यकार ने कहा है कि “राजदूत वह व्यक्ति है जो उन समस्याओं को सुलझाने के लिए विदेश भेजा जाता है जो यदि वह वहाँ नहीं भेजा जाता तो शायद पैदा ही नहीं होतीं।” बहरहाल दूत अब प्रेम-पत्र नहीं ले जाते। अब वह काम दूतियाँ करती हैं और दूतियों के क्रियाकलापों का वर्णन सभी देशों के साहित्य में पाया जाता है। अँग्रेज़ी के कवि चासर ने एक ऐसी दूती का विवरण दिया है जो इतनी रूपवती थी कि एक सम्राट् ने उसी से शादी कर ली थी। यदि स्त्री सुन्दर है तो उसे किसी और गुण की ज़रूरत कभी नहीं पड़ी। यत्राकृतिस्तत्र गुणाः वसन्ति (कालिदास)।

दूत और दूतियों के बाद प्रेम-पत्र ले जाने के लिए पक्षियों को काम पर तैनात किया गया। तोते और हंस ने इस दिशा में बड़ी सेवा की। सरस्वती जी हंस को पत्र डिक्टेट करती थीं और फिर पत्र को लेकर वही बेचारा उसे इच्छित स्थान पर ले जाने का काम भी करता था। सरस्वती जी उसके वापस आने तक बिना वाहन के रहती थीं। वे कोई लक्ष्मी थोड़े ही थीं कि यदि एक उल्लू उड़ गया तो दूसरा उल्लू पकड़ लिया। लक्ष्मीपति अभी भी प्रायः उल्लू ही होते हैं और स्टॉक-एक्सचेंज के माध्यम से लक्ष्मी जी अपना प्रेमी बदलती रहती हैं। (पुरुष पुरातन की वधू क्यों न चंचला होय?) हंस के बाद तोता, भौंरा, कौआ और कबूतर—इन्हें पोस्टमास्टर-जनरल का पद प्रदान किया गया। अकबर की मृत्यु और जहाँगीर के राज्याभिषेक की ख़बर कबूतर ने ही जौनपुर पहुँचायी थी। यह कबूतर वह नहीं था जिसे जहाँगीर के हाथ से लेकर नूरजहाँ ने इतने भोलेपन के साथ उड़ाया था कि शेर-अफ़गन को अपनी जान से हाथ धोना पड़ा था। ‘कबूतरनामा’ नामक एक ग्रन्थ भी है जो ‘बाबरनामा’ और ‘अकबरनामा’ की परम्परा को आगे बढ़ाता है। तोते के बारे में ज़्यादा जानना

हो तो 'शुकसप्तति' नामक पुस्तक और पण्डित रंगीलाल द्वारा रचित 'क़िस्सा-तोता मैना' (आठ भाग) नामक पोथी पढ़ें। पहली पुस्तक अश्लील है और दूसरी पोथी कुछ कम अश्लील है। फिर भी ऐसा नहीं है कि आप ज़्यादा निराश हों।

तोते को डाक-विभाग का स्थायी और राजपत्रित अधिकारी बनाने का सारा श्रेय मलिक मुहम्मद जायसी को जाता है जो सारे संसार को एक ही आँख से देखते थे और एक ही कान से सुनते थे। एक महान् कलाकार होने के नाते उन्होंने अपने महाकाव्य को आधा इतिहास पर रखा और आधा कल्पना पर रखा और अन्त में चलकर सारी कथा को ऐसा रूप दे दिया कि वह आध्यात्मिक हो गयी।। मानव शरीर चित्तौड़ है, आत्मा जो है वह राजा रत्नसेन है, रूपवती रानी पद्मावती बुद्धि है, नागमती संसार है, तोता गुरु है और सुल्तान अलाउद्दीन ख़िलज़ी जो है वह माया है। तोता इतना 'गुरु' है कि वह राजा और रानी के बीच पत्र-व्यवहार के महकमे को सँभालता है और उन दोनों को एक-दूसरे से मिलाता भी है। रहस्यवाद का रहस्य कितने लोग जानते हैं? थोड़ा-बहुत जो मैं जानता हूँ उसका भी कारण यह है कि मैं प्रयाग में लगभग दो वर्ष तक महादेवी जी के महल के पास रहा हूँ, वैसे नहीं।

जायसी की याद क्या आयी कि मुझे कुछ और ऐसे समयसिद्ध कवियों की याद आने लगी जिन्होंने प्रेम को लेकर काव्य की सृष्टि की। महाकवि केशवदास राजदरबार में बहुत ठाठ से रहते थे और वे वृद्ध तो हुए पर अरसिक कभी नहीं हुए। दाम्पत्य जीवन के चित्रण में उन्होंने बीभत्सता तक को नहीं छोड़ा। उनकी कविता का मायाजाल ऐसा है कि उनके दोष दिखायी ही नहीं पड़ते। महाकवि बिहारी का काव्य ऐसा है कि उन्हें ईमानदारी से हिन्दी का बायरन कहा जा सकता है। इसी प्रकार महाकवि देव जो थे उन्होंने प्रत्येक स्थान की स्त्री को बड़े ध्यान से देखा और उसका रोचक वर्णन किया। कश्मीर की किशोरी से लेकर उत्तर प्रदेश की कहारिन तक उनकी दृष्टि से नहीं छूटी। अपने यौवन में वे परम रसिक थे पर वृद्धावस्था आते ही वे वेदान्ती हो गये थे।

हंस, तोते व कबूतर के बाद कवियों ने भ्रमर और कौए पर ध्यान दिया। 'भ्रमरगीत' लिखा गया और न जाने कितनी विवाहित व अविवाहित विरहिणियों ने कौए की चोंच सोने से मँढवायी। उन दिनों सोना सस्ता होता था और प्रेमी महँगा। इन दिनों स्थिति उलटी है। सोना दिखायी नहीं पड़ता और प्रेमियों की हालत यह है कि नाथूराम 'प्रेमी' से लेकर हरिकृष्ण 'प्रेमी' तक सारी दिशाएँ प्रेमियों से ही भरी पड़ी हैं। हाँ, अलबत्ता ऐसे प्रेमी अब नहीं पाये जाते जो प्रियतमा तक अपना सन्देश ले जाने के लिए मेघ को या पवन को दूत बनाएँ। राजा रविवर्मा का 'शकुन्तला का पत्रलेखन' नामक एक बड़ा सुन्दर चित्र है। इसकी मूल प्रति मैंने त्रिवेन्द्रम् की कला-दीर्घा में देखी पर यह पता नहीं चल सका कि यह पत्र दुष्यन्त को किस माध्यम से पहुँचाया गया था।

ईस्ट इण्डिया कम्पनी द्वारा खोला गया डाक विभाग हमारे देश में अब इतना कार्यक्षम हो गया है कि सरकार ने डाक जल्दी भेजने का काम कुछ और संस्थानों को सौंपना शुरू कर दिया है और वह दिन दूर नहीं है जब प्रेयसियाँ और प्रेमी अपने पत्र एक-दूसरे के पास स्वयं ही ले जाया करेंगे। रेल, डाक, तार, टकसाल, अदालतें व रक्षा विभाग भी कभी देश-विदेश के पूँजीपति ही चलाया करेंगे, सरकार नहीं। श्रीलाल शुक्ल ने एक बार मुझे बताया था कि दिल्ली से भेजी डाक लखनऊ तक एक सप्ताह में पहुँचती है और श्रीकान्त वर्मा ने एक बार मुझे बताया था कि दिल्ली से ही भेजा गया पत्र उन्हें दिल्ली ही में दो सप्ताह के भीतर हमेशा मिल जाता है। अब बताइए ऐसे में डाक विभाग निजी क्षेत्र में लाना चाहिए या नहीं? फ़िलहाल तो परिवार-नियोजन ज़रूर निजी क्षेत्र में है, बाकी सब तो सरकार के ही हाथों में है। यह दुःखदायी स्थिति कब तक चल सकती है?

निबन्ध लिखते-लिखते सहसा ध्यान आया कि बारह बज गये मगर अब तक डाकिया नहीं आया। पिछले छह महीनों में यह सातवाँ डाकिया है जो मेरे क्षेत्र में तैनात हुआ है। मैं तो क्या, अपना नाम वह बेचारा खुद भी नहीं जानता। मेरी डाक पहले वह पड़ोसियों के घर डाल आया करता था पर अब स्थिति इतनी सुखद हो गयी है कि वह पड़ोस की डाक भी मेरे डाक-बक्से में ही डाल जाता है। मैं कुछ रंगीन लिफ़ाफ़ों को तो देखकर ही उनके मज़मून को भाँप लेता हूँ। मैं डाक बटोरने बाहर निकलता हूँ पर डाक के स्थान पर एक फूलों से लदे वृक्ष को देखता हूँ और एक कवि-हृदय कवि होने के नाते न जाने किस कवि की वाणी को याद करने लगता हूँ।

फागुन आवत देखकर बन रूना मन माँहि
ऊँची डाली पात है, दिन दिन पीले थाँहि

अज-विलाप

राष्ट्रपति जी ने भारतीय प्रशासन सेवा के शिक्षार्थियों से कहा है कि "आप विधान के प्रतिनिधि हैं और क़ानून के अनुसार आपको चुना गया है और चूँकि देश में क़ानून से बढ़कर कोई नहीं है, आप लोगों को किसी से भी डरने की कोई ज़रूरत नहीं है।" बात तो राष्ट्रपति जी ने अपने पद के अनुरूप ही कही है मगर जो वातावरण चारों ओर फैला है, क्या उसमें कोई भी अधिकारी निर्भीक, निष्पक्ष और निष्ठावान् रह सकता है? वे दिन गये जब कि इण्डियन सिविल सर्विस के सदस्य सचमुच निर्भीक व निष्पक्ष हुआ करते थे और इसी कारण कुछ 'युवा तुर्कों' ने विधान में संशोधन करा के उनकी सेवा-निवृत्ति की आयु कम करवायी थी। आज तो केन्द्रीय सरकार तक में उच्च अधिकारियों पर अनुचित दबाव डाला जाता है और अन्त में चलकर गवर्नर वही अधिकारी या जज बनता है जो कि राजनेताओं की ख़ुशामद करता है, उनके लिए ग़लत काम करता है और जो अपनी ही सेवा के साथी अधिकारियों का गला काटता है। काण्ड चाहे बोफ़ोर्स का हो और चाहे हर्षद मेहता के महान् घोटाले का—ऊँचे लोगों का प्रत्यक्ष या अप्रत्यक्ष हाथ उसके पीछे हमेशा रहता है। 'सेण्ट्रल ब्यूरो आफ़ इण्टैलिजेन्स' के ज्वायण्ट-डाइरेक्टर श्री माधवन् के त्यागपत्र को लेकर कल सारी संसद में हंगामा मचा और ठीक मचा। जो लोग ज़्यादा जानकारी चाहते हों वे 15.6.92 तथा 1.8.92 का सम्पादकीय पढ़ लें। 'इण्डियन एक्सप्रेस' और 'हिन्दू' यदि न छपें तो देश में सचमुच निरंकुशता आ जाए। और जब केन्द्रीय सरकार की यह हालत है तो प्रदेश-सरकारों की क्या स्थिति होगी—यह आप स्वयं समझ सकते हैं। एक प्रदेश के मुख्यमन्त्री फ़र्श पर गिरा हुआ अपनी खैनी का डिब्बा मुख्य सचिव से उठवाते हैं और मुख्य सचिव हैं कि सबके सामने यह अपमानजनक काम खुशी-खुशी करते हैं। देश के निर्वाचित विधायक और सांसद कुछ भी कर लें, उनको कोई दण्ड नहीं मिलता क्योंकि अभी-अभी एक सांसद एक उच्च अधिकारी के कक्ष में घुस कर उसके मुँह पर झापड़ मार आये और किसी भी सांसद में इतना चरित्र नहीं निकला जो उस अशिष्ट सांसद की भर्त्सना करता। प्रदेश के मुख्यमन्त्री ने उस सांसद की ओर से क्षमा माँगी पर उस सांसद-विशेष ने कोई खेद तक प्रकट

नहीं किया जब कि यदि कोई उच्च अधिकारी किसी सांसद की ऐसी ही प्राकृतिक चिकित्सा कर देता तो संसद उस पर मानहानि का मुक़द्दमा चला देती।

प्रदेशों की विधान सभाएँ व सचिवालय कैसे काम करते हैं, इसका आम आदमी तो अनुमान भी नहीं लगा सकता। माननीय विधायक लोग एक-दूसरे को फ़ोश गालियाँ देते हैं, हाथापाई करते हैं और स्त्री-विधायकों तक का अपमान करते हैं और कोई कुछ नहीं करता। उनके सचिवालय हैं कि एकदम काँजी-हाउस का मज़ा देते हैं। रिश्वत खुले आम ली जाती है, मामले जाति और धर्म के आधार पर तय किये जाते हैं और न जाने कितने लोग ऐसे हैं कि जिनके साथ किये गये अन्याय को कभी दूर नहीं किया जाता। 'माई फ्रोजन टर्बुलेंस इन काश्मीर' नामक सनसनीखेज़ पुस्तक के अनुसार काश्मीर की मन्त्रि-परिषद् की एक बैठक के दौरान मुख्यमन्त्री ने एक मन्त्री से कहा कि "तूने क्या देश-सेवा की है, तुमने तो सरकार का छह लाख रुपया खाया है?" तो माननीय मन्त्री महोदय ने जवाब में मुख्यमन्त्री से कहा कि "तूने ही क्या तीर मारा है; यदि मैंने छह लाख रुपये खाए हैं तो तूने अट्ठाईस लाख रुपये हजम किये हैं?" अपने प्रश्न के इस उत्तर पर मुख्यमन्त्री ने मन्त्री जी से तुरन्त चले जाने को कहा जिसके जवाब में मन्त्री जी ने कहा कि "यह क्या तेरे बाप का मकान है जो मैं चला जाऊँ? यह तो सरकार की इमारत है और इसके बाहर निकलने को कहने वाला तू कौन होता है?" इसके बाद मुख्यमन्त्री जी ने कमीज़ की बाँहें चढ़ा लीं और वे बड़ी भयंकर मुद्रा में उस मन्त्री की दिशा में अग्रसर हुए...। एक प्रदेश के एक अधिकारी ने घुटने में चोट का इलाज कराने के लिए छुट्टी माँगी तो उसे पूरी तरह नंगा करके उसका सूक्ष्म निरीक्षण किया गया। यह पवित्र क्रिया और कई अधिकारियों के सम्मुख सम्पन्न की गयी और फिर भी छुट्टी दी गयी या नहीं, यह अख़बार में नहीं छपा। विश्वास न आता हो तो आप 6.7.92 का अख़बार पढ़ लें। जब इस माहौल में राष्ट्रपति जी का निर्भीकता के साथ काम करने का सन्देश पढ़ा जाता है तो लगता है कि सब बेकार है, किसी उपदेश का कोई लाभ नहीं। एक मन्त्री जी ने सारे सचिवों की मीटिंग बुलायी जो समय की पाबन्दी के बारे में होनी थी। मीटिंग को सम्बोधित करने के लिए माननीय मन्त्री जी स्वयं मात्र तीन घण्टे लेट आये। एक मुख्यमन्त्री ने कहा है कि उनके प्रदेश के मात्र दस प्रतिशत उच्च-अधिकारी ईमानदार हैं, शेष नहीं। उन्होंने यह भी कहा कि "मेरी मन्त्रि-परिषद् में ऐसे मन्त्री भी हैं जो चपरासी तक बनने की योग्यता नहीं रखते।" 'सच का साया' नामक गाजियाबादी पत्र के अनुसार एक समर्थ सांसद ने एक युवती के साथ बलात्कार सम्पन्न किया (26.6.92)।

चण्डीगढ़ हमारा एक विशिष्ट नगर है क्योंकि वहाँ दो मुख्यमन्त्री निवास करते हैं। सेना की पश्चिमी कमान का हैड-क्वार्टर्स भी वहीं है और इन कारणों से वहाँ हर तीसरा व्यक्ति एक वी.आई.पी. है। स्थिति यह है कि एक ओर तो इन विशिष्ट

महानुभावों के मकानों में पानी सिरों के ऊपर से उतर रहा है और दूसरी ओर सेक्टर सात के एक मुर्दे का अन्तिम संस्कार करने के लिए भी ढाई सौ रुपये में पानी की एक टंकी काले बाज़ार से ख़रीदनी पड़ी। 30.4.92 के अख़बार के अनुसार एक माननीय मन्त्री जी जब उत्तर-प्रदेश की सरकार से केन्द्र के मन्त्री बने तो तिरासी फ़र्नीचर या और क़ीमती चीज़ें अपने साथ ही ले गये। उत्तर-प्रदेश में ही एक सौ ग्यारह ऐसे भूतपूर्व मन्त्री हैं जिन्होंने रिफ़्रिजरेटर, ऊनी कालीन और बाकी फ़र्नीचर वग़ैरह क़ीमती चीज़ें अभी तक वापिस नहीं की हैं। जनता के कोष को कैसे लूटा जा रहा है, उसका पता आम आदमी को नहीं है। और बाकी प्रदेशों की हालत क्या होगी यह आप स्वयं सोच सकते हैं। हमारे राष्ट्रपति महामहिम श्री वेंकटरमन् सेवानिवृत्त होने के बाद मद्रास में निवास करेंगे जहाँ उनके कई निजी मकान स्थित हैं। मगर इस सबके बावजूद प्रदेश की सरकार उनके निवास का सरकारी ख़र्चे पर प्रबन्ध करेगी और इस कारण प्रदेश-सरकार ने एक मकान को सुरक्षा की दृष्टि से मात्र पचहत्तर लाख रुपयों की राशि से सजाया है। और सबसे ज़्यादा मज़े की बात तो यह है कि बिहार की विधान-सभा ने एक बिल ऐसा पास किया है जिसके अनुसार किसी भी ऐसे मुख्यमन्त्री को उम्र भर के लिए सरकारी बँगला मिलेगा जो कम-से-कम दो वर्ष की अवधि तक मुख्यमन्त्री रह चुका हो। इस अवधि के बाद चाहे वह मुख्यमन्त्री रहे या न रहे, सरकारी बँगला उसके निवास के लिए उसे जीवन-पर्यन्त मिलेगा। जो जिज्ञासु लोग इन दो दुर्घटनाओं के बारे में ज़्यादा जानना चाहते हों वे 30.7. 92 तथा 1.8.92 का इण्डियन एक्सप्रेस पढ़ें। व्यवस्थापिका की यह शक्ति एकदम ग़ैरक़ानूनी है जिसके अनुसार वे अपना वेतन और शेष सुविधाएँ स्वयं ही तय कर लेती है। देश की जनता को उचित ही होगा कि इस बात पर ध्यान दे। मध्यकाल में इंग्लैण्ड की संसद के पास यह शक्ति होती थी कि वह बिल पेश करके किसी भी बड़े अमीर-उमरा को फाँसी देने का प्रस्ताव रख सकती थी। बिल यदि पास हो जाता था तो उसे बादशाह की स्वीकृति के लिए उनके पास 'मृत्यु-दण्ड के आज्ञापत्र' के साथ भेजा जाता था और बादशाह को उन पर दस्तख़त करने पड़ते थे। इंग्लैण्ड की पार्लियामेण्ट ने यह भयंकर प्रथा समय के साथ-साथ खुद ही छोड़ दी।

30.4.92 के अख़बार से आपको पता लगेगा कि एक प्रदेश के एक मन्त्री महोदय ने एक रेलगाड़ी को राजपुरी स्टेशन पर डेढ़ घण्टा तक नहीं चलने दिया क्योंकि उनके सुरक्षा-कर्मचारियों को अपने साथ ले जाने के लिए रेलवे ने चार सीट वाला कोई केबिन उनके लिए आरक्षित नहीं किया था। गाड़ी को तभी चलने दिया गया जबकि रेलवे के सम्बद्ध कर्मचारियों का स्पष्टीकरण व खेद प्राप्त कर लिया गया। यह ठीक वही रेलवे है जिसने पिछले वर्ष महात्मा गाँधी के एक बीमार पौत्र को आरक्षण होने के बावजूद रेल से उतारा था। और देश के रेल-मन्त्री का तो कहना ही क्या, उनके लिए कोई विशेष बोगी नहीं वरन् पूरी की पूरी ट्रेन ही अलग

से चलायी जाती है जिसमें उनके मित्र यात्रा करते हैं। कभी-कभी इस स्पेशल ट्रेन के चलने का समय इतनी देर से तय किया जाता है कि रेल के सिगनल-विभाग को परेशान हो जाना पड़ता है। और इतना सब कुछ करने के बाद भी रेल-मन्त्री जो हैं वे प्रायः विमान से ही चलते हैं; इस विशिष्ट गाड़ी से नहीं। इतने ठाठ तो ब्रिटिश सरकार के वायसराय भी शायद नहीं रखते थे। आप लोग 2.8.92 का अख़बार पढ़ें ताकि आपको पता लग सके कि आपके चुने हुए प्रतिनिधि देश की प्रगति के लिए कितने कष्ट उठा रहे हैं। कवि के शब्दों में "बन के नेता शरीफ़ काम करो, जेबकतरो! तुम्हें हुआ क्या है?"

राजनेताओं की बात करते-करते मन उदास हो गया और अब वक़्त आ गया है कि प्रेम और भगवान की चर्चा की जाए। चण्डीगढ़ के एक अपंग व्यक्ति से एक सुन्दर युवती ने विवाह कर लिया हालाँकि वर जो है वह वधू से सत्तरह वर्ष बड़ा है। वे दोनों पत्र-मित्र थे पर दो वर्ष के दौरान वे पति-पत्नी बन गये। वधू जो है वह कवयित्री है और वर जो है वह एक समाज-सेवक है। अगर प्रिंसेज डायना मुझसे शादी का वादा करे तो मैं अपनी एक क्या, दोनों टाँगें तोड़ सकता हूँ। मगर पिछले एक सप्ताह से मुझे संसार से कुछ विरक्ति-सी हो रही है कि मैं परम पिता परमात्मा की दिशा में अपने आप खिंचा चला जा रहा हूँ। लगता है कि दिल्ली जाना ही पड़ेगा। अब वे दिन गये जब प्रभु की मूर्ति के दर्शन करने के लिए अमरनाथ, कांची, बद्रीनाथ, द्वारिका, पुरी या केदारनाथ जाना पड़ता था। अब तो मात्र इतना कष्ट करना है कि आप पश्चिमी दिल्ली के हरिनगर क्षेत्र में पहुँच जायें और बस। रविवार को छोड़कर बाकी सारे सप्ताह प्रत्येक देवी-देवता एक व्यक्ति के शरीर में प्रकट होता है जिसका कि समय तक निश्चित है। सोमवार को वह व्यक्ति दुर्गा होता है, मंगलवार को हनुमान तो शुक्रवार को वह वैष्णव देवी हो जाता है और इसी प्रकार यह क्रम चलता रहता है। एक समय में लगभग ढाई सौ भक्त इस भगवान को अपनी विभिन्न विपत्तियाँ हटाने के हेतु घेरे रहते हैं। और भगवान हैं कि समय-सारिणी का पूरा पालन करते हैं और यही नहीं, वे उस भूतपूर्व लोअर-डिवीजन क्लर्क के न होने पर उसके सहायक के शरीर में भी घुस जाते हैं और अपने-अपने कमाल दिखाते हैं। हाँ, रविवार को कोई भगवान काम पर नहीं आता, उस दिन वह विश्राम करता है। मैं तो इसी बाबू के पास जाऊँगा और निर्वाण प्राप्त करूँगा। जब सारी दुनिया बदल रही है तो भगवान क्यों नहीं बदलेगा? यदि चिरापूँजी (जहाँ कभी लगभग 1000 इंच तक वर्षा होती थी) सूखे से पीड़ित है और यदि रूस का 'रेड स्कवायर' (जहाँ स्तालिन के दिनों में जाना भी मुश्किल था) थोड़े से किराये के बदले विज्ञापन लगाने या नीलामी करने के लिए खुल सकता है तो भगवान क्यों नहीं बदल सकता? अब वे दक़ियानूसी दिन गये जब देश के गृहमन्त्री गृहविहीन होते थे और भूतपूर्व राष्ट्रपति सदाकत आश्रम में रहते थे। आज जो स्थिति है वह

तो रामदरश मिश्र के शब्दों में इस प्रकार है :

बाज़ार को निकले हैं लोग बेचकर घर को
क्या हो गया है जाने आज मेरे नगर को,
कितने हैं मेहरबान यहाँ के बहेलिये
कहते हैं परिन्दों से 'उड़ो', काट कर पर को,
गीला है कहीं सुबह की खुशियों का कहकहा
चुप चुप कोई रोया है रात पिछले पहर को,
चूल्हों में है बुझी हुई, जलती है जिगर में
कैसी अजीब आग मिली ज़िन्दगी भर को,
कहते हैं वे कि रुकिए नहीं, चलते जाइए
चलते तो हम हैं चल के मगर जाएँ, किधर को?

(नोट : राजा अज राजा रघु के पुत्र तथा राजा दशरथ के पिता थे। एक शाप के कारण उनकी रूपवती पत्नी इन्दुमती उन्हें सदा के लिए छोड़कर स्वर्गवासी हो गयी थी। कालिदास ने राजा अज के विलाप का वर्णन 'रघुवंश' में किया—ठीक उसी प्रकार जैसे देश की स्थिति के कारण इस देश के व्यंग्यकार अब कर रहे हैं। इस रचना का नाम 'अज-विलाप' मैंने इसी कारण रखा। 'अज' का स्त्री-संस्करण 'अजा' है जिसका अर्थ बकरी से है। गाँधी जी बकरी का दूध बराबर पिया करते थे। रचना का नाम 'रति-विलाप' मैं यों नहीं रख सकता क्योंकि उस नाम का एक उपन्यास मेरी प्रशंसिका शिवानी जी पहिले ही छपा चुकी हैं?

एक आम आदमी की मौत

वह एक आम आदमी था। उसके पिताजी एक जागीरदार के कारिन्दे थे और काफ़ी ईमानदार थे। वे रिश्वत नहीं लेते थे, सिर्फ़ दस्तूरी लेते थे जो उनकी तनखा से कहीं ज़्यादा बैठती थी। जब वे चालीस वर्ष के थे, उनकी पत्नी स्वर्ग सिधार गयी। कुछ दिन, कुछ महीने और कुछ वर्ष वे अपनी इकलौती कन्या को पालते रहे और रामायण का पाठ करते रहे। इसके बाद पता नहीं कैसे, वे एक दिन विधवाश्रम गये और एक अदद पत्नी फिर ले आये। एक पुत्र को जन्म देने के पन्द्रह वर्ष बाद दोनों पति-पत्नी मलेरिया से मर गये। दोनों बच्चे अनाथ रह गये। लड़की सत्तरह साल की थी और लड़का पन्द्रह साल का था। लड़की का उद्धार उस ज़मींदार के सुपुत्र ने किया जिसके यहाँ लड़की के पिता मुंशी थे। वह गर्भवती हो गयी और शर्म के मारे एक रात कुएँ में कूद गयी। ज़मींदार के कुँवर साहिब की शादी एक रायबहादुर की एकमात्र कन्या के साथ हुई जो अद्वितीय सुन्दरी थी। ज़मींदार के पुत्र ने फिर किसी और ग़रीब लड़की को प्रेम का रहस्य नहीं समझाया। शादी बड़ी शानदार हुई; हज़ारों ग़रीबों को एक वक़्त खाना खिलाया गया और वस्त्र बाँटे गये।

पन्द्रह साल का वह अनाथ लड़का संसार में अकेला रह गया था। उसने ट्यूशन किये, अख़बार बेचे, कुलीगीरी की और किसी तरह मिडिल पास किया। उसने कई जगह नौकरी की कोशिश की पर हाथ कुछ नहीं लगा। अन्त में चलकर वह एक गाँव में अध्यापक हुआ, उसके बाद गन्ने की मिल में मुंशीगीरी की और बाद में चलकर वह बिक्री-कर विभाग में बाबू बन गया। वहाँ एक रिश्वत का अभियोग लगा और इन्स्पेक्टर से लेकर चपरासी तक—सब मुअत्तिल कर दिये गये। मुअत्तिल होने के बाद वह होमियोपैथी करने लगा। इस समय उसकी उम्र कोई इक्कीस वर्ष की रही होगी। वह स्वस्थ था और आकर्षक भी था और इसी कारण स्त्रियों में वह बहुत लोकप्रिय चिकित्सक साबित हुआ। धीरे-धीरे उसने अपने कच्चे मकान पर छप्पर की जगह लकड़ी की छत डलवा ली और आँगन में नल भी लगवा लिया। महल्ले में एक सेठ की सेठानी थी जो अपने पति से कोई पच्चीस वर्ष छोटी थी। उसी उदारमना स्त्री ने हमारी कहानी के नायक को विवाहित आनन्द के रहस्य समझाये, उनका नाम 'बाबूजी' रखा और बाद में उसकी शादी भी एक रूपवती और कमसिन

लड़की से सम्पन्न करायी। मगर शादी के बाद भी सेठानीजी वक़्त-ज़रूरत अपनी प्राकृतिक चिकित्सा बाबूजी से ही करवाती रहीं। भगवान ने उस धर्मपरायणा सेठानी को उसके पुण्यों का फल दिया और सेठानीजी ने सात सन्तानों को जन्म दिया। इसके बाद वह बेचारी अबला विधवा हो गयी। विधवा होने के बाद वह दो लाख के ज़ेवर लेकर एक नवयुवक के साथ तीर्थयात्रा पर ऐसी गयी कि फिर कभी नहीं लौटी। जब वह तीर्थयात्रा पर गयी तब उसके सबसे बड़े लड़के की आयु लगभग बीस वर्ष थी। उस प्रतिभावान् लड़के ने बाप के कारबार को सँभाला और ब्याज पर ऋण देने का काम भी शुरू किया। उसने अपनी माता की स्मृति में एक हाईस्कूल खोला और पिता की स्मृति में एक मुफ़्ती चिकित्सालय भी खोला। हमारे बाबूजी उस अस्पताल के 'चीफ़' बने। समय बीतता रहा।

बाबूजी एक आम आदमी थे। ईश्वर में आस्था रखते थे और भाग्य को स्वीकार करते थे। उनके एक लड़का हुआ और एक लड़की। वे काम, क्रोध, मोह, लोभ, ईर्ष्या, द्वेष और भय—इन सब गुणों को धारण करते हुए भी नित्य पूजा करते थे, तीर्थ-यात्रा पर जाते थे और ग़रीबों पर दया करते थे। लड़के को पढ़ाने के लिए उन्होंने अपना घर नये सेठजी के पास गिरवी रखा और लड़की की शादी के लिए ऋण लेने उन्होंने अपनी पत्नी को सेठ के यहाँ भेजा। वह सेठजी के यहाँ से ऋण भी लायी और गर्भ भी। लड़की की शादी होते ही बाबूजी की धर्म-परायणा पत्नी ने तेल में अफ़ीम घोलकर पी ली। उसकी आत्महत्या का सच्चा पता नये सेठजी के अन्तरंग मित्रों के सिवा कोई और कभी नहीं जान पाया।

बाबूजी संसार में फिर अकेले रह गये। दिन में अस्पताल जाते, सुबह-शाम पूजा करते, कभी-कभी तीर्थयात्रा पर निकलते और कभी-कभी अपने बच्चों से मिलने उनके गाँव हो आते। उन्होंने कभी कोई पाप नहीं किया क्योंकि उसके कारण उन्हें नरक में जाना पड़ता। उन्होंने अस्पताल में कभी ग़बन नहीं किया क्योंकि वैसा करने से उन्हें शायद जेल जाना पड़ता। अपने से ज़्यादा उन्हें लोक की चिन्ता थी और लोक से ज़्यादा उन्हें परलोक की चिन्ता व्यापती थी। उन्होंने दूसरों को गन्दा काम करते देखा मगर खुद वे इस सबसे अलग रहे। वे 'आम' आदमी थे, 'खरबूजा' आदमी नहीं और इसी कारण दूसरों को देखकर भी उन्होंने अपना रंग कभी नहीं बदला। सत्तर वर्ष की आयु तक वे इसी तरह जिये। दोनों बच्चे अपने-अपने परिवारों में व्यस्त थे और बाबूजी संसार में अकेले थे। वे अब प्रतिदिन हवन करते थे, सत्यनारायण की कथा कहते थे, मंगल का व्रत रखते थे, रामकृष्ण परमहंस का जीवन-चरित पढ़ते थे और कभी-कभी अस्पताल भी हो आते थे। जब इस सबसे भी मन उकताने लगा तो वे थोड़ी-बहुत दारू पीने लगे। एक दिन ज़हरीली शराब पीने के कारण उनकी मृत्यु हो गयी।

जब मैंने हरिद्वार रोड पर आती उनकी अर्थी देखी तो मैंने अपनी मोटर रोक

ली। मैं सोचने लगा कि इस इंसान की सारी ज़िन्दगी लाइन में खड़े-खड़े ही बीत गयी। मैंने उसे जब भी देखा, लाइन ही में खड़ा देखा। कभी राशन की लाइन तो कभी मिट्टी के तेल की लाइन। अस्पताल में भी जब वह मरा तब भी वह लाइन ही में लगा था। इस देश के आम आदमी की यही नियति है। जियो तो लाइन में खड़े-खड़े जियो और मरो तो लाइन में खड़े-खड़े मरो। मैं देखता रहा कि यह वही आम आदमी है जिसके लिए सरकार चलती है, वज़ीर लोग हवाई जहाज़ से विदेश जाते हैं और जिसकी भलाई के लिए हमारी अपनी सरकार आम आदमी पर टैक्स लगाती है। इसी आम आदमी के लिए चुनाव कराये जाते हैं, शराब में पका मुर्गा खाया जाता है और बड़े लोग पाँच-सितारा होटल में वारांगना का निर्वसन नृत्य देखते हैं। मैं और गम्भीर होता गया और दार्शनिक बनता गया।

अकबर 'इलाहाबादी' ने एक कीड़े के ग़लती से मसले जाने पर एक मार्मिक ग़ज़ल लिखी थी। इस आम आदमी के मरने पर सिर्फ़ चन्द आदमी ही दुखी हैं और वह भी इसलिए कि श्मशान काफ़ी दूर है। उन्हें श्मशान जाने की जल्दी है क्योंकि सर्दी बेहद है। चिता चलेगी तो कुछ गर्मी मिलेगी और थकान दूर होगी। जहाँ तक इस मरे हुए आम आदमी का प्रश्न है, स्थिति यह है कि यह तो रोज़ मरता था। आज की जो मृत्यु है वह तो अन्तिम मृत्यु है। चलो, बेचारे की मुक्ति हो गयी। होनी को कौन टाल सकता है? हानि-लाभ, जीवन-मरण, यश-अपयश विधि हाथ।

मैं बाबूजी को बरसों से जानता था। मैंने सोचा कि मोटर यहीं ताला लगा कर छोड़ दूँ और अरथी को कन्धा दूँ। आख़िर मुझे भी तो किसी दिन ऐसे ही कन्धों की ज़रूरत पड़ेगी। राम नाम सत्य है—यह तो सभी के लिए सभी को कहना है। पर तभी मुझे सहसा ध्यान आया कि आज मैंने 'गुलाम रसूल एण्ड संस' के यहाँ सिला सबसे बढ़िया सूट पहना है। कन्धा दूँगा तो क्रीज ख़राब हो जायेगी।

मैं गाड़ी के पास ही खड़ा रहा और आगे बढ़ती अर्थी को देखता रहा।

इब्ने-इंशा की इश्किया शायरी

पतरस बुख़ारी के बाद इब्ने इंशा शायद उर्दू के दूसरे ऐसे व्यंग्यकार हैं जो मात्र एक पुस्तक के बल पर ही सदा-सदा के लिए अमर हो गये। उनकी इस विस्फोटक पुस्तक (उर्दू की आख़िरी किताब) को छपते ही ज़ब्त कर लिया गया और हालत यह हो गयी कि उन्हें पाकिस्तान छोड़कर यूरोप जाना पड़ा। पतरस बुख़ारी एक शानदार हास्यकार थे तो इंशा साहब एक महाप्राण व्यंग्यकार थे। बहुत कम लोगों को पता है कि वे भी मेरी ही भाँति एक श्रेष्ठ व्यंग्यकार होने के साथ-साथ एक समर्थ कवि भी थे। आज मैं उनकी कविता की ही चर्चा करूँगा।

बहुत दिनों पहले (जब आतिश जवान था) मैंने रवीन्द्रनाथ ठाकुर की 'प्रेम कविताओं' का एक संग्रह ख़रीदा था जिसने मुझे बुरी तरह निराश किया था। मैंने सोचा था कि गुरुदेव जैसे सौन्दर्यवादी कवि की 'प्रेम-कविताएँ' ऐसी होंगी कि जिन्हें एकान्त में ही पढ़ा जा सकेगा। बहरहाल जब मैंने सब लोगों के सो जाने पर पोथी खोली तो यह देखकर बेहद दुख हुआ कि उन कविताओं में उस प्रेम की चर्चा कहीं नहीं थी जिसकी कि मैं आशा करता था; उसमें तो सारे गीत ऐसे थे जिन्हें कोई भक्त भगवान के प्रेम में तल्लीन होकर गाता है। पुस्तक के प्रकाशक ने आवरण-पृष्ठ पर जो नाम दिया था वह एकदम भ्रामक था। मैंने वह पुस्तक अगले ही दिन एक ऐसी सुन्दर युवती को दे दी जो मेरी भाँति उसके नाम को पढ़कर उसे समस्त लज्जा और उल्लास के साथ अपनी साड़ी में छिपा कर ले गयी। अगले दिन उसकी स्थिति इतनी विचित्र हो गयी कि उसने उस पुस्तक को फाड़ दिया और उसके सारे अवशेष मेरे ऊपर फेंक दिये। उम्र बढ़ने के साथ-साथ मेरी ईश्वर-भक्ति भी बढ़ती गयी हालाँकि मैं अब भी राधा-कृष्ण के चित्र वाले ऐसे कैलेण्डर ही ख़रीदता रहा जिनमें राधाजी को बेहद हसीन और अधनंगा दिखाया गया था। बहरहाल मैंने जीवन में दूसरा धोखा तब खाया जब कि मैंने इब्ने-इंशा का कविता संग्रह मात्र इस कारण ख़रीदा क्योंकि भूमिका में स्पष्ट लिखा गया था कि इंशा साहिब कबीर, मीरा और नज़ीर की भाँति एक 'जोगी' शायर थे। मगर पुस्तक जब पढ़ी तो पता लगा कि वे सारी कविताएँ भक्ति-रस की न होकर शृंगाररस की थीं। इन कविताओं में प्रेम के साथ-साथ भाषा का अनुपम लालित्य भी था जिसका प्रमुख कारण यह रहा कि जयदेव की भाँति इंशा ने भी 'ल' अक्षर का बेहद प्रयोग किया। वैसे भी शायद उन्हें 'ल' अक्षर

से अतिरिक्त प्रेम था जिसका प्रमाण यह है कि वे 'लुधियाने' में पैदा हुए और 'लन्दन' में स्वर्गवासी हुए। उनकी इस इश्किया शायरी के (जिसे कुछ अदीब आध्यात्मिक शायरी समझने की ग़लती करते हैं) चुने हुए टुकड़े मैं यहाँ पेश करता हूँ :

(एक)

झूठे सिक्कों में भी उठा देते हैं अक्सर कच्चा माल
शक्लें देखकर सौदा करना काम है इन बंजारों का
अपनी ज़ुबाँ से कुछ न कहेंगे चुप ही रहेंगे आशिक लोग
तुमसे तो इतना हो सकता, पूछो हाल बेचारों का
एक ज़रा सी बात थी जिसकी चर्चा पहुँची गली गली
हम गुमनामों ने फिर भी एहसान न माना यारों का
दर्द का कहना चीख़ ही उट्ठो, दिल का कहना सब्र करो
सब कुछ सहना, चुप चुप रहना, काम है इज़्ज़तदारों का
इंशा जी अब अजनबियों में चैन से बाकी उमर कटे
जिनकी ख़ातिर बस्ती छोड़ी, नाम न लो उन यारों का

(दो)

प्रीत के रोगी सब कुछ बूझे, सब कुछ जाने होते हैं
इन लोगों के ईंट न मारो, कहाँ दिवाने होते हैं
इंशा जी छब्बीस बरस के ऐसी बातें करते हो
इंशा जी इस उम्र के लोग तो बड़े सयाने होते हैं

(तीन)

हर एक पे नज़रें उठनी थीं, हर एक पे जी को मचलना था
इस शहर में रूप का काल नहीं, कुछ और है अपने साजन में
या बन में चिकारे मिलते हैं, या प्रीत के मारे मिलते हैं
कुछ पूरब में, कुछ पच्छिम में, कुछ उत्तर में, कुछ दक्खिन में
यूँ करने को इश्फ पे क़ैद नहीं, सब लोग हैं अच्छा करते हैं
इंशा सा कोई रमता देखा, हम जोत जगाते हैं मन में

(चार)

कल चौदहवीं की रात थी, शब भर रहा चर्चा तेरा
कुछ ने कहा ये चाँद है, कुछ ने कहा चेहरा तेरा

हम भी वहीं मौजूद थे, हमसे भी सब पूछा किये
हम हँस दिये, हम चुप रहे, मंज़ूर था पर्दा तेरा
इस शहर में, किससे मिलें, हमसे तो छूटी महफ़िलें
हर शख़्स तेरा नाम ले, हर शख़्स दीवाना तेरा
कूचे को तेरे छोड़ कर, जोगी ही बन जायें मगर
जंगल तेरे, परबत तेरे, बस्ती तेरी, सहरा तेरा
बेदर्द सुनती हो तो चल, कहता है क्या अच्छी ग़ज़ल
आशिक तेरा, रुस्वाँ तेरा, शाइर तेरा, इंशा तेरा

(पाँच)

ज़िद्दी, वहशी, अल्हड़, चंचल, मीठे लोग, रसीले लोग
होठ उनके ग़ज़लों के मिसरे, आँखों में अफ़साने थे
वह लड़की तो उन गलियों में रोज़ ही घूमा करती थी
इससे इनको मिलना था तो इसके लाख बहाने थे
हमको सारी रात जगाया, जलते-बुझते तारों ने
हम क्यों उनके दर पर उतरे, कितने और ठिकाने थे
वहशत का उन्वान हमारी, उनमें से जो नार बनी
देखेंगे तो लोग कहेंगे, इंशा जी दीवाने थे

(छह)

इस दिल के दरीदा दामन को, देखो तो सही, सोचो तो सही
जिस झोली में सौ छेद हुए, उस झोली का फैलाना क्या
फिर हिज्र की लम्बी रात मियाँ, संजोग की तो एक यही घड़ी
जो दिल में है लब पर आने दो, शरमाना क्या, घबराना क्या
उस रोज़ जो उनको देखा है, अब ख़्वाब का आलम लगता है
उस रोज़ जो उनसे बात हुई, वह बात भी थी अफ़साना क्या
उस हुस्न के सच्चे मोती को, हम देख सके पर छू न सके
जिसे देख सकें पर छू न सकें वो दौलत क्या, वह ख़ज़ाना क्या
इंशा जी चलो, अब कूच करो, इस शहर में जी को लगाना क्या
दीवानों की सी न बात करे तो और करे दीवाना क्या?

(सात)

जलवानुमाई, बेपरवाई, हाँ यही रीत जहाँ की है
कब कोई लड़की मन का दरीचा खोल के बाहर झाँकी है?
आज मैंने इक नार को देखा जाने ये नार कहाँ की है
मिस्र की मूरत चीन की गुड़िया, देवी हिन्दुस्ताँ की है?
मुख पर रूप से धूप का आलम, बाल अँधेरी शब की मिसाल
आँख नशीली, बात रसीली, चाल बला की बाँकी है
मुल्कों-मुल्कों, शहरों-शहरों, जोगी बनकर घूमे हैं
इस बस्ती में हम लोगों को हाज़त एक मकाँ की है
इंशा जी उसे रोक के पूछे, तुमको तो मुफ़्त मिला है हुस्न
किस लिए फिर बाज़ारे-वफ़ा में तुमने यह जिंस गराँ की है?

(आठ)

कभी कोह से जा सर फोड़ मरे, कभी कैस को जा उस्ताद किया
जहाँ हुस्न मिला वहाँ बैठ रहे, जहाँ प्यार मिला आराम किया

(नौ)

ऐ दिलवालो घर से निकलो, देता दावते-आम है चाँद
हर कोई जग में ख़ुद सा ढूँढ़े, तुझ बिन बेआराम है चाँद
सखियों से कब सखियाँ अपने दिल का हाल छिपाती हैं
हमसे नहीं तो इससे कह दे, करता कहाँ कलाम है चाँद
हम इस लम्बे चौड़े घर में शब को तन्हा होते हैं
देख किसी दिन आ के मिल ले, हमको तुझसे काम है चाँद
वो जो तेरा दाग़े-ग़ुलामी माथे पर लिये फिरता है
उसका नाम तो इंशा ठहरा, नाहक को बदनाम है चाँद

(दस)

इसको नाम जुनूँ का दे दो, प्यार कहो कि दुलार कहो
ऐसा और किसी का देखा दिल का कारोबार, कहो
और किसी के दर पर जाएँ, छोड़ के उनका द्वार भला
ऐसी अच्छी आँखों वाले कितने हैं सरकार, कहो
बीच भँवर के मंज़िल करते हम तो यूँ भी पहुँचेंगे
एक टके में ले चलते हो, माँझी दरिया पार, कहो

(ग्यारह)

गोरी अब तू आप समझ ले, हम साजन हैं या दुश्मन हैं
गोरी तू है जिस्म हमारा, हम तेरा पैराहन हैं
नगरी नगरी घूम रहे हैं, सखियो अच्छा मौक़ा है
रूप, प्यार की भिक्षा दे दो, हम इक फैला दामन हैं
तेरे चाकर होकर पाया दर्द बहुत रुसवाई का
तुझसे थे जो टके कमाये, आज तुझी को अरपन हैं
लोगो, मैले तन-मन-धन की हमको सख़्त मनाही है
लोगों हम इस छूत से भागें, हम तो खरे बरहमन हैं
पूछो खेल बनाने वाले, पूछो खेलने वाले से
हम क्या जानें किसकी बाज़ी, हम तो पत्ते बावन हैं

(बारह)

अहले-वफ़ा से बात न करना, होगा तेरा उसूल मियाँ
हम क्यों छोड़ें इन गलियों के फेरों का मामूल मियाँ
यह तो कहो कभी इश्क़ किया है? जग में हुए हो रुस्वा भी?
इसके सिवा हम कुछ भी न पूछें, बाकी बात फ़िज़ूल मियाँ
खेलने दो उन्हें इश्क़ की बाज़ी, खेलेंगे तो सीखेंगे
क़ैस की या फ़रहाद की ख़ातिर, खोलें क्यों स्कूल मियाँ
अब तो हमें मंज़ूर है यह भी, शहर से निकलें रुस्वा हो
उनको देखा, बातें कर लीं, मेहनत हुई वसूल मियाँ
इंशा जी क्या उज़्र है तुमको, नक्दे-दिलो-जाँ नज़्र करो
रूपनगर के नाके पर ये लगता है महसूल मियाँ

(तेरह)

आज तो हमको पागल कह लो, पत्थर फेंको, तंज करो
इश्क़ की बाज़ी खेल नहीं है, खेलोगे तो हारोगे
इंशा को किस सोच में डूबे, दर पर बैठे देर हुई
कब तक इनके बख़्त के बदले अपने बाल सँवारोगे

(चौदह)

सच अच्छा पर उसके जलू में, ज़हर का है इक प्याला भी
पागल हो? क्यों नाहक को सुकरात बनो, ख़ामोश रहो
हक़ अच्छा है पर उसके लिए कोई और मरे तो और अच्छा
तुम भी कोई मंसूर हो जो सूली पे चढ़ो, ख़ामोश रहो
गर्म आँसू और ठण्डी आहें, मन में क्या-क्या मौसम उठते
इस बगिया का तुम भेद न खोलो, सैर करो, ख़ामोश रहो
आँखें मूँद किनारे बैठो, मन के रक्खो बन्द किवाड़
इंशा जी, लो धागा लो और लब सी लो, ख़ामोश रहो

(पन्द्रह)

सुनते हैं फिर छुप छुप उनके तुम घर में आते-जाते हो
इंशा साहब नाहक क्यों तुम वहशत में उलझाते हो
दिल की बात छिपानी मुश्किल, लेकिन ख़ूब छुपाते हो
बन में दाना, शहर के अन्दर दीवाना कहलाते हो
बेकल-बेकल रहते हो पर महफ़िल के आदाब के साथ
आँख चुरा कर देख भी लेते, भोले भी बन जाते हो

(सोलह)

अपने हमराह जो आते हो, इधर से पहले
दश्त पड़ता है मियाँ इश्क़ में घर के पहले
इश्क़ पहले भी किया, हिज्र का ग़म भी देखा
इतने तड़पे हैं, न घबराये न तरसे पहले
जी बहलता ही नहीं अब कोई सायत कोई पल
रात ढलती ही नहीं चार पहर से पहले
हम किसी दर पे न ठिठके न कहीं दस्तक दी
सैकड़ों दर थे मेरी जाँ तेरे दर से पहले

(सत्तरह)

ऐ मतवाली बदली काली, रूप का रस बरसाती जा
दिलवालों की उजड़ी खेती, आके धान उगाती जा
दीवानों का रूप न धारें, या धारें, बतलाती जा

मारें हमें या ईंट न मारें, लोगों को फ़रमाती जा
और बहुत से रिश्ते तेरे, और बहुत से तेरे नाम
आज तू एक हमारे रिश्ते, महबूबा कहलाती जा
पूरे चाँद की रात वो सागर, जिस सागर का ओर न छोर
या हम आज डुबा दें तुमको या तू हमें बचाती जा
हम लोगों की आँखें, पलकें राह में हैं, कुछ और नहीं
शरमाती, घबराती, गोरी इतराती इठलाती जा
दिलवालों की दूर पहुँच है, ज़ाहिर की औकात न देख
एक नज़र बख़्शीश में देकर, लाख सबाब कमाती जा
और तो फ़ैज़ नहीं कुछ तुझसे, ऐ बेहासिल, ऐ बेमहर,
इंशा जी से ग़ज़लें, नज़्में, गीत, कवित्त लिखवाती जा

(अठारह)

शामे ग़म की सहर नहीं होती
या हमीं को ख़बर नहीं होती :
दोस्तो इश्क़ है ख़ता लेकिन
क्या ख़ता दरगुज़र नहीं होती?
बेक़रारी सही नहीं जाती
ज़िन्दगी मुख़्तसर नहीं होती :
एक दिन देखने को आ जाते
ये हवस उम्र-भर नहीं होती :
हुस्न सबको ख़ुदा नहीं देता
हर किसी की नज़र नहीं होती

(उन्नीस)

दिल किसके तसव्वुर में जाने रातों को परीशाँ होता है
ये हुस्ने-तलब की बात नहीं, होता है मेरी जाँ होता है
फिर तेरी गली में पहुँचेगा, फिर सहब का सज़्दा कर लेगा
इस दिल पे भरोसा कौन करे, हर रोज़ मुसलमाँ होता है
वो दर्द कि तुमने छीन लिया, वो दर्द कि तेरी बख़्शिश था
तन्हाई की रातों में इंशा, अब भी मेरा मेहमाँ होता है

(बीस)

इस घर की खुली छत पर चमकते हुए तारो,
कहते हो कभी बात वहाँ जाके यहाँ की?
अल्लाह करे 'मीर' का जन्नत में मकाँ हो
मरहूम ने हर बात हमारी ही बयाँ की
इंशा से मिलो, इससे न रोकेंगे वे लेकिन
इनसे ये मुलाक़ात निकाली है कहाँ की?
मशहूर है पर बज्म में इस शख़्स का सौदा
बातें हैं बहुत शहर में बदनाम मियाँ की

(इक्कीस)

उनका दावा, उनकी अदालत और उन्हीं का ताजीरात
उनका दोस्त ज़माना सारा, अपना दोस्त ख़ुदा की जात
आप ही आप पिटे जाते हैं अपने प्यादे अपने फ़ील
हम क्या खेलें, इस बाज़ी में हाथ हमारे जीत न मात
इंशा साहब सुबह हो गयी उट्ठो भी और कूच करो
इस मंज़िल पे काफ़िलेवाले रुकते हैं बस रात की रात

(बाईस)

प्रीत का कारोबार बहुत है, अब तो और भी फैल गया
और जो काम जहाँ के देखें, फुरसत दें हालात कहाँ?

(तेईस)

आख़िर उस पर क्या कुछ बीती जानो वो अहवाल कहो
मौत मिली या लैला पाई? दीवाने का हाल कहो
आवारा-आवारा फिरना छोड़ के मण्डली यारों की
देखने वाले देख रहे हैं, इंशा का अब हाल कहो

(चौबीस)

अपने को इस शहर में रुस्वा न करेंगे
अब तक जो हुआ ख़ैर, अब ऐसा न करेंगे
वादा है अब और जलायेंगे न जी को

नुक़सान है इसमें तो ये सौदा न करेंगे
हर मोड़ पर ठिठकेंगे दीवानों की सूरत
हर दर पे तुझे जाके पुकारा न करेंगे
लिक्खेंगे किसी और ही उनवान की नज़्में
ग़ज़लों में भी इस बात की चर्चा न करेंगे
ऐ दिल, तेरे फ़रमानों को न टाला है न टालेंगे
उनकी भी तेरे सामने परवा न करेंगे
लिक्खेंगे उसी ठाठ से ग़ज़लें कभी नज़्में
हाँ, आज से लोगों को दिखाया न करेंगे
हो जाएँगे कहीं जाकर परदेस में नौकर
याँ साल में इक बार भी आया न करेंगे
इस शहर में आइन्दा न देखेंगे वो हमको
क्या क्या न किया इश्क़ में, क्या-क्या न करेंगे

(पच्चीस)

लब पर नाम किसी का भी हो, दिल में तेरा नक़्शा है
ऐ तस्वीर बनाने वाली, जब से तुमको देखा है
आज तो हम बिकने को आये, आज हमारे दाम लगा
यूसुफ़ तो बाज़ारे-वफ़ा में, एक टके को बिकता है

(छब्बीस)

हाँ, दिल का दामन फैला है
क्यों गोरी का दिल मैला है
हम कब तक प्रीत के धोखे में
तुम कब तक दूर झरोखे में
कब दीद से दिल की सेरी हो
इक बार कहो तुम मेरी हो

क्या झगड़ा सूद ख़सारे का
ये काज नहीं बंजारे का
सब सोना रूपा ले जाए
सब दुनिया, दुनिया ले जाए
तुम एक मुझे बहुतेरी हो

(सत्ताईस)

इक गोरी ने चाह की राह में लाकर छोड़ दिया
बड़ा कहर किया भरी ज़िन्दगी का रुख़ मोड़ दिया
सौ रूप यहाँ, हर रूप की एक अजब झलकी
किसी और में लेकिन बात कहाँ उस चंचल की

(अट्ठाईस)

ये तो इक दुनिया को चाहें
इनको किसने अपना जाना
और तो सब लोगों के ठिकाने
इंशा जी का कौन ठिकाना?
जब भटकें तो आप ही भटकें
छोड़ा दुनिया को भटकाना
गीत, कवित, नज़्में, ग़ज़लें
यह सब इनका माल पुराना;
झूठी बातें, सच्ची बातें
बीती बातें क्या दुहराना?
अब तो गोरी, नये सिरे से
अँधियारे में दीप जलाना,
ऐ गोरी, कंगाल नहीं तू
तुम आना औ' तन्हा आना

(उनतीस)

जग के चारों कोट में घूमा सैलानी हैरान हुआ
इस बस्ती के इस कूचे में, इस आँगन में ऐसा चाँद :
आँखों में भी, चितवन में भी चाँद ही चाँद झलकते हैं
चाँद ही टीका, चाँद ही झूमर, चेहरा चाँद और माथा चाँद
चंचल मुस्काती गोरी का मुखड़ा है बस इक महताब
पतझड़ के पेड़ों में अटका पीला सा इक पत्ता चाँद
चाँद किसी का नहीं हो सकता, चाँद किसी का होता है?
चाँद की खातिर ज़िद नहीं करते, ऐ मेरे अच्छे इंशा चाँद

(तीस)

इंशा जी है नाम इन्हीं का, चाहो तो इनसे मिलवाएँ
इनकी रूह दहकता लावा, हम तो इनके पास न जाएँ;
ये जो लोग बनों में फिरते, जोगी बैरागी कहलाएँ
इनके हाथ अदब से चूमो, इनके आगे सीस नवाएँ;
ना ये लाल जटाएँ राखें, ना ये अंग भभूत रमाएँ
ना ये गेरू रंग फ़क़ीरी चोला पहिन पहिन इतराएँ;
बस्ती से गुज़रें तो सारे पनघट की सुन्दर बालाएँ
इनकी प्यास बुझाने को खुद उमड़ उमड़ बादल बन जायें
नगरी नगरी घूमने वालों में इनकी मशहूर कथाएँ
वैसे बात करो तो लाज के मारे आँखें झुक-झुक जाएँ;
सात समन्दर पार की गोरी, खेल ज़रा करतार का देख
हमको था इस शहर में मिलना, उसको था मिलवाना हो;
जोग-बिजोग की बातें झूठी सब का जी बहलाना हो
फिर भी हमसे जाते जाते एक ग़ज़ल सुन जाना हो

(इकत्तीस)

प्रीत की रीत निभानी मुश्किल
प्रीत की रीत निभाने आये;
उठ और खोल झरोखा गोरी
सब अपने बेगाने आये;
गोरी रोके लाख ज़माना
इनको आँखों में बैठाना;
और किसी के द्वार न जायें
ये जो इंशा जी कहलाएँ

(बत्तीस)

इस बस्ती के इक कूचे में, इक इंशा नाम का दीवाना
इक नार पे जान को हार गया, मशहूर है उसका अफ़साना;
हर बात की खोज तो ठीक नहीं, तुम हमको कहानी कह दो
उस नार का काम मुकाम है क्या, इस बात पे पर्दा रहने दो;
वह लड़की अच्छी लड़की है, तुम नाम न लो हम जान गये
वो जिसके लम्बे गेसू हैं, पहचान गये पहचान गये;

हाँ साथ हमारे इंशा भी उस घर में थे मेहमान गये
पर उससे तो कुछ बात न की, अनजान रहे, अनजान गये

(तैंतीस)

देख तो गोरी, किसे पुकारे
बस्ती बस्ती, द्वारे द्वारे;
लब पर दर्द का बारहमासा
घूम रहा है प्रीत का प्यासा;
बात हमारी मान ले गोरी,
सब दुनिया से चोरी चोरी
सोच नहीं साजन को बुला ले
आगे बढ़, सीने से लगा ले

(चौंतीस)

इंशा जी बहुत दिन बीत गये
तुम तन्हा थे तुम तन्हा हो
कभी पूरब में, कभी पच्छिम में
तुम पुरवा हो या कि पछुआ हो?
वह जिसका मिलना नामुमकिन
वह मिल जाए तो कैसा हो?
वो शख़्स पुराने क़िस्सों का
इक मदमाता शहज़ादा हो;
क्यों और पे जी को रिझाता है
ये प्रीत की रीत तो फन्दा हो,
जो हारा, जान से हार गया
जो जीत गया, वह रुस्वा हो,
तू अपना रह, तू अपना हो
तू इंशा है, तू इंशा हो

ऊपर लिखी कविताओं के पढ़ने पर आप मुझसे सहमत होंगे कि इब्ने-इंशा एक ज़बर्दस्त किस्म के इश्किया शायर थे और इस दिशा में उनका कलाम हमें मीर, ग़ालिब और जिगर साहब के कलाम की याद दिलाता है। उनकी एक कविता आपको और सुनाता हूँ जिससे पता लगता है कि इब्ने इंशा हास्य व व्यंग्यपूर्ण कविता की दिशा में भी दाग़ और अकबर की याद दिलाते हैं। इंशा नाम के एक शायर उर्दू में

पहले भी हुए हैं और वे भी बेहद शरीर और हँसोड़ थे। इब्ने-इंशा की वह दिलचस्प कविता। इस प्रकार है :

सोचा करते थे पढ़ते हुए ताज़ा ख़बरें
रुई के भाव में होता है चढ़ाव या कि उतार,
कोई खेती, कोई कारख़ाना, कोई पुल कोई रेल
एक दुनिया है कि बरसों में बनाये न बने,
होंगे इस शहर में भी कुछ इंशा के पढ़ने वाले
यूँ तो ये शख़्स भी मशहूर था ख़ासा लोगो
और न वो खेत, वो फ़स्लें न वो रखवाले
इक इक गाँव की चौपाल पे उल्लू बोला...

इस मज़मून ने मेरा बहुत-सा क़ीमती वक़्त ले लिया। आज मैं आपको उस मेजर-जनरल की कहानी सुनाना चाहता था जिसके 'स्लीपिंग बैग' में चूहा घुस जाने के कारण सारी खाई और खन्दक में हँसी का तूफ़ान मच गया था। मैं आपको यह बताना चाहता था कि यदि एक प्रशंसक द्वारा दिये गये गुब्बारे का रथ हाँका जाता तो आदरणीय अदवानी जी अपनी रथयात्रा के सन्दर्भ में कभी भी गिरफ़्तार न हुए होते। अभी हाल की गहन खोजों के फलस्वरूप कुछ लोगों के अनुसार कोलम्बस जो था, वह पागल था। और उन दो युवतियों का तो कहना ही क्या जिन्हें अदालत ने मर्दाना कपड़े पहिनने की स्पष्ट अनुमति प्रदान की है। मगर ये सारी बातें किसी और दिन। आज का दिन तो 'इश्क़' ने 'निकम्मा' कर दिया। दिन क्या था, 'ग़ालिब' था।

तीन दिलचस्प ख़बरें; एक अपील के साथ

अमेरिका में एक अत्यन्त धार्मिक गिर्जाघर के मालिक एक दम्पती पर एक अदालत में मुक़द्दमा चलाया जा रहा है। सीटल नामक नगर के सरकारी वकील का कहना है कि यह गिर्जा भगवान रजनीश की 'सम्भोग से समाधि की ओर' वाली पद्धति के विपरीत (अर्थात् 'समाधि से सम्भोग की ओर' वाली पद्धति पर) चलाया जाता है जहाँ कि पादरी युवतियाँ आने वाले शालीन और अमीर भक्तों की 'मालिश' करती हैं और इस 'सेवा' के बदले में भक्त लोग गिर्जे को दान में यथाशक्ति सम्पत्ति प्रदान करते हैं। यह 'मालिश' ठीक वैसी ही मालिश है जो मण्टो की प्रख्यात पुस्तक 'मीनाबाज़ार' में वर्णित एक प्रख्यात नर्तकी कभी कराया करती थी। इस 'अल्टिमेट लाइफ़ चर्च' के बारे में कुछ भक्तों ने अदालत को बताया है कि वे 'पवित्र चुम्बन-सेवा' व 'आनन्ददायक बपतिस्मे' के बदले पचास से सौ डालर तक का दान देते थे। हालाँकि गिर्जे के मालिक श्री गियरन्स व उनकी धर्मपरायणा पत्नी ने इस संस्था को मात्र एक 'धार्मिक व विषयासक्त' गिर्जाघर ही बताया है पर सरकारी वकील इतना नास्तिक है कि वह सुन्दर व युवा भक्तिनों द्वारा की गयी सेवाओं को धार्मिक न मानकर इस चर्च को मात्र विलासिता का एक अड्डा ही स्वीकार करता है। अभियोग-पक्ष का कहना है कि इस परम आध्यात्मिक संस्था ने चार वर्षों की अवधि के भीतर मात्र दस लाख डालर की मुद्रा अर्जित की है जिस पर उन्हें पचास हज़ार डालर की रक़म तो बतौर आयकर के रूप में ही अदा करनी है। सरकारी वकील के अनुसार यह गिर्जाघर कतई पवित्र नहीं है; यह तो सरकार को धोखा देने वाला मात्र एक 'कामकेन्द्र' ही है जिसे चर्च के नाम से चलाया जा रहा है। एक धार्मिक व्यक्ति होने के कारण मुझे यह समाचार पढ़कर बड़ा दुःख हुआ। मेरी तो सदा से यही धारणा रही है कि प्रत्येक नागरिक को अपना धर्म अपनी इच्छा के अनुसार पालन करने की पूर्ण स्वतन्त्रता होनी चाहिए और मैं इस दिशा में सरकार के किसी भी हस्तक्षेप को कभी बर्दाश्त नहीं कर सकता। जब यह ख़बर अख़बार में पढ़ी तो मैं सन्न रह गया। एक धार्मिक व्यक्ति के साथ ऐसा होना नितान्त स्वाभाविक ही जो ठहरा। ऊपर लिखी ख़बर मैंने कोई दो सप्ताह पूर्व पढ़ी थी। इस सप्ताह एक ऐसी ख़बर पढ़ी कि मन का राष्ट्रपक्षी नाचने लगा। फ्रांस की एक पैंतीस वर्षीया

रमणी संसार की सबसे सुन्दर स्त्री बनना चाहती हैं। वे चाहती हैं कि उनका मस्तक मोनालिसा जैसा हो, उनका कटि-प्रदेश देवी यूरूपा जैसा हो, उनके नेत्र डायना जैसे हों और उनकी नासिका साइका की नाक की भाँति सुन्दर हो। उन्होंने यह सामग्री कम्प्यूटर में डाली और उसके बाद जो चित्र उसमें से निकला वह सचमुच लावण्य से परिपूर्ण था। यूँ तो सारे लोग अपने जीवन को मधुर बनाना चाहते हैं पर यह सचमुच एक विचित्र संयोग है कि रूप के साथ लवण की ही चर्चा छिड़ती है; चीनी की नहीं। गाँधी जी ने जो नमक-क़ानून तोड़ा था, उसका उद्देश्य सचमुच बहुत महान् था। लवण पर यदि कर लगाया गया तो उसका प्रभाव लावण्य पर पड़ना एकदम स्वाभाविक ठहरा। जो लोग मेरी भाँति अधेड़ हो गये हैं, वे लवण-भास्कर चूर्ण के फ़ायदे भली भाँति जानते हैं। बहरहाल वह फ्रेंच रमणी पिछले दस वर्षों में अनेक आपरेशन करवा चुकी हैं और प्रत्येक आपरेशन ने उन्हें एक यज्ञ जैसा आनन्द दिया है क्योंकि रूप की अग्नि के बिना यौवन का यज्ञ कैसे पूरा हो सकता है? फ़िलहाल श्रीमती ओर्लोन नाम की यह महिला-रत्न भारत पधारी हैं क्योंकि हमारे पुराने ग्रन्थों के अनुसार शरीर तो एक वस्त्र है जिसे अपनी इच्छा के अनुसार परिवर्तित किया जा सकता है। वे चाहती हैं कि भारत के अपने इस निवास में वे इतनी ज़्यादा सुन्दर हो जायें कि उन्हें नया पासपोर्ट बनवाना पड़े। चिरंजीव लक्ष्मण जी ने कुमारी शूर्पणखा की नाक की जो शल्य-चिकित्सा सम्पन्न की थी, वह अन्ततोगत्वा शूर्पणखा को ज़्यादा रूपवती बनाने के लिए ही की थी मगर कुमारी शूर्पणखा को धैर्य नहीं था और वे छोटे-से शारीरिक कष्ट के सामने लक्ष्मण जी के महान् लक्ष्य को देख नहीं सकीं। बहरहाल ये जो फ्रेंच रमणी हैं, धीरज रखना जानती हैं और मेरा पूरा विश्वास है कि वे अपनी इच्छा के अनुसार 'सेट ओर्लोन' नामक तरुण-तपस्विनी बनकर ही अपने देश लौटेंगी। स्त्री यदि सुन्दर हो तो शेष गुण उसमें अपने आप आ जाते हैं। यत्राकृतिः तत्र गुणाः वसन्ति (कालिदास)।

मैं कई दिनों से सोच रहा था कि विदेश की तो दो दिलचस्प ख़बरें मिल गयीं पर अपने देश में 'स्वदेशी आन्दोलन' शायद कुछ ढीला पड़ गया। मगर आज के अख़बार को पढ़कर मेरी कई अदद बातें फिर खिल उठीं। नौ मार्च सन् बानबे के अख़बार में छपा है कि एक प्रदेश में सूखे से पीड़ित भूखे लोग वृक्षों की छाल के साथ-साथ बन्दरों और बिल्लियों तक को खा रहे हैं। भूख के कारण कई मृत्यु भी हो चुकी हैं और स्थिति इतनी नाज़ुक हो गयी है कि आदिवासियों की सुन्दर लड़कियों को दलाल लोग झूठे प्रलोभन देकर अरब देश भेज रहे हैं ताकि वे शेख़ अमीरों की थकी हुई देह को आराम पहुँचाने में हाथ बँटा सकें। आख़िर आदिवासियों की विपत्ति का फ़ायदा दलाल नहीं उठाएगा तो और कौन उठाएगा? औरत के काम यदि आदमी ही नहीं आयेगा तो और कौन आयेगा? और हमारी तो यह प्राचीन परम्परा रही है कि सारी वसुधा हमारी कुटुम्ब है और जहाँ स्त्रियों की इतनी पूजा की जाती

है कि देवता तक उनके साथ रमण करते हैं। अब यदि देवता लोग अरब के अमीरों के रूप में प्रकट हो रहे हैं तो कोई क्या कर सकता है? अवतार लेना तो देवताओं का मौलिक अधिकार ठहरा।

मुझे बहुत खेद है कि चाहते हुए भी मुझे कोई ज़्यादा अश्लील समाचार नहीं मिल सका। उन्नीस जनवरी सन् बानबे के अख़बार के अनुसार हमारी एक लेखिका अश्लील उपन्यास लिखने के कारण गिरफ़्तार तो अलबत्ता ज़रूर हुईं पर इस हादसे के कारण उनका वह कालजयी उपन्यास जर्मन भाषा में तुरन्त छप गया। मैं भी चाहता हूँ कि विदेशी भाषाओं में छपूँ मगर कोई रास्ता हाथ ही नहीं आ रहा। एक मैं हूँ कि चाहते हुए भी कुछ नहीं कर पा रहा हूँ, और उधर बँगला के कवि व उपन्यासकार सुनील गंगोपाध्याय हैं जिनके साथ न चाहते हुए भी सब कुछ हो गया। सुनील साहिब के पास बहुत दिनों से एक युवती-प्रशंसिका के पत्र आते थे पर उन्हें उसके बारे में कोई विशेष जानकारी नहीं थी। बहरहाल एक दिन यह दुःखदायी रहस्य खुल ही गया कि पत्र लिखने वाली वह बालिका एक सचमुच की राजकुमारी थी जो अपने पूरे होशोहवास में एक ग़रीब लेखक के साथ शादी करना चाहती थी। फ्रेलिटी, दाई नेम इज़ वूमैन (शेक्सपियर)।

इतना सब निवेदन करने के बाद मैं एक दिलचस्प अपील आपकी सेवा में प्रस्तुत करता हूँ। मेरे मित्र और व्यंग्यकार डॉ. मनोहरलाल ने एक प्रमुख हिन्दी दैनिक की एक कटिंग मुझे भेजी है जिसमें एक विद्वान् समीक्षक ने (जजों और वकीलों की भाँति समीक्षक लोगों को भी सदा विद्वान् कहकर ही सम्बोधित किया जाता है, चाहे वस्तुस्थिति इसके बिल्कुल विपरीत ही क्यों न हो) 'व्यंग्य पढ़ने के उबाऊ लम्हे' शीर्षक से मुझे मिलाकर पाँच व्यंग्यकारों पर अपने पवित्र विचार व्यक्त किये हैं। मेरी कृति 'विषकन्या' का 'कन्या' वाला भाग उन्होंने अपने पास रखा है और 'विष' वाला भाग मुझे वापिस किया है। काफ़ी सही प्रशंसा करने के बाद वे कहते हैं कि "त्यागीजी अपनी रचनाओं में अब कुछ नुस्ख़े अपनाने लगे हैं। वे अख़बार से घटनाएँ व समाचार लेते हैं, सेक्स का टच देते हैं और विभिन्न विषयों पर छाँट कर रखे गये कवितांशों का भरपूर प्रयोग करते हैं।" इस प्रशस्ति को पढ़कर पहली प्रतिक्रिया तो यह रही कि मैंने ठीक इसी प्रकार की विशेषताओं से युक्त एक लम्बी रचना लिखी और बाद में महसूस किया कि विद्वान् समीक्षक ने (जिन्हें दुर्भाग्यवश मैं नहीं जानता हूँ) जो कुछ लिखा है उसमें थोड़ा-बहुत सच ज़रूर है। रिटायर होने के बाद मैं अख़बार ज़रूरत से ज़्यादा पढ़ने लगा हूँ और भविष्य में मुझे सतर्क रहना है कि उसका प्रभाव मेरे लेखन की मौलिकता पर न पड़े और यदि पड़े भी तो कम-से-कम पड़े। यह दीगर बात है कि कोई भी साहित्यकार अपने वर्तमान की उपेक्षा नहीं कर सकता और व्यंग्यकार तो कभी भी वर्तमान से टूट ही नहीं सकता। यह भी एक दीगर बात है कि 'धर्मयुग' में मेरी दो पुस्तकों की समीक्षा करते हुए एक और

विद्वान् समीक्षक ने (जिन्हें सौभाग्यवश मैं नहीं जानता हूँ) 'ख़बरों से बाख़बर व्यंग्यकार' शीर्षक से मेरे बारे में लिखा है कि "त्यागीजी अख़बारों की ग़ैर-संजीदा ख़बरों को बड़ी संजीदगी से पढ़ते और अपनी रचनाओं में उनका उपयोग करते हैं और उनका यह शौक़ उनकी रचनाओं को उस स्तर पर ले जाता है जहाँ सामयिकता, भारतीय समाज की चिरन्तन शोषक प्रवृत्तियों और राजनीति के घिनौने खेल से एकाकार हो जाती है।" पहले समीक्षक ने मेरी कमज़ोरी बता कर मुझे जो दृष्टि दी है, उसके लिए मैं उनका सचमुच आभारी हूँ।

जीवन्तु मे शत्रुगणाः सदैव, येषां प्रसादात् सुविचक्षणोहम्,
यदा यदा मां प्रमदा लभन्ते, तदा तदा मां प्रतिबोधयन्ति।

जहाँ तक रूपवती रमणियों और शेरो-शायरी को छोड़ने का प्रश्न है, स्थिति यह है कि ख़बरों के साथ-साथ यदि उन्हें भी निकाल दिया जाए तो मेरे जीवन में रवीन्द्रनाथ त्यागी को छोड़कर और बचता ही क्या है? व्यंग्यकार तो वैसे ही एक अत्यन्त दुखी प्राणी होता है। विश्वास न हो तो वाल्तेयर, परशुराम, अज़ीम-बेग़ चुग़ताई और माइखेल ज़ोशेंको (सही उच्चारण न जानने के लिए क्षमाप्रार्थी हूँ) का जीवनचरित पढ़ लें। अब ऐसी स्थिति में एकदम संन्यासी होने की कोशिश करना बेकार है। हाँ, इन बातों पर भी निगाह ज़रूर रखी जा सकती है हालाँकि काफ़िर जब मुँह से लग जाती है तो मुश्किल से ही छूटती है। और अगर सब कुछ छूट गया तो फिर क्या व्यंग्य और क्या कविता—दोनों का लिखना मेरे लिए असम्भव है। मैं तो भक्तिकाल में भी 'वैराग्यशतक' की अपेक्षा 'गीत गोविन्द' ही पढ़ना पसन्द करता हूँ। और यदि लिखना-पढ़ना ही बन्द हो गया तो करूँगा ही क्या? ज्योति बसु की भाँति आलू बेचूँगा या हिन्दी के सर्वश्रेष्ठ कवि उपेन्द्रनाथ 'अश्क' (अब अश्कजी यह कहना छोड़ दें कि उनकी कविता को सही आलोचक नहीं मिला) की भाँति किराने की दुकान खोलने की सोचूँगा। क्या आप चाहेंगे कि तीस वर्ष तक हिन्दी में लिखने के बाद मैं ये धन्धे करूँ?

मैं अपने पाठकों और समीक्षकों से प्रार्थना करता हूँ कि भविष्य में मैं सतर्क रहूँगा और वे दयालु रहें। वुडहाउस, परशुराम और शरद जोशी की मृत्यु हो गयी है और हेनरी सिसील, रिचर्ड गार्डन व हरिशंकर परसाई वृद्ध हो रहे हैं। मैं वृद्ध भी हो रहा हूँ और बीमार भी चल रहा हूँ। मेरे हमवतनो, मैं आपको यक़ीन दिलाता हूँ कि जब मैं नहीं रहूँगा तो ख़बरें पढ़ते हुए कभी-कभी आपको ख़ाकसार और शायर का नीचे लिखा कलाम याद आयेगा और ज़रूर याद आयेगा :

हुई मुद्दत कि ग़ालिब मर गया पर याद आता है
वह हर इक बात पर कहता कि यूँ होता तो क्या होता

कुछ टिप्पणियाँ और एक संस्मरण

कालपात्र

मैं अपनी चुनी हुई रचनाओं को एक कालपात्र में रख कर किसी क़िले के पास गड़वाना चाहता हूँ ताकि मेरी श्रेष्ठ कृतियाँ भावी पीढ़ियों के लिए सुरक्षित रहें। क्योंकि मुझे अपने कृतित्व पर वैसे उसके अमर रहने का कोई विश्वास नहीं है, मुझे कालपात्र का सहारा लेना ही पड़ेगा। भावी पीढ़ियाँ मेरी रचनाएँ पढ़ेंगी तो बहुत सम्भव है कि वे उन्हें रवीन्द्रनाथ त्यागी के स्थान पर रवीन्द्रनाथ ठाकुर की ही कृतियाँ समझें। कालपात्र कहाँ गड़वाऊँगा, यह मैं छिपाना चाहता हूँ, ठीक उसी तरह जैसे कि हिन्दी के कुछ होनहार लेखक अपने गुप्त रोगों को छिपाते हैं। कालपात्र मैं किसी प्रख्यात आलोचक की उपस्थिति में गाड़ूँगा क्योंकि ऐसा करने से गवाही भी रह जायेगी और आलोचक को अन्धा होने के कारण यह भी पता नहीं लगेगा कि मैं अपनी ही रचनाओं को दबा रहा हूँ याकि रेणु, शरत्चन्द्र व शरद जोशी की रचनाओं को। वैसे कबीर व निराला की रचनाओं को मैं प्रत्येक स्थिति में दबवाऊँगा क्योंकि ये दोनों भी मेरी भाँति कवि व व्यंग्यकार एक साथ थे। कालपात्र के नीचे किसी ऐसे नये व्यंग्यकार को तो अवश्य ही गाड़ूँगा जो कि मेरे से ज़्यादा अच्छा लिखता हो। नये लेखकों के प्रति वरिष्ठ लेखकों की इस ज़िम्मेदारी से मैं कैसे बच सकता हूँ?

चम्मचे

अपने जीवन में चमचों का मुझे काफ़ी अनुभव रहा और इसी ठोस आधार पर मैं यह बात दावे के साथ कह सकता हूँ कि चमचों का युग अब बीत गया। फ़िलहाल जो ज़रूरत है वह चम्मचों की है। चम्मचों से मेरा अभिप्राय उन निर्वसना या अर्धवसना रूपवती युवतियों से है जो अपने मालिक का वह काम सिद्ध करने की शक्ति रखती हैं जो अब तक चमचा कहलाने वाले पुरुष रखा करते थे। चम्मचों को रखना हमारी प्राचीन संस्कृति का अंग है। स्वर्ग के सम्राट् इन्द्र, उर्वशी, मेनका व तिलोत्तमा जैसी सदाबहार अप्सराओं को अपने पास सदा रखा करते थे। जैसा कि बुद्धिमान् पाठक

समझ गये होंगे ये सारी विषकन्याएँ स्त्रियाँ ही थीं, पुरुष नहीं।

यह सुख का विषय है कि इस क्षेत्र में युवतियाँ आगे आ रही हैं और सारी लज्जा व संकोच छोड़कर आ रही हैं। क्या राष्ट्रीय और क्या अन्तरराष्ट्रीय—दोनों स्तरों पर चम्मचें जो हैं वे दिन को आराम करती हैं और रात्रि के समय अपनी ड्यूटी को अंजाम देती हैं। दूत के दिन गये, अब जो ज़माना है वह दूती का है। वे कहीं पब्लिक-रिलेशन-अधिकारी हैं, तो कहीं कालगर्ल हैं, रिसेप्शनिस्ट हैं या फिर एयर-होस्टेस हैं। लेबिल कुछ भी लगा हो, शराब जो है वह प्रत्येक बोतल में वही है। ठीक वही सोमरस जिसे हमारे पवित्र पूर्वज कसरत के साथ पिया करते थे। मुझे खेद है कि पुल्लिंग होने के कारण मैं चम्मच नहीं बन सकता। हाँ, अलबत्ता यदि यौन परिवर्तन हो जाए तो मैं देश के प्रति अपनी ज़िम्मेदारियों से कभी पीछे नहीं हटूँगा।

कुछ चम्मचों को मैंने अत्यन्त निकट से देखा है। वे स्त्री होने के साथ-साथ रूपवती और युवा भी होती हैं। वे अँग्रेज़ी तथा फ्रेंच भाषा अवश्य जानती हैं, किसी-किसी स्थिति में राष्ट्रभाषा हिन्दी न जानती हों, यह एक दीगर बात है। वे बोलती कम हैं, मुस्कुराती ज़्यादा हैं। वे शानदार ज़ेवर पहनती हैं, पाँच-सितारा होटलों में मुर्गा खाती हैं और विदेशी इम्पाला में विलायती शराब व फ़िल्टर वाली सिगरेट पीते-पीते इधर-उधर घूमती हैं। इनमें से कुछ तो इतनी चतुर हैं कि यदि उन्हें चाणक्य भी मिल जाए तो ये उसका भी शिकार कर लें।

मैं दावे के साथ कहता हूँ कि चमचा फ़ेल हो सकता है पर चम्मच नहीं। हमारे एक महान् प्रधान मन्त्री तक एक ऐसी चम्मच के जादू में आ गये थे जो बाहरी तौर पर एक वायसराय की पत्नी थीं। किसी भी शक्तिशाली पुरुष को पराजित करने की और उसे ब्लैकमेल करने की जो सुविधा प्रकृति ने स्त्रियों को दी है वह पुरुषों के पास कभी नहीं रही। मैं देश की सुन्दर कन्याओं से भी कहना चाहूँगा कि अब वे डॉक्टर, वकील, प्रोफ़ेसर, कलाकार, लेखक या इंजीनियर बनने में अपना बेशक़ीमती वक़्त बर्बाद न करें। अब वे चम्मच बनें और जब उनकी देह या शक्ल जवाब देने लगे तो वे देश की अगली स्त्री पीढ़ी को इस शानदार धन्धे की शिक्षा दें। स्त्री ही एक ऐसा बर्तन है जो कि चम्मच बनते ही चाँदी या सोने का हो जाता है, जवाहिरात धारण करता है, मखमल पहनता है और जिसे सेनापति, राजदूत और कभी-कभी तो राष्ट्राध्यक्ष भी अपनी बाँहों से बाहर नहीं निकलने देते।

एक पुरानी कथा

प्राचीन काल की बात है। एक दिन एक सुन्दर और समझदार कन्या एक सुन्दर, स्वस्थ व अमीर नययुवक के साथ कहीं जा रही थी। रास्ते में घना वन पड़ता था और इसी कारण वे दोनों बिना किसी परिचय के एक-दूसरे के साथ हो गये थे। भय

बिन होय न प्रीति। मार्ग में उन्हें एक धूर्त मिला। उसने चिल्ला कर कहा कि "देखो, देखो, एक सुन्दर कन्या एक गधे के साथ नगर जा रही है।" नवयुवक ने जब धूर्त के शरीर पर ध्यान देने की बात कही तो उस सुन्दर कन्या ने अपने सुन्दर मुख से शान्ति के सुन्दर लाभों की ओर इशारा किया और लड़के के पुष्ट हाथ को अपने कमनीय करकमलों में जकड़ लिया। थोड़ी दूर चलकर उन्हें एक और धूर्त मिला जिसने फिर से उस नवयुवक को गधा कहकर सम्बोधित किया। इस बार कन्या ने नवयुवक को ध्यानपूर्वक देखा और उसके बाद वह बड़े ही शोख़ ढंग से मुस्कुरायी। वन के समाप्त होते ही उन्हें एक मन्दिर मिला जिसका पुजारी (अर्थात् पूजा का अरि) मिला जो ख़ानदानी धूर्त था। उसने उन दोनों को देखा तो चिल्ला-चिल्ला कर कहा कि "देखो, कैसा घोर कलियुग आ गया है कि एक इतनी रूपवती कन्या एक गधे के हाथ में हाथ डाले इस प्रकार विचरण कर रही है।" पुजारी की वाणी सुनते ही कन्या के सारे संशय दूर हो गये। उसे यह जान कर बड़ा सुख हुआ कि उसका साथी स्वस्थ, सुन्दर व अमीर होते हुए भी एक गधा ही है और कुछ नहीं। उसने थोड़ा एकान्त मिलने पर उस नवयुवक के गले में मृणाल जैसी अपनी बाँहें डाल दीं। नवयुवक ने भी वही किया जो उससे अपेक्षित था। न वेश्या सती, न गदहा जती। नगर जाकर अगले दिन उन दोनों ने आपस में विवाह कर लिया। इसके बाद बच्चों के अतिरिक्त उनके साथ और क्या हुआ, यह मैं नहीं जानता।

इस परम प्राचीन कथा से हमें यह शिक्षा मिलती है कि यदि कोई पुरुष गधा और अमीर एक साथ हो तो उसे सुन्दर स्त्रियाँ स्वयं ही खोज लेती हैं और वे तब तक उसके पास अवश्य रहती हैं जब तक कि वह अमीर रहता है। प्रत्येक सुन्दर युवती अपने हृदय में यही चाहती है कि उसका जीवन-साथी स्वस्थ, धनी, रूपवान् और गधा हो। और आज़ादी प्राप्त होने के बाद न जाने कितने ऐसे गधे लेखक, नेता, अभिनेता, चित्रकार व राजदूत बन गये जिनकी पत्नियाँ सुन्दर थीं और पतिव्रता थीं। वे पति के लिए कोई भी व्रत रख सकती थीं और कोई भी व्रत तोड़ सकती थीं। बड़ी चीज़ पति होता है, व्रत नहीं।

एक लेखकीय आत्मकथ्य

मैं हिन्दी का एक साधारण लेखक हूँ। मैं अपने को जो 'साधारण' कहता हूँ, उसमें कुछ तो सच्चाई है और कुछ मेरी असाधारण नम्रता है। पिछले तीस वर्षों में मैंने लगभग पाँच सौ व्यंग्य-रचनाएँ और लगभग उतनी ही कविताएँ लिखी हैं। विश्व-साहित्य में ऐसे लेखक बहुत कम होंगे जिन्होंने अपनी सीमित प्रतिभा का विभाजन दो विधाओं में इतनी ईमानदारी के साथ किया होगा। मगर और कामों के साथ-साथ एक लेखक का जीवन जीना कितना कठिन है—यह मैं ही जानता हूँ। आज मैं उन कुछ परेशानियों

की कुछ जानकारी आपको देना चाहता हूँ और इस लेख के लिखने का मूल कारण यही है। गौण कारण यह है कि पहले तो यह आत्मकथ्य 'धर्मयुग' में छपेगा जिसे लाखों लोग पढ़ते हैं और दूसरे, इसके छपने के उपहार-स्वरूप मुझे दो सौ रुपयों का चेक मिलेगा जो कि अपने आप में एक कम उपलब्धि नहीं होती। यदि मैं अपनी परेशानियों का डट कर मुक़ाबला करता तो शायद मैं भी पन्त, निराला, शरच्चन्द्र या जैकलण्डन बन सकता था मगर इन लोगों की महानता अक्षुण्ण रखने के लिए मैंने वैसा कुछ कभी नहीं किया।

मैंने अपने व्यक्तिगत जीवन में दो बड़ी ग़लतियाँ कीं। पहली ग़लती तो मैंने यह की कि एक नितान्त सर्वगुण-सम्पन्न लड़की से मैंने शादी कर ली और दूसरी ग़लती यह की कि मैं देश की सर्वोच्च नौकरियों में से एक के लिए चुन लिया गया। लेखकीय जीवन में मुझे जो परेशानियाँ पड़ीं उनमें से तीन चौथाई परेशानियाँ इन्हीं दो कारणों के कारण पड़ीं। वैसे मेरी क्या पत्नी और क्या नौकरी–दोनों ही शानदार थीं (और इसी कारण चाहते हुए भी उन दोनों से मैं कभी भी छुटकारा नहीं पा सका) पर यह बात भी सच है कि सच्चा कलाकार वही हो सकता है जो कला के अतिरिक्त बाकी सारी ज़िम्मेदारियों से मुक्त हो। ज़िम्मेदारी का दूसरा नाम भय है और भय जो है वह चिन्ता का दूसरा नाम है। मैं न जाने कितनी चिन्ताओं की कितनी नावों में कितनी बार चढ़ा पर फिर भी कला की सेवा के लिए आँगन के पार वाला द्वार मैंने सदा खुला ही रखा। कला की सच्ची साधना के लिए या तो आदमी गोल्डस्मिथ और सरवेण्ट्स की भाँति निर्द्वन्द्व हो या फिर तालस्ताय, रवीन्द्रनाथ ठाकुर व अज्ञेय की भाँति धनी हो। मध्यम वित्तवर्गीय लोगों के लिए कला का प्रेम उतना ही कष्टप्रद है जितना कि उनका शराब या जुए से प्रेम करना। लड़की से प्रेम करना एक दीगर बात है और उसकी शर्तें अलग हैं। उनकी चर्चा फिर कभी करूँगा।

मैं दावे के साथ कहता हूँ कि कालिदास–जो कहीं 'कहीं' मुझसे भी बेहतर कवि होने का संशय उत्पन्न करता है, मात्र इस कारण इतना बड़ा कवि बन सका क्योंकि उसने न तो कभी किसी कन्या से विधिवत् विवाह किया और न वह मेरी भाँति एक प्रजातन्त्र देश का सरकारी अफ़सर ही बना। मेरी तरह यदि वह किसी दफ़्तर में काम करता, नौ बजे जाकर शाम को सात बजे घर लौटता, घर पर निबटाने के लिए फ़ाइलों का गट्ठर लाता और दफ़्तर के कर्मचारियों की यूनियन से मुक़ाबला करता तो वह भी उपमा इकट्ठा करने का सारा शौक़ भूल जाता। उस स्थिति में न वह 'कवि कुल कमल शिरोमणि' कहलाता और न उसके बारे में 'काव्येषु माघः कवि कालिदासः' जैसी प्रशस्तियाँ ही लिखी जातीं।

मैं अपने जीवन के लगभग पैंतीस वर्ष तक घर से सुबह नौ बजे निकलता रहा और शाम को सात बजे या उसके बाद भी घर लौटता रहा। घर पर भी काम करना पड़ता था और एक बार तो एक कैबिनेट-पेपर तैयार करने के लिए छुट्टी के

दिन भी दफ़्तर ऐसा गया कि रात के बारह बजे घर लौटा। लौटते वक़्त मैं बराबर बच्चन का 'निशा निमन्त्रण' भोगता रहा। दफ़्तर में काम से ज़्यादा वक़्त टेलीफ़ोन, ट्रंककाल, टेलेक्स, टेलीप्रिण्टर, मुलाक़ाती और मीटिंग—ये चीज़ें लेती थीं जिनमें से आधी से ज़्यादा किसी काम की नहीं होती थीं। जब काम कम होता था तब मैं आराम से लंच में सोता था या वुडहाउस पढ़ता था। ऐसी पुस्तकें भी प्रायः दफ़्तर में ही पढ़ी जाती थीं जिससे कि चोरी की जा सके। चोरी करने वाला मैं सर्वप्रथम लेखक नहीं था, यह 'असाध्य वीणा' तो मुझसे कहीं बड़े लोग मुझसे न जाने कितने वर्ष पहले भली भाँति बजा चुके थे।

दफ़्तर में तबीयत ताज़ा रखने के लिए सरकार ने मुझे हसीन और शोख़ स्टेनोग्राफ़र सदा दीं। मैंने उनके साथ न जाने कितनी गप्पें मारीं और न जाने कितनी चाय पी। दौरे पर जाने में बेहद मज़ा आता रहा। जो लोग सरकार की इन स्वेच्छा से दी गयी सुविधाओं का सात्त्विक लाभ नहीं उठाते, उन्हें दिल का दौरा इस दुनिया से ही उठा लेता है। मैंने अपना दिल कभी अपने पास रखा ही नहीं, वह तो सदा दूसरों के पास ही रहा और सुरक्षित व स्वस्थ रहा।

स्टाफ़ की जो यूनियन होती है वह भी आपकी तबीयत को खुश रखती है और आम तौर पर नौटंकी का मज़ा देती है। यूनियन वाले अफ़सरों को खलनायक समझते हैं जो ज़्यादातर ठीक ही होता है। वे लोग हड़ताल की धमकी सबसे पहले देते हैं जो उनका आख़िरी हथियार होता है। हड़ताल और आमरण अनशन उनके संवैधानिक अधिकार होते हैं जिन्हें कोई भी नहीं छीन सकता। चौकीदारों व चपरासियों को जिस वर्ष भूरा जूता दिया जाता है, उस वर्ष इस मुद्दे को लेकर प्रदर्शन किया जाता है कि उन्हें काला जूता क्यों नहीं दिया गया और जिस वर्ष उन्हें काला जूता दिया जाता है, उस वर्ष इस मुद्दे को लेकर हड़ताल की धमकी दी जाती है कि उन्हें भूरा जूता क्यों नहीं दिया गया। सच्ची बात वैसे यह है कि ये दोनों जूते उन जूतों से कहीं बेहतर होते हैं जो कि ईमानदार अफ़सर खुद ख़रीद कर पहनते आये। यूनिफ़ार्म जो होती है वह भी नये फ़ैशन के मुताबिक ही दी जानी चाहिए, वैसे नहीं। मैंने कुछ ऐसे संस्थान देखे हैं जहाँ ये निचले कर्मचारी टैरेलीन की सफारी पहनते हैं और सारे संस्थान को देखकर ऐसा लगता है जैसे कि आप कोई फ़ैशन परेड देख रहे हों। इधर ताज़ी माँग यह है कि खादी की यूनीफ़ार्म देना बन्द होना चाहिए क्योंकि वह गन्दी जल्दी होती है। मेरा एक चपरासी था जो सर्दियों में तीन पीस वाला ऊनी सूट पहनता था और बाक़ायदा टाई भी लगाता था। उसके सामने मैं खुद एक चपरासी लगता था, और कुछ नहीं। अब आप ही बताइए कि इतने तनाव में कोई भी आदमी क्या साहित्य-सृजन कर सकता है?

दफ़्तर से पहिले और बाद का समय परिवार को दिया जाता था जिसमें बच्चों की बॉब-कट ट्यूटर भी शामिल होती थी। मैं जैसे ही कुछ लिखने-पढ़ने बैठता था,

मेरी पत्नी मुझे उन सारी चीज़ों की सूची बनाकर दे देती थी जिनके लिए मुझे बाज़ार जाना पड़ता था। अगर मैं कुछ आनाकानी करता तो मेरी ख़ूबसूरत बीवी मुझसे बड़ी मासूमियत के साथ पूछती थी कि मुझे यदि लेखक ही बनना था तो मैंने शादी क्यों की और बच्चे क्यों पैदा किये? मैं सब सुनता था और सिर पकड़ कर बैठ जाता था। मैं अपनी उस भोली एक अदद पत्नी को कैसे समझा सकता था कि शादी जो की जाती है वह क्यों की जाती है और बच्चे जो पैदा होते हैं वे कैसे होते हैं? मेरा ख़याल था कि इन बातों को वह बुद्धिमती स्त्री अब तक खुद ही समझ गयी होगी। बहरहाल बीवी और बच्चों की खातिर मुझे बाज़ार जाना पड़ता था, सिनेमा देखना पड़ता था और ऐसे-ऐसे निकृष्ट रिश्तेदारों से मिलना पड़ता था जिन्हें मैं देखना भी पसन्द नहीं करता था। इस सब के साथ-साथ मेहमान और यात्राएँ होती थीं जिनकी गोभी की भाँति अनेक किस्में सदा से होती आयीं। वह बातचीत फिर कभी करूँगा। मैं कपड़े पहनता था, बीवी को देखता था और टैक्सी या बस पकड़ने के लिए दफ़्तर की दिशा में भागता था। तुझसे भी दिलफ़रेब हैं ग़म रोज़गार के।

जीवन का न जाने कितना समय तो चिट्ठी-पत्री ने ही लिया। ज़्यादातर पत्र-व्यवहार सम्पादकों और प्रकाशकों से करना पड़ा जो रचना या पाण्डुलिपि प्राप्त करने के लिए तार दिया करते थे और अपनी इच्छित वस्तु मिलने के बाद मुझे इस तरह भूल जाया करते थे जैसे कि राजा दुष्यन्त गन्धर्व विवाह के बाद कुमारी शकुन्तला को भूल गये थे।

अब आप ही बताइए कि ऊपर लिखी स्थिति में सच्ची साहित्य-साधना कैसे की जा सकती थी? मगर मैं था कि पानीपत की इस चौथी लड़ाई को पैंतीस वर्ष तक लड़ता रहा। अड़तीस पुस्तकें छप चुकी हैं और चार पुस्तकें प्रेस में जा चुकी हैं। रवीन्द्रनाथ ठाकुर के शब्दों में अपने जीवन का जो विष था वह मैंने खुद पिया और उसमें जो अमृत था वह रात-रात भर जागकर मैं आपको देता रहा। मेरा आपके ऊपर कितना बड़ा एहसान है, यह आप नहीं जानते और आप यह भी नहीं जानते कि आपके ऊपर सबसे बड़ा एहसान मैं उस दिन करूँगा जिस दिन मैं लिखना बन्द कर दूँगा।

(मैंने ऊपर जो कुछ कहा है वह एकदम सच है, सच के सिवा कुछ नहीं है पर वह पूरा सच नहीं है। चपरासी और चौकीदार जितने पवित्रहृदय होते हैं उतने पवित्र बड़े अधिकारी कभी नहीं होते। मेरे सच्चे एहबाब वे ही रहे जो या तो बाबू थे या फिर चौकीदार या चपरासी थे। मैंने कुछ भी कठिनाइयाँ नहीं उठायीं; कठिनाई तो मेरे वे मातहत उठाते रहे जो पूना से बम्बई और मेरठ से दिल्ली रोज़ आते थे और रोज़ जाते थे। उन्होंने अपने बच्चों से कभी बात नहीं की; वे जब घर छोड़ते थे तो बच्चे सोये हुए होते थे और जब वे घर पहुँचते थे तो बच्चे फिर सोते हुए ही मिलते थे। मुझे यह कहते हुए दुख होता है कि ईमानदारी के साथ सरकारी जीवन जीना एक भयंकर कष्ट है और एक स्तर के बाद आपकी तरक्की गुणों के आधार पर

नहीं वरन् अवगुणों के आधार पर ही की जाती है। जब केन्द्रीय सरकार का यह हाल है तो प्रान्तीय सरकारों की क्या स्थिति होगी—यह आप स्वयं सोच सकते हैं। मैंने कभी रिश्वत नहीं ली, कभी गोश्त नहीं खाया, कभी शराब नहीं पी और कभी परस्त्रीरमण नहीं किया। और इस सब का परिणाम यह है कि आज मैं एक सुखी पेंशन-प्राप्त व्यक्ति हूँ। देहरादून जैसे रमणीक नगर में रहना बहुत पुण्यों का फल है। मेरा बँगला शानदार है, लॉन बढ़िया है और साथ ही में आम और लीची का उपवन है। नौकर, चाकर, आया और धोबी वग़ैरह सब कुछ है। अपनी लाइब्रेरी है, मोटर है, फ्रिज है, टेलीविज़न है और टेलीफ़ोन है जो आधा समय ख़राब रहता है। मैं अधेड़ हो गया हूँ, मगर बीवी अभी भी जवान ही चल रही है। लाखों रुपये बैंक में हैं और सात हज़ार रुपयों से ज़्यादा की विपुल राशि सूद व पेंशन से प्रतिमाह मिलती है। सस्ती सिगरेट पीता हूँ और वे भी गिनी-चुनी। दो बच्चे हैं जो बेहद सुन्दर, स्वस्थ व प्रतिभावान् हैं। लड़का है कि हर वर्ष इटली, फ्रांस, स्विट्ज़रलैण्ड व अफ्रीका घूमकर आता है। पुत्रवधू है तो वह अभी-अभी चीन की यात्रा से लौटी है। पुत्री और दामाद तो सचमुच सर्वगुण सम्पन्न ही हैं। शानदार कपड़े हैं, जूते हैं, टाइयाँ हैं और रूमाल हैं। बड़े-बड़े लोग मित्र हैं या रिश्तेदार हैं। लिखने-पढ़ने और घूमने के अलावा और कोई काम नहीं है। पाप करने की इच्छा हो तो मसूरी जाइए और बाद में 'चोला पवित्र करने के हेतु' हरिद्वार हो आइए। सारे देहरादून में मैं सबसे वरिष्ठ साहित्यकार हूँ और इसी कारण कहीं न कहीं से मुख्य अतिथि बनने का निमन्त्रण भी मिलता ही रहता है। भगवान ने जितना सुख मुझे दिया, उतना सुख आप सबको कभी न दे। मगर अपने सेवा-काल में मैं कभी भी सुखी नहीं रहा। अब तो भगवान से मात्र यही प्रार्थना करता हूँ कि मैं अगले जन्म में वह सब कुछ पाऊँ जो इस जन्म में मुझे नहीं मिला। किसी अरबपति का एकमात्र पुत्र बनूँ, आक्सफ़ोर्ड व कैम्ब्रिज में शिक्षा प्राप्त करूँ, हाई कोर्ट का बैरिस्टर बनूँ और सरदार पटेल जैसा राजनीतिक नेता बनूँ। बेहद रूपवान् नवयुवक बनूँ, लॉन टेनिस व हाकी का खिलाड़ी बनूँ और कम से कम चार रूपवती युवतियों का पति बनूँ। एक आदमी को आख़िर कितनी ज़मीन चाहिए? और ये जो अपंग भिखारी हैं, अन्धे हैं, कोढ़ी हैं और झुग्गी-झोंपड़ियों में रहने वाले मेहनतकश मज़दूर हैं, ये ऐसे ही रहें जैसे कि ये रहते हैं। यह इनके पिछले कर्मों का फल है जो ये इस जन्म में भोग रहे हैं। भगवान के काम में मैं दख़ल कैसे डाल सकता हूँ? और वैसे भी यदि ये लोग न रहेंगे तो मैं अगले जन्म में किसका उद्धार करूँगा?)

मैं और हिन्दी साहित्य के चार काल

जब मैं सोकर उठता हूँ तो स्थिति यह रहती है कि पहले तो मैं पत्नी पर इस कारण

बिगड़ता हूँ कि यह जानते हुए भी कि मैं रात दो बजे तक लिखता-पढ़ता रहा था, उसने मेरी निद्रा क्यों भंग की। बेचारी पत्नी जब बताती है कि दिन के दस बज चुके हैं और मुझे बैंक जाना है तो मैं इस बात को लेकर झल्लाता हूँ कि उसने मुझे पहले क्यों नहीं उठाया? फिर पत्नी जो है वह नौकर पर गुस्सा उतारती है और नौकर जो है वह घबराहट में क्राकरी तोड़ने की कोशिश करता है जिसमें वह कभी-कभी सफल भी हो जाता है। मैं जल्दी-जल्दी हजामत बनाता हूँ जिसके दौरान मेरा मुखमण्डल रक्तरंजित भी हो जाता है। धोबी व अख़बार वाले से जो युद्ध होता है वह भी इसी समय होता है। संक्षेप में स्थिति यह रहती है कि प्रातःकाल वीरगाथा काल ही होता है, और कुछ नहीं।

इसके बाद मैं भक्तिकाल में आ जाता हूँ। बैंक में बाबू से प्रार्थना करता हूँ, गाड़ी चलाते हुए साइकिल पर सवार लोगों से भोंपू द्वारा हट जाने की विनती करता हूँ, दुकानदार से हाथ जोड़कर दाम कम करने को कहता हूँ और रास्ते में जो मन्दिर पड़ता है उसमें स्थित भगवान की प्रार्थना करता हूँ।

खाना खाने के बाद रीतिकाल आता है। अधेड़ हो जाने के कारण मैं 'काल' ही बिताता हूँ, 'रीति' नहीं। थोड़ा विश्राम करने के बाद मैं 'शृंगार-शतक', भामिनी-विलास, अमरुशतक व अनंगरंग नामक पुरानी पोथियाँ पढ़ता हूँ और सन्ध्या तक के लिए सन्तुष्ट हो जाता हूँ।

रात को आधुनिक काल होता है जो प्रयोगवाद से चलकर अकविता तक चलता है। लिखता-पढ़ता हूँ, पत्र लिखता हूँ, ट्रंककाल करता हूँ और दूरदर्शन को निकट से देखता हूँ। हीटर के पास बैठकर भोजन ग्रहण करता हूँ और पुरानी फ़िल्मों के गीत सुनता-सुनता सो जाता हूँ।

मैं अपने चारों तरफ़ रहने वाले बड़े लोगों को देखता हूँ तो पाता हूँ कि वे भी अपने दैनिक जीवन में चारों कालों को एक साथ ही भोगते हैं। एक ही दिन में वनवास भेजी गयी निरपराध पत्नी का सत्युग है, उसी दिन द्रौपदी का चीर हरण सम्पन्न करने वाला द्वापर है और त्रेतायुग व कलियुग तो अपने पूरे प्रभाव पर हैं ही। स्वर्ग भी इसी पृथ्वी पर है और नरक भी इसी पृथ्वी पर है। आदमी है कि बिना मरे भी पुनर्जन्म लेता है। परलोक की कोई ज़रूरत मुझे तो दिखायी पड़ती नहीं। वैसे भी 'परलोक' शब्द का शास्त्रीय रूप सम्भवतः 'परीलोक' ही है, और कुछ नहीं।

रघुपति सहाय 'फ़िराक़' : एक संस्मरण

मैं इसे अपना परम सौभाग्य ही कहूँगा कि सुमित्रानन्दन पन्त और रघुपति सहाय 'फ़िराक़'—दोनों मुझसे बेहद स्नेह करते थे। फ़िराक़ साहब हमें अँग्रेज़ी पढ़ाते थे। क्लास में पहले ही दिन उन्होंने हम सब छात्रों से स्पष्ट कह दिया था कि उनके

क्लास में लड़कियाँ नहीं होंगी, अपनी हाजरी हमें रजिस्टर में ख़ुद ही लगानी होगी और क्लास में और सब कुछ होगा पर पाठ्य-क्रम की कोई चर्चा नहीं होगी। थोड़े ही दिनों बाद हम कुछ साहित्य-प्रेमी दोस्त उनके भयंकर प्रशंसक हो गये—हालाँकि वे बहुत से मामलों में काफ़ी दोषी व्यक्ति थे। मैं लगभग दस वर्ष प्रयाग रहा और इस अवधि के दौरान मैंने उनका वह शाम का दरबार सौ से ज़्यादा बार ही 'अटेण्ड' किया होगा जिसमें वे शराब और सिगरेट लगातार पीते हुए घण्टों तक अपनी प्रशंसा किया करते थे, हिन्दी-लेखकों को चुन-चुनकर गालियाँ देते थे और एक से एक बढ़िया शेर सुनाते थे या कोई ऐसी बात कहते थे कि हँसते-हँसते पेट दुखने लगता था। फ़ोश गालियाँ बकने और बरामदे में पेशाब करने में उन्हें कभी कोई संकोच नहीं होता था। सारे घर में वे अकेले ही रहते थे; कभी-कभी कोई नौकर भी दिखायी पड़ता था, वह दीगर बात ठहरी।

सन् 1969 में जब मैं भारत-सरकार का डिपुटी-सेक्रेटरी बनकर दिल्ली जाने लगा तो मैंने यूँ ही सोचा कि पता नहीं भविष्य में ये लोग अब कभी मिलेंगे भी या नहीं और यह विचार मन में आते ही मैंने यह निश्चय किया कि अपनी पत्नी को भी मैं पन्तजी और फ़िराक़ साहब के दर्शन करा लूँ। पन्तजी ने तुरन्त अगले दिन का समय दे दिया पर फ़िराक़ साहब ने कुछ सोच-विचार कर कहा कि 'देखो, शाम को तो मैं मदहोश रहता हूँ, तुम बिटिया को सुबह ही लाना।' फ़ौरन मैं मान गया।

पन्तजी वक़्त के बड़े पाबन्द थे। मैं ठीक वक़्त पर पहुँचा और घण्टी बजाते ही महाकवि प्रकट हो गये। उस दिन पहली बार मैंने उन्हें कुछ मैले पायजामे और कमीज़ में देखा मगर विद्यानिवास मिश्र के शब्दों में 'शरद् से शुभ्र और शान्त' पन्तजी की मुस्कुराहट देखते ही मैं और मेरी पत्नी—दोनों ही आत्म-विस्मृत हो गये। व्यक्तिगत व्यवहार में इतना शिष्ट और इतना मधुर व्यक्ति मैंने इस जीवन में कोई और नहीं देखा। वे हम दोनों को अन्दर ले गये और मेरी पत्नी से चौके-चूल्हे की बात करने लगे। यह अन्तरंग वार्तालाप क़रीब एक घण्टे तक चलता रहा और इस बीच मैं तो मात्र उन्हें देखता ही रहा। मैं नहीं जानता कि उन्होंने डेल-कार्नेगी को पढ़ा था या नहीं मगर इतना महान् वह कलाकार मेरी पत्नी से वही बातें करता रहा जिनमें मेरी पत्नी दिलचस्पी रखती थी। एक घण्टे के बाद हमने विदा ली। सदा की तरह वे हमें छोड़ने बँगले के द्वार तक आये।

निश्चित दिन सुबह के क़रीब दस बजे मैं और मेरी वही पत्नी फ़िराक़ साहिब के फ़्लैट पर गये। कई आवाज़ें दीं और दरवाज़ा भी खटखटाया पर कोई जवाब नहीं आया। लाचार होकर मैं दरवाज़ा हटाकर भीतर गया और सारे कमरे वग़ैरह देखे मगर फ़िराक़ साहब का कहीं कोई पता नहीं लगा। हारकर मैंने बाथरूम में यह देखा कि फ़िराक़ साहब नशे में धुत्त हैं और एकदम नंग-धड़ंग होकर 'शावर' के नीचे पड़े हैं। तब मुझे सहसा याद आया कि इतवार का दिन होने के कारण वे आज सुबह

से ही पी रहे हैं और उनके होशो-हवास एकदम गुम हैं। मैंने शावर बन्द की और उन्हें उस तन्द्रा से बाहर निकालने की कोशिश की। वे सब समझ गये और मेरी सहायता से उसी दिगम्बर स्थिति में एक पलँग पर लेट गये। मुझे जब कोई चादर वग़ैरह नहीं दिखायी दी तो मैंने एक कालीन ही फ़र्श पर से उठाया और उनके ऊपर डाल दिया। इसके बाद मैं अपनी पत्नी को भीतर ले गया।

पत्नी को देखते ही वे सारी स्थिति समझ गये और एक नार्मल इंसान की भाँति बातें करने लगे। राजनीति, विश्वविद्यालय और देश की शेष स्थिति पर बातें करते हुए जब शायद जयशंकर 'प्रसाद' की कोई चर्चा चली तो उन्होंने सदा की भाँति तैश की बातें करनी शुरू कर दीं। मेरी भाँति वे भी प्रसाद जी को मात्र एक फूहड़ पद्यकार ही मानते थे जब कि पन्त और निराला के वे भक्त-मित्र थे। उनके तैश को देखकर मुझे एकदम यह चिन्ता सताने लगी कि पता नहीं महाकवि कब अपना कालीन उतार कर फेंक दें और उर्दू शायरी की उदात्त शक्ति हम लोग सचमुच में देख सकें। मैं यथार्थवाद से कभी नहीं घबराता बशर्ते कि वह यथास्थान हो और यथासमय हो। महाकवि भी शायद यह बात भाँप गये और उन्होंने आशीर्वाद देने के बाद हमें विदा करने के लिए उठने की जैसे ही कोशिश की, मैंने वैसे ही उन्हें कालीन के नीचे ही दबोच रखा। वे मुस्कुराये, समझे और फिर लेट गये। मैंने पत्नी को सारी वस्तुस्थिति समझायी, विस्तार से और गहराई से समझायी और एक समझदार लड़की होने के कारण वह उसे आधे ही घण्टे में समझ भी गयी। इसके बाद वह फूट-फूटकर हँसने लगी।

विज्ञापन-कविता

हिन्दी कविता और विज्ञापन का बड़ा पुराना सम्बन्ध है। सुमित्रानन्दन पन्त अपने काव्यग्रन्थों की भूमिका 'विज्ञापन' नाम से ही लिखा करते थे। उनके इन विज्ञापनों में 'कला और बूढ़ा चाँद' नामक रश्मिपदी काव्य के 'विज्ञापन' को सर्वश्रेष्ठ मानना पड़ेगा क्योंकि वह विज्ञापन मात्र एक पंक्ति का ही है। पन्तजी के अतिरिक्त कुछ नगरों के टैक्सी व स्कूटर-चालक भी कविता और विज्ञापन के इस घनिष्ठ सम्बन्ध को काफ़ी खुले तौर पर प्रकट करते हैं जो कि साहित्य के हित में ही है। दिल्ली में एक स्कूटर के पीछे लिखा था :

दरो दीवार पे हसरत से नज़र रखते हैं
खुश रहो अहले-वतन, हम तो सफ़र करते हैं

इसी प्रकार जहाँ काफ़ी लोग टैक्सियों के पीछे 'बुरी नज़र वाले तेरा मुँह काला' का भरतवाक्य लिखते हैं वहाँ मैंने एक ऐसा ठेले वाला भी देखा है जो नज़र के बुरी या अच्छी होने की कोई शर्त नहीं रखता था। कालागढ़ के मार्ग पर जाने वाले इस ठेले के पीछे सारे देशवासियों के लिए मात्र एक सन्देश लिखा था और वह था—'तेरा मुँह काला'। मैंने ऐसे काव्यप्रेमी टैक्सी वाले भी देखे हैं जो टैक्सी के पीछे एक शेर क्या, पूरी की पूरी ग़ज़ल लिखे हुए थे। कुछ टैक्सियों, ठेलों और स्कूटरों के पीछे लिखे चन्द अशार आपकी ख़िदमत में पेश करता हूँ :

लाई हयात आये, कज़ा ले चली चले
अपनी ख़ुशी न आये न अपनी ख़ुशी चले

या—

न संगे मील था कोई न कोई नक्शे-कदम
तमाम उम्र हवा की तरह सफ़र में रहे

या—

किसी के लौटने की सदा सुनी तो खुला
कि मेरे साथ कोई और भी सफ़र में था

या—

मौत से यारी न थी, हस्ती से बेज़ारी न थी
उस सफ़र पर चल दिये हम जिसकी तैयारी न थी

मुझे आपको यह सूचना देते हुए हर्ष होता है कि विभिन्न प्रकार के विज्ञापनों में कविता का प्रयोग इधर बढ़ता जा रहा है। ज़रा-सी सावधानी, उम्र भर की आसानी। पिछले कुछ वर्षों में हमारे विदेशी दूतावासों में हुई हिन्दी की प्रगति देखने के लिए काफ़ी संसत्सदस्य व उच्च अधिकारी विदेश गये और स्थिति यह रही कि लगभग दस लाख रुपयों का ठीक प्रकार से प्रयोग निश्चित करते के लिए मात्र एक करोड़ की राशि और ख़र्च की गयी। जब सरकारी क्षेत्र में हिन्दी के लिए इतना कुछ किया जा रहा है तो ग़ैर-सरकारी क्षेत्र ही क्यों पीछे रहता? उसने विज्ञापनों में कविता और कविता में विज्ञापन देने शुरू कर दिये। इन प्रयासों में छायावाद, रहस्यवाद, प्रयोगवाद, नयी कविता व अकविता—सबका साधारणीकरण किया गया। और एक बैंक ने अपने विज्ञापन में छपाया कि :

एक ने कही दूजे ने मानी
दोनों का लाभ, दोनों थे ज्ञानी

तो एक गर्भ-निरोधक के पैकेट पर काफ़ी ईमानदारी से लिखा गया कि :

कुदरत की बनायी चीज़ नहीं, इंसानी अक्ल एतबार न कर
ग़र हो जाए कहीं बात ग़लत, नाराज़ न हो तकरार न कर

एक बिस्कुट फ़ैक्टरी ने अपने पैकेटों पर यह नारा छपाया है :

कोई कहे मीठी कोई कहे नमकीन
क्रैक जैक के स्वाद में खो जायें सब लेकीन

एक दिन बिन्दी का विज्ञापन देखा। एक सुन्दर कन्या का चित्र था और नीचे लिखा था :

जब मन हो शोख़ अदाओं से लुभाने का
तभी है वक़्त इस बिन्दिया के लगाने का

खादी-ग्रामोद्योग-कमीशन द्वारा मान्यता-प्राप्त एक पापड़ की फ़ैक्टरी ने नरेन्द्र शर्मा की एक कविता को अपने पैकेट पर छापा है जो कि पापड़ों से भी ज़्यादा स्वादिष्ट है। कवि कहता है :

उतर धरा पर जब आता है इन्द्रधनुष सतरंगी
कृष्ण-नयन नारियाँ नाचतीं होकर निपट मलंगी

मेरा यह निश्चित मत है कि कविताओं का विभिन्न व्यवसायों के क्षेत्र में कहीं ज़्यादा स्वर्णिम भविष्य छिपा है। शराब की दुकानें 'मधुशाला' से मदद ले सकती हैं और पाँच-सितारों वाले होटल 'मधुबाला' से सहायता प्राप्त कर सकते हैं। ऐसा होने से बिक्री भी ज़्यादा होगी और बच्चन जी भी ख़ुश होंगे। मोमबत्तियों की फ़ैक्टरियाँ महादेवी की कविताओं के सहारे खड़ी की जा सकती हैं।

मदिर-मदिर मेरी बत्ती जल, प्रियतम का पथ आलोकित कर।

छाता या बरसाती बेचने वाले अज्ञेय से मदद ले सकते हैं :

वर्षा में मैंने वसन्त को देखा
छाता एक, एक बरसाती
साथ-साथ जाते बतियाते

आँखों के डॉक्टर लोग धर्मवीर भारती की अमर कृति 'अन्धायुग' से सहायता ले सकते हैं क्योंकि उसमें जो कुछ है वह भी तो मात्र एक 'कथा ज्योति की है अन्धों के माध्यम से'। खाद बनाने वाली फ़ैक्टरियाँ जगदीश गुप्त से प्रेरणा ले सकती हैं जिन्होंने कछार के हरे-हरे खेतों के बारे में ज़रूरत से कुछ ज़्यादा ही लिखा है। मिल्क फूड वाले अपने पैकेट पर जगदीश गुप्त का फ़ोटो भी छाप सकते हैं और लिख सकते हैं कि 'मिल्क फूड खाओ, जगदीश गुप्त से लजाओ।' 'विक्स इनहेलर' व 'पीयर्स सोप' वाले पन्तजी की कविताओं से बुरी तरह फ़ायदा उठा सकते हैं। पन्तजी इन दोनों चीज़ों के बेहद शौक़ीन थे। कहते हैं कि एक दिन जब उन्हें ये चीज़ें बाज़ार में नहीं मिलीं तो वे 'लोकायतन' की शुरुआत कर बैठे। कथा के सुनने के बाद जब प्रसाद बँटता है तो मुझे सदा जयशंकर 'प्रसाद' की याद सताने लगती है। मगर स्थिति कुछ भी हो, वह उर्दू का शेर मैं कभी नहीं भूल सकता जो मैंने शिमला में एक टैक्सी के पीछे लिखा देखा था। शेर का मूलपाठ इस प्रकार था :

मैं हवा का हमसफ़र, मंज़िल कहाँ मेरी मगर
तुम जहाँ आवाज़ दे दोगे, ठहर जाऊँगा मैं

पिछले दिनों मैं हैदराबाद गया। एक दुकान ऐसी देखी जिस पर चूडियाँ, औरतों के बटुए, मेक-अप का सामान व गर्भनिरोधक दवाइयाँ बिकती थीं। दुकान के बाहर एक हसीन युवती की आदमकद तस्वीर लगी थी और बग़ल में लिखा था :

हमें खो के क्या आप कुछ पाइएगा
कमी एक महसूस फ़रमाइएगा
हमीं जब न होंगे तो क्या रंगे-महफ़िल
किसे देखकर आप शरमाइएगा?

मुझे विश्वास है कि विज्ञापन-कविता चलेगी और ख़ूब चलेगी। वैसे भी विज्ञापन और कविता में जो अन्तर हुआ करता था वह भी इधर घटता ही जा रहा है। इस निबन्ध का अन्त मैं एक विज्ञापन-कविता से ही करूँगा; बाकी जो शोध वग़ैरह होनी है उस पर डॉ. नगेन्द्र व डॉ. नामवर सिंह जैसे महामति विद्वान् ध्यान देंगे। अपने इस भारत देश के एक बेहद प्रसिद्ध पेंट का प्रगतिवादी नारा बुलन्द करती हुई यह कविता इस प्रकार है :

खेल खेल में पूछ बैठी राधा
हमारे मिलन में बनती है जो बाधा

वह कितनी सुन्दर है? एक सवाल सादा
जिसमें ईर्ष्या थी आधी और विश्वास आधा
फेर लिया मुँह, लाल पीला हो उठा श्याम
युग समान दिन तपता गया और तपी शाम,
झुलस रहे थे दोनों लिये मन में संग्राम
युगों युगों से चलता आया ग्रीष्म जिसका नाम,
बात बात में रूठे हैं, श्याम कहो या राम
विश्वास है मेरा, फिर बरसेगा घनश्याम,
फिर फूटेगा वसन्त मेरे अंग-अंग
हर ऋतु के रंग, इमल्शन के संग

एक शेर की चर्चा और करूँगा और बस। यह शेर, इलाहाबाद के एक हेयर-कटिंग सैलून (नाई की दुकान कहते हुए मुझे कुछ संकोच होता है हालाँकि जहाँ बाल कटेंगे वह नाई की ही दुकान होगी, हलवा बनाने वाले हलवाई की नहीं) में पढ़ा था। शेर इस प्रकार था :

दिल के आईने में है तस्वीरे यार
जब ज़रा गर्दन झुकाई देख ली

नाई (नराणां नापितो धूर्तः) (विष्णु शर्मा) की बात क्या चली, एक शेर और याद आ गया। वैसे भी बिना एक इश्क़िया शेर सुनाये मैं आपको कैसे छोड़ सकता हूँ? इश्क़ में गिरफ़्तार एक नाई के बारे में कवि कहता है :

कल मियाँ हज्जाम सबका मूँड़ते फिरते थे सिर
आज इस कूचे में उनकी भी हजामत हो गयी

(इनायतुल्लाह)

नापित-संघ उर्फ़ नाइयों की यूनियन

विष्णुशर्मा ने पंचतन्त्र में बताया है कि मनुष्यों में नाई जो होता है वह धूर्त होता है। सम्भवतः इसी कारण भारतरत्न मुरारजी देसाई अपने केश ख़ुद ही काटा करते थे। उत्तर प्रदेश में तो शादी-विवाह की सारी ज़िम्मेदारी नाई ही उठाया करते थे। एक-दूसरे के उपयुक्त वर-वधू की खोज नाई के द्वारा ही करायी जाती थी। जिन गाँवों में नाई नहीं रहता था, वहाँ के लोग प्रायः अविवाहित ही रह जाते थे। लखनऊ के एक नवाब का वज़ीर एक नाई ही था। वह हर सुबह नवाब साहिब की बाक़ायदा हजामत बनाया करता था और दिन-भर राजकाज को सँभालता था। जैसा कि 'अकबर-बीरबल-विनोद' में बताया गया है, नाई ही एकमात्र ऐसा व्यक्ति था जिसके सामने शहंशाह भी अपना सिर झुकाया करते थे। नाइयों के बारे में दिलचस्पी रखने वाले पाठक बलराज साहनी द्वारा रचित 'पूरब के नाई' नामक पोथी पढ़ें।

पिछले मंगलवार को राजधानी के नापित-संघ के सदस्यों ने उम्दा कपड़े पहने, हजामत बनायी और फिर मण्डी-हाउस के सामने एक सभा आयोजित की जिसमें उन्होंने ऐसी भाषा में भाषण दिये जिसे कि देश के नेता समझ सकें। भिन्न-भिन्न प्रकार के नाई भिन्न-भिन्न किस्म की वेशभूषा में इस सम्मेलन में आये और भिन्न-भिन्न यातायात के द्वारा आये। दोपहर दो बजे तक नाइयों के इस सम्मेलन ने एक विशाल जनसमूह का रूप धारण कर लिया।

नाइयों के प्रतिनिधियों ने अपने भाषणों में बताया कि उनका शोषण किस प्रकार किया जा रहा है और यदि अब उनकी शिकायतें दूर नहीं की जायेंगी तो वे सरकार को अपना समर्थन देना बन्द कर देंगे। उन्होंने बताया कि यदि वे चाहें तो सारे राजनेताओं की हजामत बना सकते हैं। मैं एक साहित्यकार होने के नाते यह जानता हूँ कि नाई का साहित्य में कितना लम्बा स्थान है। नाइयों से बचने के लिए ही तो निराला, रवीन्द्रनाथ ठाकुर, नागार्जुन, अज्ञेय, अश्क, कबीर, सत्यार्थी और दोस्तोएवस्की दाढ़ी रखा करते थे। कुछ 'अकवि' तो ऐसे भी हुए कि उनकी दाढ़ी में खटमल तक पाये गये। अकबर इलाहाबादी दाढ़ी तो रखते थे पर उसके भविष्य के प्रति वे शंका रखते थे; दाढ़ी ख़ुदा का नूर है बेशक मगर जनाब, फ़ैशन की इन्तज़ामे-सफ़ाई का क्या करूँ?

दिल्ली में सम्पन्न इस नापित सम्मेलन में नाई-नेताओं ने सरकार के सामने अपनी दस माँगें पेश कीं। उन्होंने कहा कि उनके सैलूनों के लिए उन्हें सरकारी दफ़्तरों के पास सस्ते किराये पर दुकानें एलाट की जाएँ, उन्हें लाइसेंस दिया जाए, नाइयों को पिछड़ी जातियों में शामिल किया जाए और उनकी सन्तान को सरकारी नौकरियों के लिए आरक्षण दिया जाए, उनके लिए संसद व विधान सभाओं में स्थान आरक्षित किया जाए, बूढ़े नाइयों को सरकार पेंशन दे, उनका नाम नाई या हज्जाम की जगह 'सलमानी' और 'सैन' रखा जाए तथा उन्हें राजधानी की शानदार बस्तियों में रियायती दर पर ज़मीन दी जाए ताकि वे भी एक सम्भ्रान्त नागरिक की भाँति अपना जीवन गुज़ार सकें। मैं व्यक्तिगत रूप से उनकी इन माँगों को उचित समझता हूँ और सरकार से प्रार्थना करता हूँ कि नाइयों के साथ-साथ ये सारी सुविधाएँ दो शर्तों के साथ लेखकों को भी प्रदान की जाएँ। पहली शर्त तो यह होगी कि साहित्यकारों को जवानी में भी पेंशन दी जाए और दूसरी शर्त यह होगी कि लेखकों के मरने पर उनके कफ़न का बन्दोबस्त सरकार ही करे और यह ध्यान रखे कि वह कफ़न कैसा भी हो, खादी का न हो।

अब मैं आपको एक सच्ची बात बताता हूँ और रचना समाप्त करता हूँ। जिस क़स्बे में ख़ाकसार ने जन्म लिया उसमें एक नाई रहता था जो जयशंकर 'प्रसाद' की भाँति बहुमुखी प्रतिभा रखता था। वह नाई भी था, जर्राह भी था, हकीम भी था और इस सबके साथ-साथ एक अच्छा शायर भी था। वह बड़ा चतुर था। वह हर एक ग्राहक की आधी हजामत बनाने के बाद अपना उस्तरा रख देता था और अपना दीवान उठा लेता था। कभी-कभी उसकी शायरी तरन्नुम के साथ चलती थी और घण्टों तक चलती थी। आधी दाढ़ी बना हुआ ग्राहक उसे छोड़ना भी चाहता तो कैसे छोड़ सकता था? मुझमें जो साहित्य के प्रति रुचि उत्पन्न हुई वह उसी हज्जाम की संगति से हुई। उसकी शायरी तथा उसकी बीवी—दोनों ग़ज़ब की ख़ूबसूरत थीं। बीवी मन के घावों का इलाज करती थी और उसके शौहर तन के घावों की मरहमपट्टी करते थे। घाव का ज़िक्र क्या आया, मुझे दो बबर शेर याद आ गये। उन्हें आपकी ख़िदमत में पेश करता हूँ और विदा लेता हूँ।

नमक भर कर मिरे ज़ख़्मों पे तुम क्या मुस्कुराते हो
मिरे ज़ख़्मों को देखो, मुस्कुराना इसको कहते हैं

(बेख़ुद देहलवी)

'मुसहफ़ी' हम तो ये समझे थे कि होगा कोई ज़ख़्म
तेरे दिल में तो बहुत काम रफ़ू का निकला

(मुसहफ़ी)

चार मिनी कथाएँ

(एक)

बर्ट्रेण्ड रसेल ने कहा था कि "बीस वर्ष की आयु के बाद मेरी बौद्धिक शक्ति क्रमशः क्षीण होती गयी। जब मैं युवा था तब मेरी रुचि गणित में थी। जब गणित मुझे नीरस लगने लगा तब मैं दर्शन के क्षेत्र में आ गया और जब दर्शन से भी मेरा मन ऊब गया तो मैंने राजनीति में रुचि लेनी शुरू कर दी। इसके बाद मैंने अपनी सारी शक्ति जासूसी कहानियों पर ही केन्द्रित कर दी। हाँ, अलबत्ता स्त्रियों में मेरी जो रुचि रही उस पर इस सबसे कोई प्रभाव कभी नहीं पड़ा।"

आप जानते हैं कि ऊपर बतायी स्थिति का परिणाम क्या रहा? अन्त में चलकर परिणाम यह रहा कि बर्ट्रेण्ड रसेल को सन् उन्नीस सौ पचास में साहित्य का नोबिल प्राइज़ दिया गया और उन्होंने नब्बे वर्ष की आयु में एक शादी और की। रसेल साहिब से तो मैं कभी नहीं मिला पर उनकी टक्कर के एक व्यक्ति को मैं ज़रूर जानता हूँ। उनकी बौद्धिक शक्ति बीस क्या, पन्द्रह वर्ष की आयु से ही क्षीण होने लगी थी। पहले वे पढ़ते थे पर हैडमास्टर के साथ हाथापाई करने के कारण इनकी शिक्षा आगे नहीं बढ़ सकी। इसके बाद इन्होंने एक सेठजी के यहाँ मुंशीगीरी का काम करना शुरू किया जहाँ उन्होंने चालीस हज़ार रुपयों और उनकी मँझली लड़की का ग़बन किया। पुलिसवालों के द्वारा लड़की तो बरामद कर ली गयी मगर रक़म नहीं मिली। परिणाम बहरहाल यह रहा कि इन पर मुक़द्दमा चला और जेल हो गयी। सज़ा काटने के बाद इन्होंने उसी भूतपूर्व लड़की से शादी की और फिर विनोबा जी के भूदान आन्दोलन में शामिल हो गये और पदयात्रा करने लगे। डाकुओं के आत्मसमर्पण के सन्दर्भ में इन्होंने अपना एक फ़ोटो बाबू जयप्रकाश नारायण के साथ भी खिंचवाया।

आजकल ये प्रतिभाशाली व्यक्ति सचमुच महाशय हो गये हैं। राजनीति-पीड़ितों को दी गयी काफ़ी मोटी पेंशन पाते हैं और अपने इलाके के बेताज बादशाह हैं। जेल इन्हें सन् बयालीस में ही हुई थी और इस कारण राजनीतिक पेंशन पाने में इन्हें कोई विशेष कठिनाई नहीं हुई। वैसे भी 'भारत छोड़ो' व पूँजीपतियों की लड़कियों का मन मोड़ो, इन

दोनों आन्दोलनों में कोई विशेष अन्तर कभी नहीं रहा। सरकार की नीति तो हमेशा एक ही रहती है; पहले गोली चलाओ और बाद में जिन्हें गोली न लगी हो, उन्हें उचित मुआवज़ा दो। वही व्यवहार इनके साथ किया गया। क्योंकि इन्हें गोली नहीं लगी थी, इन्हें लड़की भी मिली और मुआवज़ा भी मिला। अब तो इनकी सरकार में इतनी इ़ज़्ज़त है कि यदि इनके श्वसुर सेठ कोई बड़ा गोलमाल करते हैं, तो इनसे पूछकर ही करते हैं, वैसे नहीं।

(दो)

वह उस सुन्दर कन्या को तहेदिल से प्यार करता था पर वह थी कि उसकी दिशा में आँख तक नहीं उठाती थी। उसने उसे प्रेमपत्र लिखे, उसकी तारीफ़ में कसीदे कहे, उसकी याद में रात-रात भर आहें भरीं मगर इस सारे क्रियाकलाप का उस ख़ूबसूरत बुत पर कोई प्रभाव पड़ता नहीं दिखायी दिया। लड़के ने तीन-चार बार आत्महत्या करने की धमकी दी, एक या दो बार आत्महत्या की भी मगर उस सुन्दर बालिका ने किसी भी भाषा में प्रेम के ढाई अक्षर पढ़ने से मना कर दिया। लड़के ने अपनी प्यारी नौकरानी के माध्यम से उसके साथ शादी करने का प्रस्ताव भी लड़की तक पहुँचाया पर उस चन्द्रमुखी ने फिर भी देवदास की ओर कोई मुँह नहीं मोड़ा। लड़के का प्रेम इस बार सच्चा था, वह पागल होने की स्थिति में पहुँच गया।

मानसिक असन्तुलन की इसी स्थिति में एक दिन उस लड़के ने उस लड़की को कहीं अकेले में ग़लती से 'बहिन' कहकर पुकार लिया। लड़की ने यह सुना तो उसकी आँखें खुली की खुली ही रह गयीं। अगले ही दिन वह लड़की अपना सारा मान और संकोच छोड़कर उस लड़के के पास यथासमय और यथास्थान स्वयं ही चली आयी।

(तीन)

वह बड़ा पुरुषार्थी व मितव्ययी था। वह ज़िन्दगी के हर लम्हे का हिसाब रखता था। मामूली हैसियत से उठकर वह बेतहाशा अमीर बना, कोठी बनवायी, शादी की, बच्चों को बढ़िया तालीम दी, शानदार सूट सिलवाये, लम्बी-लम्बी मोटरें ख़रीदीं, बीवी के लिए हीरे-जवाहिरातों के आभूषण बनवाये, नौकरों की वर्दियाँ सिलवायीं, यतीमखानों को चन्दा दिया, क़ीमती तैलचित्र ख़रीदे, ड्राइंगरूम में चमड़े के चार सोफ़े डलवाये और बाद में वह विलायत भी गया। वह गर्मियाँ पहाड़ों पर काटने लगा और सर्दियाँ दक्षिण भारत के मैदानों पर बने होटलों में गुज़ारने लगा। एक दिन उसने महसूस किया कि ज़िन्दगी में उसे जो भी करना था, वह कर चुका। वह दिन-रात यही सोचने लगा कि अब वह करे तो क्या करे! वह कोई भी काम बीवी की सलाह के बिना नहीं करता था और बीवी थी कि कई वर्ष पहले एक हवाई दुर्घटना का शिकार हो चुकी थी।

उसने देखा कि उसके लड़के अपनी पत्नियों के साथ सुखी हैं, लड़कियाँ हैं जो पतियों

के सहयोग से बच्चे के बाद बच्चा दे रही हैं और उसके जो अनगिनत नाती-पोते हैं वे उसे 'बुड्ढा' कहकर पुकारते हैं। एक दिन उसे सहसा महसूस हुआ कि परिवार के सारे लोग उसकी मृत्यु की प्रतीक्षा कर रहे हैं ताकि जायदाद व रोकड़ का बँटवारा किया जा सके।

उसने ड्राअर में से पिस्तौल निकाली ताकि वह अपने दुखी जीवन से छुट्टी पा सके। वह पिस्तौल में गोलियाँ भर ही रहा था कि तभी उसकी वफ़ादार नौकरानी चाय लेकर घटना-स्थल पर प्रकट हो गयी। उसने देखा कि नौकरानी विधवा होने के बावजूद जवान और हसीन है। यह महसूस करते ही उसने पिस्टल अलमारी में रख दिया, अपनी मरहूम पत्नी के चित्र पर एक या दो अदद दृष्टिपात किया और अपनी नौकरानी को बाँहों में समेटकर बुरी तरह चूमना शुरू कर दिया। अगले दिन उसने अदालत में उससे शादी की और रात को अपने सारे दोस्तों को क्लब में उम्दा शराब की दावत दी। इसके बाद वह काफ़ी वर्षों तक जिया और ख़ुशी से जिया। अब उसकी पुरानी सन्तानें भी उसका कहीं ज़्यादा आदर करने लगीं।

बूढ़े लोग जो शादी करते आये वे हमेशा इन्हीं कारणों से करते आये।

(चार)

नाव जब पूरी भर गयी तो नायक ने आज्ञा दी कि पतवार चलायी जाए। यह नाव देश की प्रगति की नाव थी जो बढ़ती हुई जनसंख्या, आकाश छूती महँगाई, बेकारी, भ्रष्टाचार और अपव्यय के महासागर में जान बचाने के लिए छोड़ी गयी थी। नाव में तीनों सेनाओं के सेनाध्यक्ष, भारत सरकार के सारे सचिव, जनता के चुने हुए शीर्षस्थ नेता और कुछ सरकारी साधु-संन्यासी बैठे थे जो बारी-बारी से नाव खेते थे। सबको नाव का नायक क्रमपूर्वक बनाया गया और सबने बड़े परिश्रम से काम किया। नाव खेने के बाद प्रत्येक को जो विश्राम मिलता था उसमें जनरल ने पाइप पिया, सचिव ने सिगार सुलगाया, नेताजी ने एक ग्राम-गीत गाया और अन्त में चलकर साधु-संन्यासियों ने भगवान की स्तुति में मन्त्र पढ़े। सारी रात वे लोग बड़ी हिम्मत से काम करते रहे। एक अदद बाई भी नाव पर सवार थी जिसने चन्द्रमा के प्रकाश में एक लोकनृत्य पेश किया। जब सब थक गये तो उन्होंने अतीत के गौरव की मदिरा पी और ताश खेला। थोड़ा-सा विश्राम करने के बाद वे फिर उसी तरह नौका खेने लगे। वे सब सचमुच सच्चे देशभक्त थे। रात भर नाव खेने के बाद जब सूरज निकला तो सबको यह जानकर हार्दिक दुख हुआ कि उनका सारा परिश्रम बेकार गया। बात यह थी कि आगे बढ़ने की जल्दी में वे सब बहादुर व मतिमान् लोग नाव की तट पर गड़े खूँटे से बाँधने वाली रस्सी को काटना एकदम भूल गये थे। यह रस्सी पुराने संस्कारों, विदेशी परम्पराओं, पिछड़ी प्रथाओं और जाति, धर्म व सम्प्रदाय सम्बन्धी धागों से बुनी हुई थी और बेहद मज़बूत थी।

आदतें और आदतें

आम आदमी की चर्चा कोई नहीं करता। दीवाने-आम में से दीवाने-ख़ास में जाने के लिए कुछ ऐसी आदतें डालना ज़रूरी है जो अजीबोग़रीब हों। आदत शब्द फ़ारसी भाषा का है और इसका एकदम हमवज़न शब्द हिन्दी में नहीं है। स्वभाव, आचरण या प्रकृति शब्द आदत का मुक़ाबला नहीं करते। मगर दिलचस्प बात यह है कि आदतें उन लोगों को भी पड़ती हैं जो फ़ारसी नहीं जानते।

राजा भर्तृहरि, राजा शूद्रक व सम्राट् हर्ष उच्चकोटि के साहित्यकार थे। जेम्स प्रथम, जूलियस सीज़र, बाबर और जहाँगीर बहुत श्रेष्ठ लेखक थे। राजा और सुलतान लोग ज़्यादातर जो शौक़ रखते थे वह सुन्दर स्त्रियों को पवित्र करने का होता था। राजा रविवर्मा की भाँति वे उनके चित्र ही नहीं बनाते थे, वरन् उनका पूरा-पूरा उपयोग करते थे। हेनरी अष्टम एक के बाद एक रूपवती नारी से शादी करता गया और पिछली पत्नियों पर बाक़ायदा मुक़द्दमा चला कर उन्हें फाँसी देता रहा। अकबर जैसा विवेकी शहंशाह भी चार हज़ार रमणियों का हरम रखता था और यह प्रथा बाद में भी चलती रही। माण्डू का सुल्तान नसीरुद्दीन ग्यारह हज़ार सुन्दरियों का हरम रखता था और उसकी इच्छा मात्र इतनी थी कि वह पन्द्रह हज़ार युवतियों का सुख प्राप्त कर सके। इस नवाब ने अपने पिता को ज़हर दिलवा दिया था क्योंकि वह उसे कड़े अनुशासन में रखता था। मिस्र की सम्राज्ञी क्लियोपेट्रा भी दस हज़ार पुरुषों की हमबिस्तर हुई थी और रूस की सम्राज्ञी कैथरीन भी अपने प्रेमी लगातार बदलती रहती थी। इन सबके विपरीत तेरहवीं शताब्दी में फ्रांस का एक महाराजा आजन्म ब्रह्मचारी रहा और इसी कारण जनता उसे सम्राट् लुई न कहकर सेण्ट लुई ही कहा करती थी। इंग्लैण्ड के राजा जेम्स प्रथम ठीक वही शौक़ रखते थे जिसके कारण आस्कर वाइल्ड को जेल जाना पड़ा। रूस का सम्राट् इवान चतुर्थ दूसरों को दुख पहुँचाने से सुखी होता था मगर लोगों की मृत्यु कराने के बाद वह मठ को दान में भारी राशि भेजना कभी नहीं भूलता था। वह अपने दरबारियों को भालू की खाल में सिलवाकर कुत्तों के सामने फिंकवा दिया करता था और गिर्जे की प्रार्थना में प्रति सप्ताह पूजा करना कभी नहीं भूलता था। उसे लोगों की दाढ़ियों में आग लगवाने का ज़बर्दस्त शौक़ था। रूस का दूसरा सम्राट् पीटर भी अनेक सम्भ्रान्त लोगों की

दाढ़ी को अपने हाथों से काट चुका था। इस पवित्र काम में उसका विदूषक भी उसकी मदद करता था। चार्ल्स द्वितीय व वाजिदअली शाह को अपने अवैध बच्चों की संख्या का कोई पता नहीं था। यही स्थिति युगाण्डा के शासक इदी अमीन की थी। वह भद्र पुरुष अवैध सन्तान तो क्या, अपनी अवैध पत्नियों तक की संख्या नहीं जानता था। बाबर का एक शौक़ यह भी था कि वह सुबह ही सुबह दो आदमियों को बग़ल में दबाकर क़िले की दीवार पर दौड़ा करता था। अकबर चौबीस घण्टे में केवल एक बार खाना खाता था जबकि गुजरात का सुल्तान महमूद बघर्रा नाश्ते में सिर्फ़ डेढ़ सौ पके केले, एक सेर शहद और एक सेर मक्खन लेता था। नाश्ते के अतिरिक्त वह बीस सेर खाना और खाता था। जब वह सोता था तो पलँग के दोनों ओर गोश्त और पुलाव से भरे थाल रखे रहते थे ताकि जब भी उसे भूख लगे, वह कुछ ग्रहण कर सके। एक अँग्रेज़ इतिहासकार के अनुसार वह सोते-सोते भी खाता रहता था। हरम की प्रथा तो भारत के स्वतन्त्र होने तक चलती रही। मीर कासिम का हरम लाजवाब था। कितने ही हिन्दू नरेश सैकड़ों पत्नियाँ रखते थे और निज़ाम साहब तो इतने मितव्ययी होते हुए भी बहुत बड़ा हरम रखते थे। हमारे देश में दो सुल्तान और एक नवाब तो ऐसे हुए जो साड़ी पहनकर दरबार लगाते थे और उनमें से एक तो इतने होनहार थे कि भरे दरबार में नंगा होकर नाचा करते थे। इंग्लैण्ड की एक सम्राज्ञी थी जो चोरी किये बिना नहीं रह सकती थी। नैपोलियन, हिटलर और मुसोलिनी भी एक से ज़्यादा प्रेमिकाएँ रखते थे। जॉन एफ़ कैनेडी इस दिशा में शायद सबसे आगे थे। अब्राहम लिंकन और चर्चिल भयानक से भयानक स्थिति में भी मज़ाक़ करने की आदत रखते थे। जूलियस सीज़र को ख़ुशामद पसन्द नहीं थी। शेक्सपियर के अनुसार उसकी सबसे बड़ी ख़ुशामद तब होती थी जब कोई दरबारी उससे कहता था कि "ओ महान् सम्राट्, आपका सबसे बड़ा गुण यह है कि आपकी ख़ुशामद कोई भी नहीं कर सकता।"

काफ़ी महान् लोग ऐसे हुए जिन्हें अपने से बहुत कम उम्र वाली युवतियों से शादी करने का शौक़ रहा। महामति सुकरात ने अधेड़ अवस्था में उन्नीस वर्ष की कन्या से विवाह किया था। पिकासो की पत्नी तो उसकी पौत्री की उम्र की थी। स्तालिन की शादी भी एक कमसिन के साथ ही सम्पन्न हुई थी। चार्ली चैपलिन की अन्तिम पत्नी इतनी कम उम्र की थी कि उसकी प्रथम पत्नी से उत्पन्न उसका अपना बेटा उसके साथ प्रेम करता था।

बहुत-सी आदतें ऐसी हैं जो भय के कारण उत्पन्न होती हैं। बहुत से सम्राट् मात्र भय के कारण युद्ध करते थे और संसार के प्रायः सभी कृपण लोग ग़रीबी के भय के कारण ही करोड़ों की दौलत इकट्ठी करते थे। मनोवैज्ञानिकों का कहना है कि भय लगभग पाँच हज़ार किस्म के होते हैं और वे अप्रत्यक्ष रूप से हमारी जीवन-चर्या पर अपना प्रभाव छोड़ते हैं। फ्रायड से बहुत पहले महामति चाणक्य ने

सेक्स व भय को मनुष्य के स्वभाव की मूल वृत्ति के रूप में स्वीकार कर लिया था। नटवरलाल और हर्षद मेहता ने जो भयंकर ठगी की उसका भी कारण शायद किसी प्रकार का कोई भय ही रहा हो। वैसे कुछ आदतें ऐसी भी हैं जिनका कारण किसी को नहीं मिला। नोबाइल चेम्बरलेन बिना किसी ज़रूरत के अपने हाथ में सदा एक छाता रखते थे। मेरे एक बेहद क़रीबी रिश्तेदार करोड़पति हैं और ख़ूब ख़र्च भी करते हैं पर किताबें वे हमेशा माँगकर ही पढ़ते हैं, ख़रीदकर नहीं। वर्षों पहले कभी रेलवे का टाइम-टेबिल आठ आने में ख़रीदा था जिसका अफ़सोस अभी नहीं गया।

कुछ लोगों को दूसरों को दुख पहुँचाने में महान् सुख की प्राप्ति सदा से होती आयी। एक ऐसे सम्राट् की चर्चा मैं ऊपर कर चुका हूँ। आपको जानकर आश्चर्य होगा कि पश्चिम के पुराने विचारक जीवन के क्षेत्र में प्रसन्नता को कोई स्थान नहीं देते थे। वे सब प्रकार की खुशियों और मनोरंजनों को त्याज्य समझते थे। उनकी यह दृढ़ धारणा थी कि सदाचारी होने के लिए सुख का त्याग करना अनिवार्य है। कई सदियों तक पोप व पादरियों ने करोड़ों अन्धविश्वासी भक्तों को उदास व दुखी ही रखा। उनका विचार था कि शोकपूर्ण मुद्रा और गम्भीर रहना ही पवित्रता का चिह्न है। एक ये लोग थे और दूसरी तरफ़ ग्रेटा गार्बो जैसी रूपवती रमणियाँ थीं (और अभी भी हैं) जो ज़्यादा से ज़्यादा लोगों को सुख प्रदान करने में विश्वास रखती थीं। ग्रेटा गार्बो के लगभग पच्चीस हज़ार अन्तरंग मित्र थे हालाँकि उसने शादी कभी नहीं की थी। उसका कहना था कि पत्नी हो जाने पर वह सार्वजनिक सेवा नहीं कर सकेगी और इसी कारण उसने चाहते हुए भी कभी शादी नहीं की। कभी हमारे यहाँ भी अत्यन्त रूपसी बाला को नगरवधू बनाने की प्रथा थी। वैशाली की नगरवधू आम्रपाली एक ऐसी ही परोपकारी रमणी थी।

निबन्ध समाप्त करने से पूर्व मैं साहित्यकारों की सनकों की चर्चा अवश्य करूँगा। सी.ई. एम. जोड सारी उम्र बग़ैर टिकट रेल-यात्रा करते रहे। अपने पकड़े जाने पर उन्हें हार्दिक उल्लास मिलता था। उनका कहना था कि टिकट ख़रीदते ही यात्रा का आनन्द समाप्त हो जाता है। बाल्ज़क को क़र्ज़दार रहने में मज़ा आता था। लार्ड बायरन भयानक व्यभिचारी थे। वे बड़े आकर्षक व्यक्ति थे मगर कुछ लँगड़ाकर चलते थे। उनकी अनेक प्रेयसियाँ उन्हीं की भाँति लँगड़ाकर चलने का अभ्यास किया करती थीं। सेमुएल जानसन घूमते हुए हर बिजली के खम्भे को छूते थे और यदि किसी कारण कोई खम्भा छूट जाता था तो उन्हें बड़ा क्षोभ होता था; वे वापिस लौटते थे, उस खम्भे को छूते थे और तभी आगे बढ़ते थे। रूस का प्रख्यात लेखक वसीली शूक्शिन एक विचित्र स्वभाव का व्यक्ति था। बुद्धिजीवियों के मध्य बैठकर बह अपने को गँवार समझता था और ग्रामीणों के साथ बैठकर वह अपनी मूर्खता से दुखी हो उठता था। उसने इसी मनहूस आदत के कारण बड़ा पीड़ापूर्ण जीवन बिताया। अँग्रेज़ी के एक प्रख्यात लेखक किताबें उधार लिया करते थे और फिर उन्हें कभी वापिस

नहीं करते थे। जब डॉ. जानसन एक दिन उनके घर गये तो इतनी किताबों को फ़र्श पर बेतरतीब पड़ा देखकर पूछ बैठे कि "आप इन क़ीमती किताबों को अलमारी में क्यों नहीं रखते?" उन हज़रत ने जवाब दिया कि "मित्र लोग सिर्फ़ किताबें ही उधार देते हैं, अलमारियाँ नहीं।" उनका उत्तर सुनकर डॉ. जानसन को बहुत हँसी आयी। बर्ट्रेण्ड रसेल व्यक्तिगत जीवन में काफ़ी अनैतिक थे और उनकी प्रेयसियों में डचेज भी शामिल थीं और होटल की नौकरानियाँ भी। डॉ. जानसन स्वयं मात्र तभी कुछ लिखते थे जबकि उनकी पालतू बिल्ली मेज़ पर बैठी रहती थी। तालस्ताय अपना लेखन सुबह को करते थे और आस्कर वाइल्ड को वही भयंकर आदत थी जो जेम्स प्रथम को थी। उन पर एक लार्ड ने मुक़द्दमा चलाया और उन्हें कई वर्ष के लिए जेल जाना पड़ा। जर्मन कवि शिलर तभी लिखते थे जबकि वे शराब के नशे में होते थे और उनके पैर बर्फ़ से ठण्डे पानी में पड़े रहते थे। विक्टर ह्यूगो हमेशा खड़ा होकर लिखते थे और जो पृष्ठ लिख लिया जाता था, उसे नीचे फेंकते जाते थे। मार्क ट्वेन लेटकर लिखते थे क्योंकि बैठकर लिखने में उन्हें नींद आती थी। अलेग्ज़ेण्डर ड्यूमा विभिन्न विधाओं के लिए अलग-अलग रंग का काग़ज़ प्रयोग करते थे; उपन्यास नीले काग़ज़ों पर लिखे जाते थे, कविताएँ पीले काग़ज़ पर लिखी जाती थीं और बाकी विधाओं के लिए वे गुलाबी रंग का काग़ज इस्तमाल करते थे। चेस्टर्टन पोस्ट-कार्ड के साइज़ के काग़ज़ पर लिखते थे; बड़े साइज़ के काग़ज़ से उन्हें डर लगता था। पुश्किन केवल भयंकर सर्दी में ही लिख सकता था, और किसी मौसम में नहीं।

अब थोड़ा-बहुत समय अपने देश के साहित्यकारों को भी देना होगा। गुरुदेव रवीन्द्रनाथ ठाकुर अपने लिखे को इस तरह काटते थे कि काटे हुए शब्द के स्थान पर कोई आकृति या चित्र बन जाता था। एक बार ठीक ऐसे ही चित्रों की प्रदर्शनी मैंने और तुंगनाथजी ने प्रयाग विश्वविद्यालय में तब लगायी थी जब मैं तुंगनाथजी के यहाँ पाँच रुपये प्रति माह पर नौकर था। शरत् बाबू हर तरह का नशा करते थे और दाढ़ी बनाने में उन्हें भयंकर कष्ट होता था। मात्र इसी कष्ट के कारण वे अपने गाँव में नदी के किनारे पर बनी कोठी से कलकत्ता जाने के लिए बहुत बचते थे क्योंकि कलकत्ता में उन्हें दाढ़ी रोज़ बनानी पड़ती थी। सार्त्र की भाँति भारतेन्दु हरिश्चन्द्र व जयशंकर 'प्रसाद' भी एक-एक अदद प्रेमिका पालते थे। प्रेमचन्द और आचार्य हजारीप्रसाद द्विवेदी हद से ज़्यादा हँसोड़ थे। बच्चन व आचार्य महावीरप्रसाद द्विवेदी प्रत्येक पत्र का उत्तर देते थे और यथासम्भव उसी दिन देते थे। रामचन्द्र शुक्ल प्रायः लेटकर ही लिखते थे। पन्तजी 'पीयर्स' की सोप व 'विक्स इनहेलर' के प्रेमी थे और निरालाजी विक्षिप्त होने से पूर्व भी कभी-कभी बिना बात अँग्रेज़ी में कुछ बोलने लगते थे जिसका कि चल रहे वार्तालाप से कोई सम्बन्ध नहीं होता था। 'फ़िराक़' गोरखपुरी को ठीक वही दुर्व्यसन था जिसके कारण आस्कर वाइल्ड को

जेल हुई थी। अज्ञेयजी बार-बार प्रताड़ित होने पर भी विदेशी लेखकों से चोरी करते थे और भयंकर गुटबाज़ थे। गुरु सुलेमान, चेला पहिलवान। मैंने एक बार उनको लेकर एक तीखा (पर डॉ. धर्मवीर भारती के शब्दों में काफ़ी सच्चा) व्यंग्य-लेख लिखा और उसके कुछ ही दिनों बाद वे दिल के दौरे से मर गये। हिन्दी के एक प्रख्यात विद्वान् की राय में वह दिल का दौरा उन्हें मेरे उस व्यंग्य लेख के कारण ही पड़ा था! बहरहाल अज्ञेयजी की मृत्यु पर मैंने 'गंगा' में एक भोंडी टिप्पणी लिखी जिसके कारण राजेन्द्र यादव ने मुझे प्यार से डाँटा। अपनी उस टिप्पणी के लिए मैं सचमुच लज्जित हूँ। अमृतलाल नागर भंग के प्रेमी थे तो श्रीलाल शुक्ल नियमित रूप से मदिरा पीते हैं। भगवतीचरण वर्मा कल्पना के महल खड़ा करने में बेजोड़ थे और 'उग्र' जी जुए की लत में कुछ भी कर सकते थे। महाकवि दाग़ को लाल रंग के कपड़े बहुत पसन्द थे और ग़ालिब साहब शाम को शराब के नशे में अगर कोई बढ़िया शेर कहते थे तो पाजामे के नाड़े में गाँठ लगा लिया करते थे। सुबह को वे नाड़े की गाँठें गिनते थे और उतने ही शेर डायरी में लिख लिया करते थे। मुझे खुद कभी सूखे पत्तों के ढेरों में, आग लगाने की भयंकर आदत थी। जब मैं पेंशन-कण्ट्रोलर प्रयाग के विशाल दफ़्तर में डिपुटी-कण्ट्रोलर था तो एक दिन लंच में अपनी कोठी पर गया और सूखे पत्तों का एक ढेर देखा। मैंने अपनी आदत के मुताबिक उसमें दियासलाई खींच दी पर तेज़ हवा के कारण आग उस 'हैज' में भी लग गयी जो मेरी कोठी को पिछली कोठी से अलग करती थी। उस कोठी में जब आग फैली तो मकान के निवासी—जो प्रयाग हाईकोर्ट के जज थे और मेरी तरह लंच में घर आये थे—घबरा गये और थोड़ी ही देर में फ़ायर-ब्रिगेड और बाकी पुलिस वहाँ पहुँच गयी। पुलिस ने मेरा पद व रहन-सहन देखा और बिना कुछ कहे वह वापिस लौट गयी। 'पायरोमेनिया' का ऐसा दौरा मुझे फिर कभी नहीं पड़ा।

आदतों के बारे में अनेक मनीषियों ने अपने-अपने मत प्रकट किये हैं। बेकन के अनुसार यदि समझ-बूझ कर बुद्धिमत्तापूर्वक किसी आदत को अपनाया जाए तो वह प्राकृतिक बन जाती है। लेमरटीन ने कहा है कि हमारी आदतें हमें अपनी लौह-शृंखला में बाँधकर प्रतिदिन हमारा मार्गदर्शन करती हैं। हैज़लिट् का कहना है कि आदत की जंज़ीर मानव-मन से साँप की तरह लिपटकर हमारे दिल को तोड़-तोड़कर खाती रहती है। चार्ल्स लैंब के अनुसार अच्छी आदतें पड़ना कठिन होता है जबकि बुरी आदतें हमारे पास इतनी आसानी से आ जाती हैं कि हमें उनका पता भी नहीं लगता। आस्कर वाइल्ड के अनुसार मानव-जाति को जितना दुख अच्छी आदतों ने पहुँचाया है उतना किसी और चीज़ ने कभी नहीं पहुँचाया।

प्रत्येक व्यक्ति भला और बुरा साथ-साथ होता है। कुछ न कुछ कमी तो प्रत्येक मनुष्य में होती है पर प्रसिद्ध व बड़े लोगों के गुण और दोष सबको याद रहते हैं। मैं इस मत की पुष्टि करता हूँ और इस सन्दर्भ में उर्दू के दो बड़े कवियों का कलाम

आपकी ख़िदमत में पेश करता हूँ :

बस कि दुश्वार है हर काम का आसां होना
आदमी को भी मयस्सर नहीं इन्साँ होना

(ग़ालिब)

मौकूम जुर्म ही पै करम का ज़हूर था
बन्दे अगर क़सूर न करते, क़सूर था

(असीर)

प्रेमयोग की परम्परा

ज्ञानयोग, हठयोग, भक्तियोग और कर्मयोग की भाँति प्रेमयोग भी भगवान की प्राप्ति का एक निश्चित मार्ग है। चैतन्य महाप्रभु और मीरा प्रेमयोगी ही थे। इसी मूल सिद्धान्त को ध्यान में रखते हुए मुझे प्रेम की कविताओं के प्रति बहुत आसक्ति है। इस आसक्ति के कारण मुझे कई बार धोखा भी खाना पड़ा। एक बार 'रवीन्द्रनाथ ठाकुर के प्रेमगीत' नामक क़ीमती पोथी ख़रीदी पर यह जान कर हार्दिक निराशा हुई कि वे सारे गीत टैगोर ने किसी रूपवती युवती को न लिख कर परमपिता परमात्मा को सम्बोधित किये थे। हिन्दी में प्रेमगीत ज़्यादा नहीं हैं और जो माल उपलब्ध है उसमें भी दिलचस्प और हृदयग्राही गीत तो बहुत ही कम हैं। जहाँ तक दिलचस्प इश्किया शायरी का प्रश्न है, उसमें तो उर्दू शायरी हिन्दी की अपेक्षा कहीं ज़्यादा अमीर है। बहरहाल उर्दू-काव्य की चर्चा मैं आज नहीं करूँगा। हाँ, अलबत्ता युगप्रवर्तक महाकवि चिरकीन का एक शेर आपकी सेवा में ज़रूर प्रस्तुत करूँगा। बड़ा मार्मिक शेर है जो विरह और मिलन के बीच की स्थिति को पकड़ता है। कवि कहता है : 'वो आगे-आगे वस्ल का वादा किये हुए, हम पीछे-पीछे हाथ में खटिया लिये हुए।' हिन्दी में ऐसे मर्म को छूने वाले काव्य की मात्रा बहुत कम है मगर फिर भी कुछ दिलचस्प उदाहरण पेश करने की हिम्मत आज मैं ज़रूर करूँगा :

दामिनी बन प्यार की मुझको निहारा है
जानता हूँ, यह बुलाने का इशारा है

(देवराज 'दिनेश')

चाँद हँसता वहाँ, ज्वार उठता यहाँ
शून्य कितना वहाँ, तुम नहीं हो जहाँ
तुम जहाँ हो वहीं हँस रही नीलिमा
तुम जहाँ हो वहीं है शरद्-पूर्णिमा

(पोद्दार रामावतार 'अरुण')

मेरी भूली पहिचान न मुझसे माँगो
तुम हँस कर मेरा प्यार न मुझसे माँगो

(भगवतीचरण वर्मा)

अपनी दुनिया में मैं मस्त हूँ, जवान हूँ
फागुन की गेहूँ हूँ, सावन का धान हूँ
बिरहा की जोगिनी बनाओ ना पिया
बार बार बाँसुरी बजाओ ना पिया

(रामदरश मिश्र)

तुम जानती सब बात हो, दिन हो कि आधी रात हो
मैं जागता रहता कि कब, मंजीर की आहट मिले
मेरे कमल-मन में उदय, किस काल पुण्य प्रभात हो
किस लग्न में हो जाए कब, जाने कृपा भगवान की

(दिनकर)

लौटे क्या मोहन मधुवनियाँ, बाजे राधा की पायलिया
मह मह महक रहीं मंजरियाँ, कुहु कुहु कुहुक रही कोयलिया;
दूर कहीं बाजे खंजरियाँ, छूम छनन गूँजे पैंजनियाँ
कहीं अहीरों की छोकरियाँ, नाचें भर भर बाँह कन्हैया;
रो रो रतनारी आँखड़ियाँ, बनी तुम्हारी कमल डगरियाँ
कसक कसक उठती रे छतियाँ, किसे कहूँ मैं मन की बतियाँ;
चीर तुम्हारी नव चन्दनियाँ, छिड़कूँ हिम की कुंकुम बुँदियाँ
आज मिलन की अमरित घड़ियाँ, दिशा दिशा छिटकी चाँदनियाँ

(वीरेन्द्रकुमार जैन)

मेरी दो पर वे अनगिन हैं, किससे लोचन अभिसार करूँ?
मेरे आँगन में भीड़ लगी, मैं किसको कितना प्यार करूँ?

(अज्ञात)

अभी तो है बहुत री साँझ की दूरी
तुम्हें कैसे कहूँ, है बहुत मजबूरी

(अज्ञात)

तू तो है 'मनु' सा बहुत दूर, मैं 'कामायनी' अकेली
कौन 'इड़ा' कोई बतला दे, जो तेरे मन भायी,
मेरी तेरी प्रीत चिरन्तन, सदा निभेगी यारी
मैं छन्दों के रथ पर तेरे द्वार आज फिर आयी

(अज्ञात)

दिल्लगी में आग दिल में वे लगा कर चल दिये
पर उन्हें भी आग दिल की अब बुझाना है कठिन

आग लगती ज़िन्दगी को झेलते मजबूर हो
है सरल नज़रें मिलाना, दिल मिलाना है कठिन

(हरिकृष्ण प्रेमी)

एक दिन बस यूँ ही उस नरम होंठ ने
भूल से छू लिया था सुधा का चषक,
होंठ घायल हुए और मैं जल उठा
शेष है आज भी उस जलन की कसक,
तारिका एक टूटी गगन डाल से
चाँद ने आँख भर यों कहा, "बावली
तू भटकती रहेगी बता किस गली?"

(रामानन्द दोषी)

भर भर हारी किन्तु रह गयी रीती ही गगरी
कितनी बार तुम्हें देखा, पर आँखें नहीं भरीं

(शिवमंगल सिंह 'सुमन')

ये बन कर मिट जाने के दिन
ये मिट कर मुस्काने के दिन
ये गीत नये गाने के दिन
ये तुमको अपनाने के दिन,
ये हरदम मुस्काने के दिन
ये कुछ कह शरमाने के दिन,
ये घायल कर जाने के दिन
ये खिल कर झर जाने के दिन

(सुरेन्द्र तिवारी)

लौट आओ, माँग के सिन्दूर की सौगन्ध तुमको
नयन का सावन निमन्त्रण दे रहा है,
लौट आओ, आज पहिले प्यार की सौगन्ध तुमको
प्रीत का बचपन निमन्त्रण दे रहा है,
लौट आओ मानिनी, है मान की सौगन्ध तुमको
बात का निर्धन निमन्त्रण दे रहा है,
लौट आओ हारती मनुहार की सौगन्ध तुमको
भीगता आँगन निमन्त्रण दे रहा है

(सोम ठाकुर)

यह तो सच है इस वसन्त में तुमको नहीं ज़रूरत मेरी
लेकिन पतझर के आने पर, मैं न रहूँगा तो क्या होगा?

यह तो सच है तुमसे अपना दर्द कहा था, सुना न तुमने
लेकिन दर्द गर किसी और से कह दूँगा तो फिर क्या होगा?

(अज्ञात)

मैं स्वयं विवश, दो पाँव कहाँ किस तक दौड़ें
सबमें तुम सा आकार दिखायी देता है,
मैं किस किस द्वारे मस्तक अपना धरूँ मुझे
हर द्वार तुम्हारा द्वार दिखाई देता है

(जलज)

साँस की तो बहुत तेज़ रफ़्तार है
और छोटी बहुत है मिलन की घड़ी,
आँजते आँजते ही नयन बावरे
बुझ न जाए कहीं उम्र की फुलझड़ी

(नीरज)

तुम्हारा ही क्या, मैं नहीं हूँ किसी का
रहेगा मुझे अन्त तक दुख इसी का;
चढ़ाया गया हूँ, उतारा नहीं हूँ
तुम्हारी कसम मैं तम्हारा नहीं हूँ

(रंग)

घनों में मधुर स्वर्ण-रेखा मिली
नयन ने नयन रूप देखा, मिली
पुतलियों में डुबाकर नज़र की कलम
नेह के पृष्ठ को चित्रलेखा मिली,
भूलती सी जवानी नयी हो उठी
भूलती सी कहानी नयी हो उठी,
जिस दिवस प्राण में प्रेम बंसी बजी
बालपन की रवानी नयी हो उठी

(माखनलाल चतुर्वेदी)

परदेश तुम्हारा पथिक दूर
लौटोगे कब यह कहे कौन,
भर बाँहों में फिर करो प्यार
निज प्रेम पुष्प को हे उदार,
पीछे फिर देखो एक बार

(रामविलास शर्मा)

दिल चुरा कर न हमको बुलाया करो

गुनगुना कर न ग़म को सुलाया करो,
दो दिलों के मिलन का यहाँ है चलन
खुद न आया करो तो बुलाया करो,
रंग भी गुल शमा के बदलने लगे
तुम हमीं को न कस्में खिलाया करो,
सर झुकाया गगन ने, धरा मिल गयी
तुम न पलकें सुबह तक झुकाया करो,
सिन्धु के पार को चाँद जाँचा करे
तुम न पायल अकेली बजाया करो,
मन्दिरों में तरसते उमर बिक गयी
सर झुकाते झुकाते कमर झुक गयी,
घूम तारे रहे रात की नाव में
आज है रतजगा प्यार के गाँव में
दो दिलों का मिलन है यहाँ का चलन
खुद न आया करो तो बुलाया करो,
नाचता प्यार है हुस्न की छाँव में
हाथ देकर न उँगली छुड़ाया करो

(गोपालसिंह नेपाली)

पहुँच क्या तुझ तक सकेंगे काँपते ये गीत मेरे
हाय, वो अभिमान के अब दिन गये हैं बीत मेरे

(अज्ञेय)

जिन कलियों ने प्रेम छिपाया, वे झूठी कहलायीं
जिन नदियों ने नेह छिपाया, वे सूखी अकुलायीं
जिन आँखों ने राग छिपाया, वे रोयीं पछतायीं
तब क्यों मैं ही प्रेम छिपाऊँ?
तब क्यों मैं ही भद्र कहाऊँ?

(केदारनाथ अग्रवाल)

हार बन कर ही गले के पास आना चाहता हूँ
गीत बन कर ही अधर के पास आना चाहता हूँ

(अज्ञात)

यह चन्दन सा चाँद महकता, यह चाँदी सी रात
क्या नयनों से रूप कह रहा—सुनो हमारी बात

(जगदीश गुप्त)

अगर मैंने किसी के ओठ के पाटल कभी चूमे

अगर मैंने किसी के नैन के बादल कभी चूमे
कली सा तन, किरन सा मन, शिथिल सतरंगिया आँचल
उसी में खिल पड़े यदि भूल से कुछ ओठ के पाटल;
न हो यह वासना तो ज़िन्दगी की माप कैसे हो?
नसों का रेशमी तूफ़ान मुझ को पाप कैसे हो?
किसी की साँस में बुन दूँ अगर अंगूर की परतें
प्रणय में निभ नहीं पातीं कभी इस तौर की शर्तें,
यहाँ तो हर क़दम पर स्वर्ग की पगडण्डियाँ घूमीं
अगर मैंने किसी की मदभरी अँगड़ाइयाँ चूमीं,
महज़ इस से किसी का प्यार मुझ पर पाप कैसे हो?
महज़ इस से किसी का स्वर्ग मुझ पर शाप कैसे हो?

(धर्मवीर भारती)

छोड़ो न यों बीच में हाथ मेरा
आया नहीं है अभी तक सबेरा

प्यासे नयन ज्यों नयन में समा जायँ
सारे निराधार आधार पा जायँ
जाओ तभी जब हृदय-कम्प खो जायँ
मेरे अधर पर तुम्हारा खिले हास
मेरा उदय खींच दे ज्योति घेरा

छोड़ो न यों बीच में हाथ मेरा
आया नहीं है अभी तक सबेरा

(श्रीलाल शुक्ल)

तुम मुग्धा थीं अति भावप्रवण
उकसे थे अम्बियों से उरोज,
चंचल, प्रगल्भ, हँसमुख, उदार,
मैं सलज तुम्हें था रहा खोज

(सुमित्रानन्दन पन्त)

ब्रह्मन का लड़का मैं
उसको प्यार करता हूँ
जात की कहारिन
उस पर मैं मरता हूँ
कोयल सी काली

चाल नहीं मतवाली,
ले जाती है मटका बड़का
मैं देख देख धीरज धरता

(निराला)

ऊपर दिये गये सारे काव्यांशों से कहीं भी प्रेम की परम अनिवार्यता, विरह की उत्कटता और मिलन की सर्वांग-पूर्णता का वह परिचय नहीं मिलता जो कि हमें ज्ञानपीठ-पुरस्कार-विजेता प्रख्यात मराठी कवि शिरवाडकर की कविताओं में मिलता है। शिरवाडकर समसामयिक मराठी साहित्य की सबसे बड़ी हस्ती हैं और नीचे दिये गये काव्यांशों से आप महसूस करेंगे कि उनकी कविता हमें कालिदास और जयदेव की याद दिलाती है :

(एक)

प्रेम
किससे किया जाय?
किसी से भी किया जाय...

राधा के वत्सल स्तनों से किया जाय
कुब्जा के बेडौल कूबड़ से किया जाय
प्रेम किसी से भी किया जाय...

रुक्मिणी के लालस होंठों से किया जाय
वक्रतुण्ड के हास्यास्पद उदर से किया जाय
प्रेम किसी से भी किया जाय...

जिसकी रक्षा करनी हो उससे तो किया ही जाय
पर जिसे मारना हो उससे भी किया जाय
प्रेम किसी से भी किया जाय...

(दो)

रतनारे स्तनों का
प्रफुल्ल उद्रेक
विश्वास दिखाती तू आ;
सुनहरी जाँघों को

मीरास पृथ्वी की
मिट्टी में रोपती तू आ,
पाखी के पंखों में
झरनों के गीतों में
आकाश बोती तू आ...

(तीन)

नयन नयन से मिले कि तुमने
ज़रा ज़रा सहलाये कुन्तल
कुछ कुछ कम्पित कर से अपना
खिसका हुआ सँभाला अंचल :
पसोपेश वाले गालों पर
स्मित के रँग कुछ हुए सजीले
शब्द झाँकते अधरों से कुछ
घबराये से और लजीले;
मत कहना तुम कभी न कहना
जो मन कहना चाह रहा,
ऐसे परम भाव-मोहन का
शब्दों में तो विलय रहा...

(नोट : ऊपर दी गयी तीन कविताओं में से पहली दो जो हैं वे शिरवाडकर की हैं और अन्तिम कविता जो है वह मराठी कवि कुसुमाग्रज की है। यह एक दीगर बात है कि वास्तविक जीवन में दोनों नाम एक ही व्यक्ति के हैं।)

अब मैं आपकी सेवा में एक बँगला गीत का हिन्दी रूपान्तर प्रस्तुत करता हूँ। मुझे पूरी आशा है कि गीत आपको सुख पहुँचाएगा :

अनुराग हिय-कमल में बिना खिले
प्रेम क्या यों ही मिले?

कृष्ण-प्रेम है, सेंत-मेत क्या
बीन ले जो, सो भी जा;
साधते-साधते उदय होगा
समय के झिले
प्रेम-तरु में प्रेम-लता
जगत्-व्यापी उसका पत्ता

पात-पात में पारस-मणि
हिये में हिले

प्रेम करने की इच्छा सब में होती है। तालस्ताय के शब्दों में भगवान जो है वह प्रेम ही का दूसरा नाम है। 'इच्छा' शब्द को फ़ारसी में 'हाज़त' भी कहा जाता है। उर्दू के महान् कवि ग़ालिब ने कहा है :

कौन है जो नहीं है हाज़तमन्द
किस की हाज़त रफ़ा करे कोई

(विशेष नोट : जैसा कि इस लेख का शीर्षक है, यह रचना प्रेमयोग से सम्बन्धित है व ज्ञानयोग, भक्तियोग, कर्मयोग और हठयोग की भाँति प्रेमयोग भी एक ऐसा योग है जिसके द्वारा मीराबाई और चैतन्य महाप्रभु की भाँति शेष जीवात्माएँ भी परमपिता परमात्मा से घनिष्ठ सम्बन्ध स्थापित करती रही हैं। मेरा पाठकों से निवेदन है कि मेरी भाँति वे भी ऊपर दी गयी कविताओं को उसी आध्यात्मिक दृष्टि से पढ़ें। मुराद जो है वह ख़ुदा से ही है। जो पाठक इन कविताओं को मानवीय वासना की अभिव्यक्ति मान कर पढ़ेंगे वे कवियों के साथ और लेखक के साथ घोर अन्याय करेंगे और पाप के भागी होंगे क्योंकि अज्ञेय, दिनकर, पन्त, निराला, माखनलाल चतुर्वेदी, रामविलास शर्मा, केदारनाथ अग्रवाल और धर्मवीर भारती जैसे दिग्गज और प्रौढ़ साहित्यकारों ने कभी दैहिक वासना के गीत भी लिखे होंगे—यह बात तो मैं स्वप्न में भी कभी नहीं सोच सकता।)

देश-विदेश की कथा

देखते-देखते एक वर्ष और बीत गया। अज्ञेय जी के शब्दों में और दिनों सा ही एक दिन ऐसा आया जो पूरे वर्ष को ही अपने साथ लेकर चला गया। अब सारे अख़बार, सारे पत्रकार और देश के सारे कर्णधार उस बीते हुए वर्ष की उपलब्धियाँ और असफलताएँ गिना रहे हैं जिनसे आम आदमी का कोई सरोकार नहीं है। अलबत्ता मैं ज़रूर एक असाधारण व्यक्ति हूँ जो कि जीवन की साधारण बातों, साधारण खुशियों और साधारण ख़बरों पर ही ध्यान देता हूँ, बड़ी बातों पर नहीं। जिन समाचारों ने मुझे सुख दिया, उनकी चर्चा (आपको भी सुख पहुँचाने के लिए) मैं इस प्रबन्ध में करूँगा।

कोलम्बो में एक युवती ने बड़ी बहादुरी दिखायी। उसने मोटर सायकिल पर सफ़र करते-करते ही दो सुन्दर बच्चों को जन्म दे दिया। युवती विवाहित थी या अविवाहित—इसका ख़ाकसार को कोई पता नहीं है। इस समाचार को पढ़कर मुझे कोई आश्चर्य नहीं हुआ क्योंकि वह बाला भी तो सिंहल देश की ही है जो एक ओर तो नवयुवकों को गुरिल्ला-युद्ध की ट्रेनिंग देती है और दूसरी ओर व्यक्तिगत जीवन में इतनी लज्जाशील है कि आपकी आँखों में आँखें डालकर देख भी नहीं सकती। दस हज़ार मर्दों की हमबिस्तर रहने वाली महारानी क्लियोपेट्रा के देश की एक कन्या ने अपने उस प्रशंसक के विरुद्ध पुलिस में रिपोर्ट लिखवा दी जिस ग़रीब ने उसे ज़बर्दस्ती चूम लिया था। लड़की के ओठों पर जो खरोंच आ गयी थी, उसका फ़ोटो लिया गया और अदालत ने उस प्रेमी नवयुवक को, जो व्यक्तिगत जीवन में एक चित्रकार था, तीन साल की कड़ी क़ैद की सज़ा दी। प्रेम का मार्ग तो सदा से ही कठिन रहा; इक आग का दरिया है और डूब के जाना है। ऊपर लिखी वारदात के बरख़िलाफ़ हमारे इस पवित्र देश में दो व्यक्तियों ने एक युवती के साथ बलात्कार किया और किसी को भी कोई सज़ा नहीं हुई क्योंकि उन दोनों भद्रपुरुषों में से एक पुलिस-कर्मचारी था और दूसरा एक मैजिस्ट्रेट था। इटली में वहाँ की सक्षम पुलिस ने एक बलात्कारी को मात्र सोलह वर्ष की अवधि के उपरान्त पकड़ ही लिया मगर अदालत उसे कोई सज़ा नहीं दे पायी क्योंकि इस बीच उस तथाकथित अपराधी

ने उसी कन्या से विवाह कर लिया था जिसने कि उसके ख़िलाफ़ पुलिस में कभी बलात्कार करने की रिपोर्ट दर्ज़ करवायी थी और अब वे दोनों पति-पत्नी तीन बच्चों के माता-पिता भी बन चुके थे। यह वर्ष मार्गरेट थैचर के लिए भी ठीक ही रहा। उन्हें पिछले वर्ष के दौरान लगभग तीस हज़ार प्रशंसकों के पत्र मिले और एक प्रकाशक ने वादा किया है कि यदि वे अपनी आत्मकथा लिख दें तो उन्हें पचास लाख पाउण्ड की रॉयल्टी मिल सकती है। और यदि श्रीमती मार्गरेट थैचर कहीं चार्ल्स डिकिन्स व मार्क ट्वेन की भाँति दर्शकों को अपने मनोरंजक अनुभव सुनाना शुरू कर दें तो वे एक भाषण से चालीस हज़ार पाउण्ड तक कमा सकती हैं। 'एक भारतीय आत्मा' ने (जो कि भगवान रजनीश के दाँतों की डॉक्टर रह चुकी हैं) कहा है कि श्रीमती थैचर मानसिक रोग से ग्रस्त हैं और उनका उपचार यही है कि वे ख़ूब चिल्लाएँ, तकियों से पीटी जायें और हीन भावना से बाहर निकाली जाएँ। मारपीट से हीन भावना बाहर निकल जाती है—इस बात को मैं भी सच मानता हूँ। यदि ऐसा न होता तो हमारी जनता एक भूतपूर्व मुख्यमन्त्री को क्यों पीटती और क्यों उन्हें सार्वजनिक रूप से नंगा करती जब कि वे बेचारे मात्र अपनी पार्टी के अध्यक्ष का स्वागत करने के लिए फूलों के गुलदस्ते के साथ हवाई-अड्डे पर गये थे? मार्लिन मनरो ने अपने नितान्त व्यस्त जीवन में एक लेखक के प्रति भी सहानुभूति दिखायी थी और उसे बाद में तलाक का सुख देने के लिए उस रूपसी ने उससे शादी भी की थी। मार्लिन मनरो व आर्थर मिलर के शादी का इकरारनामा मात्र चौदह हज़ार डालर में नीलाम हो गया जिसके कारण मुझे दुख हुआ क्योंकि भारतीय संस्कृति से सम्बन्धित सन् 1812 में छपी एक पुस्तक तीन लाख रुपयों में बिकी। फ्रेंच भाषा में लिखी इस पोथी की क़ीमत इसलिए भी ज़्यादा लगायी गयी चूँकि फ़िलहाल सारे संसार में उसकी यही एक प्रति बची थी। मगर मैं कहता हूँ कि ऊपर चर्चित शादी की दस्तावेज़ भी तो बहरहाल संसार में एक ही थी; उसे क्यों कम दामों पर बेचा गया? क्या भारतीय संस्कृति मार्लिन मनरो से भी बड़ी है? एलिज़ाबेथ टेलर ने इतने स्वयंवर रचाये कि उस बेचारी ने एक बार तो ऐसे व्यक्ति को ही पति बना लिया जिसे कि वह कभी एक बार तलाक तक दे चुकी थी। उसने एक नयी शादी फिर सम्पन्न की जिसमें उसे सरकस का सा मज़ा आया। श्रीमती टेलर ने जो कुछ कहा वह एकदम ठीक ही था क्योंकि वैसे भी उन्हें 'एक भूखी मादा भेड़िया' ही कहा जाता है। भेड़िये को मज़ा यदि सरकस में नहीं आयेगा तो और कहाँ आयेगा? अमेरिका की सुन्दरतम विश्व-प्रसिद्ध सिने-अभिनेत्री ग्रेटा गार्बो का निधन हो गया। उसकी एकमात्र इच्छा यही थी कि वह एकान्त में रहे और इसी कारण उसने प्रेमी तो हज़ारों रखे पर पति किसी को नहीं बनाया। बकौल अकबर इलाहाबादी के—'तआल्लुक आशिको-माशूक का जो लुत्फ़ रखता था, मज़े वे अब कहाँ बाकी रहे बीवी-मियाँ होकर!' एक देश में दो प्रेमियों ने सत्तर साल की प्रतीक्षा के बाद आख़िरकार अपना विवाह रचा ही

लिया। विवाह के समय वर तथा वधू की आयु क्रमशः मात्र पिचासी और नब्बे वर्ष ही थी। ऐसे विवाह मुझे बहुत प्रिय हैं क्योंकि इतनी आयु के दम्पती एक-दूसरे से जो प्रेम करते हैं वह एकदम पवित्र रहता है और उसमें वासना की गन्ध तक नहीं आती। गीता में जो निष्काम कर्म की चर्चा की गयी है वह शायद इसी सन्दर्भ में की गयी है। पिछले वर्ष हमारे देश में समन्था फ़ाक्स नाम की एक विदेशी सुन्दरी आयी। भारत आने पर सबसे पहले तो उसने गोवा के समुद्र-तट पर अपनी आत्मा पवित्र की और उसके बाद अपनी देह पवित्र करने के हेतु वह बम्बई आयी। जुहू के समुद्र-तट पर उसने अपने प्रशंसक नवयुवकों से कहा कि "आओ और मुझे स्पर्श करो क्योंकि मुझे तुम्हारी देह की ज़रूरत है।" उन्होंने कुछ समय राजधानी में भी बिताया और वहाँ जब एक मूर्ख पत्रकार ने उनसे पूछा कि "आपकी पूँजी क्या है?" तो मिसे फ़ाक्स ने काफ़ी संकोच के साथ कहा कि "मेरी सारी पूँजी वह है जो मेरे पारदर्शक वस्त्रों में आपको दीख रही है।" जब उनसे पूछा गया कि "बम्बई उन्हें कैसा लगा?" तो उन्होंने बड़े दुख के साथ स्वीकार किया कि लगभग पैंतालीस हज़ार लोगों ने उन्हें देखा और सुना मगर वे इतने सारे प्रेमियों के साथ प्रेम कैसे कर सकती थीं?

आम स्त्रियों की बातें काफ़ी हो गयीं; आइए अब कुछ रानियों की चर्चा करें। पिछले दिनों एक बेकार व्यक्ति महारानी एलिज़ाबेथ (द्वितीय) के शाही महल में घुस गया जिसको लेकर महल के सारे सुरक्षा-अधिकारी उदास हो गये। उदासी का कारण यह था कि सन् 1982 में भी एक होनहार युवक शाही महल में घुस गया था और महारानी के शयनकक्ष में ही पहुँच गया था। वह रानी के पलँग पर बैठकर उनसे तब तक गप्पें मारता रहा जब तक कि महल की पुलिस ने उसे पकड़ नहीं लिया। इस दुर्घटना के बाद बकिंघम पैलेस की सुरक्षा बेहद 'टाइट' कर दी गयी थी मगर फिर भी एक और हादसा हो ही गया। इण्डोनेशिया के राष्ट्रपति मार्कोस के दिल की रानी श्रीमती मार्कोस पर मुक़द्दमा चलाया जा रहा है। उनके सामान में से हज़ारों जोड़ी तो जूते ही जूते निकले हैं। दिल की रानी होने के साथ-साथ वे जूतों की भी रानी थीं।

विदेशी युवतियों ने बहुत समय ले लिया। अब मैं अपने देश की स्त्रियों पर ध्यान दूँगा। बैंगलोर के एक गाँव में एक स्त्री ने अपने वस्त्रों में आग लगा ली क्योंकि उसका प्रेमी उसका पति बनने को तैयार नहीं था क्योंकि वह एक समझदार व्यक्ति था। जलती हुई हालत में वह स्त्री घर के बाहर निकल पड़ी और गाँव की पगडण्डियों पर भागने लगी। इस गतिशीलता का परिणाम यह रहा कि उसके घनिष्ठ सम्पर्क में आने से एक झोंपड़ी में आग लग गयी और धीरे-धीरे पाँच सौ झोंपड़ियों वाला वह गाँव पूरी तरह जल गया। एक स्त्री के दिल की आग ने सारा गाँव जलाकर रख दिया। हमारे देश में सारे प्रयत्नों के बावजूद, साक्षर स्त्रियों की संख्या पुरुषों की संख्या से कम ही रही। हाँ, अलबत्ता काम करने वाली स्त्रियों की संख्या

दिन-ब-दिन बढ़ती गयी। लड़की काम की चीज़ होती है—इस बात को ठेकेदार भी जानता है और इंजीनियर भी। जब से 'एड्स' नामक बीमारी का पता लगा है तब से हमारी वेश्यावृत्ति करने वाली बहिनें 'हीरोइन' की तस्करी पर ज़्यादा ध्यान देने लगी हैं। कहते हैं कि देश की सबसे बड़ी गणिका मण्डी भगवान महावीर और भगवान बुद्ध के प्रदेश में स्थित प्रसिद्ध नगर मुज़फ़्फ़रपुर में है और इसी कारण वहाँ हेरोइन का धन्धा चमकता जा रहा है। हेरोइन की एक पुड़िया बेचने से इतनी आय हो जाती है जितनी कि एक दर्जन ग्राहकों का उद्धार करने से भी नहीं होती थी। यदि इंग्लैण्ड की महारानी के महल से एक व्यक्ति गिरफ़्तार किया गया तो हमारे देश में एक संन्यासी के पवित्र आश्रम में से एक युवती और उसकी एक किशोर कन्या को पुलिस ने बरामद किया जिसकी बड़ी प्रशंसा की जा रही है। इन मूर्ख प्रशंसकों को यह पता नहीं है कि थाने में उन दोनों देवियों के साथ ठीक वही व्यवहार किया जायेगा जो कि उस संन्यासी विशेष के आश्रम में किया जा रहा था। पुलिस की चौकी भी एक आश्रम ही होती है जिसमें हनुमान जी की प्रतिमा सदा लगी रहती है। हरियाणा के प्रसिद्ध नगर करनाल में एक भैंस ने पहली बार कृत्रिम गर्भाधान से बच्चा दिया। अब इस नुस्ख़े का प्रयोग स्त्रियों पर भी किया जा सकता है क्योंकि संस्कृत में राजमहिषी शब्द का प्रयोग भैंस के लिए भी किया जाता है और रानी के लिए भी। पाँच जनवरी उन्नीस सौ बानबे के अख़बार के अनुसार केन्द्रीय सरकार की एक माननीया स्त्री-मन्त्री जब बैंगलोर गयीं तो वे एक होटल में ठहरीं। कोई होनहार व्यक्ति आये और मन्त्री जी की अनुपस्थिति में उनका पूरा बिल अदा कर आये जिसका परिणाम यह रहा कि जब वे मन्त्री जी होटल वापिस आयीं तो उन्होंने पाया कि उनका कमरा उनसे छीना जा चुका है। श्रीमती मन्त्री ने इस घटना या दुर्घटना के लिए कर्नाटक के मुख्यमन्त्री को दोषी ठहराया है। एक ओर पाँच-सितारा होटलों में शराब में मुर्गा पकाया जा रहा है और सुन्दर लड़कियाँ अपना नंगा नाच पेश कर रही हैं तो दूसरी ओर आदिवासी लोग अपना पेट भरने के लिए अपने बच्चों को बेच रहे हैं। स्वर्ग और नरक दोनों इसी पृथ्वी पर हैं, परलोक में नहीं। एक अदालत ने एक हसीना को सज़ा इस कारण दी है क्योंकि उसने एक और शालीन नारी का कुत्ता चुरा लिया था। दोनों स्त्रियाँ कुत्ते को अपना बता रही थीं मगर जब कुत्ता एक ही स्त्री के कपोल चूमता रहा तो अदालत ने फ़ैसला देने में देरी नहीं लगायी। देख लीजिए, एक ज़माना था कि स्वयं स्त्रियों की चोरी सम्पन्न की जाती थी और एक आज का दिन है कि स्त्रियाँ स्वयं चोरी कर रही हैं और वह भी दिल की नहीं वरन् कुत्तों की। हे भारत माता, तुझको मैं प्रणाम करता हूँ।

स्त्रियों से सम्बन्धित घटनाओं और दुर्घटनाओं ने काफ़ी समय ले लिया। अब मैं पुरुषों की बात करूँगा। ग़म और भी हैं ज़माने में मुहब्बत के सिवा।

एक ज़माना था कि स्टालिन के नाम से करोड़ों लोग काँप उठते थे और एक

आज का दिन है कि चेकोस्लोवाकिया के ज़ब्रेह नामक नगर में स्तालिन की प्रतिमा चौराहे से हटायी जा रही है ताकि वह नीलाम की जा सके और उसके बदले में मिली राशि से स्थानीय अस्पताल की मरम्मत की जा सके। यह सब माइखेल गोर्बोचोव के प्रयत्नों का परिणाम है जिन्हें विश्व शान्ति के लिए नोबल पुरस्कार प्रदान किया गया। वैसे हमारे साहित्य अकादेमी एवार्ड की भाँति यह पुरस्कार भी सदा ईमानदारी के साथ नहीं दिया जाता। यदि ऐसा नहीं होता तो क्या यह पुरस्कार पण्डित जवाहरलाल नेहरू को नहीं दिया जाता जिन्होंने विश्व-शान्ति के लिए सचमुच इतना काम किया था? बहरहाल गोर्बोचोव भी एक बेहद दिलचस्प आदमी हैं और उनकी विनोदप्रियता तो मुझे बहुत ही प्रिय है। पिछली बार जब वे सुप्रीम सोवियत के अधिवेशन से बाहर निकले तो उन्होंने बाहर खड़े संवाददाताओं के समूह से कहा कि यदि नारी-पत्रकार उन्हें आज्ञा दे तो एक ताज़ी और लाजवाब मज़ाक़ वह इसी वक़्त सुना सकते हैं। स्त्री-पत्रकारों की अनुमति मिलने के उपरान्त राष्ट्रपति गोर्बोचोव ने कहा कि भीतर चल रही मीटिंग के दौरान एक सदस्य ने कहा कि "फ्रांस के राष्ट्रपति की एक सौ रखैल हैं और उनमें से एक जो है वह भयंकर गुप्त रोग से पीड़ित है मगर राष्ट्रपति यह नहीं जानते कि वह रखैल कौन है। अमेरिका के राष्ट्रपति के एक सौ अंगरक्षक हैं जिनमें से एक जो है वह भयंकर आतंकवादी है मगर राष्ट्रपति यह नहीं जानते हैं कि वह अंगरक्षक कौन-सा है। ठीक इसी प्रकार रूस के राष्ट्रपति के एक सौ सलाहकार हैं जिनमें से एक जो है वह सचमुच समर्थ व प्रतिभाशाली है मगर राष्ट्रपति (अर्थात् मज़ाक़ सुनाने वाले गोर्बोचोव स्वयं) यह नहीं जानते कि वह सलाहकार कौन-सा है।" उनकी यह मज़ाक़—जो संसार के सारे समाचार-पत्रों के मुखपृष्ठ पर छपी—सच निकली और राष्ट्रपति गोर्बोचोव स्वयं इसके शिकार बन गये। इतने महान् व्यक्ति को भी सत्ता पकड़ने के लिए अपने से ज़्यादा चतुर प्रतिद्वन्द्वियों के हाथों पराजित होना पड़ा और उन्हें अपने पद से त्यागपत्र तक देना पड़ा। उन्होंने अपना त्यागपत्र संसार के प्रमुख संवाददाताओं के सामने दिया और नियति की मज़ाक़ इतनी क्रूर रही कि उस पर दस्तख़त करने के लिए भी उन्हें एक पूँजीवादी पत्रकार के कलम की सहायता लेनी पड़ी क्योंकि जल्दी में वे अपना कलम दफ़्तर में ही भूल से छोड़ आये थे। अब स्थिति यह है कि सुप्रीम सोवियत, तास व के.जी.बी. ख़त्म हो गये हैं, वेश्याओं ने अपने भाव बढ़ा दिये हैं और अश्लील पत्र-पत्रिकाओं का छपना शुरू हो गया है। अभी यह तो कहना कठिन है कि गोर्बोचोव का अन्त सचमुच हो गया है या नहीं परन्तु यह ज़रूर सच है कि साम्यवादी सोवियत राष्ट्र समूह के समाप्त होने पर भी कार्ल मार्क्स के इस मूल सिद्धान्त पर कोई प्रभाव नहीं पड़ा है कि संसार में अन्त में चलकर मात्र दो ही धर्म, दो ही सम्प्रदाय और दो ही जातियाँ बचती हैं और वे हैं अमीर और ग़रीब। और यह भी सिद्धान्त सदा के लिए जीवित है कि यदि शोषक होंगे तो शोषित लोग उनके विरुद्ध क्रान्ति करेंगे और ज़रूर करेंगे।

श्री गोर्बोचोव की पुस्तकें धड़ाधड़ बिक रही हैं और उनकी रॉयल्टी करोड़ों में बैठती है। गोर्बोचोव स्वयं अब एक छोटे-मोटे 'पूँजीपति' बन गये हैं। कालाय तस्मै नमः।

भाग्य का खेल सचमुच विचित्र होता है। पेरिस की सड़कों पर अख़बार बेचने वाले जीन रुम्राड सहसा इतने प्रसिद्ध और अमीर हो गये हैं कि उन्हें अपने प्रशंसकों, फ़ोटोग्राफ़रों तथा साक्षात्कार लेने वालों को भी समय देने में मुश्किल पड़ रही है। इस सारे हादसे का कारण मात्र यह है कि उनकी 'फ़ील्ड आफ़ ऑनर' नामक पुस्तक पर फ्रांस का सबसे बड़ा साहित्यिक एवार्ड मिला है जिसके कारण प्रशंसा के अतिरिक्त अगले पाँच वर्षों में उन्हें पाँच लाख डॉलर की आय भी होगी। उनकी पंचवर्षीय योजना अवश्य सफल होगी जबकि हमारे देश की पंचवर्षीय योजना फिर खलास होगी। इस देश में तो सिर्फ़ गुलशन नन्दा ही अमीर होंगे, प्रेमचन्द और निराला तो फटेहाल ही रहेंगे। मैं उपेक्षित हूँ यही कवि कह गया है (निराला) मगर मेरा यह निश्चित मत है कि भाग्य बाद में आता है, साहस पहले। माण्ट्रीयल जाने वाले एक वायुयान में कुछ चरित्रवान् लोगों ने क़रीब तीस हज़ार फ़ीट की ऊँचाई पर मात्र साढ़े बारह लाख डालर की महान् धनराशि सब के सामने लूट ली और बाद में चलकर मद्रास के हवाई अड्डे पर पकड़े जाने वाले एक और व्यक्ति ने बावन हज़ार डालर का डिनर खाया। बात यह थी कि इस देश में विदेशी मुद्रा ग़ैरक़ानूनी ढंग से लाने वाले इस विदेशी ने क़रीब पन्द्रह लाख रुपयों के डालरों को कैपशूल के सहारे खाया था मगर वह उसे हजम नहीं कर सका। कस्टम अधिकारियों को सारा धन उसकी नश्वर देह से निकालने में छत्तीस घण्टे लगे। आयात का द्वार अलग था और निर्यात का अलग।

श्रीमती थैचर के बाद जो महोदय ब्रिटेन के प्रधानमन्त्री बने हैं वे बालिग़ हैं क्योंकि उनका नाम 'मेजर' है, 'माइनर' नहीं। उन्हें श्रीमती थैचर का 'नीली आँखों वाला लड़का' कहा जाता है। मिस्टर मेजर के पिता एक सरकस में काम करते थे और मिस्टर मेजर स्वयं भी कभी एक साधारण मज़दूर ही थे। वे पढ़ने-लिखने में एकदम बुद्धू थे। वे ब्रिटेन के सब से कम उम्र के प्रधानमन्त्री माने जाते हैं और उनकी इस बात को लेकर काफ़ी आलोचना की जा रही है कि उन्होंने अपने मन्त्रिमण डल में किसी भी स्त्री को शामिल नहीं किया है। मेरे विचार में उन्हें चाहिए कि भारत में जन्म लेने वाली वीरांगना (तथा कुछ लोगों की राय में वारांगना) कुमारी पामेला बोर्ड्स को मन्त्री बना देना चाहिए और उन्हें विदेश मन्त्रालय का भार दे देना चाहिए। कुमारी पामेला पुरुषों के साथ घनिष्ठ सम्बन्ध स्थापित करने की कला में दक्ष हैं और मेरा विचार है कि यदि वे विदेश मन्त्री बन गयीं तो संसार के सारे राष्ट्राध्यक्षों, राजदूतों और प्रधानमन्त्रियों के साथ मधुरतम सम्बन्ध स्थापित कर लेने में उन्हें छः महीने से ज़्यादा वक़्त नहीं लगेगा। प्रधानमन्त्री बनने के बाद जान मेजर को इस बात की बड़ी ख़ुशी रही कि उन्हें प्रधानमन्त्री के निवास तक अपना सामान

वग़ैरह ले जाने के लिए ठेला नहीं लेना पड़ेगा क्योंकि अब तक वे डाउनिंग स्ट्रीट के मकान नम्बर ग्यारह में रहते थे और अब उन्हें डाउनिंग स्ट्रीट के ही मकान नम्बर दस में जाना पड़ेगा जो कि वहाँ के प्रथम प्रधानमन्त्री सर वालपोल से लेकर आज तक प्रत्येक प्रधानमन्त्री का सरकारी निवास रहा है। एक हमारा देश है कि जहाँ प्रत्येक प्रधानमन्त्री के लिए नया मकान ढूँढ़ना पड़ता है जिसको सजाने में और सुरक्षा की दृष्टि से परिवर्तित कराने में लाखों रुपयों का ख़र्च आता है।

पिछले दिनों एमस्टरडम में प्रख्यात चित्रकार वान गाँग के चित्रों की प्रदर्शनी लगायी गयी। इस प्रदर्शनी के टिकट का दाम इतना ज़्यादा था कि भुखमरी से मरने वाला और आधा पागल वह महान् कलाकार यदि आज उस प्रदर्शनी में अपने चित्र स्वयं देखना चाहता तो प्रदर्शनी का टिकट वह हर्गिज़ नहीं ख़रीद सकता था। प्रदर्शनी में लगाये गये सारे चित्रों का मूल्य पाँच बिलियन डालर था। मैं इस राशि को रुपयों में जान-बूझकर नहीं बता रहा हूँ क्योंकि जब तक यह निबन्ध पूरा होगा तब तक हमारी विनिमय-दर ज़रूर बदल जायेगी। वैसे ऐसा नहीं है कि रुपया ख़र्चना केवल विदेशों को ही आता है, हमें नहीं; हमारे एक मुख्यमन्त्री ने अपने प्रदेश में 'जवाहिरातों का उपवन' खोला है और एक दूसरे मुख्यमन्त्री थे जो अपने प्रदेश में एक 'खेल गाँव' बनाना चाहते थे जिस पर मात्र दो सौ अस्सी करोड़ रुपयों का थोड़ा-सा व्यय होना था। एक और मुख्यमन्त्री इतने होनहार थे कि उन्होंने उन सारी आधारशिलाओं को हटवा कर नयी आधारशिलाएँ रखवायीं जिन्हें कि मुख्यमन्त्री रहने के समय स्वयं उनके पूर्वजों ने रखवाया था। वे मजबूर थे, नयी आधारशिलाओं पर अपना नाम अंकित करवाने की ज़िम्मेदारी से वे कैसे बच सकते थे? हांगकांग के रेडियो व टेलीविज़न विभाग ने हज़ारों शादियाँ सम्पन्न करायी हैं जिनमें एक ऐसी भूतपूर्व विधवा का विवाह भी शामिल है जिसके कि नयी शादी के बिना ही सात बच्चे व अठारह नाती-पोते थे। और हाँ, अमेरिका के अनेक निजी संस्थानों ने प्रसव के समय माता के 'मातृत्व-अवकाश' के साथ-साथ पिताओं को भी 'पितृत्व-अवकाश' देना शुरू कर दिया है जो मेरी दृष्टि में सर्वथा उचित है। यदि पिता नहीं होता तो बच्चा कैसे होता? यदि महावीरप्रसाद द्विवेदी नहीं होते तो राष्ट्रकवि मैथिलीशरण जी सदा 'गुप्त' ही रहते, कभी 'प्रकट' नहीं होते। मैं रूस की थोड़ी-सी चर्चा फिर करूँगा। रूस में चूहों की जितनी रक्षा की जाती है, उसका पता हम सबको नहीं है। चूहा एक नितान्त समाजवादी प्राणी होता है। लड़कियों की भाँति चूहे भी चाँदनी रात में पिकनिक मनाते हैं और सामूहिक नृत्य करते हैं। अकेले मास्को नगर में ही लगभग दस लाख चूहे हैं जिनमें से अधिकांश स्तालिन की शासन-प्रणाली से एकदम असन्तुष्ट हैं। ज़्यादा चर्चा नहीं कर पाऊँगा क्योंकि मेरे और आपके पास समय की कमी है जबकि चूहों की संख्या कहीं ज़्यादा है। बहरहाल मैं आपको यह सलाह अवश्य दूँगा कि आप प्रिंस क्रोपोट्किन द्वारा लिखित 'दी म्यूचुअल एड' नामक उस

पुस्तक को अवश्य पढ़ें जो कि चार्ल्स डारविन की प्रख्यात पुस्तक 'दी ओरिजिन आफ़ स्पीशीज़' के जवाब में लिखी गयी थी। एक रूस है जहाँ चूहों की भी इतनी चिन्ता की जाती है और एक हमारा देश है जो स्त्रियों और निरीह बच्चियों तक की कोई चिन्ता नहीं करता।

पिछले वर्ष एक जिज्ञासु महानुभाव ने काफ़ी खोज के बाद यह सिद्ध कर दिखाया है कि अमेरिका के जितने भी राष्ट्रपति अब तक हुए हैं, उनकी सन्तान ज़्यादातर शराबी व निकम्मी निकली है। उनके काफ़ी पुत्र-रत्नों ने अपनी पत्नियों से तलाक लिया और बहुत से तो किसी न किसी दुर्घटना में ही मारे गये। भगवान की कितनी कृपा है कि मैं व आप—दोनों ही न तो अमेरिका के राष्ट्रपति ही हैं और न उनके पुत्र या शेष वंशज ही हैं। हमारे देश की जलवायु भिन्न है, यहाँ तो प्रजातन्त्र होते हुए भी वंशवृक्ष चलता है। कई प्रधानमन्त्री एक ही वंश के हुए और यही स्थिति कुछ मुख्यमन्त्रियों के साथ भी रही। इस दिशा में हम लोग इतने सतर्क हैं कि जब एक वयोवृद्ध नेता के पुत्र और पौत्र—दोनों चुनाव में पराजित हो गये तो एक महायज्ञ सम्पन्न किया गया जिस पर केवल दस लाख मुद्राएँ ख़र्च की गयीं। दो सौ ब्राह्मणों ने यज्ञ करवाया जिसके कारण वे ब्राह्मण-द्वय और भी मोटे हो गये। ब्रिटेन के एक नागरिक ने मकान की इल्लत को काफ़ी मौलिकता के साथ सुलझाया। वह एक आठ फ़ीट ऊँची शराब की कास्केट लाया, उसमें पानी, बिजली और टेलीफ़ोन की सुविधाएँ फ़िट की गयीं और इतना सब कुछ करने के बाद वह उसमें रहने लगा। कुल लागत एक हज़ार पाउण्ड आयी। हमारे देश में ऐसा किया जाता तो मुरारजी देसाई तो ज़रूर यही कहते कि ऐसी मदिरा की कास्केट में रहने से तो किसी मूत्रालय में रहना कहीं अच्छा रहता। बात भी ठीक है। यह देश तो भगवानों का देश है। एक करोड़पति भगवान जब चुनाव में खड़े हुए तो जनता से कहने लगे कि "भाइयो व बहिनो, मैं अब भगवान नहीं रहा। अब तो मैं आपका सेवक मात्र हूँ, और कुछ नहीं।" अख़बारों ने उन भूतपूर्व भगवान की विदेशी पत्नी और उनके भाई की तस्करी के क़िस्सों को तूल देकर छापा। कहते हैं इन सज्जन के पिता भी भगवान ही थे और वे मोर-मुकुट बाँधकर बाक़ायदा रासलीला किया करते थे। इसी सन्दर्भ में मुझे भगवान रजनीश की याद आनी स्वाभाविक थी। इतना अलौकिक व्यक्ति मात्र मधुमेह के कारण मृत्यु को प्राप्त हो गया। भगवान रजनीश इस देश के सबसे बड़े धर्म-विक्रेता थे। उन्होंने अपने जीवन में छः सौ पुस्तकें लिखीं जिनकी करोड़ों प्रतियाँ बिकीं। ओशो की भाँति थोड़ा-सा मधुमेह मुझे भी है। एक बार 'डायबिटिक कॉमा' भी हो चुका है जो अपने आप में एक विशिष्ट आध्यात्मिक अनुभव था। हो सकता है कि इस बार ऐसा हो कि शायद निर्वाण ही प्राप्त हो जाए। मेरे बाद भी अख़बारों में ऐसे ही दिलचस्प समाचार छपते रहेंगे मगर उनको आप तक पहुँचाने के लिए मैं नहीं रहूँगा। मुहब्बत करने वाले कम न होंगे, मगर

महफ़िल में उस दिन हम न होंगे। मैं तो पिछली बार भी जब अस्पताल गया था तो वापिस नहीं आना चाहता था। मेरे साथ लगायी गयी नर्स इतनी रूपवती थी कि उसे 'सिस्टर' कहने में संकोच होता था।

दिल्ली में पुलिस ने एक ऐसा प्रतिभाशाली परिवार पकड़ा है जो वेश्या-वृत्ति को घरेलू उद्योग की भाँति चलाता था। माँ और बाप—दोनों अपनी सगी पुत्रियों को पाँच सितारों वाले होटलों में ले जाते थे क्योंकि ऐसे शानदार होटलों में पुलिस कभी नहीं जाती। पुलिस-अधिकारी जाते हैं मगर उनकी बात अलग है। लड़कियों का सगा भाई इस धन्धे में स्वयं दलाली करता था। वह समझता था कि कुटीर व्यवसायों की वकालत तो गाँधीजी ने स्वयं की है और इस भाँति वह जो कुछ कर रहा है, वह ठीक ही कर रहा है। मेरे प्रिय लेखक खुशवन्तसिंह ने एक और खोज की है। उनके अनुसार पश्चिमी बंगाल के जो भद्र-पुरुष अपना उपनाम 'शिट' रखते हैं, वे लोग ऐसे हैं जिनके पूर्वज कभी बिहार में शिट् (अर्थात् टट्टी) उठाया करते थे। उन्होंने यह प्रश्न भी उठाया है कि अनेक दीक्षित ब्राह्मण ऐसे हैं जिन्हें अँग्रेज़ी में 'डिक्शिट' लिखा जाता है। अब बताइए कि इस मर्ज़ की दवा क्या है? मुख्यमन्त्री मुलायमसिंह यादव ने उत्तर प्रदेश में अँग्रेज़ी में काम करने पर जो पाबन्दी लगायी थी वह शायद ठीक ही थी। मैं उनके जीवन को लेकर 'मुलायम-जस-चन्द्रिका' लिखना चाहता था पर इसी बीच वे अभूतपूर्व मुख्यमन्त्री 'भूतपूर्व' हो गये। नाम में वे अवश्य मुलायम थे पर हकूमत करने के मामले में वे काफ़ी कठोर थे। अब नये मुख्यमन्त्री आये हैं। वे उत्तर प्रदेश का कितना कल्याण कर पाते हैं यह तो भविष्य ही बतायेगा, मैं बहरहाल उनको लेकर 'कल्याणचरित' ज़रूर लिखूँगा। देश की इस सेवा के बदले मैं और कुछ नहीं चाहता। हाँ इतना ज़रूर चाहता हूँ कि उनका हिन्दी-संस्थान भविष्य में जब अनुदान या पुरस्कार दे तो मेरा ख़याल ज़रूर रखे। हिन्दी तो सदा से दरबारी भाषा ही रही और यह सन्तोष की बात है कि इस पवित्र परम्परा को क्या सरकार और क्या साहित्यकार—दोनों अभी भी जीवित रखे हुए हैं। इधर लन्दन में उन दरबारी प्रेम-पत्रों की प्रदर्शनी हो रही है जो शाही परिवार के सदस्यों ने कभी लिखे थे। इन प्रेमपत्रों में वह 'प्रणय-पत्रिका' भी शामिल है जो कभी हेनरी अष्टम ने अपनी प्रियतमा एन बोलेन् को लिखी थी। इसी युवती को लेकर उस शक्तिशाली राजा ने पोप से नाता तोड़ा था और बाद में फाँसी जो दी थी वह भी इसी सुन्दर रानी को दी थी। पतियों को पत्नियों के प्रति ऐसा ही व्यवहार करना चाहिए ताकि वे पथभ्रष्ट न हो सकें। पुराने रूस में एक पवित्र प्रथा थी जिसके अनुसार शादी के अवसर पर वधू की विदाई के समय वर को एक चमड़े का कोड़ा भी दिया जाता था जो वधू को चरित्रवती रखने में सहायता देता था। प्रेमपत्रों की कोई प्रदर्शनी हमारे इस पुरातन देश में कभी नहीं लगायी जा सकती क्योंकि हमारे देशवासी—चाहे वे राजा हों चाहे रंक—प्रेम तो कसरत के साथ करते हैं पर प्रेमपत्र लिखने की ग़लती

कभी नहीं करते। हमारे यहाँ तो सारा धन्धा बग़ैर लिखा-पढ़ी के ही चलता है। भूल-चूक लेनी-देनी। शुभ लाभ।

पिछले दिनों एक प्रदेश के मन्त्री जी ने कहा था कि एक बाँध का निर्माण मात्र इस कारण रुका है क्योंकि लोगों की धारणा है कि वैसा करने से एक विशिष्ट जाति के बन्दरों का नाश हो जायेगा। मन्त्री जी ने स्थिति स्पष्ट करते हुए कहा था कि पहली बात तो यह है कि यह धारणा बेबुनियाद थी। यह विशिष्ट बन्दरों की जाति जिस ऊँचाई पर पायी जाती है, उतनी ऊँचाई तक बाँध कभी नहीं जायेगा। दूसरी बात मन्त्री जी ने यह कही थी कि बन्दरों को कुछ ख़तरा यदि पहुँचता भी है तो उसके कारण बाँध का निर्माण नहीं रुकना चाहिए क्योंकि मनुष्य जो है वह वानरों के ऊपर है। मैं माननीय मन्त्री जी के स्पष्टीकरण से एकदम असहमत हूँ क्योंकि डारविन के अनुसार बन्दर जो है वह मानव जाति का पूर्वज है। मैं तो वैसे भी हनुमान् जी का भक्त हूँ और मेरी निजी पत्नी के अनुसार मेरी शक्ल भी उनसे काफ़ी मिलती-जुलती है। मर्यादा पुरुषोत्तम राम को सीता जो फिर से प्राप्त हुई थीं वह वानरों की सहायता से ही हुई थीं। वैसे भी बन्दर जो है वह चुनाव के समय गुण्डागर्दी नहीं करता, साम्प्रदायिक दंगे नहीं करवाता और अपना धन विदेशी बैंकों में जमा नहीं करता। हमारे तो चन्द नेता लोग भी कभी बन्दरों जैसा ही व्यवहार करते हैं और वह भी सामान्य बन्दरों जैसा नहीं वरन् उन बन्दरों जैसा जो कि शराब के नशे में हैं, जिन्हें बिच्छू ने काट लिया है और इन दोनों बातों के साथ-साथ जिन पर कोई भूत भी चढ़ गया है। मर्कटस्य सुरापानं ततो वृश्चिकदंशनम्, तत्रापि प्रेतसंचारो यद्वा तद्वा भविष्यति। हमारे इन मन्त्री जी से तो बैंकाक के एक होटल का वह मालिक ही श्रेष्ठ है जो अपनी सालाना बैठक के शुभ अवसर पर बत्तीस हज़ार डालर ख़र्च करके वहाँ के बन्दरों को शाकाहारी डिनर खिलाता है। यह मेरा दुर्भाग्य है कि मैं इस उदारता का लाभ नहीं उठा सकता क्योंकि न तो मैं बैंकाक में हूँ और न मैं बन्दर ही हूँ।

'जोरू का गुलाम' हिन्दी में क्या कहा जाना चाहिए—यह बात फ़ादर कामिल बुल्के व डॉ. रघुवीर ने भी कहीं नहीं बतायी। मेरा ख़याल है कि उन्हें 'पत्नीदास' कहकर सम्बोधित करना चाहिए। ऐसा करने से वे अपने आप कालिदास, सूरदास, चण्डिदास, गोविन्ददास व बाबू श्यामसुन्दरदास के बराबर बैठ सकेंगे। बहरहाल पिछले दिनों जब जोरू के गुलामों का एक शानदार आयोजन नागपुर में सम्पन्न हुआ तो स्थिति यह रही कि 'स्त्री चेतना-संघर्ष-समिति' की कुछ स्वस्थ सदस्याएँ सीन पर प्रकट हो गयीं और अपने सगे पतियों पर सड़े हुए टमाटरों, अण्डों और सन्तरों की मदद से खुला आक्रमण करने लगीं। उन्होंने उत्सव के सभापति पर विशेष ध्यान दिया; उन्होंने उस ग़रीब को पकड़ा और उन्हें अपनी पुरानी चप्पलों का हार पहनाया। इसके बाद सभा जो थी वह विसर्जित हो गयी। बड़ी लड़ी मर्दानी

वह तो झाँसी वाली रानी थी। अब आप ही बताइए कि स्त्री 'अबला' होती है या कि 'बला'? मेरे विचार में वह दिन दूर नहीं है जबकि मेरे जैसे पतियों के गले में पट्टा पड़ा रहेगा जिस पर लिखा होगा कि 'यह आम रास्ता नहीं है' और कोठियों के बाहर बोर्ड पर लिखा रहेगा 'कि पत्नी से सावधान'! हम सब कुछ सहेंगे क्योंकि हम पत्नी के बिना नहीं रह सकते। अँग्रेज़ी के एक प्रसिद्ध लेखक ने एक बार कहा था कि हममें से प्रत्येक पुरुष के पास एक पत्नी होनी चाहिए और श्रेयस्कर तो यही होगा कि वह पत्नी हमारी अपनी ही हो। हमारे यहाँ तो भगवान का नाम लेते हुए भी उनकी पत्नी का नाम ही पहले लिया जाता है चाहे आप 'सीताराम' कहें और चाहे 'राधाकृष्ण' कहें। हमारी तो यह पुरातन प्रथा है कि स्त्री की ख़ूब पूजा करो और बाद में चलकर उसका जी भर कर शोषण करो।

इतनी बातें करने के बाद मैं अपने देश की सरकार पर आता हूँ और उसके तीनों अंगों की चर्चा करता हूँ। सबसे पहले वह अंग आता है जो जनता ने स्वयं चुना है और जो टैक्स लगाता है, सरकारी कोष से ख़र्चे की अनुमति प्रदान करता है और बाकी समय में क़ानून बनाता है। दूसरा अंग वह है जो रुपया एकत्रित करता है, उसे ख़र्च करता है, क़ानूनों को तोड़ता है या फिर क़ानून तोड़ने वालों को पकड़ता है। और अन्त में चलकर तीसरा अंग वह है जो क़ानून तोड़ने वालों को क़ानून के अनुसार दण्ड देता है या छोड़ता है। इन तीनों अंगों में से ज़्यादा महत्त्वपूर्ण अंग कौन-सा है—इसका फ़ैसला प्लेटो से लेकर हेराल्ड लास्की तक कोई नहीं कर पाया।

सबसे पहले व्यवस्थापिका आती है। लोग चुनाव कैसे जीतते हैं, इस सत्य को हम सभी भलीभाँति जानते हैं। पिछले चुनाव में एक बहुत रोमांचक घटना हुई जिसे 'इण्डिया टुडे' ने छापा। एक मतदाता ने अपने मत के साथ बीस रुपयों का एक नोट नत्थी किया था और लिखा था कि इस राशि में से 'पाँच-पाँच रुपये' महामहिम राष्ट्रपतिजी, प्रधानमन्त्री या मुख्यमन्त्रीजी तथा निर्वाचन-आयुक्त ले लें और उसका काम करवा दें। यह एक सच्ची बात है कि विधानसभाएँ और कभी-कभी तो देश की संसद तक के माननीय सदस्य सभा के भीतर नहीं जाते और जाते हैं तो सिर्फ़ सोने के लिए जाते हैं। जो लोग ज़्यादा जानकारी चाहते हैं वे कृपा करके 12.3.92 का अख़बार पढ़ लें। विधानसभाओं के अन्दर हल्ला होता है, हाथापाई होती है और कभी-कभी तो इससे भी ज़्यादा बड़े गुल खिलते हैं। एक प्रदेश में माननीय विधायकों ने महामहिम राज्यपाल का ऐसा घेराव सम्पन्न किया कि पहले तो उनकी टोपी गिरी और बाद में चलकर उन्हें कुर्सी छोड़नी पड़ी। व्यवस्थापिका के पास यह शक्ति है कि वह अपने सदस्यों का वेतन, भत्ता और शेष सुविधाएँ स्वयं ही बढ़ा सकती है जो कि कुछ असंगत-सा ही लगता है। 'कैनन्स आफ़ फ़ाइनेंशल प्रोप्रायटी' के अनुसार "कोई सक्षम शक्ति ऐसे ख़र्चे को कभी अपनी स्वीकृति नहीं दे सकती जो प्रत्यक्ष या अप्रत्यक्ष रूप से उसके अपने हित में जाता हो।" चुनाव के समय काफ़ी लोग

पिछड़ी जातियों, हरिजनों, आदिवासियों, अल्पसंख्यकों व स्त्रियों के हित की बात करते हैं जबकि उनकी सच्ची इच्छा मात्र चुनाव जीतने की ही होती है, और कुछ नहीं। कुर्सी पाने के बाद देश-प्रदेश के काफ़ी जनसेवक मात्र उन पाँच मकारों में दिलचस्पी रखते हैं जो कि वाममार्गियों के अनुसार मोक्ष देने वाले होते हैं। एते पंच मकाराः स्यु मोक्षदा हि युगे युगे। जो जिज्ञासु पाठक इस दिशा में कुछ ज़्यादा जानना चाहते हों वे महर्षि दयानन्द का 'सत्यार्थप्रकाश' पढ़ें जिससे बहुतों का भला होगा। इसी तरह विधायिका की सबसे बड़ी शक्ति होती है कर लगाना। हमारी सरकारें हैं जो विभिन्न बेहद ज़रूरी वस्तुओं के दाम वैसे ही बढ़ाने के प्रशासकीय आदेश जारी करती रहती हैं और वे भी ख़ास तौर से उन दिनों जबकि विधानसभा या संसद काम नहीं कर रही होती है। यह परम्परा डालना एकदम ग़लत और अनैतिक छद्म है जो प्रजातन्त्र के उन मूल सिद्धान्तों पर चोट करता है जिनके लिए इंग्लैण्ड की जनता ने अपने बादशाह चार्ल्स प्रथम को कभी फाँसी दी थी। और उस दिन का तो कहना ही क्या जिस दिन दो प्राणी बिना जनता के समर्थन के संसद पहुँच गये थे। लोकसभा में एक दर्शक गैलरी से लोकसभा के भीतर गिर गया था जबकि राज्यसभा में एक ऐसी बिल्ली घुस गयी थी जो सौभाग्य से काली नहीं थी। कुछ सदस्यों ने इस कृपा के लिए परमपिता को धन्यवाद दिया।

कार्यकारिणी की स्थिति यह है कि जितना भी कहा जाए वह कम है। कर्नाटक में तीस वर्षों की प्रतीक्षा के बाद एक शिक्षक को एक रुपया प्रति माह की पेंशन मिली है। मध्यप्रदेश में एक ऐसा लेटर बाक्स भीड़ के सामने खोला गया जिसका अस्तित्व डाक-विभाग तो एकदम भूल ही गया था। उस पत्र-पेटी में से हज़ारों वे चिट्ठियाँ निकलीं जो पिछले छह मास की अवधि में उसके भीतर डाली गयी थीं। इनमें न जाने कितने ग़रीब नवयुवकों की वे अर्ज़ियाँ भी थीं जो उन्होंने नौकरी पाने के लिए विभिन्न विभागों व संस्थानों को लिखी थीं और जिनके पहुँचने की अन्तिम तिथि कभी की निकल चुकी थी। सिविल सर्विस का यह हाल है कि उसका नाम फिर से आई.सी.एस. होता जा रहा है (हालाँकि इस बार उसका पूरा फ़ार्म 'इण्डियन सिविल सर्विस' न होकर 'इण्डियन कोराइडर सर्विस' है) क्योंकि न जाने कितने अधिकारी जनसेवकों से मिलने के लिए अपना काफ़ी वक़्त बरामदे में ही गुज़ारते हैं। और पुलिस का तो कहना ही क्या—जो हो जाए वह कम है। एक प्रदेश में राज्यपाल से मिलने के लिए आये एक सज्जन की जेब राज-भवन में ही कट गयी। देश की राजधानी से ही राजदूत अपहरण किये जाते हैं, वहाँ डकैती और हत्याएँ खुले आम सम्पन्न की जाती हैं और पुलिस है कि वह अपनी दिहाड़ी वसूल करती है और चुप रहती है। एक प्रदेश में पुलिस का इतना दबदबा है कि अपराधी लोग ज़मानत पर छूटना नहीं चाहते। वे अदालत से कुछ वर्षों की क़ैद पाना पसन्द करते हैं मगर थाने में मरने की उनकी कोई इच्छा नहीं है। एक राज्य के इन्स्पेक्टर-जनरल-पुलिस

ने यह आदेश जारी किया कि जिन-जिन सिपाहियों की कटि-रेखा बत्तीस इंच से ज़्यादा होगी, उनके विरुद्ध कार्रवाई की जायेगी। एक कांस्टेबुल ने आपत्ति उठायी है कि यह मात्र सिपाहियों के लिए ही क्यों है और अधिकारियों के साथ यह शर्त क्यों नहीं लगायी गयी? उस मूर्ख पुलिसकर्मी को इतना भी पता नहीं कि डाकुओं और आतंकवादियों के पीछे पुलिसमैन भागेंगे या कि कप्तान-पुलिस? अभी-अभी एक उर्दू कवि (कैफ़ी आज़मी) किसी सरकारी दफ़्तर में गये जहाँ कि एक अधिकारी ने उनके 'आटोग्राफ़' लिये। कवि ने बाद में अपने किसी आत्मीय को बताया कि यह पहला अवसर है जबकि सरकारी दफ़्तर जाने के बाद उन्होंने आत्महत्या करने की नहीं सोची। उनकी बात शत-प्रतिशत ठीक है। सच्ची बात यही है प्रजातन्त्र में जो 'तन्त्र' है वह 'प्रजा' से अधिक शक्तिशाली है। सच्चे तान्त्रिक वही हैं जो इस तन्त्र में हैं; ये जो तान्त्रिक नरबलि देते हैं और अमावस्या की रात्रि को श्मशान में सिद्धि करते हैं वे सब झूठे तान्त्रिक हैं। उन्हें कुछ नहीं आता-जाता।

न्यायपालिका का सम्मान बुरी तरह गिरता जा रहा है जिसके लिए काफ़ी हद तक न्यायपालिका स्वयं ही उत्तरदायी है। पहिले भ्रष्टाचार की बात केवल ज़िला-अदालतों तक ही सीमित थी मगर पिछले दो-तीन वर्षों में वह हो गया जिसकी कोई कल्पना भी नहीं कर सकता था। बम्बई के हाईकोर्ट से शुरुआत हुई और बोफ़ोर्स केस को सुनने वाले दिल्ली हाईकोर्ट के जस्टिस चावला ने उसे कस कर हवा दी। सुप्रीम कोर्ट ने उनके फ़ैसले को खलास किया जिससे उसकी इज़्ज़त बढ़ी। मगर इधर स्थिति यह हो गयी है कि स्वयं सुप्रीम कोर्ट के ही एक न्यायाधीश के ख़िलाफ़ 'जजेज़ इन्क्वायरी एक्ट' के तहत चार्जशीट दी जा चुकी है। आगे क्या होगा, कुछ नहीं कहा जा सकता। अभी-अभी सुप्रीम कोर्ट ने दहेज न लाने के कारण जलायी गयी एक वधू के तीन हत्यारों को उम्र-क़ैद की सज़ा दी है हालाँकि इस सज़ा के देने में अदालतों को कुल सत्तरह साल का समय लगा है। केरल में एक परिवार का पुत्र कुछ वर्ष पहिले एक सड़क दुर्घटना में मारा गया था। उसका कोई मुआवज़ा अभी तक उस मरने वाले के माता-पिता को नहीं मिला है मगर सबसे ज़्यादा दिलचस्प बात यह है कि एक अदालत ने मुआवज़ा न मिलने की अवधि तक वह मोटर मृतक के परिवार को ही सौंप दी है जिसके कारण उनके कुलदीपक को पंचत्व की प्राप्ति हुई थी। अब सवाल यह बचता है कि वे ग़रीब गाड़ी की देखभाल व सुरक्षा करें तो कैसे करें? मगर अदालत का हुक्म है, वह तो मानना ही पड़ेगा। अब अगर अदालतें अपनी मानहानि स्वयं ही करने लगें तो कोई क्या कर सकता है?

न्यायपालिका के सन्दर्भ में एक बात और कहना चाहूँगा। जस्टिस मेडन को हरियाणा के 'मेहम-काण्ड' की जाँच के लिए नियुक्त किया गया। उन्हें होटल में ठहराया गया जिसका ख़र्चा मात्र दस हज़ार रुपया प्रतिदिन था। चार महीनों की अवधि तक जज साहब को कोई ऐसी सुविधा प्रदान नहीं की गयी कि वे बेचारे

नोटिस तक जारी कर सकते। वे खुद होटल के एक सस्ते कक्ष में चले आये और जब देश की 'तथाकथित' सरकार ने उनकी शिकायतों पर ध्यान नहीं दिया तो बेचारे जस्टिस मेडन—जो अपने ही शब्दों में चिड़ियाघर में बन्द एक जानवर की ज़िन्दगी बिता रहे थे—अपनी पत्नी के साथ बम्बई वापिस लौट गये। एक और न्यायाधीश ने एक जाँच कमीशन की अध्यक्षता की और रिपोर्ट निश्चित अवधि के भीतर ही दी। मगर उनकी इस रिपोर्ट को प्रदेश की सरकार ने स्वीकार करने से इनकार कर दिया क्योंकि वह रिपोर्ट वैसी नहीं थी जैसी कि वह सरकार चाहती थी। अब क़ाबिले-ग़ौर जो मुद्दा है वह यह है कि ऐसी स्थिति में बड़ी अदालतों के जजों को जाँच कमीशनों की अध्यक्षता स्वीकार करनी चाहिए या नहीं? अब समय आ गया है कि न्यायपालिका अपने सम्मान की रक्षा स्वयं करे। यदि न्यायपालिका की मीनार भी गिर गयी तो प्रजातन्त्र का महल आकाश में कब तक टिकेगा? मैं जानता हूँ मैं एक छोटे मुँह से एक बड़ी बात कह रहा हूँ मगर यदि बड़े-बड़े मुँह ऐसी-ऐसी बातें कह रहे हैं जो एकदम छोटी हैं तो बड़ी-बड़ी बातों को कहने के लिए छोटे मुखों को ही खुलना पड़ेगा। इतिहास साक्षी है कि जितनी भी क्रान्तियाँ हुई वे छोटे-छोटे लोगों द्वारा ही की गयीं क्योंकि उनकी संख्या करोड़ों में थी।

आज़ादी मिले हुए हमें काफ़ी वर्ष हो गये। इतने वर्षों में युद्ध से एकदम टूटे हुए जापान ने आर्थिक उपलब्धियों के महान् मापदण्ड स्थापित कर लिए। मगर हमारा देश है जो अभी भी राजनीतिक व आर्थिक विपत्तियों के भँवर में बुरी तरह फँसा है। देश की छह समस्याएँ तो ऐसी हैं कि यदि समय रहते उन्हें न सुलझाया गया तो लगता है कि हम फिर गुलाम हो जाएँगे। आतंकवाद की समस्या सर्वप्रथम है। सदा के अमीर पंजाब में लोककथाओं का एक राक्षस है जो प्रतिदिन दस-बीस आदमियों की बलि माँगता है। पिछले कुछ वर्षों में हज़ारों निरपराध लोग आतंकवाद की वेदी पर बलि किये जा चुके हैं जिनमें न जाने कितने कर्मठ, कर्तव्यपरायण और बहादुर पुलिस अधिकारी व कर्मचारी भी शामिल हैं। आदमी सुबह घर से कारोबार के लिए निकलता है तो यही सोचकर निकलता है कि—शायद अब वह शाम को घर नहीं लौट पाएगा। कश्मीर व देश के पूर्वांचल में भी स्थिति बिगड़ती ही चली जा रही है। दूसरी बड़ी समस्या बढ़ती हुई जनसंख्या की है। देश ने प्रत्येक दिशा में प्रगति की, पर जनसंख्या की आशातीत वृद्धि ने सारी उपलब्धियों को पीछे छोड़ दिया। यह सन्तोष की बात है कि सरकार और संसद—दोनों ही इस दिशा में ठोस क़दम उठा रही हैं। राजस्थान के एक गाँव में देहात के लोग यह देखकर दंग रह गये कि कुएँ में से पानी कम और गर्भनिरोधक गोलियाँ ज़्यादा निकल रही थीं। जाँच-पड़ताल के बाद यह सत्य प्रकट हुआ कि यह सारी स्थिति परिवार-नियोजन विभाग के कुछ होनहार कर्मचारियों के प्रयत्नस्वरूप बनी थी। उन लोगों ने परिवार-नियोजन की काफ़ी दवा का स्टॉक उस कुएँ में डाल दिया था ताकि विभाग की प्रगति के सच्चे

आँकड़े समय पर उच्च अधिकारियों की सेवा में भेजे जा सकें। यह भी सम्भव है कि उन्होंने सोचा हो कि पानी में दवा डालने से सभी लोग जाने-अनजाने उसका फ़ायदा उठा लेंगे। सर्वे भवन्तु सुखिनः सर्वे सन्तु निरामयाः। ज़रा-सी सावधानी, उम्र भर की आसानी। संसद में एक दिन एक प्रतिभाशाली सांसद ने सुझाव दिया था कि जनसंख्या रोकने के लिए एक कमेटी गठित की जानी चाहिए और उसके सभापति व उपसभापति क्रमशः प्रधानमन्त्री व एक मुख्यमन्त्री होने चाहिए क्योंकि उनके अपने परिवार एकदम सीमित हैं। श्री नरसिंहाराव के शायद आठ और श्री लालूप्रसाद यादव के मात्र नौ ही बच्चे हैं। स्वास्थ्य मन्त्री का ठोस सुझाव यह था कि दो से अधिक बच्चों के पिता को मन्त्री नहीं बनाना चाहिए। देश की तीसरी समस्या है भ्रष्टाचार जिसका कोई अन्त नज़र नहीं आता। बड़े-बड़े लोगों पर सन्देह किया जाता है कि बोफ़ोर्स की तोपें व एक और विदेशी फर्म की एयर-बस ख़रीदने में करोड़ों की रिश्वत ली गयी। पंचवर्षीय योजनाओं पर अरबों-खरबों रुपये ख़र्च किये गये मगर उनका आधा हिस्सा स्थानीय विधायक, ज़िले के अधिकारी व गाँव के सरपंच खा गये जिसके कारण देश की प्रगति उतनी नहीं हुई जितनी कि अपेक्षित थी। चौथी समस्या फ़िज़ूलख़र्ची की है। मेरा यह निश्चित मत है कि देश के प्रशासन का ख़र्चा एकदम आधा किया जा सकता है पर इस दिशा में अब तक तो कोई ठोस क़दम उठाया ही नहीं गया। फ़िज़ूलख़र्ची के कारण ही सारे सार्वजनिक संस्थान भयंकर घाटे में जा रहे हैं। प्रजातन्त्र वैसे भी सबसे ज़्यादा महँगा शासनतन्त्र होता है मगर हमारे देश में तो स्थिति यह है कि एक-एक प्रदेश में सत्तर तक मन्त्री हैं और ऐसे मन्त्री हैं जिनके लिए न काम है और न बैठने की जगह। एक मुख्यमन्त्री का कहना है कि उनके राज्य के कुछ मन्त्री इतने योग्य हैं कि वे चपरासी तक भी नहीं बनाये जा सकते। प्रधानमन्त्री ख़ुद परेशान हैं क्योंकि उनकी प्रत्येक विदेश यात्रा के कारण एयर-इण्डिया को हर बार लगभग दस करोड़ रुपयों की हानि हुई। सरकारों के मन्त्री हैं जो मुग़लों की भाँति रहते हैं और जिनके ख़िलाफ़ लाखों रुपयों के तो ऐसे टेलीफ़ोनों के बिल पड़े हैं जिनका भुगतान अभी तक नहीं किया गया है। जिस नेता को जो कोठी मिल जाती है वह उसे कभी नहीं छोड़ता। मेरी सलाह में केन्द्रीय सरकार को इस दिशा में दो क़दम उठाने चाहिए। एक तो एक नया सेक्शन ताज़ीराते-हिन्द में जोड़ना चाहिए ताकि फ़िज़ूलख़र्ची के लिए भी दण्ड का प्रावधान किया जा सके। फ़िलहाल जो स्थिति है वह बहुत विचित्र है। सौ रुपयों का ग़बन करने पर ज़ाब्ते की कार्रवाई की जायेगी मगर दस लाख का नुक़सान करने के लिए ज़िम्मेदार अधिकारी के ख़िलाफ़ कुछ नहीं किया जायेगा। मेरी दूसरी सलाह यह है कि संसद का बजट-अधिवेशन अब समाप्त कर देना चाहिए क्योंकि उसकी अब कोई मान्यता नहीं रही। सरकार जब चाहती है, तब किसी चीज़ के दाम बढ़ा देती है। पाँचवीं समस्या निरन्तर बढ़ती जाने वाली महँगाई की है। अब वक़्त यह

आ गया है कि चाय के कप हर जगह छोटे हो गये हैं और लोगों ने एक-दूसरे को सिगरेट तक भेंट करना भी बन्द कर दिया है। सरकार कम-से-कम उन जागीरदारों पर तो आयकर लगा ही सकती है जिनकी बाग़-बहार ही लाखों रुपयों की बिकती है। अब यह कोई बात है कि मेरे क़स्बे के एक रईस के बाग़ों की बहार हर वर्ष लगभग पाँच लाख रुपयों में बिकती है और उन्हें एक पैसे का आय-कर नहीं देना पड़ता जब कि मेरा 'धर्मयुग' से यदि तीन सौ रुपयों का चेक आता है तो उसमें से सौ रुपये आय-कर देने में चले जाते हैं। महँगाई यदि इसी तरह बढ़ती गयी तो एक-दो वर्ष में ही नौबत यह आ जायेगी कि खाने के लिए लोग रोटी तो क्या, ज़हर तक नहीं ख़रीद सकेंगे और मुर्दा लोग जो हैं वे जलाने के बजाय पवित्र पुण्यसलिला भगवती भागीरथी (भवभूति) में बहा दिये जाया करेंगे। अन्तिम समस्या यह है कि देश में कोई विरोधी दल ऐसा नहीं है जो सूरज डूबने से पहले नयी सरकार बना सके। इस स्थिति के लिए सारी राजनीतिक पार्टियाँ बराबर ज़िम्मेदार हैं। चक्रवर्ती राजगोपालाचारी का कहना था कि विरोधी पार्टी की ग़ैरहाज़िरी में प्रजातन्त्र जो है वह तानाशाही से भी बदतर हो जाता है। नतीजा सामने है, काफ़ी विधवाएँ, बीमार और ईमानदार नागरिक कुत्ते की ज़िन्दगी जीना शुरू कर चुके हैं जब कि देश-प्रदेश की सरकारें फ़िल्मोत्सव मना रही हैं या सरकार अपने ख़र्चे में भारी बचत करने के लिए रेलवे-बोर्ड के सात सदस्यों में से एक को हटा रही है। कुत्ते का ज़िक्र क्या चला कि मुझे याद आ गया कि राजधानी में आजकल एक ऐसा प्रतापी कुत्ता पागल हो गया है जो लगभग एक सौ अठारह लोगों के शरीर को काट चुका है। सरकार है कि अभी तक उस कुत्ते को गिरफ़्तार नहीं कर सकी, मुनाफ़ाखोरों को तो वह क्या गिरफ़्तार करेगी। उचित तो यह होगा कि सरकार रेलवे-बोर्ड के उस हटाये गये सदस्य को दस हज़ार रुपये प्रतिमाह की पगार पर इस कुत्ते को पकड़ने के लिए फिर नियुक्त कर ले। ऐसा करने से कुत्ता भी मर जायेगा और लाठी भी नहीं टूटेगी।

मैं चाहता था कि पिछले एक वर्ष के दिलचस्प समाचारों का सतरंगा इन्द्रधनुष आपके सामने पेश करूँ मगर अपने देश की चर्चा चलते ही मैं उदास हो गया और 'इन्द्रधनु' भी अज्ञेय के शब्दों में 'रौंदे हुए से' हो गये। आप अपने दिल पर हाथ रखकर सोचिए कि जो आज का आज़ाद हिन्दुस्तान है क्या उसी के लिए खुदीराम बोस व भगतसिंह फाँसी पर चढ़ गये थे? क्या इसी के लिए महात्मा गाँधी ने अपनी बलि दी थी? क्या इसी के लिए जवाहरलाल नेहरू, बल्लभभाई पटेल व अबुलकलाम आज़ाद ने अपनी जवानी जेल के सीख़चों के पीछे गुज़ारी थी?

हक़ीक़त यह है कि प्रत्येक हास्य-लेखक अन्दर से एक उदास व्यक्ति होता है, ठीक उसी प्रकार जैसे कि व्यंग्य-लेखक एक असमर्थ व्यक्ति होता है। हास्य-लेखक आपके सामने इसलिए हँसता है कि वह कहीं आपके सामने रो न पड़े। वर्ष के प्रारम्भ में ओशो के पूना-आश्रम में लगभग पाँच हज़ार संन्यासी स्त्रियों ने बीस मिनट तक

अट्टहास किया था। आइए, हम भी साथ हँसें (चाहे वैसे हमारे पेट खाली ही हों) और उन्हें सलाम करें। कवि कहता है :

ख़याल कीजिए क्या काम आज मैंने किया
जब उसने मुझे दी गाली, सलाम मैंने किया,
हवस यह रह गयी, साहब ने कभी फिर न कहा
कि आज 'इंशा' गुलाम मैंने किया,
पूछा किसी ने मुझको उनसे कि कौन है ये
तो बोले हँस के 'यह भी है एक गुलाम मेरा',
दीवार फाँदने में देखोगे तुम कमाल मेरा
जब धम से आ के कहूँगा कि 'साहब सलाम मेरा'

(26.1.1992)

❑

रवीन्द्रनाथ त्यागी और अज्ञेय

1984, जम्मू

रवीन्द्रनाथ त्यागी और हरिशंकर
परसाई, 1980

भाद्रपद की साँझ
(1996)

'सरस्वती' सम्पादक
तथा
हिन्दी के महानतम निबन्धकार
स्वर्गीय श्री पदुमलाल पुन्नालाल बख़्शी
की
पुण्य स्मृति में

रवीन्द्रनाथ त्यागी ने न तो शुद्ध हास्य लिखा, न शुद्ध व्यंग्य और न शुद्ध ललित-निबन्ध। तीनों की मिली-जुली विशेषताओं को लेकर उन्होंने अपने खास रंग को शोख़ व चटख़ बनाया। उनके लेखन से जो आनन्द मिलता है, वह इधर के बहुत सारे लेखन से नहीं मिलता। जो लेखन एक 'ज्वॉय' दे, एक 'एक्सटेसी' दे, उसकी अहमियत से इनकार नहीं किया जा सकता। वैसे भी जितना वैविध्य रवीन्द्रनाथ त्यागी में है, उतना उनके समकालीन किसी भी व्यंग्यकार के पास नहीं है...

–डॉ. धनजय वर्मा

रवीन्द्रनाथ त्यागी को पढ़ना मुश्किल है क्योंकि बीच-बीच में हँसना पड़ता है। मुझे हँसते देखकर घर के सयाने बच्चे और विद्वान् अनुसंधित्सु मेरी हँसी उड़ाते हैं और पुस्तक को मेरे हाथ से छीनकर पढ़ने लगते हैं। जब वे भी हँसने लगते हैं तो मैं इस शून्यकाल का फ़ायदा उठाकर पुस्तक फिर पढ़ने लगता हूँ। त्यागीजी की भाषा नटखट, प्रभावशाली व सुखकारी है। मैं उनके साहित्य को व्यंजना-कौशल की बारीकियों की दृष्टि से 'व्यंग्य' कहता हूँ। उन्होंने साहित्य का गम्भीर अध्ययन किया है और बहुमुखी सन्दर्भशीलता भी उनके साहित्य में है। 'व्यंग्य' का मूलतत्त्व है भाषा में अभिव्यंजना की एक विशेष शक्ति पैदा करना। रवीन्द्रनाथ त्यागी तथा श्रीलाल शुक्ल के अतिरिक्त किसी और हिन्दी-व्यंग्यकार के पास अध्ययन-गर्भित प्रजातीय संस्कृति की भाषा-संश्लिष्टता और बहुविद्या के साथ-साथ शब्द-मुद्रा में विशेष प्रकार की ध्वनि उत्पन्न करते हुए कथन-काकु के द्वारा व्यंग्य उत्पन्न करने की क्षमता नहीं है...

–डॉ. शुकदेव सिंह

रवीन्द्रनाथ त्यागी का गद्य मुझे अच्छा ही नहीं वरन् बहुत अच्छा लगता है। उनके लेखन में व्यंग्य व लालित्य–दोनों हैं। उनके अनुभव का आयाम बहुत विस्तृत है। मैं तो चाहता हूँ कि इसी शैली में वे अपनी आत्मकथा लिखें...

–डॉ. कुबेरनाथ राय

धूप के धान

देहरादून सचमुच एक रूपवती नगरी है। यूँ तो यहाँ नीले पर्वतों की श्रेणियाँ हैं, गहरे हरे रंग के घने वनों से ढके क्षितिज हैं, पग-पग पर धोखा देनेवाली रंग-बिरंगी सड़कें हैं और धान के पीले-पीले खेतों से ढकी घाटियाँ हैं पर यहाँ का प्रमुख आकर्षण जो है वह यहाँ की वर्षा ही है। पण्डित जवाहरलाल नेहरू ने अपनी आत्मकथा में (जिसका काफ़ी भाग देहरादून की ज़िला-जेल में ही लिखा गया था) स्वीकार किया है कि देहरादून सचमुच वर्षा के राजा इन्द्र की सर्वप्रिय नगरी है। वर्षा की पवित्र ऋतु यहाँ प्रायः बारह महीने चलती है और फिर जो वर्ष का शेष भाग बचता है उसमें शेष सारी ऋतुएँ प्रकट होती हैं और काफ़ी ज़िम्मेदारी से अपना-अपना काम करती हैं। वर्षा जब शुरू होती है तो सचमुच बेहद सुन्दर लगती है और आपको 'बादल घिर आये' गीत की वेला आयी' जैसी मार्मिक पंक्तियाँ याद आने लगती हैं। मगर जब यही वर्षा ज़्यादा खिंच जाती है तो आपको अपने-आप पता लगने लगता है कि वर्षा के दिन को दुर्दिन क्यों कहते हैं। टेलीफ़ोन ख़राब हो जाता है, बिजली भाग जाती है और अख़बार और डाक का आना भी बन्द हो जाता है। प्रियाहीन न होते हुए भी मेरा मन डरने लगता है और मेघदूत को खड्ड की दिशा में फेंकने की पवित्र प्रवृत्ति फिर ज़ोर पकड़ने लगती है। वर्षा में मुझे सबसे ज़्यादा डर दीमक नामक उस छोटे-से कीड़े से लगता है जिसकी सन्तति 'चन्द्रकान्ता-सन्तति' से भी ज़्यादा होनहार होती है और जिसके दर्शन कर मुझ जैसे 'भूतनाथ' को भी अभूतपूर्व भय लगने लगता है। वैसे मैंने अपने जीवन में सदा ही प्रत्येक आकर्षक रमणी को एक तिलस्म ही समझा और मेरा यह विश्वास प्रायः ठीक ही निकला। रमणी शायद मुझे छोड़ दे पर मेरी किताबों को कभी नहीं छोड़ेगी।

वर्षा थमने के बाद धूप का निकलना प्रायः उतना ही निश्चित होता है जितना कि प्रत्येक कन्या का अपने विवाह के बाद गर्भवती होना होता है। बादलों के फटने पर जो धूप निकलती है वह उबटन लगी किसी गौरवर्णा युवती के अंगों की भाँति एकदम निखरी हुई होती है। धूप का यह जादू आपको न जाने कितने कवियों की वाणी को एक साथ याद दिलाने लगता है। पन्तजी ने ऐसी ही धूप में लेटने के बाद कहा होगा कि 'सोने के तार-सा खिंच गया है दिन' और गिरिजाकुमार माथुर ने जो 'धूप के धान' बोये या

काटे थे वे भी किसी ऐसे ही दिन बोये या काटे होंगे। 'धान' से प्रेम बाकी कवियों को भी रहा और 'धूप' से कहीं ज़्यादा रहा। 'सुजलां सुफलां मलयजशीतलां' कहने के बाद 'शस्य श्यामलां' कहनेवाले और आनन्दपूर्वक किसी मठ में बिराजनेवाले गर्दभ-स्तोत्र' के कवि बंकिमचन्द्र से लेकर 'स्वर्ण-शस्य अंचल धरती का लहराया' कहनेवाले 'निराला' तक और 'कनक-शस्य' के कवि नरेन्द्र शर्मा से लेकर "हम जिये न जिये दोस्त/तुम जिओ एक नौजवान की तरह/खेत में झूम रहे धान की तरह" लिखनेवाले केदारनाथ अग्रवाल जैसे सभी सौन्दर्यवादी कवि वर्षा में भी धान की दुकान के ही बाहर लाइन लगाकर खड़े रहे और भीगते रहे। हाँ, अज्ञेय ने एक बार अपनी एक प्रेयसी की तुलना ज़रूर बाजरे की कलगी से की और अपने एक गीत में 'निराला' ने भी मूँग और उड़द की चर्चा की। 'कनक कनक ते सौ गुनी' कहनेवाले बिहार के महाकवि बिहारीलाल ने अपना या अपनी प्रेयसी का स्तर कभी भी गेहूँ से नीचे नहीं आने दिया। ठाकुरप्रसाद सिंह ने "कचमच धूप, हवाएँ सन सन/आछी के वन" कहकर धूप का जितना बढ़िया ख़ाका खींचा उतना ही विचित्र वर्णन धूप का केदारनाथ अग्रवाल ने तब किया जब उन्होंने लिखा कि "धूप नहीं वह/बैठा है ख़रगोश पलँग पर/जिसको छूकर/ज्ञान हुआ मुझको/जीने का।" अब यह भी कोई बात हुई कि एक अदद ख़रगोश है जो पलँग पर बैठा है और कविजी हैं जो उसे देख-देखकर जल्दी-जल्दी कविता लिख रहे हैं क्योंकि ख़रगोश बड़ा पाजी जानवर होता है और इसका कुछ पता नहीं कि वह कवि की कविता को बीच में ही छोड़कर कब अन्तर्धान हो जाए। अरे ओ मेरे कवि बन्धु, पलँग पर बिठाना ही था तो किसी ऐसी काम की चीज़ को बिठाते जिससे कि पलँग की शोभा बढ़ती। ख़रगोश को वहाँ बिठाने पर तुम्हें या ख़रगोश को क्या मिला? तुमसे श्रेष्ठ तो देहरादून के वे होनहार कवि ही हैं जो बराबर बासमती 'चावल' पर ही कविता लिखते हैं और इसी कारण 'चावला' कहलाते हैं।

वर्षा के बाद धूप बिखर गयी। अब डाकिये की प्रतीक्षा करूँगा हालाँकि वह बिजली या टेलीफ़ोन (या दोनों) का बिल ही लायेगा, और कुछ नहीं। मेरे बरामदे में पर्वतों की नीली श्रेणियाँ अब फिर चमकेंगी। मित्र आयेंगे, विभिन्न साइज़ों की गप्पें मारी जायेंगी और 'निराला' की "बहुत दिनों बाद खुला आसमान, खुश हुआ जहान" पंक्तियोंवाली कविता फिर पढ़ी जायेगी। इसी कविता में आगे चलकर नयनों के बाण चलानेवाली चन्द हसीन ग्राम-बालाओं की चर्चा की गयी है और थोड़ा-सा वर्णन कुछ तगड़े-तगड़े पहलवानों' का भी किया गया है। शृंगार और पौरुष का जो अद्वितीय संगम 'निराला' के कृतित्व में है, वैसा शायद और कहीं नहीं है। और निरालाजी स्वयं भी तो एक पहलवान थे जिन्होंने एक बार पन्तजी को भी कुश्ती के लिए ललकारा था। 'कुश्ती' का पुल्लिंग 'कुश्ता' होता है। शहंशाह शाहजहाँ की मृत्यु जो हुई थी वह कुश्ता खाने के कारण ही हुई थी। उसकी प्रिय बेग़म मुमताजमहल चौदह वर्ष तक लगातार गर्भवती रही थी।

इस दमकती हुई धूप को देखकर मुझे मेघदूत की यक्षिणी की याद फिर सताने लगी जिसके रूप का वर्णन कालिदास ने "तन्वी, श्यामा शिखरदशना, पक्वबिम्बाधरोष्ठी" कहकर शुरू किया। इस पंक्ति में जो 'श्यामा' शब्द है उसका सही अर्थ जानने में मेरी आधी उम्र निकल गयी। 'श्यामा' का प्रत्यक्ष अर्थ 'साँवली' या 'कृष्णवर्णा' हो सकता था पर कालिदास जैसा रससिद्ध कवि अपनी प्रिय नायिका को उस रूप में कैसे देख सकता था? उसे क्या गौरवर्णा रमणियों की कोई कमी थी? मैंने राजा लक्ष्मणसिंह से लेकर बाबू श्यामसुन्दर दास (बी ए) तक जितने भी बड़े-बड़े विद्वानों के अनुवाद हैं, वे सब देखे। सबमें से 'श्यामा' शब्द का सही अर्थ कोई भी पण्डित नहीं जानता था। कुछ ने तो 'श्यामा' का अनुवाद 'श्यामा' ही किया है और कुछ मतिमान् लोगों ने अपने अनुवाद में 'श्यामा' का ज़िक्र ही नहीं किया है। बहुत दिनों बाद मैत्रेयी देवी की 'टैगोर बाई फ़ायरसाइड' नामक श्रेष्ठ पोथी पढ़ने को प्राप्त हुई और उसमें रवीन्द्रनाथ ठाकुर की वाणी पढ़ने को मिली जिसमें यह बताया गया है कि संस्कृत में 'श्यामा' का अर्थ उस स्त्री से है जिसका कि रंग उस स्वर्ण की भाँति दमकता है जो कि प्रज्वलित अग्नि में पिघलाया जा रहा हो। इसी प्रकार गीता के अठारहवें अध्याय के चौदहवें श्लोक में 'दैव' शब्द का प्रयोग किया गया है। इस शब्द का भी सही अर्थ जानने के लिए मैं बहुत भटका मगर सब दिशाओं में निराशा ही हाथ लगी। अन्त में चलकर मैं लोकमान्य तिलक की प्रख्यात पुस्तक गीता-रहस्य की शरण में गया मगर मैंने पाया कि तिलक जैसे महान् ज्ञानी पुरुष ने भी 'दैव' का अर्थ 'दैव' ही लिखा है और कुछ नहीं। (मेरे पास इस पुस्तक का सप्तम संस्करण है जिसके प्रारम्भ में बताया गया है कि लोकमान्य तिलक के पुत्रों के साथ कोई भयंकर मुकद्दमेबाज़ी चली थी जिसके फलस्वरूप इन पुत्रों में से एक ज्ञानी पुत्र ने आत्महत्या कर ली थी। पिता द्वारा किये गीता के भाष्य का पुत्रों पर ऐसा तात्कालिक प्रभाव पड़ेगा, यह कोई नहीं जानता था।) मिस्र की महारानी क्लियोपेट्रा भी दमकते स्वर्ण जैसा ही वर्ण रखती थी। यदि वह वैसी न होती तो आप ही बताइए कि वह पवित्र रमणी अपने छोटे-से क्षणभंगुर जीवनकाल में दस हज़ार प्रेमियों की हम-बिस्तर कैसे हो सकती थी? इतिहासकारों का कहना है कि क्लियोपेट्रा की नाक यदि कुछ और लम्बी होती तो विश्व का इतिहास कुछ और ही होता। इस सम्राज्ञी के उन दस हज़ार प्रेमियों में रोम का महान् सम्राट् जूलियस सीज़र भी बाक़ायदा शामिल था। विलियम शेक्सपियर ने इस सारी घटना का अत्यन्त संक्षिप्त वर्णन करते हुए मात्र इतना ही लिखा है कि "क्लियोपेट्रा सीज़र को तलवार से हटाकर पलँग तक ले गयी।" इस परम पवित्र घटना के समय सम्राट् जूलियस सीज़र क्लियोपेट्रा से उम्र में मात्र तीस वर्ष बड़ा था। बारह वर्ष की आयु में ही अपना कौमार्य भंग करवानेवाली रूपसी क्लियोपेट्रा मात्र इक्कीस वर्ष की कन्या थी और जूलियस सीज़र इक्यावन वर्ष का अधेड़ था। सादा जीवन, उच्च विचार।

अब मैं क्लियोपेट्रा को सम्राट् जूलियस सीज़र के हवाले करता हूँ और फिर उसी

धूप को कसकर पकड़ता हूँ जिसे मैंने किसी भूतपूर्व प्रेमिका की भाँति बीच में ही छोड़ दिया था। जैसे देश में उपराष्ट्रपति व उपराष्ट्रकवि होते हैं, ठीक उसी प्रकार मेरे बँगले में एक उपवन है। धूप निकलने पर उसमें विचरण करने में जो सुख मिलता है वह मुझे कभी अपने किसी उप-पत्नी के साथ भी नहीं मिला। इस वाटिका में मालती की लता है, केले के गाछ की छटा है और शेष जो विभिन्न प्रकार के वृक्ष या उपवृक्ष हैं, उनकी भी घटा है। यूकलिप्टस, चीड़, सिल्वर ओक, पापलर जैसे पहाड़ी वृक्षों के साथ-साथ शीशम, आम, जामुन, अमरूद, लीची, नाशपाती और अनार जैसे मैदानी वृक्ष भी ख़ुशी-ख़ुशी खड़े हैं और कलावती नाम की कन्या की भाँति यौवन को प्राप्त कर रहे है। देहरादून की जलवायु ऐसी है कि यहाँ फलवाले वृक्षों पर भी फल कम और पत्ते ज़्यादा आते हैं। एक बड़ा वृक्ष 'फ़जरी' आम का है हालाँकि हम सब लोग उसे 'लँगड़ा' आम ही कहते हैं क्योंकि इसके ऊपर चढ़कर चोरी से आम तोड़ने की प्रक्रिया में आसपास के कई सम्भ्रान्त किशोर लँगड़े हो चुके हैं। पारसी थियेटर के बादशाह आग़ा हश्र कश्मीरी को उनके एक शरारती मित्र ने एक बार 'बनारस का लँगड़ा' कह दिया था क्योंकि आग़ा साहब बनारस के ही थे और वे थोड़े-से लँगड़े भी थे। बनारस का शहर सदियों से राँड, साँड, सीढ़ी, संन्यासी, लँगड़ा आम, साड़ियाँ और ज़र्दे के लिए मशहूर रहा। बाद में चलकर यह नगर भारतेन्दु हरिश्चन्द्र, देवकीनन्दन खत्री, मुंशी प्रेमचन्द, बाबू श्यामसुन्दरदास, जयशंकर 'प्रसाद', रामचन्द्र शुक्ल व आचार्य हजारीप्रसाद द्विवेदी के कारण भी प्रसिद्ध रहा पर ये सारे विद्वान् भी वहाँ के साँड और जर्दे वग़ैरह का स्तर नहीं छू पाये। सारे 'उत्तरप्रदेश' में 'बनारस' व 'हाथरस' के अतिरिक्त और कोई 'सरस' नगर है ही नहीं। बाकी सब नगर तो मात्र 'नीरस' हैं। बिसमिल्ला ख़ाँ की वह शहनाई और हाथरस की वह 'खुरचन' और कहीं मिलेगी?

उपवन में भ्रमण करने के पश्चात् मैंने उस मिस्त्री को तलब किया जिसने लगभग मात्र दस वर्ष पूर्व मेरा यह बँगला बनाया था जो प्रत्येक वर्षा में काफ़ी बेतकल्लुफ़ी के साथ चूता है। मिस्त्री साहिब तशरीफ़ लाये और अन्दर और बाहर का मुकम्मल मुआयना करने के बाद कॉफ़ी और सिगार पीते हुए कहने लगे कि बँगले के चूने का एकमात्र कारण यह है कि बँगला अभी नया है और यह इसी कारण चूता है। मैं इन मिस्त्री महोदय को भलीभाँति जानता हूँ और मुझे पता है कि पाँच वर्ष बाद ये अपना मौजूदा अन्दाज़ बदल देंगे और कहा करेंगे कि अब बँगला इस कारण चूता है क्योंकि अब यह पुराना होने लगा है। आदमी बड़े दिलचस्प हैं। एक दफ़ा मैंने इनकी कुशलता के बारे में कुछ संशय प्रकट किया तो कहने लगे कि आगरे का 'मक़बरा ताजमहल' और बम्बई का 'होटल ताजमहल' इन्हीं के बुज़ुर्गों ने एक साथ ही बनाया था। मैंने इनकी वाणी श्रवण की और फिर मैं प्रसिद्ध इतिहासकार पुरुषोत्तम नागेश ओक को याद करने लगा जिनकी खोज के अनुसार उपर्युक्त दो इमारतों के अलावा दिल्ली की कुतुब मीनार और लाल क़िला और कलकत्ता के फ़ोर्ट विलियम व विक्टोरिया

मैमोरियल इत्यादि जितनी भी महान् इमारतें हैं वे सब कभी हिन्दू सम्राटों के प्रासाद होते थे जिनके साथ विदेशी शासकों ने खुलेआम बलात्कार किया। मैं मिस्त्री महोदय से विदा लेता हूँ और अशोक और गुलमुहर के वृक्षों पर एक या दो अदद दृष्टिपात करता हूँ। प्राचीन काल में अशोक के वृक्ष पर यदि कोई रूपवती रमणी पदाघात करती थी तो वह फूलों से लद जाता था। एक यह मेरे लॉन पर लगे अशोक के वृक्ष हैं जिन पर कसकर पदाघात करने में कई सुन्दरियों के चरण और अशोक के वृक्ष ये दोनों तो टूट गये पर फूल फिर भी नहीं खिले। सरल भाषा में मुझे तो 'अशोक' ने 'शोक' ही दिया और कुछ नहीं। और मेरा यह गुलमुहर भी बड़ा भाग्यहीन है। एक वह गुलमुहर होता था जिसके बारे में कभी बच्चनजी ने यह सूचना दी थी कि "सुधियों में संचित साँझ कि जब/रतनारी प्यारी साड़ी में/तुम मिलीं प्रिये गुलमुहर तले" और एक यह मेरा अभागा गुलमुहर है जिसके नीचे मुझे अपनी पत्नी के अतिरिक्त और कोई देवी या महादेवी कभी नहीं मिली।

वर्षा तो बन्द हो गयी पर भूमि अभी गीली ही है। "उदित अगस्त पन्थ जल सोखा" वाली स्थिति अभी नहीं आयी और इसी कारण इस गुलमुहर को श्राप देते-देते मैं फिसलने लगा। यदि ये अमलतास व रबर के वृक्ष पकड़ने को न होते तो मैं निश्चयपूर्वक इस समय सर्वांग-आसन करता हुआ मिलता। ग्वाल कवि का नायक भी अपनी नायिका के साथ यही योगासन किया करता था। रीतिकाल भी क्या महाकाल था जिसने न जाने कितने दिग्गज विद्वानों और दिग्विजयी नायकों को सदा के लिए भस्म कर दिया। मुझे अश्लीलता से जो विरक्ति हुई वह हिन्दी के रीतिकाव्य को पढ़कर ही हुई। शृंगार रस से ज़रूर थोड़ी-बहुत अनुरक्ति है मगर उसका मूल कारण प्रभु के प्रति मेरी भक्ति-भावना ही है जो कि भागवत्, सूरदास, विद्यापति, जयदेव व बाँग्ला के वैष्णव भक्त-कवियों की वाणी सेवन करने के कारण दिन-प्रतिदिन बढ़ती ही जा रही है। 'प्रेमयोग' तो 'भक्तियोग' का ही दूसरा रूप है—भगवान रजनीश की यह वाणी एकदम सच है। मीरा व चैतन्य महाप्रभु इसके जीते-जागते प्रमाण हैं। "ढाई आखर प्रेम का, पढ़े सो पण्डित होय।" (कबीर)

वर्षा हटने के कुछ दुख भी हैं। मेरे सामने एक हाईकोर्ट के अवकाशप्राप्त जज रहते हैं जो कभी इण्डियन सिविल सर्विस के सदस्य थे। उनकी प्रिय पत्नी एक अँग्रेज़ महिला हैं जो मुल्क के आज़ाद होने के इतने वर्ष बाद भी अपने इस देसी पति को एक 'नेटिव' ही मानती हैं, और कुछ नहीं। जज साहिब की सारी हरकतें मुझे पसन्द हैं मगर वे जो प्रत्येक शाम को मेरे पास बैठक ज़माने आ जाते हैं, वह मुझे प्रायः खलता है। आदमी बढ़िया हैं और हमेशा सच ही बोलते हैं, सच के सिवा कभी भी कुछ नहीं बोलते। एक दिन बता रहे थे कि जो आई.सी.एस. अफ़सर प्रत्येक दृष्टि से नाकारा होते थे, हकूमते-बरतानिया सिर्फ़ उन्हें ही न्यायपालिका में भेजती थी, सबको नहीं। मेरे साथ लगातार पाँच वर्ष बैठने के बाद अब उनकी साहित्य में इतनी गति

अवश्य हो गयी है कि अब वे उपन्यास और नाटक के बीच जो अन्तर होता है, उसे भलीभाँति समझने लगे हैं। वर्षा के चले जाने के बाद अब उनका आवागमन फिर शुरू हो जायेगा और मेरी शाम अब फिर खलास होने लगेगी। मच्छरों की जनसंख्या भी अब बढ़ेगी क्योंकि अभी तक वे निरोध का प्रयोग नहीं करते। संख्या का बढ़ना सांख्य-दर्शन के भीतर आता है, योजना कमीशन के क्षेत्र के भीतर नहीं। मेरे पड़ोस में दो भद्र पुरुष निवास करते हैं जो पहले किसी राजवंश के उत्तराधिकारी होते थे। इन भूतपूर्व राजपुत्रों में से एक को गाय पालने का शौक़ है और दूसरे को कुत्ते पालने का। एक प्राचीन संस्कृति के भक्त हैं तो दूसरे नये फ़ैशन के अनुयायी हैं। एक की धेनु दिन-भर नंगी रहती है तो दूसरे की पत्नी सारा दिन अधनंगी रहती है। वर्षा बन्द होने के कारण राजवंश की ये धेनुएँ फिर से मेरे ही गेट के सामने गोबर किया करेंगी। दूध राजपुत्र के लिए और सुनहरा गोबर मुझ साहित्यकार के लिए। भूल-चूक लेनी-देनी। मेरी पत्नी अब मुझे फिर से दिन में तीन बार बाज़ार भेजना शुरू करेगी। बाज़ार पैदल ही जाना पड़ेगा क्योंकि वह एक ऐसी जगह स्थित है जो न तो दूर ही है और न उतना पास ही है। रिटायर होने से पहले मैं भारत सरकार का एक उच्च अधिकारी होता था और अब मैं अपनी पत्नी का मात्र एक चपरासी ही हूँ। पहले एक हाथ में कलम रहता था और दूसरे हाथ में या तो टेलीफ़ोन का रिसीवर या सुन्दर स्टेनोग्राफ़र का गौरवर्ण कपोल विश्राम करता था। अब एक हाथ में सब्ज़ियों से भरा थैला रहता है और दूसरे में इस्तरी किये गये कपड़ों का बण्डल। भगवान यदि मुझे सहस्रबाहु भी बनाते तो भी मेरी प्रिय पत्नी मेरे किसी भी हाथ को कभी खाली नहीं रहने देती। और इतना भार उठाने के बावजूद वह सुमुखि मेरे प्रति कभी कोई आभार प्रकट नहीं करती। और तो और अब बरामदे के गमलों में पानी भी मुझे ही देना पड़ेगा। आवारा कुत्ते और गधे भी अपना विचरण अब फिर से शुरू कर देंगे। कुछ भुक्तभोगियों का कहना है कि कुत्ते के काटने पर आपको ठीक उसी साइज़ की सुई से इंजेक्शन दिये जाते हैं जिस साइज़ का वह कुत्ता था। एक पशु-विशेषज्ञ का कहना है कि पागल हमेशा कुत्ता ही होता है, कुतिया जो है वह कभी भी पागल नहीं होती। उसे अगली पीढ़ी के निर्माण में सदा इतना व्यस्त रहना पड़ता है कि पागल होने के लिए उसके पास समय ही नहीं बचता।

गधों की चर्चा ज़रा विस्तार में करूँगा। गधे का धैर्य, सन्तोष, क्षमाशीलता व श्रम करने की शक्ति देखकर मैं सचमुच हीन भावना से ग्रस्त हो जाता हूँ। सच्ची बात तो यह है कि जब भी मैं किसी ऐसे परमहंस व्यक्ति को देखता हूँ, जिसमें कि ऊपर बताये गये गुण होते हैं तो उसे भी मैं बिना किसी शर्त के गधा ही स्वीकार कर लेता हूँ। 'अज्ञेय' ने अपनी कविता में एक 'धैर्य-धन गदहे' की चर्चा की है। वैसे भी उन्होंने काफ़ी गधों को साहित्य में जमाया जिनमें से कुछ ने तो उन्हें एक या दो अदद दुलत्तियाँ भी मारीं। प्रयोगवाद में कलम से लेकर जूते तक—सब कुछ

चला। लोदी-वंश के संस्थापक बहलोल लोदी के पिता गधों के व्यापारी थे। मुल्ला नासिरुद्दीन ने बड़े-बड़े पद पाये पर सवारी उन्होंने हमेशा गधों की ही की। गधे की कुछ शक्तियाँ तो मात्र देखने ही लायक़ हैं, लिखने लायक़ नहीं। इन्हीं कारणों से संसार की प्रायः सभी भाषाओं में गधे को लेकर न जाने कितनी कहावतें गढ़ी गयीं। न वेश्या सती, न गदहा जती। तू तो गधी कुम्हार की, तुझे राम से क्या काम? कहने से कुम्हार कभी गधे पर नहीं चढ़ता। ऐसे गये, जैसे गधे के सिर से सींग। गर गधी के कान में कह दूँ कि हूँ तुझ पर फ़िदा, तो यकीं कामिल है कि वह खेत खाना छोड़ दे। जब ख़ुदा मेहरबान होता है, तो गधा पहलवान होता है। राबर्ट लुई स्टीवेंसन ने एक गधी पर बैठकर सारे यूरोप की यात्रा की थी। संस्कृत के एक सयाने कवि के अनुसार कुमारी गधी भी सोलह वर्ष की आयु प्राप्त कर लेने पर अप्सरा की ही भाँति आचरण करती है। "प्राप्ते तु षोडषे वर्षे, गर्दभीचाप्सरायते।" मेरे एक अप्सरावादी मित्र के अनुसार सच्ची स्थिति तो यह है कि सोलह वर्ष की कच्ची आयु में तो अप्सरा भी गधी जैसी ही नासमझ होती है। इनमें से सच्चा मत क्या होगा, यह मैं नहीं जानता। मैं तो अपना निश्चित निर्णय तभी दे सकता हूँ जबकि सोलह वर्ष की एक कुमारी गधी और उसी आयु की एक कुमारी (या विवाहिता या विधवा) अप्सरा मेरे पास किसी सरकिट-हाउस में कम-से-कम एक सप्ताह तक छोड़ी जाएँ। मैं सारी उम्र एक 'सिविल सर्वेण्ट' ही रहा हूँ और मैं तो जो कुछ भी करूँगा वह शास्त्रसम्मत ढंग से ही करूँगा। मैं 'गधा-पच्चीसी' में विश्वास नहीं रखता।

सच्ची बात यह है कि मैं जितना वर्षा से दुःखी था, ठीक उतना ही दुखी मैं 'सीढ़ियों पर धूप' में बैठकर हूँ। मैं शायद उन्हीं भाग्यशाली लोगों में से हूँ जो दुखी रहने में ही सुखी रहते हैं। फ़ारसी के महान् कवि 'हाफ़िज़' के शब्दों में, मैं भी बराबर यही सोचता रहता हूँ कि "जन्नत के खेतों में चाँदनी की फाँक-सी हँसिया/याद आती है फस्लों के बोते और काटते वक़्त/ऐ, मेरी किस्मत, सूरज के उगने के बाद भी/क्यों तू अब तक सोती ही रही?" लियूनिया में सत्ता पलट जाने के बाद करोड़ों रुपयों के करन्सी नोट अब बेकार हो गये हैं और उनका उपयोग अब 'टायलेट पेपर' के रूप में किया जा रहा है। नानक दुखिया सब संसार। अड़सठ वर्ष का जागीरसिंह–जो कभी हवाई जहाज़ से लेकर हजामत के ब्लेड तक सारी पौष्टिक चीज़ें नाश्ते में लिया करता था–आज अपना पेट भरने के लिए अपने मैडल बेच रहा है। मेरा दीवा एक नाम दुख बिच पाया तेल। मगर ऐ नौजवान लेखको, तुम हिम्मत मत हारो। गधे पर सवार जज साहिब को मेरा मग़ज़ खाने दो, क्लियोपेट्रा पर सवार सम्राट् जूलियस सीज़र को विश्व का इतिहास रौंदने दो पर तुम पुरुषार्थ का कोड़ा लेकर प्रारब्ध के टट्टू की सवारी गाँठना मत छोड़ो। देहरादून की घाटी में चाहे वर्षा का अँधेरा हो या धूप की मशाल जली हो–इससे मुझ पर भी कोई फ़र्क़ नहीं पड़ना चाहिए। कुछ भी हो, खेल चलते रहना चाहिए। दी शो मस्ट गो ऑन...

एक घरेलू बैंक

कोई भी आदमी अपने बचपन को कभी नहीं भूलता। जिल्द बाँधना, दोस्तों से उधार माँगना और जूते के नीचे मोटी कील लगवाना—ये सब शौक़ मेरे बचपन के ही हैं मगर अभी तक बदस्तूर चले आ रहे हैं। जूतों के नीचे कील लगे होने के कारण मेरे आने का पता लोगों को आधा घण्टे पहले ही लग जाता है और जूतों की एड़ियाँ भी घिसने से बच जाती हैं। जूतों में मोटी कील लगवाने के बावजूद मैं कभी नहीं फिसला। इसी तरह मेरा सबसे बड़ा शौक़ है बैंकों में खाता खोलना। बचपन में मैं सोचा करता था कि एक दिन आएगा जब मैं भी बैंकों में अपना रुपया जमा किया करूँगा। वह दिन भी आया और अभी तक नहीं ढला। मैं जिस नगर में भी नियुक्त रहा, मैंने वहीं के कई बैंकों में खाते खुलवाये और तबादला होने पर भी उन्हें कभी बन्द नहीं किया। जब मैंने एक आयकर-कमिश्नर को बताया कि मेरा धन स्विस बैंकों में तो नहीं है पर हाँ इस देश के प्रायः सभी बैंकों में है तो उन्होंने मुझे शक की निगाह से देखना शुरू किया। यह मैंने उन्हें कभी नहीं बताया कि किसी भी बैंक में मेरी राशि दस या पन्द्रह मुद्राओं से अधिक नहीं है क्योंकि आजकल इज़्ज़त उसी भद्र पुरुष की है जिसे पुलिस विभाग, आयकर विभाग और खुफ़िया पुलिस शक की निगाह से देखती है।

देहरादून में भी मेरे अनेक खाते हैं और हर बैंक में लगभग बीस या पच्चीस रुपये बाक़ायदा जमा हैं। इधर एक बैंक मेरी कोलोनी में भी खुल गया है और वहाँ भी मुझे खाता खोलना ही पड़ा है। बहरहाल यह बैंक एक ऐसा बैंक है जिसका ज़िक्र मुझे कुछ विस्तार में ही करना पड़ेगा।

मेरी कोलोनी का यह बैंक एक ऐसी इमारत में खुला है जहाँ पहले देसी दारू बिका करती थी और जहाँ जुए का एक अड्डा भी था। जुआ तो धर्मराज युधिष्ठिर भी खेलते थे और जुए का अड्डा तो मिर्ज़ा ग़ालिब तक अपने घर में चलाते थे जिसके कारण एक बार उन्हें जेल भी जाना पड़ा था। बहरहाल, इस ऐतिहासिक इमारत में बैंक खुलने के बाद भी दारू पी जाती है और पुरानी परम्परा को ध्यान में रखते हुए जुआ भी बदस्तूर खेला जाता है। हाँ पुराने ज़माने में ये पवित्र काम यदि

बाहर के लोग करते थे तो अब ये काम बैंक के कर्मचारी और मैनेजर स्वयं करते हैं और वह भी बैंक के ही पैसे से करते हैं, अपने पैसे से नहीं।

इस बैंक के मैनेजर एक सज्जन व स्नेही व्यक्ति हैं। प्रत्येक व्यक्ति को बैंक में पैसा जमा कराने पर बढ़िया चाय पिलाते हैं और यदि किसी व्यक्ति के पास पैसा नहीं होता तो उसका खाता अपनी जेब से पाँच या दस रुपया जमा करके ख़ुद खुलवाते हैं। इस कोलोनी में शायद कोई ऐसा व्यक्ति अब नहीं बचा है जिसका खाता उनके बैंक में न खुला हो। और बड़ी बात तो यह है कि आप जब चाहें तब अपने दस रुपयों के ख़िलाफ़ पन्द्रह रुपये निकाल सकते हैं। ओवर-ड्राफ़्ट की इतनी महान् सुविधा मैंने जीवन में कभी पहले नहीं देखी। यह शायद सच ही है कि ये विशिष्ट मैनेजर जिस किसी बैंक में रहे, उसका दिवाला ही निकला। दिवाला निकलने के बाद जो दूसरी चीज़ तुरन्त बाद बैंक के बाहर निकाली गयी—वह ये मैनेजर स्वयं थे।

बैंक की आर्थिक स्थिति को छोड़कर शेष स्थितियाँ एकदम मज़बूत हैं। कर्मचारी ज़रूरत से कम हैं और उनकी कुर्सियों में चार टाँगों के बजाय प्रायः तीन ही टाँगें पायी जाती हैं। चाय के प्याले टूटे हुए हैं और चौकीदार जो है उसके पास एक भारी-भरकम और नीलाम में ख़रीदी हुई पुरानी बन्दूक तो ज़रूर है पर उसमें कारतूस नहीं है। चिट्ठियाँ जो भेजी जाती हैं वे बैरंग भेजी जाती हैं। हाँ, अलबत्ता, स्थानीय चिट्ठियाँ चपरासी ख़ुद बाँटकर आता है। पहले उसके पास साइकिल भी थी मगर पगार न मिलने पर बैंक के मैनेजर ने उसे बेच दिया। एक नीच प्रकृतिवाले सज्जन मुझे बता रहे थे कि वह साइकिल वैसे भी चोरी की थी। यह बैंक पासबुक और चेकबुक भी नहीं देता। देश की भाँति यहाँ भी सारा काम निहायत ग़ैरपरम्परावादी ढंग से चलाया जाता है। जिस व्यक्ति की इमारत में बैंक काम करता है उसे किराया नहीं दिया जाता। वह जब इस सन्दर्भ में मैनेजर से मिलता है तभी उसे ऐसी चाय पिलायी जाती है कि उसे नींद आ जाती है और नींद टूटने पर उसे याद ही नहीं रहता कि वह बैंक आया था तो क्यों आया था। उसने मकान की मरम्मत और पुताई वग़ैरह कराना एकदम बन्द कर दिया है और अदालत जाने की धमकी भी दी है। बैंक के मैनेजर ने उसे सच्ची सलाह दी है कि यदि वे अदालत में गये तो बैंक कोई बीस वर्ष तक न तो किराया देगा और न इमारत ही छोड़ेगा। हाईकोर्ट में 'स्टे-ऑर्डर' मिलना इतना आसान है कि कुछ कहा ही नहीं जा सकता। और फिर क़ानून तो प्याज़ की तरह होता है जिसके एक छिलके के नीचे और छिलका होता है और बड़ी बात तो यह है कि देश में प्याज़ की कमी नहीं है। यदि एक प्याज़ ख़त्म हो जायेगी तो वकील लोग दूसरी प्याज़ अपनी काली जेब में से और निकाल लेंगे।

बैंक की आर्थिक स्थिति उस समय सचमुच विचित्र हो जाती है जबकि कोई ज़रूरतमन्द आदमी अपना रुपया निकालने वहाँ जाता है। पचास रुपयों की अदायगी के लिए भी बैंक के मैनेजर व बाबू लोग आपस में चन्दा करते हैं और कभी-कभी

तो चौकीदार से भी मदद माँगनी पड़ती है। देश में यह शायद अकेला बैंक है जहाँ आपके गाढ़े पसीने की कमाई सचमुच सुरक्षित है। ऐसे बैंक में कोई डाकू क्या करने आयेगा? पैसा जमा कराने आये तो वह दीगर बात ठहरी।

बैंक में लॉकर का भी माकूल इन्तज़ाम है हालाँकि लॉकर पाने के लिए आपको कुछ प्रतीक्षा अवश्य करनी पड़ती है। इस स्थिति का कारण यह है कि किसी लॉकर में मैनेजर के जूते रखे हुए होते हैं तो किसी में कैशियर का टिफिन-कैरियर रखा होता है। सुविधा के लिए कुछ ऐसा शानदार इन्तज़ाम किया गया है कि आप अपनी चाबी से कोई-सा भी लॉकर खोल सकते हैं। मैं एक शरीफ़ आदमी हूँ और इसी कारण दूसरों का लॉकर खोल तो लेता हूँ पर उसमें से कुछ उठाता नहीं। वैसे भी अभी तक मैंने जितने लॉकर खोले वे सबके सब खाली ही निकले। एक लॉकर में एक कुत्ते का पिल्ला ज़रूर निकला था पर मुर्दा कुत्ते पालने में मेरी कोई दिलचस्पी कभी नहीं रही। हाँ, अलबत्ता, एक बार एक लॉकर में किसी देवी की चोली ज़रूर निकली थी मगर चोली के पीछे कुछ हाथ नहीं लगा। वह चोली मैंने नहीं उठायी क्योंकि मेरी निजी पत्नी की चोली का साइज़ इस चोली से कहीं कम या कहीं ज़्यादा था।

इतना घरेलू बैंक मैंने जीवन में पहले कहीं और नहीं देखा। मैनेजर साहब रात को बैंक में ही सोते हैं और बैंक के बाबू लोग भी शाम को यहीं ट्यूशन पढ़ाते हैं। जिन मेज़ों पर सारे दिन रबर की मोहरें, वाउचर, रसीदें, बैंकों की गारण्टियाँ और विभिन्न प्रकार के दफ़्तरी काग़ज़ पड़े रहते हैं, उन पर रात को खाना खाया जाता है और फिर उन्हीं पर रात्रि को निद्रालाभ भी किया जाता है। मैनेजर साहब सुबह को कोई बारह बजे उठते हैं और बैंक जो है वह लगभग ग्यारह बजे से तत्परता के साथ काम करने लगता है। ग़रीब लोगों को क़र्ज़ देने की दिशा में भी ऐसा कोई और बैंक शायद ही हो। हाँ यह बात ज़रूर है कि अभी तक जो भी क़र्ज़े दिये गये हैं वे बैंक के मैनेजर व बैंक के बाबुओं को ही दिये गये हैं। बैंक के चौकीदार ने भी कर्जा लेकर एक भैंस ख़रीदी है जो लॉन पर घूमती रहती है और जब चौकीदार सोता है तो वही बेचारी बैंक की चौकीदारी भी करती है। बैंक के काग़ज़ों में भैंस को भी चौकीदार ही दिखाया गया है और उसकी पगार चौकीदार को ही दी जाती है। इस एहसान के बदले में भैंस का दूध बैंक के मैनेजर को मुफ़्त दिया जाता है और उसके बदले में मैनेजर साहब भैंस को हर छह महीने में एक इंक्रीमेण्ट देते हैं। बहरहाल, बैंक की यह भैंस, बैंक का चौकीदार और बैंक के मैनेजर सेहत के मामले में एक-दूसरे के समान ही लगते हैं। शक्ल-सूरत में भी कोई ख़ास फ़र्क़ नहीं है। भैंस पूरी नंगी रहती है जबकि चौकीदार व मैनेजर मात्र आधा ही नंगा रहते हैं। मैनेजर साहब की पत्नी—जो बैंक की पब्लिक रिलेशंस अधिकारी भी है—वह बहरहाल ज़रूर पूरी तरह कपड़ों से ढकी रहती है। मैंने उसे कभी नंगा नहीं देखा। हाँ यदि मैनेजर साहब ने उसे वैसी अवस्था में देखा हो तो दीगर बात ठहरी। वैसे स्त्री वह पतिव्रता

है क्योंकि प्रायः हर रोज़ ही वह किसी-न-किसी पति के लिए व्रत पर रहती है। वह मुझे जब भी बैंक में देखती है तो बहुत ही मीठी तरह मुस्कुराती है। उसकी इतनी मधुर मुस्कान पर मैं भी वैसा ही करने की कोशिश करता हूँ। हम दोनों के इन मुस्कानों-भरे क्षणों में मैनेजर साहब भी खुश दिखायी पड़ते हैं और वे भी उसी तरह मुस्कुराने लगते हैं। इसके बाद मैं पर्स निकालता हूँ और पचीस मुद्राएँ अपने खाते में और जमा कर देता हूँ। मेरा यह पूरा विश्वास है कि यदि 'बैंक ऑफ़ इंग्लैण्ड' का गवर्नर भी इस बैंक में कभी आये तो कुछ सीखकर ही जाए। मेरा विश्वास है कि ज़हीर कुरैशी ने नीचे लिखे अशार इन मैनेजर साहिब को ही देखकर लिखे थे:

हाथ में उसके नहीं जादू कोई
वो मुझे बातों में जादूगर लगा,
याद आया वो कमल का फूल है
जल में रहकर जल से जो ऊपर लगा,
मैं कभी उसको समझ पाया नहीं
वो कभी धरती, कभी अम्बर लगा

मन चलो निज निकेतने

वसन्त फिर आ गया। सेमले की बगिया अगिया लागी रही। अब होली उतनी दूर नहीं रही। होली का त्योहार मुझे बहुत प्रिय है क्योंकि इसमें कविता व हास्य-व्यंग्य, दोनों साथ-साथ अपने विशुद्ध रूप में फिर से प्रकट होते हैं। सब तरफ़ से अपने को सिमेटकर मैंने अपने प्रिय उन कवियों के संकलन अपनी लाइब्रेरी से निकाले हैं जिन्होंने नितान्त कलात्मक रूप में व्यंग्यपूर्ण कविताएँ लिखी हैं। सोचता हूँ कि जिन कविताओं ने मेरे मन के सितार को छेड़ दिया है, उन्हें आपको भी सुनाऊँ। इससे दो लाभ होंगे। एक तो बाँटने से मेरी खुशी चौगुनी होगी और दूसरे बिना किसी विशेष परिश्रम के अगली किताब के लिए एक लम्बा लेख और तैयार हो जायेगा। और सच्ची बात तो यह है कि मैं सबकुछ छोड़ सकता हूँ पर कविता को नहीं छोड़ सकता। कविता की पोथी पाते ही ऐसा लगता है कि गाँव की गोरी फिर से मैके में आ गयी। मन चलो निज निकेतने। अब चाहे मेघदूत हाथ लगे (आषाढस्य प्रथम दिवसे) या नौटंकी की किताब (तेरे ही जलवे से जग के कर्ता, ये बाग़े-आलम महक रहा है) इससे मुझे कोई फ़र्क़ नहीं पड़ता। कबीर, निराला, अज्ञेय तथा अन्य चुने हुए जिन प्रतिष्ठित, पेशेवर या ग़ैर-पेशेवर व्यंग्य-कवियों को मैं अपने पिछले निबन्धों में अमर कर चुका हूँ उनको मैंने यहाँ छोड़ दिया है। उनकी चुनी हुई रचनाओं से आपका मर्म यदि कुछ गर्म हुआ है तो मैं कहूँगा कि आप उनका बाकी माल सुनहले पर्दे पर देखिए।

नागार्जुन के बाद हिन्दी के जिस समर्थ कवि ने सबसे ज़्यादा श्रेष्ठ व्यंग्य-कविताएँ लिखी हैं उनका नाम है रघुवीर सहाय। वे इतने ज़्यादा प्रतिभाशाली साहित्यकार थे कि यदि वे पत्रकारिता के चक्कर में न पड़ते तो हिन्दी को और भी बहुत उत्कृष्ट कविताएँ और कहानियाँ दे जाते। मैं उनको बहुत पसन्द करता था क्योंकि मैं जब भी उनके दफ़्तर गया तो उन्होंने कुछ ग़ैरज़िम्मेदाराना बातें तो हमेशा कहीं पर बिना मिठाई खिलाये और कॉफ़ी पिलाये उन्होंने मुझे कभी वापस नहीं आने दिया। बहुत-बहुत पहले जब एक महत्त्वपूर्ण कथाकार ने प्रयाग में उन्हें अज्ञेय से भेंट करने भेजा था तो उन्होंने लौटकर रिपोर्ट दी थी कि "अज्ञेय ने मेरी मदद तो पूरी कर दी पर आदमी वह घटिया ही है, इसके अलावा और कुछ नहीं।" शायद बाद में उन्होंने

अज्ञेय को ही लेकर एक कविता में लिखा कि "उसने अपने से घटिया लोगों को मित्र बनाया और उन्हें पहले से भी घटिया होने का मन्त्र बताया।" बहरहाल, अब आप उनकी दो व्यंग्य-कविताएँ सुनिए और हो सके तो गुनिए :

निर्धन जनता का शोषण है
कह कर आप हँसे,
लोकतन्त्र का अन्तिम क्षण है
कह कर आप हँसे,
सब के सब हैं भ्रष्टाचारी
कह कर आप हँसे,
चारों ओर बड़ी लाचारी
कह कर आप हँसे,
कितने आप सुरक्षित होंगे
मैं सोचने लगा,
सहसा मुझे अकेला पा कर
फिर से आप हँसे

(रघुवीर सहाय)

बड़ी किसी को लुभा रही थी
चालिस के ऊपर की औरत,
घड़ी घड़ी खिलखिला रही थी
चालिस के ऊपर की औरत,
खड़ी अगर होती वह थक कर
चालिस के ऊपर की औरत,
तो वह मुझको सुन्दर लगती
चालिस के ऊपर की औरत,
ऐसे दया जगाती थी वह
चालिस के ऊपर की औरत,
वैसे काम जगाती शायद
चालिस के ऊपर की औरत

(रघुवीर सहाय)

वीरेन्द्र कुमार जैन हिन्दी के एक ऐसे साहित्यकार हैं जिनका समुचित मूल्यांकन अभी नहीं हो पाया। मैंने उन्हें जितना भी पढ़ा, मुझे वे अच्छे लगे। उनकी भाषा बड़ी प्रांजल, संश्लिष्ट व शक्तिशाली है। उनके काव्य-संग्रह 'शून्य पुरुष और वस्तुएँ' की भूमिका में हमारे कार्यवाहक राष्ट्रकवि 'दिनकर' ने शायद पहली बार बिना भावुक हुए उनकी प्रशंसा की थी और उनके उपर्युक्त ग्रन्थ को हिन्दी का परम श्रेष्ठ 'काव्य-ग्रन्थ'

स्वीकार किया था। 'आधुनिक जन' शीर्षक उनकी एक कविता इस प्रकार है :

ओ, आधुनिक जन
तुम्हारा यह आत्मपीड़ित एकाकीपन
कहूँ, कैसा है?

एक विजड़ित वीरान के छोर पर
डूबती सन्ध्या में
उभरती अँधियारी में
सर डुबोये तुम बैठे हो
पत्रहीन वीरान ठूँठ से
जिस पर मकड़ी ने भी अपना जाला
बाँधना नहीं चाहा
जिसे प्रेत भी अवसनीय जान कर
अभी अभी छोड़ गया...

असह है अपनी ही देह तुमको
असह अपना ही होना तुमको
तुम्हारी अपनी ही साँसें
आप अपनी फाँसियाँ बन गयी हैं
फिर भी चाहते से
अरे कोई तो, कोई तो हो—
गिद्ध ही सही, चमगादड़ ही सही
उल्लू ही सही—
जो तुम्हारी विजड़ित आत्मा के सन्नाटे पर
हिंसक पंख मार जाए,
फड़फड़ा जाए, हिला जाए तुम्हें,
बहा दे हृदय का जमा हुआ ख़ून तुम्हारा
बर्फ़ हो गयी आत्मा तुम्हारी...

अपने ही अहम् में कुण्डीकृत
इतने दयनीय, क़ैदी, परवश तुम
कि अपने आप हिल नहीं सकते,
गल नहीं सकते,
अपने को बहा नहीं सकते,

अपने को दे नहीं सकते

अरे! कोई गिद्ध भी नहीं, चमगादड़ भी नहीं,
उल्लू भी नहीं, प्रेत भी नहीं,
आता है पास तुम्हारे?
तो कोई पिशाच ही सही, शैतान ही सही,
टूट कर आये तुम पर—
और तुम्हें कँपा जाए—हिला जाए।
नोच-नोच कर लहूलुहान कर जाए :
तुम्हारे जमे हुए अँधियारे के अजगर का
ख़ून बहा जाए

कैसी जिघांसा तुम्हारी यह?
कैसा यह जीवित आत्मघात?
ओ आधुनिक जन
तुम्हारा यह आत्मपीड़ित एकाकीपन—

(वीरेन्द्र कुमार जैन)

'अश्क' जी ने 'विवादों के घेरे में' अज्ञेय का जो ख़ाका खींचा है, उसे देखते हुए ऊपर दी गयी कविता का शीर्षक 'अज्ञेय के प्रति' भी रखा जा सकता था। अज्ञेयजी भी इस शरारत से ख़ुश ही होते, नाराज़ नहीं। अश्कजी की चर्चा क्या चली कि मुझे अपने मित्र सुरेन्द्रपाल की याद आ गयी। एक पढ़ा-लिखा, संवेदनशील, परिश्रमी और यारवाश इंसान। हिन्दी शिक्षण योजना का मामूली मुलाज़िम और प्रूफ़ पढ़-पढ़कर गृहस्थी चलानेवाला 'चिर-ग्रामीण' साहित्यकार। सब कुछ ठीक चल रहा था कि एक दिन उसने बिना पूँजी का प्रकाशन खोल लिया और उस नाम से तीन अच्छी किताबें भी छाप लीं। बस इतना होता था कि कुछ पूँजीपति प्रकाशकों ने उससे घबराकर उसे एक के बाद एक परेशानी में डालना शुरू कर दिया। उन लक्ष्मी-पुत्रों ने साँस तभी ली जब उसे 'नर्वस ब्रेकडाउन' हो गया और आगे चलकर उसने आत्महत्या कर ली। मैं उन दिनों मेरठ में नियुक्त था जबकि दिल्ली से राजेन्द्र यादव का टेलीफ़ोन आया और उन्होंने मुझे बताया कि सुरेन्द्रपाल ने अपने ऊपर मिट्टी का तेल उँडेलकर दियासलाई खींच ली। उसकी एक कविता देता हूँ जिससे पता चलता है कि देश के न जाने कितने बुद्धिजीवी कैसी ज़िन्दगी जीते हैं। कविता इस प्रकार है :

सुनते हैं गंगाजी में एक नाव डूब गयी
शाम चौरास्ते पर मोटर-एक्सीडेण्ट हुआ

सेठ हीरालाल को पुलिस पकड़ ले गयी
कलुवा की बीवी के मरी हुई लड़की हुई
टामी ने बूढ़े मदारी को काट लिया
मेजर का नौकर चोरी कर के भाग लिया
गेहूँ का भाव बढ़ा
सोने का दाम गिरा
कल के अख़बार में ज़ोरदार लेख था
लेखक का कहना था—नेहरू डिक्टेटर हैं :
आज तो महीने की आख़िरी तारीख़ है
आटा कनस्तर में कल ही से ख़त्म है...

(सुरेन्द्रपाल)

यूँ तो हिन्दी में अपना-अपना बैण्ड बजाने का शौक़ सबको है पर सच्ची बात यही है कि प्रेमचन्द और जैनेन्द्रकुमार के बाद अगला महान् कथाकार मात्र फणीश्वरनाथ रेणु ही है, और कोई नहीं। यशपाल, अज्ञेय और मोहन राकेश वग़ैरह भी रेणु के बाद ही बैठते हैं, पहले नहीं। जो संवेदनशीलता, संगीत, मनुष्य के मन की परतों के पीछे छिपी पवित्रता को पकड़ने की शक्ति और अपनी अद्‌भुत पर अनायास लगनेवाली शैली रेणु के पास है वह उन्हें सबसे ऊँचा उठाकर ले जाती है। यह एक विचित्र संयोग है कि अपने जीवन में और अपने लेखन में भी रेणु एक ज़बर्दस्त हास्यप्रेमी रहे। 'आदिम रात्रि की महक' नामक कहानी-संग्रह में उनकी दो उत्कृष्ट हास्य-कथाएँ हैं जिनमें से एक का नाम है 'अतिथि-सत्कार' और दूसरी का नाम है 'ना जाने केहि वेष में'। उनकी एक और कथा है 'अग्नि-संचारक' जो अग्निखोर नामक कहानी-संग्रह में संगृहीत है। रेणुजी किसी रेलवे स्टेशन पर सर्दी से ठिठुर रहे हैं कि तभी एक कवि प्रकट होता है जिसका नाम है 'अग्निबोध', जिसकी पुस्तक का नाम है 'अग्नि-रथ' और जो एक कविता सुनाना शुरू करता है जिसका शीर्षक है 'अग्नि-निमन्त्रण'। उसकी कविता सुनते ही रेणुजी की ठण्ड भाग जाती है और थोड़ी देर बाद सब श्रोता-यात्रियों को पसीना आने लगता है। वह 'कालजयी' और 'शीतजयी' कविता आप सबके भले के लिए नीचे दी जाती है :

आओ, सभी बन्धुगण,
सादर निमन्त्रण है,
नहीं कोई बाधा, न कोई नियन्त्रण है,
शीताकुल जितने जीव, प्राणी शीतल,
काँप रहे हैं जीर्ण-शीर्ण दुलाई और,
तार तार उघरे कम्बल के नीचे,
सभी सुन लें, निमन्त्रण है, निमन्त्रण है...

युग के जमे हुए गोंयठे और भूसे राशि राशि
टूटी-फूटी और दरकी असंख्य आशाओं और
आकांक्षाओं के स्तूप, पुरानी-धुरानी संस्कृति
सभी को जमा कर लगा दो एक घूर
मैं इस घूर अर्थात् अलाव में
तुम्हारी पूँजीभूत क्रोधाग्नि की दियासलाई
लहका दूँगा... आओ, तापो, तापो
नवयुग की पहली आग

अजी ओ! ओ जी ओ!!
तुम्हीं से कह रहा हूँ कि
रोमाण्टिक लोर से भीगी और भुआई
अपनी दियासलाई की डिबिया
फेंको, फेंको, अब उसमें आग नहीं
एक बूँद चिनगारी तक नहीं
प्रतिगामी बारूद वाली तीलियाँ
किसी काम की नहीं। अतः
लाया हूँ तुम्हारे ही लिए ख़ासकर
कितनी बाधा, विपत्तियों को 'पास' कर
सीमा के उस पार से—
स्टेनलेस स्टील के विदेशी लाइटर
जिस पर किसी भी देश का 'मेक' दर्ज़ नहीं
झड़ी हो—बतास हो
वर्षा हो, बुन्नी हो, अथवा हो तूफ़ान!
जब जी चाहे, बटन दबाइए
नवयुग की नयी आग
एकदम उपजाइए...

(फणीश्वरनाथ 'रेणु')

विजयदेवनारायण साही इलाहाबाद युनिवर्सिटी में अँग्रेज़ी के एक कुशल प्रोफ़ेसर थे। उनका अध्ययन विशाल था और बाहर से बेहद गम्भीर लगने के बावजूद वे नितान्त मज़ाक़पसन्द और विनोदप्रिय व्यक्ति थे। वे एक शक्तिशाली साहित्यकार थे मगर दीर्घसूत्री होने के कारण वे पुस्तकों के प्रकाशन वग़ैरह की तरफ़ से विरक्त ही रहते थे। अपने जीवनकाल में उनका मात्र एक कविता-संग्रह ही भारती भण्डार

से छपा जिसका नाम 'मछलीघर' था। बाद में बिशन टण्डन ने भारतीय ज्ञानपीठ से एक और शानदार कविता-संग्रह छपाया जिसका नाम 'संवाद तुमसे' रखा गया। साही साहब कभी किसी वाद-विवाद में हर्गिज़ नहीं पड़ते थे मगर यदि खरी बात कहने की स्थिति अनिवार्य हो जाती थी तो वे किसी की भी परवाह नहीं करते थे। सुमित्रानन्दन पन्त की पुस्तक 'लोकायतन' की उन्होंने 'विवेचना' की गोष्ठी में कसकर निन्दा की और पन्तजी का अनन्य भक्त होते हुए भी मैं साही साहब के 'स्टैण्ड' से एकदम सहमत रहा। बहरहाल, बालकृष्ण राव के तमाम प्रयत्नों के बावजूद वह 'विवेचना' संस्था ही टूट गयी पर साही साहब ने अपनी राय के लिए कभी कोई खेद नहीं प्रकट किया। यह मेरा सौभाग्य रहा कि साही साहब मेरे गद्य की 'अप्रतिम शैली' के प्रशंसक रहे और मेरा हौसला सदा बढ़ाते रहे। इतने प्रतिभावान् व्यक्ति ने कुल अट्ठावन वर्ष की ही आयु पायी। उनकी एक कविता नीचे देता हूँ जो उनकी प्रतिभा का परिचय देती है:

जब जब हम इस वीरान सराय के
बाहर झाँकते हैं
इस घुमावदार पहाड़ी की सड़क पर
नीचे एक घुड़सवार आता दिखता है।
हमने तीस बरस से अधिक इसी इन्तज़ार में
काट दिये
कि घुड़सवार आ रहा है
आख़िरकार हमारे लिए सन्देश लेकर...
घुड़सवार की रफ़्तार बहुत तेज़ है
और उसकी बरछी पर लगी हुई लाल पताका
बहुत तेज़ी से फरफराती हुई
चमकती बिजली का आभास देती है
निश्चय ही जो सन्देश वह ला रहा है
बहुत आह्लादकारी होगा

सारी प्रतीक्षा के बावजूद
घुड़सवार पहुँचता नहीं
बस सड़क जहाँ निगाहों से
ओझल हो जाती है
वहीं आता दिखता है
हर बार

लेकिन वह घुड़सवार तीस बरसों से
सिर्फ़ आ रहा है
पहुँचता नहीं
सड़क जहाँ निगाहों से ओझल हो जाती है
वहीं आता दिखता है
हर बार

अब तो हमने अपनी वीरान सराय के लिए
यही पहचान मान ली है
लोगों से बताने के लिए
कि यहाँ चारों ओर सुनसान है
कभी कुछ घटित नहीं होता
लेकिन पहाड़ी के नीचे से
एक घुड़सवार आता दिखता है
रंग-बिरंगी पताका लहराता...

(विजयदेवनारायण साही)

साहित्य-समीक्षक डॉ. सत्यपाल चुघ मेरे मित्र होने के बावजूद एक स्तरीय कवि हैं। "कलम और जूतियाँ साथ-साथ घिसाना उनकी नियति रही है" जिसका मूल उद्देश्य सदा "स्वान्तः सुखाय, बहुजन दुखाय" ही रहा है। अभी तक मेरा परिचय मात्र उनकी कलम से ही रहा है, उनकी कृतियों का स्वाद अभी तक नहीं चख़ पाया। बहरहाल अब आप मेरी बग़ल में सटकर बैठिए और एक व्यंग्य-ग़ज़ल सुनिए :

पढ़ाना तुलसी हो या कबीर साहब
पीटनी पड़ती है लकीर साहब,
पददार तेज़ हों या अक्ल के दुश्मन
सुननी पड़ती बेबस तक़रीर साहब,
बाहर निकले कौन, ख़ूनी जब मौसम
पर घर में बेघर क्यों तक़दीर साहब,
कहने को हैं वे बहुत तरक़्क़ीपसन्द
पर टूटी कहाँ दिल की जंज़ीर साहब,
जिसने बुझते घरों को कर दिया रौशन
वही सच्चा मीर और अमीर साहब,
क्यों न मिलेगी हीर, राँझा न हो बेदम
यों फिरें भौरे कई दिलगीर साहब,
मानस के मोती ही, कंकर न चुगें 'चुघ'

पर रहे कम्बख़्त क्यों बेपीर साहब

(सत्यपाल चुघ)

ज़िला गोरखपुर के रहनेवाले (बस गया हूँ दोस्तो, दिल्ली शहर के बीच यों तो/घर मेरा अब भी वही, हाँ वही, गोरखपुर ज़िला है) डॉ. रामदरश मिश्र ने कुछ बहुत दिलकश और मर्म को चीरनेवाली ग़ज़लें भी लिखी हैं। उनकी एक बेहद प्रिय ग़ज़ल नीचे पेश करता हूँ :

बाज़ार को निकले हैं लोग बेचकर घर को
क्या हो गया है जाने आज मेरे शहर को,
कितने हैं मेहरबान यहाँ के बहेलिये
कहते हैं परिन्दों से 'उड़ो' काट के पर को,
गीला है कहीं सुबह की खुशियों का क़हक़हा
चुप चुप कोई रोया है रात पिछले पहर को,
चूल्हों में है बुझी हुई जलती है जिगर में
कैसी अजीब आग मिली ज़िन्दगी भर को,
ठहरी हुई है भीड़ एक ऊबती हुई
लगता है कोई रहनुमा निकला है सफ़र को,
चेहरों में कई चेहरे दिखायी मुझे देते
यह कौन-सी नज़र है लगी, मेरी नज़र को,
कहते हैं वे कि रुकिए नहीं, चलते जाइए
चलते तो हम हैं, चल के मगर जायें किधर को?

(रामदरश मिश्र)

जैसे बालकवि बैरागी कवि होने के साथ-साथ नेता भी थे, ठीक उसी प्रकार शैल चतुर्वेदी एक व्यंग्य-कवि होने के साथ-साथ अभिनेता भी हैं। इन दिनों वे एक दूरदर्शन-सीरियल में देश के सदाबहार और महान् अभिनेता अशोककुमार के साथ काम कर रहे हैं और काफ़ी वज़न रखनेवाली व्यंग्य-कविताएँ भी लिख रहे हैं। यदि शैल चतुर्वेदी की कविताएँ भी वज़नी न होंगी तो फिर किसकी होंगी? उनकी एक ताज़ी व्यंग्य-कविता नीचे प्रस्तुत करता हूँ :

बनवासी हर उमर सयानी
कौन लिखेगा रामकहानी,
मुखड़ा मुखड़ा एक मुखौटा
आखर आखर ग़लतबयानी,
मदिरा मदिरा घूँट किसी ने
कोई पुकारे पानी पानी,
हम हैं अपने मन के राजा

कोउ नृप होय हमहिं का हानी,
मन बंजारा, तन है साधू
समझेगा हमको कोई ज्ञानी
शब्द शब्द से अर्थ निकाला
अर्थ मिला तो अकल हिरानी,
दर्पन देखा, याद आ गयी
फिर कबिरा की बूढ़ी बानी,
हँसी बाँटते जीवन बीता
हमसे कौन बड़ा हैं दानी
अपना परिचय बस इतना-सा
हम तो हैं बस हिन्दुस्तानी,
हमने पूछा देश कहाँ है?
हँसकर बोले 'हम का जानी'

(शैल चतुर्वेदी)

अब मैं थोड़ी-सी चर्चा शमशेरबहादुर सिंह की करूँगा। मेरी तरह वे भी देहरादून के ही थे। मैं त्यागी हूँ वे जाट थे। पश्चिमी उत्तरप्रदेश में जाट, त्यागी व गन्ना—ये तीनों पदार्थ इफ़रात के साथ पाये जाते हैं। इधर के ज़िलों की जेलें त्यागी व जाट लोगों से हमेशा भरी रहती हैं। चौधरी चरणसिंह ठीक ही कहते थे कि जब प्रदेश के पैंसठ प्रतिशत अपराध इधर के ज़िलों में सम्पन्न किये जाते हैं तो प्रदेश के उच्च न्यायालय को तीर्थराज प्रयाग में स्थित होने का क्या हक़ है? पन्तजी व केदारनाथ अग्रवाल की भाँति शमशेर भी एक 'रंगधर्मी' कवि थे और उन्होंने काफ़ी समय तक चित्रकला की बाक़ायदा शिक्षा भी पायी थी। उनकी प्रारम्भिक कविताएँ पन्त व निराला से अत्यधिक प्रभावित हैं। बाद में उन्होंने अपनी अलग शैली बनायी और कम-से-कम शब्दों में ज़्यादा-से-ज़्यादा मर्म छूनेवाली एक अद्भुत दक्षता अर्जित की। वे प्रयोगवादी भी थे, प्रगतिवादी भी थे और सौन्दर्यवादी भी थे। उन्होंने 'पिकासो के चित्र देखने के बाद' या 'बाख़ का संगीत सुनने के बाद' जैसी कविताएँ लिखीं और इस शैली का उनके कुछ आत्मीय लोगों ने फूहड़ अनुकरण भी किया। मैं उनसे 1962 में पहली बार मिला। जैसे ओलिवर गोल्डस्मिथ ने अपने घर का नाम 'ब्रेक-नेक-स्टेप्स' रखा था, ठीक उसी तरह शमशेर के मकान के निचले तल्ले पर 'जस्ट-फ़िट' नाम की एक दर्ज़ी की दुकान थी। उनका कमरा बेतरतीब पड़ा था और पास ही एक कोठरी में जूठे बर्तन पड़े हुए थे जिन पर मक्खियाँ भिनभिना रही थीं। पहली ही मुलाक़ात में मुझे उनकी मुक्तता, स्नेह, बेतकल्लुफ़ी, लापरवाह ढंग से रहने व 'नम्र-अहंकार' रखने की प्रवृत्ति का पूरा-पूरा परिचय मिल गया। बाद में मैंने उन्हें अपना सर्वश्रेष्ठ कविता-संग्रह 'आदिम राग' समर्पित किया जो उन्हें प्रीतिकर

लगा। मैंने पाया कि वे कभी-कभी हद से ज़्यादा नम्र और विनयी हो उठते थे और कभी-कभी कुछ कवियों या कवयित्रियों की लिखित रूप में झूठी प्रशंसा भी कर दिया करते थे। बाद में मैं उनसे कई बार मिला और उन्होंने एक बार मुझसे मेघदूत सस्वर भी सुना। बाद में उन्होंने भावुक होकर प्रशंसा की और जब मैंने दरियाफ़्त किया कि प्रशंसा मेरे कण्ठ की की जा रही है या मेघदूत की, तो वे ठहाका लगाकर हँस पड़े। वे यारबाश, लतीफ़ों के शौक़ीन, भावुक व बाहर से कुछ असन्तुलित से व्यक्ति थे। दाढ़ी बनाना, साफ़ कपड़े पहनना, या जूते पालिश करना जैसी छोटी-छोटी बातें उन्हें तंग नहीं करती थीं। उन्होंने ठाकुरप्रसाद सिंह की, "सखि, कहाँ जाऊँ रे/मोको कहाँ ठाँउ रे" तथा सर्वेश्वर की "यह डूबी डूबी साँझ, उदासी का आलम/मैं बहुत अनमनी, चले नहीं जाना बालम" की तर्ज़ पर भी कविताएँ लिखीं और ऐसी कविताएँ भी लिखीं जो हिन्दी का कोई दूसरा कवि शायद लिख ही नहीं सकता। अब मैं आपको उनकी कुछ दिलचस्प व व्यंग्य-कविताएँ सुनाता हूँ। 'व्यंग्यं' में 'आत्म-व्यंग्य' सदा से शामिल होता आया।

(एक)

हृदय का परिवार काँपा अकस्मात्
भावनाओं में हुआ भूडोल सा,
पूछता है मौन का एकान्त हाथ
वक्ष छू, यह प्रश्न कैसा गोल सा?

(दो)

...और वह गुड्डा, वह बेबी, जो हरेक अंकल
हर अनजान आण्टी को यूँ ही लिपट जाता है दौड़कर
जो वात्स्यायन को
बग़ल से झाँककर सम्बोधन कर उठता—
मेरी जा ऽऽ न...

(तीन)

मैं उसके पाँवों का सिजदा न बन सका
क्योंकि मेरे झुकते न झुकते
उसके पाँवों की दिशा मेरी आँखों को लेकर
खो गयी थी
जब तुम मुझे मिले
एक खुला, फटा हुआ लिफ़ाफ़ा तुम्हारे हाथ आया

बहुत उसे उल्टा पुल्टा
उसमें कुछ न था...

(चार)
उसे ही क्यों न सँजोना?
उसी के क्यों न होना?
जो कि है
जो नहीं है
जैसे कि सुरुचि
उसका ग़म क्या?
वह नहीं है

(पाँच)
हम मिल नहीं सकते,
मिले कि
खोये गये—

(छह)
सुख तो व्यंग्य ही में है, और कहाँ?
युगदर्शन, मित्र
छल का अपना ही छन्द है
सर्वोपरि मधुर मुक्त
और कितना ऐब्सट्रैक्ट :
क्योंकि व्यभिचार ही आधुनिकतम
काव्य-कला है और आज
आलोचना के डॉक्टर
उसे अनादि भी कहते हैं...

(सात)
कवि एक बड़ा सा तोता है
जैसे कि मैं,
जिसे उसके संरक्षक पालते हैं
कई होते हैं वो...

(आठ)

बहुत से देवता एक साथ देखने आये हैं, क्यों
आये हैं?
मैं ज़ोर देकर वह पद सुनाना चाहता हूँ—
मो सम कौन कुटिल खल कामी—

(नौ)

तो। इसमें और कुछ नहीं।
कोई संगीत नहीं। केवल प्रलाप। केवल तम।
केवल प्रलाप। केवल मैं और आप। अनाप शनाप।

(दस)

तुम मेरी पहिली प्रेमिका हो
जो आईने की तरह साफ़
बदन के माध्यम से ही बात करती हो,
और शायद (शायद)
मेरी बात साफ़-साफ़ समझती भी हो,
प्यारी,
तुम कितनी प्यारी हो...

(ग्यारह)

निंदिया सतावे मोहे सँझहीं से सजनी
सँझहीं से सजनी।।1।।
प्रेम-बतकही
तनक हू न भावे
सँझहीं से सजनी।।2।।
छलिया रैन
कजर ढरकावे
सँझहीं से सजनी।।3।।
दुई नैना मोहें
झुलना झुलावें
सँझही से सजनी।।4।।
निंदिया सतावे मोहें...

(बारह)

राह तो एक थी हम दोनों की
आप किधर से आये गये!
हम तो लुट गये, पिट गये,
आप तो राजभवन में पाये गये :
किस लीलायुग में आ पहुँचे
अपनी सदी के अन्त में हम,
नेता, जैसे घास फूस के
रावन खड़े कराये गये

(शमशेरबहादुर सिंह)

मैं यह कालजयी रचना समाप्त करने जा ही रहा था कि सहसा यह महसूस हुआ कि मैंने किसी श्रेष्ठ कवयित्री की कोई व्यंग्य-कविता इसमें शामिल नहीं की। इधर स्त्रियों को जो महत्त्व दिया जा रहा है वह हम सबको मालूम ही है। स्थिति इतनी सुखद हो गयी है कि पुलिस कस्टडी में भी यदि बलात्कार सम्पन्न किया जाता है तो वह भी किसी रमणी के साथ ही सम्पन्न किया जाता है और यदि ससुराल में भी कोई वधू जलायी जाती है तो वह भी स्त्री ही होती है। ऐसी स्थिति में यह उचित ही होगा कि मैं अपनी प्रिय कवयित्री शकुन्त माथुर की एक कविता यहाँ दूँ। इस कविता में कुशल कवयित्री ने बताया है कि इस देश की आधुनिक नायिका अपने 'प्रियतम प्लस पति' की दफ़्तर से लौटने की प्रतीक्षा किस भाँति करती है :

पुराने नौकर को
देरी से काम करने की आदत पर
बहुत डाँटा,
प्यारे बब्बी को शैतानी मचाने पर
लगाया करारा चाँटा,
खेलती हुई लड़की को
दरजन भर रूमाल
दिये सीने को,
बड़े लड़के को हिदायत दी
दूध अधिक पीने को,
सारे मैले कपड़े निकालकर धो डाले
दो-तीन मैगज़ीन उलटे पलटे पढ़ मारे,
कुछ फटे कपड़े रफ़ू किये
नये बटन टाँके,

मशीन को साफ़ किया, तेल दिया,
ढकन शऊर से ढाँका,
अधूरी सिलाई को निकाल
फिर नये ढंग से पोटली में बाँधा,
रसोई की अल्मारियाँ झाड़ीं,
मसाले के डिब्बे किये साफ़,
फिर भी अभी तक
ऑफ़िस से
लौटे नहीं हैं आप

(शकुन्त माथुर)

रचना समाप्त करता हूँ। सामरसेट माम के आदेशानुसार जब भी मैं कुछ 'क्रिएट' नहीं कर सकता तब मैं अपने को 'रिक्रिएट' करता हूँ। मेरी ज़्यादातर उम्र 'रिक्रिएट' करने में ही गुज़री है। बहरहाल, अब फाउण्टेन पेन बन्द करता हूँ। बाज़ार जाना है। बाल कटवाने हैं, जूते की मरम्मत करानी है और घड़ीसाज को घड़ी दिखानी है। अपनी पौत्री के लिए 'बालजीवन घुट्टी' लानी है और अम्माँ के लिए 'केसरी जीवन' लाना है। और हाँ, एक देवीजी एक बड़े अख़बार के लिए इण्टरव्यू लेने के लिए आनी हैं। उन्होंने मेरी कोई रचना कभी नहीं पढ़ी और न वे ऐसी भूल भविष्य में करेंगी। मगर इस सबके बावजूद साक्षात्कार जो होगा वह लाजवाब होगा। मैं तो चीज़ ही क्या हूँ यदि ये विलियम शेक्सपियर का साक्षात्कार भी लेतीं तो ऐसा लेतीं कि वह ग़रीब भी अपने भीतर छिपी उन शक्तियों को पहचान लेता जिनकी ओर उस ग़रीब का ध्यान खुद कभी नहीं गया था। एक लेखक को लिखने-पढ़ने के अलावा और जो मुख़्तलिफ़ काम करने पड़ते हैं उनका पता कितने पाठकों को है? 'ग़म और भी हैं ज़माने में, मुहब्बत के सिवा'। 'तुझसे भी दिलफ़रेब हैं, ग़म रोज़गार के' (फ़ैज़ अहमद 'फ़ैज़')

हमारे देश के अन्तिम दो मुग़ल सम्राट्

पानीपत के तीसरे महान् युद्ध में मराठा बुरी तरह पराजित हुए। विजयी विदेशी सुलतान अहमदशाह अब्दाली ने अपने देश लौटने से पहले शाहआलम सानी को भारत का सम्राट् मनोनीत किया। शाहआलम जो इलाहाबाद के क़िले में अँग्रेज़ों के संरक्षण में थे, मराठों की मदद से दिल्ली आये और 6.1.1772 को तख़्त पर शहंशाह बनकर बैठे। 'तख़्ते-ताऊस' तो नादिरशाह की लूट में जा चुका था पर उसी साइज़ का लगभग वैसा ही चाँदी का एक तख़्ता बनवाया जा चुका था जिस पर सम्राट् बैठते थे। (बाद में कम्पनी-सरकार ने यह तख़्त भी हटवा दिया था और मात्र 1857 के विद्रोहियों का समर्थन पाने पर ही सम्राट् बहादुरशाह इस तख़्त पर कुछ दिन बैठ पाये थे।) मराठों की अनुपस्थिति में गुलामकादिर रुहेला ने लाल क़िले पर अचानक हमला किया, उसे बुरी तरह लूटा और शाहआलम को भरे दरबार में अन्धा किया। उसे शहंशाह से बदला लेना था, शहंशाह ने उसे भरी जवानी में 'खस्सी' करवाया था। महादजी सिन्धिया ने गुलामकादिर को कुत्ते की मौत दी और सम्राट् की सारी सुरक्षा की ज़िम्मेदारी अपने हाथों में ले ली। मीर-तक़ी-मीर ने अपनी आत्मकथा (ज़िक्रे-मीर) में लिखा है कि "बादशाह को सौ रुपया रोज़ दिया जाता है। मरहठा अब बादशाह है, जो चाहता है वह करता है। देखें आगे क्या होता है।" गुलामकादिर के उपर्युक्त हमले के दिनों में शहंशाह शाहआलम सात दिन तक मात्र सूखी रोटी और पानी पर रहे थे। सादा जीवन, उच्च विचार। मराठों की मदद से शाहआलम ने अन्धा होने के बाद भी बादशाहत सँभाली और उन्नीस वर्ष तक सँभाली। क़िले के पूरे ख़र्चे के लिए महादजी सिन्धिया ने छह लाख रुपये प्रतिवर्ष निश्चित किये और उधर कम्पनी-सरकार भी उन्हें बिहार और बंगाल की दीवानी के बदले सात लाख रुपये प्रतिवर्ष देती रही। बंगाल में सिक्के दिल्ली-सम्राट् के नाम के ही ढलते रहे। फाँसी की सज़ा पर अब भी शाही मुहर लगती थी और भीतर से खोखला होने पर भी सम्राट् का दरबार उसी शान से लगता था जैसे कि वह शाहजहाँ के वक़्त में लगा करता था। क़िले में पुराने सम्राटों के सैकड़ों सम्बन्धी रहते थे जो जीवन के निम्नतम स्तर पर रहने के बावजूद मेहनत-मज़दूरी करने के लिए क़िले के बाहर

नहीं जाते थे। शक्तिहीन सम्राट् शायरी करता था, अदीबों की मदद करता था और अफ़ीम खाने के बावबूद रुपया बचाता था। अपनी मृत्यु के समय उनके पास पाँच लाख रुपयों की विशाल रकम पायी गयी थी। कविता के अतिरिक्त उन्हें संगीत और सुन्दर स्त्रियों से भी प्रेम था। और उर्दू भाषा को जो मान्यता मिली वह उन्हीं के कारण मिली। इस सन्दर्भ में एक शायर ने उर्दू को मुख़ातिब करके कहा था कि "जना था तुझे माँ ने बाज़ार में, पली शाहआलम के दरबार में।" आज मैं इन्हीं शाहआलम सम्राट् के पुत्र और पौत्र के बारे में लिखूँगा, जो कि बाद में दिल्ली के तख़्त पर बैठे। लगभग एक दर्जन किताबें खुली पड़ी हैं और मैं भी अपने इस बँगले में आज अकेला हूँ। इस लेख के लिखने के अलावा आज मुझे भी कोई दूसरा काम नहीं करना है। इस पार प्रिये तुम हो मधु है, उस पार पता है क्या होगा; तेरा बाप मिलेगा वृक्ष तले, जो हाथ लिये जूता होगा। शाहदरा से पालम, शहंशाह शाहआलम।

(2)

शाहआलम के बाद अगले सम्राट् अकबरशाह सानी के सामने प्रमुख समस्याएँ मात्र दो थीं। पहली समस्या थी, अपने और कम्पनी-सरकार के बीच वैधानिक मान्यता निश्चित करना और अपने बड़प्पन की रक्षा करना तथा दूसरी समस्या थी, अपने पेंशन वग़ैरह में वृद्धि कराना क्योंकि क़िले का ख़र्चा आमदनी से ज़्यादा था और तथाकथित सल्तनत के किसानों ने लगान देना तक बन्द कर दिया था।

सम्राट् की वैधानिक स्थिति विचित्र थी। कम्पनी उसे बादशाह स्वीकार करती थी पर वह उसे यह भी बराबर याद दिलाती रहती थी कि वह मात्र नाम का ही बादशाह है, और कुछ नहीं। "इस वक़्त सच्ची स्थिति यही थी कि जितनी ज़मीन पर सम्राट् के घोड़ों की टाप पड़ती थी उतनी ही ज़मीन उसकी थी, बाकी नहीं" (सर जदुनाथ सरकार)। वारेन हेस्टिंग्ज़ ने तो बहुत पहले ही कह दिया था कि वह मुग़ल सम्राट् से मात्र बराबरी की ही हैसियत से मिल सकता है और किसी हैसियत से नहीं। लार्ड कार्नवालिस शाहआलम को कम्पनी का पेंशनर मानता था और उसने उसकी गुलामकादिर के ख़िलाफ़ कोई भी मदद करने से साफ़ इनकार कर दिया था। कार्नवालिस मुग़ल दरबार के राजदूत को भी उपेक्षा से ही देखता था, सम्मान से नहीं। लार्ड वेलेजली ने बादशाह को सब सुविधाएँ देने का वादा किया था बशर्ते कि वे तख़्ता छोड़ दें और बजाय दिल्ली के मुंगेर के नवाबी महलों में रहें। शाहआलम ने यह सुझाव सुनकर लार्ड लेक की इतनी उपेक्षा की थी कि वह ग़रीब अँग्रेज़ यही कहने लगा कि "मैं आपके आज्ञा पालन में समर्थ हो सका तो अपने को धन्य समझूँगा।" जब यह बात वेलेजली तक पहुँची तो वह जंगी लाट लेक से बुरी तरह नाराज़ हुआ। सम्राट् ने लार्ड लेक को जो साढ़े पाँच लाख रुपये व खिलअत प्रदान

की थी वह भी उस ग़रीब को वेलेजली के डर से वापस करनी पड़ी क्योंकि उन चीज़ों को स्वीकार करना सम्राट् के आधिपत्य को स्वीकार करना माना जा सकता था, जो कि गवर्नर-जनरल हर्गिज़ नहीं चाहता था। दिल्ली-स्थित अँग्रेज़ रेज़ीडेण्ट बाकी अमीरों की तरह नक़्क़ारख़ाने पर ही सवारी से उतर जाता था और बादशाह के दरबार में अदब के साथ बराबर खड़ा रहता था। सम्राट् अकबरशाह अपने पिता शाहआलम की भाँति न साहित्य में कोई दख़ल रखते थे और न शासन में। वे चुप रहते थे, और ऊपर से नीचे तक भलमनसाहत के पुतले थे। हकूमत जो चल रही थी बह बेग़म कुदसिया, बेग़म मुमताजमहल और बेग़म दौलतुन्निसा की इच्छानुसार चल रही थी और बादशाह उसमें कोई दख़ल नहीं देता था। ये तीनों बुद्धिमती बेग़में क्रमशः बादशाह की अम्माँ, उनकी सर्वप्रिय पत्नी व उनकी चाची लगती थीं। ये चतुर बेग़में चिलमन की ओट के पीछे अँग्रेज़ रेज़ीडेण्ट से विस्तार में सारी बातें करती थीं और बादशाह अकबरशाह पास ही बैठे हुक़्क़ा पीते रहते थे और इन बातों को सुनते रहते थे। हाँ, इतना ज़रूर था कि वे अब भी जब गवर्नर-जनरल को कोई पत्र लिखते थे तो उसमें उसे "अपना सबसे प्यारा पुत्र और सबसे वफ़ादार नौकर" ही कहकर सम्बोधित किया करते थे। लार्ड मिण्टो इन ख़तों को पढ़कर बहुत ख़फ़ा होते थे और उन्होंने बादशाह की भेजी खिलअत भी स्वीकार नहीं की थी। जब बादशाह अकबरशाह ने अपना एक दूत इंग्लैण्ड भेजने की कोशिश की तो गवर्नर-जनरल ने कलकत्ता में उसकी मुहर और काग़ज़ात छीन लिये और उन्हें अपने दिल्ली-स्थित रेज़ीडेण्ट की मार्फ़त बादशाह को वापस कर दिया। सच्ची बात तो यह है कि अब अँग्रेज़ "इतने शक्तिशाली हो गये थे कि उन्हें दिल्ली-सम्राट् से अधिकार माँगकर अपने काम करने की कोई ज़रूरत नहीं रह गयी थी।" जब लार्ड हेस्टिंग्ज दिल्ली आये तो उन्होंने बादशाह से मिलना चाहा। सम्राट् अकबरशाह ने साफ़ शब्दों में रेज़ीडेण्ट से कहा कि वे गवर्नर-जनरल से तभी मिल सकते हैं जबकि लार्ड हेस्टिंग्ज बहैसियत रिआया के पेश आयें और नज़र पेश करें। एक रेज़ीडेण्ट ने बाद में एक मध्यमार्ग निकाला था और तभी लार्ड एमहर्स्ट सम्राट् से भेंट कर पाये थे। सम्राट् अकबरशाह ने प्रसिद्ध समाजसुधारक राममोहन राय को राजा की पदवी दी और उन्हें अपना वकील बनाकर इंग्लैण्ड भेजा ताकि वहाँ के बादशाह को पता लग सके कि "कम्पनी-सरकार ने मुग़ल दरबार को कैसे-कैसे धोखे दिये हैं।" राजा राममोहन राय इंग्लैण्ड गये वहाँ कम्पनी के सर्वेसर्वा सर ग्रैण्ट (जो ईस्ट इण्डिया कम्पनी के बोर्ड ऑफ़ डाइरेक्टर्स के चेयरमैन थे) उनकी वकालत से प्रभावित हुए पर दुर्भाग्यवश राजा राममोहन राय बीमार पड़ गये और लन्दन में ही उनकी मृत्यु सम्पन्न हो गयी। इसके बाद जो नया रेज़ीडेण्ट दिल्ली आया उसने "दरबार को सबक़ सिखाने का ज़िम्मा लिया।" उसने जब नज़र पेश की तो मात्र एक ही हाथ से की, दोनों हाथों से नहीं जैसा कि सदियों पुराना दस्तूर था। हाकिन्स नामक इस रेज़ीडेण्ट

ने बादशाह के सिवा किसी और से बातचीत करना बन्द कर दिया क्योंकि “शाही ख़ानदान के सारे लोग रेज़ीडेण्ट को अपना नौकर समझते हैं और वे बड़ी शान के साथ रेज़ीडेण्ट को फ़रमान भेजते हैं। मैं इस स्थिति को बर्दाश्त करने को कतई तैयार नहीं हूँ।” बात आगे नहीं बढ़ पायी क्योंकि इसी दौरान सम्राट् अकबरशाह सानी की भी मृत्यु हो गयी।

जैसा कि ऊपर बताया जा चुका है, बादशाह अकबरशाह को रुपये की तंगी रहती थी। इस सन्दर्भ में बादशाह के साथ की गयी अपनी मुलाक़ात का जो वर्णन बिशप हिबर ने किया है वह बहुत रोचक है। जब तक वे दरबार में घुसे और बादशाह से भेंट करके वापिस क़िले से निकले तब तक नज़र वग़ैरह की प्रथाओं का पालन करने में उन्हें मात्र पचहत्तर सोने की अशर्फ़ियाँ बादशाह को देनी पड़ी थीं जबकि बादशाह ने उन्हें मात्र एक घोड़ा और कुछ साधारण से गहने दिये थे। क़िले के रोज़नामचे के अनुसार बादशाह से भेंट करने अनेक लोग प्रतिदिन आते थे और इस सबको देखते हुए बादशाह की आय का यह स्रोत भी कुछ कम नहीं था।

इन्हीं दिनों दिल्ली में रेज़ीडेण्ट-कमिश्नर मिस्टर फ़्रेज़र की हत्या हो गयी और इस हादसे ने दिल्ली को हिला-सा दिया। इस सन्दर्भ में नवाब शम्सुद्दीन को गिरफ़्तार किया गया जो अपने पिता की अवैध सन्तान थे। उनकी पत्नी परम रूपवती थी और फ़्रेज़र साहब स्वभाव के रसिक थे। नवाब को जब फ़्रेज़र की नीयत पर शक हो गया तो उन्होंने उन्हें क़त्ल करवा दिया—जिसकी वजह से उनको फाँसी दे दी गयी। कुछ लोगों ने यह कहा है कि इस मामले में मिर्ज़ा ग़ालिब ने अँग्रेज़ों का साथ दिया था क्योंकि उनकी पेंशन का मामला कम्पनी-सरकार के दफ़्तर में पड़ा हुआ था। मिर्ज़ा ग़ालिब, जो नवाब शम्सुद्दीन के रिश्तेदार भी थे, इस बात से हमेशा इनकार करते रहे। एक इतिहासकार का कहना है कि यदि ग़ालिब साहब ने अँग्रेज़ों का साथ दिया होता तो उनकी पेंशन ज़रूर बढ़ा दी जाती जो कि नहीं किया गया। बहरहाल नवाब शम्सुद्दीन एक निहायत ख़ुशमिज़ाज इंसान थे। वे जब फाँसी के लिए ले जाए जा रहे थे तो रास्ते में उन्होंने कसेरू बिकते देखे। उनके कहने पर साथ चल रहे अँग्रेज़ अफ़सर ने कसेरू ख़रीदे जो उन्होंने तबीयत भर कर खाये। उनको जो फाँसी दी गयी वह जेल में न दी जाकर एक चौराहे पर सशस्त्र सैनिकों की मौजूदगी में दी गयी थी। उनकी रूपवती बेग़म ने पति की मृत्यु के बाद बड़ा पवित्र जीवन बिताया। “उसने न जाने कितने अमीरों को हज़म किया और अन्तःपुर में चलकर बादशाह बहादुरशाह ज़फ़र के शहज़ादे के साथ उसके अन्तःपुर में रहने लगी।” इस शहज़ादे की उम्र इस बेग़म की उम्र के मुक़ाबिले आधी ही थी, ज़्यादा नहीं। लोग कहा करते थे कि शहज़ादे (मिर्ज़ा फ़ख़रू) “एक रण्डी को घर में डाल के उसके गुलाम हो गये।” इन्हीं छोटी बेग़म और नवाब शम्सुद्दीन के पुत्र उर्दू के महाकवि ‘दाग़’ देहलवी के नाम से प्रसिद्ध हुए। चेचक के दागों की वजह से उनका चेहरा

बेहद भद्दा हो गया था और इसी कारण इन्होंने अपना तख़ल्लुस 'दाग़' ही रख लिया था। शहज़ादे फखरू ने छोटी बेग़म को 'शौक़त-महल' का ख़िताब अता फ़रमाया था। महाकवि 'दाग़' महाकवि 'इक़बाल' के उस्ताद थे। उनकी मृत्यु 1910 में हुई।

मौलाना अबुलकलाम आज़ाद के अनुसार "नवाब शम्सुद्दीन जो थे वे महाराज नन्दकुमार के बाद दूसरे व्यक्ति थे जिन्हें अँग्रेज़ी क़ानून के तहत सज़ा दी गयी।" कुछ सयानों की राय में उर्दू पत्रकारिता को जन्म देने का श्रेय नवाब शम्सुद्दीन को दी गयी फाँसी को ही जाता है। इस भयानक घटना को लेकर "उर्दू अख़बारों की एक झड़ी-सी लग गयी।"

(3)

बादशाह अकबरशाह सानी के बाद उनके पुत्र बहादुरशाह जब गद्दी पर बैठे तब उनकी उम्र बासठ वर्ष की हो चुकी थी। नजूमियों के अनुसार उन्हें सबेरा होने पर ही गद्दी पर बैठना चाहिए था मगर बहादुरशाह गद्दी पर बैठने के लिए ज़रूरत से ज़्यादा उतावले थे। डॉ. मेहदीहसन के अनुसार अँग्रेज़ इतिहासकारों का यह मत ठीक है कि बादशाह की माँ लालबाई नामक एक हिन्दू स्त्री थी तथा उनकी दादी के साथ भी यही स्थिति थी। बाद में उनकी बेग़म बननेवाली जीनतमहल पहले लाल-कुआँ महल्ले में रहती थी। और बहादुरशाह वहीं जाया करते थे और एक बार तो वहाँ बारह दिन तक लगातार ठहरे भी थे। जीनतमहल के इस मकान को सजाने में उन्होंने बीस हज़ार रुपये ख़र्च किये थे। उनकी यह हरकत देखकर एक भंगी ने थाने में रिपोर्ट लिखवाई थी। यह बात तब की है जब वे महज़ एक शहज़ादे ही थे, बादशाह नहीं। बादशाह बनने के बाद वे और भी शानोशौक़त से रहने लगे थे। वे महाजनों से बराबर ऋण लेते रहते थे मगर उस पर सूद कभी नहीं देते थे क्योंकि सूद लेना शरीयत के ख़िलाफ़ था। इन महाजनों को सूद के स्थान पर खोखली उपाधियाँ दी जाती थीं या फिर चाँदनी चौक में हाथी पर चढ़कर घूमने की छूट दे दी जाती थी। उनका शयन-कक्ष किसी बगीचे की भाँति सज़ा रहता था। बादशाह सलामत अपनी बेग़म जीनतमहल से उम्र में मात्र पचास वर्ष बड़े थे और बेग़म के ही कहने पर उन्होंने उनकी छोटी बहिन ताजमहल को अपना हम-बिस्तर बनाया था। बादशाह को मुर्गेबाज़ी, बटेरबाज़ी, कबूतरबाज़ी और पतंगबाज़ी का शौक़ था और उनके चिड़ियाख़ाने में हज़ार बोलियाँ बोलनेवाली बुलबुलें भी थीं। उन्हें शिकार का शौक़ भी था और वे एक बेहद सफल शायर व सूफ़ियाना तबीयत के आदमी भी थे। बहुत ज़्यादा अमीर न होते हुए भी वे अत्यन्त दयालु व्यक्ति थे और न जाने कितनी बेवाओं और यतीमों को नियमित रूप से वज़ीफ़ा देते थे। बादशाह बनने के बाद उन्होंने अपने उस्ताद महाकवि 'ज़ौक' की पगार भी चार रुपये प्रतिमाह से

बढ़ाकर आठ रुपये प्रतिमाह कर दी थी। बिना ग़रीबों को खाना खिलाये वे ख़ुद खाना नहीं खाते थे। वे एक विद्वान् व्यक्ति थे और उनके दरबार में अनेक विद्वान् आये, रहे या सम्मान प्राप्त कर चले गये। बादशाह ने 'ज़फ़र' उपनाम रखकर बहुत काव्य रचा। उनके चार दीवान ग़दर से पहले ही प्रकाशित हो चुके थे मगर दुर्भाग्य से उनकी बर्मा में लिखी कविताओं का संग्रह उपलब्ध नहीं है। बादशाह आम के बेहद शौक़ीन थे और त्योहारों को बहुत उत्साह के साथ मनाते थे। उनकी दिलचस्प दिनचर्या का पता एक डायरी से लगता है जिसके कुछ अंश इस प्रकार हैं:

"आज मिर्ज़ा अब्बासशिकोह की भेजी अर्ज़ी मिली जिसमें उन्होंने इत्रफरोश वंशीधर के जुर्माने को माफ़ कर देने की गुज़ारिश की है। बादशाह बहुत नाराज़ हुए और उन्होंने हुक्म दिया कि उसे जेलख़ाने में डाल दिया जाए। शाम को बादशाह ने बेग़म कुदसिया के बाग़ में काफ़ी देर तक चहलकदमी की (28.4.1851)। आज बादशाह सलामत शिकार पर गये। हुसैन मिर्ज़ा नज़ीर ने ख़बर दी कि शहर के किसी धोबी के दो लौण्डे महल से बरामद हुए। वंशीधर इत्रफ़रोश को पाँच सौ रुपये देने पर जेल से रिहा कर दिया गया (29.4.1851) आज जब बादशाह शिकार पर गये तो उन्हें ख़बर मिली कि अशरफ़ अली खा के हाथी के वज़न से दरिया के लकड़ी के पुल का एक तख़्ता टूट गया और हाथी का पैर नदी में धँस गया। अशरफ़ अली हाथी से गिर गये और उन्हें गहरी चोट आयी। बादशाह ने उनकी हालत जानने के लिए फ़ौरन एक ख़वास दौड़ाया (30.4.1851)। आज बादशाह शिकार करने जमना के पार गये। ख़बर आयी कि शहर के दौलताबादी मकान में रहनेवाली मिर्ज़ा फ़ख़रुद्दीन की औरतों को किसी ने पिछली रात लूट लिया। शाम के चार बजे कई सलातीन बादशाह के सामने मुर्ग़े लड़ाने को हाज़िर हुए (1.5.1851)। चार बजे शाम ख़बर आयी कि बादशाह का पिछले महीने का भत्ता आ गया। महबूबअली ख़ाँ को हुक्म दिया गया कि वह उसे हमेशा की तरह बाँट दे। कई सलातीन अपने-अपने मुर्ग़े लेकर बादशाह सलामत की ख़िदमत में पेश हुए (1.5.1851)। शाम के वक़्त बादशाह शिकार के लिए दरिया के पार गये। मिर्ज़ा वली सुलतान ने शिकायत की कि उन्हें पिछले महीने का भत्ता नहीं मिला। हुसैन मिर्ज़ा नाज़िर ने अर्ज़ किया कि मिर्ज़ा वली और मिर्ज़ा हाजी एक दिन शराब के नशे में अशिष्ट व्यवहार कर बैठे थे और इसी वजह से उनका भत्ता रोक लिया गया। बादशाह ने कहा कि जब तक ये लोग अपनी आदत न सुधारें तब तक उन्हें भत्ता नहीं दिया जाना चाहिए क्योंकि शराब पीने का हक़दार सिर्फ़ वह है जो अपने ऊपर ज़ब्त रख सके। बाबू सूरीनारायण सिंह ने एक अर्ज़ी भेजकर अपने भाई के मरने की ख़बर दी है। बादशाह ने दफ़्तर को हुक्म दिया कि वे लिख लें कि आज उनकी तख़्तपोशी का पन्द्रहवाँ वर्ष है (2.5.1851)। आज एजेंसी के जमादार पटना से आये और अफ़ीम के दो बक्से लाये। एक बनिये ने आकर शिकायत की कि उसे अदालत में वंशीधर के ख़िलाफ़ डिक्री

तो मिल गयी है पर शाही अफ़सरान उसके मकान को बेचकर रुपया दिलवाने में कोताही कर रहे हैं। हकीम अहसानुल्ला ख़ाँ और महबूबअली ख़ाँ को हुक्म हुआ कि वे फ़ौरन ऐसा इन्तज़ाम करें जिससे मुद्दई को सकून पहुँचे (4.5.1851)। बादशाह ने आज दीवाने-ख़ास के आँगन में मिर्ज़ा अब्बासशिकोह की शादी के मौक़े पर नाच देखा और आतिशबाज़ी की तारीफ़ की (24.4.1851)। लाल पर्दे का एक दरबारी आज बादशाह से दीक्षित हुआ (25.4.1851)। बादशाह आज मिर्ज़ा अब्बासशिकोह के घर गये। उनकी सवारी से लेकर हवेली के दरवाज़े तक गलीचे बिछे हुए थे। बादशाह उन पर से गुज़रे और नौकरों को बख़्शीश दी। बादशाह को ग्यारह तश्तरी पश्मीना दिया गया और बताया गया कि जब लाल क़िला बन रहा था तो शहंशाह शाहजहाँ प्रायः इसी मकान में ठहरा करते थे (25.4.1851)। खुलुकदाद ख़ाँ ने बादशाह को 'वैद-मुश्क' की दो बोतलें भेंट कीं जो बादशाह को पसन्द न आयीं। ख़ाँ साहिब उन दोनों बोतलों को वहीं पी गये और कहने लगे कि इनकी क़ीमत उनकी तनख़्वाह में से काट ली जाए। बादशाह सलामत उनकी हरकतों पर बहुत गुस्सा हुए और उन्होंने हुक्म दिया कि खुलुकदाद ख़ाँ को नौकरी से फ़ौरन बर्ख़ास्त कर दिया जाए (6.5.1851)। ख़बर मिली कि मिर्ज़ा कुलाँ जब दरिया में मछली मार रहे थे तो उन्हें एक घड़ियाल पकड़कर ले गया। इस बात से बादशाह बहुत दुखी हुए (12.5.1851)। ख़बर मिली है कि दो अँग्रेज़ बग्घी पर कुतुब की तरफ़ जा रहे थे कि एक शाही हाथी उस तरफ़ से दिल्ली लौट रहा था। हाथी को देखकर घोड़ा भड़क गया और उसने बग्घी को एक गड्ढे में उलट दिया। गाड़ी में बैठे लोग गिर गये पर उन्हें कोई चोट नहीं आयी। यह घटना सुनकर बादशाह बड़े क्रोधित हुए और कहने लगे कि 'हमने कितनी बार महावतों से कहा है कि हाथियों को शरीफ़ों की गाड़ियों से बचाकर रखा करो मगर फिर भी वे नहीं सुनते' (22.8.1851)। बादशाह शिकार खेलने गये। वहाँ से लौटकर 'ज़ौक' साहिब ने उनकी शायरी सुनी और बाद में उन्हें अपनी शायरी भी सुनायी (25.12.1851)। ज्योतिषी सुखानन्द ने बादशाह को बताया कि कल चन्द्रग्रहण होगा। बादशाह ने हुक्म दिया कि इस अवसर पर तराज़ू वग़ैरह ठीक करके रखी जाए। ग्रहण के दिन बादशाह ने सात प्रकार के अनाजों से, मक्खन, स्वर्ण और मूँगा आदि से अपनों को तौला और वे चीज़ें ग़रीबों में बाँट दी गयीं। नरगढ़ से बादशाह ने नदी के बढ़े हुए जल का निरीक्षण किया (2.7.1851)। बादशाह को पता चला कि एक फ़िरंगी जामा मस्जिद देखने आया तथा मना करने पर भी मीनार-दरवाज़े का ताला तोड़कर छत पर चढ़ गया (4.7.1851)।

बादशाह की आर्थिक स्थिति ज़्यादा ठीक नहीं थी। "यदि वे क़िले और उसके महलों को ठीक तरह रखते थे तो अँग्रेज़ कहते थे कि उनके पास ख़ज़ाना छिपा है और यदि वे किफ़ायत से रहते थे तो कहा जाता था कि वे गन्दगी में रहते हैं और उन्हें हटा देना चाहिए।" उनकी राजनीतिक शक्ति शून्य हो गयी थी। सड़क पर

मुनादी पीटनेवाला खुले शब्दों में कहता था कि "ख़ल्क खुदा का, मुल्क बादशाह का और हुकुम कम्पनी-सरकार-बहादुर का"। बादशाह को जादू-टोना में विश्वास था। सर सैय्यद अहमद ख़ान के अनुसार, "बादशाह का निश्चित विचार था कि क्या ही अच्छा होता कि वे स्वयं को मच्छर या भुनगा बना लेते और फिर खुद ही जाकर देखते कि और देशों में क्या हो रहा है।" जैसा कि ऊपर बताया गया है वे लोगों को दीक्षा भी देते थे। जब बादशाह या शाही परिवार का कोई व्यक्ति बीमारी के बाद आरोग्य-लाभ करता था तो क़िले में उत्सव मनाया जाता था जिसे 'गुस्ले-सेहत' के नाम से पुकारा जाता था।

यह बात सभी लोग स्वीकार करते हैं कि "सम्राट् बहादुरशाह एक सज्जन, दयालु, ऊँचे दर्जे के कवि, कला-प्रेमी और बेहद शालीन व्यक्ति थे, जो महलों में रहते हुए भी एक फ़क़ीर ही थे।" मगर तभी एक ऐसा हादसा हुआ कि जिसने उन्हें हिलाकर रख दिया। इस हादसे का नाम था '1857 का ग़दर'। इस ग़दर ने उनकी सारी कमज़ोरियों को एकसाथ उजागर कर दिया।

(4)

मेरठ में छावनी को तहस-नहस करके विद्रोही सैनिक दिल्ली पहुँचे। उन्होंने सम्राट् बहादुरशाह से विद्रोह का नेता बनने की इल्तजा की मगर बादशाह ने साफ़ कहा कि "सुनो भाइयो, मुझे बादशाह कौन कह रहा है? मैं तो अपने आख़िरी दिन काटता हुआ एक फ़क़ीर हूँ। तुम यहाँ क्यों आये हो? मेरे पास न फ़ौज है न ख़ज़ाना। मैं तो रेज़ीडेण्ट साहब से कहकर तुम्हारा तफ़सिया करा सकता हूँ।" मगर विद्रोही सिपाहियों ने उन्हें नेता बनने पर विवश कर दिया। बन्द तहखाने से चाँदी का नकली तख़्ते-ताऊस निकाला गया और दरबार लगा। 12.5.1857 को दरबार के बाद सिपाहियों में मिठाई बाँटी गयी और शाम को क़िले में दावत हुई। शहज़ादे मिर्ज़ा अबूबेकर शाही विद्रोही सेना के मुख्य सेनापति बने और अँग्रेज़ों को हिन्दन नदी पार करने से रोकने के लिए भेजे गये। वे सचमुच एक वीर व्यक्ति थे। पहला गोला अपने पास फटते ही वे बदहवास होकर लड़ाई का मैदान छोड़ भागे। उनकी इस कायरता से विद्रोही बहुत दुखी और निराश हुए और अँग्रेज़ों ने हिन्दन नदी पार कर ली। पहले सिपाहियों को बड़े लोगों से ऋण लेकर वेतन बाँटा गया और बाद में विद्रोहियों द्वारा शहर के अमीरों को बिना कोई भेदभाव किये लूटा गया। धनाढ्य और कुलीन लोग इन विद्रोहियों का गँवारपन देखकर अँग्रेज़ों की हकूमत को याद करने लगे और कुछ ने तो बड़े-बड़े अँग्रेज़ अफ़सरों तक अपनी भावना को पहुँचाने में कोई हिचक नहीं की। "दिल्ली में विद्रोह के असफल होने का पहला कारण था बहादुरशाह जो 78 वर्ष का एक शान्तिप्रिय वृद्ध था और जिसमें नेतृत्व का कोई भी

गुण नहीं था, और दूसरा कारण था धन का अभाव।" विद्रोही सिपाही बादशाह का अपमान करने में भी नहीं चूके। किसी ने उन्हें हाथ पकड़कर 'अरे ओ बादशाह' कहा तो किसी ने उनकी दाढ़ी को छूकर उन्हें 'ओ, बुड्ढे' कहकर सम्बोधित किया। बादशाह की मर्ज़ी के ख़िलाफ़ कुछ अँग्रेज़ उनके सामने ही क़त्ल कर दिये गये। विद्रोहियों ने यहाँ तक धमकियाँ दीं कि "यदि हमें पन्द्रह दिन के भीतर अपनी पगार नहीं मिली तो हम बेग़म जीनतमहल को क़ैद कर लेंगे और ताजमहल बेग़म को गद्दी पर बिठा देंगे।" एक बार बादशाह फूट-फूटकर रोने लगे और उनकी यह स्थिति देखकर विद्रोही सिपाहियों का दिल भी पसीज गया। बादशाह के समधी मिर्ज़ा इलाहीबख़्श, हकीम अहसानुल्ला ख़ाँ और बेग़म ज़ीनतमहल तक अँग्रेज़ों से मिले हुए थे। अँग्रेज़ों की कुमुक पर कुमुक आती जा रही थी। दिल्ली अँग्रेज़ों ने फिर जीत ली, बादशाह गिरफ़्तार कर लिया गया और कई शहज़ादों को उन्हें पूरी तरह नंगा करके उस शेरशाही दरवाज़े के पास क़त्ल कर दिया गया जिसे तभी से 'ख़ूनी दरवाज़ा' कहा जाता है। जैसा कि होता है अपनी जीत के बाद अँग्रेज़ों ने शहर लूटा और बाकी अत्याचार भी पूरी तरह सम्पन्न किये। काफ़ी अँग्रेज़ बादशाह को लाल क़िले की दीवार पर फाँसी देने के लिए ज़िद करने लगे पर जनरल सर हेनरी लारेंस ने वैसा करने से इनकार कर दिया। क़ैद के दिनों में बादशाह और बेग़म निहायत गन्दे कमरों में रखे गये और कोई भी अँग्रेज़ स्त्री और पुरुष उन्हें अपमानभरी निगाहों से जब चाहे देख सकता था। उनके कपड़े साधारण व गन्दे थे और उनके खाने-पीने पर दो आना की महान् राशि प्रतिदिन ख़र्च की जाती थी। हाँ, उनके पीने के लिए हुक़्क़े का इन्तज़ाम ज़रूर किया गया।

27 जनवरी 1858 को ग्यारह बजे लाल क़िले के 'दीवाने-ख़ास' में बादशाह के ख़िलाफ़ फ़ौजी अदालत ने मुक़द्दमा शुरू किया। बादशाह के ख़िलाफ़ कुछ ऐसे पक्के सबूत पेश किये गये कि वह अवैधानिक मुक़द्दमा भी वैधानिक हो उठा। यह सिद्ध करने के लिए सबूत पेश किये गये कि बादशाह ने ईरान के बादशाह से व भारत के देशी नरेशों से फ़िरंगी काफ़िरों के ख़िलाफ़ जिहाद छेड़ने के लिए उनकी सेनाओं को निमन्त्रित किया था। उनकी एक ग़ज़ल अदालत में पेश की गयी जिसमें बादशाह 'ज़फ़र' ने लिखा था कि "अब वह दिन क़रीब है जब कि मेरी तेग लन्दन तक चलेगी।" 'आज़मगढ़ ग़जट' का ज़िक्र भी आया जो बादशाह के ख़िलाफ़ ही जाता था। मुक़द्दमा 42 दिन चला। अदालत ने बादशाह को देश-निकाले की सज़ा दी, 26 शहज़ादों को प्राणदण्ड दिया और 13 शहज़ादों को उमर-क़ैद की सज़ा दी। "बादशाह ने पहले तो सत्ता के लालच में विद्रोहियों के सामने घुटने टेके और फिर अपनी जान बचाने के लिए रजब अली व इलाहीबख़्श के सामने भी वैसा ही किया" (सुरेन्द्रनाथ सेन)। सज़ायाफ़्ता शहज़ादों में वह शहज़ादा भी शायद शामिल था जो अँग्रेज़ी पोशाक और अँग्रेज़ी ढंग की कोठी में रहता था और जिसकी 'लैण्डी' में छह घोड़े जुतते थे। बादशाह, बेग़म

और बाकी लोग "दिल्ली से इलाहाबाद तक बैलगाड़ी में गये और पटना में वे स्टीमर पर चढ़े।" प्रयाग से पटना तक यात्रा नाव से की गयी। कलकत्ते में उनका डॉक्टरी मुआयना हुआ और इसके बाद वे बर्मा जानेवाले एक जहाज़ में लाद दिये गये। उनके साथ के लोगों में से बहुतों ने उनका साथ इलाहाबाद और कलकत्ता में छोड़ दिया। "बर्मा में बादशाह को तीस रुपये प्रतिमाह का भत्ता दिया गया। बाकी 16 बन्दियों पर प्रतिदिन लगभग ग्यारह रुपये ख़र्च किये जाते थे। रविवार को एक रुपया अलग दिया जाता था। महीने की पहली तारीख़ को बादशाह समेत सारे क़ैदियों को तेल, साबुन और सुई-धागा दिया जाता था।" सन् 1861 में एक दयालु अँग्रेज़ कलेक्टर ने उनका भत्ता बढ़ाया और उन्हें काग़ज़ व कलम देने की व्यवस्था की क्योंकि इन सुविधाओं के अभाव में "बादशाह अपनी शायरी हुक़्क़े के कोयले की मदद से अपनी जेल के कमरे की दीवारों पर लिखा करते थे।" अभागे बादशाह की जीवनलीला 7.11.1862 को समाप्त हुई। इस समय उनकी आयु लगभग 83 वर्ष थी।

शाहजहाँ ने शहंशाह बनने पर मलिका नूरजहाँ के सारे जुर्म माफ़ करके उसे नौ लाख रुपया सालाना की पेंशन पर उसकी इच्छानुसार उसे लाहौर भिजवाया था। उससे भी पहले बाबर ने पानीपत के प्रथम युद्ध में वीरगति प्राप्त सुलतान इब्राहीम लोदी की माँ को अपने ही महल के एक खण्ड में रखा था और जब उस महिला ने बाबर को ज़हर दिलवाया तब भी बाबर ने अपनी एक दासी की खाल तो ज़रूर खिंचवायी मगर सुलतान इब्राहीम लोदी की माँ को मकान बदलने के सिवा कोई सज़ा नहीं दी थी। सम्राट् बहादुरशाह के पुरखे शहंशाह शाहजहाँ जिस 'तख़्ते-ताऊस' पर बैठकर दरबार लगाते थे उसकी उस वक़्त की क़ीमत मात्र 1,20,00,000 पाउण्ड थी। ऐसे महान् वंश के एक बादशाह को तीस रुपया प्रतिमाह की पेंशन देते हुए महारानी विक्टोरिया और लार्ड कैनिंग को लज्जा नहीं आयी। मैं फिर कहता हूँ कि इतिहास से बड़ा व्यंग्यकार न कोई हुआ और न कोई होगा।

ऊपर मैंने तख़्ते-ताऊस की चर्चा की है। विद्वान् इतिहासकार पी.एन. ओक की खोज के अनुसार आगरे का क़िला, ताजमहल और लाल क़िला हिन्दू इमारतें थीं जिन्हें थोड़ी-बहुत मरम्मत के बाद मुग़लों ने नये नाम दे दिये थे। श्री ओक के अनुसार 'तख़्ते-ताऊस' भी एक हिन्दू-सिंहासन था और इसका पुराना और असली नाम 'मयूर सिंहासन' था। मैं श्री ओक से प्रार्थना करता हूँ कि अब वे तथाकथित ब्रिटिश इमारतों पर भी खोज शुरू करें क्योंकि मुझे पूरा विश्वास है कि बम्बई का विक्टोरिया टर्मिनस स्टेशन, दिल्ली का वायसराय हाउस व कलकत्ते का विक्टोरिया मैमोरियल हाल भी मौर्यकाल या गुप्तकाल में बनी विशुद्ध हिन्दू इमारतें हैं और अँग्रेज़ों ने इनमें थोड़ी-सी रद्दोबदल करके इनके नाम बदल दिये हैं। 'गुप्तकाल' को तो 'गुप्तकाल' कहते ही इस कारण हैं कि उस 'काल' के लोग, साहित्य और भवन बाद में 'गुप्त' कर दिये गये। 'इतिहास' को 'इतिहास्य' बनाने में हर्ज़ ही क्या है?

अफ़वाहों की शानदार परम्परा

सोलह मार्च 1994 को सारे दिन अख़बारों के दफ़्तर व राष्ट्रपति का सचिवालय मात्र इन्हीं टेलीफ़ोनों का उत्तर देने में व्यस्त रहे कि महामहिम राष्ट्रपतिजी सचमुच जीवित हैं या नहीं? कुछ घबराये हुए लोगों ने राष्ट्रपतिजी के पुत्र तक से बात की जो मोदी-उद्योग के उपराष्ट्रपति हैं। अकेले इण्डियन एक्सप्रेस के दफ़्तर ही में लगभग दो हज़ार टेलीफ़ोन आये जिनमें से कुछ तो मद्रास और कलकत्ता तक से आये थे। राष्ट्रपति के दिवंगत हो जाने की बेबुनियाद अफ़वाह को किसने फैलाया? बी.बी.सी. ने या फिर किसी नालायक चपरासी ने? मगर बी.बी.सी. ने तो ख़ुद ही दिन के दस बजे सच्चाई जानने के लिए राष्ट्रपति भवन को फ़ोन किया था। बहुत प्रबुद्ध पत्रकारों ने तो यह भी बताया कि उन्हें तो यह समाचार एक दिन पहले ही मिल गया था। बहरहाल, इतनी-सी बात पर इतने ज़्यादा टेलीफ़ोन पहले कभी नहीं किये गये। राष्ट्रपति डॉ. शंकरदयाल शर्मा के जीवित होने की पुष्टि हो जाने पर लोगों ने कहना शुरू किया कि शायद राज्यसभा के सदस्य श्री शंकरदयाल सिंह की मृत्यु सम्पन्न हो गयी है। उधर वयोवृद्ध राष्ट्रपतिजी उस दिन सुबह से दुपहर तक सरकारी कामों में हद से ज़्यादा व्यस्त रहे और इधर राजधानी के यार लोग इस झूठी अफ़वाह को सच्ची साबित करने में लगे रहे। कुछ लोगों ने इस अफ़वाह को शेयर मार्केट से जोड़ा और कुछ ज्ञानी लोगों ने यह टिप्पणी की कि राष्ट्रपतिजी मर तो अवश्य गये हैं पर इस बात को गुप्त यूँ रखा जा रहा है क्योंकि प्रधानमन्त्रीजी विदेश में हैं। राष्ट्रपति के प्रेस-सचिव ने परेशानी में अपना सिर पकड़ लिया और वे बेचारे कहने लगे कि उनकी समझ में कुछ नहीं आता कि ऐसी बेबुनियाद अफ़वाह किसने फैलायी और आख़िर क्यों फैलायी?

—इण्डियन एक्सप्रेस, दिल्ली संस्करण, 17.3.1994

इस सन्दर्भ में मैं आपको बता दूँ कि भारत कोई अकेला देश नहीं है जहाँ झूठी अफ़वाहें तबीयत के साथ फैलायी जाती हैं। और ऊपर चर्चित अफ़वाह ऐसी पहली

अफ़वाह नहीं है जो परम निःस्वार्थ भाव से पहली बार फैलायी गयी है। जो लोग इस अफ़वाह के झूठी होने से इस कारण दुखी हैं कि उनकी एक दिन की छुट्टी बेकार ही खलास हो गयी, वे ही परमहंस लोग अब यह कहेंगे कि इस अफ़वाह के पीछे ज़रूर किसी विदेशी ताक़त का हाथ या कोई और अंग है जो हमारी शान्ति और व्यवस्था को हानि पहुँचाना चाहता है। ऐसे सयाने लोगों का कोई जवाब नहीं। ऐसे मतिमान् लोग सदा से होते आये। रामायण में माता सीता को झूठी अफ़वाहों के ही कारण छोड़ा गया था और महाभारत में स्वयं धर्मराज युधिष्ठिर ने अश्वत्थामा की मृत्यु की झूठी ख़बर फैलाकर द्रोणाचार्य की हत्या की थी। महाजनो येन गतः स पन्थाः।

सम्राट् अकबर की मृत्यु की झूठी ख़बर से शाही शहर जौनपुर में लूटपाट शुरू हो गयी थी जो ज़्यादा नहीं चली थी क्योंकि तब तक शाही कबूतर डाक लेकर आगरा से आ गया था। शाहजहाँ की मृत्यु की झूठी ख़बर फैलाने के पीछे शाइस्ता ख़ाँ का हाथ था जिसकी परम रूपवती पत्नी शाहजहाँ द्वारा किये गये बलात्कार के कारण आत्महत्या सम्पन्न कर चुकी थी। शाहजहाँ अपने एक दरबारी खलीलुल्लाह ख़ाँ की परम पतिव्रता पत्नी पर भी ऐसी ही कृपा रखता था जिसके फलस्वरूप वह हसीना (लुक्मा-ए-शाहजहाँ) हमीदा बानू तीन लाख की तो जूतियाँ ही पहनती थी। उसके पति ने सामूगढ़ के इतिहास-प्रसिद्ध युद्ध में ग़लत सलाह देकर दाराशिकोह को हाथी से उतारकर घोड़े पर बिठाया था और फिर उसकी सेना में यह झूठी अफ़वाह फैलायी थी कि दाराशिकोह तो मारा गया। यह सब सम्पन्न करने के बाद खलीलुल्लाह ख़ाँ अपने तीस हज़ार घुड़सवारों के साथ औरंगज़ेब से जा मिला और शाहजहाँ यह ख़बर सुनकर रो पड़ा। इन्तक़ाम से बड़ी कोई दूसरी आग दुनिया में कभी नहीं पायी गयी।

इस देश के इतिहास में जितनी अफ़वाहें उड़ीं उनमें सबसे भयानक अफ़वाह वह थी जो नादिरशाह के शाही मेहमान बनकर दिल्ली आने पर उड़ायी गयी थी। पहाड़गंज की मण्डी में दो शोहदों ने यह अफ़वाह उड़ा दी कि ईरानी सिपाहियों से डरना बेकार है क्योंकि महल की एक बाँदी ने पिछली रात नादिरशाह को क़त्ल कर दिया है। यह ख़बर फैलते ही दिल्ली के निवासियों ने नादिरशाह के उद्दण्ड सैनिकों को क़त्ल करना शुरू कर दिया। जब 7,000 ईरानी सैनिक मार डाले गये तो ग़रीब नादिरशाह को स्थिति का पता लगा। वह हाथी पर बैठा और चाँदनी चौक आया ताकि लोग देख सकें कि वह तो एकदम ज़िन्दा है। लोगों ने चिल्लाना शुरू किया, यह तो कोई नकली नादिरशाह है, असली नादिरशाह तो कभी का ख़त्म कर दिया गया। एक होनहार दर्शक ने नादिरशाह पर बन्दूक भी चलायी पर नादिरशाह बाल-बाल बच गया और उसने सुनहरी मस्जिद की छत पर से 'क़त्ले-आम' का हुक्म दे दिया। इस क़त्ले-आम में मरनेवालों की संख्या के बारे में कोई निश्चित मत नहीं है क्योंकि सच्ची संख्या जाननेवाले सारे लोग क़त्ले-आम में मारे गये। पर फ्रेज़र ने 'हिस्ट्री आफ़

नादिरशाह' में मरनेवालों की संख्या 1,20,000 बतायी है। जयशंकर 'प्रसाद' यदि तम्बाकू का व्यापार चलाने के साथ-साथ नाटक लिखा करते थे तो नादिरशाह भी युद्ध जीतने के साथ-साथ कविता रचा करता था। दिल्ली के बड़े वज़ीर ने उसकी सेवा में एक शेर अर्ज़ किया तो नादिरशाह ने उसे दाद दी और क़त्ले-आम रोक दिया गया। शान्ति के दौर में दिल्ली की लूट शुरू की गयी जो कई दिन चली। हेनवे के अनुसार, दरबार का एक वज़ीर तेज़ धूप में तब तक खड़ा किया गया जब तक कि उसने नादिरशाह को एक करोड़ रुपये नहीं दे दिये। परेशानी की हालत में वह बेचारा नादिरशाह से रसीदी टिकट लगी रसीद भी माँगना भूल गया। जिन दो बदमाशों ने झूठी अफ़वाह फैलायी थी वे बुरी मौत मरे। 'कैम्ब्रिज हिस्ट्री ऑफ़ इण्डिया' के अनुसार, नादिरशाह जब स्वदेश लौटा तो अपने साथ सत्तर करोड़ चाँदी के नकद रुपये, एक हज़ार शानदार हाथी, सात हज़ार घोड़े, दस हज़ार ऊँट, डेढ़ सौ हिजड़े, दो सौ सुनार, तीन सौ मिस्त्री, सौ संगतराश, तीन हकीम और दो सौ होशियार बढ़ई ले गया। कितना अच्छा रहा कि डॉ. नामवरसिंह, विष्णु प्रभाकर और डॉ. नगेन्द्र उन दिनों दिल्ली में नहीं थे क्योंकि सर एलियट के अनुसार, नादिरशाह बाकी सामान के साथ-साथ दो सौ 'लेखकों' को भी ईरान ले गया था। औरतों में उसे कोई दिलचस्पी नहीं थी और हुस्न के प्रति उसकी यह बेरुख़ी देखकर ही मीर-तक़ी-मीर ने कुछ दिनों बाद उदासी के आलम में दिल्ली छोड़ दी थी। ये बेचारे लखनऊ चले गये थे जहाँ रूप और कला की पूरी क़द्र की जानी थी। ख़ुशी की बात है कि लखनऊ में यह परम्परा आज़ादी के बाद भी उसी तरह चलती रही।

हमारे देश में 1857 का जो विद्रोह हुआ था वह भी इन अफ़वाहों के कारण ही हुआ था कि नये कारतूसों में गाय और सूअर की चर्बी लगी है और इन चर्बी लगे कारतूसों को जो खोला जाता है वह दाँतों द्वारा ही खोला जाता है। कानपुर में आटा सस्ता हो गया तो किसी मनचले ने यह अफ़वाह फैला दी कि इस आटे में हड्डियों का चूरा मिला हुआ है। जनरल सर व्हीलर के अनुसार, कानपुर में जो विद्रोह फैला वह मुख्यतः इसी झूठी अफ़वाह के कारण फैला। ईस्ट इण्डिया कम्पनी के धूर्त रेज़ीडेण्ट लोग देसी राज्यों में बराबर झूठी अफ़वाहें उड़ाया करते थे और इन अफ़वाहों से राजाओं का मनोबल इतना गिर जाता था कि वे नवाब वाजिदअली शाह की भाँति अपने-आप ही कम्पनी-सरकार के सामने आत्मसमर्पण कर दिया करते थे।

द्वितीय विश्वयुद्ध में हर हिटलर ने तो झूठी अफ़वाहें फैलाने के लिए एक पृथक् विभाग ही गठित किया था जिसके झूठे प्रचार से मित्रराष्ट्र बुरी तरह दुखी रहते थे।

जेन आस्टेन अपने उपन्यासों को प्रायः उड़ी हुई अफ़वाहों पर आधारित रखती थीं, जबकि मार्क ट्वेन अपनी रचनाओं में अफ़वाहों का खण्डन किया करते थे। एच.जी. वेल्स के एक उपन्यास के कारण अमेरिका में भयंकर अफ़वाहें फैल गयी थीं। चार्ल्स डिकिन्स के अनुसार, बिना किसी सच के कोई अफ़वाह कभी नहीं

फैलती। हिन्दी-संसार में जितनी अफ़वाहों को 'अश्क' जी ने जन्म दिया उतनी अफ़वाहें कोई और विभूति कभी नहीं उड़ा पायी। हाँ, अलबत्ता 'अज्ञेय' जी अश्कजी से भी आगे निकल गये। उन्होंने यह अफ़वाह ख़ुद फैलायी थी कि उन्हें नोबिल प्राइज़ दिया जा रहा था। बात सिर्फ़ इतनी थी कि जिस कवि को यह पुरस्कार दिया जा रहा था उसका नाम अज्ञेयजी के नाम से कुछ-कुछ मिलता था। खुशवन्त सिंह ने अपने कॉलम में अज्ञेयजी की टाँग अच्छी तरह खींची थी। अश्कजी ने यह भी खुलेआम कहा कि सुमित्रानन्दन पन्त तुक का शब्द ढूँढ़ने के लिए शब्दकोश की सहायता लिया करते थे।

निबन्ध समाप्त करने से पहले मैं सेठ छदम्मीलाल की कथा ज़रूर सुनाऊँगा। सेठजी भी महामहिम राष्ट्रपतिजी की आयु के ही रहे होंगे और उनकी सेहत भी उतनी ही उम्दा थी जितनी कि राष्ट्रपतिजी की इन दिनों चल रही है। चार पत्नियाँ खो देने के बाद उन्होंने कुछ अन्तरंग मित्रों की अन्तरंग सलाह पर एक षोडशी रूपसी से फिर पाणिग्रहण कर लिया। नयी-नवेली पत्नी ने जब देखा कि उनके पूज्य पति के तो अभी सचमुच खेलने-खाने के ही दिन हैं तो उसने स्वर्ण-पर्पटी, मकरध्वज तथा च्यवनप्राश के डिब्बे तो उन्हें खेलने को दे दिये और वह बेचारी स्वयं या तो व्रत-उपवास करने लगी या पिछली पत्नियों के ग्यारह पुत्रों, उनकी पुत्रवधुओं और उनकी सात पुत्रियों और उतने ही जामाताओं को माता का सुख देने लगी। एक दिन पता नहीं कैसे यह झूठी ख़बर सारे शहर में फैल गयी कि नयी सेठानी सारी रोकड़ के साथ अपने किसी प्रेमी के साथ भाग गयी। सेठजी वैसे ही अपने किये पर दिन-रात दुखी रहते थे पर इस झूठी अफ़वाह ने उन्हें तोड़ दिया। उन्होंने थाने में रपट लिखवायी और दारोग़ाजी को घर पर बुलवाया ताकि वे ख़ुद सेठानीजी को देख सकें और अपनी तसल्ली कर सकें कि अफ़वाह एकदम झूठी है और सिर्फ़ सेठजी को बदनाम करने के लिए ही उड़ायी गयी है। दारोग़ाजी ने जब माल देखा तो वे ताज़ीराते-हिन्द की सारी दफ़ाएँ एक क्षण में ही भूल गये। सेठानीजी भी जो अब तक गंगा माता की भाँति पवित्र थीं। उस युवा, रूपवान् व स्वस्थ सब-इन्स्पेक्टर को देखकर ऐसी अन्तर्धान हुईं कि फिर कभी बरामद ही नहीं हुईं। हीरा हीरे से बिंध गया।

अब मैं कथा समाप्त करता हूँ और परमपिता परमात्मा से हाथ जोड़कर विनती करता हूँ कि राष्ट्रपतिजी सौ वर्ष जिएँ और अभी दो बार और राष्ट्रपति बनें। इतना सरल शिष्ट, शालीन, ईमानदार व विद्वान् राष्ट्रपति देश को शायद पहले कभी नहीं मिला और ऊपर दी गयी अफ़वाह को तो वे एकदम भूल जाएँ। ऑस्कर वाइल्ड के अनुसार, जिस व्यक्ति के बारे में ग़लत बातें कही जाती हैं वह व्यक्ति भी उस व्यक्ति से ज़्यादा भाग्यवान् होता है जिसके बारे में कुछ भी नहीं कहा जाता। अफ़वाह उड़ाने की परम्परा तो इस संसार में सदा से रही। न जाने कितनी लोककथाओं में ऐसी राजकुमारियों की कथा है जो अपने रूप की अफ़वाह को सोने की डोर की भाँति

चारों दिशाओं में इस तरह फैलाया करती थीं कि जाने-अनजाने कितने ही सुन्दर और सजीले राजकुमार, नवयुवक कलाकार तथा अमीर व्यापारियों के होनहार कुलदीपक उस डोर में बँध जाते थे और उन जादूगर राजकुमारियाँ या भठियारिनों के क़ैदी हो जाने थे। ये रमणियाँ दिन में अपने जादू के प्रभाव से उन्हें भेड़ा बनाकर तहखानों में बन्द रखती थीं और रात होते ही उन्हें उनका असली रूप दे देती थीं। ऐसा करने में उन्हें क्या सुख मिलता था यह मैं नहीं जानता। और हाँ, ऊपर मैंने दारोग़ाजी वाली जो कथा कही है वह मात्र इस कारण कही है कि आज़ादी के इतने वर्ष बीत जाने पर भी पुलिस का दारोग़ा जो है वह राष्ट्रपतिजी से कहीं ज़्यादा शक्ति रखता है। यह एक सच है कोई अफ़वाह नहीं। कवि कहता है :

महकमे सिर्फ़ हैं दो ही बनाये लाट साहब ने
अव्वल तो है पुलिस का, दोयम है बमपुलिस का

हमारे देवी-देवता

हमारे पवित्र ग्रन्थ गीता में भगवान कृष्ण कहते हैं कि "संसार में जब-जब भी धर्म की ग्लानि और अधर्म का अभ्युत्थान होता है, तभी-तभी मैं इस पृथ्वी पर फिर प्रकट होता हूँ।" विचित्र बात यह है कि धर्म की ग्लानि तो बाकी देशों में भी होती है पर देवी-देवता हमारे ही देश में अवतार लेते हैं। पुराणों के अनुसार उन दिनों देवताओं की कुल संख्या तैंतीस करोड़ थी। जिन दिनों यह सूचना प्रसारित की गयी थी उन दिनों इस देश की सारी जनसंख्या बहुत-से-बहुत पचास लाख रही होगी। दूसरे शब्दों में भक्त कम थे जबकि उनके देवता संख्या में उनसे कहीं ज़्यादा थे। आजकल देवताओं की संख्या कितनी है, इसका अनुमान लगाना कठिन है क्योंकि यह पता नहीं है कि देवताओं ने निरोध को अपनाया या उसका विरोध किया। हमारे नास्तिक दर्शनों में (जैन दर्शन व बौद्ध दर्शन में) भगवान के अस्तित्व को स्वीकार नहीं किया गया पर भक्तों की कृपा से महावीर व गौतम बुद्ध स्वयं ही 'भगवान महावीर' व 'भगवान बुद्ध' हो गये। भगवान का सबसे नया संस्करण भगवान रजनीश के रूप में सामने आया जिनकी वाणी 'सम्भोग से समाधि की ओर' नामक महान् ग्रन्थ के चार खण्डों में संगृहीत की गयी।

मेरे मित्र पुष्करलाल केडिया ने यह स्थापित किया है कि "देवता लोग एकदम वर्तमान सरकारों की भाँति ही सारे काम करते हैं।" विष्णु जो हैं वे सबसे बड़े प्रबन्धक हैं। विष्णु के चार हाथों में शंख, चक्र, गदा व पद्म हैं जिनका सांकेतिक अर्थ काफ़ी स्पष्ट है। शंख सरकारी सूचनाओं के प्रसार का माध्यम है, गदा सुरक्षा व अनुशासन की प्रतीक है, चक्र यह बताता है, कि फ़ाइलों का एक मन्त्रालय से दूसरे मन्त्रालय में जाना और वहाँ से चक्कर खाकर लौटना एक नियति है और कमल इस बात का प्रतीक है कि हमारे राष्ट्रपति कमल की भाँति सत्ता में रहते हुए भी सत्ता से अलग रहें। विष्णु का वाहन गरुड़ जो है वह सरकारी हेलिकॉप्टर का प्रतीक है। ब्रह्मा के चार मुख हैं जिसका अर्थ यह है कि योजना बनाते समय योजना कमीशन चारों दिशाओं की ओर बराबर देखता रहे। ब्रह्मा के तीन हाथों में माला, कमल व वेद हैं और चौथा हाथ जो है वह अभय-मुद्रा में उठा है। वेद यह संकेत करता है कि हमारे शासक ज्ञानी हों, माला एकाग्र चिन्तन की प्रतीक है, कमल की

पंखुड़ियों में 'एक में अनेक' का सन्देश छिपा है और अभय-मुद्रा का अर्थ यह है कि शासन को सबसे प्रथम दलित वर्ग की सुरक्षा निश्चित करनी है। ब्रह्मा का वाहन हंस है, जो बताता है कि हमारी अदालतें हंस की ही भाँति क्षीर-नीर का विवेक करें। लक्ष्मीजी जो हैं वे वित्त मन्त्राणी हैं। उनका आसन कमल है जिसकी जड़ पानी के नीचे पृथ्वी में जाती है और जो हमें यह ध्यान दिलाती है कि सारी सम्पत्ति पृथ्वी में ही छिपी है—चाहे वह खनिज पदार्थों के रूप में हो और चाहे वह अन्न के रूप में प्रकट होनेवाली हो। कमल यह भी बताता है कि हमारे आर्थिक विभाग मुद्राव्यस्त रहते हुए भी धन-लिप्सा से दूर रहें। उनका एक हाथ अभय-मुद्रा में है और दूसरा हाथ धन-वितरण की मुद्रा में है। इसका अर्थ यह है कि पहले तो वित्त मन्त्रालय सारे भ्रष्ट पूँजीपतियों की रक्षा करता रहे और दूसरे वित्त मन्त्रालय बाकी मन्त्रालयों को धन देता रहे चाहे उसके लिए अतिरिक्त नोट ही क्यों न छापने पड़ें। लक्ष्मी का वाहन उल्लू है जिसका संकेत इस बात की ओर है कि लक्ष्मी को पकड़ने की इच्छा करनेवाले दलाल रात को ही अपने क्रियाकलाप सम्पन्न करें। शिक्षा-विभाग देवी सरस्वती के पास है। उनके एक हाथ में जो पुस्तक है वह गुलशन नन्दा के साहित्य की प्रतीक है, उनके हाथों में थमी वीणा 'अपनी ढपली अपना राग' का नारा बुलन्द करती है और उनके वाहन दो हैं जिसका अर्थ है कि 'राष्ट्रभाषा' और 'राज्यभाषा' सदा अलग-अलग रहें। दुर्गा माता रक्षा मन्त्रालय को सँभालती हैं और देवताओं द्वारा निर्मित श्रेष्ठतम हथियार उनके हाथों में हैं। इन हथियारों में वे तोपें और पनडुब्बियाँ भी छिपी हैं जिनकी ख़रीद में गोलमाल किया जाता रहा। दुर्गा का वाहन सिंह है जो शक्ति का प्रतीक है और जिसकी आबादी सभ्यता के विकास के साथ-साथ घटती चली जा रही है। खाद्य मन्त्रालय की मन्त्री अन्नपूर्णा हैं। उनके हाथों में एक पात्र है जो विदेशों के सामने हमेशा घूमता रहता है। जो दे उसका भी भला और जो न दे उसका भी भला। स्वास्थ्य-विभाग जो है वह अश्विनीकुमारों के अधीन है ताकि चिकित्सक और सर्जन जो कुछ भी खाएँ वह बाँटकर खाएँ। जल-आपूर्ति व सिंचाई के महकमे वरुण के पास हैं जो प्रदूषण-रहित पानी प्राप्त करने के लिए हाथ में एक छोटा-सा पात्र सदा रखते हैं जो कभी पूरी तरह भरता ही नहीं। जो साफ़ पानी मिलता है, वह माननीय मन्त्रीजी स्वयं पी जाते हैं और पात्र जो है वह फिर उसी स्थिति में पहुँच जाता है जिसमें कि वह पहले था। न्यायपालिका के सर्वेसर्वा यमराज स्वयं हैं जिनके रिश्वतखोर पेशकार का नाम चित्रगुप्त है। अदालतों में गाँधीजी के चित्रों को गुप्त करने के कारण उनका नाम चित्रगुप्त पड़ा। प्रशासन के सर्वोच्च सेनापति कार्तिकेय हैं जिनके छह मुख हैं ताकि वे सब तरफ़ से चौकसी रखें और छह मुखों से बराबर अपना राशन पाएँ। उनका वाहन मयूर है जो जलचर और थलचर होने के साथ-साथ नभचर भी है। सूचना मन्त्रालय के मन्त्री नारद हैं जिनकी शिखा दूरदर्शन के एरियल की भाँति सदा ऊपर की ही दिशा में उठी रहती

है। वे अपने हाथों में वीणा व करताल रखते हैं ताकि यदि कोई सीरियल न मिल रहा हो तो वे स्वयं ही कोई भजन या दादरा आपकी सेवा में पेश कर सकें। यदि आप चाहें तो ठुमरी व क़व्वाली भी चलेगी।

सरकार के जो गुप्ततम धन्धे हैं उन्हें कामदेव सँभालते हैं और उस दिशा में वे रति, बसन्त, मदिरा और यौवन का निःसंकोच उपयोग करते हैं। इन्द्र जो हैं वे सत्तारूढ़ दल के सर्वमान्य अध्यक्ष हैं। वे अपने ऐरावत नामक शानदार हाथी पर बिराजते हैं और विभिन्न प्रान्तों का दौरा करते हैं। दूसरे दलों की शक्ति कम करने के लिए वज्र का प्रयोग भी करते हैं और अप्सराओं का भी। सौर-ऊर्जा विभाग जो है वह सूर्य के पास है जिनका सातवाँ घोड़ा अपनी सुगन्धित लीद से गोबर-गैस भी तैयार करता है।

भगवान शिव देवाधिदेव हैं और वे किसी भी मन्त्रालय के काम में कभी भी दख़ल दे सकते हैं। सत्तारूढ़ दल उनके सामने झुका रहता है चूँकि उनके गले में साँप लटके रहते हैं, उनके कण्ठ में विष रहता है और उनके मस्तक पर जो चन्द्रमा है, उसके लगा रहने के कारण वे कभी भी अँधेरे में नहीं रहते। सम्पूर्ण ब्रह्माण्ड में उनकी सत्ता राष्ट्रपिता के तुल्य है। वे बेताज के बादशाह हैं। उनकी पूजा करने के लिए एक छोटी-सी पथरी भी पर्याप्त है। वे सादा जीवन व्यतीत करते हैं। अपने सारे क़ीमती वस्त्र उन्होंने अपनी दूसरी पत्नी व दोनों पुत्रों को दे दिये और इसी कारण वे शेर की खाल को लुंगी की भाँति पहन लेते हैं और उसे खिसकने से रोकने के लिए वे उसे एक साँप से बाँध लेते हैं। उनका परिवार उत्तम भोजन ग्रहण करता है जबकि वे स्वयं भंग, धतूरा और आक खाकर ही निर्वाह करते हैं। वे शरीर पर भस्म मले रहते हैं और उनका स्थायी निवास-स्थान किसी श्मशान में ही होता है। उनकी सवारी में हरियाणा का साँड़ रहता है। इस साँड़ में, उनकी पत्नी उमा के वाहन सिंह में, कार्तिकेय के वाहन मयूर में, शिवजी के अपने कण्ठ में पड़े साँपों में व गणेशजी के वाहन चूहे में जन्मजात शत्रुता होते हुए भी कभी कोई झगड़ा नहीं होता। उनके सिर पर गंगा है जो उन्हें सदा शान्त रखती है। यदि ऐसा न हो तो उनका तीसरा नेत्र खुल सकता है जो सारी सरकार को क्षण-भर में भस्म कर सकता है। सरकार तो चीज़ ही क्या है, उनकी इस तीसरी आँख की अग्नि ने कामदेव तक को भस्म कर दिया था जो बेचारा तब से 'अनंग' ही चला आ रहा है। भूत, प्रेत और पिशाच उनके अन्तरंग मित्र हैं। उन्होंने अपने विवाह में दहेज नहीं लिया था और उनकी बरात में भूत और प्रेत, देवताओं तक से आगे चले थे। "हम दो हमारे दो" का लाल-तिकोना नारा देवताओं में सर्वप्रथम उन्होंने ही अपनाया।

उनके बड़े सुपुत्र गणेशजी सृष्टि के सर्वप्रथम स्टेनोग्राफ़र है। इसी गुण के कारण वेदव्यास ने महाभारत उन्हीं को 'डिक्टेट' किया था। उनकी नाक हाथी की है जो बहुत संवेदनशील, वफ़ादार व बुद्धिमान जीव होता है। उनकी आँखें बहुत छोटी हैं जिसका अर्थ यह है कि सूक्ष्म-से-सूक्ष्म चीज़ भी उनकी निगाह से बच नहीं सकती। उनकी नाक

सदा ऊँची रहती है और वक़्त-ज़रूरत वह उनके लिए लड्डू इकट्ठा करके उनके मुख में डालती रहती है। उनके कान बहुत बड़े हैं, वे सुनते ज़्यादा हैं, बोलते कम हैं। हाथी के मुँह में दो दाँत होते हैं पर सरकारी ख़र्चा बचाने के लिए गणेशजी मात्र एक दाँत से ही काम चला लेते हैं। गणेशजी की हवा कभी बाहर नहीं निकलती, वह सदा उनके मुख के भीतर ही निवास करती पायी जाती है। उनका पेट बहुत विशाल है जिसमें न जाने कितने मोदकों का स्टॉक, न जाने कितने रहस्य और न जाने कितना ज्ञान भरा पड़ा है। सबसे ज़्यादा दिलचस्प चीज़ उनकी सवारी है। इतने भारी-भरकम गणेशजी चूहे की सवारी गाँठते हैं। सादा जीवन, उच्च विचार। उनकी यह सवारी यह भी सिद्ध करती है कि बड़े-से-बड़े व्यक्ति को भी छोटी-से-छोटी चीज़ की उपेक्षा नहीं करनी चाहिए।

शिव-परिवार अपने गुणों के कारण सारे देवी-देवताओं में ज़्यादा पूजा जाता है। सारे भारत में शिव के मन्दिर हैं। असम व बंगाल में दुर्गा की पूजा की जाती है और महाराष्ट्र में गणेशजी पूजे जाते हैं जबकि सारे देश में ब्रह्मा का मात्र एक मन्दिर है और विष्णु के मन्दिर भी मात्र दक्षिणी भारत में ही हैं और वे भी गिनती में बहुत ज़्यादा नहीं हैं। कोई भी शुभ कार्य गणेशजी की पूजा के बिना कहीं सम्पन्न नहीं किया जाता। भगवान शिव और बातों के साथ-साथ नाचने-गाने के भी ज़बर्दस्त शौक़ीन हैं और उनका ताण्डव नृत्य तो सारी सृष्टि में प्रलय ला सकता है। उन्हें नटराज कहा जाता है और दक्षिणी भारत के एक प्रसिद्ध शिवालय में उनकी नटराज की मुद्रा में एक भव्य मूर्ति भी कभी स्थापित थी। कुछ भक्तों ने इस मूर्ति की चोरी सम्पन्न की ताकि हमारी संस्कृति विदेशियों का भी उद्धार कर सके। बड़ी मुक़द्दमेबाज़ी के बाद अब यह मूर्ति शायद भारत वापस आ गयी है। शिवजी एक भोले देवता हैं और इसी कारण वे 'बम भोले' के नाम से भी पुकारे जाते हैं। अपनी सरलता के कारण उन्होंने कभी एक राक्षस को उसकी भक्ति व उपासना से प्रसन्न होकर यह वर दे दिया था कि वह जिस प्राणी के सिर पर भी अपना हाथ रख देगा, वह उसी क्षण भस्म हो जायेगा। वर की प्राप्ति होते ही उस चतुर राक्षस ने शिव को ही भस्म करने की कोशिश की और शिवजी को अपने प्राण बचाने के लिए तीनों लोकों में भागना पड़ा। लुंगी सँभाले शिव आगे-आगे और अपना हाथ बढ़ाये यह भस्मासुर उनके पीछे-पीछे। नारद मुनि ने भस्मासुर को फुसलाकर उसके हाथ से उसी को भस्म करवा दिया और इस प्रकार शिवजी अपनी प्रिय पत्नी उमा को खोने से बचे। भस्मासुर उमा को वधू के रूप में प्राप्त करने लिए ही शिवजी को उन्हीं के वर से समाप्त करना चाहता था। कथा समाप्त हो गयी और यह अमर प्रबन्ध भी समाप्ति को प्राप्त हो गया। इसके बाद शिवजी ने उमा को सदा लॉकर में रखा। यदि शिव का धनुष सीता-स्वयंवर में नहीं तोड़ा जाता तो शिव भस्मासुर को एक क्षण में समाप्त कर देते पर वह इस हादसे में ऐसे घबराये कि अपने तीसरे नेत्र का उपयोग करना भी भूल गये।

उर्दू के कवि और धर्मोपदेशक

उर्दू के प्रायः सभी कवियों ने उन लोगों का ख़ूब मज़ाक़ उड़ाया है जो ज़ाहिरी ढोंग को ही धर्म समझते हैं। ऐसे पाखण्डी उपदेशकों को कई नाम से पुकारा जाता है जिनमें वाइज़, नासेह, शैख़ और ज़ाहिद सबसे ज़्यादा मशहूर हैं। ज़्यादा छेड़छाड़ जो की गयी है वह मदिरापान को ही लेकर की गयी है। आज मैं कुछ ऐसे ही शेर आपको सुनाऊँगा जो बड़े-बड़े शायरों के दीवानों से लिए गये हैं। सोचता हूँ कि शुरुआत जो करूँ वह मीर-तक़ी-मीर से ही करूँ। कलाम हाज़िर है :

(एक)

तुझको मस्जिद है, हमको मयख़ाना
वाइज़ा अपनी अपनी किस्मत है

(दो)

कुछ न समझा मैं जुनूनो-इश्क़ में
देर नासेह मुझको समझाता रहा

(तीन)

अब तो जाते हैं मयकदे से 'मीर'
फिर मिलेंगे अगर ख़ुदा लाया

(चार)

अब्र उठा था काबे से और झूम पड़ा मैख़ाने पर
बादाकशों का झुरमुट हैगा शीशे और पैमाने पर

महाकवि ज़ौक सम्राट् बहादुरशाह के उस्ताद थे। उन्होंने अपना बचपन काफ़ी ग़रीबी में बिताया था क्योंकि उनके पिता एक मामूली सिपाही ही तो थे। सम्राट् के उस्ताद बनकर भी वे साधारण जीवन ही बिताते थे क्योंकि उनकी तनख़्वाह कभी

आठ रुपये प्रतिमाह से ज़्यादा नहीं रही थी। बहुत बाद में चलकर उनका वेतन कुछ वर्षों के लिए सौ रुपया प्रतिमाह हो गया था। उन्हें दिल्ली शहर से इतना प्रेम था कि वे पाँच सौ रुपया प्रतिमाह पर भी हैदराबाद नहीं गये जहाँ से नज़ामत के दीवान चन्दूलाल ने खिलअत व निमन्त्रण भेजा था। उन्होंने धर्मोपदेशकों पर काफ़ी चोट की है और इस सन्दर्भ में कुछ शेर प्रस्तुत हैं :

(एक)

ज़ाहिद शराब पीने से काफ़िर हुआ मैं क्यों
क्या डेढ़ चुल्लू पानी में ईमान बह गया?

(दो)

मस्जिद में उसने हमको आँखें दिखा के मारा
काफ़िर की देखो शोख़ी, घर में ख़ुदा के मारा

(तीन)

रिन्दे-ख़राब-हाल को ज़ाहिद न छेड़ तू
तुझको परायी क्या पड़ी, अपनी निबेड़ तू

(चार)

हरम को जाए ज़ाहिद, हम तो मैख़ाने को चलते हैं
मुबारक उसको तौफ़े-काबा, हमको दौरे-सागर हो

(पाँच)

'ज़ौक' जो मदरसे के बिगड़े हुए हैं मुल्ला
उनको मैख़ाने में ले आओ, सँवर जाएँगे

(छह)

बाक़ी है दिल में शैख़ के हसरत गुनाह की
काला करेगा मुँह भी जो दाढ़ी सियाह की

ग़ालिब की गिनती उर्दू के महानतम शायरों में की जाती है। वे बेहद ख़ुशमिज़ाज थे और उनका परिचय सम्राट् बहादुरशाह ज़फ़र (जो स्वयं एक मार्मिक कवि थे) से काफ़ी घनिष्ठ था। उनके कुछ शेर आज की रचना में ख़ूब रंग लाएँगे। कलाम

पेशे-ख़िदमत है :

(एक)

वाइज़ न तुम पियो, न किसी को पिला सको
क्या बात है तुम्हारी शराबे-तहूर की

(दो)

कहाँ मयख़ाने का दरवाज़ा 'ग़ालिब' और कहाँ वाइज़
पर इतना जानते हैं कल वो जाता था, हम निकले

(तीन)

कोई दुनिया में मगर बाग़ नहीं है वाइज़
खुल्द भी बाग़ है, ख़ैर आबो-हवा और सही

(चार)

ख़ुदा के वास्ते पर्दा न काबे का उठा वाइज़
कहीं ऐसा न हो याँ भी वही काफ़िर सनम निकले

महाकवि दाग़ उर्दू के 'शरीर' शायर हैं। वे उन्हीं नवाब शम्सुद्दीन के लड़के थे जिन्हें रेज़ीडेण्ट कमिश्नर फ़्रेज़र की हत्या के सन्दर्भ में सारी पब्लिक के सामने फाँसी दी गयी थी। वे भड़कीले वस्त्र पहनते थे और देखने-भालने में काफ़ी भद्दे थे। उन्होंने काफ़ी वक़्त रामपुर के नवाब व दक्षिण के निज़ाम के यहाँ गुज़ारा। वे एक ख़ुशमिज़ाज और दोस्तों की मदद करनेवाले इंसान थे। उर्दू कविता की भाषा को सँवारने-सजानेवालों में 'दाग़' का नाम सर्वोच्च माना जाता है। उनकी धर्मोपदेशकों के साथ जन्मजात शत्रुता थी। उनका कलाम इस बात को ज़ाहिर करता है :

(एक)

लुत्फ़े-मैं तुझसे क्या कहूँ ज़ाहिद
हाय कम्बख़्त तूने पी ही नहीं

(दो)

ईमान कुछ वज़ू तो नहीं है जो टूट जाए
ऐ शेख़, क्या हुआ जो मैं तौबा-शकन हुआ

(तीन)

दी मुअज़्ज़न ने शबे-वस्ल अजाँ पिछले पहर
हाय, कम्बख़्त को किस वक़्त ख़ुदा याद आया

(चार)

ऐ शैख़ जो बताये मये-इश्क़ को हराम
ऐसे के दो लगाये भिगोकर शराब में

(पाँच)

बचेंगे हज़रते ज़ाहिद कहीं बग़ैर पिये
हमारे हाथ लगे हैं जनाब बरसों में

(छह)

कोई समझ कर बात करे तो जवाब दें
दम नाक में है नासिहे-जाहिल के हाथ से

(सात)

हर गुनह से तौबा कर ली जब जवानी जा चुकी
ज़ाहिदो, जन्नत में जाना कोई तुमसे सीख जाय

(आठ)

पिन्दे-वाइज़ सुनते सुनते कान अपने भर गये
क्या इबादत को हमीं हैं, सब फ़रिश्ते मर गये?

(नौ)

वह आयी घटा झूम के, ललचाने लगा दिल
वाइज़ को बुलाओ कि चली हाथ से तौबा

(दस)

हुआ है चार सजदों पर ये दावा ज़ाहिदो तुमको
ख़ुदा ने क्या तुम्हारे हाथ जन्नत बेच डाली है?

(ग्यारह)

वाइज़ की बज़्मे-वाज़ में क्या भीड़भाड़ थी
इतने में रिन्द आये तो मैदान साफ़ था

(बारह)

रिन्दाने-बेरिया की है सोहबत किसे नसीब
ज़ाहिद भी हम में बैठ कर इंसान हो गया

मीर, ग़ालिब और इक़बाल—ये तीनों उर्दू के महान् कवि माने जाते हैं। इक़बाल हाईकोर्ट के जज थे और हकूमते-बरतानिया ने उन्हें 'सर' का ख़िताब अता फ़रमाया था। इनके उस्ताद थे 'दाग़' देहलवी। इक़बाल एक शायर ही नहीं थे बल्कि एक विचारक, चिन्तक और दार्शनिक भी थे। इतने शालीन, सम्भ्रान्त और विद्वान् व्यक्ति ने भी धर्मोपदेशकों का मज़ाक़ उड़ाया है और बतौर सबूत के चन्द पंक्तियाँ हाज़िर करता हूँ :

(एक)

मैं भी हाज़िर था वहाँ ज़ब्ते-सुखन कर न सका
हक़ से जब हज़रते मुल्ला को मिला हुक्म बहिश्त,
अर्ज की मैंने इलाही, मेरी तकसीर मुआफ़
ख़ुश न आयेंगे इसे हूरो-शराब-लबे-किश्त

(दो)

उमीदे-हूर ने सब कुछ सिखा रखा है वाइज़ को
ये हज़रत देखने में सीधे-सादे भोले-भाले हैं

'अकबर' इलाहाबादी उर्दू के श्रेष्ठतम हास्य और व्यंग्य कवि हैं। इनका जन्म इलाहाबाद के पास बसे किसी गाँव में हुआ था। वे सरकारी नौकर थे और जब वे रिटायर हुए तब वे डिस्ट्रिक्ट व सेशंस जज थे। सरकार ने उन्हें 'खान-बहादुर' का खिताब भी दिया पर वे सरकार के ख़िलाफ़ बराबर लिखते रहे। कुछ लोगों का कहना है कि यदि वे 'दिल्ली-दरबार' नामक प्रसिद्ध कविता न लिखते तो ज़रूर उन्हें हाईकोर्ट का जज बना दिया गया होता। उनके घनिष्ठ मित्रों में पण्डित मदनमोहन मालवीय, जस्टिस सर मुहम्मद इक़बाल, पण्डित पद्मसिंह शर्मा व ख़्वाजा हसन निज़ामी का नाम विशेष रूप से उल्लेखनीय है। उनके बारे में मुझे दो ही बातों का दुख है। पहली बात तो यह है कि उनकी हास्यपूर्ण कविताओं के कारण विद्वानों का ध्यान उनकी उन गम्भीर कविताओं पर उतना नहीं गया जो किसी भी दृष्टि से बाकी गम्भीर कवियों की श्रेष्ठ

कविताओं से कम नहीं हैं। दूसरी बात यह है कि जीवन के आख़िरी दौर में व दोस्तों को लिखे पत्रों में जो बेशक़ीमती शेर वे लिखा करते थे, उनका कोई रिकॉर्ड वे नहीं रखा करते थे। इन पत्रों में इतने अशआर हैं कि एक बढ़िया दीवान तैयार हो सकता है।

बहरहाल, आइए और उनके उन कलामों को सुनिए जिनमें उन्होंने भी धर्मोपदेशकों की कसकर ख़बर ली है :

(एक)

हंगामा है क्यों बरपा, थोड़ी-सी जो पी ली है
डाका तो नहीं मारा, चोरी तो नहीं की है,

नातजुर्बाकारी से वाइज़ की ये बातें हैं
इस रंग को क्या जाने, पूछो कि कभी पी है?

(दो)

फ़लसफ़ी को बहस के अन्दर ख़ुदा मिलता नहीं
डोर को सुलझा रहा है और सिरा मिलता नहीं

शैख़ साहब बरहमन से लाख बरतें दोस्ती
वे भजन गाएँ तो मन्दिर से टका मिलता नहीं

(तीन)

'अकबर' से मैंने पूछा, "अय, वाइज़े तरीक़त
दुनियाये-दूँ से रक्खूँ मैं किस क़दर तअल्लुक़?"
उसने दिया बलाग़त से ये जवाब मुझको
"अँग्रेज़ को है नेटिव से जिस क़दर तअल्लुक़"

(चार)

हज़रत को भी तकलीदे-नमाज़ी में है यह उज्र
मस्जिद का वो मुल्ला है, मैं हूँ साहब का मुंशी

(पाँच)

क्या ज़ौके-इबादत हो उनको
जो मिस के लबों के शैदा हो

हल्वे-बहिश्ती एक तरफ़
होटल की मिठाई एक तरफ़

(छह)

रुकिए अगर, तो हँस कहे एक मिसे-हँसीं
वैल मौलवी, ये बात नहीं है गुनाह की

(सात)

ले गये खींच के मुझको परेड पर
तय्यार हो रहा था मैं जन्नत के वास्ते

(आठ)

करेंगे शौक़ से मुस्लिम ग़िज़ा मय दाख़िल
शराब को भी हरीसा बना के छोड़ेंगे,
कहा ये शेख़ से अकबर ने रोक अपनी ज़ुबाँ
कि तुझको भी वे मुझी-सा बना के छोड़ेंगे

(नौ)

दिल मेरा जिससे बहलता, कोई ऐसा न मिला
बुत के बन्दे मिले, अल्लाह का बन्दा न मिला,
सय्यद उठे जो ग़ज़ट लेकर तो लाखों लाये
शेख़ कुरआन दिखाते फिरे, पैसा न मिला

(दस)

वाइज़ ने कहा ख़ैफ़े-ख़ुदा भी है कोई चीज़
उताबुत ने कहा 'मेरी अदा भी है कोई चीज़'

(ग्यारह)

टट्टू पर जिस तरह से ताज़ी का साज़ बोझ
यूँ बाबुआने-हिन्द पर है अब नमाज़ का बोझ

(बारह)

ग़रीब 'अकबर' के गिर्द क्यों हैं, जनाबे वाइज़ से कोई कह दे
उसे डराते हो मौत से क्या, वह ज़िन्दगी से ही डर चुका है

(तेरह)

क़रीबे-ख़त्म थी मजलिस कि आ निकले इधर वो भी
ग़रज़ वाइज़ की मेहनत रह गयी सब रायगाँ होकर

(चौदह)

रंगे-शराब से मेरी नीयत बदल गयी
वाइज़ की बात रह गयी, साक़ी की चल गयी

(पन्द्रह)

हूर मिस को, मये-गुलगूँ को परी कहते हैं
शेख़ ख़ुश हों कि ख़फ़ा, हम तो खरी कहते हैं
हुस्न के बाब में 'अकबर' की सनद ठीक नहीं
ये तो हर एक बुते-कमसिन को परी कहते हैं

(सोलह)

जो दिक़्क़त है तो यह है, दिल नहीं है मेरे क़ाबू में
मुझे तसलीम है इरशाद - वाइज़ का बजा होना

(सत्रह)

बुतों से मेल ख़ुदा पर निगाह, ख़ूब कही
शब गुनाह को नमाज़े-सहर, ख़ूब कही,
फ़िटन, नफ़ीस-सड़क, ख़ुशनुमा डिनर, हर शब
ये लुत्फ़ छोड़कर हज का सफ़र, ख़ूब कही,
जनाबे शेख़ का हो जाऊँ मौतकिद माकूल
निगाहे यार रहे बे-असर ख़ूब कही

(अठारह)

न माना शेख़जी ने, चख लिये दस-पाँच यह कहकर
अगर क़ाबिज़ हैं ये बिस्कुट तो हों, अल्लाह मालिक है

(उन्नीस)

ज़र कौम से लेकर ऐसा सामान करो
जिससे कि तुम्हारी बज़्म बन जाए बहिश्त,
हलवे माँडे से काम रखो भाई
मुरदा दोज़ख़ में जाए या जाए बहिश्त

(बीस)

मग़रिबी ज़ौक है और वज़अ की पाबन्दी भी
ऊँट पर चढ़कर थियेटर को चले हैं हज़रत

(इक्कीस)

इस अखाड़े में अड़ंगें देखकर क़ानून के
शेख़ ने तहमद से हिज़रत की तरफ़ पतलून के

(बाईस)

पेश आ जाय जो मस्जिद तो नमाज़ी ही सही
बुत जो मौक़े से मिले, दस्तराज़ी भी सही

(तेईस)

अज़ा से अब सवा बेदारकुन इंजन की सीटी है
इसी पर शेख़र बेचारे ने छाती अपनी पीटी है
ख़ुदा की राह में बेशर्त करते थे सफ़र पहले
मगर अब पूछते हैं, रेलवे इसमें कहाँ तक है?

(चौबीस)

मय भी होटल में पियो, चन्दा भी दो मस्जिद में
शेख़ भी ख़ुश रहे, शैतान भी बेज़ार न हो

जिगर अपने समय के सबसे ज़्यादा लोकप्रिय शायर थे। उन्होंने ज़्यादा तालीम

नहीं पायी थी और आर्थिक कठिनाइयाँ भी उन्हें कम न रहीं। रोज़ी-रोटी के लिए कभी वे रेल के स्टेशन पर चश्मे बेचा करते थे। शक्ल-सूरत के लिहाज़ से वे काफ़ी अलमस्त बदसूरत और फक्कड़ थे। कभी वे बेहद शराब पिया करते थे मगर एक दिन उन्होंने शराब छोड़ दी और सिगरेटों पर उतर आये। वे एक बेहद शरीफ़, यारबाश और सरल व्यक्ति थे हालाँकि मज़ाक़ करने में वह कभी भी किसी से पीछे नहीं रहे। ऐसे व्यक्ति को कोई धर्मोपदेशक क्या बाँध सकता था?

(एक)

मुझे उठाने को आया है वाइज़े-नादाँ
जो उठ सके तो मेरा सागरे-शराब उठा,
किधर से बर्क़ चमकती है, देखें ऐ वाइज़
मैं अपना जाम उठाता हूँ, तू किताब उठा

(दो)

तौबा तो कर चुका था मगर इसका क्या इलाज
वाइज़ की ज़िद ने फिर मुझे मजबूर कर दिया

प्रख्यात कवि जोश मलीहाबादी एक जागीरदार के पुत्र थे। उन्हें अपने स्वतन्त्र विचारों के कारण 'शायरे-बग़ावत' और 'शायरे-इन्क़िलाब' कहा जाता था। वे एक नफ़ासतपसन्द, साहसी, निडर और भावुक व्यक्ति थे। वे कुछ अर्से तक निज़ाम हैदराबाद के यहाँ भी रहे। अन्त में वे पाकिस्तान चले गये जहाँ उनकी ज़िन्दगी निराशा व निरादर में गुज़री। उपदेशक को उन्होंने भी बाक़ायदा पकड़ा और कहा :

(एक)

शैख़ो-पण्डित ने भी क्या अहमक़ बनाया है हमें
छोटे छोटे तंग ख़ानों में बिठाया है हमें

(दो)

"जी हाँ, मस्जिद यहीं है आगे बढ़ कर
हाजी गफ़्फ़ार की दुकान के ऊपर"
"लेकिन लेकिन...." "जनाब लेकिन कैसी?"
"मैं पूछ रहा था कि है मैख़ाना किधर?"

(तीन)

क्या शेख़जी की खुश्क ज़िन्दगानी गुज़री
बेचारे की एक शब भी न सुहानी गुज़री
दोज़ख़ के तख़य्युल में बुढ़ापा गुज़रा
जन्नत की दुआओं में जवानी गुज़री

'फ़िराक़' गोरखपुरी का नाम जोश और जिगर के साथ ही लिया जाता है। वे इलाहाबाद युनिवर्सिटी में अँग्रेज़ी के लेक्चरर थे जहाँ मैं उनका शिष्य था। वे स्वभाव से दबंग, मज़ाक़िया और खुले हुए इंसान थे। वे परम्पराओं और रूढ़ियों से ऊपर थे और उर्दू कविता को उन्होंने एक नया आयाम दिया। शेख़जी को उन्होंने भी नहीं छोड़ा:

(एक)

ख़ुदा को पा गया वाइज़ मगर है
ज़रूरत आदमी को आदमी की

(दो)

मैकशों ने आज तो सब रंगरलियाँ देख लीं
शैख़, कुछ इन मुँहफटों को दे-दिलाकर चुप करो

मजाज़ एक बहुत ख़ुशमिज़ाज, रसिक, दुखी और मदिराप्रेमी शायर थे। शुरू-शुरू में वे शराब पीते थे मगर बाद में हालत यह हो गयी थी कि शराब उन्हें पीने लगी थी। धर्मोपदेशकों को लेकर उन्होंने जो कुछ लिखा वह करुण ही है, हास्य या व्यंग्य नहीं:

(एक)

आस्मानों के फ़रिश्ते भी उतरते ही रहे
नेकबन्दे भी ख़ुदा का काम करते ही रहे,
मस्जिदों में मौलवी खुत्बे सुनाते ही रहे
मन्दिरों में बिरहमन अश्लोक गाते ही रहे,
रहबरी जारी रही, पैग़म्बरी जारी रही
दीन के पर्दे में जंगे-ज़रगरी जारी रही,
इक न इक दर पर ज़बाने-शौक़ घिसती ही रही
आदमियत ज़ुल्म की चक्की में पिसती ही रही

(दो)

वाइज़ो-शैख़ ने सर जोड़ कर बदनाम किया
वरना बदनाम न होती मय-ए-गुलफ़ान अभी

अख़्तर शीरानी केवल यौवन के सौन्दर्य और भाषा के लालित्य के शायर हैं। आपको जानकर शायद हँसी आये कि उनके वालिद उन्हें पहलवान बनाना चाहते थे। वे कहते हैं :

(एक)

इश्क़ बीमारी है और कितनी हसीन बीमारी
क्या ख़बर शैख़जी को कि यह लज़्ज़त क्या है?

(दो)

नासेह हमारी तौबा में कुछ शक नहीं मगर
शाना हिलाए आके घटाएँ तो क्या करें?

फ़ैज़ अहमद 'फ़ैज़' उन शक्तिशाली शायरों में से एक हैं जिन्होंने ज़्यादा नहीं लिखा मगर फिर भी साहित्य में अपना स्थान बना लिया। उनके अनुभवों और विषयों के आयाम बहुत विस्तृत हैं। बहरहाल, उपदेशक से वे भी तंग हैं और कहते हैं :

(एक)

इस राह में जो सब पर गुज़रती है वो गुज़री
तनहा पसे-ज़िन्दाँ, कभी रुसवा सरे बाज़ार,
गरजे हैं बहुत शैख़ सरे-गोशा-ए-मिम्बर
कड़के हैं बहुत अहले-हुकम बर-सरे-दरबार

(दो)

शैख़ साहब से रस्मो-राह न की
शुक्र है ज़िन्दगी तबाह न की

(तीन)

फ़िक्र-सूदो-ज़ियाँ तो छूटेगी
मिन्नते-ईनो-आँ तो छूटेगी
ख़ैर दोज़ख़ में मय मिले न मिले

शैख़ साहब से जाँ तो छूटेगी

(चार)

शैख़ से बेहिरास रहते हैं
हमने तौबा अभी नहीं की है,
ज़िक्रे-दोज़ख़, बयाने-हूरो-कुसूर
बात गोया यहीं कहीं की है

शकील बदायूनी एक अत्यन्त लोकप्रिय शायर थे। उनके बेपनाह तरन्नुम, शेरों की बेपनाह चुस्ती और अनुभूति की बेपनाह तीव्रता ने उन्हें इतना मशहूर किया कि जवाब नहीं। फ़िल्मों में जाकर भी वे साहिर और मजरूह की भाँति इस ख़तरे से पूरी तरह सतर्क रहे कि उनका स्तर कहीं गिर न जाए। उपदेशक से वे भी ख़ासे नाराज़ रहे :

(एक)

ज़ाहिद से पूछिए ग़मे-दुनिया की अज़्मतें
उक्बा न मिल सके ग़मे-दुनिया किये बग़ैर

(दो)

तेरी गुफ़्तगू को ज़ाहिद दिले-ग़मजुदा से जलकर
अभी तक तो सुन रहा था मगर अब ज़रा सँभलकर

(तीन)

शकीले-मस्त को मस्ती में जो कहना है, कहने दो
ये मैख़ाना है ऐ वाइज़, यहाँ सब काम चलता है

(चार)

बे-नक़्दे-अमल जन्नत की तलब, क्या शै हैं जनाबे-वाइज़ भी
मुट्ठी में नहीं है दामो दिरम, बाज़ार की बातें करते हैं

(पाँच)

बेझिझक आ गये, बेख़तर आ गये
आज रिन्दों में वाइज़ किधर आ गये?

मजरूह सुल्तानपुरी ग़ज़लों के शायर हैं। आधुनिक उर्दू ग़ज़ल का यह क्रान्तिकारी शायर व्यक्तिगत जीवन में बहुत सौन्दर्यप्रेमी है; वह भद्दे वस्त्रों को, भद्दे खाने को, भद्दे मकानों को, भद्दी किताबों को और भद्दे दोस्तों को बर्दाश्त नहीं कर सकता। बहुत दिन हुए जब निगार सुलताना ने मुझे उनसे मिलवाया था। उपदेशकों को लेकर उन्होंने भी लिखा है और ऐसी ही कुछ पंक्तियाँ नीचे देता हूँ :

(एक)

जो समझाते भी आकर वाइज़े-बरहम तो क्या करते
हम इस दुनिया के आगे उस जहाँ का ग़म तो क्या करते

(दो)

कुछ भी हूँ फिर भी दुखे दिल की सदा हूँ नासेह
मेरी बातों को समझ, तल्ख़ी-ए-तक़रीर न देख

मैं उर्दू नहीं जानता। उर्दू-शायरी का जो आनन्द मैंने लिया है वह प्रकाश पण्डित व अयोध्याप्रसाद गोयलीय जैसे साहित्यकारों द्वारा किये गये अनुवादों के माध्यम से ही लिया है। मेरे पास जिन कवियों के दीवानों का अनुवाद प्राप्त था, वे ख़त्म हो गये। अब कुछ ऐसी किताबें बची हैं जिनमें विभिन्न कवियों की कविताओं का संकलन किया गया है। इन सब किताबों में पं. रामनरेश त्रिपाठी की कविता-कौमुदी (भाग-4) सर्वश्रेष्ठ है। शायद कुछ कलाम उन कवियों के भी हैं जिनके उद्धरण ऊपर दिये गये हैं। सरल शेर ही लूँगा क्योंकि कठिन उर्दू तो मेरी ख़ुद की ही समझ में नहीं आती। इसी कारण मैंने ऊपर चर्चित कवियों के धर्मोपदेशकों के ख़िलाफ़ कहे गये सारे शेर नहीं पेश किये। और हाँ, यह न समझिए कि जिन शायरों की मैं चर्चा कर रहा हूँ, उनके अलावा और शायरों ने शैख़जी की ख़बर नहीं ली। कलाम हाज़िर है :

मस्जिद में बुलाते हैं हमें ज़ाहिदे-नाफ़ह्म
होता कुछ जो अगर होश तो मयख़ाने न जाते?

(अमीर मीनाई)

जहाँ पै रास्ता भूला है बारहा ज़ाहिद
वहीं से राह मुड़ी है शराबख़ाने की

(असर लखनवी)

नजात हो गयी नासेह से उम्र भर के लिए
उसी को भेज दिया यार की ख़बर के लिए

(जलाल)

वो आ रहा है असा टेकता हुआ वाइज़

बहा दे इतनी कि साक़ी कहीं थाह मिले

(रियाज़)

ज़ाहिद शराब पीने दे मस्जिद में बैठकर
वर्ना जगह बता दे जहाँ पर ख़ुदा नहीं

(ग़ालिब)

आदमी ऐसा कहाँ कोई फ़रिश्ता हो तो हो
शेख़ साहब, यह नहीं मालूम तुम किस पर गये

(दाग़)

बात साक़ी की न टाली जायेगी
कर के तौबा तोड़ डाली जायेगी

(जलील)

करवटें लेती है फूलों में शराब
हम से इस वक़्त तौबा होगी?

(अलीं अख़्तर)

कम्बख़्त ने ज़िक्रे-शराब इतना किया
वाइज़ के मुँह से आने लगी बू शराब की

(रियाज़)

आएगा जब फ़रिश्ता तो मुँह खुलेगा उसका
बोतल कोई छिपाकर रख दे मेरे कफ़न में

(रियाज़)

शेख़ की दावत में मय का क्या काम?
एहतियातन कुछ मँगा ली जायेगी

(अकबर)

कुछ शक नहीं कि हज़रते-वाइज़ हैं ख़ूब शख़्स
यह बात और है कि ज़रा बेवकूफ़ हैं

(अकबर)

शेख़जी मयकदा वह जन्नत है
तुम भी जाकर जवान हो जाते

(रियाज़)

शैख़ ने हिकमत-ए-इस्लाम को समझा ही नहीं
शैख़ अगर शैख़ न होता तो मुसलमाँ होता

(अदम)

गर ख़ुदा मेरी दुआओं में असर दे साक़ी
आबकारी का वज़ीर मुझे बना दे साक़ी

(अहमक)

वाइज़ आता है तो आने दो उसे
पर मज़ा आने का यहाँ क्या पायेगा?
आयेगा और हमको शर्माएगा मुफ़्त
और खुद शर्मिन्दा होकर जायेगा
ऐब से ख़ाली न वाइज़ है न हम
हम पे मुँह आयेगा, मुँह की खायेगा

(हाली)

पाके साफ़ ऐसी है, जिसने पी फ़रिश्ता हो गया
ज़ाहिदो ये हूर के दामन में है छानी गयी

(रियाज़)

उतर गयी सरे-बाज़ार शैख़ की पगड़ी
गिरह में दाम न होंगे, उधार पी होगी

(रियाज़)

शैख़ साहब क्या छुपाकर ले चले रूमाल में
कुछ न कुछ हिस्सा रहे यारों का भी इस माल में

(रियाज़)

बाँस पर मयकदे में तुझको चढ़ाया ऐ शेख़
फिर भी ऊँचे तेरी मस्जिद के किनारे निकले

(रियाज़)

जनाबे-शेख़ भी चुपके से कह गये आख़िर
शराब रात को अकसर हलाल होती है

(आसी)

यह कम नहीं है बुढ़ापे में हमने तौबा की
तमाल उम्र में हमने यह एक काम किया

(रियाज़)

गर यार मय पिलाये तो फिर क्यों न पीजिए
ज़ाहिद नहीं मैं, शेख़ नहीं, कुछ वली नहीं

(इंशा)

ज़िक्र शराबे-हूर कलामे-ख़ुदा में देख
'मोमिन' मैं क्या कहूँ मुझे क्या याद आ गया

(मोमिन)

जनाबे-शेख़ ने जब पी तो मुँह बनाकर कहा
मज़ा भी तल्ख़ है, कुछ बू भी ख़ुशगवार नहीं

(रियाज़)

रिन्दाने-बेरिया की है सोहबत किसे नसीब
ज़ाहिद भी हम में बैठ कर इंसान हो गया

(दाग़)

धो सके तो अपने दिल का दाग़ धो
शेख़, मुँह को हर घड़ी धोता है क्या

(सोज़ाँ)

मस्जिद की डेढ़ ईंट पर ज़ाहिद को यह घमण्ड
वो भी ख़ुदा के फ़ज़्ल से घर का मकाँ नहीं

(अज्ञात)

मौकूफ़ जुर्म ही करम का ज़हूर था
बन्दे अगर कसूर न करते, कसूर था

(असीर)

शेख़, दोज़ख़ से डराने की ज़रूरत क्या है?
हम तो दाढ़ी ही तेरी देखके डर जाते हैं

(रंजूर)

सूफ़सी दाढ़ी लगा तुम बन गये लंगूर से
इसको कटवाओ मैं बाज़ आयी ख़ुदा के नूर से

(अकबर)

तौबा का इरादा हमारा भी है ऐ शेख़
लेकिन ज़रा आ जाय बुढ़ापा अभी कुछ और

(सोज़ाँ)

करते हो आज शेख़जी हमको नसीहतें
क्या-क्या किया न होगा तुम्हीं ने शबाब में

(रहमत)

बढ़ चला है शैख़ हद्द-ए-आदमियत से 'अदम'
अब यही लाज़िम है तौहीन-ए-अदब कर दीजिए

(अदम)

उपदेशकों के बारे में दो लतीफ़े सुनाऊँगा। हो सकता है कि वे आपको भी पसन्द आ जाएँ। हज़रत मुहम्मद के एक दामाद कुछ सख़्त किस्म के थे और नमाज़ व रोज़ों के निहायत पाबन्द थे। एक दिन वे मस्जिद के पास खड़े थे कि एक गधे पर बैठा कोई कुम्हार या धोबी वहाँ से गुज़रा। वह गधेवाला मस्जिद देखकर शाम की नमाज़ पढ़ने के लिए गधे से उतरा और मस्जिद में चला गया। उसका गाँव अभी दूर था और इसी चिन्ता के कारण उसने नमाज़ में कम-से-कम वक़्त लगाया जिसे देखकर पैग़म्बर के दामाद कुछ दुखी हुए। उन्होंने गधेवाले को डाँटा कि "क्या

नमाज़ इस तरह पढ़ी जाती है? आओ और मैं तुम्हें बताऊँगा कि नमाज़ कैसे पढ़ी जाती है।" बेचारा गधेवाला इतने बड़े आदमी की बात कैसे टाल सकता था? उसने मस्जिद में जाकर पूरी नमाज़ फिर पढ़ी। जब वह गधेवाला बाहर निकला तो पैग़म्बर के दामाद साहब ने उससे पूछा कि "अब बताओ किस नमाज़ में ज़्यादा शान्ति मिली?" गधेवाले ने साफ़ कह दिया कि उसे सच्ची नमाज़ पहलेवाली ही लगी थी दूसरी नहीं। यह उत्तर सुनकर दामाद साहब को बड़ा विस्मय हुआ और उन्होंने इस स्थिति का कारण गधेवाले से पूछा। उस ग़रीब गधेवाले ने कहा कि "हजूर, पहली नमाज़ मैंने ख़ुदा के डर से पढ़ी थी जबकि दूसरी नमाज़ मैंने आपके डर से पढ़ी। दूसरी नमाज़ में मुझे इसी कारण उतना सुख नहीं मिला जितना कि पहली में मिला था।" गधेवाले की बात सुनकर पैग़म्बर के दामाद और उनके पास खड़े सब लोग हँस पड़े।

उर्दू के मशहूर शायर मजाज़ धार्मिक मामलों में ज़्यादा दिलचस्पी नहीं रखते थे और मस्जिद तो वे शायद कभी जाते ही नहीं थे। एक दिन एक सम्भ्रान्त व्यक्ति ने देखा कि मजाज़ हैं और मस्जिद की सीढ़ियों पर बैठे हैं और कुछ सोच रहे हैं। उन्हें अपनी आँखों पर यक़ीन नहीं आया और उन्होंने बड़ी उत्सुकता के साथ मजाज़ साहब से पूछा कि "मजाज़ साहब, यह क्या रहस्य है कि आप आज मस्जिद में बैठे हैं?" मजाज़ ने उनको जवाब दिया कि "अमाँ, इंसान को बिगड़ने में कितना वक़्त लगता है?"

रचना लम्बी हो रही है और इसी कारण मैं सिर्फ़ तीन बातें ही आपको और बताऊँगा। पहली बात तो यह है कि उपदेशकों और कवियों के बीच जितना द्वन्द्व-युद्ध उर्दू भाषा में चला उतना सम्भवतः संसार की किसी और भाषा में कभी नहीं चला। हालाँकि बायरन जैसे आवारा और टॉलस्ताय जैसे सन्त प्रत्येक भाषा में हुए। दूसरी बात यह है कि कम-से-कम हिन्दी लेखकों जैसी निश्चित 'दिनचर्या' और किसी भी भाषा की नयी पीढ़ी में नहीं है। हिन्दी का नवयुवक साहित्यकार समझता है कि बिना शराब पिये, बिना प्रेमिका पाले और बिना फ्रेंच-कट दाढ़ी रखे वह कवि या लेखक बन ही नहीं सकता। तीसरी कड़वी बात यह है कि संसार की जो संस्कृति है वह बायरन, फ़िराक़ और शरत् बाबू जैसे लोगों के बिना बन ही नहीं सकती थी। एक शायर ने इसी मुद्दे को लेकर कहा किः

जी रहे हो जिस कला का नाम लेकर
कुछ पता भी है कि वह कैसे बनी है?
तहज़ीब की तुम जिस अटारी पर खड़े हो
वह हमीं बदनाम लोगों ने चिनी है।

रस-विलास

महाकवि देव ने रस-विलास नामक एक कविता की पोथी लिखी जिसका प्रमुख उद्देश्य यह बताना था कि इस देश के विभिन्न प्रदेशों में जो रमणियाँ पायी जाती हैं वे कैसी होती हैं। मेरे लिखे इस 'रस-विलास' में देशी ही नहीं वरन् विदेशी प्रेमियों और प्रेयसियों की भी चर्चा है। आशा करता हूँ कि इसके पढ़ने से बहुतों का भला होगा।

यूँ तो प्रेम एक ऐसा व्यापार है जिसमें क्या ग़रीब और क्या अमीर—सभी अपनी पूँजी लगाते हैं पर किताबों में उन्हीं प्रेमियों की चर्चा की गयी है जो राजा या रानी थे। साधारण लोगों में तो दो-चार प्रेमी ही ऐसे हुए जिनकी याद अभी भी बाकी है। कुमार मजनूँ कुमारी लैला पर इतना फ़िदा हुआ था कि वह सरे-बाज़ार उसके कुत्ते का ही मुँह चूमने लगा था। लैला के बाप ने जब यह मनोरम दृश्य देखा तो उसने मजनूँ को पागल समझा और लैला की शादी उससे नहीं की। शीरीं के कहने पर फ़रहाद ने पहाड़ों को काटा जिसके कारण वह वीरगति को प्राप्त हुआ। बाँग्ला के वैष्णव कवि चण्डिदास एक धोबिन से प्यार करते थे और ठीक वही काम राजकुमार पन्नू कुमारी सस्सी के साथ किया करता था जो कि एक धोबिन की कुलदीपिका थी। सोहनी नामक एक कुम्हार की कन्या पर महिवाल इतना आसक्त हुआ कि वह उसके पिता की भैंसों का चरवाहा बन गया। उन दिनों चरवाहा बनना प्रेमियों के लिए शायद एक रिवाज़ था क्योंकि महान् लोककवि वारिसशाह के अनुसार, मिस्टर राँझा ने भी मिस हीर के बाप की भैंसें चरायी थीं। जैसे ही सोहनी और हीर के पूज्य पिताश्री को पता लगा कि महिवाल और राँझा भैंसों को कम और उनकी हसीन लड़कियों को कहीं ज़्यादा चारा चरा रहे हैं तो उन्होंने उन दोनों को एक-एक महीने का नोटिस दिया और उन्हें नौकरी से निकाल दिया। इन साधारण लोगों के अलावा सिर्फ़ राजा और रानी ही अमर प्रेमी हुए और उन्हीं में से कुछ की चर्चा आज मैं यहाँ करूँगा।

मिस्र की महारानी क्लियोपेट्रा का कौमार्य मात्र बारह वर्ष की कच्ची आयु में ही टूट गया था। जब उसे रोमन सम्राट् जूलियस सीज़र ने देखा था तो क्लियोपेट्रा की आयु इक्कीस वर्ष थी और उसने अपने मात्र एक ही कटाक्ष से उस अधेड़ सम्राट् को अपना गुलाम बना लिया था। ठीक यही स्थिति बाद में ऐन्थनी के साथ

सम्पन्न हुई। शाही दरबार में कोई ऐसा सुन्दर नवयुवक नहीं बचा था जिसे उसने न भोगा हो। इतिहासकारों के अनुसार यह रूपसी कम-से-कम दस हज़ार पुरुषों के साथ हम-बिस्तर रह चुकी थी। यदि वह अपने यौवन में ही आत्म-हत्या न कर लेती तो शायद वह इन इतिहासकारों को भी नहीं छोड़ती। यूँ तो अनेक लेखकों ने क्लियोपेट्रा के बारे में लिखा है पर जितना परिश्रम और खोज हैगर्ड ने की है, वैसी खोज और परिश्रम और कोई लेखक शायद नहीं कर पाया। हैगर्ड ने ही यह कहा है कि यदि क्लियोपेट्रा की नाक कुछ और लम्बी होती तो विश्व का सारा इतिहास ही बदल जाता।

ट्यूडर वंश का इंग्लैण्ड का राजा हेनरी (अष्टम) बड़ी जल्दी प्रेम करता था और फिर बड़ी जल्दी ही अपनी प्रेयसी से उकता भी जाता था। उसने दो पत्नियों को फाँसी दी जिनमें से एक एनी बोलेन थी जो राजा की प्रथम रानी की परिचारिका थी। उसे पत्नी के रूप में पाने के लिए उसने अपनी पहली पत्नी को तलाक दिया, पोप से सम्बन्ध तोड़े और अपने वज़ीर कार्जिनल वुल्जे को बेइज़्ज़त किया। रानी एनी बोलेन फ्रांस की सुन्दरी थी और उसका असली अपराध मात्र यह था कि वह एक पुत्र को जन्म नहीं दे सकी थी। उस पर मुक़द्दमा चला और यह प्रमाणित करने की कोशिश की गयी कि उसके अनेक लोगों के साथ अनैतिक सम्बन्ध थे और उनमें उसका अपना सगा भाई भी शामिल था। आरोप सुनने के बाद रानी ने सबूत देखने चाहे पर जज (ड्यूक ऑफ़ नोरफ़ोक) ने कहा कि उसे स्वयं को निर्दोष साबित करना है, सरकार की यह ज़िम्मेदारी नहीं है कि वह उसे दोषी साबित करे। रानी यह अन्यायपूर्ण बात सुनकर हँस पड़ी और उसे फाँसी दे ही दी गयी। जिस दिन सुबह उसे 'टॉवर ऑफ़ लन्दन' में फाँसी दी गयी उसी शाम को राजा ने नयी शादी रचायी। एनी बोलेन की ही पुत्री बाद में इंग्लैण्ड की योग्यतम महारानी बनी और वह एलिज़ाबेथ (प्रथम) के नाम से जानी गयी। उसकी मृत्यु के बाद स्टुवर्ट वंश का शासन शुरू हुआ। चार्ल्स (द्वितीय) नामक प्रतिभाशाली व्यक्ति भी राजसिंहासन पर बैठा जिसमें सब गुण थे मगर जिसे यह पता नहीं था कि उसकी अवैध सन्तानों की संख्या क्या थी। इतना व्यभिचारी राजा इंग्लैण्ड के इतिहास में और कोई दूसरा शायद नहीं हुआ। मैं आपको सलाह देता हूँ कि आप 'दी वेरी प्राइवेट लाइफ़ ऑफ़ किंग चार्ल्स टू' नामक पुस्तक अवश्य पढ़ें। ऐसा करने से आपके विचार पवित्र होंगे।

इंग्लैण्ड की महारानी विक्टोरिया अपने पति से बहुत प्रेम करती थीं पर उनका अन्तरंग मित्र ब्रॉउन नाम का एक परिचारक ही था। महारानी ने उसे बेशक़ीमती हीरे दिये, सदा वे ही वस्त्र पहने जो वह चाहता था और फिर भी वह मामूली परिचारक अकेले में महारानी को मात्र 'औरत' ही कहकर पुकारता था। मिस्टर ब्रॉउन की मृत्यु पर महारानी ने सार्वजनिक शोक घोषित करवाया, उसकी क़ब्र पर वे फूल लेकर स्वयं गयीं और राजकवि टेनीसन से ब्रॉउन की क़ब्र पर कुछ पंक्तियाँ अंकित

करवाने के लिए एक कविता लिखने को भी कहा। जार्ज (चतुर्थ) अपनी पत्नी से इतनी नफ़रत करता था कि उसने उसे अपने राजतिलक-समारोह तक को देखने की आज्ञा नहीं दी थी। एडवर्ड (सप्तम) न जाने कितनी युवतियों का मित्र था और एडवर्ड (अष्टम) ने अपनी प्रेयसी के लिए राजसिंहासन छोड़ दिया था। इस प्रसंग को लेकर महाकवि 'निराला' ने एक मार्मिक कविता लिखी। बकिंघम पैलेस अभी भी अनेक अश्लील अफ़वाहों से घिरा है और स्थिति यह आ गयी है कि वहाँ का राजतन्त्र ही ख़तरे में पड़ गया है। इंग्लैण्ड के बारे में रैम्ज़े म्यूर ने अपने मोटे-मोटे ग्रन्थों में इतिहास इस प्रकार लिखा है कि पता ही नहीं चलता कि आप इतिहास पढ़ रहे हैं या कोई उपन्यास।

फ्रांस की सम्राज्ञी—जिसे क्रान्ति के कारण दो दिन बाद फाँसी लगनी थी—एक रात अपने प्रेमी के साथ सोयी थी और वह भी तब जबकि उसके पति (फ्रांस के सम्राट्) बराबर के कमरे में क़ैद थे और सारा महल क्रान्तिकारियों की सेना द्वारा घिरा था। चीन की एक रानी थी जिसे फ़िज़ूलख़र्ची का व्यसन था। पैसा बटोरने के लिए वह नये-नये कर लगाती थी और बड़ी-बड़ी क़ीमतों पर सरकारी ख़िताब ऐसे लोगों को दिया करती थी जो उन सम्मानों के लिए एकदम अनुपयुक्त थे। उसी के ज़माने में चीन में गृहयुद्ध हुआ जिसमें केवल दो करोड़ लोग मारे गये। चीन के मामलों में रुचि रखनेवाले प्रबुद्ध पाठक पर्ल-बक की आत्मकथा 'माई सैवरल वर्ल्ड्स' पढ़ें।

रूस की सम्राज्ञी कैथरीन पोलैण्ड के एक काउण्ट से प्रेम करती थीं। वह प्रेमी शाम को महल में दर्ज़ी बनकर आया करता था। कैथरीन का पति पीटर (तृतीय) पागल हो गया तो उसे महल के एक भाग में क़ैदी बना दिया गया। उसने चार चीज़ों की माँग की और वे थी एक कुत्ता, एक हब्शी नौकर, एक वायलिन और एक सुन्दर रखैल। महारानी एक दयालु स्त्री थीं और इसी कारण उन्होंने अपने पति को अन्तिम चीज़ को छोड़कर शेष सारी सुविधाएँ दे दी थीं। थोड़े दिनों बाद सम्राट् की हत्या कर दी गयी और हत्यारों को बहुत-बहुत बड़े इनाम दिये गये। विधवा महारानी इस समय मात्र पैंतालीस वर्ष की किशोरी थीं। उन्होंने अपने प्रेम का ठेका अब एक राजकुमार को दिया जो जल्दी ही मर गया। उसकी मृत्यु के बाद, यह महारानी किसी भी सुन्दर और स्वस्थ नवयुवक को अपना प्रेम खुले हाथों से बाँटने के लिए तैयार थीं। उनका अन्तिम प्रेमी उनसे उम्र में मात्र चालीस वर्ष छोटा था।

सारी दुनिया देखने के बाद यह ठीक ही रहेगा कि हम अपने देश के इतिहास पर भी एक या दो अदद दृष्टिपात कर लें। हमारे मिथकों से हमें पता लगता है कि हमारे यहाँ भी एक से ज़्यादा पत्नियाँ रखने, एक से ज़्यादा पति रखने व दासियों के साथ गहन सम्बन्ध रखने की प्रथा थी। चक्रवर्ती सम्राट् भरत के पास छियानवे हज़ार रानियाँ थीं। राजा दशरथ के तीन पत्नियाँ थीं, महारानी द्रौपदी के पाँच पति थे और विदुरजी एक दासी-पुत्र थे। पाण्डवों का जन्म 'नियोग' की प्रथा से हुआ

था। पूरा-पूरा विवरण तो अब प्राप्त नहीं है पर फिर भी यह निश्चयपूर्वक कहा जा सकता है कि हमारे राजा प्रायः विलासी ही होते थे। यदि वे सतर्क रहते तो विदेशी लोग इस देश पर इतने आक्रमण नहीं कर सकते थे और न यहाँ विदेशियों की सल्तनत ही पनप सकती थी। इस देश के अन्तिम हिन्दू सम्राट् (पृथ्वीराज चौहान) एक विलासी शासक थे। तिष्यरक्षिता ने राजकुमार कुणाल को अन्धा करवा दिया था। क्योंकि उसने अपनी विमाता के प्रणय-निवेदन को ठुकरा दिया था। राजा भर्तृहरि की पत्नी यदि विश्वासघात नहीं करती तो वे बेचारे क्यों संन्यासी बनते और क्यों 'वैराग्य-शतक' लिखते? मुस्लिम शासकों में सदियों तक सुलतान और बादशाह नैतिक चरित्र की दृष्टि से एकदम पवित्र व कठोर रहे पर धीरे-धीरे वे भी भोग-विलास में लिप्त हो गये। बादशाहों, सुलतानों, नवाबों व वज़ीरों के हरमों में कई-कई सौ सुन्दरियाँ पायी जाती थीं। इब्राहीम लोदी के समय माण्डू के सुलतान के लड़के ने बाप का वध करा दिया था ताकि वह भी दुनिया के मज़े लूट सके। वह मात्र पन्द्रह हज़ार सुन्दरियाँ चाहता था पर प्राप्त इतिहास के अनुसार, वह लगभग नौ या दस हज़ार युवतियों को ही पवित्र कर पाया। इस सन्दर्भ में आप हिन्दी का प्रसिद्ध उपन्यास 'मृगनयनी' पढ़ें।

मुग़लों का नैतिक चरित्र शाहजहाँ के ज़माने में बेहद गिरना शुरू हो गया था। सम्राट् शाहजहाँ स्वयं एक विलासी व्यक्ति था और यही स्थिति उसकी पुत्री रौशनआरा व दो पुत्रों (दाराशिकोह व मुराद) के साथ थी। शहंशाह शाहजहाँ ने अपने नज़दीकी रिश्तेदार शाइस्ता ख़ाँ की पत्नी के साथ बलात्कार किया था और इसके फलस्वरूप वह बेचारी अन्न-जल छोड़कर दस दिन के अन्दर ही मर गयी थी। शाइस्ता ख़ाँ उसी दिन से औरंगज़ेब का साथी हो गया और उत्तराधिकार के भयानक संघर्ष में उसने औरंगज़ेब की ही मदद की।

पानीपत की तीसरी लड़ाई के समय दिल्ली के वज़ीरे-आज़म शहाबुद्दीन का बहुत बड़ा हरम था, नवाब शुजाउद्दौला के हरम में सात सौ रूपसियाँ थीं और मराठे तो हज़ारों की तादाद में स्त्रियों को अपनी सेना के साथ लाये थे। पंजाब का सूबेदार मर गया तो उसकी पत्नी मुग़लानी बेग़म ने काफ़ी बड़े पैमाने पर व्यभिचार करना प्रारम्भ कर दिया। लखनऊ के अन्तिम नवाब वाजिदअली शाह भी अच्छा-ख़ासा हरम रखते थे। मुग़ल साम्राज्य के अन्तिम दिनों में बेहद निचले दर्ज़े की कामिनियाँ भी हरम में आ गयी थीं और वे धीरे-धीरे इतनी शक्तिशाली हो गयी थीं कि अमीर-उमराव तक उनसे खौफ़ खाने लगे थे। मुग़लों के अन्तिम दिनों का जो ख़ाका वृन्दावनलाल वर्मा ने अपने उपन्यास 'माधवजी सिन्धिया' में खींचा है वह सचमुच लाजवाब है। इसी काल में दो बेग़में ऐसी भी हुईं कि बड़े-बड़े साहित्यकारों को उन पर उपन्यास लिखने पड़े। गन्ना बेग़म पर ताराशंकर वन्द्योपाध्याय ने 'बेग़म' नाम का मार्मिक उपन्यास लिखा और समरू बेग़म पर अमृतलाल नागर ने 'सात घूँघटवाला मुखड़ा'

नामक उपन्यास लिखा। बेग़म समरू ने ज़िला मेरठ से लेकर बदायूँ तक अपना राज्य स्थापित किया और एक बार तो उसने गुलाम कादिर के ख़िलाफ़ सम्राट् शाहआलम की भी मदद की। वह एक साथ ही सात प्रेमी रखती थी जिनमें से एक तो मेरी ही जाति के थे। प्रेमी होने के साथ-साथ वह सारी रियासत के दीवान भी थे। आदमी होनहार थे। दीवान के पद पर काम ही नहीं करते थे वे व्यक्तिगत जीवन में भी दीवान ही थे। उनका नाम ही दीवानसिंह त्यागी था।

मैंने अब तक राजा और रानियों की ही चर्चा की है। ये पुराने सामन्तवाद के चिह्न तो अब प्रायः समाप्त हो गये पर उनके स्थान पर एक और पीढ़ी निकली है जो ऐयाशी या फ़िज़ूलख़र्ची में सम्राटों से भी एक क़दम आगे ही है। राष्ट्रों के अध्यक्ष, प्रख्यात खिलाड़ी, सिनेमा के सफल कलाकार, भाग्यशाली लेखक और ख्यातिप्राप्त चित्रकार इसी पीढ़ी में आते हैं। राष्ट्रपति कैनेडी, ब्रेजनेव, मुसोलिनी और हिटलर भी हमेशा अपनी प्रेयसियाँ बदलते रहे। श्रीमती मार्कोस, श्रीमती माओ त्से-तुंग, एलिज़ाबेथ टेलर और जैकलीन कैनेडी किस सम्राज्ञी से कम फ़िज़ूलख़र्च हैं? जैकी कैनेडी की ख़रीदारी का ख़र्चा तीन हज़ार डॉलर प्रति मिनट होता है जबकि एलिज़ाबेथ टेलर का ख़र्चा एक हज़ार डॉलर प्रति सेकेण्ड है। क्या ये सुन्दरियाँ किसी सम्राज्ञी से कम हैं?

कथा जो थी वह समाप्त हो गयी पर इससे कुछ निष्कर्ष ज़रूर निकाले जा सकते हैं। पहला निष्कर्ष तो यह है कि स्त्री को पूरी सत्ता कभी नहीं देनी चाहिए। मनुस्मृति में ठीक ही लिखा है कि "स्त्री-नायकाः नश्यन्ति।" दूसरा निष्कर्ष यह निकलता है कि स्त्री कितनी भी रूपवती व चरित्रहीन क्यों न हो, वह उसी आदमी को अपना शिकार बनाती है जो पहले से ही पतित होता है। तीसरा निष्कर्ष यह निकलता है कि प्रेम और विवाह के सन्दर्भ में आयु कभी कोई दख़लअन्दाज़ी नहीं करती। डॉ. सेमुएल जॉनसन, डिज़रायली और अब्राहम लिंकन की पत्नियाँ अपने पतियों से काफ़ी बड़ी थीं। इसी प्रकार पिकासो अपनी पत्नी से पचास वर्ष बड़ा था और चार्ली चैपलिन भी अपनी अन्तिम पत्नी से मात्र बत्तीस वर्ष बड़ा था। प्रेम अन्धा ही था और वह सदा अन्धा ही रहेगा। 'एड्स' की बीमारी भी उसे नहीं रोक सकती। कामातुराणां न भयं न लज्जा। प्रेम के प्रवाह में मनुष्य भय को छोड़ देता है और स्त्री जो होती है वह लज्जा को त्याग देती है। ठीक कह रहा हूँ न?

अवध के कुछ नवाब और उनकी बेग़में

औरंगज़ेब की मृत्यु के बाद मुग़ल साम्राज्य बुरी तरह तहस-नहस होने लगा और केन्द्रीय सरकार के कमज़ोर होते ही जगह-जगह राजा और नवाब स्वतन्त्र होने लगे। मुग़ल साम्राज्य के वज़ीरे-आज़म सआदतअली ख़ाँ ने अवध में नवाबी की नींव डाली। शुरू के नवाब तो नवाब-वज़ीर कहलाते थे क्योंकि वे नवाब होने के साथ-साथ दिल्ली के शहंशाह के वज़ीर भी होते थे। कुछ नवाब तो बेहद प्रतिभावान् थे। शुजाउद्दौला ख़ाँ नवाब भी था, दिल्ली का वज़ीर भी था और सात सौ सुन्दर रमणियों का हरम भी रखता था। सआदतअली ख़ाँ एक चरित्रवान् और मितव्ययी नवाब था और इसी कारण उसने अपने वारिस के लिए मात्र चौदह करोड़ रुपया शाही ख़ज़ाने में छोड़ा था। इसी रुपये में से अँग्रेज़ों को करोड़ों रुपया तब दिया गया जबकि वे नेपाल-युद्ध, बर्मा-युद्ध तथा प्रथम अफ़गान युद्ध में फँसे थे। इस सहायता के बदले लार्ड हेस्टिंग्ज ने नवाब को बादशाह का ख़िताब दिया।

नवाब आसफुद्दौला की माँ व दादी अवध की वे बेग़में थीं जो फ़ैज़ाबाद में शाही ढंग से रहती थीं और अपनी अलग सेना भी रखती थीं। उनके दरबार की शान नवाब के दरबार की शान से ज़्यादा ही होती थी, कम नहीं। वारेन हेस्टिंग्ज ने नवाब से रुपया माँगा तो उसने ऊपर बतायी बेग़मों की दौलत की तरफ़ इशारा किया। नवाब ने बेग़मों की जागीरें ज़ब्त कर लीं और एक करोड़ रुपया भी वसूल किया। इन इतिहास-प्रसिद्ध बेग़मों का प्रमुख सलाहकार अलमस नाम का एक हिजड़ा था जो एक नितान्त चतुर राजनीतिज्ञ था और जिसका सब लोग आदर करते थे। ऊपर बतायी दोनों बेग़में ज़रूरत से ज़्यादा ख़ूबसूरत थीं। आसफुद्दौला एक दयावान् व्यक्ति था और दान के साथ-साथ उसे इमारतें बनवाने का शौक़ भी था जिसके कारण राज्य का आर्थिक 'डिप्रेशन' ख़त्म हुआ। उसने बेग़मों से जो रुपया वसूल किया, वह मात्र वारेन हेस्टिंग्ज के दबाव के कारण किया।

नवाब सआदतअली ख़ाँ ने एक परम प्रतिभावान् ज्योतिषी की परम रूपवती कन्या से अपने पुत्र ग़ाज़ीउद्दीन हैदर का विवाह किया और नवदम्पती का प्रारम्भिक जीवन बड़े सुख से बीता। इसके बाद शहज़ादे को पता लगा कि उसकी बेग़म एक

चिड़चिड़े स्वभाव की स्त्री थी जो अपने सौन्दर्य का बड़ा घमण्ड करती थी। शहज़ादे का प्रेम इसी बीच एक नौकरानी से हो गया जिसके फलस्वरूप नासिरुद्दीन हैदर का जन्म हुआ। बादशाह बेग़म ने सुभान दौलत नामक उस नौकरानी की अपने सामने ही बोटी-बोटी कटवा डाली मगर उसके बच्चे को बड़े स्नेह से पाला। अपनी उप-पत्नी की हत्या का समाचार सुनकर शहज़ादे को अपनी बेग़म से और भी विरक्ति हो गयी और वह अपना वक़्त अजीबो-ग़रीब कामों में गुज़ारने लगा। उसने इमामों को अवतार माना और ग्यारह सुन्दर कन्याएँ ज़बर्दस्ती पकड़वाकर बुलवायी गयीं और उन्हें इमामों की पत्नियाँ ठहराया गया। नासिरुद्दीन ख़ुद भी इमामों की स्त्री बनता था, औरतों के कपड़े पहनकर नाचता था और कभी-कभी तो गर्भवती स्त्रियों की भाँति आचरण करता था। बादशाह बेग़म भी बाद में मुसीबत में पड़ी और उसे अपने हाथों से पानी खींचकर खाना पकाना पड़ा। मगर वह परेशानी ज़्यादा दिनों नहीं चली।

नवाब नासिरुद्दीन के कोई सन्तान नहीं थी। लोग उसे नपुंसक कहते थे। बादशाह बेग़म ने यह अफ़वाह फैला दी कि नवाब की प्रेयसी के बच्चा होनेवाला है। सुखचैन नामक रखैल के सन् 1820 में एक पुत्र हुआ जो पच्चीस महीने तक गर्भ में रहा था। बादशाह बेग़म को कुछ विपत्तियों के कारण बाद में लखनऊ छोड़ना पड़ा। उनका तोता पीछे लखनऊ में ही छूट गया जिसका उन्हें बेहद अफ़सोस रहा। बेग़म का वह तोता बाद में कानपुर पहुँचा दिया गया। तोताप्रेमी यह बादशाह बेग़म एक ऐसी स्त्री थी जो यदि अवसर पाती तो नूरजहाँ जैसी कुशल शासक बनने की क्षमता रखती थी। उसका सबसे बड़ा दुर्भाग्य यह रहा कि वह किसी सन्तान को जन्म नहीं दे सकी। सन्तान का होना सदा पति होने से भी ज़्यादा महत्त्वपूर्ण रहा। एलिज़ाबेथ (प्रथम) व महारानी क्लियोपेट्रा के साथ भी यही दुर्भाग्य रहा।

नवाब नासिरुद्दीन हैदर की एक प्रेयसी विदेशी थी जो नवाब साहब को अँग्रेज़ी भाषा की शिक्षा देती थी और जो अन्तःपुर में ही हिन्दुस्तानी और फ़ारसी लिखना-पढ़ना सीख गयी थी। उसने एक दिन नवाब के साथ एक अन्य सुन्दरी को देखा तो ईर्ष्या व दुख से उसने दरबार जाना छोड़ दिया और वह बड़ी सादगी व वैराग्य के साथ जीवन बिताने लगी। इस सुन्दर रमणी का असली नाम मिस वाल्टर्स था। नवाब की नयी प्रेयसी का नाम था ताजमहल। बादशाह के मरने के काफ़ी दिनों बाद उसके एक सन्तान हुई और इस बात से उसकी काफ़ी बदनामी हुई। बाद में चलकर नवाब साहिब ने एक नौकरानी को मलिका बना लिया जो पहले एक बेग़म की बाँदी थी। इस कुदूसिया बेग़म ने बाद में ज़हर खाकर आत्महत्या की। कुदूसिया बेग़म अक्सर अपने पूर्व पति को बुर्का पहनाकर महलों में बुलाया करती थी क्योंकि नवाब तो नपुंसक थे। इस रूपवती बेग़म ने जो ज़हर खाया वह निःसन्तान होने के कारण ही खाया। नवाब नासिरुद्दीन हैदर की एक और प्रेयसी नूना थी जो कश्मीर की युवती थी। कुछ ही दिनों बाद बादशाह, उससे रुष्ट हो गया और बजाय उसको देखने के

वह एक मुँहलगे नाई द्वारा प्रशिक्षित मुर्ग़ों की लड़ाई देखने लगा।

विवाह के लिए अयोग्य होते हुए भी नवाब नासिरुद्दीन हैदर को शादी करने का व प्रेमिका पालने का शौक़ था। उसकी दूसरी बेग़म का नाम मलिका ज़मानी था। वह एक ग़रीब हिन्दू लड़की थी और उसका असली नाम दुलारी था और वह कुर्मी जाति की रत्न थी। उसकी सबसे बड़ी विशेषता यह थी कि वह युवती होने से पूर्व ही व्यभिचारिणी बन चुकी थी। उसका प्रथम पति रुस्तम था जो एक शाही घुड़सवार का साईस था। नवाब की बेग़म बनने से पूर्व वह लोहार, महावत और चौकीदार तक से प्रेम कर चुकी थी। समाज के प्रत्येक वर्ग के पुरुष का उसे पूरा अनुभव था। इसी अनुभव के बल पर उसे मलिका ज़मानी—अर्थात् युग की रानी—बनने का सौभाग्य मिला। नवाब की बेग़म बनने के बाद एक दिन उसका पहला पति रुस्तम दरबार में आया और उससे कुछ आर्थिक सहायता माँगी। बेग़म ज़मानी ने उसे क़ैद करवाया और उसे कठिन कारावास दिया गया।

नासिरुद्दीन के दरबार में सबसे ज़्यादा महत्त्वपूर्ण स्थान उसकी प्रेमिकाओं का था जिनकी संख्या घटती-बढ़ती रहती थी। प्रेमिकाएँ जो कुछ चाहती थीं वही होता था हालाँकि उनका अपना भविष्य सदा अनिश्चित रहता था। नासिरुद्दीन ने महिला-पुलिस का भी गठन किया था। पालकियाँ उठानेवाली स्त्रियाँ बहुत हृष्ट-पुष्ट होती थीं और वे बाकी वक़्त में पहलवानी किया करती थीं। बेग़मों का पद उनके नीचे बिछे हुए कालीन तथा पास रखी हुई मसनद से जाना जाता था। जितनी बड़ी बेग़म होती थी वह उतने ही बढ़िया कालीन व मसनद रखती थी। बादशाह की प्रेयसियाँ उतना सम्मान कभी नहीं पाती थीं जितना कि बेग़मों को दिया जाता था। बेग़मों का स्थान उनके ब्याह की तारीख़ से तय किया जाता था। जिस बेग़म का ब्याह नवाब के साथ सबसे पहले हुआ होता था, वही सर्वप्रधान स्थान रखती थी और उसी का पुत्र प्रायः राज्य का उत्तराधिकारी माना जाता था। बेग़में और नवाब की प्रेयसियाँ एक प्रकार का काफ़ी चौड़ा सुनहला इजारबन्द पसन्द करती थीं जो कि सामने पैरों तक लटका रहता था। बाकी वस्त्रों के साथ-साथ इजारबन्द का भी रंग बदलता रहता था। मोज़े पहनने का रिवाज़ कम था। बेग़में खाने में बहुत अल्पाहारी होती थीं और दिन में प्रायः पाँच बार खाना खाती थीं। खाने के बर्तन चाँदी के होते थे और नवाब स्वयं सोने के बर्तनों में खाना खाते थे। नवाब साहिब जब खाना खाने आते थे तब तोप छोड़ी जाती थी। परिश्रम न करने के कारण बेग़मों को प्रायः अनिद्रा का रोग रहता था और कहानी कहनेवाली बाँदियों की माँग रहती थी। बेग़में गर्म पानी से स्नान करती थीं और हिजड़े लोग ही उन्हें नहलाते थे। साबुन के स्थान पर खुशबूदार बेसन का प्रयोग किया जाता था।

अब मैं कुछ नवाबों को छोड़ता हूँ और अमजदअली शाह तथा उनकी बेग़म मलिका किश्वर बहादुर की चर्चा करता हूँ। अवध के अन्तिम नवाब वाजिदअली शाह

इन दोनों की ही सन्तान थे। मलिका किश्वर बहादुर मात्र अपने सौन्दर्य के कारण ही बेग़म बनी थीं और वे अपने पति से बेतहाशा प्यार करती थीं। उनके पति भी किसी दूसरी हसीना पर कभी भी निगाह नहीं डालते थे। बेग़म को हलके गुलाबी रंग के वस्त्र बेहद पसन्द थे। वे चारखाने या छींट से बहुत घृणा करती थीं और उनके सारे कपड़े एक ही रंग से रँगे हुए होते थे। वे जूते कभी नहीं पहनती थीं और उनके नाख़ून तक मोजों से ढके रहते थे। एक बार नवाब अमजदअली शाह ने एक और रूपवती रमणी के प्रति प्रेम प्रदर्शित किया तो बेग़म ने खाना-पीना छोड़ दिया और नवाब को उनसे माफ़ी माँगनी पड़ी। जितना पवित्र व सुखी जीवन इन दोनों का था उतना किसी और नवाब या बेग़म का नहीं रहा। उनके पीने के पानी में एक दिन पहले सच्चे मोती डाले जाते थे और भोजन के पदार्थ केसर से सुगन्धित किये जाते थे। एक समय के भोजन में लगभग तीस प्रकार के व्यंजन होते थे जो चम्मच द्वारा खाए जाते थे। बेग़म और बादशाह सोने से पहले कहानी ज़रूर सुनते थे। बेग़म की शाही पोशाक इतनी भारी थी कि वे उसे कम-से-कम पहनती थीं और उसके वज़न में बुरी तरह थक जाती थीं। बेग़म के ख़ास महल में एक ख़ास सन्दूक था जिसमें सारी पीढ़ियों के ज़ेवर व सिक्के वग़ैरह बन्द थे। उस कमरे की संरक्षिका ने एक बार उस सन्दूक से कुछ हीरे-जवाहिरात चोरी कर लिये और वह उन्हें बाज़ार में बेचती हुई पकड़ी गयी। बेग़म इतनी दयालु थीं कि उन्होंने उस दासी को माफ़ कर दिया और उसे अपने पुराने पद पर ही नियुक्त कर दिया। बेग़म से मिलनेवालों से सरकारी चौकीदार वग़ैरह रिश्वत लेते थे या इनाम माँगते थे। नवाब अमजदअली शाह को एक विचित्र रोग ने आ घेरा और एक अजनबी हकीम के इलाज से वह मर गया। हकीम ग़ायब हो गया और नये नवाब वाजिदअली शाह ने उसकी गिरफ़्तारी की तरफ़ कोई ध्यान नहीं दिया। काफ़ी लोगों का ख़याल था कि अपने पिता को मरवाने में वाजिदअली शाह का हाथ था। बेग़म ने नये नवाब को स्नेह के कारण क्षमा कर दिया हालाँकि बेग़म का गुस्सा मशहूर था। एक दफ़ा उन्होंने एक बाँदी के मुँह पर तेजाब डलवा दिया था क्योंकि वह दासी नवाब को बड़े प्रेम से देखा करती थी और नवाब अमजदअली शाह भी उस दासी के प्रति आकृष्ट होने लगे थे। इस हादसे को सुनकर नवाब साहिब को भी गुस्सा आया था और उन्होंने बेग़म को अपमानित करने के लिए एक मालिन से विवाह करने का निश्चय कर लिया था। मलिका किश्वर विलायत भी गयी थीं और महारानी विक्टोरिया से मिली थीं। जो सामान उनके साथ गया था, उसमें पाँच सौ सन्दूक थे।

पिता के मरने के बाद वाजिदअली शाह लखनऊ के नवाब बने। वे भोग-विलास में मस्त रहते थे और शासन-कार्य में कोई दिलचस्पी नहीं लेते थे। उनकी बेग़मों की संख्या 120 थी और उनके 45 पुत्र व 34 पुत्रियाँ थीं। उनकी शक्ति को देखकर काफ़ी लोग उन्हें सुलेमान का अवतार कहा करते थे। उनका छोटा भाई अपनी

परम रूपवती पत्नी को हमेशा पर्दे में रखता था ताकि उस पर वाजिदअली शाह की नज़र न पड़े। बादशाह की सर्वश्रेष्ठ पत्नी हज़रत महल थी और उसकी सबसे ख़राब बेग़म सरफराज महल थी जो परपुरुषों से प्रेम करती थी। बेग़मों में कुछ वृद्ध होने लगी थीं तो कुछ की आयु मात्र ग्यारह वर्ष या उससे भी कम होती थी। नवाब वाजिदअली शाह अपने वज़ीर से हफ़्ते में एक बार मिलते थे और वह भी एक तबलची के घर पर। अवध का प्रधान न्यायाधीश मात्र एक गवैया था। बादशाह ने अपने वज़ीर अमीनुल्ला ख़ाँ को बदल दिया था क्योंकि वह नवाब को ज़्यादा काम करने को मजबूर करता था। उसकी जगह नकी ख़ाँ वज़ीर हुए जो अँग्रेज़ों के मित्र थे। महल की सारी गुप्त सूचनाएँ रेज़ीडेण्ट को उनसे ही मिलती थीं। अवध को कम्पनी के अधिकार में लेने के बाद रेज़ीडेण्ट ने वज़ीर नकी ख़ाँ को पाकड़ के एक पेड़ से लटकाकर फाँसी दी थी। नवाब वाजिदअली शाह कवि थे, संगीत-मर्मज्ञ थे और गुणियों का आदर करते थे पर वे शासन के लिए अयोग्य थे। उनका शरीर बहुत मोटा हो गया था और चलने-फिरने में भी उन्हें तकलीफ़ होती थी। इस सबके बावजूद वे अपना लिखा एक नाटक बराबर खेलते थे और उसमें अभिनय भी करते थे। अवध की स्वतन्त्रता समाप्त हो जाने के बाद वे कलकत्ता चले गये थे और वहीं उनकी मृत्यु हुई। इतिहास से बढ़कर कोई व्यंग्यकार नहीं है और राजों, महाराजों, सम्राटों, शहंशाहों और नवाबों से बढ़कर कोई भी विदूषक कभी पैदा ही नहीं हुआ। सुलतानों का निरंकुश अट्टहास और प्रजा के विवश आँसू जहाँ मिलते हैं, उसी का नाम इतिहास है। सच्चा प्रयागराज तो सदा इतिहास ही रहा....

मैं अपने गाँव गया...

एक देसी फ़िल्म क्या देख ली कि पिछले दिनों मैं अपने गाँव जाने को विवश हो गया। फ़िल्म में दिखाया गया था कि गाँव में लड़कियाँ अब ज़रूरत से ज़्यादा पैदा की जाती हैं और वे प्रायः सबकी-सब ज़रूरत से ज़्यादा रूपवती होती हैं। वे ऐसे मधुर ग्राम-गीत गाती हैं जिन्हें कभी हसरत जयपुरी ने बड़ी हसरत के साथ लिखा था और वह भी उन धुनों पर लिखा था जिन्हें बनाते-बनाते शंकर और जयकिशन ने अपना दम ही नहीं बल्कि साथ में एक अदद हारमोनियम भी तोड़ दिया था। इस फ़िल्म में नायक तो मात्र एक ही था पर खलनायक कई अदद थे और यह पता लगाने के लिए कि असली खलनायक कौन था, आपको पूरी पिक्चर देखनी ही पड़ती थी। नायक एकदम बलिष्ठ, कर्मठ व स्वस्थ था और वह विभिन्न प्रकार के विभिन्न खलनायकों से अकेला ही निबट लेता था। उसकी इस चुस्ती व सेहत का राज सिर्फ़ यह था कि उसे उस बाल-जीवन घुट्टी व शुद्ध च्यवनप्राश पर पाला गया था जिनके कि सचित्र विज्ञापन फ़िल्म शुरू होने से पहले कई बार दिखाये गये थे। परिवार-नियोजन के जो सरकारी विज्ञापन थे वे भी इन ताक़त की दवाओं के बाद ही दिखाये गये थे। गाँव की वे रूपवती बालिकाएँ बँसवारी में या मटर के उन खेतों के बीच मटक-मटककर नाचती थीं जहाँ खेत के मालिक की निगाह से बचकर मटर के दाने इतनी दानशमन्दी के साथ खाये जा सकते थे कि उन कन्याओं के तथाकथित गुप्तांग भी गुप्त नहीं रहते थे। लड़कियों के बाक़ायदा लिपस्टिक, नकली भौंहें व काजल इतनी तबीयत के साथ लगाये गये थे कि गाँव के ग़रीब परिवेश में वे एकदम स्वाभाविक लगती थीं। मैं आपसे पूरी लेखकीय ज़िम्मेदारी के साथ कहता हूँ कि इस देसी फ़िल्म ने एकदम एक देसी फ़िल्म का पूरा मज़ा दे दिया। फ़िल्म की नायिका सचमुच सुन्दर थी और वह नाचते-नाचते एक गाना भी निःसंकोच होकर गा रही थी। मेरे गाँव कोई आयेगा, रूप की रस्सी से बँध जायेगा, हमरे बच्चे का बाप कहायेगा...

मैं गाँव की दिशा में चला ही था कि मैंने महसूस किया कि गाँव सचमुच बदल गया है। गाँव जाने का कच्चा रास्ता अब कोलतार की पक्की सड़क बन गया है

जिस पर बसें, मोटरें व रिक्शे बराबर चलने लगे हैं। सर्वेश्वर भाई की भाँति मुझे भी 'एक खोयी हुई सड़क' शीर्षकवाली कविता लिखने की इच्छा होने लगी। गाँव जाकर पता लगा कि अब वहाँ डाकख़ाना भी खुल गया है और डाक-बाबू जो हैं वे मेरे वही पुराने मित्र हैं जो कभी होम्योपैथी किया करते थे और जिनके पवित्र अहाते में अनाथाश्रम और नारी-निकेतन के साथ-साथ अब डाकख़ाना भी खुला है। डाकिया इतना चतुर है कि सारी चिट्ठियों को पढ़ने के बाद ही उन्हें गाँव में बाँटता है जिसकी उसे तनख़्वाह मिलती है। वह पोस्टमास्टर का भतीजा है। अब गाँव की गोरियाँ अपने प्रेमपत्रों को प्रेमियों तक स्वयं नहीं पहुँचातीं, अब वे सारी ख़तो-किताबत डाकख़ाने की मार्फ़त करती हैं। एक छोटी-सी डिस्पेंसरी भी खुल गयी है और वहाँ नियुक्त जो 'डाग्दर बाबू' है, वह प्रत्येक जवान स्त्री को परिवार-नियोजन के फ़ायदे व क़ायदे दोनों को भली भाँति विस्तार में बताता है। जो पुरुष-वर्ग है, उसकी सहायता इस दिशा में नर्स करती है जो अपने काम में एकदम माहिर है। गाँव में एक अदद स्कूल भी खुल गया है और उसी के कारण बच्चा लोग अब 'राम' को 'रामा' कहते हैं और 'हिमालय' को 'हिमालया' कहकर पुकारते हैं। स्कूल का जो प्रधानाध्यापक है वह छात्रों की बजाय गाँव के प्रधान व सरपंच की विभिन्न प्रकार के फ़ार्म भरने की दिशा में सहायता करता है ताकि सरकार से और बैंकों से अधिक-से-अधिक ऋण व सहायता ली जा सके। ग्राम-प्रधान की शक्ति अपार है : ऊपर भगवान और नीचे ग्राम-प्रधान। वैसे सच्चाई यह है कि ग्राम-प्रधान यदि चतुर हो तो वह भगवान को भी अपने नीचे ही रखता है ऊपर नहीं। स्कूल के पुस्तकालय में 'क़िस्सा हातमताई' से लेकर 'क़िस्सा छबीली भठियारन' तक का सारा शाश्वत साहित्य रखा है, जिसे लड़के व लड़कियाँ दोनों साथ-साथ बैठकर पढ़ते हैं ताकि यदि कोई कठिन स्थान आ जाए तो समझने-समझाने में सुविधा रहे। स्कूल के क्या चपरासी और क्या अध्यापक ऐसे ही हैं जो या तो सरपंच, प्रधान और मैनेजर के सगे-सम्बन्धी और या फिर घूस देकर वहाँ नियुक्त हुए हैं और जो उसी हानि की पूर्ति के लिए अब छात्रों से घूस लेते हैं जिससे वे नक़ल कर सकें और अगली कक्षा में जा सकें।

मैं देखता गया और देखता गया। गाँव सचमुच बदल गया था। नदी के किनारे पर एक डाकबँगला बन गया था जिसमें वह सबकुछ होता था जो कि एक डाकबँगले में होना चाहिए। नदी तो वर्ष में आठ महीने सूखी रहती थी पर डाकबँगलों में रोज़ मदिरा बहती थी। कुछ लोग मुर्दा गोश्त खाते थे तो कुछ हाकिम ज़िन्दे गोश्त के शौक़ीन थे। ब्लॉक-डेवलेपमेण्ट-अधिकारी, अब डेवलेपमेण्ट-ब्लॉक-अधिकारी हो गया था। गन्ने के रस या शिकरन के स्थान पर अब दारू चलती और इतनी चलती थी कि उसे पीने के बाद अब जूता चलता था क्योंकि आदमी ख़ुद तो चल नहीं सकता था। चोरी और छेड़छाड़ के स्थान पर सामूहिक डकैती व सामूहिक बलात्कार होते थे और कभी-कभी तो उस विकास योजना में पुलिस के लोग भी सहायता करते थे।

शर्त बस इतनी थी कि लड़की किसी हरिजन की हो और जवान होने के साथ-साथ हसीन भी हो। गाँवों में साम्प्रदायिकता के चिह्न भी दिखाई दिये जिससे मेरे भावुक मन को बड़ा धक्का लगा। जो काम क़ायदेआज़म नहीं कर पाये, वह चुनाव के भूखे भेड़ियों ने कर दिखाया। लगता है कि प्रेमचन्द का गाँव भी उन्हीं के साथ चला गया।

मैं गाँव में दो-तीन दिन रहा। इस बीच मैंने यह महसूस किया कि पुराना गाँव अभी भी थोड़ा-बहुत जीवित है। पहले की भाँति जुलाहे जो हैं वे अभी भी खादी बुनते हैं हालाँकि जो काम पहले हैण्डलूम से होता था वह अब पावरलूम से किया जाता है। गाँधीजी के बताये कुटीर-उद्योग बराबर चल रहे हैं और मेरे इस अकेले गाँव में ही दारू की तीन अदद भट्ठियाँ हैं। पहले जो कुत्ते कुतियों के पीछे प्रणय-निवेदन करने के लिए घूमा करते थे वे अब भी वैसा ही करते हैं। गधे की स्थिति ठीक उतनी ही सुदृढ़ है जैसे कि वह मेरे बचपन में थी। क़त्ल और फ़ौजदारी की ठीक वही सुविधा अभी भी है जो कभी पहले रहा करती थी। पहले दरोग़ाजी ताज़ीराते-हिन्द की दफ़ाएँ गाँववालों को बताया करते थे और अब स्थिति यह है कि गाँववाले ख़ुद दारोग़ाजी को विभिन्न दफ़ाएँ समझाते हैं। पुरानी जाति प्रथा थोड़ी-बहुत गयी तो अमीर और ग़रीब की नयी जाति-प्रथा प्रकट हो गयी। जो लोग अँग्रेज़ी राज में गुण्डे और 'हिस्ट्रीशीटर' कहलाते थे वे अब नेता कहलाने लगे। पहले सिर्फ़ थानेदार के पेशाब से ही चिराग़ जलता था, अब जलता तो चिराग़ ही है पर वह खण्ड-विकास-अधिकारी, नल-कूपों के आपरेटर, चकबन्दी, लगान व सहकारी-समितियों के निचले अधिकारी और ग्राम-प्रधान के सामूहिक मूत्र से इतनी तेज़ी से जलता है कि रेणुजी की 'पंचलैट' को भी मात करता है। अहा! ग्राम्य जीवन भी क्या है, इतनी सुविधा और कहाँ है!

मैंने ऊपर जो कुछ बताया है, उसके लिए आप ग्रामों के निवासियों को दोष न दीजिए। गीता के अनुसार, प्रकृति जो है वह त्रिकुटा और त्रिफला की भाँति त्रिगुणा है और तामसिक वृत्ति तो सदा थी और सदा रहेगी। वाल्टेयर ने कहा था कि बैंगन, मिर्च और शेष फलों इत्यादि की भाँति मनुष्य भी सदा सीधे और टेढ़े, सुन्दर व असुन्दर, भले और बुरे होते आये हैं और यह क्रम सदा इसी भाँति चलता रहेगा। रूसो के अनुसार, समाज जब पूरी तरह बदल जाता है तो वह ठीक वही हो जाता है जो कि बदलने से पहले था। यही तो वह कारण है जिसके प्रभाव से हमारे भुखमरे देश में एक राज्यपाल ने राजभवन के पुराने फ़र्नीचर के स्थान पर नया फ़र्नीचर ख़रीदने में सिर्फ़ साढ़े अट्ठाईस लाख रुपये ख़र्च किये और मात्र दो लाख रुपयों का अंगूर का ताज़ा शर्बत दवा कहकर ख़रीदा। न्यायपालिका का यह हाल है कि सर्वोच्च न्यायालय के एक न्यायाधीश पर विभिन्न अनियमितताओं के लिए संसद में मुक़द्दमा चलाया गया। देश के प्रधानमन्त्री तक के ख़िलाफ़ उन्हें एक करोड़ रुपया देने की शिकायत एक मामूली दलाल ने संसदीय समिति के सामने की पर हमारे विनम्र और शालीन प्रधानमन्त्री ने उस दलाल के ख़िलाफ़ मानहानि तक

का कोई मुक़द्दमा दायर नहीं किया जो मेरी राय में एकदम ठीक था। बक़ौल मिर्ज़ा ग़ालिब के, यदि कोई गधा आपको टाँग मार दे तो उसके बदले में क्या आप गधे पर अपनी टाँग मारेंगे? इसी प्रकार एक सांसद ने इसी सप्ताह शराब में धुत्त होकर संसद में प्रवेश किया। ऐसी स्थिति में आप गाँव के लोगों के ख़िलाफ़ ही क्यों सोचते हैं?

सच्ची बात तो यह है कि सबकुछ हो जाने के बाद भी मुझे गाँव से बेहद प्रेम है। सरसों के क्षितिज तक फैले हुए खेत, मटर के बहुरंगी पौधे, शरद-पूर्णिमा की निष्कलंक चाँदनी, वसन्त का बिना बताये यूँ ही आ जाना, सेमल के रक्त-वर्ण टटके फूल और वर्षा से घिरा भाद्रपद का निःशब्द निशीथ आपको अब भी गाँव में ही मिलेगा, महानगर में नहीं।

महिषी से लेकर राजमहिषी तक

मैंने वादा किया था कि अख़बार के समाचारों के आधार पर भविष्य में कोई रचना कभी नहीं लिखूँगा। मगर आज मैं वह वादा फिर तोड़ता हूँ। वादा तोड़ने की मदद से औरंगज़ेब आलमगीर हिन्दुस्तान का शहंशाह बना था और अमीचन्द नामक सेठ के साथ किया गया वादा राबर्ट क्लाइव ने तोड़ा था। अगर मीरजाफ़र वग़ैरह अपना वादा नहीं तोड़ते तो प्लासी व बक्सर के युद्ध ईस्ट इण्डिया कम्पनी कभी नहीं जीत सकती थी। बहादुरशाह ज़फ़र और उसके शहज़ादों के साथ किया गया वादा भी अँग्रेज़ों ने बराबर तोड़ा। अब वादा न तोड़ने के कारण यदि इतिहास नहीं बनता तो उस स्थिति में भला साहित्य की ही सृष्टि कैसे की जा सकती है? और आजकल के युग में आदमी अख़बार के अलावा और बचा ही कहाँ है? शायर कहता है :

आदमी को कहाँ ढूँढ़ते हो यहाँ
आदमी छप गया आज अख़बार में

(अज्ञात)

उत्तरप्रदेश के एक ज़िले के सीनियर सुपरिण्टेण्डेण्ट ऑफ़ पुलिस की महिषी—यानी कि भैंस एक रात बँगले से भाग गयी। सारी पुलिस फ़ोर्स इतनी तत्परता से उसे ढूँढ़ने लगी जैसे कि कप्तान साहिब की भैंस क्या, उनकी मेम साहिबा ही किसी के साथ भाग गयी हों। बँगले पर कड़ा पहरा था, सशस्त्र सैनिक तैनात थे और भैंस थी कि फिर भी अक्ल को पीछे छोड़कर आगे निकल गयी। मामला चोरी का है या अपहरण का? बहरहाल, भैंस हरियाणा की थी और क्या दूध और क्या गोबर दोनों के उत्पादन के लिए प्रसिद्ध थी। बहरहाल भैंस जो थी वह वनवास से वापिस आ गयी और ज़िले की पुलिस को राहत मिली। भैंस ढूँढ़नेवाले पुलिस कर्मचारी को परम-विशिष्ट-सेवा का पदक दिया जायेगा और उस पदक को वह पुलिस-कर्मचारी उसी भैंस के ऊपर खड़ा होकर लेगा। पुलिस को याद रखना चाहिए कि उनके कर्तव्य क्या-क्या हैं और इस सन्दर्भ में मैं एक और शायर का कलाम पेश करता हूँ। जिस शायर ने यह कलाम कहा वह बेचारा सारी उम्र भैंस तो क्या, कुत्ता तक नहीं पाल सका। वह दुखी होकर पाकिस्तान चला गया जहाँ उसने दूध की नदियाँ देखीं और

भैंस ख़रीदने का ख़याल हमेशा के लिए छोड़ दिया। कलाम इस प्रकार है :

पुलिस का फ़र्ज़े-सरकारी क़यामे-अम्न है लेकिन
इसी की ड्यूटियाँ कुछ और भी हैं ग़ैर-सरकारी,
हिफ़ाज़त डाकुओं की, सरपरस्ती बदमआशों की
रिहाई मुजरिमों की, बेकसूरों की गिरफ़्तारी

(दिलावर फ़िगार)

रूस में जीना तो क्या मरना तक मुश्किल होता जा रहा है। मुर्दे के दफ़नाने का ख़र्चा बेहद बढ़ गया है और इसी कारण काफ़ी लोग अस्पतालों से अपने मृत सम्बन्धियों की लाश नहीं उठा रहे हैं। साधारण अन्त्येष्टि का ख़र्च 1991 में 500 रूबल आता था जबकि ठीक वही ख़र्च अब 3,50,000 रूबल आता है। रूस में मुर्दों को जीवित लोगों की अपेक्षा कहीं अधिक सम्मान दिया जाता था और आज उसी रूस में लोग अपने प्रिय मित्रों और सम्बन्धियों को खुलेआम छोड़कर भाग रहे हैं ताकि अन्तिम संस्कार सरकार द्वारा सम्पन्न किया जा सके। मुर्दे पड़े रहते हैं और सोचते रहते हैं :

मैं अकेले घर का लावारिस दिया
जो भी जायेगा, जला कर जायेगा

(अज्ञात)

पिछले दिनों एक तथाकथित संन्यासी एक प्रदेश के राज्यपाल से मिले और उन्हें राजभवन में ठहराया गया और सरकारी डॉक्टरों ने उनका इलाज किया। ये संन्यासीजी स्वयं को कांचीपुरम् के शंकराचार्य बताते थे। वे इलाज करवा कर चले गये और कुछ दिनों बाद फिर प्रकट हो गये। फिर वे एक दिन ऐसे अन्तर्धान हुए कि पुलिस की भी पकड़ में अभी तक नहीं आये। लोगों का कहना है कि संन्यासीजी पाकिस्तानी जासूस थे या फिर वे नशीले पदार्थों की तस्करी से जुड़े थे। विस्तृत विवरण के लिए पाठकगण 30.5.1993 का 'साप्ताहिक सण्डेमेल' पढ़ें। इससे बहुतों का भला होगा। मध्यकालीन यूरोप में बादशाह के मर जाने पर काफ़ी लोग गद्दी का दावा किया करते थे और बाद में उन्हें फाँसी दी जाती थी। ऐसी महान् आत्माओं को 'प्रिटेण्डर्स' कहा जाता था। खुदा का लाख-लाख शुक्र है कि ऊपर बताये सज्जन ने अपने को मात्र शंकराचार्य ही बताया। यदि वे अपने को नया राज्यपाल ही बता देते तो पुराने राज्यपाल को तुरन्त राजभवन खाली करना पड़ता। संन्यासीजी ने कसकर भोजन किया और राजभवन कर्मचारी तो बेचारे यही शेर याद करते रहे :

दो सेर बाजरे का मलीदा उड़ा गये
सन्तों का पेट क्या हुआ, गोदाम हो गया

(बेढब)

एक अदालत ने एक ऐसे व्यक्ति की गिरफ़्तारी का वारण्ट जारी किया जो मात्र

दो वर्ष पहले दिवंगत हो चुका था। जब परिवार के लोगों ने पुलिस को उसकी मृत्यु की सूचना दी तो पुलिस ने मृत्यु का प्रमाण-पत्र माँगा। फ़िलहाल, हालत यह है कि पुलिस की ज़्यादतियों से बचने के लिए खुद मृतक के सम्बन्धियों ने अदालत की शरण ली है। मैं तो सोचता हूँ कि मरने से कुछ दिनों पूर्व देश और विदेश की सारी अदालतों को सूचित कर दूँ ताकि यदि मेरी गिरफ़्तारी का कोई वारण्ट कहीं पड़ा हो तो उस पर एक्शन लिया जा सके। जहाँ इस केस में मृतक के परिवारवालों की वाणी पर विश्वास नहीं किया गया, वहाँ इसी देश में एक अदालत ने एक पक्षी की गवाही स्वीकार की। एक व्यक्ति के पालतू तोते को किसी ने चुरा लिया और उसने थाने में रिपोर्ट दर्ज़ करवायी। थानेदार ईमानदार था उसने रिपोर्ट भी लिखी और चोरी किया गया सामान (यानी कि तोता) भी अपने क़ब्ज़े में ले लिया। चूँकि दोनों पार्टियाँ अपने-अपने दावे पर अटल थीं, मामला अदालत में गया। तोते ने मनुष्य की बोली में अपने असली मालिक का नाम, उसकी सन्तानों का नाम, अपनी असली मालकिन का नाम और उसके विभिन्न प्रेमियों का नाम वगैरा अदालत को सबकुछ बता दिया। मैजिस्ट्रेट ने तोता असली मालिक को दिलवा दिया और तोते के चोर को जुर्माना देने का हुक्म जारी किया। चिड़ियों के डॉक्टर ने तोते की परीक्षा की और उसके स्वास्थ्य को ठीक पाया। तोते को तोताचश्म कहना ग़लत है, तोता तो हमेशा वफ़ादार होता है। संस्कृत की एक अश्लील पुस्तक 'शुकसप्तति' व पण्डित रंगीलाल द्वारा 'रचित क़िस्सा तोता मैना' (आठों भाग) यही सिद्ध करते हैं। हिन्दी के कवि रघुवीर सहाय को तोते से बहुत प्रेम था। उन्होंने एक कविता भी लिखी थी जिसकी प्रथम पंक्ति थी—यदि कहीं मैं तोता होता। बहरहाल, तोता एक परोंवाला पक्षी है और इसी कारण उर्दू का एक शेर आपकी ख़िदमत में अर्ज़ है :

पर कतर कर, मुझसे कहता है कि गुलशन से निकल
ऐसी बेपर की उड़ाता न था सय्याद कभी

(आतिश)

एक ज़िला-अदालत के बाहर दूसरी पार्टी के लोगों ने एक सरल और सुन्दर युवती को पूरी तरह नंगा कर दिया हालाँकि वह दिगम्बर सम्प्रदाय में दीक्षित नहीं होना चाहती थी। न जाने कितने वकील तथा अन्य लोग सारी वारदात देखते रहे पर सिवा एक पत्रकार के किसी ने भी कोई मदद नहीं की। लड़की ने सुरक्षा के लिए हिन्दू होकर भी बुर्का पहन रखा था। पत्रकार उसे पुलिस-स्टेशन ले गया मगर दबाव के कारण कोई रिपोर्ट दर्ज़ नहीं की गयी। एक दारोग़ा ने उसकी हथेलियों पर कुर्सी की टाँगें रखीं और उसके बाद उस कुर्सी पर स्वयं को स्थापित किया। ज़िले के उच्चाधिकारियों ने सारी वारदात पर हार्दिक खेद प्रकट किया और उसके बाद वे बीयर पीने क्लब चले गये। जैसा कि 27.6.1993 का 'इण्डियन एक्सप्रेस' बताता है, इस तरह की यह घटना देश में सबसे पहली है। मुझे पूरा विश्वास है कि पुलिस

उस सुन्दर कन्या के साथ वह सबकुछ करेगी जो पुलिस से अपेक्षित है। दारोग़ा ने छोकरी देखते ही शायर का यह कलाम याद किया होगा :

तोहफ़ए-शब्बरात क्या तुम्हें दूँ
जानेमन तुम तो ख़ुद पटाखा हो

(अकबर)

हमारे देश का वह सिपाही जिसे 'विक्टोरिया-क्रॉस' सबसे पहले दिया गया था, नायब सूबेदार लाला था। उसकी मृत्यु 1924 में हुई थी। इस बहादुर सिपाही ने मैसोपोटैमिया के युद्ध में भयंकर साहस और शौर्य का प्रदर्शन किया था। आपको जानकर ख़ुशी होगी कि उसकी 95 वर्षीया पत्नी को 'विक्टोरिया-क्रॉस एलाउंस' अब बराबर मिला करेगा। हाईकोर्ट ने अपने फ़ैसले में कहा है कि पहली पत्नी की मृत्यु के उपरान्त दूसरी पत्नी को बराबर रक़म मिलेगी और 1929 से मिलेगी। पिछले लगभग चालीस वर्षों से उस शूरवीर सिपाही की पत्नी को सरकार से एक ही जवाब मिलता आ रहा था और वह यह था कि मामला विचाराधीन है क्योंकि वह उस सैनिक की दूसरी पत्नी है, पहली नहीं। हाईकोर्ट ने एलाउंस भी दिया और 1929 से दिया और अब तक न दी गयी राशि पर सूद भी दिया। वह बेचारी विधवा शायद अपने बाकी दिन अब आराम से काट सके। सरकार के यहाँ देर है, अन्धेर नहीं। सारी घटना पढ़ने के बाद मुझे शायर का यह कलाम याद आया :

क़त्ल से पहले है क्लोरोफ़ार्म
शुक्र है उनकी मेहरबानी का

(अकबर)

बाँग्लादेश की एक मस्जिद में एक इमाम और एक स्त्री एक-दूसरे से प्रेम करते पकड़े गये। दोनों को साठ-साठ कोड़े खाने को प्राप्त हुए, जुर्माना देना पड़ा और सबसे बड़ी सज़ा तो यह दी गयी कि उन दोनों का एक-दूसरे के साथ विवाह कर दिया गया। ये जितने भी मन्दिर, मस्जिद और गिरजाघर हैं इन सबमें प्रेम की जो शिक्षा दी जाती है, उसका ठोस परिणाम कभी-कभी इस रूप में भी निकलता आया। हमारे मन्दिरों में तो कभी देवदासियाँ भी रखी जाती थीं। बहरहाल मैंने जब सारी वारदात पढ़ी तो जो शेर याद आया, वह नीचे दर्ज़ करता हूँ और आपसे प्रार्थना करता हूँ कि आप 24.5.1993 का 'इण्डियन एक्सप्रेस' पढ़ें और ज़रूर पढ़ें :

वे जो महन्त बन कर बैठे हैं कुण्ड पर
अवतार बन के गिरते हैं परियों के झुण्ड पर

(इंशा)

दिल चुराने या आँखें चुराने के बारे में तो सुना था पर इधर गुना नामक स्थान पर तो हज़ारों गुना वज़नी चीज़ की चोरी हो गयी। जिस छोटे-से पदार्थ की चोरी हुई वह मात्र रेल का इंजन था। लालबत्ती होने के कारण एक रेलवे इंजन—जो गुना

से कोटा ले जाया जा रहा था—सिगनल के पास खड़ा हो गया और उसके रुकने पर इंजन-ड्राइवर व उसका साथी (फ़ायरमैन) उस इंजन से उतर गये। इधर एक और इंजन-ड्राइवर रेल की पटरी के साथ-साथ कहीं से आ रहा था और कहीं जा रहा था। उसने खाली इंजन देखा तो उसे चलाने की कोशिश की। इंजन चल तो पड़ा पर कुछ ही दूर जाने पर वह पटरी से उतर गया और चालीस फ़ीट खेतों में चलने के बाद रुक गया। यह दूसरा ड्राइवर शराब के नशे में था। पहला ड्राइवर और फ़ायरमैन जब वापस लौटे तो उन्होंने इंजन को नदारद पाया। इंजन की चोरी के इलज़ाम पर उन दोनों को गिरफ़्तार कर लिया गया। रेल की बात क्या चली कि ख़ाकसार को एक शेर याद आ गया। कवि कहता है:

मालगाड़ी पै जिन्हें भरोसा है 'अकबर'
उनको क्या ग़म है गुनाहों की गराँबारी का

(अकबर)

रचना महिषी से शुरू की थी और यह उचित ही होगा कि उसका अन्त राजमहिषी से किया जाए। इंग्लैण्ड की महारानी एलिज़ाबेथ (द्वितीय) बहुत चिन्ता में हैं। वैसे भगवान का दिया सबकुछ है पर सन्तान के नालायक निकलने के कारण उनकी असीम सम्पत्ति उन्हें कोई भी सुख नहीं दे पा रही है। मुझे बकिंघम पैलेस से बहुत पुराना लगाव है क्योंकि कभी मैं स्वयं राजकुमारी मैरगरेट से शादी करना चाहता था। राजकुमारी ने मुझे छोड़कर एक फ़ोटोग्राफ़र से शादी कर ली और उसे तलाक भी दिया तो तब दिया जबकि मेरी शादी वैदिक धर्म के अनुसार अन्यत्र सम्पन्न हो चुकी थी। अब हमें राजकुमारी से कोई लगाव नहीं था। कवि के शब्दों में स्थिति यह थी:

बन्दूक का नहीं है जो लैसेंस, ग़म नहीं
मैंने तो इस ख़याल को ही गोली मार दी

(अकबर)

देश की हालत ठीक है। मन्त्रीजी और सचिव साहब दोनों साथ मिलकर भारतमाता के साथ खुलेआम बलात्कार कर रहे हैं। सुप्रीम कोर्ट के एक जज को हटाये जाने की दिशा में संसद कुछ क़दम उठा रही है और निर्वाचन की प्रक्रिया लाठी और बन्दूक के द्वारा सरल की जा रही है। मेरा एक मित्र-कवि कहता है :

रेशम की साड़ी, ज़री की किनार
रमैया की दुल्हन ने लूटा बज़ार

भूखे जुलाहे, रंगारे, फ़क़ीर
इन्हें रोटियाँ दे कहाँ से कबीर,
सुलगते रहे भाईचारे यहाँ

अन्धे हैं राजे तो अन्धे वज़ीर,
ये काबे का काशी से कैसा क़रार
कि पतझर-सी आयी है अबके बहार

चलो बाँस को उठके बाजा करें
किसी मर्द बच्चे को राँझा करें,
बुझाएँ सुलगती हुई छातियाँ
भरे घाव को फिर न ताज़ा करें,
अवध, आगरे हों कि बूढ़े बिहार
ये शहनाई सहमी, लजायी सितार

पहरुये बिजूकों से क्यों सो गये?
जमादार पथ में कहीं खो गये
फ़रीदे औ' नानक भी लाचार हैं,
महज़ ग्रन्थसाहिब को हम ढो रहे हैं,
किसी के भी सिर भूत क्यों हो सवार
न डालें तवारीख़ का हम अचार

रेशम की साड़ी, ज़री की किनार
रमैया की दुल्हन ने लूटा बज़ार

(नईम)

प्रजातन्त्र के सच्चे तान्त्रिक

1959 में बैजनाथ प्रसाद श्रीवास्तव कलेक्टरेट कचहरी, बाराबंकी में लिपिक था। उसने अपनी ईमानदारी और कर्मठता के नाते स्टाम्प-टिकटों के एक गम्भीर मामले का भण्डाफोड़ किया क्योंकि वह समझता था कि वैसा करने से सरकार का व शायद उसका भी भला होगा। मगर उसे अपनी ईमानदारी का यह लाभ मिला कि वह राजकीय सेवा से बर्ख़ास्त कर दिया गया। अपनी इस नाजायज़ बर्ख़ास्तगी के विरुद्ध वह प्रदेश-सरकार से पिछले 34 वर्षों से न्याय माँग रहा है परन्तु इतनी लम्बी अवधि गुज़र जाने के बावजूद उसका मामला अभी तक 'विचाराधीन' ही है। उसे बर्ख़ास्त करने का प्रमुख कारण यह है कि जिस मामले का उसने भण्डाफोड़ किया था, उसमें काफ़ी डिपुटी-कलेक्टर व जुडीशल ऑफ़ीसर भी अनियमितताओं के लिए ज़िम्मेदार थे। इन सब लोगों को बचाने के लिए उसे बर्ख़ास्त किया गया और वह दर-दर का भिखारी बना दिया गया। तत्कालीन सांसद रामसेवक यादव ने यह मामला तुरन्त जाँच करवाने के लिए तत्कालीन मुख्यमन्त्री चन्द्रभानु गुप्त को सौंपा था और यह भी कहा था कि इसकी बर्ख़ास्तगी का हुकुम रद्द किया जाए और इसे इनाम दिया जाए। जाँच करवायी गयी और अनेक अधिकारी दोषी पाये गये जिनमें से कुछ तो अब सेवा से अवकाश भी प्राप्त कर चुके हैं। बैजनाथप्रसाद ने तत्कालीन कमिश्नर के सामने अपनी बर्ख़ास्तगी के ख़िलाफ़ अपील दायर की जिस पर कोई निर्णय नहीं लिया गया और जो बोर्ड ऑफ़ रेवेन्यू को भेज दी गयी। वहाँ उस पर कोई विचार नहीं किया गया और उसे सीधे प्रशासन को भेज दिया गया जहाँ वह अब तक मात्र 'विचाराधीन' ही है। इस बीच बैजनाथ के बच्चे शादी लायक़ हो गये हैं और उसकी आर्थिक स्थिति दयनीय हो चुकी है। मुख्यमन्त्री चन्द्रभानु गुप्त के तमाम प्रयासों के बावजूद लालफ़ीताशाही के कारण बैजनाथ की बहाली नहीं हो सकी। बाद में उत्तरप्रदेश के आवासमन्त्री व वनमन्त्री भगवतीसिंह ने बैजनाथ के 'पेटीशन' की फ़ाइल मँगाकर पढ़ी और उसकी माँग को जायज़ मानते हुए उसको बहाल करने के लिए उसे राजस्वमन्त्री के पास भेजा पर लालफ़ीताशाही ने फिर भी न्याय नहीं होने दिया। फ़िलहाल

प्रदेश के कैबिनेट स्तर के मन्त्री बेनीप्रसाद वर्मा ने मामले में तुरन्त कार्रवाई करने के लिए उसे 7.1.1994 को राजस्वमन्त्री बाबूराम यादव को अपने पत्र के साथ भेजा है जिसके साथ सारे साक्ष्य प्रस्तुत किये गये हैं। बैजनाथ को सरकार के फ़ैसले का इन्तज़ार है।

–साप्ताहिक सण्डे मेल, दिल्ली

ऊपर लिखे समाचार के पढ़ने से आपको शायद आश्चर्य व दुख हुआ होगा। मुझे ऐसा कुछ नहीं हुआ। मैंने केन्द्रीय सरकार में चौंतीस वर्ष विभिन्न उच्च पदों पर गुज़ारे हैं और मैं यह भलीभाँति जानता हूँ कि हालाँकि हमारे विधान में हमारी सरकार को 'एक प्रजातान्त्रिक सरकार' कहकर पुकारा गया है पर सच्चाई यह है कि चुनाव सम्पन्न होते ही 'प्रजा' वाला भाग जो है वह लुप्त हो जाता है और 'तन्त्र' वाला जो भाग होता है वही सबसे ज़्यादा शक्तिशाली हो जाता है। सच्चे तान्त्रिक ये ही लोग हैं जो सरकार के तीनों अंगों को चलाते हैं, ये जो श्मशान में रात को नर-बलि देनेवाले तान्त्रिक हैं ये तो 'रेणुजी' की भाँति यूँ ही बदनाम हैं। व्यवस्थापिका के सदस्य या तो सदन ही नहीं जाते और जाते हैं तो उस दिन जाते हैं जिस दिन या तो सदन में हाथापाई सम्पन्न की जानी है या फिर जिस दिन उनका अपना वेतन, पेंशन तथा शेष सुविधाओं पर निर्णय लिया जाना है। अदालतों का यह हाल है कि सुप्रीमकोर्ट तक में लाखों मुक़द्दमे विचाराधीन पड़े हैं। और कार्यपालिका का तो कहना ही क्या, उसकी पूरी प्रशस्ति तो सारे समुद्रों को दावात बनाकर और सारे वृक्षों की कलम बनाकर कुमारी सरस्वती स्वयं भी नहीं कर सकतीं।

आम बोलचाल की भाषा में कार्यपालिका को ही सरकार कहा जाता है। 'सरकार' शब्द का प्रयोग सबसे पहले बंगाल में ही किया गया क्योंकि ईस्ट इण्डिया कम्पनी की सरकार सबसे पहले उसी प्रदेश में बनी। मुस्लिम शासन में सात सौ वर्षों तक 'हकूमत' शब्द का ही प्रयोग होता रहा जिसके भीतर 'हाकिम' लोग 'हुक्म' दिया करते थे और 'हुक्मनामे' पर अपने दस्तख़त करके अपनी मुहर लगाते थे। सम्राट् अकबर व नवाब हैदरअली अपने हुक्मनामों पर दस्तख़त करने का कष्ट भी कभी नहीं उठाते थे क्योंकि ये दोनों कुशल शासक बेपढ़े थे। बहरहाल बंगाल में सरकार ऐसी चली कि बड़े-बड़े लोगों ने अपने नाम के साथ ही 'सरकार' लगाना शुरू कर दिया। इतिहासकार सर जदुनाथ सरकार और जादूगर पी.सी. सरकार के नाम तो हम सब जानते ही हैं। कम्पनी सरकार में क्लर्कों को 'राइटर' कहा जाता था और कलकत्ते की 'राइटर्स बिल्डिंग' इस बात की आज भी गवाह है। बाद में क्लर्कों को बाबू कहा जाने लगा और बाद में इस शब्द ने इतनी प्रतिष्ठा प्राप्त की कि बिहार में तो नाम के पहले 'बाबू' लगाना एक परम सौभाग्य की बात समझी जाती रही और बाबू राजेन्द्रप्रसाद, बाबू अनुग्रहनारायण सिंह व बाबू जगजीवन राम को कौन

नहीं जानता? हाँ, देश के शेष भाग में 'बाबू' क्लर्क को ही कहा गया। लार्ड क्लाइव कभी मेरे ही विभाग में एक क्लर्क था। विश्व के महान् उपन्यासकार शरत् बाबू ने भी काफ़ी क्लर्की की थी।

मुझे दूसरी बार आपको यह सूचना देते हुए हार्दिक व शारीरिक हर्ष होता है कि मैंने अपना सारा जीवन भारत सरकार का जादू सीखने में ही लगाया। मैं जानता हूँ कि 'मामला विचाराधीन है' कहने का शुद्ध अर्थ यह होता है कि सम्बन्धित फ़ाइल हाथ नहीं आ रही है। 'मामला पूरी तत्परता के साथ विचाराधीन है' कहने का सांकेतिक अभिप्राय यह है कि फ़ाइल तो मिल गयी है पर यदि सम्बन्धित प्रार्थी स्वयं भी आकर बाबू से मिल ले तो और भी श्रेयस्कर होगा। बाबू लोग ग्यारह बजे दफ़्तर आते हैं, चाय पीते हैं, जर्दे का पान खाते हैं और 'विल्स' की सिगरेट पीते हैं। एक बजे से तीन बजे तक लंच चलता है और शेष समय में या तो देश के नेताओं को उनकी अकर्मण्यता पर जी भर कर गालियाँ दी जाती हैं या फिर क्रिकेट की कमेण्ट्री सुनी जाती है। बड़े अफ़सर लाचार हैं और इस स्थिति के तीन कारण हैं। पहले तो क़ानूनी ढंग से विभागीय कार्यवाही तक करने में इतना समय लग जाता है कि उसमें किसी को कोई रुचि नहीं रहती। दूसरा कारण यह है कि इसी बीच ट्रेड-यूनियनवाले अफ़सरों की ज़िन्दगी हराम करने लगते हैं और तीसरी बात यह है कि अब आला अफ़सर भी तो रिश्वती, प्रत्येक प्रकार से भ्रष्ट, कामचोर तथा सिफ़ारिशों के सहारे ही आगे बढ़ने की सोचते हैं। भारत सरकार के एक संयुक्त सचिव खुलेआम कहा करते थे कि यदि उन्हें काम ही करना होता तो क्या वे सिविल सर्विस में आते? वैसा करना होता तो क्या वे अपने पिताश्री की भाँति एक डॉक्टर या अपने दादाजी की भाँति बैरिस्टर नहीं बन सकते थे? बहुत-सी जगहों पर रिश्वत बराबर बाँटी जाती है और सल्तनत का वह फ़ार्मूला अब नहीं चलता जिसके अनुसार सुलतान को लूट का मात्र पाँचवाँ भाग ही मिलता था। रूपवती रमणियाँ भी चल-सम्पत्ति होने के कारण बराबर बाँटी जाती हैं। एते पंच मकाराः स्यु मोक्षदा हि युगे युगे।

मेरे विचार में ऊपर बतायी स्थिति थोड़ी-बहुत शायद सदा से रही। पुराने ज़माने में व्यवस्थापिका तो थी नहीं, हाँ न्यायपालिका व कार्यपालिका तब भी होती थीं और वे दोनों प्रायः ख़राब स्थिति में ही रहती थीं। एक संस्कृत श्लोक में अदालत की चर्चा करते हुए शूद्रक ने कहा है कि "कचहरी तो एक समुद्र है। चिन्तामग्न मन्त्री जल हैं, दूतगण जो हैं वे शंख हैं, चारों ओर रहनेवाले 'चार' (खुफ़िया पुलिस) घड़ियाल हैं और वह समुद्र घातक पशुओं से भरा है। ठग और गवाह बगुले हैं, और कायस्थ मुंशी ज़हरीले सर्प हैं। नियमों से इसका तट टूटा हुआ है। यह कचहरी है।" शेक्सपियर के अनुसार, "सत्ता का विकराल भालू सोने की नकेल से ही वश में आता है, वैसे नहीं।" अलाउद्दीन ख़िलज़ी जैसे खूँखार सुलतान के ज़माने में भी "लोग कर वसूल करनेवाले अधिकारियों को सन्निपात समझते थे, मुंशीगिरी करनेवाला एक अपराधी

माना जाता था और कोई भी कुलीन व्यक्ति किसी मुंशी को अपनी बेटी नहीं देता था। मालगुज़ारी-विभाग के कर्मचारी बड़ी ही अनादर की दृष्टि से देखे जाते थे।" जहाँगीर ने क़िले के बाहर एक ज़ंजीर लगवा रखी थी जिसे कोई भी फ़रियादी किसी भी वक़्त खींचकर महल का घण्टा बजा सकता था, पर इब्ने इंशा के अनुसार, इस घण्टे को बजाने से रोकने के लिए महल के बाहर एक चौकीदार भी बराबर तैनात रहता था। औरंगज़ेब का परमप्रिय धाय-भाई मीरबाबा जब बंगाल का गर्वनर था तो उसने बेहद घूस ली थी पर बादशाह ने उसे वहाँ से वापस बुलाने के अलावा उसके ख़िलाफ़ और कोई क़दम नहीं उठाया था। क्लाइव व वारेन हेस्टिंग्ज़ बेहद 'लुटेरे' थे और दोनों पर इंग्लैण्ड में भयंकर मुक़द्दमे चले। दोनों को निरपराधी पाया गया पर आत्मसम्मानी व्यक्ति होने के कारण लार्ड क्लाइव ने आत्महत्या कर ली जबकि निर्लज्ज वारेन हेस्टिंग्ज बहुत उम्र पाकर मरा। लार्ड इरविन बेहद परिश्रमी व्यक्ति था जबकि एक और वायसराय था जो कभी कोई फ़ाइल देखता ही नहीं था। उसका स्टाफ-ऑफ़िसर हर फ़ाइल पर एक रबर-स्टाम्प लगा देता था जिस पर लिखा रहता था कि 'हिज़ ऐक्सीलैंसी एप्रूव्स'। एक बार तो ऐसे दो प्रस्तावों पर एक ही दिन स्वीकृति की यह मुहर लग गयी जो कि एक-दूसरे के विपरीत थे और तब सम्बन्धित सेक्रेटरी को वायसराय से स्वयं मिलना पड़ा। इण्डियन सिविल सर्विस के सदस्य एक सेक्रेटरी ने मेरे परिचित एक ऊँचे अधिकारी की 'गोपनीय वार्षिक रिपोर्ट' में लिखा था कि "ही सैल्डम रीड्स फ़ाइल्स, व्हैनेवर ही रीड्स, ही मिसअण्डरस्टैण्ड्स।" जब मैं योजना-कमीशन में था तो मेरी ही एक फ़ाइल पर योजनामन्त्री गुलजारीलाल नन्दा ने अपना एक नोट पेंसिल से लिखा था और इस पर इण्डियन सिविल सर्विस के भूतपूर्व सदस्य सर ई.पी. मून (जो योजना-कमीशन के सलाहकार थे) ने फ़ाइल उन्हें वापस कर दी थी और उसके बाद नन्दाजी ने फ़ाइलों पर हमेशा कलम से ही अपना नोट लिखा। एक सेक्रेटरी ने वित्त-मन्त्रालय की डाँट-भरी एक टिप्पणी को देखकर संयुक्त सचिव को लिखा कि "दी ज्वायंट सेक्रेटरी मे सी एण्ड ब्लश"। संयुक्त सचिव ने यह रिमार्क पढ़ा और बड़े शान्त स्वभाव से उस नोट के नीचे "सीन एण्ड ब्लश्ड" लिखकर फ़ाइल फिर सेक्रेटरी को भेज दी। ये दोनों सज्जन भी आई.सी. एस. अधिकारी थे। सेना-मुख्यालय में एक ब्रिगेडियर थे जो सदा अपने विश्वस्त व बेहद समर्थ एक निचले अधिकारी के लिखे नोट पर बिना पढ़े दस्तख़त किया करते थे। सबकुछ ठीक चलता रहा मगर एक दिन रक्षा-मन्त्रालय के एक उच्च अधिकारी ने उन्हें एक नोट के लिए बेहद डाँटा और अपनी डॉट-भरी टिप्पणी के साथ फ़ाइल उन्हें वापस कर दी। ब्रिगेडियर साहब ने अपने निचले अधिकारी को बुलाया और वह डाँट-भरी टिप्पणी उसे दिखायी। उस अफ़सर ने खेद प्रकट किया और कहा कि "सर दस्तख़त तो आपने ही किये थे।" हँसमुख ब्रिगेडियर ने तुरन्त उत्तर दिया कि "मेरे प्यारे दोस्त, डाँट जो है वह तुम्हारी टिप्पणी पर है, मेरे दस्तख़तों पर नहीं।"

इसके बाद वे दोनों हँस पड़े। एक देशी नरेश अपनी फ़ाइलों के ढेर को अपनी एक प्रिय रानी की टाँगों से दो समूहों में विभाजित कराया करते थे और इसके बाद एक तरफ़ की फ़ाइलों को स्वीकृत करार दे दिया जाता था और दूसरी ओर की फ़ाइलें अस्वीकृत कर-दी जाती थीं। एक महीने का सारा काम पाँच मिनट में ख़त्म कर दिया जाता था। जो लोग इस तरह की दिलचस्प घटनाओं में रुचि रखते हों वे कम-से-कम एच.वी.आर. आयंगर की 'दी मैमोयर्स ऑफ़ ए सिविल सर्वेण्ट' तथा पी.वी.आर. राव की 'दी व्हाइट कैप एण्ड दी रेड टेप' नामक पुस्तकें अवश्य पढ़ें। समय और पुस्तक मिले तो निनूहा साहिब की 'ए टेल टोल्ड बाई ऐन ईडियट' भी पढ़ डालें। ये तीनों सज्जन भी आई.सी.एस. अधिकारी ही थे।

इस सन्दर्भ में अब यह प्रश्न उठता है कि क्या यह सचमुच ज़रूरी है कि काम किया ही जाए या दूसरों से सचमुच काम लिया ही जाए? क्या गीता में भगवान कृष्ण कर्मों के बन्धन को काटने का उपदेश नहीं देते? मलूकदास क्या झूठे साबित हो गये? औरंगज़ेब आलमगीर जैसा कर्मठ सम्राट् सारे विश्व के इतिहास में शायद ही कोई दूसरा हुआ होगा पर इस सबका परिणाम यह निकला कि उसकी मृत्यु के तुरन्त बाद ही विश्व का वह महानतम साम्राज्य टुकड़े-टुकड़े हो गया जिसकी मिसाल भी सारे विश्व के इतिहास में कोई दूसरी नहीं मिलती। हिन्दी के किसी कवि ने इतना धन नहीं कमाया जितना कि केशवदास ने कमाया (मिश्रबन्धु)। वे दिन में 'रामचन्द्रिका' लिखते थे और रात्रि के समय अपनी प्रवीन नामक प्रेयसी को पास बिठाकर 'जहाँगीर-जस-चन्द्रिका' लिखते थे। एक हाथ में कलम रहती थी तो दूसरे हाथ में प्रवीनबाई का कमल जैसा कोमल कोई अंग रहता था। मैं पूछता हूँ कि केशव की तुलना में 'निराला' ने क्या सुख पाया? क्या जेम्स जॉयस सचमुच नोबिल प्राइज़ पाने का हक़दार नहीं था? मगर स्थिति यह रही कि पुरस्कार की निर्णायक समिति में जब किसी ने उनका नाम लिया तो काफ़ी सदस्य यही पूछने लगे कि जेम्स जॉयस किस चिड़िया का नाम है? गोस्वामी तुलसीदास ने ठीक ही कहा है कि "हानि लाभ जीवन मरण, यश अपयश विधि हाथ।" मैंने सारी उम्र बेहद लगन, ईमानदारी व निष्ठा से भारत सरकार की सेवा की जिसका परिणाम मात्र यह रहा कि एक माननीय रक्षामन्त्री ने मुझे एक सप्ताह के लिए निलम्बित कर दिया और अतिरिक्त सचिव के पद को प्राप्त करने के समय मेरे अनेक जूनियर मुझसे ऊपर कर दिये गये। मेरे ऐसे अनेक परिचित अधिकारी हैं जो मात्र धर्म, जाति, प्रान्तीयता, क्लब, दावतें और अपनी या दूसरों की पत्नियों के रूप के कारण भ्रष्ट व निकम्मे होते हुए भी अपनी चापलूसी व अर्थभरी मुस्कान के सहारे राजदूत, गवर्नर तथा भारत सरकार के सचिव बन गये। मुझे अपने पचास हज़ार रुपयों तक के लिए अदालत जाना पड़ा जहाँ कि फ़ैसला मेरे ही हक़ में

हुआ। न जाने कितनी और मिसालें होंगी जिनका ज़िक्र मैं चाहते हुए भी नहीं कर सकता या जिन्हें मैं नहीं जानता। बहरहाल, इतने अत्याचारों के बाद भी मैं त्यागपत्र देने का साहस नहीं कर सका। बच्चे छोटे थे और निर्वाह करने का और कोई साधन नहीं था। यदि हमारे वित्तमन्त्री डॉ. मनमोहन सिंह को विदेशी मुद्रा संकट रहता है तो मुझे सदा देशी मुद्रा का ही संकट रहा। 'मुद्रा' का 'राक्षस' बहुत विकट होता है और इसी कारण संस्कृत में 'मुद्राराक्षस' नामक नाटक को श्रेष्ठ माना जाता है।

जो कुछ मैंने ऊपर कहा है वह तो मात्र केन्द्रीय सरकार के ही बारे में कहा है। जब केन्द्रीय सरकार की यह स्थिति है तो प्रान्तीय सरकारों की क्या स्थिति होगी, इसका अनुमान आप स्वयं लगा सकते हैं। कुछ राज्यों में तो स्थिति सचमुच दयनीय है। बैजनाथप्रसाद श्रीवास्तव जैसे हज़ारों मामले फ़ाइलों में दबे पड़े हैं। मन्त्रीजी को अगले चुनाव की चिन्ता है, अधिकारी लोग विदेश जाने की ताक में हैं और कर्मचारी जो हैं वे हड़ताल पर जाने की तैयारी में जुटे हैं। हराम का पैसा मन्त्रीजी से लेकर लेखपाल तक, सब खाते हैं और सबके सामने खाते हैं। जो कुछ भी हो रहा है वह देश के विधान के अनुसार ही हो रहा है।

रिटायर होने के बाद तो मैं म्युनिसपैलिटी-रूपी स्थानीय सरकार से ही युद्ध करने में जुटा हूँ। सड़कें खुदी पड़ी रहती हैं क्योंकि सड़क खोदनेवाले महकमे कई हैं जबकि सड़क की मरम्मत करनेवाला महकमा सिर्फ़ एक ही है। सड़कें कभी टेलीफ़ोनवाले खोदते हैं, कभी पानीवाले खोदते हैं और कभी-कभी यह शुभ कार्य पुरातत्त्व-विभागवाले भी शायद कर जाते हैं। महीनों तक सड़कें खुदी पड़ी रहती हैं और जब उनके विभाग के किसी अफ़सर की पत्नी ही उस सड़क पर गिर जाती है तो दुरुस्ती करनेवाला महकमा हरकत में आता है। रिटायर होने के बाद ही मैंने यह महान् रहस्य जाना कि मात्र बिजली के बिल की समय पर अदायगी करना ही मेरी ज़िम्मेदारी नहीं है बल्कि बिजली के बड़े दफ़्तर से बिल लाना भी मेरी ही ज़िम्मेदारी है। बिजली-विभाग की तो मात्र एक ज़िम्मेदारी है और वह है—बिल की समय पर अदायगी न होने पर आपकी बिजली काट देना और खुशी की बात यह है कि यह ज़िम्मेदारी हमेशा वक़्त पर पूरी कर दी जाती है। बैंक, अस्पताल व बस के अड्डे ऐसी हालत में हैं कि कुछ कहा ही नहीं जा सकता।

इस प्रबन्ध का पंचामृत यह है कि मेरे अज़ीज़ बैजनाथ भाई, तुम अपने मामले को भूल जाओ और भगवान को याद करो। तुम्हें कम-से-कम अन्तरिम उत्तर तो मिलता है, यदि वह भी न मिले तो तुम क्या कर लोगे? अदालत जाओगे तो वहाँ भी पेशकार और तारीख़ के अलावा कुछ नहीं मिलेगा। मेरे श्वसुर महोदय एक बेहद मामूली मुक़द्दमे में उलझे हैं जिसमें उन्हें अब तक सौ से ऊपर तारीख़ें मिल चुकी हैं। जिस दिन यह मुक़द्दमा ख़त्म हो जायेगा, उस

दिन उनकी साँस भी शायद बन्द हो जायेगी। वैसे भी उनकी आयु चौरासी वर्ष के आसपास है। महाकवि 'अकबर' जब कहीं सिविल जज थे तो किसी असहाय बेवा के मुक़द्दमे को जल्दी से तय कराने के लिए उनके एक मित्र ने उन्हें ख़त लिखा। महाकवि ने आह भरी और जवाब में एक शेर लिखा जो कुछ-कुछ इस प्रकार था :

उन्होंने ख़त लिखा है मुझे, यह कैसी बियाबानी है
मैं हाकिम हूँ उस अदालत का जो खुद दीवानी है

विद्यापति की शरण में

आज विद्यापति की शरण में जाने को मन अकुला रहा है। ग्रियर्सन ने ठीक ही कहा था कि "हिन्दू धर्म के सूर्य का अस्त भले ही हो जाए, राधा और कृष्ण में मनुष्य की श्रद्धा व विश्वास भले ही न रहे और कृष्ण की प्रेमलीलाओं के प्रति भक्तों का जो अनुराग है वह भी भले ही न रहे, तब भी विद्यापति के गीतों के प्रति जो प्रेम है, वह पाठकों के हृदय से कभी न हटेगा।" आज मैं आप लोगों को लेकर विद्यापति की शरण में जाता हूँ क्योंकि देश की जो स्थिति है वह देखी नहीं जाती। मैं सदा से एक ईमानदार लेखक रहा हूँ और इस कारण जो वादा मैं कर रहा हूँ, उसे मैं प्रत्येक स्थिति में पूरा करूँगा। मगर जल्दी न कीजिए और विद्यापति के चरणों तक पहुँचने से पूर्व कुछ दूर मेरे साथ पैदल चलिए। माधव हम परिणाम निराशा/तोहे जगतारन दीन दयामय/अतय तोहर विश्वासा।

मुझे ऐसा लगता है कि देश की जनता हमारी न्यायपालिका के विरुद्ध हो गयी है। पहले एक ज़िला-जज की अदालत में फ़ैसला सुनने के बाद एक अभियुक्त ने अपना एक जूता जज साहिब की दिशा में फेंका जो निशाने पर नहीं लगा। जज साहिब ने वह जूता अदालत के मालख़ाने में जमा करवाया ताकि अदालत की मानहानि का जो मुक़द्दमा अपराधी पर चलाया जायेगा, उसमें वह बतौर सबूत के पेश किया जा सके। जिस मूर्ख व्यक्ति ने अपना जूता फेंका, वह अब पछता रहा होगा क्योंकि एक बचे हुए जूते से तो वह कुछ कर नहीं सकता और जूतों की दूसरी जोड़ी ख़रीदने के लिए जो राशि इन दिनों चाहिए वह सैकड़ों रुपये बैठती है। वे दिन गये जबकि आप चौराहे तक जाते-जाते बीसियों जूते मुफ़्त में ही खा लिया करते थे और ख़ुशी-ख़ुशी घर लौटा करते थे। अब तो जूता लगाने से पहले आदमी आपको बाद में देखता है और अपने जूतों को आपसे पहले देखता है क्योंकि कहीं ऐसा न हो जाए कि आपकी देह की सेवा करने की प्रक्रिया के दौरान उसके जूते कहीं वीरगति को प्राप्त हो जाएँ। ज़िले की अदालत की सेवा करने के बाद बम्बई हाईकोर्ट के कुछ न्यायमूर्तियों पर भी छींटाकशी की गयी और अन्त में चलकर वह नाज़ुक वक़्त भी आ ही गया जबकि हमारी संसद ने उच्चतम न्यायालय के एक जज

पर बाक़ायदा अभियोग चलाया। सरकार ने शायद न्यायपालिका की इज़्ज़त रखने के लिए इस अभियोग को सफल नहीं होने दिया और उधर सम्बद्ध न्यायमूर्ति ने भी यह ऐलान किया कि वे अपने उच्च पद से स्वयं ही त्यागपत्र दे देंगे। यह एक दीगर बात है कि काफ़ी समय हो गया है मगर जज साहिब ने अभी भी इस्तीफ़ा नहीं दिया है। बहरहाल अब सुप्रीम कोर्ट की यह इज़्ज़त रह गयी है कि पिछले दिनों एक व्यक्ति को पुलिस ने सुप्रीम कोर्ट में जज साहिब के चेम्बर के ठीक बाहर ही ठोंक दिया और वहाँ के प्रमुख न्यायाधीश ने तीन पुलिस-कर्मियों को एक-एक महीने की क़ैद की सज़ा दी, दो अधिकारियों पर जुर्माना लगाया और कप्तान-पुलिस को कसकर डाँटा। मगर कथा जो है वह यहीं नहीं समाप्त होती। सुप्रीम कोर्ट के एक न्यायाधीश को मद्रास के एक अस्पताल में ऐसी 'सैलाइन' चढ़ायी गयी कि यदि जज साहिब के एक रिश्तेदार ने दख़ल न दिया होता तो जज साहिब तो शायद जीवित ही नहीं रहते। अब यदि सर्वोच्च न्यायालय के एक जज साहिब के साथ ऐसा किया जा सकता है तो आपके और मेरे साथ अस्पतालों में क्या किया जायेगा, आप अनुमान लगा सकते हैं। जो मृत्युकामी लोग इस बारे में ज़्यादा जानकारी चाहते हों वे 27 तथा 29 जनवरी 1994 का इण्डियन एक्सप्रेस पढ़ें।

यह एक सन्तोष की बात है कि देश की पुलिस दिन-ब-दिन और ज़्यादा कार्य-तत्पर होती जा रही है। इलाहाबाद के निकट दौना नामक ग्राम में एक पचास वर्ष की हरिजन महिला को खुलेआम नंगा कर दिया गया। केरल में एक व्यक्ति की हवालात में मृत्यु हो गयी जिसे लेकर वहाँ काफ़ी रोष है। मगर इस देश की पुलिस है कि अपने इतिहास में एक के बाद एक मील का पत्थर स्थापित करती जा रही है। तीन फ़रवरी 1994 के अख़बार के अनुसार एक कप्तान-पुलिस के बन्दूकचियों ने सात लाख रुपये लूटे ताकि उन्हें कोई डाकू न लूट सके। ये रुपये एक चाँदी के व्यापारी के थे जो एक बेहद ईमानदार व्यक्ति था। आयकर विभाग की पूछताछ से बचने के लिए उस ग़रीब ने केवल छब्बीस हज़ार रुपयों की डकैती की ही सूचना थाने में दर्ज़ करवायी। बात ठीक है। पुलिसवालों द्वारा ली गयी राशि में से शायद कुछ वापस मिल जाए जबकि आयकर विभाग जो कुछ ले लेता, उसे तो ब्रह्मा भी वापस नहीं ला सकता था।

पुलिस के अतिरिक्त जो और विभाग हैं, उनकी भी यही हालत है। एक दिन एक कलेक्टर मिले जिन्होंने बिना किसी कारण के अपनी मूँछें बढ़ानी शुरू कर दी हैं। सारी उम्र क्लीन-शेव रहने के बाद किसी का एकदम मुच्छड़ हो जाना बड़ा अजीब-सा लगता है। जब मैंने देखा कि कलेक्टर तो क्या कमिश्नर तक ने अपने चेहरे पर मूँछें उगानी शुरू कर दी हैं और उनके जल्दी बढ़ने के लिए खाद व पानी का भी इन्तज़ाम किया जा रहा है तो मेरा माथा ठनका। गहरी पूछताछ के बाद पता चला कि क्योंकि नये मुख्यमन्त्री हल्की-हल्की मूँछें रखते हैं, बड़े हुक्काम भी

मूँछ रखने लगे हैं। अगला मुख्यमन्त्री यदि क्लीन-शेव आयेगा तो मूँछें फिर हटा दी जायेंगी। मूँछ में यही विशेषता है कि इसे जब चाहो तब उगा लो और जब चाहो तब हटा दो। मूँछ के साथ जो सुविधा है वह पूँछ के साथ नहीं है और इसी कारण बड़े-से-बड़ा आदमी भी मूँछ रखता है, पूँछ नहीं। अब कलेक्टर ने मूँछें रखी हैं तो डिपुटी कलेक्टर, तहसीलदार और पटवारी लोग भी मूँछें रखेंगे और उर्दू के हास्य-कवि सय्यद अमीर जाफ़री की यह वाणी सच ही निकलेगी कि "इक ज़रा अफ़सर ने मूँछें मोड़ लीं, महकमा पूरा मुछन्दर हो गया।" एक पड़ोसी राज्य में एक सरकारी अधिकारी ने, जो कि विधुर था, एक तेरह वर्ष की कन्या से अपना विवाह रचाया है हालाँकि वैसे वह अधिकारी एक बच्चे का दादा है। उस राज्य के मुख्यमन्त्री ने उस रंगीन-मिज़ाज अधिकारी से इस्तीफ़ा ले लिया है और इस बात की तहकीकात शुरू कर दी है कि वधू विवाह के समय सचमुच नाबालिग थी या नहीं। माननीय मुख्यमन्त्रीजी शायद ये भूल गये कि जब तक सरकारी जाँच पूरी होगी तब तक तो वह लड़की हर हालत में बालिग हो ही जायेगी।

हमारा देश भी अब हर दिशा में विदेशों के साथ प्रतियोगिता करने में लगा है। पिछले दिनों जापान में एक शिक्षक को अपनी नौकरी से निकाल दिया गया था क्योंकि वह छात्राओं के ब्लाउज़ों में हाथ डालकर "अपनी आत्मा की तलाश किया करता था।" इधर राजधानी के एक श्रेष्ठतम शिक्षा-संस्थान में एक ऐसा शिक्षक पाया गया जो कि अपनी आत्मा को छात्राओं के ब्लाउज़ों में तो क्या पेटीकोटों तक में खोजा करता था। मैंने समाचार पढ़ा और शिक्षक न बन पाने के लिए मैं अपने भाग्य को कोसने लगा। लड़कियों की चर्चा क्या चली कि मुझे याद आया कि सार्वदेशिक आर्य प्रतिनिधि सभा के प्रमुख ने पुरी के शंकराचार्य के इस वक्तव्य का खण्डन किया है कि स्त्रियों को वेद पढ़ने का अधिकार नहीं है। उनका कहना है कि उपर्युक्त शंकराचार्य जैसे व्यक्तियों ने ही हिन्दू समाज को तोड़ा है। उनके जवाब में स्थिति स्पष्ट करते हुए पुरी के शंकराचार्य ने आज कहा है कि जो भी वाद-विवाद खड़ा किया जा रहा है उसके लिए साम्यवादी लोग, कांग्रेस पार्टी और प्रेस ज़िम्मेदार है, वे स्वयं नहीं। और तो और, स्थिति यह आ गयी है कि हिजड़े भी हिजड़े नहीं रहे। दो हिजड़ों को दिल्ली में इस कारण गिरफ़्तार किया गया कि वे एक लाश को गठरी में बाँधकर कहीं ले जा रहे थे। उसकी मृत्यु का कारण शायद यह था कि उस व्यक्ति का पुरुष-चिह्न काटकर उसे भी हिजड़ा बनाने की कोशिश की गयी थी।

ऊपर बतायी स्थिति को ध्यान में रखते हुए मुझे भगवान की याद आना एकदम स्वाभाविक था। मगर मुझ भाग्यहीन को तो भगवान ने भी शरण नहीं दी। रायपुर (मध्यप्रदेश) से प्रकाशित 23.1.1994 के 'दैनिक भास्कर' के अनुसार, 22.1.1994 के दिन जगन्नाथपुरी के महान् मन्दिर की छत से एक पाँच टन वज़नी पत्थर फिसलकर भगवान जगन्नाथ के मणियुक्त सिंहासन पर गिर पड़ा जिससे उसके टुकटे-टुकड़े

हो गये। भक्त लोग मरने से या घायल होने से बाल-बाल बचे। सोचता हूँ कि मैं कितना भाग्यवान् हूँ कि उस समय मैं उस मन्दिर में नहीं था। और वैसे भी जो मन्दिर भगवान के सिंहासन की रक्षा नहीं कर सका, वह मेरी रक्षा क्या कर सकता था? यह ठीक वही तर्क है जिसने कभी एक बालक को महर्षि दयानन्द सरस्वती के रूप में परिवर्तित किया था। भगवान से निराश होकर मैं विद्यापति की शरण में जाने के लिए विवश हो गया।

महाकवि विद्यापति ने यूँ तो संस्कृत व अवहट्ट इत्यादि अन्य भाषाओं में भी कविता रची पर उन्हें यश और सम्मान जो मिला वह मात्र मैथिली भाषा में रची शृंगार-रस और शान्त-रस की उन कविताओं से मिला जो हमें बाँग्ला के वैष्णव भक्त-कवियों की या गीत गोविन्द के अमर कवि जयदेव की याद दिलाती हैं। विद्यापति ने अपनी कविताओं में गीत गोविन्द का ऋण भी उतारा और साथ-ही-साथ अपने समकालीन व परवर्ती कवियों को भी प्रभावित किया। कबीर, सूरदास और तुलसीदास भी उनसे प्रभावित हुए और रीतिकालीन कवियों ने तो उनसे अनन्त प्रेरणा प्राप्त की। मैं चाहता हूँ कि इस सन्दर्भ में आप महाप्राण निराला का 'प्रबन्ध प्रतिमा' नामक निबन्ध-संग्रह और नागार्जुन की 'विद्यापति के गीत' नामक पुस्तिका अवश्य पढ़ें। इससे बहुतों का भला होगा।

हिन्दी व्यंग्य की जुगलबन्दी : एक भूमिका

कभी पढ़ा था कि फ़ैज़ी ने एक अधूरी किताब को पूरा किया था। बाद में उस पुस्तक की पूरी प्रति भी मिल गयी। मिलने पर पता लगा कि दोनों पुस्तकों में एक अक्षर का भी अन्तर नहीं था। शहंशाह अकबर ने फ़ैज़ी को खिलअत दी और भरे दरबार में उसकी तारीफ़ की। बाद में पढ़ा कि देवकीनन्दन खत्री के एक अधूरे उपन्यास को उनके सुपुत्र दुर्गाप्रसाद खत्री ने पूरा किया। मुंशी प्रेमचन्द का अपूर्ण उपन्यास (मंगल सूत्र) शायद कोई पूरा नहीं कर सका। इस प्रकार राजेन्द्र यादव और उनकी प्रतिभावती पत्नी मन्नू भण्डारी ने मिलकर एक उपन्यास लिखा, मगर उसने गृहयुद्ध को जन्म दिया। कुछ लोगों का कहना था (जिनमें ख़ाकसार भी शामिल है) कि पत्नी जो थी वह पति को पीछे छोड़कर आगे निकल गयी। उपेन्द्रनाथ 'अश्क' व कौशल्या 'अश्क' ने 'शिकायतें और शिकायतें' लिखकर हिन्दी साहित्य में जुगलबन्दी की शुरुआत की। और जनप्रख्यात व्यंग्यकार लतीफ़ घोंघी व सफल व्यंग्यकार ईश्वर शर्मा ने मध्यप्रदेश के 'अमृत सन्देश' में 'जुगलबन्दी' की तो हिन्दी के हास्य-व्यंग्य लेखन ने एक नया आयाम पाया।

मध्यप्रदेश हिन्दी साहित्य की खान है। वहाँ से हमें एक के बाद एक महान् साहित्यकार मिला है। पदुमलाल पुन्नालाल बख़्शी, हरिशंकर परसाई, सेठ गोविन्ददास, अंचल (महाकवि) द्वारिकाप्रसाद मिश्र, मुक्तिबोध, सुभद्राकुमारी चौहान, शरद जोशी, धनंजय वर्मा, शानी, लतीफ़ घोंघी, एक भारतीय आत्मा, और पता नहीं कौन-कौन शक्तिशाली लेखक व कवि मध्यप्रदेश से ही आये। उत्तरप्रदेश का दुष्यन्तकुमार भी मध्यप्रदेश में ही जाकर चमका। शायद वहाँ की जलवायु ही ऐसी है कि साहित्य को पनपने देती है। यदि मध्यप्रदेश की सरकार मुझे मध्यप्रदेश में कोई आलीशान कोठी एलाट कर दे तो मैं भी वहाँ जाकर बसने के लिए तैयार हूँ। हाँ, पत्नी मैं नयी रखूँगा। फ़िलहाल, जो मुसम्मात मेरी धर्मपत्नी चल रही है, वह इतने प्रश्न पूछती है कि उनके 'उत्तर' मैं 'उत्तरप्रदेश' में ही दे सकता हूँ उसके बाहर नहीं। कोई रूपवती, कम उम्र और अमीर विधवा मिल जाए तो मैं हिन्दी-साहित्य को इतने नये आयाम दे सकता हूँ कि कुछ कह नहीं सकता। अब मैं पैंसठ वर्ष का हो गया हूँ और इस

कारण पत्नी रूपवती ही हो, यह काफ़ी है; 'लूपवती' होने की ज़रूरत नहीं। इधर दो हिन्दी लेखिकाएँ मुझे अतिरिक्त स्नेह दे रही हैं। एक पंजाब से है और दूसरी मद्रास से। एक की उम्र मेरी लड़की के बराबर है और दूसरी की मेरी माता के बराबर। मध्यप्रदेश में तो मैं 'मध्य' आयु की पत्नी ही पसन्द करूँगा। विधवा स्त्री पर इसलिए ज़ोर दे रहा हूँ कि यदि कहीं उसे दुबारा विधवा होने का अवसर मिल जाए तो ज़्यादा दुखी न हो।

'अमृत सन्देश' की इस जुगलबन्दी के गायकों ने जिन शास्त्रीय राग-रागिनियों को आलाप दिया है, उनमें से कुछ आलाप नीचे प्रस्तुत करता हूँ :

क्रिकेट

"उन्होंने एक बैट्समैन की तरह मुहल्ले में चारों ओर अपनी नज़रें घुमायीं, जैसे देखना चाहते हों कि उन्होंने बातों का ड्राइव्ह मारा तो किधर से फ़ील्डर दौड़ेगा? फिर मेरी ओर आहिस्ता से आये, कुछ इस तरह, जैसे कि कपिल मनिन्दर के पास आता है। कहने लगे—हम तो फालोऑन से बच जाएँ, यही बहुत है। चार लड़कियाँ और निपट जायें, तो अपना हज हो गया समझो।"

(लतीफ़ घोंघी)

"पहले आपात्काल की स्थिति युद्ध के सामने दिखायी पड़ती थी, अब क्रिकेट के समय दिखायी पड़ती है। पूरा राष्ट्र अपने व्यक्तिगत और दलगत हितों को भूलकर एक दिखायी पड़ता है। भावनात्मक एकता के शत-प्रतिशत लक्षण दिखायी देने लगे हैं। व्यापारी व्यापार छोड़ देता है, अफ़सर, बाबू दफ़्तर छोड़ देते हैं, छात्र स्कूल छोड़ देते हैं, घर में औरतें चौका-बर्तन छोड़ देती हैं। राष्ट्रहित सर्वोपरि हो जाता है। सबके मन में दुआ होती है कि गावस्कर एक सेंचुरी और बना लें। ऐसी अटूट एकता तो देश पर आक्रमण के समय भी दिखायी नहीं पड़ती।"

(ईश्वर शर्मा)

फ़िल्म

"मैं समझता हूँ—भइया, यह फिलिम-विलिम का चक्कर छोड़ो। यह वास्तविक जीवन है और यहाँ कोई हीरो नहीं होता। जो भी आता है, वह बाद में विलेन ही निकलता है। कोई आकर आज तुम्हें इस विलेन से बचा भी ले तो बाद में खुद विलेन बनकर तुम्हारा शोषण करेगा।"

(ईश्वर शर्मा)

"हीरोइन बोली—अभी तुम फ़िल्म लाइन में नये हो। मैं इतना नखरा नहीं करूँगी तो मुझे हीरोइन कौन मानेगा? एक्स्ट्रा और हीरोइन में कुछ तो फ़र्क़ होना चाहिए।

मुझे तो तुम पर तरस आता है... कहाँ फँस गये फ़िल्मों में। आत्म-सम्मान की इतनी ही चिन्ता थी तो किसी चौराहे पर पान की दुकान खोल लेते... लेखक होकर दलाली... और बात पूरी करने के पहले ही हीरोइन कूदकर घोड़े की पीठ पर बैठ गयी।”

(लतीफ़ घोंघी)

आश्वासन

“मेरे विचार से तो यह आश्वासन शब्द ही भारी अर्थपूर्ण है। जो आश्वासन दे रहा है वह जानता है कि इन्हें पूरा करने की कोई ज़रूरत नहीं है। जो आश्वासन प्राप्त कर रहे हैं उन्हें भी भलीभाँति मालूम है कि वे पूरे होनेवाले नहीं हैं। फिर भी वे बड़ी श्रद्धा से आश्वासन प्राप्त कर प्रसन्न हो लेते हैं। लेने और देनेवाले दोनों ख़ुश। किसी को किसी में कोई शिकायत नहीं। तुमने लिया तो उसने दिया। उसने दिया वो तुमने लिया। बड़ा साफ़-सुथरा सौदा है। यही भारतीय संस्कृति है, जिस पर हमें गर्व है।”

(ईश्वर शर्मा)

“वे बोले—ये टैक्स-फ्री आश्वासन जो हैं, वे केवल नेता और मन्त्रियों के लिए होंगे। उन्हें आश्वासन के लिए कोई अनुमति तहसीलदार से लेने की ज़रूरत नहीं होगी और पूरा नहीं करने पर भी उनके ख़िलाफ़ कोई कार्यवाई नहीं की जायेगी। सरकार जो है वह टैक्स देने के लिए नहीं, टैक्स वसूल करने के लिए होती है। समझे कुछ।”

(लतीफ़ घोंघी)

शव-यात्रा

“नेताजी अन्तिम समय तक खादी के कपड़ों में रहे। बैठक में उदबत्ती और लोभान का धुआँ अभी तक था। कुछ लोग आयतल कुरसी पढ़ रहे थे। एक सफ़ेद चादर से मय्यत को ढाँक दिया गया था। बड़े भाई ने सिर पर रूमाल बाँध रखा था। जो लोग बैठक में आते, उन्हें बड़े भैया डबडबाई आँखों से देखते। जैसे कहना चाहते हों—हमारा सबकुछ लुट गया। अब मन्त्रिमण्डल का विस्तार हो भी जाए तो क्या, और न हो तो भी क्या।”

(लतीफ़ घोंघी)

“वापस लौटते वक़्त शव-यात्रा के साथ ही पता नहीं क्यों मेरे सामने देश का चित्र उपस्थित हो गया। देश की संस्कृति, नैतिकता तथा चरित्र की शव-यात्रा निकल रही है और हम सब उस शव-यात्रा में शामिल हैं। लेकिन कहीं कोई सोच नहीं, चिन्तन नहीं, पीड़ा नहीं। संस्कृति जल रही है और हम पूछ रहे हैं—हमारे लिए कुछ छूटा या नहीं? नैतिकता पंचतत्त्व में विलीन हो रही है और हम देख रहे हैं : आग

ठीक से पकड़ रही है या और एकाध तरफ़ से लगायी जाए। चरित्र राख हो रहा है और हम सोच रहे हैं : बहुत दिन हो गये, अच्छी बैठक नहीं जमी। संवेदनाएँ धुआँ होकर उड़ रही हैं और हमें कपाल-क्रिया की जल्दी पड़ी है। पीड़ा का व्यवसायीकरण हो गया है। चिता पूरी जली नहीं है और हम जल्दी ही पाँच-लकड़ी डालकर वापस लौट आये हैं।"

(ईश्वर शर्मा)

चिन्ता

"मैंने बड़े-बड़े चिन्ता करनेवाले देखे हैं, लेकिन हमारे चिन्ताराम गुरुजी जैसा चिन्ताप्रधान आदमी नहीं देखा। उनके रोम-रोम में चिन्ता बसी है। जिस टॉवेल से वे अपना पसीना पोंछते हैं उस टॉवेल से चिन्ता की गन्ध आती है। आप इसी से पता लगा सकते हैं कि उनकी चिन्ता का स्तर कितना ऊँचा है। उनको हमने कभी खाली नहीं देखा। जब भी देखा किसी-न-किसी बात पर चिन्ता व्यक्त करते हुए ही देखा। चिन्ताराम गुरुजी को तो विदेश में होना था लेकिन वे अपने यहाँ सड़ रहे हैं। इसे ही कहते हैं विधि की विडम्बना। आपने उनसे बात शुरू भी नहीं की और वे उदास हो जाएँगे। उनको इस बात की चिन्ता लग जायेगी कि जाने हम क्या कहनेवाले हैं। ऐसे महापुरुष बिरले ही मिलते हैं। लेकिन हमारे यहाँ तो हैं। चिन्ता में वे इतना डूब गये हैं कि उन्होंने घर का नाम ही 'चिन्ता-निवास' रख दिया है।"

(लतीफ़ घोंघी)

"ये चिन्तामणि चिन्ता व्यक्त करेंगे—देश की हालत बिगड़ती जा रही है। भविष्य में अन्धकार के सिवा कुछ नज़र नहीं आ रहा है। आप इनसे कहें—चलो हम और आप मिलकर हालत सुधारने का काम करें, कुछ रोशनी लाने की पहल करें, तो इनका जवाब होगा—मुझे अभी फुरसत नहीं है। इन्हें फुरसत मिल भी कैसे सकती है? जिसे जीवन के हर पहलू पर केवल चिन्ता व्यक्त करना है, वह किसी दिशा में सुधार के लिए वक़्त कैसे निकाल सकता है? हर व्यक्ति अपने स्थान पर बैठा-बैठा दुखी हो रहा है। मिलनेवालों को दुखी कर रहा है और रात को लम्बी तानकर मीठी नींद सो रहा है।"

(ईश्वर शर्मा)

जूता

"स्वतन्त्र उम्मीदवार की तरह जूते की अपनी कोई इमेज नहीं होती। उसकी कोई पहचान नहीं होती। उसकी पहचान होती है तो केवल पैरों से। नेताजी का जूता इसलिए सम्माननीय होता है क्योंकि वह नेताजी का है। जब तक पैरों में रहेगा

हमेशा सिद्धान्त, नीति और निष्ठा की ही बात करेगा और यदि वही जूता किसी सरकारी कर्मचारी के पैरों में आ गया तो सबकी ऐसी-तैसी। यह जूतों का कमाल नहीं, पैरों का कमाल है।"

(लतीफ़ घोंघी)

"जूते से वैसे कई लाभ भी हैं। पैरों की सुरक्षा, चलने-फिरने में उसकी दूसरी कोई वैकल्पिक व्यवस्था न हो तो मारपीट के समय जूता हाज़िर है। जो काम ज़ुबान की चिरौरी-विनती से नहीं होते, वे काम जूते की महिमा से मिनटों में हो जाते हैं। जूता पहनाया जाता है, पहना जाता है, दिखाया जाता है और लगाया भी जाता है। गुणों की खान है जूता।"

(ईश्वर शर्मा)

सम्भावना

"सम्भावना आदमी को जीवित रखती है और जैसा कि मैंने पहले कहा कि मैं आदमी हूँ, इसलिए आज तक जी रहा हूँ। मेरी रोग-निरोधक शक्ति चाहे जैसी हो, लेकिन पच्चीस हज़ार की सम्भावना का इसमें पूरा योगदान है, और इसे नकारना भारतीय व्यंग्य-साहित्य को नकारना होगा।"

(लतीफ़ घोंघी)

"लोग अब सपने नहीं सम्भावनाएँ हैं। हम जिस-तिस से जुड़ते हैं, उसकी सम्भावनाएँ देख लेते हैं। हमें जो साथ रखता है, वह हमसे पूरी होनेवाली सम्भावनाएँ टटोलता है। अफ़सोस केवल यही है कि सम्भावनाओं में कहीं कोई आत्मीयता का भाव नहीं है, दर्द का रिश्ता नहीं है।"

(ईश्वर शर्मा)

अनशन

"बीड़ी का आख़िरी लम्बा कश खींचकर फेफड़ों में धुएँ का ढेर समेटते हुए गंगाराम को देखकर ऐसा लगा, मानो इस प्रश्न की पूरी कड़वाहट निगलने की वह कोशिश कर रहा है। उसने कहा—आज कौन जनसेवा के लिए अनशन पर बैठता है? जिसे व्यक्तिगत स्वार्थ सिद्ध करना होता है, वही अनशन की बैसाखी का सहारा लेता है। माँगें तो इस देश में घर की खेती है, चाहे जितनी पैदा कर लो।"

(ईश्वर शर्मा)

"वह कहना चाहते थे—पेट भरा हो तो सबको सिद्धान्त की बात सूझती है। एक दिन भूखे रहो तब पता चलेगा। लेकिन उन्होंने ऐसा नहीं कहाँ ऐसा कहने में अनशन की गरिमा समाप्त होती थी, इसलिए वे बोले—वे यदि मुझे लिखित रूप से

आश्वासन दें कि नगरपालिका में व्याप्त अनियमितता की जाँच करेंगे, तो मैं अनशन तोड़ने के लिए तैयार हूँ।"

(लतीफ़ घोंघी)

प्रश्नचिह्न

"सच पूछिए तो पूरा देश प्रश्नचिह्नों के बल पर ही चल रहा है। देश चल रहा है या नहीं? नहीं चल रहा है तो कब चलेगा? चल रहा है तो कैसे चल रहा है? किसके दम पर चल रहा है? ऐसे कैसे चल रहा है? जब कोई चला ही नहीं रहा है? तो कैसे चल रहा है। वे आये तो क्यों? गये तो क्यों? बोले तो क्यों? और नहीं बोले तो क्यों?

"अर्थ यह कि प्रश्नचिह्न के भरोसे ही गाड़ी खिंच रही है। हर व्यक्ति चेहरे पर प्रश्नचिह्न लिये घूम रहा है। दिशा तय नहीं है, रास्ता नहीं मालूम, लेकिन बहस की पूरी गुंजाइश है। बलिहारी है प्रश्नचिह्न की।"

(ईश्वर शर्मा)

"उनके चेहरे पर मुस्कान छा गयी। बोले—बिल्कुल ठीक है। अब समझ में आया आपको कि प्रश्नवाचक क्या है? बुद्धिमान आदमी की तरह सोचोगे तो इसी प्रश्नवाचक चिह्न के आगे-पीछे आपको पूरा देश नज़र आयेगा। एकता नज़र आयेगी, आतंकवाद नज़र आयेगा, समाज की विसंगतियाँ नज़र आयेंगी। और एक मूर्ख आदमी की तरह सोचोगे तो केवल गड़गड़ाता हुआ पेट और एक लोटा पानी ही नज़र आयेगा, समझे?

"और इसके पहले कि मैं कुछ कहता उन्होंने पाजामे की जेब में एक प्रश्नवाचक चिह्न का वज़नदार बण्डल मेरे मुँह पर मारकर कहा—अब आप जा सकते हैं।"

(लतीफ़ घोंघी)

देश में तालाबन्दी, नशाबन्दी, चकबन्दी, नसबन्दी वग़ैरह न जाने कितनी बन्दियाँ चल रही हैं। अब अगर जुगलबन्दी भी हो जाए तो क्या हर्ज़? लतीफ़ घोंघी सचमुच बधाई के पात्र हैं कि वे ईश्वर शर्मा जैसे सशक्त व्यंग्यकार को प्रकाश में लाये। अब आप इस पुस्तक को पढ़िए और उसके बाद मेरे लिए कोई नयी पत्नी खोजिए। 'स्त्री-रत्न' हो, इतना ही काफ़ी है; 'साहित्य-रत्न' होने की कोई ज़रूरत नहीं। वह सब मैं सँभाल लूँगा। हाँ, पसन्द न आने पर माल वापस करने की शर्त ज़रूर रखना चाहूँगा। तन, धन, मन को क्रमानुसार प्राथमिकता दूँगा। साहित्यकार जो ठहरा।

ग़रीब होने के फ़ायदे

अगर मोटी निगाह से काम लिया जाए तो आप देखेंगे कि ग़रीबों और अमीरों में कोई ख़ास फ़र्क़ नहीं होता। गर्भाधान से लेकर अन्त्येष्टि संस्कार तक दोनों प्रकार के लोगों की कर्मेन्द्रियाँ व ज्ञानेन्द्रियाँ एक ही प्रकार से काम करती हैं। अमीर आदमी चन्दन की चिता में जलता है तो ग़रीब आदमी लकड़ी के महँगे होने के कारण आजकल प्रायः नदी में ही बहा दिया जाता है जिसे कुछ विशेषज्ञ 'जल-समाधि' के नाम से भी पुकारते हैं। ग़रीब आदमी सादा जीवन जीता है और ऊँचे विचार रखता है जबकि अमीर आदमी ऊँचा जीवन बिताता है और सादे विचारों से ही अपना काम चलाता है। दोनों प्रकार के लोग ऐसे वस्त्र पहनते हैं कि उनमें कोई मूल अन्तर नहीं होता। यदि अमीरों की स्त्रियाँ जानबूझकर ऐसे वस्त्र पहनती हैं कि उनके सारे गोपनीय अंग सबको दिखायी पड़ते हैं तो ग़रीबों की स्त्रियाँ ग़रीबी के कारण ऐसे फटे हुए वस्त्र धारण करती हैं कि उनका सौन्दर्य ठेकेदार की निगाह से कभी बच ही नहीं सकता। ये अंग ठीक वही हैं जिनका वर्णन हमारे कवियों ने सदा निःसंकोच होकर किया। "तुम मुग्धा थीं अति भाव प्रवण, उकसे से अँबियों से उरोज (पन्त)। नत-नयन, भरा बँधा यौवन (निराला)। सुन्दर, उठाओ निज वक्ष और कस उभर (शमशेर)। ओठों को ओठ, वक्ष को वक्ष (अज्ञेय)।" दोनों प्रकार के लोग ईश्वर, भाग्य और पुनर्जन्म में विश्वास रखते हैं और कभी-कभी इन्हीं विश्वासों के द्वारा अमीर आदमी ग़रीबों का शोषण करते हैं और ग़रीब आदमी हँसी-ख़ुशी के साथ उस शोषण को सहन कर लेते हैं। सत्यनारायण की कथा दोनों जगह होती है। कथा के बाद ग़रीबों को प्रसाद मिलता है और अमीरों को कलावती नाम की वही कन्या मिलती है जिसका कि ज़िक्र कथा में किया गया था। दोनों वर्गों के लोग भूख, प्यास, भय, निद्रा और वासना के अनन्त चक्र में फँसे रहते हैं और ग़रीब आदमी प्रायः दया, स्नेह, सहानुभूति और करुणा नामक व्यसनों में भी उलझा रहता है। वह यह नहीं जानता कि दक़ियानूसी मनोविकार इन महँगाई के दिनों के लिए नहीं बने थे। मल-मूत्र का त्याग दोनों प्रकार के लोग ठीक एक ही प्रकार से करते हैं। अमीर आदमी वातानुकूलित टायलेट में कमोड पर बैठता है और सामने रखे टेप-रिकॉर्डर

से निकलती हुई उस्ताद बिसमिल्ला ख़ाँ की शहनाई सुनता है जबकि ग़रीब आदमी इस नित्यकर्म को सड़कों, नदियों या रेल की पटरियों के पास सबके सामने सम्पन्न करता है और गालियाँ सुनता है। दोनों प्रकार के लोगों की शेष इन्द्रियाँ भी एक ही भाँति क्रियाशील होती हैं। प्रकृति तो स्वभाव से ही समाजवादी होती आयी और इस कारण सर्दी, गर्मी, वर्षा व बसन्त जब आते हैं तो क्या अमीर और क्या ग़रीब –सबके ही लिए आते हैं। 'प्रकृति' ने कभी भी वर्गभेद नहीं किया, वह पवित्र क्रिया तो सदा 'पुरुष' ने ही सम्पन्न की।

अमीर हो चाहे ग़रीब–दोनों प्रकार के लोगों की स्त्रियाँ प्रायः रूपवती और पतिव्रता होती हैं। सेठजी की धर्मपत्नी प्रायः नौकर के साथ सोती है और बदले में काफ़ी सेठ अपनी हसीन नौकरानियों को अपने पलँग पर बुलाकर उनके साथ सोते हैं। इस हाथ दे उस हाथ ले। परिवार-नियोजन कोई नहीं करता। लाल तिकोन जो है वह गोल तिकोन ही रहता है। ग़रीब के बच्चे ज़्यादा होते हैं तो मज़दूरी करके घर की आमदनी बढ़ाते हैं और अमीर के बच्चे ज़्यादा होते हैं तो वे कारोबार सँभालते हैं और दहेज में करोड़ों की सम्पत्ति प्राप्त करते हैं। शहंशाह शाहजहाँ की असली बेग़म चौदह वर्ष तक लगातार गर्भवती रही थी। बच्चे जो होते हैं वे हर हालत में स्त्री के स्तन का धारोष्ण दूध ही पीते हैं और वह भी पाँचवें भाई के साथ ही पीते हैं। प्रकृति ने इसी कारण प्रत्येक अबला को सदा से दो स्तन दिये। राजा उदयसिंह अपनी इतिहास प्रसिद्ध पन्ना धाय का दूध पीते थे और इसी कारण वे इतने प्रतापी हुए कि उनके सुपुत्र महाराणा प्रताप कहलाये। 'हल्दीघाटी' के कवि पण्डित श्यामनारायण पाण्डेय के अनुसार राणा प्रताप काफ़ी बहादुर व्यक्ति थे। औरंगज़ेब का धाय-भाई मीरबाबा था जिसकी बड़ी-से-बड़ी ग़लती को वह सम्राट् भी माफ़ कर दिया करता था। अमीर और ग़रीब–दोनों ही धर्म में पूरा-पूरा विश्वास रखते हैं और धार्मिक कर्तव्य से जो थकावट प्राप्त होती है उसे मदिरा के सहारे दूर करते हैं। वेदों में मदिरा को सोमरस कहकर पुकारा गया है। शराब को इसी कारण हिन्दुओं की प्राचीन संस्कृति का अंग स्वीकार किया जाता है। हाँ अलबत्ता इतना अन्तर अवश्य है कि अमीर लोग विलायती ह्विस्की पीते हैं जबकि ग़रीब लोग जो हैं वे देसी दारू ही पीते हैं, जो कभी-कभी ज़हरीली भी होती है। मगर मैं कहता हूँ कि इन बाहरी और सतही समानताओं के बावजूद अमीर और ग़रीब लोग एक-दूसरे से एकदम विपरीत होते हैं और ग़रीब जो होता है वह अमीर की अपेक्षा कहीं ज़्यादा खुश रहता है। जितने भी धनी लोग हैं वे सब भी वही कहते हैं जो मैं कह रहा हूँ। आधी दुनिया यह कभी नहीं जान पाएगी कि दूसरी आधी दुनिया कैसे रहती है। वह यह भी नहीं जान पाएगी कि सारे धर्मों, मतों और सम्प्रदायों के बावजूद मनुष्य-जाति जो है वह मात्र दो ही किस्मों में बँटी है। कुछ लोग अमीर होते हैं और बाकी सारे लोग ग़रीब होते हैं। मनुष्य की कोई तीसरी श्रेणी न कभी थी और न कभी होगी।

अब मैं ग़रीब लोगों के व्यक्तिगत जीवन, पारिवारिक जीवन, सामाजिक जीवन, कलाजीवन, धार्मिक जीवन और अन्त में चलकर राजनीतिक जीवन के बारे में कुछ मोटी-मोटी बातें कहूँगा ताकि आप लोग यह समझ सकें कि समाज में यदि ग़रीब लोग न हों तो अमीर लोगों का क्या हश्र होगा। यहाँ 'हश्र' शब्द से मेरा अभिप्राय उन आग़ा हश्र कश्मीरी से हर्गिज़ नहीं है जो कभी पारसी थियेटर के बादशाह थे और जिन्होंने 'यहूदी की लड़की' नामक कालजयी नाटक कलमबन्द करके न जाने कितने नाटककारों के इजारबन्द को ढीला कर दिया था। आग़ा साहिब की जब भी किसी वक़्त अपनी कम्पनी की किसी लड़की पर तबीयत आ जाया करती थी तो वे उसी वक़्त उसे अपने खेमे में ले जाया करते थे और वहाँ पहुँचकर उसे एकान्त में ताशकन्द का कलाकन्द खिलाया करते थे। ताशकन्द का कलाकन्द और साथ-ही-साथ समरकन्द का आनन्दकन्द सेवन करने के उपरान्त, वह लड़की स्टेज पर और बढ़िया काम करती थी।

ग़रीब आदमी का कोई व्यक्तिगत जीवन कभी नहीं होता। जो आदमी सैकड़ों लोगों के साथ खोलियों में या झोंपड़पट्टियों में रहता हो, सार्वजनिक और खुले हुए शौचालयों का शौक़ रखता हो और जो सुबह होते ही काम पर निकलकर रात होने पर ही अपने घर लौटता हो, उसका कोई व्यक्तिगत जीवन भला हो ही क्या सकता है? फिर भी कुछ बातों की चर्चा तो शायद करनी ही पड़ेगी। अमीर आदमी लालची होता है और वह रात-दिन और ज़्यादा अमीर बनने की सोचा करता है। जबकि ग़रीब आदमी सन्तोषी होता है और वह और ग़रीब होने की इच्छा कभी नहीं करता। अमीर आदमी खाने-पीने के लिए जीता है जबकि ग़रीब आदमी मात्र जीने के लिए ही खाता-पीता है। ग़रीब आदमी कभी ख़ुद अदालत नहीं जाता और वह जो कुछ भी करता है वह सेठजी के इशारे पर ही करता है क्योंकि पुलिस को जो बँधी-बँधाई मासिक रक़म मिलती है, वह उसे सेठजी ही से तो मिलती है। इस प्रथा को 'मासिक धर्म' भी कहा जाता है। अमीर आदमी के कहने पर एक ग़रीब आदमी दूसरे ग़रीब आदमी का हमेशा क़त्ल कर सकता है। ग़रीब आदमी सेठजी के लिए तस्करी करता है और मेलों से सुन्दर स्त्रियों तथा होनहार बच्चों को उड़ाता है। इन्हें वेश्या और अपंग भिखारी बनाने से अमीर को जो आय होती है, उसका बहुत थोड़ा-सा हिस्सा उस ग़रीब आदमी को भी दिया जाता है ताकि वह आदमी भी रहे और ग़रीब भी रहे। ग़रीब आदमी हमेशा सादा, सात्त्विक और सन्तुलित आहार लेता है और इसी कारण वह कम ही बीमार पड़ता है। हाँ, फ़ैक्टरी में काम-काज करते हुए कोई दुर्घटना हो जाए तो वह दीगर बात है। अमीर आदमी ख़ूब बीमार पड़ते हैं और गुप्त रोगों से बीमार पड़ने का तो उन्हें ख़ास शौक़ होता है। ग़रीब लोग बीमार पड़ने पर प्रायः प्राकृतिक चिकित्सा ही करते हैं। आज के अख़बार में एक धर्मात्मा व्यक्ति के बारे में छपा है कि वे बिना कोई दक्षिणा लिये सब रोगों

की चिकित्सा मात्र अपने मूत्र से ही सम्पन्न कर देते हैं। ये महाशय पिछले जन्म में मोरारजी देसाई के कोई रिश्तेदार रहे होंगे। उपर्युक्त सज्जन अपने रोगियों से मात्र दूध, शर्बत, रसीले फल, शहद और युवतियों का अधरामृत ही ग्रहण करते हैं ताकि उनका मसाना सदा परिपूर्ण रहे और किसी रोगी को बिना दवा के न लौटना पड़े। इन सज्जन का दर्जा दारोग़ाजी से भी ऊपर बैठता है क्योंकि दारोग़ाजी के पेशाब से तो मात्र चिराग़ ही जलता है और कुछ नहीं होता। शरीर की भाँति ग़रीब का मन भी सदा खुला रहता है ठीक उसी तरह जैसे कि अमीरों के कुलदीपकों की पतलून खुली रहती है। ग़रीब लोग संयम का दमनपूर्ण जीवन जीते हैं और भगवान रजनीश के 'सम्भोग से समाधि की ओर' वाले सिद्धान्त के अनुसार वे 'समाधि' को प्राप्त करते हैं जबकि वक़्त की कमी के कारण अमीर लोग 'सम्भोग' से आगे कभी नहीं बढ़ पाते। उन बेचारों की यही नियति है।

अमीर लोग प्रायः अपना धन्धा नहीं बदलते और इसी कारण उनके जीवन में एकरसता आ जाती है जिसको हटाने के लिए उन्हें काल-गर्ल, कोकीन, मदिरा व विदेश-यात्रा की ज़रूरत पड़ती है। ग़रीब लोग अपना धन्धा बराबर बदलते रहते हैं और इसी कारण उन्हें अपनी पत्नी कभी नहीं बदलनी पड़ती। वे कभी रेल की पटरी पर काम करते हैं तो कभी पूर्वी उत्तरप्रदेश या बिहार से रेल की छत पर बैठकर फ़सल काटने पंजाब जाते हैं। कभी कोयले की खान में उतरते हैं, तो कभी किसी गन्ने की मिल में काम करते हैं। कोयला और गन्ना जो मिलता है वह मात्र स्त्री मज़दूरों को ही मिलता है। ग़रीब लोग उन हीरों के व्यापारियों से कहीं ज़्यादा ख़ुश रहते हैं जो कि जन्म से मृत्यु तक ही नहीं वरन् पीढ़ी-दर-पीढ़ी हीरों के व्यापारी ही रहते हैं, और कुछ नहीं। जयशंकर 'प्रसाद' वाली बहुमुखी प्रतिभा उनके पास कभी नहीं फटकती। मज़दूरों को यह पूरी छूट होती है कि वे कौन-सी ट्रेड-यूनियन का साथ दें और कब हड़ताल करें। हड़ताल के दिनों में मिल के बाहर पण्डाल लगता है और माइक का प्रबन्ध भी किया जाता है। एक बार ऐसे ही किसी शुभ अवसर पर छपे पोस्टर पर मोटे-मोटे अक्षरों में लिखा था कि "आइए दोस्तों के साथ आइए क्योंकि इस बार आपके आराम के लिए रण्डियों का पूरा बन्दोबस्त किया गया है।" यह तो उत्सव में जाने पर ही पता चला कि छापेखाने की ग़लती से 'रेडियो' के स्थान पर 'रण्डियों' छप गया था। सिर्फ़ इसी मुद्दे के कारण वह हड़ताल खलास हो गयी थी।

ग़रीब लोगों का पारिवारिक जीवन ग़रीब होने के साथ-साथ सुखी भी होता है। उनका पारिवारिक जीवन सचमुच घनिष्ठ होता है क्योंकि पति-पत्नी, पुत्र और पुत्रवधू, पुत्री और दामाद तथा सारे बाल-बच्चे एक ही कोठरी में सोते हैं। उनकी इच्छाएँ बहुत कम होती हैं, और जो होती हैं, वे कभी पूरी नहीं होतीं। बुद्धजी के अनुसार इच्छा व आशा जो होती हैं वे ही तो मनुष्य को सबसे ज़्यादा दुख पहुँचाती हैं। इन आशाओं में—कम-से-कम मेरे लिए—प्रख्यात सिने-अभिनेत्री आशा पारीख

भी शामिल है। ग़रीब के बच्चे फिरौती के लिए अपहरण नहीं किये जाते, वे वक़्त ज़रूरत बेचे ज़रूर जाते हैं। बच्चे क्यों बेचे जाते हैं—यह जानने के लिए आप पर्ल बक की आत्मकथा 'माई सैवरल वर्ल्ड्स' पढ़ें। चीनी बच्चों को जिन कारणों से बेचा जाता था, ठीक उन्हीं कारणों के कारण हमारे देश के बच्चे भी खुलेआम बेचे जाते हैं और काफ़ी सस्ते दामों पर बेचे जाते हैं। एक से ज़्यादा बच्चे एक साथ ख़रीदने पर 'डिस्काउण्ट' भी मिलता है। ग़रीब लोगों को नये मॉडल की पत्नी या मोटर की ज़रूरत कभी नहीं पड़ती और अमीर लोगों की भाँति वे अपनी प्रेमिका, ड्राइंग-रूम के पर्दे, कुत्ते और नौकर हर साल नहीं बदलते। ग़रीबों की स्त्रियाँ भी शालीन, धर्मात्मा और अमीर रमणियों की भाँति हर मौसम में किसी नये प्रेमी के साथ किसी नये हिल-स्टेशन पर जाकर नयी शराब नहीं पीतीं। यक़ीन न आता हो तो आप ग्रेटा गार्बो, मार्लिन मनरो, जैकी कैनेडी व एलिज़ाबेथ टेलर की जीवन-गाथा एकान्त में बैठकर पढ़ लें। हमारे देश की अमीर और हसीन रमणियाँ भी उपर्युक्त महिलाओं की भाँति ही रमण करती हैं। दिन में दुर्गा और रात को मुर्ग़ा। नाश्ते में सलाद और डिनर से पहले शराब। दिन में विरोध और रात्रि को निरोध। गुरु सुलेमान और चेला पहलवान। सुबह को सबाब और शाम को कबाब।

ग़रीबों के सामाजिक जीवन का भी सही मूल्यांकन कभी नहीं किया गया। समाज में उनका जो महत्त्व है, उसे भी किसी ने निष्पक्ष दृष्टि से कभी नहीं आँका। यदि ग़रीब न होते तो पुलिस अदालतों में झूठे गवाह कैसे खड़े करती? अमीरों द्वारा किये या करवाये गये अपराधों की सज़ा ये अदालतें किसे देतीं? समाज में अमीरों की जो इज़्ज़त है वह मात्र ग़रीबों के कारण ही तो है। अमीर लोग ही वृद्ध होने पर षोडशी कन्याओं से विवाह रचाते हैं ताकि उनके ग़रीब माँ और बाप कन्या के विवाह और दहेज की चिन्ता से मुक्त हो सकें। यदि ग़रीब न होते तो भिक्षा किसे दी जाती और ये विधवाश्रम, ख़ैराती, अस्पताल और अनाथालय किसके लिए खोले जाते? अमीर लोग न होते तो ये लाखों ग़रीब लोग और उनकी पत्नियाँ किसकी सेवा करतीं? संसार में जो दया, सहानुभूति और करुणा शेष है, उसका सारा श्रेय ग़रीबों को ही तो जाता है। अमीरों ने मन्दिर बनवाये जहाँ पूजा जो की वह सदा दरिद्रों ने ही की और इसी कारण अमीरों ने ग़रीबों को 'दरिद्र-नारायण' कहकर पुकारा। सारे इतिहासों में लिखा है कि विभिन्न युद्धों में पराक्रम सदा ग़रीब सिपाहियों ने ही दिखाया; अमीर सुलतानों और सम्राटों ने तो अपना सारा पराक्रम और बल उन सुन्दर अबलाओं पर ही दिखाया जो कि युद्ध में विजय के कारण उन्हें प्राप्त हुई थीं। इस समाज में जो थोड़ा-बहुत दया और धर्म बचा है वह मात्र ग़रीबों के ही कारण बचा है, अमीरों के कारण नहीं।

कला के क्षेत्र में तो ग़रीब आदमी का ग़रीब रहना एक ज़रूरी शर्त है। कश्मीर के कालीन और शाल, नगीने व सहारनपुर का लकड़ी का काम, बरेली का फ़र्नीचर,

फ़िरोज़ाबाद की चूड़ियाँ, बनारस का ज़र्दा और साड़ियाँ, आगरा के जूते—ये सब चीज़ें उस दिन हमेशा के लिए ख़त्म हो जायेंगी जिस दिन इन सबका कारीगर ग़रीब नहीं रहेगा। आगरा का पेठा भी मशहूर है और वह भी वहाँ के जूतों की ही भाँति स्वादिष्ट होता है। कला की उत्कृष्टता क़ायम रखने के लिए चमन की कुछ बुलबुलों को तो नंगा और भूखा रखना ही पड़ेगा। और जहाँ तक साहित्य का प्रश्न है वह तो बिना ग़रीबों के चल ही नहीं सकता। शेक्सपियर, गोल्डस्मिथ, सैमुएल जानसन और मिल्टन ग़रीबी में ही रहे। बालजक हमेशा क़र्ज़ से दबा रहा। टॉलस्टॉय और रवीन्द्रनाथ ठाकुर साहित्य-सेवा में ग़रीब हो गये। हिन्दी में भी सर्वश्रेष्ठ साहित्यकार प्रेमचन्द व निराला ही थे जो बेहद विपन्नता में रहे। जो साहित्यकार अमीर थे, वे सिवा कूड़ा लिखने के कुछ और नहीं कर सके। उदाहरण के लिए मैं आचार्य केशवदास, महादेवी, मैथिलीशरण गुप्त तथा जयशंकर 'प्रसाद' के नाम ले सकता हूँ। भारतेन्दु को साहित्य-साधना के लिए ग़रीब होना पड़ा और पन्तजी की भाँति मैंने भी तभी तक कहीं ज़्यादा श्रेष्ठ लिखा जब तक मैं ग़रीब रहा। मिश्रबन्धु, श्यामसुन्दर दास (बी.ए.) और कार्यवाहक राष्ट्रकवि दिनकर घास छीलते रहे जबकि शरत् चन्द्र जैसे साधारण लोग विश्वस्तर का साहित्य लिखते रहे। उर्दू के महानतम शायर मीर-तक़ी-मीर निहायत ग़रीब थे और यही हाल नज़ीर अकबराबादी का रहा। चाणक्य के अनुसार, विद्वान् व्यक्ति कभी धनी नहीं होता। शेष कलाओं में भी लगभग यही स्थिति रही। संगीत के क्षेत्र में मोज़ार्ट तथा चित्रकला के सन्दर्भ में वॉन गॉग की विपन्नता को कौन नहीं जानता? सूरदास तो सदा से अन्धे ही होते आये।

हमारा देश कभी कृषिप्रधान देश माना जाता था पर अँग्रेज़ी सरकार ने और आज़ादी के बाद हमारी अपनी सरकार ने इस देश को एक धर्मप्रधान देश बना दिया। धर्म के नाम पर दंगे आज भी किये जाते हैं और कराये जाते हैं। यह सारा धन्धा अमीरों के इशारे पर ग़रीब दरिद्रनारायण ही करता है जो सबसे पहले हलाक होता है। यदि ग़रीब लोग न हों तो दंगों में कौन मरेगा? पहले ग़रीबों को मरवाया जाता है और बाद में उनकी सहायता की जाती है। इस प्रक्रिया में क्षेत्र का विधायक और सरकारी अमला उतना ही घपला करता है जितना कि वह भूचाल आने, सूखा पड़ने या बाढ़ आने पर करता है। पशुबलि, नरबलि, मन्दिर में देवदासियों का उचित प्रयोग, पूजा-पाठ, हवन-कीर्तन व तीर्थयात्रा—ये सारे काम सन्त और महन्त लोग मात्र ग़रीबों के लिए ही तो करते हैं। आन्ध्रप्रदेश के एक गाँव में एक वर और एक वधू सुहागरात नहीं मना पाये क्योंकि पत्रे में वैसा करने के लिए उचित ग्रह नहीं मिल रहा था। अन्त में चलकर वर व वधू—दोनों ने आत्महत्या कर ली। इस देश के अमीर ब्राह्मणों ने सदा सत्य बोला और धर्म को चरा। सत्यं वद/धर्मं चर। धर्म के नाम पर ये ब्राह्मण और महाब्राह्मण सदा से ग़रीबों को ही चरते आये, अमीरों को नहीं। ऐसे धर्मात्मा महन्त अब भी हैं जिनकी सच्ची रुचि 'चोली' में होती है

'चोले' में नहीं। यदि ये मुस्टण्डे धर्म के ठेकेदार न हों तो ग़रीब होरी मरते समय गोदान किसके लिए करे? धर्म के नाम पर क़ायदे-आज़म मुहम्मदअली जिन्ना ने देश बँटवा दिया जिसमें दोनों प्रमुख धर्मों के लाखों अनुयायी मरे या बेघरबार हो गये। मैं पाकिस्तान की प्रधानमन्त्री का बहुत सम्मान करता हूँ क्योंकि इतना व्यस्त होते हुए भी वे तीन सन्तानों को जन्म देने के बाद आजकल फिर गर्भवती चल रही हैं। मुझे पूरी आशा है कि यथासमय वे हमारे वर्तमान प्रधानमन्त्री का मुक़ाबला कर सकेंगी। भगवान के यहाँ देर है अन्धेर नहीं। हिम्मते मर्दां मददे ख़ुदा। (ऊपर मैंने 'बेनज़ीर' की जो 'नज़ीर' दी है वह 29.8.93 के अख़बार पर आधारित है। आप जब तक मेरा लेख पढ़ेंगे, तब तक क्या स्थिति होगी—यह तो मैं चाहते हुए भी आपको नहीं बता सकता।) ये जितने सन्त और महन्त हैं ये सब हमारी प्राचीन संस्कृति के शिलालेख हैं और उनकी रक्षा करना सरकार का सर्वप्रथम कर्तव्य है। यह ख़ुशी की बात है कि सरकार इस दिशा में बराबर ध्यान दे रही है। फ़िलहाल भी देश में एक स्वामी तो अवश्य ऐसे हैं जिन्हें सरकारी कहा जा सकता है। इनकी जान-पहचान संसार के सभी शक्तिशाली लोगों से है और उनकी सम्पत्ति का अनुमान तो कोई भी नहीं लगा सकता। यदि संसार में दुखी और ग़रीब न होते तो आप ही बताइए कि उस स्थिति में भगवान महावीर तथा भगवान बुद्ध किसकी भलाई के लिए अपने राजमहल छोड़ते! यदि ग़रीब लोग न होते तो पार्वतीजी किसके भले के लिए शिवजी से सिफ़ारिश करतीं?

अब मैं ग़रीबों के राजनीतिक जीवन पर कुछ कहना चाहूँगा। इस देश की यह नियति है कि यहाँ प्रजातन्त्र है। चुनाव के पहले प्रजा शक्तिशाली रहती है और चुनाव बीतते ही प्रजा—यानी कि हमारे देश की करोड़ों जनता—भाड़ में चली जाती है और तन्त्र जो है वह सबसे अधिक शक्तिशाली हो जाता है। चुने हुए विधायक व सांसद विलासी और भ्रष्ट हो जाते हैं और मन्त्री लोग तो आकाश में निवास करने लगते हैं। जो व्यक्ति चुनाव के समय ग़रीब आदमी के सामने हाथ जोड़कर भिक्षा माँगता था वह अब उसे पहचानने से भी इनकार कर देता है। चुनाव के समय दिये गये वादे उर्दू-कविता के माशूक के वादों की भाँति झूठे और खोखले निकलते हैं। इस रचना को पढ़ने के बाद आप उर्दू-कविता पढ़िए।

ग़रीब होने के और भी बहुत-से फ़ायदे हैं। सरकार ग़रीबों पर आयकर नहीं लगाती और सम्पत्तिकर से भी उन्हें मुक्त ही रखती है। ग़रीब आदमी के यहाँ चोरी व डकैती की वारदातें भी प्रायः नहीं होतीं। पुलिसवाले कभी-कभी उन्हें यूँ ही बिना बात हिरासत में ले लेते हैं और उतने दिन ग़रीब आदमी को बिना कुछ किये भरपेट खाना मिलता है। नेता लोग व पुलिसवाले उनकी हसीन पुत्रियों, पुत्रवधुओं और पत्नियों के साथ कभी-कभी बलात्कार ज़रूर कर लेते हैं पर इससे ग़रीबों की इज़्ज़त बढ़ती है और पुलिसवाले भी इस सेवा की कोई अतिरिक्त फ़ीस नहीं माँगते। ग़रीबों

को मुफ़्त शिक्षा भी दी जाती है और उनकी अविवाहित लड़कियों को परिवार-नियोजन के सारे ढंग सरकारी डॉक्टर विस्तार से समझाते हैं। सरकार के आधे विभाग अपना पूरा समय ग़रीबों की सेवा में ही शानदार सूट पहनकर स्टाफ कार में गुज़ारते हैं। अगर ग़रीबी सचमुच ही हट गयी तो ये विभाग क्या करेंगे, यह एक खोज का विषय होगा। और यदि ग़रीबी नहीं हटायी गयी तो देश में रक्त-क्रान्ति होगी और उसमें भी जो मरेंगे, वे भी ग़रीब ही होंगे। चाणक्य ने ठीक ही कहा है कि "ग़रीबी तो एक जादू है और इसी कारण ग़रीब आदमी तो दूसरों को देख सकता है पर दूसरे लोग उसे कभी नहीं देख पाते।"

मैंने ऊपर ग़रीबी के गुणों की चर्चा की है और मैं वर्षों तक ख़ुद भी बेहद ग़रीब रहा हूँ। मैंने जैक लण्डन, अब्राहम लिंकन, ब्रुकर टी.वाशिंगटन, चार्ली चैप्लीन, जोसेफ स्तालिन व हिटलर की आत्मकथाएँ या जीवन-चरित भी पढ़े हैं पर इस सबके बावजूद मैं ग़रीबी को एक भयंकर अभिशाप ही समझता हूँ और कुछ नहीं। ग़रीबी की प्रशंसा सदा उन लोगों ने ही की है जो स्वयं करोड़पति थे। मैं सामरसेट माम से एकदम सहमत हूँ कि "धन जो है वह एक ऐसी छठी इन्द्रिय है जिसके बिना बाकी पाँच इन्द्रियाँ काम नहीं करतीं।" इन्द्रियों से यहाँ जो अभिप्राय है वह मात्र ज्ञानेन्द्रियों से ही है। ग़रीबी के सारे गुण और अमीरी के सारे अवगुण जानते हुए भी कम-से-कम मैं तो कभी भी ग़रीब नहीं बनना चाहता। हो सकता है यह मनोवृत्ति मेरे निहायत असहाय बचपन की दरिद्रता की प्रतिक्रिया हो और हो सकता है कि चौंसठ वर्ष का लगभग वृद्ध हो जाने पर भी मैं ख़ुद को ठीक तरह नहीं समझ पा रहा हूँ। एक उर्दू के कवि ने ठीक यही बात कही है और बड़ी ख़ूबसूरती के साथ कही है। कलाम आपकी ख़िदमत में हाज़िर है :

ये और बात है कि तआरुफ़ न हो सका
हम ज़िन्दगी के साथ बहुत दूर तक गये

(ख़ुर्शीद अहमद जामी)

राजेश्वर बाबू : एक अद्‌भुत व्यक्तित्व

बाबू राजेश्वरप्रसाद नारायण सिंह से मेरी प्रथम भेंट उन्नीस सौ इकहत्तर या बहत्तर में हुई थी। पहली ही भेंट में हम दोनों एक-दूसरे के आत्मीय हो गये थे हालाँकि उम्र में वे मुझसे पच्चीस वर्ष बड़े थे। जैसे-जैसे मैं उनके नज़दीक आता चला गया, वैसे-ही-वैसे उनका अद्‌भुत व्यक्तित्व मेरे सामने खुलता चला गया। वे लम्बे, गोरे, स्वस्थ व सुन्दर पुरुष थे और उनका हृदय करुणा, शालीनता व विनोद से भरा था। वे अपने चूड़ीदार पायजामे, अचकन व गाँधी-कैप में बेहद शानदार लगते थे।

राजेश्वर बाबू का जन्म बिहार के एक बड़े जागीरदार परिवार में सन् 1905 में हुआ था। उनकी शिक्षा कलकत्ता के प्रेसिडेंसी कॉलेज में हुई थी। डॉ. राजेन्द्र प्रसाद के बाद वे दूसरे बिहारी थे जिन्होंने उस कॉलेज में शिक्षा पायी। उनकी जागीर का प्रबन्धक एक अँग्रेज़ था। शिक्षा प्राप्त करते ही उन्होंने एक क्रान्तिकारी पुस्तक लिखी जो ज़ब्त कर ली गयी। अपने जीवन में वे वर्षों तक बिहार लेजिस्लेटिव काउन्सिल और बिहार की विधानसभा तथा चौदह वर्ष तक राज्य सभा के सदस्य रहे। उन्होंने प्रकाशन भी खोला और एक अख़बार भी निकाला। वे कई बार जेल भी गये। स्वतन्त्रता-सेनानी, क्रान्तिकारी व राजनेता होने के साथ-ही-साथ वे एक महान् पक्षी-विशेषज्ञ व साहित्यकार भी थे। उनकी 'भारत के पक्षी' नामक शानदार पुस्तक की विशद भूमिका पण्डित जवाहरलाल नेहरू ने लिखी। उन्होंने अपने ज़माने की सारी बड़ी पत्रिकाओं में लिखा और कुछ महत्त्वपूर्ण पुस्तकें अँग्रेज़ी में भी लिखीं। उनके कहानी-संग्रहों व उपन्यासों में 'राजमणि' सचमुच एक उत्कृष्ट कृति है। उनकी विविध पुस्तकों में 'वे दिन : वे लोग' तथा 'कुछ रोचक प्रसंग' सर्वश्रेष्ठ हैं। इस अन्तिम पुस्तक में उन्होंने उस यात्रा का विवरण भी दिया है जो उन्होंने मेरे साथ सरधने की बेग़म समरू के गिरजाघर को देखने के लिए की थी। उन्हें इतिहास से सच्चा प्रेम था और वे नेशनल हिस्टोरिकल सोसायटी के सदस्य भी रहे। उनके बड़े भाई सी.पी.एन. सिंह को सरकार ने 'सर' का ख़िताब दिया था और आज़ादी के बाद भी वे नेपाल व जापान में भारत के राजदूत व कई प्रदेशों के गवर्नर रहे

थे। क्रान्तिकारी, स्वतन्त्रता-सेनानी, राजनेता, लेखक, पशु-पक्षी विशेषज्ञ, बड़े-बड़े राजनेताओं व साहित्यकारों के अन्तरंग मित्र, ठहाकों के ख़ज़ाने, मज़ाक़पसन्द व वनस्पतिशास्त्र के ज्ञाता, पान-ज़र्दा व शेरो-शायरी के शौक़ीन और बेहद दिलचस्प संस्मरणों के विश्वकोष, अद्‌भुत व्यक्तित्व रखनेवाले राजेश्वर बाबू सन् 1991 के दिसम्बर में मेरे जैसे अनेक प्रशंसकों को रोता छोड़कर चले गये...

मेरी उनके साथ अनेक बैठकें हुईं और मैं उनसे जब भी मिला कुछ सीखकर ही उठा। कुछ मुलाक़ातों की चर्चा करता हूँ। पक्षी-विशेषज्ञ होने के कारण मुझमें दिलचस्पी लेना उनके लिए एकदम स्वाभाविक था।

एक बार वे मुझे कॉफ़ी पिलाने ओब्राय होटल ले गये। वहाँ एक युगल पास की मेज़ पर नाश्ता कर रहा था और स्थिति यह थी कि नाश्ता कम हो रहा था और प्रणय की हाथापाई ज़्यादा हो रही थी। बाबूजी दो-चार शेर पढ़े जो मैंने बाद में डायरी में नोट किये। पहला शेर नयी पीढ़ी पर तरस खाता है और दूसरा शेर उम्र ज़्यादा हो जाने का शोक प्रकट करता है। शायरों के नाम मुझे पता नहीं।

(एक)

ये कल के छोकरे आशिक मिज़ाज बनते हैं
किसी बुज़ुर्ग से पूछें कि आशिक़ी क्या है

(दो)

वक़्ते पीरीं, शबाब की बातें
ऐसी हैं जैसे ख़्वाब की बातें

एक दिन हम दोनों मेरठ में अपनी कोठी के लॉन पर बैठे थे। पता नहीं किस सन्दर्भ में महाकवि बिहारी का ज़िक्र आ गया। मैंने जब कहा कि हिन्दी के जो विद्वान् महाकवि बिहारी का जन्मस्थान ग्वालियर के पास मानते हैं वे सरासर ग़लत है। जैसा कि नाम से ही ज़ाहिर होता है, 'बिहारी' तो एकदम 'बिहार' के ही थे, वे और किसी स्थान के हो ही नहीं सकते। बाबूजी ने मेरी दलील सुनी और एक ज़ोरदार ठहाका लगाया। इसके बाद वे कुछ शब्दों की व्युत्पत्ति पर प्रकाश डालते हुए बोले कि मौलाना 'हाली' ने अपना यह उपनाम शायद इस कारण रखा था क्योंकि वे प्रायः 'हाल' ही में घटी घटनाओं पर लिखा करते थे। इसके बाद उन्होंने बताया कि मध्यकाल में राजे-महाराजे, नवाब और बादशाह अपनी पत्नियों को तो अन्तःपुर या महलों में रखा करते थे मगर अपनी चहेतियों, उपपत्नियों और रखैलों को हरम में रखा करते थे। अन्तःपुर में जो लड़का होता था वह शहज़ादा कहलाता था जबकि हरम में पैदा हुआ बच्चा हरामज़ादा कहलाता था। 'हरामी' शब्द जो है वह 'हरम'

से बना है और कहीं से नहीं। सारी स्थिति समझने के बाद उन्होंने इसी सन्दर्भ में किसी का लिखा यह शेर पढ़ा :

बन के अब तरके-मवलात के हामी आये
करके बर्बाद हरम को ये हरामी आये

एक बार मैं सचिवालय से कनॉट प्लेस गया। गलगोटिया की प्रसिद्ध किताबों की दुकान पर बाबूजी मिल गये। वे सारा काम छोड़कर मुझे एक शानदार होटल में ले गये जहाँ हम दोनों ने खाना खाया। मज़ाक़, संस्मरण, चुहल—सब चीज़ें भी साथ-साथ चलती रहीं। कॉफ़ी आयी तो बाबूजी ने एक शेर पढ़ा जिसमें उर्दू के दो प्रसिद्ध शायरों के नाम थे और पूछा कि मेरी राय में सच्चा शायर कौन है :

इश्क़ पर ज़ोर नहीं ये वो आतिश ग़ालिब
कि लगाये न लगे और बुझाये न बने

मैंने उनकी मज़ाक़पसन्दगी की दाद दी तो उन्होंने वैसा ही एक शेर और पढ़ा जिसके अन्दर भी दो बड़े शायरों के नाम छिपे थे। अगर ऊपर लिखे शेर पर आतिश' और 'ग़ालिब' अपना हक़ जमा सकते थे तो इस दूसरे शेर पर 'फ़िराक़' साहिब व 'अकबर' इलाहाबादी अपना दावा दायर कर सकते थे :

वस्ल हो या फ़िराक़ हो अकबर
जागना रात भर मुश्किल है

उन्होंने ऐसे चन्द शेर और भी सुनाये पर वे मुझे याद नहीं रहे। हाँ, यह याद है कि उन्होंने एक शेर का एक मिसरा सुनाया और बताया कि इसका दूसरा मिसरा पिछले डेढ़ सौ सालों में कोई भी नहीं उठा पाया। मिसरा था—एक बार चीन से सन्दूक में बन्दूक चली। स्थिति सचमुच यह है कि क्या फ़ारसी और क्या हिन्दी, किसी भी भाषा में सन्दूक और बन्दूक का हमवज़न और कोई शब्द है ही नहीं। मैं बहुत चमत्कृत हुआ और "काव्यशास्त्र विनोदेन कालो गच्छति धीमताम्" वाली पंक्ति याद करता हुआ दफ़्तर वापस लौटा। उसी दिन बाबूजी ने यह भी बताया कि मौलाना अबुलकलाम 'आज़ाद' एक ऊँचे दर्जे के शायर थे मगर उनकी राजनीतिक व्यस्तता के कारण उनका समुचित साहित्यिक मूल्यांकन नहीं हो पाया। मैं बाबूजी के बारे में यही सोचता रहा कि यह व्यक्ति कितना भाग्यवान् है जो रवीन्द्रनाथ ठाकुर, शरत् बाबू, प्रेमचन्द, महावीरप्रसाद द्विवेदी, उग्र, पन्त, निराला, प्रसाद, जोश, जिगर, फ़िराक़, मुंशीजी, मैथिलीशरण गुप्त, दिनकर, वृन्दावनलाल वर्मा, बख़्शीजी व हज़ारीप्रसाद द्विवेदी को भी जानता था और जो पण्डितजी, राजाजी, आज़ाद साहब, कृपलानीजी, सरदार पटेल, पण्डित पन्त और डॉ. राजेन्द्र प्रसाद के भी निकट रहा था...

जब मैंने अपनी एक पुस्तक उन्हें समर्पित की तो उन्होंने स्नेह और आशीर्वाद से भरी

चिट्ठी लिखी और मेरी प्रार्थना के अनुरूप मौलाना आज़ाद की लिखी कुछ पंक्तियाँ भी भेजी :

नश्तर-ब-दिल है, आह किसी सख़्त जान की
निकली सदा तो फ़स्द खुलेगी ज़ुबान की,
गुम्बद है गर्दोबाद तो है शामियाना गर्द,
शर्मिन्दा मेरी क़ब्र नहीं साचबान की
'आज़ाद' ये खुदी के नशेबो-फ़राज़ देख
पूछी ज़मीन की तो कही आसमान की

तीसरी परम्परा की खोज

लतीफ़ घोंघी की और मेरी दोस्ती कैसे और कब शुरू हुई, इस मुद्दे को लेकर कोई औसत बुद्धि का नवयुवक या बुद्धिमती युवती एक अदद डॉक्टरेट प्राप्त कर सकती है। बहरहाल वर्षों से हम दोनों एक-दूसरे से लगातार पत्र-व्यवहार करते हैं, एक-दूसरे को पुस्तकें समर्पित करते हैं और ऐसे शुभ अवसरों की प्रतीक्षा भी करते रहते हैं जिनको लेकर हम दोनों एक-दूसरे को संवेदना से सराबोर पत्र लिख सकें हालाँकि आज तक हम दोनों एक-दूसरे से कभी नहीं मिले। ठीक यही स्थिति मेरे और गुजराती के प्रख्यात व्यंग्यकार विनोद भट्ट के साथ है। कभी-कभी सोचता हूँ कि हम लोगों की दोस्ती शायद इसी कारण क़ायम है कि हम एक-दूसरे से कभी मिले नहीं। लतीफ़ घोंघी मुझे बराबर महासमुन्द बुलाते हैं पर मैं कभी जाता ही नहीं। एक वकील होने के नाते उन्होंने मेरे ख़िलाफ़ एक दफ़ा अदालत से सम्मन इशू करवाने की धमकी भी दी पर मुझ पर उसका भी कोई असर नहीं पड़ा। एक बार उन्होंने मुझे यह सुझाव भी दिया था कि उनकी तरफ़ से मैं अपनी पत्नी के चरण छू लूँ ताकि मेरी बुद्धि ठीक मार्ग पर आ जाए पर इस सलाह पर भी मैं महासमुन्द नहीं गया हालाँकि उस क्षेत्र में लतीफ़ साहिब के अलावा और आदिवासी भी रहते हैं जिनमें ईश्वर शर्मा प्रमुख है। लतीफ़ घोंघी की पुस्तकों की संख्या शेक्सपियर के नाटकों की संख्या से शायद ज़्यादा है हालाँकि वुडहाउस का रिकॉर्ड वे अभी तक नहीं तोड़ पाये हैं। लतीफ़ भाई ने एक स्थान पर लिखा है कि महासमुन्द जैसे दूर-दराज क़स्बे में पड़े हुए वे मेरे साथ या परसाईजी के साथ अपना फ़ोटो कैसे खिंचवा सकते हैं। असलियत यह है कि मैं तो उनके साथ कभी कोई फ़ोटो खिंचवाना ही नहीं चाहता क्योंकि मैं जानता हूँ कि हम दोनों को एक साथ देखकर पता नहीं किस-किस देश के जासूस विभिन्न अपराधों से जुड़ी पुरानी फ़ाइलें फिर से पढ़ना शुरू कर देंगे। यह कृपा भी लतीफ़ भाई की ही है कि छत्तीसगढ़ के अनेक शोधार्थी अपने शोधप्रबन्धों में मेरी चर्चा कर रहे हैं। चर्चा मेरी करते हैं और डॉक्टरेट जो लेते हैं वह लतीफ़ घोंघी पर लेते हैं। सच्ची दोस्ती इसी को कहा जाता है। भगवान कृष्ण ने सबसे पहले सुदामा के चावल समाप्त किये थे, बाकी मदद तो तब की थी जब उस ग़रीब के पास कुछ भी नहीं बचा था।

लतीफ़ घोंघी के नवीनतम मोती का नाम 'व्यंग्य-चरितम्' है। पुस्तकों के इस प्रकार के नामकरण की प्रथा बहुत पुरातन है। अश्वघोष ने ईसा से पहले 'बुद्ध-चरित' लिखा था। भवभूति ने पहले तो 'महावीर चरित' लिखा और उसके बाद उसने अपना 'उत्तर-रामचरित' नाम का कालजयी नाटक लिखा जिसको लेकर आचार्यों को कहना पड़ा कि "उत्तरे रामचरिते भवभूतिः विशिष्यते।" कथाकार दण्डी ने 'दशकुमार चरित' नाम का परम श्रेष्ठ कथा-संग्रह लिखा जिसमें रूपवती रमणियों व "पद-लालित्य" के कारण एक अपूर्व शोभा का कमल खिला। कवि श्रीहर्ष ने 'नैषधीय चरित' लिखा जिसके प्रत्येक सर्ग के अन्त में उन्होंने अपने माता व पिता का पूरा ज़िक्र किया। बाणभट्ट ने 'हर्ष-चरित' लिखा जिसकी नायिका यशोवती विधवा हो जाने के डर से पति की मृत्यु होने से पहले ही सती हो गयी थी। हिन्दी में नरोत्तमदास ने 'सुदामा-चरित' लिखा तो बाबा रघुवरदास ने 'तुलसी चरित' लिखा। सूदन ने यदि 'सुजान-चरित' लिखा तो ओम प्रभाकर ने 'पुष्य-चरित' की सृष्टि की। ऊपर दिये गये सबूतों के सामने लतीफ़ ने अपनी नयी पुस्तक का नाम यदि 'व्यंग्य-चरितम्' रखा तो कोई ग़लती नहीं की। मैं तो स्वयं पुरानी दुनिया का प्रेमी हूँ। पन्तजी ने भी 'कला और बूढ़ा चाँद' में संगृहीत एक कविता में बिना किसी संकोच के स्वीकार किया है कि "पुरानी ही दुनिया अच्छी थी/सच/पुरानी ही दुनिया।" मैं तो स्वयं एक महाकाव्य लिखना चाहता हूँ जिसका नाम मात्र 'चरित' ही रखूँगा। जो भी बड़ा आदमी मुझे ज़्यादा पुरस्कार देगा उसी का नाम शुरू में जोड़ दूँगा। पुस्तक का नाम चाहे 'मुलायम चरित' हो, या 'कल्याण चरित' हो, इससे साहित्य पर क्या फ़र्क़ पड़ता है? पण्डित नेहरू ने ठीक ही तो कहा था कि हिन्दी कविता एक दरबारी कविता है। शिवा को बखानों कै बखानों छत्रसाल को। श्रीलाल शुक्ल ने 'राग दरबारी' लिखकर कविता तो क्या, गद्य तक को दरबारी बना दिया।

लतीफ़ घोंघी का महासमुन्द एक क़स्बा है। क़स्बे में रहकर लेखक क़स्बे के ही बारे में लिख सकता है, और किसी चीज़ पर नहीं जबकि आंचलिक साहित्य लिखने के लिए लेखक को किसी महानगर में रहना पड़ता है, महानगर पर लिखने के लिए किसी गाँव में रहना पड़ता है और अपने देश को चित्रित करने के लिए विदेश जाना पड़ता है। इस क़स्बे में मोची, पनवाड़ी, सस्ते कपड़े का विक्रेता, लोकल नेता, मरियल कुत्ता, महान् शक्ति रखनेवाला सरकार का कोई अदना कर्मचारी, छोटे-मोटे वकील (लतीफ़ साहब इस स्थिति के अपवाद हैं) और आम आदमी के सिवा और रखा ही क्या है? मगर यह आम आदमी ही तो है जो शरद जोशी, फ़िक्र तौंसवीं और लतीफ़ घोंघी की पकड़ तक से निकल जाता है। लेखक ने पुस्तक के अन्त में अपनी पराजय स्वीकार करते हुए स्वयं कहा है कि "भ्रष्टाचार पर लिखना आसान है, व्यवस्था पर चोट करना सरल है लेकिन ऐसे आदमी पर व्यंग्य लिखना कठिन है जो बिल्कुल तटस्थ है। उसे यह भी मालूम नहीं है कि देश में क्या हो रहा है। वह

यह सब कुछ जानना भी नहीं चाहता। जिसे मात्र अपने ही पेट की चिन्ता है, उस पर क्या व्यंग्य लिखूँ, आप ही बताइए।"

सारी पुस्तक में सारे ही लेख सर्वश्रेष्ठ हैं पर मोची पर लिखा हुआ लेख अतिसर्वश्रेष्ठ है। उसे मैंने कई बार पढ़ा और धूमिल के 'मोचीराम' को याद किया। मगर यह देखकर घोर निराशा हुई कि सारी पुस्तक में एक लेख भी अश्लील नहीं है। मैं पूछता हूँ कि बिना अश्लील लिखे कोई भी साहित्यकार बड़ा कैसे बन सकता है? जर्मनी से एक हिन्दी हास्य-व्यंग्य का मोटा अनूदित संग्रह छपनेवाला था मगर मेरे विचार में वह इसी कारण नहीं छपा क्योंकि उसमें एक भी रचना अश्लील नहीं थी जबकि उसी जर्मनी ने एक विवादास्पद पर अश्लील हिन्दी पुस्तक का अनुवाद छापा। हिन्दी के एक स्वनामधन्य लेखक हैं जिनके उपन्यास तक के प्रारम्भ में पात्रों का परिचय दिया गया है और एक नवयुवती का परिचय देते हुए यह खुलासा किया गया है कि वह रूपसी उपन्यास लिखने से पहले कौन-से पात्र की शय्या-संगिनी रह चुकी थी। पुस्तक की प्रशंसा में यह भी कहना पड़ेगा कि लतीफ़ का स्तर व रचनाओं का रस ठीक वही है जो उनकी अब तक की उनतीस पुस्तकों में था। आप उन पर यह अभियोग कभी नहीं लगा सकते कि उन्होंने अपना स्तर उठाया, नया रस पैदा किया या किसी नये चरित्र की सृष्टि की। वे वहीं हैं, जहाँ थे। वे पीछे नहीं हटे। पन्तजी की भाँति उन्होंने पल्लव के 'सा' को गुंजन के 'रे' में नहीं बदला। वे इंसान ही रहे, महान् नहीं बने। खुदा को भा गया वाइज़ मगर है ज़रूरत आदमी को आदमी की। जिस शेर में आदमी को आदमी की ही ज़रूरत हो, उसे 'फ़िराक़' गोरखपुरी के अलावा और कौन कह सकता है?

इस सन्दर्भ में एक महत्त्वपूर्ण प्रश्न और उठता है और वह यह है कि पिछले बीस वर्षों से हम लोगों ने हज़ारों व्यंग्य लिखे मगर क्या उससे कोई प्रभाव पड़ा? क्या एक भी सरकारी कर्मचारी, ग्राम-प्रधान, ठेकेदार, विधायक, सचिव या न्यायाधीश—हम लोगों की बकवास को ध्यान से सुन पाया? फाँसी मिलने से पहले सर वाल्टर रैले ने 'विश्व का इतिहास' लिखना शुरू किया था पर एक प्रसंग-विशेष से उसे इतनी ग्लानि हुई थी कि उसने अपना सारा मसौदा अँगीठी में फेंक दिया था। मैं भी यही करना चाहता हूँ। उसके बाद मैं और लतीफ़ साथ-साथ दुकान खोलेंगे। मैं जूतों की दुकान खोलूँगा और लतीफ़ भाई आलुओं की दुकान खोलेंगे ताकि जिसे आलू अच्छे न लगते हों, वह जूते खाए। 18.9.1993 के अख़बार के अनुसार कलकत्ते के काफ़ी डॉक्टर सड़कों पर आलू बेच रहे हैं और कम दाम पर बेच रहे हैं। ये डॉक्टर सरकार से कुछ माँग रहे हैं पर उनकी माँग अभी तक स्वीकार नहीं की गयी है। ठीक इसी प्रकार जर्मनी को इस देश में बने अनेक प्रकार के जूते इतने फ़िट आये हैं कि अब हमारा देश जो 1991 में मात्र दो सौ अस्सी करोड़ रुपयों का जूता-निर्यात करता था वह 1992-93 में पाँच सौ करोड़ रुपयों के जूते निर्यात करने की आशा करता है।

जूतों की माँग देश के भीतर भी बढ़ी है क्योंकि विभिन्न विधानसभाओं में विभिन्न प्रकारों से उसका उपयोग किया जाता है। मैं और लतीफ़ भाई कभी-कभी आपस में जूतपैजार करेंगे और कभी-कभी जूतों में दाल भी बाँटेंगे।

समालोचक अभी चम्पू-काव्य की परिभाषा में ही उलझे हैं और व्यंग्य-साहित्य पर पहुँचते-पहुँचते उन्हें दो सौ वर्ष और लगेंगे। एक प्रतिभावती लेखिका है जो व्यंग्यकारों को मात्र विदूषक ही मानती है, और कुछ नहीं। एक और समानधर्मा हैं—जिन्हें एक व्यंग्य की ही किताब पर साहित्य अकादमी एवार्ड मिला था—जो अब कहते हैं कि "व्यंग्य तो मात्र उनकी शैली है और सच्चाई की बात की जाए तो वे कथाकार ही हैं, और कुछ नहीं।" अब तो हमें आपस में ही अपनी सहायता करनी पड़ेगी। मैं कहता हूँ कि लतीफ़ "अक्षरों के कारीगर हैं" तो वे कहते हैं कि मैं "शब्दों का जादूगर" हूँ। वे मझे 'मूर्धन्य' कहते हैं तो मैं उन्हें 'शीर्षस्थ' कहता हूँ। एक मित्र-आलोचक हैं जो मुझे 'युग-द्रष्टा' कहते हैं और लतीफ़ साहिब को 'युग-स्रष्टा' कहते हैं। अगर यह पैंतरेबाज़ी ठीक चली तो कोई कारण नहीं कि हम लोग साहित्य में सचमुच ही अमर न हो जाएँ। चूँकि 'दूसरी परम्परा की खोज' डॉ. नामवर सिंह पहले ही कर चुके हैं, मैं अपनी ऊपर बतायी शरारतपूर्ण प्रक्रिया को 'तीसरी परम्परा की खोज' कहकर ही पुकारूँगा। और हाँ, जब हम दोनों दिवंगत हो जाएँगे तो हमारी दुकानों के स्थान पर सरकार या तो देशी दारू की दुकान खोलेगी या फिर एक काँजीहाउस की स्थापना करेगी जिसका कि उद्घाटन मुख्यमन्त्रीजी करेंगे। यदि एक नगर में स्थित 'निराला-पार्क' में ठीक महाकवि की प्रतिमा के नीचे पुलिस की चौकी खुल सकती है तो हमको ऊपर बताया गया सम्मान क्यों नहीं दिया जा सकता?

कुछ और साहित्यिक संस्मरण

(अत्यन्त संक्षिप्त संस्करण)

अपने जीवन में मैं अनेक नये और पुराने तथा छोटे और बड़े साहित्यकारों के सम्पर्क में आया। कुछ के बारे में मैं पहले लिख चुका हूँ, और कुछ के बारे में आज लिखूँगा।

दुष्यन्त मेरा बचपन का दोस्त था। हाईस्कूल में हम दोनों साथ-साथ पढ़ते थे और प्रयाग विश्वविद्यालय में भी हम दोनों सहपाठी रहे। हाईस्कूल की परीक्षा का फ़ार्म भरते समय उसी ने मेरे नाम के साथ 'त्यागी' जोड़ा और बदले में मैंने ही उसका नाम 'दुष्यन्तनारायण' से 'दुष्यन्तकुमार' किया। उसी ने मुझे सर्वप्रथम पन्तजी से मिलवाया और उसी के साथ मैंने 'निराला' जी के प्रथम दर्शन किये। यदि वह मुझे मेरठ में चैलेंज न देता तो मैं कभी भी लेखक बनने की न सोचता। वह बाद में भी मुझे बराबर हिम्मत देता रहा मगर जैसे ही मेरा प्रथम काव्य-ग्रन्थ छपा और साहित्य के दिग्गजों ने उसकी मुक्तकण्ठ से प्रशंसा करनी शुरू की वैसे ही वह मुझसे बचने लगा। वह मुझे जब भी किसी साहित्यकार से मिलवाता तभी वह मुझे 'व्यंग्यकार' बताकर ही मिलवाता 'कवि' कहकर नहीं। धीरे-धीरे वह भी मेरी कविता का प्रशंसक बन गया जिसके लिए मैं आजीवन उसके प्रति कृतज्ञ रहूँगा। प्रयाग ही में मैं श्रीराम वर्मा, मलयज और शमशेरबहादुर सिंह से मिला। ये लोग नितान्त अध्ययनशील तथा प्रतिभाशाली थे मगर बाकी नवयुवक साहित्यकारों की रचनाओं की सदा निन्दा-भरी आलोचना ही किया करते थे। शमशेर ने मेरे कविता-संग्रह के फ़्लैप पर कुछ भी लिखने से साफ़ मना कर दिया मगर बाद में मैंने देखा कि उन्होंने बेहद घटिया किस्म के काव्य-ग्रन्थों की भी बेहद प्रशंसा की जिसका कारण मुझे बाद में दुष्यन्त से ही ज्ञात हुआ। मार्कण्डेय झा-होस्टल में मेरे ही समय में रहते थे। वे मुझे बेहद शिष्ट, मधुर व स्नेही लगे मगर शायद वे साहित्य के प्रति पूर्णरूप से समर्पित कभी नहीं रहे। इसी प्रकार डॉ. जाफ़र रज''ा मेरे ही नीचे बाबू थे और प्रयाग विश्वविद्यालय में उनकी व्याख्याता के पद पर नियुक्ति के समय भी मैंने उनकी भरसक सहायता की थी मगर युनिवर्सिटी में नियुक्त होने के बाद वे बदल गये। शैलेश मटियानी से भी मेरा परिचय प्रयाग ही में हुआ। वे एक सच्चे साहित्य-साधक थे। बेहद परिश्रमी, स्वाभिमानी व

निष्ठावान् व्यक्ति। उन्होंने प्रयाग से ही 'विकल्प' नामक विशुद्ध साहित्यिक पत्रिका निकाली और भयंकर आर्थिक कठिनाइयों के बावजूद, बेहद शान के साथ निकाली। 'नयी कहानियाँ' के सम्पादक और मेरे सहपाठी कमलेश्वर ने मुझसे एक बार कहा था कि "मटियानी के पास कच्चा माल इतना है कि कुछ कहा नहीं जा सकता।" हिन्दी में शैलेश मटियानी, अमरकान्त, शेखर जोशी, रामनारायण शुक्ल व हृदयेश ही तो वे मील के पत्थर हैं जिन्होंने सेक्स-एलीमेंट के बिना ही शानदार कहानियाँ लिखीं। इन लोगों में हृदयेश को छोड़कर मैं सबसे परिचित रहा। शेखर जोशी ने मुझे जो स्नेह दिया वह मैं कभी नहीं भूल सकता। पिछले दिनों जब वे किसी शादी में देहरादून आये तो मुझसे मिलकर ही गये। अभी पिछले दिनों दूरदर्शन पर एक वरिष्ठ लेखक ने (जिन्हें मैं हिन्दी का श्रेष्ठतम जीवित साहित्यकार मानता हूँ। जिन विधाओं में वे लिखते हैं उनमें तो वे सर्वश्रेष्ठ हैं ही, मैं तो उन्हें उन विधाओं में भी श्रेष्ठतम रचनाकार मानता हूँ जिनमें उन्होंने कभी कुछ नहीं लिखा।) दूरदर्शन पर बताया कि वे शैलेश मटियानी की 'हंस' में प्रकाशित उस रचना से बेहद दुखी हैं जिसमें उन्होंने अपने आर्थिक अभाव व संघर्ष की चर्चा की है क्योंकि जार्ज और्वेल भी 'इण्डियन पुलिस' की ऊँची नौकरी छोड़कर लन्दन के एक होटल में प्लेट माँजने का काम करता था। इस सन्दर्भ में मैं मात्र दो निवेदन करूँगा। पहला निवेदन तो यह है कि यदि ये वरिष्ठ लेखक अपने प्रारम्भिक संघर्षों पर एक श्रेष्ठ उपन्यास लिख सकते हैं तो शैलेश मटियानी उसी थीम पर एक रचना क्यों नहीं लिख सकते? दूसरा निवेदन यह है कि जार्ज और्वेल यदि अपने संघर्ष की चर्चा स्वयं या मित्रों से नहीं करता तो इन लेखकजी को उस रहस्य का पता कैसे लग सकता था? प्रयाग ही में मैं 'कुछ' तथा 'और कुछ' के लेखक स्वर्गीय पदुमलाल पुन्नालाल बख़्शी से मिला जिनकी नक़ल में शमशेर ने अपनी कविता-पुस्तकों के नाम 'कुछ कविताएँ' व 'कुछ और कविताएँ' रखे।

प्रयाग ही में मैं नरेश मेहता से मिला। वे सचमुच एक सच्चे कवि हैं, बेहद शिष्ट व सरल व्यक्ति हैं और इन्हीं दुर्गुणों के कारण उन्हें साहित्य अकादेमी का वह एवार्ड काफ़ी देर से मिला जो कई घटिया साहित्यकारों को बहुत वर्ष पहले ही मिल चुका था। सुरेन्द्रपाल को बर्बाद करने में कई पूँजीपतियों का काफ़ी हाथ रहा। लक्ष्मीकान्त वर्मा इतने प्रतिभाशाली साहित्यकार होते हुए भी विपन्न रहते थे जिसका काफ़ी श्रेय उनके आलस्य को भी जाता था। रमानाथ अवस्थी से भी मेरा परिचय प्रयाग ही में हुआ। वे सचमुच एक सरल, सात्त्विक व सच्चे गीतकार हैं हालाँकि उन्होंने अपनी प्रतिभा का पूरा उपयोग नहीं किया। केशवप्रसाद मिश्र भी मुझे प्रयाग में ही मिले। पान और तम्बाकू के शौक़ीन और सच्चा स्नेह रखनेवाले मित्र। आलस्य के मामले में विजयदेवनारायण साही भी किसी से पीछे नहीं थे। वे मुझे 'अप्रतिम शैलीकार' कहा करते थे। स्वयं साहित्यिक सफलता से पूरी तरह 'डिस-इल्यूजण्ड' होने पर

भी वे नये लेखकों को हमेशा प्रेरित करते रहते थे चाहे वे कितने भी उथले क्यों न हों। केशवचन्द्र वर्मा हास्य मात्र लिखते ही नहीं वरन् जीते भी थे। साही साहिब व वर्माजी के बीच जो हँसी-मज़ाक़ चलता था वह काफ़ी साहित्यिक होता था। विद्वान् लेखक पण्डित हज़ारीप्रसाद द्विवेदी के साथ भी मेरी भेंट प्रयाग ही में हुई। बाहर हमारे एक व्याख्याता चौकीदारी का काम कर रहे थे जिन्होंने हिन्दी में मुझे सौ में से मात्र बावन अंक ही दिये थे क्योंकि उनके अनुसार मेरी भाषा साहित्यिक न होकर एक पत्रकार की भाषा होती थी। बहरहाल, मैं द्विवेदीजी से मिला और मुझे पता लगा कि आचार्य हज़ारीप्रसाद द्विवेदी सबसे पहले विशुद्ध विनोदी थे, बाकी चीज़ें वे बाद में थे। बालकृष्ण राव मेरे प्रशंसक थे हालाँकि उनमें कम-से-कम मैं तो कोई विशेष साहित्यिक प्रतिभा कभी नहीं देख पाया। उन्होंने 'माध्यम' निकाला और 'विवेचना' नामक विशुद्ध साहित्यिक बैठक की शुरुआत की। यह संस्था तब ख़त्म हुई जब सुमित्रानन्दन पन्त के 'लोकायतन' की बेहद तीखी आलोचना साही साहिब ने की। 'विवेचना' में विश्वविद्यालय के अँग्रेज़ी विभाग के अध्यक्ष सतीशचन्द्र देव भी कभी-कभी आते थे और बताते रहते थे कि बाँग्ला ने हिन्दी पर कितने एहसान किये। मैं प्रयाग ही में अमृतराय के सम्पर्क में आया। वे सचमुच स्नेह, शिष्टता व शालीनता की मूर्ति थे।

अब मैं दिल्ली की चर्चा करूँगा। प्रभाकर माचवे के सम्पर्क में आना सदा एक आनन्ददायक अनुभव होता था। वे सचमुच चलते-फिरते विश्वकोश थे और अतुलित प्रतिभा के धनी थे हालाँकि सच्चे साहित्यकार के रूप में वे कभी भी प्रतिष्ठित नहीं हुए। उन्हीं के घर पर मैंने शिवमंगलसिंह 'सुमन' का कविता-पाठ पहली बार देखा था जो श्रव्यात्मक कम और दृश्यात्मक ज़्यादा था। यह मेरा सौभाग्य है कि उज्जैन में मुझे टेपा-पुरस्कार उन्हीं ने प्रदान किया हालाँकि पब्लिक ने मेरी रचना की एक भी लाइन सुनने से मना कर दिया था। पब्लिक जो थी वह 'हुल्लड़' मुरादाबादी को सुनना चाहती थी, मुझे नहीं। दिल्ली ही में मैं चन्द्रगुप्त विद्यालंकार (जो बारहखम्भा रोड पर बारहवीं कोठी में रहते थे) से मिला और भीष्म साहनी को दूर से देखा। चन्द्रगुप्तजी सचमुच बहुत ही स्नेही व्यक्ति थे हालाँकि कहानीकार के रूप में मैं उनसे कभी भी प्रभावित नहीं हुआ। जगदीश चतुर्वेदी एक सच्चा मित्र और एक सच्चा विद्रोही था पर पता नहीं क्यों जीवन में वह सुविधाभोगी हो गया। मुद्राराक्षस एक बेतकल्लुफ़ इंसान थे और उच्चकोटि के व्यंग्यकार भी थे। दिल्ली ही में मैं अजितकुमार व रघुवीर सहाय के साथ एक ऐसी विचित्र शादी में गया, जो मुझे हमेशा याद रहेगी। डॉ. धनंजय वर्मा, मणि मधुकर और लक्ष्मीकान्त वैष्णव मुझसे मिलने दूर से आये और उनका स्नेह मैं कभी नहीं भूल सकता। डॉ. रणवीर रांग्रा एक भावुक साहित्यमर्मज्ञ होने के साथ-साथ एक पैनी निगाहवाले तटस्थ समीक्षक भी हैं। उन्होंने साक्षात्कार को साहित्य में एक स्वतन्त्र विधा के रूप में स्थापित किया। डॉ. कमल

किशोर गोयनका ने प्रेमचन्द पर बेहद काम किया और देश-विदेश में ख्याति प्राप्त की। गोविन्द मिश्र से मेरा परिचय दिल्ली में ही हुआ और जब मैंने उन्हीं की सेवा के एक संयुक्त सचिव को उनके ही सामने भयंकर रूप से डाँटा तो वे मेरे मित्र हो गये। नईम से ख़तो-किताबत तो पुरानी थी मगर मुलाक़ात बहुत बाद में हुई। यह दुख की बात है कि वे गीत को छोड़कर कविता की दुनिया में आ गये और भीड़ में खो गये। कुछ वर्ष पूर्व मैं मध्यप्रदेश की सरकार द्वारा 'पदुमलाल पुन्नालाल बख़्शी एवार्ड' देनेवाली समिति का सदस्य बनाया गया। दूसरे सदस्य थे अग्रज हरिशंकर परसाई। बहुत किताबें आयीं और उन्हीं में से एक पोथी इतनी शानदार लगी कि मैं लेखक से मिलने को बेचैन हो उठा। डॉक्टर मनोहरलाल बाद में मेरे जीवन-भर के लिए मित्र बन गये हालाँकि पुरस्कार जो दिया गया वह फणीश्वरनाथ 'रेणु' को ही दिया गया। यही सिफ़ारिश मेरी भी थी।

'अग्निबीज' नामक श्रेष्ठ कविता-संग्रह के कवि गोविन्दचन्द्र पाण्डेय को मैंने प्रयाग ही में देखा था। वे एक सन्त लगते थे। उनके छोटे भाई विनोदचन्द्र पाण्डेय को मैं सन् चौंसठ में क़रीब से जान पाया जबकि वे रक्षा-मन्त्रालय में उपसचिव थे और जब मैं वित्त-मन्त्रालय में रक्षा-सेवाओं का सहायक वित्तीय सलाहकार था। उनके बारे में मैं 'प्रसंगवश' नामक व्यंग्य-संग्रह में विस्तार से लिख चुका हूँ। वे एक उत्कृष्ट कवि होने के साथ-साथ एक नितान्त समर्थ अधिकारी भी थे। वे अन्त में चलकर भारत सरकार के 'कैबिनेट सेक्रेटरी' बने। सदा के अविवाहित पाण्डेयजी दिन-भर सचिवालय में अथक परिश्रम करते थे और घर पर बड़े लोगों की जन्म-पत्रियाँ देखा करते थे मगर इस सबके साथ-साथ उनके काव्य-ग्रन्थ, कहानी-संग्रह व उपन्यास भी छपते गये। हम दोनों लोग धीरे-धीरे मित्र होते चले गये और जब मैंने अपने एक और अन्तरंग प्रकाशक मित्र को उनसे मिलवाया तो उन्होंने अपना एक कहानी-संग्रह उन्हें तुरन्त दे दिया। मेरे उस मित्र-प्रकाशक ने उनका कहानी-संग्रह बड़े ही शानदार ढंग से छापा और पाण्डेयजी को उसने एक पैसा भी नहीं दिया हालाँकि पुस्तक बिकी और ख़ूब बिकी। यह मेरा ख़याल है कि यदि पाण्डेयजी सरकारी नौकर न होते तो वे एक महान् साहित्यकार बन सकते थे। यह मात्र मेरा अनुमान ही है। एक बार अकबर इलाहाबादी ने पं. पद्मसिंह शर्मा से कहा कि "कौन कहता है कि फ़न्ने शायरी मनहूस है, शेर कहते-कहते मैं डिपुटी-कलेक्टर हो गया" तो पण्डित पद्मसिंह शर्मा ने तुरन्त कहा था कि "हम बताते हैं कि फ़न्ने-शायरी मनहूस है, शेर कहते-कहते तुम डिपुटी-कलेक्टर रह गये।" पण्डितजी की बात समय ने सिद्ध कर दी। 'दिल्ली-दरबार' नामक कविता लिखने के कारण अकबर इलाहाबादी हाईकोर्ट के जज नहीं बनाये गये। "कविता का उसके स्रष्टा की जीविका से घनिष्ठ सम्बन्ध होता है।"

अब मैं मात्र एक मित्र की ही चर्चा और करूँगा और बस। डॉ. श्याम परमार

की अकाल मृत्यु ने हिन्दी का एक समर्थ साहित्यकार खो दिया। वे एक समर्थ कवि, सच्चे साहित्यमर्मज्ञ और तटस्थ समीक्षक थे। उनकी 'फोक-सांग्स ऑफ़ मालवा' नामक अँग्रेज़ी की पुस्तक बहुत लोकप्रिय साबित हुई थी। वे काव्य में रंगों को लेकर एक निबन्ध पर काम कर रहे थे और उसी सन्दर्भ में उन्होंने एक दिन एक कवित्त मुझे सुनाया था जिसमें सारे-के-सारे प्रमुख रंग एक साथ ही बँध गये थे। कवित्त इस प्रकार था :

धानी, आसमानी, सुलैमानी, मुल्तानी, मूँगी
सन्दली, सिन्दूरी, सुख सोसनी सुहाये हैं,
कंजई, कनेरी, भूरे, चम्पई जंगीरी हरे
पिस्तई, मजीठी, सुरमई, घेरि आये हैं,
मासी, नीलकण्ठी, गुलबासी, सुखरासी, तूसी,
कुसुमी, कपासी रंग 'पूरन' दिखाये हैं,
नारंगी, पियाज़ी, पोखराजी, गुलनारी, घने
केसरी, गुलाबी, सुवापंखी मेघ छाये हैं।

प्रेम, विवाह और सन्तान की प्रथा

देश के प्रसिद्ध नेता एन.टी. रामाराव ने 1984 में तिरुपति में घोषणा की थी कि अब वे सारी सम्पत्ति त्याग कर संन्यास-आश्रम ग्रहण करेंगे। उन्हीं रामाराव ने इकहत्तर वर्ष की आयु में छत्तीस वर्ष की एक बालिका से विवाह कर लिया। उनके इस साहस से मैं बहुत प्रभावित हुआ हूँ चूँकि काफ़ी बड़े-बड़े लोग सुन्दर युवतियों से अन्तरंग सम्बन्ध रखते हुए भी उनसे खुलेआम विवाह करने का साहस नहीं रखते। श्री रामाराव एक प्रसिद्ध सिने-कलाकार हैं और उनके अपने ही शब्दों में यह विवाह कलाकार रामाराव ने किया है, तेलगूदेशम् के सम्मानित अध्यक्ष राजनेता रामाराव ने नहीं। उनकी इस शादी से मुझे दो व्यक्तियों की बड़ी याद आ रही है क्योंकि उन्होंने भी ढलती उम्र में शादी की थी। विश्व-प्रसिद्ध सितार-वादक पण्डित रविशंकर ने उनहत्तर वर्ष की आयु में ऐसा सितार बजाया कि उनतालीस वर्ष की सुकन्या ने अपने पति से तलाक लेकर पण्डित रविशंकर से शादी कर ली। चार्ली चैप्लिन ने अपना अन्तिम विवाह एक ऐसी कन्या से किया था जो बेहद कमसिन थी। उन दिनों वह स्वयं मात्र चौवन वर्ष का नवयुवक था जबकि कन्या मात्र सत्रह वर्ष की थी। हमारे देश के एक प्रख्यात लेखक बिना किसी विवाह के ही अपने से बेहद छोटी एक लड़की के साथ रहते थे और एक और महापण्डित ने अपनी तीसरी शादी एक ऐसी युवती के साथ सम्पन्न की थी जो उनसे लगभग चालीस वर्ष छोटी थी और जिसे बाद में वे 'बेटी' कहकर ही पुकारा करते थे। फ़िलिस्तीनी मुक्ति संगठन के नेता यासिर अराफ़ात ने भी एक ऐसी होनहार रूपसी से विवाह किया है जो कि लुई फ़रॉ के सिले सूट पहनती है और रौलेक्स घड़ी अपनी कलाई पर बाँधती है। "केवल क्रान्ति के प्रति समर्पित" श्री अराफ़ात ने सारी उम्र अत्याचारियों के दाँत खट्टे किये और अब वह इस नवविवाहिता पत्नी के साथ अपना जीवन मीठा करेंगे। कहा जाता है कि इस रमणी के पास अभी भी बेहद नमक है और इस रूप-लावण्य से जीवन को मधुर बनाने में कितनी देर लगेगी? ऊपर बतायी गयी शादियों से यह भी सिद्ध होता है कि सफल गृहस्थ जीवन के लिए कोई आयु निश्चित नहीं की जा सकती। वेदों के अनुसार, वर व कन्या की आयु क्रमशः पचीस वर्ष और सोलह वर्ष होनी चाहिए जबकि नार्थकोट पार्किन्सन के अनुसार, पत्नी की आयु पति की आयु से उसकी

आधी आयु में सात जोड़ने पर निश्चित की जानी चाहिए। यदि होनेवाले पति की आयु साठ वर्ष है तो पत्नी की आयु सैंतीस वर्ष होना सबसे ज़्यादा मनोरम रहेगा। मगर जैसा कि मैंने ऊपर बताया है, वर और वधू की आयु का विवाहित जीवन से कोई प्रत्यक्ष सम्बन्ध नहीं दिखायी पड़ता। इंग्लैण्ड के प्रधानमन्त्री डिज़रायली व डॉक्टर सैमुएल जानसन की पत्नियाँ उनसे बहुत वर्ष बड़ी थीं। चार्ली चैप्लिन की सबसे बड़ी पत्नी से उत्पन्न हुआ पुत्र उनकी सबसे अन्तिम पत्नी से प्रेम करता था।

विवाह की चर्चा क्या चली कि मुझे न जाने कितने सयानों की वाणी याद आने लगी। "संसार के सारे प्राणी दो भागों में बाँटे जा सकते हैं। कुछ लोग सुखी होते हैं और बाकी लोग विवाहित होते हैं।" "माता-पिता सन्तान की शादी मात्र इस कारण करते हैं क्योंकि वे अपनी शादी नहीं रचा सकते।" "प्रत्येक नवयुवक को उचित होगा कि वह पत्नी के साथ रहे। यदि वह पत्नी उसकी अपनी ही हो तो और भी अच्छा रहेगा।" "लड़कियों को उचित होगा कि वे जल्दी-से-जल्दी शादी कर लें और लड़कों के लिए श्रेयस्कर यह होगा कि वे जीवन का यथासम्भव अधिकांश भाग अविवाहित रहकर ही व्यतीत करें।" "क्वाँरे लोग समझते हैं कि विवाहित लोग सुखी हैं जबकि विवाहित लोग यह महसूस करते हैं कि अविवाहित रहना ही ज़्यादा अच्छा होता है।" यूनान के एक विचारक का विचार था कि "विवाह के बारे में सोच-विचार करने की अपेक्षा तो यही ज़्यादा बेहतर है कि उसे कर ही लिया जाए।" "उस युवती ने अपने पति को सबसे बड़ा धोखा उस दिन दिया था जिस दिन उसने उससे शादी की थी।" "कोई भी रमणी अपने प्रेमी के सम्मुख आत्म-समर्पण तभी करती है जब कि वह उस पर पूर्ण विजय प्राप्त कर लेती है।" "सही स्थिति यही है कि प्रत्येक पत्नी अपने पति के अन्दर अपना पिता ढूँढ़ती है जबकि प्रत्येक पति अपनी पत्नी के भीतर अपनी माँ को देखना चाहता है।"

हमारे देश में बहु-पत्नी की प्रथा व बहु-पति की प्रथा पुराने ज़माने से रही। राजा दशरथ की तीन पत्नियाँ थीं और द्रौपदी के पाँच पति थे। शादी स्वयंवर के माध्यम से की जाती थी। इन्दुमती, सीता, द्रौपद्री, दमयन्ती व संयोगिता का विवाह इसी प्रथा से हुआ था। यह संयोग है कि संयोगिता के कारण हमारा देश गुलाम-वंश का गुलाम हो गया। अमीर घरानों में स्वयंवर की प्रथा अभी भी पायी जाती है। मैं स्वयं ऐसी कई रूपसियों के निकट सम्पर्क में आया हूँ जो क्या पति और क्या कुत्ता—इन दो चीज़ों को स्वयं अपनी इच्छानुसार ही चुनती रही हैं हालाँकि बाकी सब मामलों में वे ठीक वही करती हैं जो उनके अभिभावक कहते हैं। वैसे पति और कुत्ता—इन दो चीज़ों को छोड़कर इनके जीवन में और बचता ही क्या है?

प्रेम तो सारे संसार में एक ही भाँति सम्पन्न किया जाता है पर विवाह की प्रथाएँ अनेक हैं। हमारे प्राचीन ग्रन्थों में कई प्रकार के विवाहों की चर्चा की गयी है जिनमें गन्धर्व-विवाह और राक्षस-विवाह की चर्चा विशद रूप से की गयी है। हमारे

यहाँ गोदान, भूमिदान और रक्तदान की भाँति कन्यादान किया जाता है और बाकी दानों को अलग से दिया जाता है जिनमें पीकदान, पानदान और ख़ानदान इत्यादि प्रमुख हैं। बर्मा में वर और वधू रंग-बिरंगे वस्त्र पहनते हैं और उनके सामने इस बात पर भी कोई ध्यान नहीं दिया जाता कि उनके पैरों में जूते भी हैं या नहीं। वर जो होता है वह अपने सिर पर रूमाल बाँधता है और वधू जो होती है वह एक विशेष प्रकार का जूड़ा बनाती है। यह सब कुछ इस कारण किया जाता है कि लोगों को वर और वधू को पहचानने में कोई कठिनाई न हो क्योंकि वैसे बर्मा में स्त्री-पुरुष में कोई विशेष अन्तर नहीं होता; दोनों ही दाढ़ी व मूँछ से एकदम विहीन होते हैं। इण्डोनेशिया में एक प्रकार की कटार (जिसे 'क्रिस' कहते हैं) का पहनना ज़रूरी होता है। जो जितनी ज़्यादा कटार लगाता है, वह उतना ही सम्भ्रान्त व बड़ा माना जाता है। विवाह के बाद पति-पत्नी इन्हीं कटारों के द्वारा एक-दूसरे से अपनी रक्षा करते हैं। हंगरी में वधू अपने वस्त्रों पर बेल-बूटे निकालने में इतनी थक जाती है कि वह शादी के बाद काफ़ी दिनों तक अपने पति की कोई सेवा नहीं कर सकती। लेबनान में बारात को लेकर वधू के माता-पिता शादी के लिए वर के घर जाते हैं। यदि मोरक्को में वधू को सन्दूक में बन्द करके वर के घर भेजा जाता है तो फ्रांस और जर्मनी में वधू को लाल रंग के जूते पहनाने का रिवाज़ है जिन पर विभिन्न प्रकार के पक्षियों के पर लगाये जाते हैं। स्वीडन के लोग ज़्यादा समझदार होते हैं और वे वधू के जूतों में चाँदी के सिक्के भी डाल देते हैं। न्यूफाउण्डलैण्ड में विवाह के योग्य कन्या को पिंजरे में बन्द कर दिया जाता है और उसके लिए विवाह का दिन सचमुच मुक्ति का दिन होता है। ऊपर बतायी गयी सामाजिक प्रथाओं के अतिरिक्त कुछ ऐसी सनकी प्रथाएँ भी हैं जो व्यक्तिगत होते हुए भी काफ़ी दिलचस्प होती हैं। उदाहरण के लिए अमेरिका के वाल्हीमूह नगर में विवाह के समय एक वधू ने ऐसा गाउन पहना था जिस पर विभिन्न देशों के तीस हज़ार डाक-टिकट चिपके हुए थे। पतियों के अतिरिक्त इस कन्या को डाक-टिकट इकट्ठा करने का भी शौक़ था।

प्रेम और विवाह के बाद सन्तान की चर्चा करना एकदम ज़रूरी और स्वाभाविक होगा क्योंकि भवभूति के अनुसार विवाहित प्रेम में सन्तान ही स्थिरता की गाँठ बाँधती है। सन्तान के सन्दर्भ में एक के बाद एक सुलतान काफ़ी देशों में समय-समय पर प्रसिद्ध होते आये हैं पर 26.9.1993 के समाचारपत्र के अनुसार गाज़ियाबाद के पास एक ग्राम-विशेष में एक साधारण दम्पती ने भी तेईसवें बच्चे को जन्म दिया है। पत्नी की आयु लगभग पचपन वर्ष है और वह बेचारी प्रसव का और कष्ट सहने से घबराती है मगर उसका जो साठवर्षीय पति है वह बच्चे के जन्म लेने पर अभी भी एक 'थ्रिल' महसूस करता है और कहता है कि मैं सचमुच में एक मर्द-बच्चा हूँ। संसार में ऐसे कितने लोग हैं जो मेरे बराबर शक्तिशाली हैं? इन हज़रत को हमारे

देश के पुराण व इतिहास का ज्ञान नहीं है नहीं तो वह ऐसी ग़लत बात कभी नहीं करते। पाण्डु तो 'निष्काम' पति थे पर धृतराष्ट्र के सौ पुत्र थे और राजा सगर के मात्र साठ हज़ार सन्तानें थीं जिनके लिए वे स्वर्ग से गंगा को लाये थे। वह तो नारद मुनि ने उन्हें परिवार-नियोजन का नुस्ख़ा बता दिया नहीं तो सारा संसार आज राजा सगर की सन्तानों से ही भरा मिलता। सगर ने नहीं किया नारद का विरोध, उन्होंने शुरू कर दिया उपयोग करना निरोध।

हिन्दी साहित्य सम्मेलन : प्रयाग या इलाहाबाद?

हिन्दी साहित्य सम्मेलन प्रयाग की स्थापना सन् 1910 ईसवी में हुई थी। तब से लेकर आज तक यह संस्थान बराबर हिन्दी जगत् की आकांक्षाओं का एकमात्र प्रतीक बना रहा और राष्ट्रीय एकता, अस्मिता, संस्कृति, हिन्दी भाषा तथा साहित्य का प्रतिनिधित्व करता हुआ आगे बढ़ता गया। कभी इसके वार्षिक सम्मेलनों का सभापतित्व महात्मा गाँधी, बाबू राजेन्द्रप्रसाद और महामना मालवीयजी जैसे लोग किया किया करते थे। सम्मेलन ने राष्ट्रभाषा के प्रचार के लिए सारे देश में अनेक संस्थाओं की शुरुआत की और इसके बाद अनेक विदेशों में भी हिन्दी के प्रचार का काम करना शुरू किया। इस संस्थान से सर्वश्री के.एम. मुंशी, हरिऔध, स्वामी श्रद्धानन्द, महापण्डित राहुल सांकृत्यायन, माखनलाल चतुर्वेदी, बाबूरावविष्णु पराड़कर, माधवलाल सप्रे, अमृतलाल चक्रवर्ती, सेठ गोविन्ददास, और डॉ. अमरनाथ झा जैसे बड़े लोग सदा जुड़े रहे। कोई चार दशक पूर्व भारत सरकार ने इस संस्थान को लेकर एक बिल पास किया और उसके बाद बालकृष्ण राव ने अपनी नौकरी छोड़कर सम्मेलन की देखरेख शुरू की। 'निरालाजी' के शब्दों में, भारत-रत्न राजर्षि पुरुषोत्तमदास टण्डन जो थे वे हिन्दी साहित्य सम्मेलन के प्राण थे और मात्र इसी कारण महाप्राण निराला ने सारे भेद-भाव भूलकर अपना यशस्वी निबन्ध-संग्रह 'प्रबन्ध-प्रतिमा' टण्डनजी को ही समर्पित किया। प्रयाग पहुँचते ही बालकृष्ण राव ने सम्मेलन को सँभालने के अतिरिक्त दो विशिष्ट काम और किये—एक तो उन्होंने 'विवेचना' नाम की एक गोष्ठी को शुरू किया और दूसरे उन्होंने माध्यम नाम का एक शानदार मासिक पत्र निकाला। 'सम्मेलन मुद्रणालय' भी कभी हिन्दी का एक सर्वश्रेष्ठ प्रिंटिंग प्रेस माना जाता था और इसी कारण मैंने अपनी सर्वप्रथम पोथी वहीं से छपवायी थी। जिन लोगों ने पुस्तक में संगृहीत कविताओं की प्रशंसा नहीं की उन्होंने भी पुस्तक की छपाई की मुक्तकण्ठ से प्रशंसा की। आज स्थिति यह है कि न 'माध्यम' है, न 'विवेचना' है और न 'सम्मेलन मुद्रणालय' ही है। सच्ची स्थिति तो यह है कि अब हिन्दी साहित्य सम्मेलन भी नहीं है, और इसी दुख को लेकर मैं यह निबन्ध लिखने बैठा हूँ।

आप भी मुझसे सहमत होंगे कि हिन्दी को सच्चे अर्थों में 'राष्ट्रभाषा' और 'राज्यभाषा' बनाने का महान् काम अभी पूरा नहीं हुआ है और इसी कारण हिन्दी

साहित्य सम्मेलन जैसे प्रतिष्ठित संस्थान का जीवित रहना अभी बेहद ज़रूरी है। यह खेद की बात है कि ठीक इसी वक़्त हिन्दी साहित्य सम्मेलन दो टुकड़ों में बँट गया है। एक टुकड़े का नाम है 'हिन्दी साहित्य सम्मेलन–प्रयाग' और दूसरे टुकड़े का नाम है 'हिन्दी साहित्य सम्मेलन–इलाहाबाद'। पहले सम्मेलन के कर्ताधर्ता हैं श्री श्रीधर शास्त्री तथा दूसरे सम्मेलन के मालिक हैं श्री प्रभात शास्त्री। ठीक वही स्थिति है जो कश्मीर राज्य की है। हो सकता है कि कश्मीर के विघटन की भाँति इस सम्मेलन को भी दो खण्डों में बाँटने की प्रक्रिया में पाकिस्तान की साज़िश हो।

मैं उन भाग्यशाली साहित्यकारों में से हूँ जिनको दोनों शास्त्री-बन्धु अपने-अपने सम्मेलन की गतिविधियों की मुद्रित रिपोर्ट बराबर भेजते रहते हैं और जो मुझे अपने महत्त्वपूर्ण कार्यक्रमों में भाग लेने के लिए भी अपने-अपने निमन्त्रणपत्र भेजते रहते हैं। फ़िलहाल, मेरे पास श्री श्रीधर शास्त्री ने अपने 'जन्मशती समारोह : राष्ट्रीय हिन्दी मेला' की रिपोर्ट भेजी है। यह पवित्र मेला 28.9.1993 को प्रारम्भ हुआ और छह दिन चला। देश के विभिन्न भागों से लगभग एक सहस्र अतिथि आये। यह शानदार उत्सव उन लोगों को श्रद्धा-सुमन अर्पित करने के लिए आयोजित किया गया था जो दिवंगत हो चुके थे मगर जिनकी जन्मशती 1993 में पड़ रही थी। श्री श्रीधर शास्त्री की विज्ञप्ति के अनुसार, 1993 का वर्ष बड़ा 'पुण्यशाली' था क्योंकि इसमें सर्वश्री राहुल सांकृत्यायन, श्रीनारायण चतुर्वेदी, शिवपूजन सहाय तथा बनारसीदास चतुर्वेदी समेत तिरपन सरस्वती-पुत्रों की जन्मशती पड़ रही थी। इस अवसर पर सम्मेलन ने अपनी उपाधियाँ भी अनेक साहित्यकारों को दीं जिनकी सच्ची क़ीमत मैं नहीं जानता क्योंकि दूसरा सम्मेलन जो है वह इन उपाधियों को शायद खलास कर सकता है। मेले में भोजपुरी, अवधी, ब्रज, मैथिली तथा बुन्देली इत्यादि उप-हिन्दी-भाषाओं के साहित्यकार भी आये थे। उत्सव का एक बड़ा आकर्षण नृत्यांगना मधु मिश्रा थीं जिन्होंने लास्य और ताण्डव आदि नृत्य पेश किये।

रिपोर्ट के अन्त में दो परिशिष्ट हैं। मल्लिनाथ की 'नामूलं लिख्ते किंचित्, नापेक्षितमुच्चते' वाली हिदायत ध्यान में रखते हुए ये दोनों चीज़ें मैं ज्यों-की-त्यों नीचे उद्धृत करता हूँ। हाँ, अलबत्ता व्याकरण की व मुद्रण की ग़लतियाँ मैंने अवश्य दूर कर दी हैं।

"हिन्दी साहित्य सम्मेलन प्रयाग
संकटों के घेरे में
रक्षा कैसे हो?"

"मान्यवर,

"हिन्दी साहित्य सम्मेलन प्रयाग के गौरवमय इतिवृत्त से आप भलीभाँति परिचित हैं। जिस सम्मेलन ने हिन्दी को राष्ट्रभाषा का पद दिलाने में महत्त्वपूर्ण भूमिका निभायी

है, जिसे राष्ट्रीय संस्थान होने का गौरव प्राप्त है, जिसके अध्यक्षपद को प्राप्त करने के लिए एक समय बड़े-से-बड़े लोग लालायित रहते थे, जिसकी स्थापना महामना मालवीयजी, राजर्षि पुरुषोत्तमदास टण्डन और देशरत्न बाबू राजेन्द्रप्रसाद ने की है और जिस सम्मेलन को हिन्दी के साहित्यकारों, पत्रकारों, व राजनयिकों और प्रेमी जनों ने अपना रक्त देकर बनाया है, वही सम्मेलन आज बहुत बड़े संकटों से गुज़र रहा है।

"सन् 1978 में अनेक भ्रष्टाचारों के आरोप में सम्मेलन के प्रधानमन्त्री पद से हटा दिये जाने पर श्री प्रभात शास्त्री ने 'प्रयाग महिला विद्यापीठ' में जैसा किया था, उसी प्रकार जाली नियमावली छापकर और उसी जाली नियमावली के आधार पर जाली चुनाव का दावा कर 'हिन्दी साहित्य सम्मेलन इलाहाबाद' के नाम से एक समानान्तर सम्मेलन चलाया है। निकाले जाने से पूर्व सम्मेलन के भवन पर उनका क़ब्ज़ा था जो निकाले जाने के बाद भी हिंसा और आतंक के बल पर टिका है। चूँकि पं. प्रभात शस्त्री की तीन-तीन नियमावलियाँ हैं जिनके अनुसार वे कभी 'हिन्दी साहित्य सम्मेलन (प्रयाग) इलाहाबाद' और कभी 'हिन्दी साहित्य सम्मेलन इलाहाबाद' यानी कि जहाँ जैसी ज़रूरत महसूस करते हैं, वैसा लिख लेते हैं। अदालतों में मुक़द्दमे चल रहे हैं। यद्यपि अदालत से वे दो बार हार भी चुके हैं और इसी कारण अब अदालती कार्यवाही से भाग रहे हैं और केवल झूठे पर्चे छापकर जनता को गुमराह कर रहे हैं। सम्मेलन के विशाल भवन पर उनका नाजायज़ क़ब्ज़ा है और इसी कारण लोग उन्हें ही सम्मेलन का प्रधानमन्त्री मान लेते हैं जबकि वास्तव में रजिस्टर्ड संस्था 'हिन्दी साहित्य सम्मेलन प्रयाग' के वे प्रधानमन्त्री नहीं हैं। आज स्थिति यह है कि हमारे नाम की भी डाक वे प्राप्त कर लेते हैं और जितना भी हो सकता है, वह सब कुछ कर रहे हैं किन्तु क़ानून की दृष्टि से वे 'हिन्दी साहित्य सम्मेलन प्रयाग' के प्रधानमन्त्री नहीं बन पा रहे हैं। आज वे सम्मेलन की परीक्षाएँ 'हिन्दी साहित्य सम्मेलन इलाहाबाद' के नाम पर ले रहे हैं और अपना अधिवेशन आदि 'हिन्दी साहित्य सम्मेलन प्रयाग' के नाम पर कर रहे हैं। पण्डित प्रभात शस्त्री से पूछा जा सकता है कि वे परीक्षाएँ 'इलाहाबाद' के नाम पर और अधिवेशन 'प्रयाग' के नाम पर क्यों कर रहे हैं? संस्था का वास्तविक नाम क्या है और सम्मेलन किस नाम से रजिस्टर्ड है? रजिस्टर्ड नाम से परीक्षाएँ क्यों नहीं ले रहे हैं?

"हिन्दी-जगत् सम्मेलन से उदासीन है। डॉ. नामवर सिंह ने 'हिं.सा. सम्मेलन' को आज से पन्द्रह वर्ष पूर्व 'हिंसा सम्मेलन' कहा था। अतः हिन्दी-जगत् की इसी उदासीनता का लाभ पण्डित प्रभात शास्त्री उठा रहे हैं। आज आवश्यकता है कि हिन्दी-जगत् इस सन्दर्भ में सजग हो और सम्मेलन की रक्षा के लिए सन्नद्ध हो ताकि एक राष्ट्रीय संस्था बेमौत न मर जाए। निवेदन है कि आप सम्मेलन की वास्तविक स्थिति का परिज्ञान अपने सूत्रों से प्राप्त करें और कुछ सोचें, कुछ करें।

सादर आपका

श्रीधर शास्त्री"

"विनम्र निवेदन"

"मान्यवर

"विनम्र निवेदन है कि यहाँ 'हिन्दी साहित्य सम्मेलन इलाहाबाद' के नाम से एक और संस्था चल रही है। इन 'इलाहाबाद' वालों ने 'हिन्दी साहित्य सम्मेलन प्रयाग' के विशाल भवन पर हिंसा और आतंक के बल पर नाजायज़ क़ब्ज़ा कर रखा है अतः 'हिन्दी साहित्य सम्मेलन प्रयाग' को अलग किराये का मकान लेकर अपनी प्रवृत्तियों का संचालन करना पड़ रहा है। सन् 1982 से यही स्थिति है। दोनों सम्मेलनों का पोस्ट-ऑफ़िस एक ही है और 'हिन्दी साहित्य सम्मेलन प्रयाग' की डाक भी 'इलाहाबाद सम्मेलन' वाले प्राप्त कर लेते हैं। हिन्दी साहित्य सम्मेलन का प्रधानमन्त्री मैं हूँ मगर मेरे नाम की रजिस्ट्री तथा मनीऑर्डर भी वे ही छुड़ा लेते हैं चाहे कितनी भी क़ानूनी कार्रवाई क्यों न कर ली जाए। जब कभी 'हिन्दी साहित्य सम्मेलन प्रयाग' के अधिवेशनों, सम्मेलनों और आयोजनों का आमन्त्रण पत्र मैं ईशू करता हूँ तो वे उसका खण्डन-मण्डन करने लगते हैं। बाहर से आनेवाले प्रतिनिधियों के पत्र भी मुझ तक नहीं पहुँच पाते। सितम्बर-अक्तूबर में सम्पन्न 'राष्ट्रीय हिन्दी मेला' के सैकड़ों प्रतिनिधि-पत्र ग़ायब हो गये। पत्रोत्तर नहीं देने की अथवा प्रतिनिधि-पत्र न भेजने की शिकायत मुझे सुननी पड़ती है। अतः मैं इस स्थिति से सभी को आगाह करना चाहता हूँ कि सम्मेलन की इस विषम परिस्थिति में यदि मैं किसी को पत्रोत्तर न दे सकूँ तो उसके लिए मुझे दोषी नहीं माना जाए। मुझे जो भी पत्र मिलते हैं, मैं उनका उत्तर अवश्य देता हूँ। अगले वर्ष प्रयाग में 'विश्व हिन्दी मेला' का आयोजन किया जा रहा है। आप इसमें अपना सक्रिय सहयोग प्रदान करें—यही अनुरोध है।

विनीत

श्रीधर शास्त्री

प्रधानमन्त्री हिं.सा.स. प्रयाग"

ऊपर लिखे दोनों परिशिष्टों को पढ़कर पहले तो बेहद हँसी आयी और उसके बाद कसकर रोना आया। राजर्षि टण्डनजी का 'साहित्य सम्मेलन' भी नकली और असली हो गया। थोड़े दिनों बाद दोनों सम्मेलन अपनी सारी डाक और परीक्षा के कागज़ों पर अपने प्रधानमन्त्री का फ़ोटो व दस्तख़्त छापा करेंगे ताकि वही आनन्द आने लगे जो मेरठ के लाला मटरूमल के आल्हों और कानपुर के किशनचन्द पहलवान की नौटंकियों की किताबों में आया करता था। श्रीधर शास्त्री वाले सम्मेलन ने मुझे

इलाहाबाद बुलाया भी है पर पता नहीं वहाँ क्या हो जाए। 18.2.1994 के 'इण्डियन एक्सप्रेस' के अनुसार, एक विश्वविद्यालय में दो उपकुलपति काम कर रहे हैं। पता नहीं कौन-सा असली है और कौन-सा नकली। इसी इण्डियन एक्सप्रेस में यह भी छपा है कि नोबिल पुरस्कार देनेवाली समिति के एक सदस्य ने एक पुरस्कार देने के सन्दर्भ में नकद धनराशि बतौर रिश्वत के स्वीकार की। ऐसी स्थिति में हिन्दी साहित्य सम्मेलन को ही दोष देने से क्या फ़ायदा?

रूना लैला से लेकर कबीर तक

मेरे विचार में इस असार संसार में सबसे विचित्र जो वस्तु है वह व्याकरण है। इसकी विचित्रता का पता इसी बात से लग जाता है कि भाषा जो होती है वह पहले बनती है और उसका व्याकरण जो होता है वह बाद में बनता है और व्याकरण के कारण जो दिलचस्प स्थितियाँ उत्पन्न होती हैं वे प्रत्येक भाषा में अनन्त हैं। पायजामा ऊपर से एक वचन होता है और नीचे से बहुवचन होता है। मन्दिर में एक ही शिवलिंग होता है जबकि व्याकरण में पुल्लिंग, स्त्रीलिंग और नपुंसक लिंग नाम के तीन लिंग होते हैं। गली का पुल्लिंग गला होता है तो घड़ी का पुल्लिंग घड़ा होता है। सन्तरी का पुल्लिंग सन्तरा होता है तो दीवाली का पुल्लिंग दीवाला होता है। माली का स्त्रीलिंग माला है तो हाली का स्त्रीलिंग हाला है। तन्दूर से यदि तन्दूरी बनता है तो मसूर से मसूरी बनता है जो मेरे नगर देहरादून से ज़्यादा दूर नहीं है। और विभिन्न भाषाओं के व्याकरण का यदि तुलनात्मक अध्ययन किया जाए तो ऐसी-ऐसी शानदार वारदातें देखने को मिलेंगी कि कुछ कहा ही नहीं जा सकता। अँग्रेज़ी में चन्द्रमा व छोटे या बड़े पानी के जहाज़ स्त्रीलिंग माने जाते हैं जबकि हिन्दी में उनका यौन-परिवर्तन हो जाता है और वे नपुंसक लिंग या पुल्लिंग हो जाते हैं। यह परिवर्तन ठीक उसी प्रकार सम्पन्न होता है जैसे कि हमारे यहाँ जंगली से जंगला बनता है या बड़े-बड़े लोगों के निवास-स्थान कोठी से कोठा बनते हैं। आज मैं काफ़ी अरसे बाद आपको कुछ ऐसी सच्ची घटनाएँ सुनाऊँगा जो ऊपर बताये तीनों लिंगों का अन्तर स्पष्ट करती हैं। आप देखेंगे कि नाड़ी का पुल्लिंग नाड़ा कैसे बनता है और चोली जो है वह चोला कैसे बनती है। नाड़ा खोलने के सन्दर्भ में जिस पाठक या पाठिका की विशेष रुचि हो वे कविकुलकमलशिरोमणि महाकवि कालिदास द्वारा रचित 'मेघदूत' का दूसरा खण्ड पढ़ें। ऐसा करने से बहुतों का भला होगा।

चन्द्रशेखरजी ने कई वर्ष पूर्व कन्याकुमारी से दिल्ली तक की पदयात्रा की थी जिसके फलस्वरूप भगवान ने उन्हें भारत का प्रधानमन्त्री बनने का अवसर दिया था। उनके विपरीत मद्रास के सैंतालीस वर्षीय युवा रमन ने देश में शान्ति बहाल करने के लिए सात वर्ष में सारे देश की पदयात्रा करने की जो योजना बनायी उसमें

उन्हें पुलिस के डण्डे व जेल की शुद्ध हवा खाने को मिली। अपना-अपना भाग्य। बेचारे रमन 'एकला चलो रे' वाले सिद्धान्त के अनुसार अकेले ही पदयात्रा कर रहे थे जिसका शुभारम्भ उन्होंने लगभग दो वर्ष पूर्व किया था। हुआ यह कि जब वे एक ग्राम-विशेष में प्रकट हुए तो गाँववालों को उनका हुलिया देखकर कुछ सन्देह हो गया और उन्होंने पुलिस बुला ली। पुलिस आयी तो वह खाली हाथ नहीं लौटी, वह रमन को गिरफ़्तार करके उन्हें अपने साथ ही ले गयी और उन्हें कई महीने ज़िला-जेल का निवासी रहना पड़ा। ग़लतफ़हमी का प्रमुख कारण यह था कि कोटा गाँव के निवासी और उस क्षेत्र की पुलिस उनकी भाषा नहीं समझती थी। अन्त में चलकर जब रमन को दण्डाधिकारी के सामने पेश किया गया तो उन्होंने उन्हें मुक्त कर दिया और वैसा होते ही सात राज्यों में पदयात्रा कर लेनेवाला यह प्रतिभावान् व्यक्ति देश के शेष राज्यों का उद्धार करने के लिए भी उनकी दिशा में अग्रसर हो गया। भगवान की कृपा रही कि रमन साहिब को जेल के स्थान पर किसी चिड़ियाघर में नहीं रखा गया क्योंकि ताज़ी ख़बरों के अनुसार एक चिड़ियाघर में एक पागल गधे ने एक आदमी खा लिया। रमन की यात्रा-कथा व उसके कारण उत्पन्न उनकी व्यथा को देखकर मैं सोचने लगा कि चीन से हमारे देश में आनेवाले फ़ाह्यान, इत्सिंग व हुएनत्सांग नामक यात्रियों को कितने कष्ट उठाने पड़े होंगे। इन्हीं कष्टों के कारण हमारे देश का कोई यात्री कभी चीन नहीं गया। राहुल सांकृत्यायन जो गये थे वे भी तिब्बत तक ही गये थे, आगे नहीं। ऊपर जिस दयालु दण्डाधिकारी की चर्चा की गयी है ठीक उसी प्रकार का एक और दण्डाधिकारी (मैजिस्ट्रेट) दिल्ली में भी पाया गया। इस मैजिस्ट्रेट ने एक अपराधी पर एक हज़ार रुपयों का जुर्माना किया मगर उस अपराधी बस-ड्राइवर के पास उतने रुपये नहीं थे। किसी तरह उसने नौ सौ रुपयों का प्रबन्ध किया कि तभी उसे सूचना प्राप्त हुई कि उसकी पत्नी-रत्न ने एक कन्या-रत्न को जन्म दिया है। इस सूचना के मिलते ही मैजिस्ट्रेट ने सौ रुपये अपनी निजी जेब से निकाले ताकि पूरी रक़म सरकारी ख़ज़ाने में जमा की जा सके। यदि वह मैजिस्ट्रेट दया नहीं दिखाते तो उस अपराधी को पैंतालीस दिन तिहाड़ की परम ऐतिहासिक जेल में चार्ल्स शोभराज के साथ गुज़ारने पड़ते। इस सुखद घटना को अख़बार में पढ़कर मुझे भारतेन्दु हरिश्चन्द्र की अन्धेर-नगरी याद आने लगी जिसमें राजा जो है वह अपराधी के स्थान पर खुद ही फाँसी पर लटक जाता है। ऐसे दयालु मैजिस्ट्रेट इस देश में कितने होंगे?

मैजिस्ट्रेट की चर्चा हो तो पुलिस की चर्चा न करना कुछ असंगत-सा लगता है। पता नहीं क्यों, इस देश में पुलिस के साथ बहुत बुरा व्यवहार किया जाता है। थाने की हवालात में यदि मात्र एक अभियुक्त भी मर जाए तो उसकी चर्चा विधानसभा तक में की जाती है और बड़े-बड़े अख़बार अपने अग्रलेखों में उसकी आलोचना करते हैं जबकि हवालात के बाहर बेकारी, भुखमरी और दंगों में सैकड़ों लोग रोज़

मरते हैं और कोई उनकी चर्चा तक नहीं करता। पुलिस के विरुद्ध ख़बरें छापने में 'इण्डियन एक्सप्रेस' को विशेष आनन्द प्राप्त होता है और इसी कारण इस पत्र के विशिष्ट संवाददाता ने 6.12.1993 के अंक में यह रिपोर्ट छपवायी है कि हमारे एक शानदार नगर में रिश्वत के वितरण को लेकर पुलिस के बीच भयंकर हाथापाई हुई। इस पत्र के अनुसार "एक थाने ने—और थानों की भाँति—विभिन्न प्रकार के स्रोतों से बहुत रक़म इकट्ठी की और इस रक़म का बँटवारा पुलिस के वरिष्ठ अधिकारियों और निचले कर्मचारियों के बीच होना था। शराब बेचनेवालों व टेंपू चलानेवाले जैसे लोगों से इकट्ठी की गयी यह रक़म पचीस हज़ार या तीस हज़ार के लगभग थी। नये-नये आये एक सब-इन्स्पेक्टर को जब उसका हिस्सा दिया जाने लगा तो एक हैड कांस्टेबुल ने कुछ विरोध प्रकट किया और इस बात को लेकर पुलिसकर्मियों के बीच लगभग एक घण्टे तक 'फ्री फ़ार आल' चला और उसे पब्लिक ने बड़ी दिलचस्पी के साथ देखा। हैड कांस्टेबुल ने थानेदार के हाथों में से रिपोर्ट दर्ज़ करनेवाली डायरी ठीक उसी प्रकार छीनी जैसे कि कुछ दिनों पूर्व वह सिटी-मैजिस्ट्रेट के हाथों से छीनी गयी थी। पुलिस की प्रार्थना पर एक दुकानदार ने कण्ट्रोल-रूम को फ़ोन किया। स्थिति को नियन्त्रण में लाने में कुछ समय लगा क्योंकि कुछ पुलिसकर्मी शायद शराब भी पिये हुए थे।" नवम्बर 1993 की चौथ का यह बँटवारा उस चौथ से कहीं आगे निकल गया जो कि महाराष्ट्र के पेशवा शासक लोगों से वसूल किया करते थे। ऊपर वर्णित समाचार पढ़कर हमारी कई ग़लतफ़हमियाँ दूर होती हैं। पुलिस में अभी भी इतना प्रजातन्त्र है कि एक हैड कांस्टेबुल भी एक सब-इन्स्पेक्टर को घूस का हिस्सा देने का विरोध कर सकता है। कुछ लोग इस भ्रम में रहते थे कि घूस वग़ैरह काले काम रात के अँधेरे में किये जाते हैं। उनका वह भ्रम भी अब टूट गया होगा क्योंकि जिस गृहयुद्ध की चर्चा ऊपर की गयी है वह सरेबाज़ार और सबके सामने सम्पन्न किया गया था। कुछ लोग कहते हैं कि पुलिसकर्मी केवल जनता को पीटते हैं मगर ऊपर बताया समाचार स्पष्ट करता है कि पुलिसवाले अपनी सेहत ठीक रखने के लिए आपस में भी एक-दूसरे पर लाठी चलाते हैं। जनता भी पुलिस के साथ ही रहती है क्योंकि यदि इलाके के शेष सारे दुकानदारों ने पुलिस को अपने फ़ोन का प्रयोग नहीं करने दिया तो एक स्वामिभक्त दुकानदार ऐसा भी निकला कि उसने कण्ट्रोल-रूम को फ़ोन कर ही दिया। यह समाचार यह भी बताता है कि पुलिस रिपोर्ट करनेवाली डायरी की कितनी इज़्ज़त करती है और अन्त में चलकर यह महान् सत्य भी प्रकट होता है कि रिश्वत वग़ैरह का समुचित हिस्सा बड़े-बड़े अधिकारियों को अभी भी भेजा जाता है। मैं ऐसे पुलिस स्टेशनों को जानता हूँ जहाँ पर नियुक्त होने के लिए एक लाख या उससे भी कहीं ज़्यादा रुपयों की घूस दी जाती है जिसका काफ़ी अंश शायद प्रदेश के गृहमन्त्री तक पहुँचता है। यदि मन्त्रीजी ऐसा नहीं करेंगे तो विधानसभा का अगला चुनाव कैसे लड़ेंगे? जैसे-जैसे

चुनाव लड़ने का मूल्य बढ़ेगा, वैसे-वैसे ही जन-नेताओं का नैतिक मूल्य गिरेगा। पुलिस की चर्चा समाप्त करने से पूर्व मैं आपका परिचय गिरीशचन्द्र वर्मा से अवश्य कराना चाहूँगा। वर्मा साहिब इण्डियन पुलिस सर्विस के सदस्य हैं और वे चण्डीगढ़ में असिस्टेण्ट सुपरिण्टेण्डेण्ट ऑफ़ पुलिस के पद की शोभा बढ़ा रहे हैं और इसी कारण वे फ़िलहाल मुअत्तिल हैं और उनके ख़िलाफ़ न जाने कितने मुक़द्दमे दर्ज़ हैं। नटवरलाल की भाँति वे भी मात्र एक ठग ही हैं और कुछ नहीं। उन्होंने अब तक कोई पैंतालीस व्यक्तियों को ठगा है जिनमें एक डबलरोटी बनानेवाला भी शामिल है। ठगे हुए लोगों में पुलिस व सेना के अधिकारी भी शामिल हैं। ज़्यादा जानकारी के लिए आप 2.1.1994 का 'इण्डियन एक्सप्रेस' (दिल्ली संस्करण) पढ़ें। मेरे विचार में वर्माजी को कम-मे-कम पुलिस मन्त्री तो होना ही चाहिए।

विदेश के एक निवासी वेन बाबट को अपनी सगी पत्नी के साथ बलात्कार करने के जुर्म से अदालत ने रिहा कर दिया। इस व्यक्ति की पत्नी एक नितान्त होनहार रमणी निकली और जब उसके पति ने उसके साथ बलात्कार किया तो उसने रसोईघर के चाकू से अपने पति की ऐसी शल्यक्रिया सम्पन्न की कि वह बेचारा 'पुल्लिंग' से 'नपुंसक लिंग' हो गया। दिल्ली में स्वर्गीय राजीव गाँधी के नाम से जुड़ी एक संस्था में हृदय यादव नामक व्यक्ति ने बनारस से आयी एक युवती को लगभग दो महीने तक हृदय से लगाकर रखा और उसके साथ बराबर बलात्कार किया। यह गर्भवती कन्या बिना किसी संकोच के अपने मामले के बारे में ज़्यादा-से-ज़्यादा प्रचार चाहती है ताकि अभियुक्त को दण्ड मिल सके। इन्दुमती की शिकायत पर पुलिस ने रिपोर्ट दायर कर ली है। ज़्यादा जिज्ञासु भक्त 11.12.1993 का अख़बार पढ़ें। अब मैं पुल्लिंग को छोड़ता हूँ और स्त्रीलिंग को पकड़ता हूँ।

अमेरिका में एक नवयुवती को नौकरी देते समय उसके सर्वोच्च अधिकारी ने उससे कहा था कि वह गर्भवती युवतियों को अपनी संस्था में काम करने लायक़ नहीं समझता। उस कुमारी युवती ने सब तरह की सुरक्षा अपनायी पर विधि का संयोग देखिए कि वह फिर भी गर्भवती हो गयी और इसी कारण उसे नौकरी से भी निकाल दिया गया। नवयुवती एक हिम्मतदार स्त्री थी और वह न्याय माँगने अदालत गयी। आपको जानकर ख़ुशी होगी कि अदालत ने सारे तथ्य ध्यान में रखते हुए उसके पक्ष में तीन मिलियन डॉलर की डिक्री दी। अदालत का निर्णय सुनकर वह युवती ख़ुशी के कारण रोने लगी। यदि हमारी अदालतें ऐसा निर्णय देने लगें तो स्त्री क्या पुरुष भी गर्भाधान करने की कोशिश करने लगेंगे। टैक्साज के हाउस्टन नामक नगर की एक युवती ने विज्ञापन छपवाया है कि वह किराये पर अपना गर्भाशय देने को तैयार है। किराया काफ़ी होगा क्योंकि उसके गर्भ में पला बच्चा "शिक्षित, जीवित, स्वस्थ, सुन्दर व प्रेम के योग्य होगा।" उसके वकील का कहना है कि यह किराया लगभग दस हज़ार डॉलर होगा क्योंकि उसकी मुवक्किल रूपवती और उच्च शिक्षा

प्राप्त करनेवाली लड़की है। पढ़ने-लिखने का शौक़ इस लड़की को इतना है कि गर्भाधान के किराये को भी वह डॉक्टरेट प्राप्त करने में ही लगाएगी, और किसी काम में नहीं। मैंने अपने जीवन में ऐसी परोपकारी नारी तो नहीं देखी पर एक ऐसे पुरुष अवश्य देखे हैं जो फ़ीस लेकर कुलीन परिवारों की रमणियों को गर्भवती किया करते थे। यदि कोई स्त्री ज़्यादा रूपवती होती थी तो यह बेचारे अपनी सेवाएँ मुफ़्त भी दे दिया करते थे। परोपकाराय सतां विभूतयः।

म्यूनिख में आठ रूपसियाँ भीड़-भरे बाज़ार में एकदम नंगी होकर निकलीं। इस पवित्र प्रदर्शन का मुद्दा यह था कि "हम नंगा रहने के लिए तैयार हैं पर आपको हमारे फ़र के कोटों के लिए पशुओं की हत्या को बन्द करना पड़ेगा।" मैंने इसी प्रकार का साहस एक और जगह भी देखा था जहाँ कि लेडी गाडिवा नामक समाज-सेविका ने अपना आयकर कम करवाने के लिए अपने सारे वस्त्र उतार दिये थे और फिर वह एकदम नंगी होकर सब जगह घूमी थी। हमारे इस पवित्र देश में स्त्री तो नहीं पर पुरुष अवश्य किसी-किसी स्थिति में एकदम नंगे होकर घरों के बाहर घुमाये जाते हैं ताकि उनकी देह को ताज़ी हवा लगे और उनकी सेहत ठीक रहे। पतियों को इस अवधूत स्थिति में बाहर घुमाने की ज़िम्मेदारी उनकी अपनी या दूसरों की पत्नियाँ ही वहन करती रहीं। ब्रिटेन की नर्स—एलियस जान—आस्ट्रेलिया में 'वीज़ा' प्राप्त न कर सकीं क्योंकि उनका शरीर बहुत विशाल था। अब वे इकत्तीस किलोग्राम भार कम करने में लगी हैं। भगवान उनकी सहायता करे। और यह भार तो मात्र उनकी देहयष्टि का है, उनके सौन्दर्य का भार कितना है, यह अख़बार में नहीं बताया गया। आजकल किसी भी युवती की सुन्दरता का भार दो किलोग्राम से कम नहीं होता।

उर्दू के प्रख्यात कवि कैफ़ी आज़मी की सुपुत्री शबाना आज़मी इस देश की सर्वोत्कृष्ट अभिनेत्रियों में से एक हैं। कुछ दिनों पहले उन्होंने अफ़्रीकन नेशनल कांग्रेस के अध्यक्ष नेलसन मण्डेला को कोई पुरस्कार दिया और उसके बाद उन्होंने अपने दादा की आयु वाले श्री मण्डेला के गाल पर एक हल्का-सा चुम्बन अंकित कर दिया जैसा कि छोटे बच्चे अपने बुज़ुर्गों के साथ विश्व-भर में सदा से करते आये। 27.12.1993 के अख़बार के अनुसार शबाना आज़मी की इस बेहूदी हरकत पर कुछ कट्टरपन्थियों ने काफ़ी रोष प्रकट किया है। वे भूल गये हैं कि शबाना से पहले पद्मिनी कोल्हापुरे ने भी ठीक ऐसा ही पवित्र चुम्बन इंग्लैण्ड के राजकुमार युवराज चार्ल्स के कपोल पर अंकित किया था। इन दिनों जो फ़िल्में हिन्दी में बन रही हैं उनका मध्यान्तर से पहलेवाला भाग तो डिशूम-डिशूम ही में निकल जाता है और इसी कारण मध्यान्तर के बादवाले भाग में हीरो और हीरोइन एक-दूसरे को चुम्बन और आलिंगन में कसकर व्यस्त रखते हैं और साथ-साथ यह पवित्र गाना भी चलता रहता है कि "बताओ, चोली के भीतर क्या है?" चोली के भीतर क्या होगा—इसका पता यदि हीरो और हीरोइन को नहीं होगा तो क्या दर्शकों को होगा? एक अभिनेत्री

है जो आधी देह नंगी दिखाने के तीस लाख रुपये लेती है और यदि उसे पचास लाख रुपये दिये जायें तो वह पूरी देह को नग्न रूप में दिखा सकती है। मगर ये सारी हरकतें किसी भी पुरातनपन्थी को परेशान नहीं करतीं। बहरहाल मैं तो यही कहूँगा कि यदि मैं अपनी पृष्ठभूमि का मात्र एक-तिहाई भाग ही नंगा दिखाता हुआ पल्टन बाज़ार से गुज़र जाऊँ तो मुझ पर इतने जूते पड़ेंगे कि मुझे इस जन्म में कोई और जूता कभी नहीं ख़रीदना पड़ेगा। मैं यह भी पवित्र सलाह देना चाहूँगा कि यदि भविष्य में कोई देसी अभिनेत्री किसी पुरुष को चूमना चाहे तो वह मुझे मुफ़्त चूम सकती है। जितनी भी नयी अदाकार हैं, वे इस शुभ-सूचना को नोट कर लें। यह सुविधा हर वर्ष मात्र छब्बीस जनवरी तक ही चलेगी।

3.12.1993 के 'नवभारत टाइम्स' में हाईकोर्ट का एक फ़ैसला छपा है जिसके अनुसार एक नाबालिग लड़की गर्भ धारण कर सकती है और उसका गर्भपात करवाना उसके मानसिक व शारीरिक स्वास्थ्य को गिरा सकता है। अगले दिन के उपर्युक्त पत्र ने हाईकोर्ट के निर्णय को अपने सम्पादकीय में अनुचित बताया है और साथ में यह भी सूचना दी है कि कस्तूरबा गाँधी की शादी तेरहवें वर्ष में ही हो गयी थी और पन्द्रहवें वर्ष में तो उनको प्रथम सन्तान भी प्राप्त हो गयी थी। पेरू देश की एक लड़की लगभग छह वर्ष की आयु में ही माँ बन गयी थी। मेरी अपनी माता का स्वयंवर भी, तेरह वर्ष की आयु में सम्पन्न हो गया था और चौदहवें वर्ष में उन्होंने भी अपने पति का पितृ-ऋण चुकता कर दिया था। मेरी माँ ने कुल मिलाकर लगभग चौदह बच्चों को जन्म दिया। विश्वकवि रवीन्द्रनाथ ठाकुर के माता-पिता ने भी इतने ही बच्चों को जन्म दिया था। नवाब वाजिदअली शाह और ब्रिटेन के राजा चार्ल्स (द्वितीय) को अपने सारे बच्चों की संख्या का सही पता कभी नहीं लगा। बंगाल के नवाब मुबारकुद्दौला के बारह पुत्र व तेरह पुत्रियाँ थीं। जैसे कोई व्यक्ति "उद्योग-पति" होता है ठीक उसी प्रकार कोई-कोई व्यक्ति "पति-उद्योग" को जी-जान से चलाता है। आचार्य कृपलानी (जो अपने समय के सबसे अधिक विनोदप्रिय राजनीतिक नेता थे) इन दोनों शब्दों के अर्थ को बड़ी मौलिक और हृदयग्राही शैली में समझाया करते थे। मुझे यह सौभाग्य प्राप्त है कि मैंने कृपलानीजी के दर्शन भी किये और उनका भाषण भी सुना। दूसरे शब्दों में हज़ारों लोगों के साथ मैं भी लगभग एक घण्टे तक लगातार हँसता रहा। दूसरे विनोदप्रिय राजनेता जिनका मैंने अँग्रेज़ी में भाषण सुना—चक्रवर्ती श्री राजगोपालाचारी थे। उनका मज़ाक़ तीखा होने के साथ-साथ सूक्ष्म भी होता था।

मेरी भाँति जो अन्य लोग समाचारपत्रों का नियमित रूप से सेवन करते हैं, उन्हें याद होगा कि कुछ दिनों पूर्व अमीना नाम की एक बालिका को एक व्योम-बाला के हस्तक्षेप से किस तरह एक अरब की दुलहिन बनने से बचाया गया था। ठीक वैसा ही हादसा कनीज बेग़म के साथ हुआ जिसने कि ख़ुद ही पुलिस को सारी

बातों की सूचना दी। मगर जैसा कि हम सब लोग जानते हैं मामला अमीना या कनीज का ही नहीं है वरन् उन अनेक किशोरियों और बालिकाओं का है जिन्हें उनके माता-पिता अच्छे घरों में शादी होने के लालच में अरब के निवासियों के लिए भेज रहे हैं। उन्हें पता नहीं कि यह एक षड्यन्त्र है, एक धोखा है और इस पवित्र धन्धे में दलाल भी हैं। इस सन्दर्भ में पासपोर्ट जारी करनेवाले अफ़सर, इलाके की पुलिस, माँ-बाप के पढ़े-लिखे मित्र व रिश्तेदार—इन सबको अपना-अपना काम अब पूरी लगन व ज़िम्मेदारी से करना है। सरकार का फ़र्ज़ है कि मध्यपूर्व की सरकारों को डाँटे, अशिक्षित लोगों को सारे रहस्य की जानकारी दे, ग़रीब लड़कियों को घरेलू उद्योग वग़ैरह में लगाये, सम्बन्धित क्षेत्रों में स्त्री-पुलिस स्टेशन स्थापित करे और दलालों को जेल भेजे।

स्त्रियों का भयंकर शोषण हमारे ही देश में नहीं वरन् इंग्लैण्ड के शाही परिवार तक में हो रहा है और मुझे इस बात का गहरा दुख है कि चाहते हुए भी मैं युवराज्ञी डायना की कोई ठोस मदद नहीं कर सकता। इस बेचारी रमणी पर दुख के जितने बड़े पहाड़ प्रेस ने ढाये हैं उनकी पूरी जानकारी देना यहाँ कठिन है। प्रेस में छपी ख़बरों और चोरी से लिये गये चित्रों के कारण डायना का जीवन 'शोक का ख़ज़ाना' बन गया है। डायना ने सार्वजनिक रूप से यह क्रान्तिकारी घोषणा कर दी है कि अब वे सार्वजनिक जीवन से संन्यास ले रही हैं और उन 118 चैरिटी-संस्थाओं से इस्तीफ़ा दे रही हैं जिनसे वे अब तक सम्बन्धित थीं। अब वे मात्र नये घर में अपने दोनों बेटों की देखभाल करेंगी और उन्हें भविष्य में सम्राट् बनने की शिक्षा देंगी। उनका एक ग्यारह वर्ष का बेटा माँ-बाप के नये सम्बन्धों के कारण चुपचाप रहने लगा है क्योंकि इन दोनों पति-पत्नी को वर्ष 1994 में तलाक मिलने की आशा है। फ़िलहाल तो स्थिति यह है कि एक दिन जब वे अपने बच्चों के साथ एक सिनेमाघर से निकल रही थीं तो जैसे ही एक फ़ोटोग्राफ़र ने उनका एक चित्र लेना चाहा वैसे ही श्रीमती डायना ने आँखों में आँसू भरकर इससे कहा कि "आप लोगों ने मेरे जीवन को नरक बना दिया है। कृपा करके अब तो मुझे छोड़ दीजिए।" डायना के संन्यास लेने की घोषणा से कुछ लोग बहुत ख़ुश है। वे सोचते हैं कि सही दामों पर संन्यास लेने के लिए भूतपूर्व युवराज्ञी ऋषिकेश आयेंगी, गेरुए वस्त्र पहनेंगी और काली-कमलीवाले की धर्मशाला में एक कोठरी लेंगी। यह भी सम्भव है कि वे भगवान रजनीश, महेश योगी या स्वामी चिन्मयानन्द के आश्रम में रहने लगें और योगासन सीखने लगें क्योंकि इन तीन महान् आध्यात्मिक गुरुओं ने अपने आश्रम में उन सारी वस्तुओं का समुचित प्रबन्ध कर रखा है जो अमीरों की आत्मा को ऊपर उठाने के लिए आवश्यक हैं। मैं सचमुच दुखी हूँ। इतना ही दुख मुझे उस दिन हुआ था जबकि डायनाजी को विदा देते हुए हमारे एक विदेशमन्त्री ने जान-बूझकर या लापरवाही में उनके कपोल का इतना कसा हुआ चुम्बन लिया था कि उस बेचारी के

दोनों ही कपोल लज्जा से लाल हो उठे थे। अबला जीवन हाय तुम्हारी यही कहानी, आँखों में है दूध और आँचल में पानी। तुम्हारे कपोलों के रसाल, हो रहे हैं लज्जा से लाल। तुम्हारा उभरा हुआ वक्ष, कब बनेगा पत्रकारों का कक्ष?

सर्वश्री पुल्लिंग व स्त्रीलिंग से निबटकर अब मैं नपुंसक लिंग को पकड़ता हूँ। नपुंसक लोग हमारे देश में सदा से होते आये। कैकेयी को सज़ा देने के स्थान पर राजा दशरथ ने अपने प्राण दे दिये। भरी हुई सभा में पाण्डवों की महारानी द्रौपदी नंगी की गयी पर धर्मराज युधिष्ठिर और भीष्म पितामह मुर्दों की भाँति बैठे रहे और जीवन की क्षणभंगुरता पर विचार करते रहे। बाद में हिन्दू सम्राटों के महलों और अन्तःपुरों में कंचुकी लोग महत्त्वपूर्ण पदों पर नियुक्त किये जाते थे और मुसलमान शासकों के काल में भी हरम की चौकीदारी की ज़िम्मेदारी हमेशा खवासों पर ही रही। नज़ीर अकबराबादी ने भी हिजड़ों को लेकर एक पुरलुत्फ़ कविता लिखी। ईस्ट इण्डिया कम्पनी के समय में तो सारे राजा व सारे नवाब एकदम नपुंसक हो गये थे। अँग्रेज़ इन नपुंसकों को एक-एक करके समाप्त करते रहे और ये सारे नवाब और महाराजे गाँधीजी के बन्दरों की भाँति अन्धे, गूँगे और बहरे होकर अपने अन्त की प्रतीक्षा करते रहे। यह सचमुच सन्तोष की बात है कि देश तो स्वाधीन हो गया पर हिजड़े अभी भी हैं और जीवन के प्रत्येक क्षेत्र में उनका दख़ल है। नेता, अभिनेता, साहित्यकार, चित्रकार, संगीतज्ञ, शिक्षाशास्त्री, चिकित्सक, वकील, दलाल, सेना के अधिकारी, सरकार के सचिव, पत्रकार और न्यायाधीश—यानी कि हर पेशे के सदस्यों में एक-न-एक हिजड़ा आपको बराबर मिलेगा। इधर तो हिजड़ों की माँग इतनी बढ़ गयी है कि स्वस्थ पुरुष हिजड़ों की पोशाक पहनकर हिजड़ों जैसे नाच पेश करते हैं और तीन सौ रुपये प्रतिदिन कमाते हैं। ऐसे चार प्रतिभाशाली पुरुषों को पुलिस ने पूना में हाल ही में गिरफ़्तार किया। इसी प्रकार जो पति लोग अपनी पत्नी को काबू में नहीं रख सकते, वे भी एक प्रकार के नपुंसक ही हैं। पत्नी से सताये पति लोगों ने राजधानी में सुप्रीम कोर्ट के सामने धरना देने की धमकी दी है और "पत्नियों द्वारा पतियों के ऊपर हो रहे अत्याचार रोकने" के लिए एक संस्था भी स्थापित की है। मगर इस सबसे कुछ नहीं होनेवाला। एकान्त में पत्नी के दोनों कपोलों की जूते से सेवा करना, एक अदद रखैल रखना और मैके गयी भार्या को वापिस न बुलाना—ये वे क़दम हैं जो प्राथमिक सहायता करते हैं और तुरन्त लाभ पहुँचाते हैं। इसके बाद वकील के पास जाइए और तलाक का नोटिस जारी करवाइए। न होगी नारी, न होगा किसी का पैर भारी। यदि पत्नी करती है किसी बात पर विरोध, तुम बन्द कर दो आज ही से निरोध। जहाँ हुए बच्चे तीन-चार, पत्नी होगी स्वयं ही लाचार। ज़रा-सी असावधानी, जीवन-भर को आसानी। हिजड़ों का बाकी इतिहास खुशवन्तसिंह से पूछिए : बीस वर्ष की लम्बी अवधि में लिखे उनके प्रसिद्ध उपन्यास का मुख्य पात्र एक हिजड़ा ही तो है।

व्याकरण के तीन लिंगों की चर्चा करने के बाद जो लोग बचते हैं वे लोग विधायक या सांसद कहलाते हैं। क्योंकि ये लोग ऊपर बताये हुए तीन लिंगों में से किसी भी लिंग के हो सकते हैं। ये लोग महान् होते हैं चूँकि वे क़ानून बनाते हैं। यदि ये लोग क़ानून न बनाएँ तो जनता उल्लंघन किसका करेगी और यदि क़ानूनों का उल्लंघन नहीं होगा तो ये अदालतें क्या करेंगी? नहीं रहेगा मिनिस्टर तो क्या करेगा बैरिस्टर? जनता का प्रतिनिधि बनने के बाद विधायक और सांसद साधारण मनुष्य से ऊपर उठकर सार्वभौम सत्ता के स्वामी हो जाते हैं। अपना वेतन भत्ता सुविधाएँ और पेंशन तय करने और उसे बढ़ाने का अधिकार उनके अपने ही हाथों में रहता है क्योंकि उनके ऊपर तो कोई सत्ता होती ही नहीं। यहाँ इस बात की चर्चा करना एकदम असंगत है कि उन्होंने चुनाव के ख़र्चे का प्रबन्ध कैसे किया और चुनाव जीता तो कैसे जीता? यहाँ इस बात की चर्चा भी करना बेकार है कि वे विधानसभा या संसद जाते भी हैं या नहीं और यदि जाते हैं तो वहाँ हाथापाई व निद्रा-लाभ के अतिरिक्त वे करते क्या हैं? और जिन दिनों विधानसभा या संसद बन्द रहती है तब ये लोग क्या करते हैं और कैसे करते हैं?

मेरा व्यक्तिगत मत यह है कि हमारे जन-प्रतिनिधियों को जो कुछ मिलता है वह बहुत कम है। हमें यह भी स्वीकार करना चाहिए कि अपने ही हाथों में सारी शक्ति होते हुए भी इन देशभक्तों ने अपना वेतन और सुविधाएँ उतनी नहीं बढ़ायीं जितनी कि वे बढ़ा सकते हैं। इन बेचारों को अभी भी उन देशभक्तों की याद आती है जिन्हें देश की आज़ादी के लिए फाँसी के तख़्ते पर खड़ा होना पड़ा था। हमारे विधायक और सांसद कितने महान् हैं, यह तो हम कभी सोचते भी नहीं। यदि सोचते होते तो उन मामूली बातों को लेकर 29.10.1993 के 'इण्डियन एक्सप्रेस' में इतना एकपक्षीय सम्पादकीय नहीं छपता जिसमें यह साबित करने की भोंडी कोशिश की गयी है कि अन्तुले-कमेटी ने जो सिफ़ारिशें की हैं वे अनुचित हैं। (इस बेचारी कमेटी ने मात्र इतना कहा है कि प्रत्येक सांसद को प्रतिवर्ष 50,000 टेलीफ़ोन-काल मुफ़्त करने की जो सुविधा है, वह अब बढ़ाकर तीन लाख काल कर देनी चाहिए। कमेटी ने डीजल-इंजनवाली मोटर के लिए एडवांस भी माँगा है जिस पर पाँच प्रतिशत ब्याज होगा। कमेटी ने इस नीचतापूर्ण प्रथा को भी हटाने की कोशिश की है जिसके अनुसार भत्ता माँगने के लिए प्रत्येक सांसद को एक रजिस्टर में अपनी हाज़िरी दर्ज़ करनी पड़ती है। सांसद क्या इतने गिर गये हैं कि वे झूठ बोलेंगे और वह भी दैनिक भत्ते के लिए? यदि वे इतना गिर गये हैं तब तो हमें यह भी स्वीकार कर लेना चाहिए कि हमारा जो राष्ट्रीय गान है उसे विश्वकवि रवीन्द्रनाथ ठाकुर ने सचमुच जार्ज पंचम का स्वागत करने के लिए ही लिखा था।)

कुछ लोग सदा से ऐसे होते आये जो किसी भी नये क़दम का स्वागत नहीं करते। एक ऐसे ही महापुरुष का लेख 2.1.1994 के 'इण्डियन एक्सप्रेस' (दिल्ली

संस्करण) में छपा है जिसमें यह सिद्ध करने की भ्रष्ट कोशिश की गयी है कि हमारे जन-प्रतिनिधि सर्वथा भ्रष्ट हैं। उन्होंने एक राज्यसभा के सांसद की चर्चा की है जो मात्र दस वर्षों में करोड़पति बन गये। एक विरोधी पार्टी के सांसद की चर्चा है जो आज पचास लाख रुपयों की कोठी ख़रीदने को तैयार हैं जबकि पाँच महीने पूर्व वे एकदम निर्धन थे। एक और विरोधी पार्टी के सांसद की भी लगभग यही स्थिति है। इस लेख में बताया गया है कि सांसदों की काफ़ी कोठियाँ ऐसी हैं जिनका बाज़ार के दाम पर लाखों रुपये प्रतिमाह तो किराया ही बैठेगा। इसके साथ कलात्मक फ़र्नीचर, पर्दे, वीडियो, कालीन, वी.सी.आर. और कम्प्यूटर वग़ैरह है सो अलग। ये लोग हवाई जहाज़ में सर्वश्रेष्ठ सीटों पर बैठते हैं और बेहतरीन होटलों में खाना खाते हैं। उपर्युक्त लेख के लेखक ने कायरतापूर्वक यह सिद्ध करने की भरसक कोशिश की है कि इन्कमटैक्स के रेट व पेट्रोल की क़ीमत की भाँति हम जो कुछ अपने सांसदों को दे रहे हैं वह शायद संसार में सबसे ज़्यादा है। आमीन।

मैंने इस सम्बन्ध में काफ़ी पढ़ा है, देखा है और सुना है। हमें यह नहीं भूलना चाहिए कि प्रत्येक सिद्धान्त की एक सीमा होती है। यदि हिन्दुस्तान की ग़रीबी को पूरी तरह ध्यान में रखा जाए तो हमारे न्यायाधीशों को अदालत में गाँधीजी की भाँति अधनंगा होकर बैठना चाहिए। हमारे मन्त्रियों को उचित होगा कि वे भी गुलजारीलाल नन्दा की भाँति किसी कोठी की गराज में रहें। हमारे सचिवों को और सेनाध्यक्षों को उचित होगा कि देश की ग़रीबी को ध्यान में रखते हुए वे मात्र एक दिन का ही वेतन लें। यह सब कुछ प्रचार के लिए तो ठीक है पर इसे जीवन में पूरी तरह उतारना कठिन है। मैं सच्चे हृदय से सांसदों और विधायकों के साथ हूँ, और इन पंक्तियों को लिखते हुए मेरे नेत्रों से ही नहीं वरन् शरीर के प्रत्येक छिद्र से पानी निकल रहा है। इस स्थिति का एक कारण शायद यह भी है कि पिछले कई घण्टों से बिजली ग़ायब है और मौसम जो है वह वर्षा का है। थोड़ी ही देर में बादल घिर आयेंगे और वर्षा आ जायेगी। अब पसीने में भीग रहा हूँ, फिर वर्षा में भीगूँगा। सांसद व विधायक किसी शानदार होटल में रूना लैला का "दमादम मस्त कलन्दर" सुनेंगे जबकि मैं मात्र कबीरदास का यह दोहा ही याद करूँगा :

गगन गरजि बरसै अभी, बादल गहिर गभीर
दस दिसि दमकै दामिनी, भीजै दास कबीर

जानवर और जानवर

आज मैं कुछ जानवरों की चर्चा करूँगा जिनमें साँड़, चूहे, गीदड़, बन्दर, कुत्ते व इंसान शामिल होंगे। बचे हुए जानवरों पर भी लिखूँगा पर वह पवित्र काम मैं किसी और दिन सम्पन्न करूँगा। इंसान पर मेरी पकड़ कुछ ढीली है और इस कारण शेष जानवरों को तो मैं चाहते हुए भी नहीं छोड़ सकता। मेरी सगी पत्नी भी इन्हीं जानवरों में शामिल है। सच्ची बात तो यह है कि मेरी उपर्युक्त पत्नी के अतिरिक्त कुछ और लोगों की पत्नियाँ भी ऐसी हैं जिनके साथ मैं अपने-पराये का भेद नहीं रखना चाहता मगर रचना को सुखान्त रखने के लिए उनकी चर्चा भी छोड़नी ही पड़ेगी। बड़ी विवशता के साथ मैं यह कटु सत्य स्वीकार करता हूँ कि विवशता का ही दूसरा नाम चरित्र है।

देहरादून में साँड़ उतने ही विशाल हैं जितनी कि यहाँ सड़कें छोटी हैं। साँड़ों की संख्या यहाँ सड़कों से ज़्यादा है और स्थिति यह है कि आप कभी भी कहीं जाने के लिए मोटर निकालेंगे तो प्रत्येक दिशा में आपको साँड़-ही-साँड़ नज़र आयेंगे। कुछ साँड़ गायों से प्रेम करते हैं तो शेष साँड़ सड़कों से प्रेम करते हैं। वे परमहंस की मुद्रा में सड़कों के बीचोबीच बैठे रहते हैं और आपकी गाड़ी का हॉर्न उन पर कोई प्रभाव नहीं डालता। यदि गाय हमारी माता है तो साँड़ हमारा बाप है और अपने बाप के साथ आप ज़बर्दस्ती तो कर नहीं सकते। अब आप गाड़ी में बैठे रहिए और उस क्षण की प्रतीक्षा करते रहिए जबकि सामने विराजता साँड़ अपनी वीतरागी मुद्रा छोड़े और किसी गाय पर मोहित हो। आप चाहें तो यह भी सोच सकते हैं कि गाय के बाँधने के स्थान को कभी 'गोष्ठ' कहा जाता था और आज भी जब गाय या बैलों के स्थान पर चन्द साहित्यकार इकट्ठा होते हैं तो उस दुर्घटना को 'गोष्ठी' ही कहा जाता है। साँड़ का साहित्य से सीधा व घनिष्ठ सम्बन्ध है। गायों से जो उसका सम्बन्ध होता है वह भी प्रायः ऐसा ही होता है। साँड़ के प्रभाव में शिव के वाहन का वंश चलता है जबकि गोष्ठी के प्रभाव में साहित्यकारों में जूता चलता है। जूता चलने के बाद साहित्यकार स्वयं चलते हैं और काफ़ी तीव्र गति से चलते हैं। अरे! देहरादून तो छोटा-सा नगर है, साँड़ तो वाराणसी तक में आपको नहीं छोड़ता। राँड़,

साँड़, सीढ़ी, संन्यासी, इनसे बचे तो सेवै काशी।

यदि हरिद्वार, वाराणसी, और शेष तीर्थ लावारिस गाय और उनके प्रेमी साँड़ों से ग्रस्त हैं तो दक्षिण-चिली आजकल चूहों से त्रस्त्र है। प्रभु की अपरम्पार लीला के कारण से इन दिनों वहाँ लाखों चूहे प्रयाग के लेखकों की भाँति यकायक प्रकट हो गये हैं जो पुलिस, फ़ायर ब्रिगेड व सेना के बावजूद लोगों को अपना घर तक छोड़ने को मजबूर कर रहे हैं। दक्षिणी अमेरिका का यह देश आजकल इतना भयभीत है जितना कि आम अमेरिकन कभी अल्फ्रेड हिचकाक की फ़िल्में देखकर हुआ करता था। मैं अब समझता हूँ कि सदा के चतुर व मोदकप्रिय गणेशजी ने अपना वाहन चूहे को क्यों बनाया था। मैं गणेशजी को प्रणाम करता हूँ क्योंकि इस वक़्त मैं चिली में नहीं हूँ। बड़ी बात तो यह है कि मैं इस समय जम्मू में भी नहीं हूँ जहाँ कि एक विशिष्ट बानर मेडिकल कॉलिज की सुन्दरियों के वक्ष और कपोलों पर बराबर यौनाक्रमण कर रहा है। इस दिशा में वह इतना कर्मठ और निष्पक्ष है कि उसने एक गर्भवती डॉक्टरनी को भी नहीं छोड़ा। पुलिस ने उस पर गोली चलायी पर रोम्यो के स्थान पर जूलियट मर गयी। इस देश की पुलिस का निशाना हमेशा सही अपराधी को छोड़कर किसी और पर ही लगता आया। एक सौ पचास सुन्दरियों का प्रेमी यह बन्दर अभी ज़िन्दा है। उत्कल प्रदेश में बन्दरों का कोई दूसरा वंश चल रहा है क्योंकि वहाँ के दो बन्दर बिना किसी वेतन या भत्ते के एक लुहार की दुकान में बाक़ायदा मिस्त्री का काम कर रहे हैं। ये दोनों बन्दर उस लुहार की धौंकनी चलाते हैं और माँगने पर उसके औज़ार भी उसे पकड़ा देते हैं। अगर देश के ऐसे भद्र बन्दरों को जम्मू भेज दिया जाय तो ये वहाँ के उस मजनूँ की क्या मूँछ और क्या पूँछ दोनों को उखाड़ दें।

एक गीदड़ है जो बार-बार बंगाल के मुख्यमन्त्री श्री ज्योति बसु के निवास-स्थान की दिशा में प्रस्थान करता है। पुलिस का कहना है कि वह उस शृगाल को कभी का मार चुकी पर पत्रकारों का बयान है कि गीदड़ अभी बाक़ायदा ज़िन्दा है। ऐसे रँगे सियार से कैसे निबटा जाय जो पुलिस के अनुसार मृत है, और पत्रकारों के अनुसार अभी जीवित है? इसी प्रकार एक आवारा कुत्ता एक प्रदेश की विधानसभा में घुस गया और कार्यवाही में बाक़ायदा भाग लेने लगा। पुलिस आयी और कुत्ते को हिरासत में ले लिया गया। मुझे पूर्ण विश्वास है कि हमारे गृहमन्त्री अब ज़रूर कहेंगे कि ऊपर बताया गीदड़ और यह कुत्ता किसी विदेशी सत्ता द्वारा शिक्षित हैं और उन्हीं के इशारों पर काम कर रहे हैं। वह यह आरोप शायद श्री जार्ज फर्नांडीस के उस रौबीले कुत्ते पर भी लगाएँ जो बराबर अपने मालिक के साथ रहता है और राष्ट्रपति भवन तक जाने में अपने स्वामी का साथ नहीं छोड़ता।

ऊपर चर्चित तथाकथित पशुओं से निबटकर अब मैं इंसान को पकड़ता हूँ जिसे प्राणियों में सर्वश्रेष्ठ स्वीकार किया जाता है। बड़े भाग, मानुस तन पावा।

हमारे नीतिकारों के अनुसार, भूख, नींद, भय और सेक्स—इन सब मामलों में पशुओं में व आदमी में कोई अन्तर नहीं होता; यह तो मात्र धर्म (अर्थात् विवेक) ही है जो इन दोनों में अन्तर स्पष्ट करता है और यदि यह विवेकशीलता नहीं है तो पशु में और आदमी में कोई अन्तर नहीं रहता। धर्मेण हीनाः पशुभिः समानाः। मैं जो 'आदमी' शब्द का प्रयोग कर रहा हूँ, उसमें 'औरत' शामिल है। नार्थकोट पार्किंजन के शब्दों में "दी टर्म मैन, एम्ब्रेसेज वुमैन।" यह कितनी ख़ुशी की बात है कि धर्म के बावजूद आदमी जो है वह हर बुरी प्रवृत्ति में शेष पशुओं से ज़्यादा गिरा हुआ है। संसार का सबसे ज़्यादा शक्तिशाली व्यक्ति अमेरिका का राष्ट्रपति होता है। जान एफ. कैनेडी के बारे में यह नहीं कहा जा सकता कि उसने फ़ाइलें ज़्यादा निबटायीं या रूपवती रमणियों पर ज़्यादा दस्तख़त किये। उनकी पत्नी ने मात्र धन के लोभ में एक कुख्यात अधेड़ अपराधी से दूसरा विवाह रचाया और उस धूर्त व्यक्ति ने उनका यथाशक्ति पूरा उपयोग करने के बाद भी उन्हें अपनी सम्पत्ति का एक छोटा-सा टुकड़ा ही दिया। श्रीमती कैनेडी ओनेसिस एक सादा जीवन और सादे विचार रखनेवाली रूपसी थीं, उनके व्यक्तिगत ख़र्चे का औसत मात्र तीन हज़ार डॉलर प्रति मिनिट ही बैठता था। अमेरिका के वर्तमान राष्ट्रपति बिल क्लिंटन पर कई रूपसियों ने 'यौनपूर्ण छेड़खानी' को मुद्दा बनाकर मुक़द्दमों की धमकी दी है। राष्ट्रपति का वेतन दो लाख डॉलर प्रतिवर्ष है जबकि मुक़द्दमों का अनुमानित व्यय बीस लाख डॉलर प्रतिवर्ष होगा। घबराहट के मारे बेचारे राष्ट्रपति ने देशवासियों से चन्दा इकट्ठा करने की अपील की है और अज्ञेयजी की 'वत्सल-निधि' की तर्ज़ पर एक निधि की स्थापना भी की है। मैं सोचता हूँ कि थोड़ा-बहुत अनुदान मैं भी कर दूँ ताकि यदि इस देश की कोई कन्या मुझ पर कभी वैसा मुक़द्दमा चलाए, तो मैं भी चन्दा माँगने का हक़दार बन सकूँ। भूतपूर्व प्रेसीडेण्ट रीगन की सुपुत्री एक अश्लील पत्रिका के मुखपृष्ठ पर छपने के लिए चार दिन एकदम नंगी रही, ताकि फ़ोटोग्राफ़रों को जहाँ भी कोई कलात्मक कोण नज़र आये, वे वहीं का चित्र खींच सकें। इकतालीस वर्ष की इस बालिका ने उन चार दिनों की अवधि में अपने को मात्र इक्कीस वर्ष की युवती ही महसूस किया। ब्रिटिश राजकुमारी डायना व उनके पति युवराज चार्ल्स की स्थिति यह है कि एक-दूसरे को छोड़कर वे किसी से भी प्रेम करने को सदा तत्पर हैं। एक ब्रिटिश दम्पती बारह हज़ार पाउण्ड की राशि के बदले एक टेलीविज़न पर तीन हफ़्तों तक प्रतिदिन तीन बार प्यार करेंगे जिसे करोड़ों लोग देखेंगे। मार्गरिटा बज़ानी नामक तिरानवे वर्ष की बालिका ने चौबीस वर्ष का पति चुना है जो केक व बिस्कुट की फ़ैक्टरी चलाता है। उसे अपनी पत्नी में पत्नी का सुख मिले या न मिले, अम्माँ व दादी का स्नेह तो मिलेगा ही। हमारे गुजरात प्रदेश में एक पति अपनी नौ पत्नियों और अट्ठाईस बच्चों के साथ बड़ी ख़ुशी से रहता है और यदि हाथ लग जाए तो उसे और पत्नी प्राप्त करने से भी कोई एतराज़ नहीं

है। दो पत्नियों के स्वर्गवासी हो जाने के कारण फ़िलहाल वह सात पत्नियों से ही काम चला रहा है और सुविधा के लिए उसने प्रत्येक पत्नी की सेवा के लिए सप्ताह का एक दिन निश्चित कर रखा है। मेरे विचार में तो उसे 'तार-सप्तक' की तर्ज़ पर 'पत्नी-सप्तक' छपाना चाहिए। पुस्तक सचित्र रहे तो ज़्यादा सुविधा रहेगी। ढाका में एक कंचनअली नामक रिक्शा चालक है जिसने तीस वर्ष की आयु में तीस शादियाँ तो कर ही डाली हैं हालाँकि कोई भी पत्नी उसके साथ छह महीने से ज़्यादा नहीं गुज़ार पायी। कंचनअली को इस सबसे कोई फ़र्क़ नहीं पड़ता, वह तो हर समय नयी कन्या की पूजा करने को तैयार रहता है। वैसे भी उसका कहना है कि क्या रिक्शा और क्या बीवी, इन्हें छह महीने के बाद तो बदल ही देना चाहिए। मिस्र में एक व्यक्ति कुछ विपरीत विचारधारा का पाया गया। उसने विभिन्न अदालतों द्वारा निश्चित उनतालीस भूतपूर्व पत्नियों और छब्बीस बच्चों के निर्वाह की रक़म अदा करने के बजाय आत्महत्या कर ली। पेरिस में पुलिस ने एक ऐसे प्रेमी को हिरासत में लिया है जो पिछले आठ वर्षों से अपनी मृत पत्नी के कंकाल के साथ सुखी गृहस्थ जीवन बिता रहा था और चीन में एक व्यक्ति ने एक मृत युवती से पूरे समारोह के साथ विवाह किया। यदि यह व्यक्ति उस लड़की से अपने वादे के अनुसार समय पर शादी कर लेता तो वह बेचारी आत्महत्या न करती। इस मरणोपरान्त विवाह पर बीस हज़ार यान का ख़र्चा आया जिसकी चिन्ता में अब यह लड़का भी आत्महत्या ही करेगा, और कुछ नहीं। एक तरफ़ यह सब होता रहा और दूसरी तरफ़ हमारे देश में एक ऐसा उल्लू का पट्ठा निकला जो अपना प्रेम-पत्र अपनी चहेती तक पहुँचाने के लिए डाकिये की वर्दी धारण कर उस गाँव तक स्वयं ही चला गया जहाँ कि लड़की के होनहार बाप ने उसे तुरन्त पहचान लिया और उसकी साइकिल तो अपने पास रख ली और उसे पुलिस के हवाले कर दिया। अब बरखुरदार हवालात में पड़े होंगे और ज़ार-ज़ार रो रहे होंगे। लड़की का सदमा तो बर्दाश्त किया जा सकता था पर यह जो उसके साथ साइकिल भी चली गयी, इसका ग़म कैसे बर्दाश्त किया जाए? धर्म और प्रेम का घनिष्ठ सम्बन्ध ज़्यादा प्रकाश में तब आया जबकि एक मठाधीश को दस नाबालिग लड़कियों के साथ बलात्कार करने के आरोप में हिरासत में लिया गया। स्वामीजी को बचाने के लिए अभी तक कोई वकील भी तैयार नहीं हुआ है। इस मामले में मेरी सहानुभूति पुलिस के साथ है; पुलिस के रहते हुए बलात्कार की ज़िम्मेदारी स्वामीजी ने ली तो क्यों ली? यदि शरीर के दुख भी सन्त और महन्त ही ठीक करेंगे तो आत्मा के दुखों को कौन हरेगा?

देश की स्थिति सचमुच सन्तोषजनक है। स्त्रियों पर जितना ध्यान अब दिया जा रहा है, उतना शायद पहले कभी नहीं दिया गया। प्रत्येक 102 मिनट में दहेज़ को लेकर किसी एक निरीह अबला की हत्या की जाती है, प्रत्येक 54 मिनट में किसी एक स्त्री के साथ बलात्कार सम्पन्न किया जाता है और प्रत्येक 43 मिनट में किसी

एक कन्या का अपहरण किया जाता है। काफ़ी स्त्रियाँ अरब देशों में बेची जाती हैं और जो स्त्रियाँ निर्यात न किये जाने के कारण इसी देश में रह जाती हैं उनमें से करोड़ों स्त्रियाँ गुलामों की तरह रखी जाती हैं जिनका आँचल और आँखें प्रायः दूध और पानी से भरे रहते हैं। ग़रीबी के कारण बच्चे बेचे जाते हैं और निरोध का विरोध किया जाता है। वेश्यावृत्ति, मांसाहार व मदिरा का प्रयोग दिन-प्रतिदिन बढ़ता जा रहा है। धर्म के नाम पर दंगे नियोजित किये जाते हैं और राजधानी तक में बाप और भाई स्वयं अपनी पुत्री और वहन से पेशा करवाते हैं। बच्चों को भगाया जाता है और उन्हें अपंग बनाकर भिखारी बनने को मजबूर किया जाता है। मज़दूरों और दलित वर्ग के लोगों का शोषण किया जा रहा है और काली मिर्चों, पिसे मसालों व दवाओं तक में खुलेआम मिलावट की जा रही है। कभी-कभी लगता है कि प्राणियों में सर्वश्रेष्ठ प्राणी (अर्थात् इंसान) बाकी सारे प्राणियों से कहीं ज़्यादा गिरा हुआ है और संसार का कोई भी और जानवर इस इंसान नाम के जानवर से कहीं ज़्यादा बेहतर है। जितना पाप और अपराध मनुष्य करता है, उतना पाप और अपराध कोई दूसरा जानवर कभी नहीं करता।

सरकार के तीनों अंग बड़ी मुस्तैदी से अपनी-अपनी ज़िम्मेदारी पूरी तरह निभा रहे हैं। व्यवस्थापिका में जाने के लिए गुण्डों और काले धन की नाव से वैतरणी पार की जा रही है और चुनाव जीतने के बाद सम्मानित सदस्य या तो सदन में जाते ही नहीं और जाते हैं तो या तो हाथापाई करते हैं या फिर निद्रालाभ करते हैं। जो थोड़ा-बहुत समय बचता है उसमें अगले चुनाव के लिए धन इकट्ठा किया जाता है, जाली नोट छापे जाते हैं और शेष जातियों और धर्म के लोगों को गृहयुद्ध के लिए संगठित किया जाता है। श्री शेष सर्वप्रथम मुख्य चुनाव आयुक्त हैं जिन्होंने चुनावों में होनेवाली अनियमितताओं को रोकने की कोशिश की पर उनकी वाणी की कटुता ने उनके हृदय की पवित्रता को आच्छादित कर लिया। कार्यकारिणी को भ्रष्टाचार, राजनेताओं की ख़ुशामद और देशी व विदेशी यात्राओं से ही फुर्सत नहीं मिलती। पुलिस की स्थिति इतनी शानदार हो गयी है कि एक नगर में पुलिस के एक इन्स्पेक्टर ने पुलिस के इन्स्पेक्टर-जनरल के ख़िलाफ़ 30,000 रुपये बतौर रिश्वत के माँगने के लिए थाने में रिपोर्ट दर्ज करवायी है। इतना प्रजातन्त्र पुलिस में पहले कभी नहीं था। मन्त्रियों का हाल यह है कि एक प्रदेश के मुख्यमन्त्री ने अपने एक मन्त्री को अपने मन्त्रिमण्डल से मात्र इस कारण निकाल दिया है क्योंकि उसने अपनी हवाई यात्रा के दौरान एक व्योम-बाला के साथ कुछ छेड़खानी करने की तथाकथित कोशिश की थी। एक केन्द्रीय मन्त्री के सुपुत्र ने भी अपनी हवाई यात्रा के दौरान मदिरा पीकर दुर्व्यवहार किया। मन्त्रीजी के ये कुलदीपक कभी कलकत्ता के एक वेश्यालय से गिरफ़्तार किये गये थे। न्यायपालिका की गरिमा गिराने के लिए वकील और जज लोग स्वयं ही इतना कष्ट उठा रहे हैं कि बाहरी मदद की कोई ज़रूरत

ही नहीं रह गयी है। एक बम-विस्फोट के मुक़द्दमे की सुनवाई करनेवाली विशिष्ट अदालत के जज को सफ़ाई के वकील ने इस कारण 'कट्टर' व 'धर्मान्ध' कहा है क्योंकि इन माननीय न्यायाधीश महोदय ने अदालत के कमरे में केस शुरू होने से पहले 'सत्यनारायण की कथा' करवायी थी और अदालत की दीवार पर 'श्रीगण ेशाय नमः' लिखवाया था। सफ़ाई के वकील ने इस भयंकर मुक़द्दमे की सुनवाई के लिए किसी दूसरे जज की नियुक्ति की माँग की है। मुझे इस मुक़द्दमे में (जिसमें बम-विस्फोट के कारण लगभग तीन सौ तथाकथित निरपराध लोग मृत्यु को प्राप्त हुए थे) बहुत दिलचस्पी है क्योंकि मैं भी गणेशजी की भाँति मोदक-प्रेमी जीव हूँ और सत्यनारायण की कथा से तो मुझे बहुत ही लगाव है क्योंकि इस बहाने चन्द्रमा की कलाओं की भाँति रूपवती दो-चार कलावती आँखें जुड़ाने के लिए मिल ही जाती हैं और कथा के अन्त में जो 'प्रसाद' मिलता है वह कभी-कभी इतना स्वादिष्ट होता है कि जयशंकर 'प्रसाद' की याद दिलाने लगता है। काफ़ी वर्ष पहले मैं एक ऐसे नगर में नियुक्त था जिसमें एक ठेकेदार ने मेरे ही पड़ोस में स्थित अपनी संगमर्मर की कोठी में सत्यनारायण की परम पवित्र कथा का आयोजन करवाया था। कथा कहनेवाले पण्डित एक अखण्ड ब्रह्मचारी थे जो सिवा फल तथा दूध के कुछ और ग्रहण नहीं करते थे। उनका रूप और स्वास्थ्य तेजस्वी था और इसी कारण वे दिन में तो कथा कहते थे और रात्रि-काल में कथा का गूढ़ार्थ एक-एक करके प्रत्येक कलावती को समझाते थे। जब तक वे मेरे नगर से किसी और तीर्थस्थान की पवित्र दिशा में विचरण करने निकले, तब तक वे इस नगर की कई दर्जन कोमलांगी देवियों को बाक़ायदा गर्भवती बना चुके थे।

रचना समाप्त करता हूँ। सोचता हूँ कि मैंने जिन-जिन पापों की और जिन-जिन दुष्कर्मों की चर्चा ऊपर की है, क्या उन्हें मैं स्वयं सम्पन्न नहीं करना चाहता? क्या मुझे जान एफ. कैनेडी, बिल क्लिंटन तथा ऊपर लिखे कथावाचक पण्डितजी से ईर्ष्या नहीं है? व्यंग्यकार की सबसे बड़ी त्रासदी यही है कि वह अपनी ईर्ष्या को तिरस्कार में बदल देता है और बाकी लोगों को नंगा करते हुए यह भूल जाता है कि वह खुद भी उतना ही नंगा है जितने कि वे लोग हैं जिन्हें वह अपना निशाना बना रहा है। कुल मिलाकर यह स्थिति सुखद ही है क्योंकि यदि व्यंग्यकार में बनावटी बनने की यह प्रवृत्ति नहीं होती तो विश्व-साहित्य में व्यंग्य-साहित्य नहीं होता और सत्यनारायण की कथा या ताज़ीराते-हिन्द जैसी चन्द पोथियों को छोड़कर पढ़ने के लिए कुछ और नहीं मिलता।

शब्दशास्त्र की संक्षिप्त कथा

पूर्वी उत्तरप्रदेश में ग़ाज़ीपुर नाम का एक नगर है। कुछ सयाने लोगों के मत के अनुसार इसका प्राचीन नाम 'गाधिपुर' था जो समय के साथ-साथ 'ग़ाज़ीपुर' हो गया। गाधि एक ऋषि थे जिन्हें अफ़ीम खाने का शौक़ था क्योंकि ग़ाज़ीपुर अपनी अफ़ीम की फ़ैक्टरी के लिए भी विख्यात है। कुछ और सयाने हैं जो कहते हैं कि इस नगर को किसी 'ग़ाज़ी' ने बसाया था। सम्राट् औरंगज़ेब आलमगीर ख़ुद एक ग़ाज़ी था। बाद में चलकर ईस्ट इण्डिया कम्पनी के गवर्नर-जनरल लार्ड कार्नवालिस की मृत्यु एक मच्छर की सहायता से यहीं सम्पन्न हुई। यह बात उन दिनों की है जब टीपू सुलतान (जिसका पत्रव्यवहार शंकराचार्य से लेकर नैपोलियन बोनापार्ट तक से रहता था) की सत्ता समाप्त करके लार्ड कार्नवालिस इंग्लैण्ड के सेनापति बनकर जार्ज वाशिंगटन से पराजित होने के लिए उत्तरी अमेरिका गये और वहाँ से पराजित व अपमानित होकर हमारे देश के राजस्व-क़ानून को बदलने के लिए दूसरी बार कम्पनी-सरकार के गवर्नर-जनरल बनकर यहाँ आये। उन्होंने राजा टोडरमल की सदियों पुरानी लगान-प्रथा को बदला और नयी किस्म के ज़मींदारों, जागीरदारों और रईसों की फस्ल बोयी, जो बाद में चलकर सदा अँग्रेज़ों के ही साथ रही। ग़ाज़ीपुर का केवड़े का अर्क भी बहुत प्रसिद्ध है। मेरे जैसे कुछ क्षुद्रबुद्धि लोग इस नगर से इस कारण भी प्रेम करते हैं क्योंकि कुबेरनाथ राय व राही मासूम रज़ा जैसे प्रख्यात लेखक इसी ज़िले के निवासी रहे। अश्लील होने के कारण राही मासूम रज़ा मुझे बहुत प्रिय हैं। मगर इन सबसे ज़्यादा प्रतिभावान् व्यक्ति रहे श्री भोलानाथ तिवारी। तिवारीजी ने अपना जीवन एक कुली और चपरासी के रूप में शुरू किया और बाद में चलकर वे ताशकन्द के विश्वविद्यालय में प्रोफ़ेसर बने। सन् बयालीस के आन्दोलन में उन्होंने अपने सीने पर ब्रिटिश सरकार की गोली खायी पर वह भी उनका कुछ नहीं बिगाड़ सकी क्योंकि तिवारीजी को अभी जीना था और चालीस से ऊपर पुस्तकें लिखनी थीं। उन्हीं की एक पोथी के आधार पर मैं यह दिलचस्प लेख लिखने बैठा हूँ। तिवारीजी भी शायद मानेंगे कि यद्यपि उनकी पोथी से मैंने बहुत प्रेरणा पायी है पर फिर भी मेरा अपना योगदान कम नहीं है। मणौ बज्रसमुत्कीर्णे

सूत्रस्येवास्ति मे गतिः (कालिदास)!

तिवारीजी ने अपनी पुस्तक (शब्दों का जीवन) में बताया है कि शब्द भी इंसान की ही भाँति जन्म लेते हैं, जवान होते हैं, विवाह करते हैं, सन्तान को जन्म देते हैं, वृद्ध होते हैं और उसके बाद फिर से जन्म लेने के लिए वे मृत्यु को भी प्राप्त होते हैं। यह एक विचित्र बात है कि 'अक्षर' तो अमर हैं पर उन्हीं से बने 'शब्द' मरणशील हैं। शब्दों की यह रहस्यमय यात्रा अत्यन्त विचित्र, विस्मयपूर्ण और मनोरम है। अब मैं इस यात्रा की ही संक्षिप्त चर्चा करूँगा। यहाँ यह नोट कर लेना ज़रूरी है कि शब्दों का जन्म जिन कारणों से होता है, उनमें ध्वनि, स्वरूप, रंग, व्यक्तियों व स्थानों के नाम, कार्य, अन्धविश्वास, संक्षेप, धातु, उपसर्ग व प्रत्यय, कथा, कल्पना, स्वाद, निर्माण की प्रक्रिया, मूल्य, गुण, संख्या और प्रयोग प्रमुख हैं। इतना जानने के बाद हम आगे बढ़ सकते हैं।

(2)

'कूक' की ध्वनि के कारण ही कुछ पक्षी 'कोक' या 'कोकिल' कहलाए। हिन्दी की एक कवयित्री 'कोकिल' उपनाम से बराबर कविता लिखती रहीं। 'ती ती' की ध्वनि करने के कारण 'तीतर' शब्द बना जिसे संस्कृत में 'तीत्तिर' कहा गया। (तीतर के आगे दो तीतर, तीतर के पीछे दो तीतर, आगे तीतर पीछे तीतर, अब बतलाओ कितने तीतर?) भोंपू, निर्झर, कलकल, छलछल, झनकार जैसे शब्द मात्र ध्वनि के ही आधार पर बने। 'भ्रमण' करने के कारण एक पतिंगे को 'भ्रमर' कहा गया जिसको पकड़कर एक होनहार कवि ने बाद में भ्रमर-गीत नामक काव्य रचा। महादेवी वर्मा को मीरा का दूसरा संस्करण बताया गया है क्योंकि राजस्थानी भाषा में 'मीरा' उस कुलदीपिका को कहा जाता था जो बड़ों का कहना न मानती हो। 'आम्रपाली' की तर्ज़ पर 'कोयल' को 'काकपाली' भी कहा गया क्योंकि उसके बच्चों को सदा से कौआ ही पालता आया।

सूरत शहर से आनेवाली तम्बाकू 'सुर्ती' कहलायी क्योंकि पुर्तगाली जहाज़ उन दिनों सूरत ही में माल बेचा करते थे। 'गैट' समझौता होने के बाद विदेशों के जलपोत अब दिल्ली तक आया करेंगे। चीन से आने के कारण शक्कर 'चीनी' कहलायी और मिस्र से आने के कारण 'मिश्री' नाम पड़ा। ये जितने भी 'मिश्रबन्धु' हैं, ये सब भी मिस्र से ही आये। कुछ शब्द हमारे देश से विदेश-यात्रा पर भी निकले और 'पितृ', 'मातृ' और 'भ्रातृ' जैसे पारिवारिक शब्द अँग्रेज़ों के देश तक पहुँचने पर 'फ़ादर', 'मदर' और 'ब्रदर' इत्यादि बन गये। ग्रीक में पिता को 'पीटर' और फ़ारसी में 'भाई' को 'बिरादर' कहा गया। अँग्रेज़ी में 'नैरो' है तो हमारे यहाँ 'नेड़ा' है, उनके यहाँ 'पाथ' है तो हमारे यहाँ 'पथ' है और यह तो सभी जानते हैं कि हमारा 'तत्र'

विलायत पहुँचते-पहुँचते 'देयर' हो गया। 'बहिन' शब्द 'भगिनी' से बना और 'ननद' शब्द 'ननन्द' का अपभ्रंश है। 'ननन्द' का अर्थ है "कभी भी न प्रसन्न होनेवाली स्त्री"। कितने सन्तोष की वार्ता है कि ननद और भावज का सम्बन्ध प्राचीन काल में भी उतना ही प्रेमपूर्ण होता था जितना कि वह आजकल होता है। 'दुहिता' उस होनहार लड़की को कहते थे जो बाकी काम करने के साथ-साथ गाय भी दुहती थी। 'पत्नी' शब्द 'पति' से बना और 'उपपत्नी' शब्द ठीक उसी प्रकार बना जैसे 'उपराष्ट्रपति' और 'उपराष्ट्रकवि' बने। 'भार्या' का अर्थ उस स्त्री से है जो भरण करने के योग्य हो या जिसका भार सरलता से उठाया जा सके। जो मूर्ख ऐसा भार उठाते हैं वे 'भर्ता' कहकर पुकारे जाते हैं। ऐसे मूर्ख पतियों का बाद में 'भर्ता' के स्थान पर 'भुरता' बनाया गया। 'पुत्र' एक अशुद्ध शब्द है। इसका सही रूप 'पुत्त्र' है और पंजाबी भाषा में जो 'पुत्तर' कहा जाता है वह शब्दशास्त्र की दृष्टि से ज़्यादा सही है। संस्कृत में 'पुत्र' को 'सूनु' भी कहा गया जो अँग्रेज़ी शब्द 'सन' से एकदम मिलता है। 'पतोहू' शब्द 'पुत्रवधू' से बना, 'भतीजा' व 'भतीजी' शब्द 'भ्रातृज' व 'भ्रातृजा' के अपभ्रंश रहे। 'भौजाई' शब्द 'भातृजाया' से बना और 'बहनोई', 'भानजा' व 'भानजी' शब्द क्रमशः 'भगिनीपति', 'भागिनेय' व 'भागिनेयी' से बने। 'देवर' शब्द 'द्वितीय वर' से बना प्रतीत होता है जबकि 'जंठ' जो है वह स्पष्टतः 'ज्येष्ठ' का ही अपभ्रंश है। 'तात' से 'तातगुः' बना जो बाद में 'ताऊ' बना और जिसने बाद में अपना नाम 'चौधरी देवीलाल' रखा। 'जामाता' से 'जमाई' बना। 'दादा' का स्त्रीलिंग 'दीदी' हुआ और जब वह 'जीजी' कहलाने लगी तो उसके पति स्वतः हम सबके जीजा हो गये। 'दादा' शब्द के अर्थ 'भाई' से लेकर 'गुण्डा' तक है (वह बड़ा दादा बन गया है) 'दादा' से ही 'दद्दा' बना। 'दादा' बाद में चलकर 'पितामह' के लिए भी प्रयुक्त होने लगा। हमारा 'बैल' विलायत का 'बुल' है और हमारी 'गाय' विलायत में 'काऊ' कहलाती है। 'गाँव' से 'गँवार' बना। राष्ट्रकवि मैथिलीशरण गुप्त 'गँवार' न होकर 'चिरगँवार' थे क्योंकि उनके 'गाँव' का नाम 'चिरगाँव' था। 'सिंह' शब्द 'हिंस' धातु से बना और 'अजा' (बकरी) शब्द राजा दशरथ के पिता 'अज' का स्त्रीलिंग ही तो रहा। पानीपत के तीसरे युद्ध में मराठा सेनापति सदाशिवराव भाऊ ने जाट राजा सूरजमल और अपने बड़े-बड़े सेनापतियों को सबके सामने 'अज़ापुत्र' कहा था जिसके कारण सब लोग दुखी हो गये और मराठों को वह ऐतिहासिक युद्ध हारना पड़ा। बाद में मात्र 'महादजी' सिन्धिया शेष रहे मगर वे भी अपने पिता के अवैध पुत्र होने के साथ-सांथ 'माधवजी' सिन्धिया के अपभ्रंश ही तो थे। शेष सारी विद्याओं में पारंगत होने के साथ-साथ महादजी सिन्धिया कविता भी रचते थे। 'तैल' शब्द 'तिल' से निकला जैसे कि बाद में डाबर का 'आमला तेल', 'आमले' से निकला। डाबर ने 'आमला के तेल' के साथ-साथ कभी-कभी 'च्यवनप्राश' भी आमले से निकाला। हाँ, अलबत्ता जुल्फे-बंगाल हेयर 'आयल' किस चीज़ से निकला

यह कोई नहीं जानता। 'तैल' शब्द से 'तेली' बना जैसे कि 'हलवा' शब्द से 'हलवाई' बना। सेठ लोग 'श्रेष्ठि' का ही अपभ्रंश है। 'श्रेष्ठि' का अर्थ है 'श्रेष्ठ' होना। 'साहू' शब्द 'साधु' का ही अपभ्रंश है। 'महाजन' कभी बड़े आदमी को कहते थे पर बाद में यह शब्द मात्र सूदखोरों के लिए ही प्रयुक्त होने लगा। 'कलाकन्द', 'शकरकन्द', 'जिमिकन्द' व 'आनन्दकन्द' जैसे शब्द 'ताशकन्द' व 'समरकन्द' की तर्ज़ पर हैं जहाँ से आर्य लोग कभी भारत आये थे। भोजपुर में रवेदार चीनी को 'मोरस' कहते हैं क्योंकि वह 'मॉरिशस' से आती थी। 'शक्कर' शब्द 'शर्करा' का अपभ्रंश है और 'ख़ाँड' शब्द 'खण्ड' का ही एक रूप है। मराठा के ख़ाँड भरे 'श्रीखण्ड' को कौन नहीं जानता?

(3)

विभिन्न नगरों के नाम भी समय के साथ-साथ रूप बदलते गये। 'दिल्ली' को राजा 'दिल्लू' ने बसाया था। 'दिल्ली' को अँग्रेज़ों ने 'डिल्ही' बनाकर छोड़ा। उन्होंने 'मेरठ' को 'मीरत' बनाया जहाँ की 'कैंची' मशहूर है। 'कैंची' शब्द 'कर्तरी' से बना है। 'इन्द्रप्रस्थ', 'शोणिप्रस्थ', 'भाग्यप्रस्थ', 'पाणिप्रस्थ' व 'महीरथ' काल गुज़रते-गुज़रते क्रमशः 'इन्द्रपत', 'सोनीपत', 'बागपत', 'पानीपत' व 'मेरठ' हो गये। सोनीपत की साइकिल, बागपत के खरबूज़े व पानीपत के युद्ध इतिहास में बहुत प्रसिद्ध रहे हैं। 'अजमेर' जो है वह कभी 'अजयमेरु' कहलाता था और जब एक सुलतान यमुना के किनारे नगर बसाने के लिए निकला तो एक पण्डितजी उसे 'अग्रः' 'अग्रः' कह-कहकर आगे ले गये और उसी 'अग्रः' के कारण उस नगर का नाम 'आगरा' पड़ा। कुछ सयानों का मत है कि आगरा में गर्मी ज़्यादा पड़ने के कारण उसे 'आगरा' कहा गया ('आगरा' में 'आग' बरसत है)। 'बनारस' शब्द 'वाराणसी' का अपभ्रंश है। मेरा अपना ज़िला 'बिजनौर' स्पष्टतः 'विजयनगर' से बना है और मेरा क़स्बा 'नहटौर' कभी 'नयी ठौर' कहलाता था। 'देहरादून' नगर का शास्त्रीय नाम 'डेरा द्रोण' है क्योंकि जनश्रुति के अनुसार कभी गुरु 'द्रोणाचार्य' ने यहीं अपना 'डेरा' डाला था।

(4)

विदेशों से आनेवाले शब्द भी अपना रूप बदलते रहे। 'बाईकाट' शब्द मिस्टर 'बायकाट' के कारण बना जो कि आयरलैण्ड के एक काउण्ट के कारिन्दे थे और जिनकी निर्दयता के कारण उनके नाई, भिश्ती, मोची, रसोइये व धोबी वग़ैरा ने उनका बहिष्कार कर दिया था। 'एटलस' एक देवता था जो सारे विश्व का भार अपने कन्धों पर वहन करता था और उसी के कारण दुनिया के नक़्शे को आजकल 'एटलस' कहा जाता है। सोनीपत की नगरी में स्थित एक फ़ैक्टरी 'एटलस' नाम की साइकिल आज भी बनाती है। 'पैनिक' शब्द ग्रीक दैत्य "पैन" के नाम पर है जो वन में गुज़रते

निरीह यात्रियों को डराया करता था। 'मर्सर' एक अँग्रेज़ जुलाहे का नाम था जिसने अठारहवीं शताब्दी में एक ख़ास तरह का कपड़ा बुना और तभी से 'मर्सराइज' शब्द प्रयोग में आया। फ्रांस की एक दर्ज़िन 'जार्जेट' नाम की थी और उसी के रूप के प्रताप से 'जॉर्जट' के वस्त्र अभी तक चले आ रहे हैं। फ्रांस के 'पापलीना' नगर में उस कपड़े का जन्म हुआ जिसे हम लोग आज 'पापलिन' कहकर पुकारते हैं। ईस्ट इण्डिया कम्पनी के अफ़सरों ने अपने लिए कच्ची मिट्टी के मकान बनाये जिन पर फूस डाला जाता था। ये मकान गर्मी में ठण्डे रहते थे। 'बंगाल' में ऐसे मकान सबसे पहली बार बने जो इसी कारण आज भी 'बाँग्ला' कहलाते हैं। प्लैटो व उसके जिज्ञासु शिष्य 'एकेडेमिया' नाम की एक बग़ीची में वाद-विवाद किया करते थे और इसी वाटिका के कारण बाद में 'एकेडेमी' (अकादमी) शब्द बना जहाँ आजकल वाद-विवाद क्या, जूता तक चलता है। 'डॉलर' शब्द बोहेमिया नगर के 'थेलर' शब्द का परिवर्तित रूप है, जहाँ कभी चाँदी के सिक्के ढाले जाते थे। ईस्ट इण्डिया कम्पनी ने सिक्के मशीन से बनाने शुरू किये और क्योंकि 'मशीन' को 'कल' भी कहा जाता है, 'धन' का नाम 'कल' और 'धनवान' का नाम 'कलदार' रख दिया गया। पुराने ज़माने में इस देश के निवासी भी बार्टर की पद्धति अपनाते थे और सब वस्तुओं के बदले 'धान्य' ही दिया जाता था। 'धन' शब्द 'धान्य' से ही बना। इटली में सरकारी विज्ञप्ति सुननेवालों से 'गजेटा' नाम का सिक्का लिया जाता था और उसी के कारण 'राजपत्र' को अब 'गज़ट' कहते हैं। 'जीप' शब्द 'जनरल व्हीकिल ग्राउण्ड 'परपज़ेज़' का संक्षिप्त रूप है और 'रडार' शब्द 'रेडियो डिटेक्शन एण्ड रेंजिंग' का संक्षिप्त रूप है। 'मिग' नामक वायुयान को 'मिकोयन' तथा 'गुरेविच' नामक रूस के इंजीनियरों ने बनाया था जिनके नामों के प्रथम अक्षर 'मिग' थे। थाने में आठ नम्बर का एक रजिस्टर होता है। जिन साहित्यकारों के नाम इस रजिस्टर में दर्ज़ होते हैं वे 'नम्बरी बदमाश' कहलाते हैं। 'रब' करने के कारण 'रबर' शब्द बना और ग्रीस के एक 'बिबलास' नामक वृक्ष की छाल पर लिखी पोथी 'बिबिलिया' कही गयी जिसके कारण 'बाइबिल' व 'बिबलियोग्राफ़ी' जैसे प्रसिद्ध शब्द बने। गिलास कभी मात्र 'ग्लास' या शीशे के ही बनते थे और इसी कारण वे आज भी उसी नाम से पुकारे जाते हैं—चाहे वे सोने के ही क्यों न बने हों। 'चाकलेट' शब्द अमेरिका में पाये जानेवाले 'चाकोलटल' नामक वृक्ष पर आधारित है। 'पेपर' शब्द लैटिन के 'पेपीरस' से बना है जो एक प्रकार की घास होती थी और जिसका काग़ज़ बनता था। (हमारे देश में भी भोज तथा अन्य कुछ वृक्षों के पत्तों पर लिखा जाता था और इस कारण 'पत्र' शब्द ही बाद में चिट्ठी-पत्री व पत्र-पत्रिकाओं के लिए भी प्रयोग होने लगा। 'पत्तर' और 'पत्तल' भी 'पत्र' से ही बने। पत्रों पर लिखी सामग्री रस्सी से बाँध ली जाती थी और उसमें 'ग्रन्थि' अर्थात् 'गाँठ' लगा दी जाती थी। इसी कारण पुस्तकों को अभी तक 'ग्रन्थ' कहते हैं, यद्यपि अब न पेड़ों के पत्ते हैं और

न रस्सी की वह ग्रन्थि ही है। वेद सम्भवतः सुने ही जाते थे (लिपि तथा भोजपत्र इत्यादि तब तक प्रयोग नहीं किये जाते थे) और इसी कारण उन्हें 'श्रुति' कहा गया। वेदों के दर्शन को 'श्रौत-दर्शन' कहा जाता है।) 'सैण्ड-विच' एक अँग्रेज़ी रियासत का नाम था जहाँ अठारहवीं शताब्दी के कुछ सामन्त दिन-रात जुआ खेलते रहते थे और डबल-रोटी खाते रहते थे। 'आमलेट' फ्रेंच शब्द 'एलेमेट' से बना जिसका अर्थ किसी पतले पत्तर से था। 'पेंसिल' शब्द लैटिन के 'पैंसिलियम' शब्द से बना है जिसका अर्थ होता था 'छोटी पूँछ'। 'पेन' शब्द भी लैटिन शब्द 'पेन्ना' से बना जिसका अर्थ है 'पंख'। हम जानते ही हैं कि मध्ययुग तक सारे लोग पक्षियों के पंखों से ही लिखा करते थे। 'पक्षी' से 'पाखी' बना और 'पंख' शब्द भी पक्षी ही से निकला। 'टोस्ट' शब्द लैटिन के 'टोरैव' शब्द से बना जिसका अर्थ होता है सेंकना। 'जेब' शब्द 'ज़ेबी' शब्द से बना है जिसका अर्थ होता है 'काटकर बनाना'। 'तिजोरी' शब्द अँग्रेज़ी के 'ट्रेजरी' शब्द से मिलता-जुलता है। 'यवन' जाति ने हमें 'यवनिका' दी। हमारा 'रसभरी' शब्द अँग्रेज़ी के 'रेस्पबेरी' शब्द से ही तो बना।

(5)

अरब, तुर्की, ईरान, इराक, मिस्र व चीन से हमारा सांस्कृतिक सम्बन्ध बहुत पुराना है जिसका प्रभाव हमारी भाषा पर पड़ना ही था। फ़ारसी में 'बाबरची' का अर्थ है विश्वासपात्र क्योंकि 'बाबर्ची' तो जब भी चाहता, तभी अपने मालिक को ज़हर दे सकता था। अरबी शब्द 'कहवा' ही 'काफ़ी' कहलाया जिसका अर्थ है 'एक नशीला पदार्थ'। यूनान की 'ओपियम' बाद में 'अफ़ीम' बनी। 'सब्ज़' रंग होने के कारण प्रत्येक हरी तरकारी 'सब्ज़ी' कहलायी। फ़ारसी का 'तनूर' हमारे यहाँ 'तन्दूर' बना। संस्कृत का 'अक्षोट' पश्तो भाषा में 'अखरोट' हो गया। आर्य लोग चावल खाते थे, गेहूँ खाना उन्होंने यवनों से सीखा। गेहूँ को 'यवनप्रिय', 'यवनभोज्य' तथा 'म्लेच्छ भोजन' भी कहा गया। हमारी पूजा व तिलक में अभी भी चावल ही चलता है, गेहूँ नहीं। 'काफ़िर' का अर्थ है 'विश्वास न करनेवाला'। फ़ारसी व अरबी का 'बुत' शब्द हमारे 'बुद्ध' का ही अपभ्रंश है। 'जश्न' शब्द अन्ततः हमारे 'यज्ञ' शब्द से ही बना है जो पुरानी फ़ारसी में 'यश्न' कहलाता था। 'पगड़ी' शब्द 'पग' से बना है क्योंकि शीशे के अभाव में पगड़ी पैर पर बाँधकर ठीक की जाती थी और फिर सिर पर रखी जाती थी। 'फ़ीस' शब्द 'पशु' से ही बना क्योंकि प्राचीन काल में पशु ही धन की भाँति प्रयोग में आते थे। हमारा 'स' फ़ारसी में 'ह' हो जाता है और इसी कारण 'सप्ताह' व 'सिन्ध' इत्यादि वहाँ जाकर 'हफ़्ता' व 'हिन्द' हो गये। 'हिन्द' से यूनान में 'हिन्दीक' बना और बाद में चलकर यही शब्द लैटिन व चीनी भाषा में क्रमशः 'इन्दिया' व 'इन्तु' बना। 'हिन्दुस्तान' हमारे 'सिन्धुस्थान' का फ़ारसी उच्चारण ही

तो है, और कुछ नहीं। यह बात बेहद विस्मय की है कि 'गंगा' शब्द एक चीनी शब्द है जिसका अर्थ पानी है। 'मल' शब्द का पुरानी आस्ट्रेलियन भाषा में अर्थ होता है–'फूल'। पता नहीं यह शब्द हमारे यहाँ कैसे आ गया और 'कमल', 'परिमल', 'चमेली', 'मौलश्री' व 'कुड़मल' जैसे शब्दों को जन्म दे गया। बौद्धों के विहारों के कारण हमारे देश के एक प्रदेश को 'बिहार' कहा जाने लगा। बात यहीं नहीं रुकी, पश्चिमी एशिया के 'बुख़ारा' नगर का नाम भी 'बिहार' का ही बिगड़ा रूप रहा। हमारी 'खाट' विलायत पहुँचते-पहुँचते 'काट' बन गयी। 'गुलाम' शब्द अरबी भाषा का है हालाँकि गुलाम वंश ने ही दिल्ली सल्तनत की नींव डाली। तुर्की भाषा के 'उज़बक' शब्द के हिन्दी में आते-आते अर्थ बदल गये। 'मेहतर' शब्द फ़ारसी का है मगर वहाँ इसका अर्थ बुज़ुर्ग या 'बेहतर' है। 'हरम' से 'हरामी' शब्द बना। 'मुर्ग़' एक फ़ारसी शब्द है। 'इंसान' शब्द अरबी के 'निसियान' का अपभ्रंश है जिसका अर्थ है 'ग़लती करनेवाला' या 'प्यार करनेवाला'। ये दोनों कमियाँ 'इंसान' में अब भी पायी जाती हैं। प्यार करने से बड़ी और ग़लती क्या होगी?

(6)

संस्कृत में 'नाग' का अर्थ सिन्दूर होता है। उसी रंग के कारण 'नारंगी' को संस्कृत में 'नागरंगी' कहा गया। 'पाण्डु' का अर्थ 'पीला' होता है। हम लोग तख़्ती पर पीली-सी खड़िया से लिखते हैं और इसी कारण हाथ से लिखी पुस्तक 'पाण्डुलिपि' कही जाती है। 'घुँघची' शब्द 'गुंजा' से बना। 'ओष्ठ' से 'होठ', 'अंगुलि' से 'अँगुली' या 'उँगली', 'बिन्दु' से 'बूँदी', 'इक्षु' से 'ऊख' या 'ईख', 'एरण्ड' से 'रेंडी', 'नारिकेल' से 'नारियल', 'खन' धातु से 'नख', 'वारिद' से 'बादल', 'तिलक' से 'टिकुलि', 'चक्र' से 'चरखा', 'चत्वार' से 'चबूतरा', 'बिडाल' से 'बिलार', 'सन्धि' से 'सेंध', 'अम्लिका' से 'इमली', 'स्नान' से 'नहान', 'गृह' से 'घर', 'नग्न' से 'नंगा' और 'जिह्वा' से 'जीभ' शब्द बने। 'कर्कट' से 'कूड़ा', 'अक्षर' से 'अक्खड़', तथा 'भद्र' से 'भद्दा', 'भौंदू' व 'भद्रा' शब्द बने। 'वर्ष' शब्द 'वर्षा' से बना; कैलेण्डर की अनुपस्थिति में हमारे पूर्वज ऋतुओं से ही 'वर्ष' नापा करते थे। 'पुण्य' करनेवाला 'निपुण' माना गया, वीणा बनाने में चतुर व्यक्ति को 'प्रवीण' कहा गया। 'क़ल्ल' से 'कल' बना, 'परश्वस्' से 'परसों' बना, और 'सूची' से 'सुई' बनी। 'बाह्य' से 'बाहर', 'दक्षिण' से 'दाहिना' या 'दायाँ', 'बाम' से 'बायाँ', 'शृगाल' से 'सियार', 'कर्पट' से 'कपड़ा', 'हस्ति' से 'हाथी', 'तीरस्थ' से 'तीर्थ', 'यज्ञ' से 'यक्ष' व 'रक्षा' से 'राक्षस' शब्द बने। वयं रक्षामः। 'आचार्य' को बाद में 'अचारज' व 'कार्य' को 'कारज' कहा गया। कुछ ग़लत अर्थ होने के कारण सेना में 'जमादार' को 'नायब सूबेदार' का नया नाम दिया गया। 'दुर्बल' से 'दुबला' बना और 'हृष्ट-पुष्ट' से 'हट्टा-कट्टा' शब्द

बना। आम का संस्कृत में एक पर्याय बेहद अश्लील है और इसी कारण बनारस के एक विनोदी लेखक बिहार के एक प्रसिद्ध लेखक को 'रसालिया' ही कहा करते थे। 'वैश्या' शब्द 'वैश्य' से ही बना। मीठा बोलनेवाले को 'चारुवाक' कहा गया क्योंकि कड़वा बोलने पर महर्षि चार्वाक को घी पीने के लिए ऋण कौन देता? 'कीट' से 'कीड़ा' बना और 'मूल' से 'मूली' बनी। गोल होने के कारण 'गोली' शब्द बना चाहे वह बन्दूक की गोली हो या वैद्यजी की गोली हो। चतुरसेन शास्त्री ने 'गोली' नामक उपन्यास लिखा जिसकी नायिका के लगभग सारे ही अंग गोल थे। 'दण्ड' से दारोग़ाजी का 'डण्डा' बना, 'स्थान' से 'थान' बना और 'श्मशान' से 'मसान' बना। हमारे कुछ प्राचीन शब्द ऐसे हैं कि उनसे यह तक आभास मिलता है कि हमारे पूर्वज शायद गाय का मांस खाते थे और अपने मुर्दों को दफ़न करते थे। 'त्याग' करनेवाले को 'त्यागी' कहा गया और दूसरे की भूमि का हरण करनेवाले 'भूमिहार' कहलाये। 'मौक्तिक' से 'मोती', 'अक्षवाहट' से 'अखाड़ा', 'शाटिका' से 'साड़ी', 'स्थाली' से 'थाली' और 'अंगरक्षक' से 'अँगरखा' बना। 'अग्रहायण' भी समय के साथ-साथ सरल होकर 'अगहन' हो गया। 'यव' का 'जौ' हो गया और 'सत्त्व' से 'सत्तू' बन गया। 'उपानह' से 'पनही', 'अर्गली' से 'अलगनी' और 'थाँग' से 'ठाँव' शब्द बने। गुरु 'गोरखनाथ' का असली नाम गुरु 'गोरक्षनाथ' था।

शब्दों की कथा चलती जाती है और हज़ारों शब्द ऐसे हैं जिनके जन्म का सही पता नहीं चलता। इसी प्रकार न जाने कितने शब्द समय के प्रवाह में ऐसे बहे कि उनकी स्मृति तक भी अब शेष नहीं रही।

(7)

हिन्दी के एक विद्वान् शब्दशास्त्री ने कुछ विदेशी शब्दों के ऐसे पर्याय बनाये जो असली शब्द से मिलते थे। उन्होंने चश्मा के स्थान पर 'चक्ष्मा' बनाया, 'शिकायत' को 'शिक्षायत्न' कहा और 'पायजामा' को 'पादजामा' बनाया। यह आन्दोलन आगे नहीं चला। संस्कृत व भाषाशास्त्र के प्रकाण्ड पण्डित डॉ. रघुवीर ने जो पारिभाषिक शब्द बनाये, उनकी हँसी उड़ायी गयी, जो एकदम ग़लत था। उनका मज़ाक़ उड़ानेवालों ने 'रेल के सिगनल' व 'टाई' को 'लौहपथगामिनी वाष्पयन्त्रिका गमनागमनसूचक यन्त्र' व 'कण्ठ-लँगोट' कहकर पुकारा। शरद जोशी जैसे कुछ सशक्त लेखक 'व्यंग्य' को 'व्यंग' लिखने लगे जबकि दोनों शब्दों के अलग-अलग अर्थ हैं। वुडहाउस की भाँति पन्तजी ने हिन्दी को अनेक नये शब्द दिये जिनमें 'सुश्री', 'आकाशवाणी' व 'दूरभाष' बहुत प्रसिद्ध है। डॉ. जगदीश गुप्त गराज को 'कारागार' कहते हैं। 'प्रेयसि' व 'रूपसि' ठीक है या इन्हें 'प्रेयसी' व रूपसी' ही कहना चाहिए—यह मैं नहीं जानता। मेरी सलाह है कि यदि उम्र कम है तो छोटी 'इ' चलेगी, हाँ अलबत्ता

उम्र यदि ज़्यादा होगी तो बड़ी 'ई' लगानी ही पड़ेगी। यदि कोई ललना या रमणी आपकी 'प्रेयसी' भी है और साथ-ही-साथ 'रूपसी' भी है तो उसे 'रूप्रेयसी' कहना ही अधिक उपयुक्त होगा। लिंग की समस्या हिन्दी में हमेशा रहेगी। जैसा कि मैं पहले भी बता चुका हूँ 'चोली' से 'चोला' बनेगा, 'नाड़ी' से 'नाड़ा' बनेगा और 'कोठी' से 'कोठा' बनेगा। 'दीवाली' का पुल्लिंग 'दीवाला' होगा, 'घड़ी' का पुल्लिंग 'घड़ा' होगा और 'सन्तरी' से 'सन्तरा' बनेगा। अँग्रेज़ी में तो पानी के बड़े-बड़े जंगी जहाज़ तक को स्त्रीलिंग ही माना जाता है और इस अपमान का किसी भी जहाज़ ने कभी कोई विरोध नहीं किया। 'आना' और 'जाना' के साथ-साथ 'आजाना' धातु भी हिन्दी में रहेगी और विदेशी स्नातकों व छात्रों को तंग करती रहेगी। 'धर्मबहिन', 'धर्मभाई' व 'धर्मपिता' (जो सचमुच बहिन, भाई या पिता नहीं होते) की तर्ज़ पर हम अपनी पत्नी को भी दिन में सबके सामने 'धर्मपत्नी' ही कहते रहेंगे। और 'त्यागी' शब्द का सही अर्थ तो कोई बता ही नहीं सकता। एक मत के अनुमार 'त्यागी' उस ब्राह्मण को कहते हैं जिसने दान लेना 'त्याग' दिया हो। मेरी सगी पत्नी के मामा अपने नाम के साथ 'त्यागी' न लिखकर 'दानत्यागी' ही लिखा करते थे। एक दूसरा मत है जिसके अनुसार एक राजा थे जिन्होंने अपनी रखैल एक वेश्या को 'त्याग' दिया था और उस 'वेश्या' का वंश-वृक्ष ही बाद में 'त्यागी' कहलाया। एक तीसरा मत भी है जिसके अनुसार 'तगा' लोग (गाँव में 'त्यागी' लोग 'तगा' भी कहे जाते हैं) तुर्कों के वंशज हैं और ये ही लोग बंगाल पहुँचते-पहुँचते 'तेगोर' बन गये। मेरा निजी मत कुछ और ही है मगर वह लिखकर नहीं बताया जा सकता। 'तगा' नहीं किसी का सगा—ऐसा अभी भी कहा जाता है।

हिन्दी के सारे लेखकों, पाठकों व प्रेमियों का कर्तव्य है कि वे हिन्दी शब्द-भण्डार को और भरें। हिन्दी में इस समय लगभग 2,500 अरबी शब्द, 3,000 अँग्रेज़ी शब्द, 3,500 फ़ारसी के शब्द; 100 पुर्तगाली शब्द, 100 पश्तो शब्द व 125 तुर्की शब्द हैं जबकि अँग्रेज़ी भाषा में 15,000 विदेशी शब्द हैं और यही स्थिति जर्मन भाषा के साथ है। इसी नम्र निवेदन के साथ मैं यह 'मौलिक' निबन्ध समाप्त करता हूँ और विष्णुशर्मा की वाणी को याद करता हूँः

अनन्तपारं किल शब्दशास्त्रं
स्वल्पं च आयुः बह्वश्च बिहवाः
सारं ततो ग्राह्यमुपास्य फल्गु
हंसो यथा क्षीरमिवाम्बुमध्यात्

भाद्रपद की साँझ

कई दिन से लगातार वर्षा हो रही है। ऐसी वर्षा मैंने पहले कभी नहीं देखी। पण्डित जवाहरलाल नेहरू ने अपनी आत्मकथा का काफ़ी भाग देहरादून की ज़िला-जेल में ही लिखा था और इसी कारण उन्होंने इस पर्वतीय नगरी को वर्षा के राजा इन्द्र की प्रेयसी कहा था। सुबह की वर्षा, दोपहर की वर्षा, तीसरे पहर की वर्षा, सन्ध्या-समय की वर्षा और निशीथ की वर्षा, वर्षा होते हुए भी एक-दूसरे से अलग होती हैं। पावस की ऋतु पर्वत प्रदेश, पल-पल परिवर्तित प्रकृति-वेश (पन्त)। निराला का 'बादल राग' देहरादून की तुकान्त वर्षा को मुक्त छन्द में होने के कारण कभी पूरी तरह नहीं पकड़ सका। आजकल वर्षा होने का प्रमुख कारण यह है कि यह ऋतु ही वर्षा की है। ऐसे में वर्षा नहीं होगी तो क्या फूल खिलेंगे? रात्रि का अन्धकार है, वर्षा है कि दून-हावड़ा एक्सप्रेस की गति से पृथ्वी की छाती रौंदती चली आ रही है, और मैं हूँ कि कुछ वर्षा-पीड़ित युवतियों के साथ बरामदे में बैठा हूँ और सिगार पीते हुए निगार सुलताना को याद कर रहा हूँ जिससे मैं सन् 1952 में निकट से मिला था। क्षुद्र नदियाँ 'भरि चलि उतराई' की मुद्रा में काम कर रही हैं, मेंढक हैं जो वेद पढ़ते हुए बटु-समुदाय की मुद्रा में शोर मचा रहे हैं, पर्वतगण वर्षा की बूँदों के आघात को इस प्रकार सहन कर रहे हैं जैसे आलोचकों की उक्तियों को कवि लोग सहते हैं, और पानी भूमि पर गिरते ही इस प्रकार 'डाबर' हो रहा है जैसे सामने के बँगले की सुन्दरी एकदम नंगी होकर फिसलने के कारण होती है और मैं हूँ कि ऐसी ऋतु में पत्नी के पास होते हुए भी डर रहा हूँ। मैं चुपचाप बैठा हूँ; बँगले की बत्ती कभी की भाग चुकी है और गधे हैं जो वर्षा से बचने के अभिप्राय से मेरे शयन-कक्ष में प्रवेश करना चाहते हैं। इन निरीह प्राणियों को क्या पता कि मेरी प्रिय पत्नी शयन-कक्ष में मेरे अलावा किसी और गधे को कभी नहीं घुसने देती। वर्षा जारी है। घन की घमण्ड घटा घेरि के घनेरी आवै, गरज गयी थी फेरि गरजन लागी री। इस वर्ष देहरादून ने चिरापूँजी का वह रिकॉर्ड भी तोड़ दिया जो उसने उन्नीसवीं सदी के उत्तरार्ध में स्थापित किया था। यह वर्ष ही कुछ विचित्र है। महाराष्ट्र में ऐसा भूकम्प आया जैसा कि पहले कभी नहीं आया था। बहुत-से गौरवर्ण के लोगों

ने अपनी काली लक्ष्मी को भूकम्प-पीड़ित जनता की सेवा में समर्पित कर फिर उसे चन्द्र-वदना बना लिया। जीवन में प्रथम बार मैंने भी एक पुराना रिकॉर्ड तोड़ दिया। यह ग्रामोफ़ोन का रिकॉर्ड था जिस पर ग़लती से मेरे चरण-रूपी कमल पड़ गये थे। चलो हमसे भी जीवन में कोई रिकॉर्ड तो टूटा।

इस वर्ष बहुत वर्षा हुई। वर्ष का स्त्रीलिंग वर्षा कैसे बना, यह मैं नहीं जानता मगर यदि घड़ी, दीवाली, चोली और सन्तरी का पुल्लिंग क्रमशः घड़ा, दिवाला, चोला व सन्तरा बन सकता है तो वर्ष का स्त्रीलिंग वर्षा क्यों नहीं बन सकता? मानसून इस तबीयत से आया है कि मास्टर मुंशीराम की नौटंकी की याद आने लगी है जिसमें हर खेल में हसीना कमलाबाई इसी तबीयत से स्टेज पर आया करती थी और किशनचन्द्र पहलवान का बहरे-तवील गाया करती थी—तेरी बाँकी अदा ने है जादू किया, तेरी उल्फत को दिलवर बयाँ क्या करूँ; अब तो बस एक ही है तमन्ना बची, तू मुझे और मैं तुझको देखा करूँ। इधर नौटंकी एक नया रूप लेनेवाली हैं। बाढ़ में तबाह हुए गाँवों को सरकार फिर करोड़ों रुपये देगी जिसे डिपुटी-कलेक्टर, तहसीलदार और नायब तहसीलदार के साथ-साथ खण्ड-विकास-अधिकारी, लेखपाल व ग्राम-प्रधान बैठकर खाएँगे और बाद में दारू पिएँगे। गाँव के किसी हरिजन की बीवी, बेटी या बहिन यदि हसीन और जवान होगी, तो उसका भी सामूहिक उद्घाटन किया जायेगा। स्थानीय नेता डाक बँगले में मुख्यमन्त्री के साथ मुर्ग़ा खाएँगे और उसके बाद मुख्यमन्त्रीजी बाढ़ग्रस्त क्षेत्रों का हवाई निरीक्षण करेंगे। यदि सूखा, बाढ़ और भूकम्प न हों तो सिवा साम्प्रदायिक दंगों के और शेष ही क्या रहता है? भारतमाता सचमुच अपनी सन्तान का पूरा ख़याल रखती है। उसकी गोद में देर है, अन्धेर नहीं।

ऋतुओं ने सदा से इस देश का संहार ही किया और मात्र इसी कारण कविकुलकमलशिरोमणि महाकवि कालिदास ने 'ऋतु-संहार' नामक कविता की पोथी लिखी। अब बत्ती आ गयी है और इसी कारण मैं भी कालिदास की कविता के साथ अभिसार करता हूँ। कवि कहता है कि "सलिल बिन्दुओं से पूर्ण, वज्र के शब्द को नष्ट करनेवाला, किसी सम्राट् के समान विपुलनाद करनेवाला, मत्त हाथी के समान मस्त यह वर्षा-समय फिर आ गया जिसकी प्रतीक्षा कामीजन बुरी तरह कर रहे थे। गहरे नीले रंग के कमल-पत्रों की तरह आभा वाले, कहीं-कहीं सान्द्र कज्जल के ढेर के सदृश कान्ति वाले, गर्भिणी ललनाओं के स्तनों की छटा देनेवाले मेघों ने आकाश को घेर लिया। वज्र के शब्द जैसा रणवाद्य बजानेवाले, बिजली की डोरी वाले धनुष रखनेवाले मेघ अपनी बूँदों के तीक्ष्ण वाणों से प्रवासियों के अन्तःकरणों को व्यथित करने लगे। पृथ्वी का परिधान हरा हो गया, उसमें चमकीले रत्नों का सौन्दर्य आ गया और इसी कारण वह नगरवधू की भाँति दमकने लगी। मेघों के मित्र मयूर अपने केशकलापों से एक-दूसरे का चुम्बन और आलिंगन करने लगे। तटों पर खड़े कमज़ोर पेड़ों को तोड़ती हुई जल से परिपूर्ण प्रवाह वाली नदियाँ समुद्र की दिशा में इस प्रकार

जाने लगीं जैसे कामदेव से पीड़ित रूपवती रमणियाँ प्रेमियों की दिशा में जाती हैं। गम्भीर शब्दों को बार-बार करनेवाले मेघों के प्रगाढ़ अन्धकार से आच्छादित और रात्रि में विद्युत् से अपना पथ पहचाननेवाली अभिसारिकाएँ अनुराग के साथ अपनी-अपनी प्रिय दिशा में जाने लगीं। भयानक शब्द करनेवाले मेघों से तथा बिजली की तड़क से उत्तेजित होकर रमणियाँ अपने उन पतियों के पास जाने लगीं और सोते-सोते उन पतियों के साथ प्रगाढ़ आलिंगन भी करने लगीं जो इस बीच किसी और परकीया के स्वकीय होने का अपराध करने लगे थे। कमर तक लटकते केशों से, सुगन्धित फूलों के गहनों से, मालाओं से ढँके स्तनों से और मधुयुक्त मुखों से स्त्रियाँ विलासी पुरुषों के हृदय में रति उत्पन्न करने लगीं। विद्युत् के प्रकाश व इन्द्रधनुष से सुशोभित और जल के भार के कारण नम्र मेघ व मणियों से सुसज्जित रमणियाँ—दोनों एक साथ मिलकर प्रवासियों के हृदय को आकर्षित करने लगे। बल्लभाओं ने शिर का शृंगार पराग युक्त कदम्ब से और केतकी के फूलों से किया और कानों में अर्जुन की मंजरियों के अलंकार पहन लिए। चन्दनचर्चित देहवाली और फूलों से सुवासित केशवाली अंगनाएँ साँझ के समय मेघों के गर्जन से इतना डर गयीं कि श्वसुर के सारे महलों को छोड़कर उन शयनागारों में प्रविष्ट होने लगीं जहाँ पति लोग उनकी प्रतीक्षा में (परिवार-नियोजन के सिद्धान्तों को भुलाने की चेष्टा करते हुए) व्यस्त थे। मेघों की माला ने पथिकों की भार्या का चित्त-हरण कर लिया और इतनी ज़्यादा मात्रा में कर लिया कि पति को उसका चीरहरण करने की ज़रूरत ही नहीं पड़ी। यह वर्षा की ऋतु सचमुच विचित्र है। यह पति की भाँति सुन्दर ललनाओं के केशों में मालती के फूलों से युक्त, अशोक के पुष्पों का हार धारण कराती है और नवीन फूलोंवाली जूही की कलियों से और कचनार से उनके कर्णाभरणों को रचती है। हे प्रिये, रमणियाँ इस मतवाली ऋतु में अपने उन्नत स्तनों को मोतियों की माला से, नितम्बों को श्वेत वस्त्रों से, शरीर के मध्य को सुन्दर त्रिवली से और बाकी अंगों को रोमांचित रोमों से ढँकती हैं। हे प्रिये, यह वर्षा ऋतु ही जल की बूँदों की शीतलता, केतकी की गन्ध से सुगन्धित पवन और निर्लज्ज करनेवाली अदम्य आकांक्षा से प्रवासियों के चित्तों को कष्ट पहुँचाती है और हे प्रिये यही वह ऋतु है जो प्रचुर गुणों से मनोहर है, कामिनियों के चित्त को हरने में चतुर है और प्राणियों का प्राण है।"

मैं एक मित्र के साथ यमुना तक जाने की सोचता हूँ। वर्षा तो चलती ही रहेगी। नदी में बहते पशु, घरों का सामान और कभी-कभी मृत स्त्री, पुरुष और बच्चों को पानी की धारा में बहते देखकर जीवन की क्षणभंगुर सच्चाई का सच्चा अनुभव होता है। पन्तजी की कविता में "ऐसे सोने के साँझ प्रात, ऐसे चाँदी के दिवस-रात, ले जाती बहा कहाँ गंगा, जीवन के युग क्षण किसे ज्ञात?" वाली पंक्तियों में और सब कुछ तो है पर उफनती नदियों में बहते शवों में उन्होंने कोई दिलचस्पी नहीं दिखायी है। वर्षा फिर शुरू होने से पूर्व हम लोग वापस लौटने की सोचने लगते हैं। कविता

कविता की जगह और गठिया का दर्द अपनी जगह। भाद्रपद की इस वर्षा-संकुल साँझ की भाँति मैं भी अब अस्त होने की मुद्रा में आ जाता हूँ और बच्चन की 'त्रिभंगिमा' की पंक्तियाँ याद करने लगता हूँ—"मेरे भी कुछ कागद पन्ने/इधर-उधर फैले हैं बिखरे/गीतों की कुछ टूटी कड़ियाँ/कविताओं की आधी सतरें/मैं भी रख दूँ सबको जोड़/उठ अपना सामान बटोर..." या "मैं तुम्हारी नाट्यशाला में/विदूषक मात्र बनकर रह गया/काम जो तुमने कराया, कर गया/जो कुछ कहाया कह गया..."

रात मुझे 'ऋतु-संहार' याद आ रहा था पर दुख के इन क्षणों में मुझे जयदेव का 'गीत-गोविन्द' भी कसरत के साथ याद आ रहा है। पोथी के प्रारम्भ में कवि कहता है: "कृष्णजी वर्षा की मनोरम छटा देखते-देखते वृन्दावन से आगे निकल गये। सहसा गगन वर्षा के मेघों से आच्छादित हो गया और तमाल के वृक्षों से लदी वनस्थली इतनी कृष्णवर्णा हो गयी कि श्याम का उसी में खो जाने का डर उपस्थित हो गया। नन्द ने राधा से कहा कि 'रात्रि भयावह है, जा तू इसे घर तक छोड़ आ।' नन्द का यह स्पष्ट आदेश मिलते ही राधा कृष्ण के साथ वन में निकल गयी। कालिन्दी का तट, सघन कदम्ब के कुंजों से अलंकृत वनपथ तथा परम सुखदायी एकान्त—इन सब सुविधाओं का लाभ उठाते हुए राधा और कृष्ण ने उपयुक्त काम-केलि को जी भरकर खेला। जयदेव कहते हैं कि ऐसी 'यमुनाकूलेरहः केलयः' करनेवाले राधा और माधव की जय हो।"

बाँग्ला में कृष्ण-काव्य की परम्परा बहुत प्राचीन है और वहाँ के वैष्णव कवियों की वाणी से गुरुदेव रवीन्द्रनाथ ठाकुर भी बराबर 'प्रेरणा' लेते रहे हैं। इन प्राचीन कवियों में गोविन्ददास मुझे बेहद प्रिय हैं। मेरी अन्तरंग मित्र एक बंगाली युवती थी जो उनके पदों को गा-गाकर मुझे सुनाया करती थी और उसका तेलुगू इंजीनियर पति बिना कुछ समझे अपने सिर पर तबला बजाया करता था। गोविन्ददास से तत्कालीन पारम्परिक समाज बहुत नाराज़ था और एक पद में गोविन्ददास ने पत्थर मारनेवाले ग्रामीणों से कहा था कि "देखो, आज तुम मुझ पर पत्थर मार रहे हो। मगर याद रखना कि एक दिन तुम्हीं लोग मेरी समाधि पर सोने का छत्र लगवाओगे।" कवि की वाणी सच निकली। मुझे पूरा विश्वास है कि जो आदर गोविन्ददास को यथासमय प्राप्त हुआ वह कभी मुझे भी प्राप्त होगा।

पन्त और निराला : कुछ रोचक प्रंसग

(एक)

"मुझे स्मरण है कि 1920 में इलाहाबाद (युनिवर्सिटी) के जैन बोर्डिंग हाउस में एक कवि-सम्मेलन का आयोजन किया गया था। उसके सभापति थे पण्डित अयोध्यासिंह उपाध्याय। उस सम्मेलन में जब पन्तजी ने अपनी कविता पढ़ी तो सारी उपस्थित जनता मुग्ध हो गयी। उपाध्यायजी ने उन्हें माला पहनायी। उस समय पन्तजी सोलह वर्ष के रहे होंगे। उनके स्वर में जो माधुर्य था, वही माधुर्य उनकी रचना में था। उनमें जो सुकुमारता और सुन्दरता थी, वही उनकी भाषा में थी। उस दिन मुझे ऐसा जान पड़ा था कि पन्तजी ने अपनी भाषा के इन्द्रजाल में सब लोगों को वशीभूत कर लिया है।"

(पदुमलाल पुन्नालाल बख़्शी)

"इस बार पहली बार पण्डित सुमित्रानन्दन पन्त से बिजनौर में मुलाक़ात हुई। आदमी तबीयत के साफ़ व 'जैण्टिलमैन' मालूम हुए। 'पल्लव' की भूमिका में जो पहले कवियों के विषयों में अण्ट-शण्ट, अनाप-शनाप और ऊल-जलूल लिखे गये हैं, उसे वापिस लेने को कहते थे। यह भी कहते थे कि ब्रजभाषा का विरोध करने के लिए मुझसे ख़ास तौर पर कहा गया था, इसी से वैसा लिखना पड़ा। गला सुरीला है, सुर-ताल से वाकिफ़ हैं और राग-रागिनियों के नाम जानते हैं। आजकल के एक आदर्श छायावादी कवि में जो गुण होने चाहिए, वे उनमें सब हैं।"

(पण्डित पद्मसिंह शर्मा)

"जब मैंने पन्तजी को पहली बार देखा तो उनके अभूतपूर्व सौन्दर्य पर अभिभूत हो गया और उनके घने-लहरे-केशों पर मुग्ध हो गया। जब मुझसे कुछ तुकबन्दी सधने लगी और मैं अपने कवि होने की सम्भावना से पुलकाकुल होने लगा तो मैंने भी अपने काकुलों को बढ़ने के लिए छोड़ दिया। अनुकरण उस अवस्था की सहज प्रवृत्ति होती है। इसे मैं अपना सौभाग्य समझता हूँ कि मेरा अनुकरण उनके बालों तक ही सीमित रहा, यदि मैं उनकी शैली का अनुकरण करने लगता तो डूब गया होता।"

(बच्चन)

"प्रयाग की पहली भेंट में मैं पन्तजी की आत्मीयता नहीं पा सका। उस समय मैं अतृप्त और असन्तुष्ट चित्त से जब काशी लौटा तब भी वह व्यामोहन मुझ पर बना रहा जो एक लम्बे युग तक चलता रहा। मैंने पन्तजी को मात्र कवि के रूप में ही देखा, व्यक्ति के रूप में नहीं। उनकी आत्मीयता क्या मुझे कभी मिली?"

(शान्तिप्रिय द्विवेदी)

"पन्तजी की भाषा में ऋग्वेद की सहज अन्तःप्रेरित सत्य से पिघली हुई भाषा की छटा है, कालिदास की कल्पनाप्रवण लालित्य-योजना है और जयदेव की कोमलकान्तता है। यह पन्तजी की प्रतिभा का चमत्कार है कि आधुनिक हिन्दी को पचास वर्षों की अवधि में एक ढली हुई भाषा मिल गयी, ब्रजभाषा को तो काव्य-भाषा में ढलते-ढलते दो शताब्दियाँ लगी थीं।"

(विद्यानिवास मिश्र)

"पन्तजी चौर्य-कला में निपुण हैं। वे कभी एक पंक्ति से अधिक का लोभ नहीं करते। एक पंक्ति किसी एक कविता से ली, दूसरी किसी दूसरी कविता से, तीसरी में कुछ अपना हिस्सा मिलाया और चौथी में तुक मिलाने के लिए वैसा ही कुछ गढ़कर बैठा दिया। इस तरह की सफ़ाई पकड़ने में समालोचकों को बड़ी दिक्कत पड़ती है। कवि को भी अपनी मौलिकता की विज्ञापनबाज़ी करने में कोई भय नहीं रहता।"

(सूर्यकान्त त्रिपाठी 'निराला')

"मैं शपथपूर्वक कह सकता हूँ कि अपने पच्चीस वर्षों के लगभग रोज़ के संग उठने-बैठने में मैंने कभी भी पन्तजी को किसी की बुराई करते नहीं सुना और न कभी आत्म-विज्ञापन की कोई भंगिमा अपनाते देखा। फिर जब मैं कभी-कभी कुछ लोगों को उनके बारे में कोई कच्ची-पक्की बात कहते सुनता हूँ (और कभी-कभी ऐसे लोगों से जिनका कि पन्तजी ने उपकार किया था) तो मानव-चरित्र की इस विडम्बना पर अवाक् रह जाता हूँ। पन्तजी में मुझे न तो कभी दम्भ दिखायी दिया और न कभी आत्मप्रदर्शन। लोग बिना सूचना दिये आते थे और घण्टों-घण्टों बैठते थे। दो कौड़ी की कविता-पुस्तकों की भी उन्होंने ऐसी भूमिकाएँ लिखीं कि जिनमें कवि की प्रशंसा के ऐसे पुल बाँधे हैं कि वे देखने योग्य हैं। उनके स्वभाव में बच्चों जैसी सरलता थी (जो कभी उलझनें भी पैदा कर जाती थी)। एक बार कुछ लोगों ने उनके पीछे पड़कर उन्हें इस बात के लिए किसी तरह राज़ी कर लिया कि वे बहुगुणाजी के जन्म-दिवस पर उत्सव में आयेंगे और वहाँ एक कविता पढ़ेंगे। वादा करने के बाद उन्होंने स्थिति के भद्देपन को आँका और मौक़ा आने पर वे अपने घर से भाग खड़े हुए और मेरे यहाँ आकर 'छिप' गये। यदि उन्होंने झूठ बोला तो मात्र इस कारण कि वे किसी के हृदय को ठेस नहीं पहुँचाना चाहते थे। उन्होंने अपने किसी स्वार्थ के लिए या अपने किसी दुष्कर्म को छिपाने के लिए जीवन में कभी झूठ बोला होगा, इसकी तो मैं कल्पना भी नहीं कर सकता।"

(अमृतराय)

"एक बार कालाकाँकर गया तो पाया कि पन्तजी व कुँवर सुरेशसिंह लखनऊ गये हुए हैं। दूसरे दिन प्रयाग लौटने के लिए स्टेशन पहुँचा तो प्लेटफ़ार्म के पीछे से ही डिब्बे में बैठ गया। गाड़ी जब चल पड़ी तो अचानक पन्तजी व कुँवर सुरेशसिंह प्लेटफ़ार्म पर दिखायी दिये। वे उसी ट्रेन से उतरे थे। मैं चलती गाड़ी से उल्टी दिशा में कूद पड़ा और यदि नन्दू बाबू मुझे अपने अँकवार में नहीं भर लेते तो मेरी वहीं इतिश्री हो जाती। डॉक्टर नगेन्द्र ने लिखा है कि पन्तजी अपने-आप टिकट नहीं ख़रीद सकते। मैं थर्ड क्लास का टिकट ख़रीद सकता हूँ और ठसाठस भीड़ में भी बैठ सकता हूँ। किन्तु ट्रेन के तौर-तरीके से मैं अनजान था और जीवन की लोकयात्रा में भी मैं उतना ही अज्ञान हूँ। पन्तजी सांसारिक दृष्टि से मेरे जैसे नादान दोस्त का भला क्या भरोसा कर सकते थे।"

(शान्तिप्रिय द्विवेदी)

"पन्तजी अब कालाकाँकर छोड़कर स्थायी रूप में इलाहबाद में रहना चाहते थे। वही के राजभवन के असन्तोष अथवा प्रयाग के प्रति खिंचाव का कोई व्यक्तिगत कारण हो तो मैं नहीं जानता। दस बरस के राजभवन के सुविधासम्पन्न, चिन्ता विमुक्त, नौकर-चाकर-संवृत जीवन के अभ्यस्त पन्तजी को जब नितान्त एकाकी और आत्मनिर्भर होकर रहना पड़ा तो उनके हाथ के तोते उड़ गये। दिन तो वे किसी तरह काट लेते मगर रातों को वे बहुत डरा करते। घर चलाने की बला ऊपर सिर पड़ी। उन्होंने मुझे अपने साथ रहने को बुलाया और मैंने उनके निमन्त्रण का स्वागत किया। उनकी कविता व उनके रूप के प्रति मेरा आकर्षण पुराना था। इतने बड़े कवि के साथ रहने का मौक़ा दुनिया में कितनों को मिलता है? मैंने हालैण्ड-हाल से अपना बिस्तरा-बोरिया उठाया और बेली रोड की कॉटेज में लगा दिया। घर चलाने का अनुभव पन्तजी को बिलकुल नहीं था और वे इस बखेड़े में पड़ना भी नहीं चाहते थे। नतीजा यह हुआ कि वह सारा दायित्व मेरे ऊपर आ पड़ा जो घर-गृहस्थी में गृहिणी का होता है। दिसम्बर में मैं उनके पास गया था, जनवरी में वे कालाकाँकर चले गये। इस एक-डेढ़ महीने में भी वे प्रायः 6-बेली रोड चले जाते, वहीं खाना खाते, वहीं रहते, रात को सोने को आ जाते। वहाँ उनके कोई पहाड़ी सम्बन्धी रहते थे जो रिटायर्ड जज थे। बात यह थी कि उन्हीं के शब्दों में, वे जैसे मुक्त वातावरण में रहने के आदी थे, उसकी तुलना में जिस प्रकार के छोटे-से कारोबार के भीतर हम इलाहाबाद में रहते थे, उसमें वे बहुत-बहुत बँधा-बँधा—पेण्ट अप—फील करते थे।"

(बच्चन)

"हिन्दू बोर्डिंग हाउस में हरिऔधजी की अध्यक्षता में आयोजित एक कवि-सम्मेलन में मैं आहूत थी। अचानक दूसरी ओर बैठे हुए छात्रों और अध्यापकों के पुरुषाकार समूह में कुछ हलचल-सी उत्पन्न करती हुई एक कोमलकान्त कृशांगी मूर्ति आविर्भूत हुई। आकण्ठ अवगुण्ठित करती हुई हल्की पीताभ-सी चादर, कन्धों पर लहराते हुए

सुनहले केश, तीखे नक्श और गौरवर्ण के समीप पहुँचा हुआ गेहुआँ रंग, सरल दृष्टि की सीमा बनानेवाली लिखी हुई-सी भँवें, खिंचे हुए-से ओठ, कोमल पतली उँगलियों वाले हाथ... यह सब देखकर मुझे ही नहीं वरन् मेरी अन्य संगिनियों को भी भ्रम होना स्वाभाविक था। पर हम यह देखकर विस्मित हो गये कि वह मूर्ति हमारी ओर न आकर पुरुषों के बीच ही प्रतिष्ठित हो गयी। कई वर्षों बाद डॉ. धीरेन्द्र वर्मा ने अपने विवाह के अवसर पर मुझसे अपने कवि-मित्र सुमित्रानन्दन पन्त से मिलवाया तो मुझे अपने भ्रम पर इतनी हँसी आयी कि मैं शिष्टाचार के प्रदर्शन के लिए भी खड़ी न रह सकी।”

(महादेवी)

“पन्तजी के दर्शन सर्वप्रथम 1943 में बम्बई में हुए। उदयशंकर की फ़िल्म ‘कल्पना’ के लिए वे गीत लिख रहे थे। उन दिनों वे बड़े खोये-से रहते थे। उनके उदास चेहरे पर कान्ति बिराजती थी। मैं उनके साथ समुद्र घूमने जाया करता था हालाँकि एक दिन हिम्मत जुटाकर वे अकेले ही समुद्र घूम आये थे। पन्तजी जब अपने में रम जाते हैं तो उन्हें बाहर के लगाव का होश नहीं रहता। पन्तजी ने मेरे बड़े कठिन क्षणों को बड़े ममत्व में दुलार कर हल्का बनाया है। बम्बई में उन्होंने मुझे नियमित रूप से दो महीने तक कालिदास सुनाया। उन्होंने बड़े स्नेह से मेरे उपन्यास के प्रूफ़ पढ़े। मैं यह तो नहीं कहता कि पन्तजी सदा ही सहज-स्वरूप रहते हैं पर प्रायः वे सहज-स्वरूप ही रहते हैं। जहाँ वे अपनी सहजता खोते हैं वहाँ उनकी सीमाएँ भी सहज़ स्पष्ट हैं। उनका व्यक्तित्व इतना मधुर है कि उनकी छोटी-मोटी कमज़ोरियाँ भी मीठी लगती हैं। कोई भी मनुष्य पूर्ण नहीं होता भले ही वह महापुरुष ही हो। यह सब होते हुए भी सहज-भाव पन्तजी के व्यक्तित्व की दिव्य शक्ति है। गम्भीर होने के साथ-साथ वे बेहद विनोदी भी हैं। मैं उन्हें अपने घर का देवता मानता हूँ।”

(अमृतलाल नागर)

“आर्थिक दृष्टि से सम्पन्नता की ऊँची सीढ़ी से विपन्नता की अन्तिम सीढ़ी तक उन्होंने अनेक चढ़ाव-उतार देखे हैं। जिस अल्मोड़े में कभी उनके कई मकान थे, वहीं वे किराये की कॉटेज में भी रहे। न उनकी हँसी मलिन हुई, न अभिमान आहत हुआ। वे किसी वीतराग दार्शनिक की तटस्थता की साधना नहीं कर रहे थे; उनकी स्थिति उस बालक की-सी थी जिसे घरौंदा बनाने में उतना ही सुख मिलता है जितना कि उसे मिटाने में। इन्हीं परिस्थितियों में वे कई वर्ष कालाकाँकर में रहे। उनके टीले पर स्थित निवास का नाम ‘नक्षत्र’ था। उनके ‘क्षेत्र-संन्यास’ का अर्थ समझने जाकर मैंने उन्हें जिस उत्साहपूर्ण स्थिति में पाया, उसने मेरे प्रश्न को उत्तर बना दिया। ग्रामीणों के कुतूहल और नागरिकों की हँसी सहकर भी अपने जिन केशों के हर घुमाव पर उनका ध्यान रहता था, एक दिन उन्हीं का काट फेंकना भी उनके लिए सहज हो गया। लम्बी अलकों को काट-छाँटकर हाफपेण्ट व शर्ट में प्रसाधित,

छड़ी की मूँठ उँगलियों में दबाये जब वे मेरे यहाँ पहुँचे तब मुझे यह समझते देर न लगी कि उन्हें कोई नया क्षितिज मिल गया है।"

(महादेवी)

"उनके लड़कपन के आभिजात्य और यौवन के पलायनी संस्कारों ने उन्हें जो अस्वस्थ सुकुमारता दी थी, उस पर मुझे अफ़सोस था। उससे ज़्यादा अफ़सोस इस पर था कि वे उनको अपनी हार्दिक संवेदना नहीं दे पाते थे जो संघर्षशील है, यथार्थ से टक्कर लेनेवाले हैं और जो अपने अश्रु-स्वेद-रक्त से जीवन का पथ प्रशस्त करते हैं। और सबसे ज़्यादा अफ़सोस तो मुझे तब होता था जब वे ऐसों का मज़ाक़ उड़ाते थे, पर वस्तुतः ऐसा करके वे अपनी हीनभावना स्वतः ही विज्ञापित कर देते थे। ख़ैर, मैं जिस मानसिक स्थिति में था, उसमें साथ निभाने का वचन देकर, मुझे एकाकी छोड़ पहाड़ चले जाने में उन्होंने मेरे प्रति जो निर्ममता दिखायी थी, उससे मैं बड़ा मर्माहत हुआ। अधिकार उन पर क्या था मेरा, किसी पर भी क्या था?"

(बच्चन)

"दूसरे दिन आकाशवाणी के लिए बाहर से आये हुए कवियों के सम्मान में महाकवि श्री सुमित्रानन्दन पन्त की अध्यक्षता में एक गोष्ठी आयोजित हुई। पं. बालकृष्ण शर्मा 'नवीन', आचार्य चतुरसेन शास्त्री, डॉ. रांगेय राघव आदि बीसियों महान् साहित्य-स्रष्टा उस गोष्ठी में उपस्थित थे। जनगण से सभा-भवन खचाखच भरा हुआ था। उदयशंकर भट्ट के साथ मैं भी पहुँचा। पन्तजी के मुस्कुराते नीलकमल दिन का पता न बताते तो उस हरी-भरी पर्वतमाला की अँधेरी तलहटियों में और कुछ नहीं सुझाई देता। जब मुझे 'बिहार के कवि' कहकर पुकारा गया तो मेरी बाँछें खिल गयीं और दिल के दाग, चिराग़ की तरह जगमगा उठे। मैं पन्तजी को देखता रहा। सन् 1932 में छपे 'गुंजन' में उनका प्रियदर्शी चित्र पहली बार देखा था। उनका रंग अब भले न रहा हो, रेखाएँ वही थीं। प्राणों के संयम से एक अपूर्व दिव्यता उभर आयी थी। मैंने उस निर्धूम अग्नि की रत्न-शिखाओं से अपने अन्तरिक्ष का क्षणिक शृंगार किया जो शून्य को सुरभित कर रही थीं, उच्छ्वसित ज्योति से जैसे समस्त रीतेपन को पूर रही थीं। पन्तजी चले गये और उसके बाद भट्टजी ने मुझसे कहा, 'आपको दोनों का स्नेह प्राप्त है और आप दोनों की प्रतिभा और सहृदयता से अभिभूत हैं। अन्यथा न समझें तो अपने अनुभवों के आधार पर निराला और पन्त का अन्तर बताएँ।' मैंने उत्तर दिया कि 'जीवन ही नहीं वरन् कविता में भी निराला औघड़ हैं जबकि पन्तजी सन्त हैं। निराला स्वच्छ हैं, पन्त परिमार्जित हैं।' मेरे उत्तर पर भट्टजी ख़ूब खुलकर हँसे।"

(आचार्य जानकीबल्लभ शास्त्री)

पन्तजी का जन्म सन् 1900 में ज़िला अल्मोड़ा में स्थित कौसानी नामक एक अत्यन्त रमणीक स्थान पर हुआ था। उनको जन्म देते समय ही उनकी माता का

देहान्त हो गया था। उनका असली नाम गुसाईंदत्त था। हिमालय ही उनका जीवन-ग्रन्थ था, वही उनका प्रेरणा-स्रोत था। वे अविवाहित थे। उनका क़द साधारण था और वे कुछ इस प्रकार के कपड़े पहनते थे जिनमें वे कुछ लम्बे लगें। उनकी प्रत्येक वस्तु उनकी सुरुचिप्रियता व व्यवस्था के प्रति उनके मोह का परिचय देती थी। वे शान्त, शिष्ट और व्यक्तिगत व्यवहार में अत्यन्त सरल व मधुर व्यक्ति थे हालाँकि हिन्दी में आक्रामक आलोचना का सूत्रपात उन्होंने ही किया। उनका कण्ठ मधुर था मगर उनके हावभाव कुछ जनाने से थे। सब कुछ सरल व मधुर होने के बावजूद उनकी आत्मीयता की एक लक्ष्मण-रेखा थी जिसे कोई नहीं लाँघ सकता था। जिस किसी ने भी वह लक्ष्मण-रेखा पार करने की कोशिश की, उसे निराशा ही मिली। पन्तजी शालीन, सम्भ्रान्त, शिष्ट, निर्भीक, शान्त और एकाकी व्यक्ति थे पर वे अपने अकेलेपन के उस दुख को भी शेष दुखों की भाँति अपने तक ही रखते थे। वे एक सतत अध्ययनशील व्यक्ति थे और प्रायः हल्की मुस्कुराहट के साथ सदा मौन ही रहते थे।

पन्तजी अत्यन्त विनोदी व्यक्ति भी थे हालाँकि इस वृत्ति का परिचय मात्र उन लोगों को ही मिलता था जो उनके निकट थे। विश्वम्भर 'मानव' ने जब कामायनी की टीका लिखी तो पन्तजी ने उसे 'मानवीय' टीका कहकर पुकारा। इसी प्रकार जब कोणार्क नामक नाटक के मंचन का काम शुरू हुआ तो प्रश्न उठा कि भारी-भरकम डॉ. जगदीश गुप्त को क्या रोल दिया जाए। बात जब पन्तजी तक पहुँची तो उन्होंने कहा कि "उनकी चिन्ता करना बेकार है। यदि कोई और उपयुक्त रोल नहीं मिला तो जगदीश गुप्त को तो कोणार्क के मन्दिर के ही स्थान पर प्रतिष्ठित कर देंगे।" इसी प्रकार एक बार अश्कजी के बारे में लोगों ने कुछ कहना-सुनना शुरू किया तो पन्तजी ने कहा कि "पता नहीं आप लोग अश्कजी के पीछे क्यों पड़े रहते हैं? स्थिति यह है कि वे हिन्दी के इस समय जीवित साहित्यकारों में सबसे ज़्यादा सज्जन हैं।" पन्तजी की घोषणा सुनने पर वाद-विवाद तो बन्द हो गया पर वाचस्पति पाठक जैसे किसी अन्तरंग और विनोदी मित्र ने पन्तजी से यह पूछ ही लिया कि उन्होंने जो मत अश्कजी के बारे में व्यक्त किया है उसका आधार क्या है? पन्तजी ने उसी शान्त मुद्रा में बताया कि "परसों अश्कजी आये थे और यह बात वे स्वयं ही बता रहे थे।" पन्तजी के इस स्पष्टीकरण पर सारे लोग खिलखिलाकर हँस पड़े। इसी प्रकार एक बार बच्चनजी किसी काम के सिलसिले में सारा दिन सरकारी दफ़्तरों या कोर्ट-कचहरियों का चक्कर लगाकर निराश लौटे तो पन्तजी से कहने लगे कि "पन्तजी, कवियों की पूछ कहीं नहीं होती।" पन्तजी ने बच्चन से कहा कि "मैं तुम्हारी बात से सहमत नहीं हूँ। सच्ची बात तो यह है कि जिस किसी की कहीं पूछ नहीं होती, वही व्यक्ति कवि बनता है।" उनकी बात सुनकर बच्चनजी ख़ूब हँसे और उनकी सारी थकान उतर गयी।

(रवीन्द्रनाथ त्यागी)

"पन्तजी को ज्योतिष में अच्छा-ख़ासा दख़ल था। उन्हें अपने अन्त का भी

पूर्वाभास हो गया था। मृत्यु से लगभग एक सप्ताह पूर्व एक लँगड़ा युवा साधु उनके घर भिक्षा माँगने आया। पन्तजी ने शान्ता से उसे एक रुपया देने को कहा। साधु ने पन्तजी की ओर देखकर कहा कि 'आपका जीवन तो शेष हो गया है, महज़ एक सप्ताह की बात और है।' शान्ता उस पर नाराज़ होने लगीं तो पन्तजी ने कहा कि 'नाहक नाराज़ होती हो, ठीक ही तो कहता है।' 28 दिसम्बर 1977 की कालरात्रि को वे दिवंगत हुए। अट्ठाईस को ही दोपहर के बाद वे लगभग डेढ़ बजे महादेवीजी के निवास पर उनसे मिलने गये। अमृतरायजी के यहाँ गये। उनका बेटा विदेश जा रहा था, उसे विदा दी। पास-पड़ोस में भी हर एक के घर गये जहाँ वे पहले कभी नहीं गये थे। रात के लगभग दस बजे उन्होंने अपना कमरा भीतर से बोल्ट किया। थोड़ी देर बाद कमरे से रेत पीसने जैसी आवाज़ आने लगी। शान्ता घबराकर उनके कमरे की ओर गयीं। दरवाज़ा खटखटाने से उसकी सिटकनी खुल गयी और शान्ताजी ने देखा कि सिटकनी खोलकर पन्तजी पास ही के सोफ़े पर निढाल हो गये थे। कड़ाके की सर्दी थी पर वे पसीने से तर-बतर थे। पास का डॉक्टर बुलाया गया और उसने अस्पताल जाने की सलाह दी। अस्पताल को फ़ोन किया गया पर बेकार। कार में लिटाकर उन्हें बेली-अस्पताल ले जाया गया। वहाँ कोई भी डॉक्टर नहीं था, सब नदारद थे। पन्तजी को डॉक्टर के घर ले जाया गया। डॉक्टर साहब कृपा करके अब अस्पताल पधारे। बड़ी मुश्किल से जनरल-वार्ड में बिना चादर का एक बिस्तर मुहैया किया गया। जहाँ एक-एक मिनट मूल्यवान् था वहाँ इस प्रकार समय का अपव्यय किया गया। पन्तजी ने तकिया माँगा, उन्हें तकिया न मिला। टीन का स्टूल लगाकर उनका सिरहाना ऊँचा किया गया। इस तरह देखते-देखते जब तक चिकित्सा-सहायता पहुँचती, हंस मानसरोवर की ओर उड़ चला..."

(उमाकान्त मालवीय)

(दो)

"सूरजकुमार तिवारी का जन्म (जो उन्नाव ज़िले के गढ़कोला गाँव के निवासी थे) सन् 1896 में हुआ। वे कान्यकुब्ज ब्राह्मण थे। उनके पिता बंगाल के महिषादल राज्य में कर्मचारी थे। अपना नाम कवि ने स्वयं बदला और बाद में 'मतवाला' नामक पत्र में काम करते समय उन्होंने 'निराला' उपनाम भी जोड़ लिया। अब वे सूर्यकान्त त्रिपाठी 'निराला' हो गये। इनको नवीं कक्षा तक शिक्षा मिली और इनकी मातृभाषा बाँग्ला ही थी। सन् 1911 में उनका विवाह कर दिया गया और उनकी पत्नी सुन्दर, शिक्षित व संगीत में निपुण थीं। उन्होंने दो सन्तानों को जन्म दिया। बाईस वर्ष की आयु में निरालाजी विधुर हो गये। लोगों ने बहुत ज़ोर डाला पर उन्होंने दूसरा विवाह नहीं किया। महिषादल में उन्होंने कुश्ती लड़ना, तैरना, फुटबाल खेलना व गाना

सीखा। राजा ने उन्हें समुचित संगीत की शिक्षा देने की व्यवस्था की क्योंकि उनका कण्ठ बहुत मधुर था। राज्य के साथ झगड़ा हो जाने के कारण उन्होंने महिषादल छोड़ दिया। इनकी सर्वप्रथम कविता 'जूही की कली' है जो 'सरस्वती' में नहीं छप सकी थी। आचार्य द्विवेदीजी ने इनकी नौकरी कलकत्ता के 'समन्वय' में लगवायी। दो वर्ष बाद वे 'मतवाला' में चले गये जो हास्य-व्यंग्य से परिपूर्ण एक साप्ताहिक पत्र था। एक वर्ष बाद उन्होंने यह नौकरी भी छोड़ दी और विभिन्न प्रकार का लेखन-कार्य करने लगे। 1927 में वे काशी आये। कलकत्ता में जैसे उग्र, शिवपूजन सहाय, नवजादिकलाल वर्मा का साथ था, काशी में उसी प्रकार वे जयशंकर 'प्रसाद', विनोदशंकर व्यास, मुंशी प्रेमचन्द और जानकीबल्लभ शास्त्री के सम्पर्क में आये। एक वर्ष बाद वे लखनऊ चले गये और दुलारेलाल भार्गव के साथ काम करने लगे। पन्तजी इनसे मिलने लखनऊ आते थे और एक बार निराला भी कालाकाँकर गये थे (जहाँ उन्होंने होली के अवसर पर लहँगा और ओढ़नी पहनकर मंच पर एक नृत्य पेश किया था)। लखनऊ में ही वे मिश्रबन्धु, श्रीनारायण चतुर्वेदी, डॉ. रामविलास शर्मा व अमृतलाल नागर से घनिष्ठ हुए। बाद में चित्रकूट होते हुए वे प्रयाग आये। 'गीतिका' की भूमिका 'प्रसाद' जी ने लिखी महादेवीजी इन्हें राखीबन्द भाई मानती थीं और अन्य मित्रों में नन्ददुलारे वाजपेयी, कमलाशंकर व पं. वाचस्पति पाठक प्रमुख रहे। अन्त में चलकर वे कमलाशंकरजी के साथ ही रहने लगे और अन्त तक वहीं रहे। सन् 1930 में उन्होंने पुत्री का विवाह किया और पाँच वर्ष बाद ही वह मर गयी। इस घटना ने निराला के मानसिक असन्तुलन की शुरुआत की। वे सचमुच एक विचित्र व अद्‌भुत व्यक्ति थे और जितने संस्मरण, कहानियाँ और जनश्रुतियाँ उनके बारे में प्रचलित हैं, उतनी हिन्दी के किसी और साहित्यकार को लेकर प्रचलित नहीं हैं। जीवन के अन्तिम वर्षों में उनकी 'विक्षिप्तता' ज़्यादा हो गयी थी। उनकी मृत्यु सन् 1961 में हुई। वे छह फ़ीट लम्बे थे और उनका सीना कभी 39 इंच चौड़ा था।"

(विश्वम्भर 'मानव')

"जिस (अपनी पत्नी) के हिन्दी के प्रकाश से प्रथम परिचय के समय मैं आँखें नहीं मिला सका था, लजाकर हिन्दी-शिक्षा के संकल्प से कुछ दिनों बाद देश से विदेश पिता के पास चला गया था और उस हिन्दी-हीन प्रान्त में बिना शिक्षक के 'सरस्वती' की प्रतियाँ लेकर पद-साधना की और हिन्दी सीखी थी..."

(सूर्यकान्त त्रिपाठी निराला)

"काव्य की तरह ही निरालाजी के स्वभाव में भी एक मुक्तछन्द है। मैं उनके स्वभाव से अभ्यस्त नहीं हो सका। प्रायः वे मुझ पर रुष्ट हो जाते थे। उनके काव्यत्व को श्रद्धा देकर भी, मैं उनके स्वभाव से सहयोग नहीं कर सका...।

"काशी में पं. विनोदशंकर व्यासजी ने निराला का आतिथ्य किया। प्रसादजी की भी तटस्थ सहानुभूति और स्वास्थ्य-कामना निरालाजी के साथ थी किन्तु अपना आर्थिक

कष्ट निरालाजी किसी से कह नहीं सकते थे। उनके पास एक जीर्ण-शीर्ण ऊनी शाल था, वे चाहते थे कि उसे बन्धक रख के कोई उन्हें उधार दे दे। कौन देता? वह शाल तो एक कवि के स्मृति-चिह्न के रूप में म्यूज़ियम में रखा जाने लायक था। ...काशी में कुछ दिन रहकर निरालाजी जब विदा होने लगे तब उन्होंने मुझसे कहा कि प्रसादजी से पच्चीस रुपया उधार माँगकर दे दीजिए। मैंने उनकी आज्ञा का पालन किया। प्रसादजी ने पच्चीस रुपया दे दिया और कीमियागर से दवा भी मँगवाकर दे दी।"

(शान्तिप्रिय द्विवेदी)

"यह दुख की ही बात है कि निराला के मस्तिष्क ने उन्हें धोखा दिया, उसमें विकृति आ गयी। उनके भीतर जो 'गौहरे-मजमूँ' छिपे हुए थे, वे सभी बाहर न आ सके। उनकी इस बीमारी का पूर्वाभास मुझे 1938-39 में मिला। हम दोनों कार में साथ-साथ जा रहे थे और अपनी कविताओं की चर्चा करते हुए उन्होंने कहा कि राजेश्वर बाबू आपने तो देखा होगा कि मेरा काव्य टैगोर से टक्कर लेता है बल्कि उनके काव्य से भी बढ़ा-चढ़ा है। मैं सुनकर सन्न रह गया। चुप रहा, कह ही क्या सकता था?"

(राजेश्वरप्रसाद नारायण सिंह)

"एक दिन शाम को प्रसाद, निराला, उग्र, विनोद वग़ैरह सब गोविन्दपुरा के नुक्कड़ वाली शर्बत की दुकान पर संयोगवश एकत्रित हो गये। मैं तो था ही। निराला का मुक्त-वृत्त काव्य उन दिनों बड़ी चर्चा का विषय था और इससे जो लोकप्रियता मिली, उससे निरालाजी गर्वित थे। उस दिन जो चर्चा चली, उसमें निराला स्वभाववश बोल उठे कि 'यह नाल मेरे सिवा कौन पहलवान उठा सकता है?' प्रसादजी तो व्यंग्यभरी मुस्कान बिखेरकर रह गये किन्तु उग्र तो निराला के भी सवाये थे। प्रगाढ़ मित्रता होते हुए भी वे उस शेख़ी को सहन नहीं कर सके और बोले कि 'यदि मैं लघुशंका कर दूँ तो उसकी धार से मुक्तछन्द बन जायेगा।' और उसी समय काग़ज़ और पेंसिल लेकर उन्होंने देखते-देखते मुक्तछन्द में 'स्वर्णमृग' नामक कविता लिखकर प्रस्तुत कर दी। निराला अप्रतिभ होकर रह गये।"

(रामनाथ 'सुमन')

"निरालाजी भाराक्रान्त तन-मन के कारण बाह्य जगत् से इतना विमुख हो गये थे कि वे अपनी वेशभूषा पर भी ध्यान नहीं दे पाते थे। किन्तु उनकी कलात्मक सुरुचि सजग थी, तभी तो एक दिन लखनऊ में उन्होंने हँसते हुए आत्मविद्रूप किया था—मैं चर्मकार लगता हूँ या कलाकार।"

(शान्तिप्रिय द्विवेदी)

"केवल निराला के पास कुछ सोने के कण हैं, पन्त ने तो मात्र टीन पर पालिश की है।"

(भुवनेश्वर)

“निरालाजी 1929 के लगभग लखनऊ आ बसे थे। प्रायः तभी से मैं उनके यहाँ आने-जाने लगा था। निरालाजी अर्वाचीन भारतीय कवियों में यदि सर्वाधिक किसी की बातें किया करते थे तो पन्त व गुरुदेव की। इन दोनों के प्रति ही होड़ में, रीझ में, रिसियान-खिसियान में वे अक्सर बहुत-कुछ कहा करते थे। कभी-कभी नौजवानी के लहरे में निरालाजी को छेड़ने के लिए मैं या रामविलास शर्मा, पन्त या गुरुदेव की ऐंडी-बैण्डी खोट निकालकर आप तरह देकर निकल जाता था और निरालाजी ताव में आकर हमें घण्टे, डेढ़ घण्टे का लेक्चर पिला देते थे। निराला को पन्त की अनेक कविताएँ कण्ठस्थ थीं। गुरुदेव और पन्त की शान के ख़िलाफ़ वे किसी से एक वाक्य भी नहीं सुन सकते थे, आप भले ही तैश में आकर उन्हें गाली तक दे बैठें। पन्तजी के प्रति मेरा भक्ति-भाव निरालाजी ही की देन है। मैं समझता हूँ कि यही बात रामविलास शर्मा के लिए भी कही जा सकती है।”

(अमृतलाल नागर)

“निराला के अस्तित्व का चेतन रूप से पता तब चला जब 1935 में मेरा परिचय पं. वाचस्पति पाठक से हुआ जो शीघ्र ही मैत्री में बदल गया। पाठकजी निराला के मित्र ही नहीं वरन् भक्त भी थे। वे जब भी लाहौर आते तो मेरे ही साथ ठहरते और कविता में परिष्कार के लिए निराला की कविताएँ सुनाते थे। जब मैं लखनऊ गया तो उनसे मिलने गया। खूँटी पर से कुर्ता उन्होंने पहना और बोले कि ‘चलो चौक चलें वहीं तुम्हें कुछ खिलाते-पिलाते हैं।’ उनका यूनानी देवताओं जैसा रूप, निर्व्याज बेतकल्लुफ़ी, अलमस्त फक्कड़पन मुझे अपनी ओर खींचता था लेकिन उनका दुर्निवार अहम् दूसरों को दिखाकर और कई बार चिढ़ाकर खाना-पीना और उड़ाना मुझे परे धकेलता था।

“शायद 1939 की बात है कि शिमला में हिन्दी साहित्य सम्मेलन का अधिवेशन हुआ। कवि सम्मेलन में भाग लेने पाठकजी के साथ मैं भी पहुँचा। देखा कि निरालाजी हाल में बिस्तर लगाये बैठे हैं और लोगों को चिढ़ाने के लिए बोतल रखे हुए पी रहे हैं। मुझे अनायास धक्का-सा लगा। यों चौड़े-दिहाड़े दूसरों को चिढ़ाने के लिए पीता देख मुझे कुछ वितृष्णा-सी हुई। सम्मेलन के जयपुर अधिवेशन में बैरे से उन्होंने मुर्ग-मुसल्लम बनाने को कहा और पाठकजी का मित्र होने के नाते मुझे भी बुला लिया। मुर्ग़ शायद बुड्ढा था या बैरा उसे पका न सका था। मुझसे वह नहीं खाया गया पर निरालाजी मज़े से उसे चींथते रहे और मुझे चिढ़ाते रहे। इसके बाद कहीं से उन्होंने इत्र की शीशी निकाली और पाठकजी या किसी दूसरे पर पूरी-की-पूरी उलट दी। मेरे लिए यह बहुत अजीब था और मैं उनसे कतराने लगा। पाठकजी के कहने पर मैंने निरालाजी की एक प्रसिद्ध कविता की पैरोडी उन्हें सुनायी जिसे उन्होंने कई बार सुना और सुनकर ख़ूब हँसे। दूसरे दिन अधिवेशन के बाद मैं, पाठकजी व निराला पैदल ही घर की ओर चले। निरालाजी कुछ दूर तक पाठकजी

से बात करते रहे और फिर कुछ परे हो गये और अँग्रेज़ी में कुछ बड़बड़ाने लगे। बार-बार उनके ओठों पर एक प्रसिद्ध महिला का नाम आता था। कुछ दूर तक मैं पाठकजी से बातें करता रहा पर फिर मेरा ध्यान निरालाजी की ओर जाने लगा। आख़िर मैंने पाठकजी से पूछ ही लिया और पाठकजी ने बताया कि 'तुम उनकी चिन्ता न करो, उनकी ऐसी ही आदत है।' पर कोशिश करने पर भी मैं पाठकजी से बातचीत न कर सका और न निरालाजी की ओर से ध्यान ही हटा सका। घर जाकर वे नॉर्मल हो गये।

"इलाहाबाद में पहली बार मैं उनसे पाठकजी के यहाँ मिला। वे कमरे में टहल रहे थे और कुछ बड़बड़ा रहे थे। मैं प्रणाम कर तख़्त के कोने पर बैठ गया तो उन्होंने मेरा हालचाल पूछा। मैंने 'संगम' में या किसी दूसरी मैगज़ीन में छपी उनकी कविता की प्रशंसा की तो उन्होंने कुछ नहीं कहा। फिर टहलने लगे—उसी तरह बड़बड़ाते हुए—लेकिन टहलते-टहलते पत्रिकाओं में से एक-एक कर उन्होंने तीन-चार पत्रिकाएँ निकालीं जिनमें उनकी कविताएँ थीं और उन पृष्ठों को खोलकर—जिन पर उनकी कविताएँ छपी थीं—वे उन्हें मेरे सामने रखते गये। और फिर उसी तरह बड़बड़ाते टहलते रहे। एक बार दारागंज गया। अमृतराय व अमृतलाल नागर साथ थे। कुछ लड़कियाँ उनके दर्शनों को आ पहुँचीं। एक सज्जन ने एक लड़की से निरालाजी का गीत गाने को कहा। मुश्किल से उसने एक चरण ही गाया होगा कि निरालाजी बड़बड़ाने लगे—हार्मोनियम, तबला व रियाज़—यही शब्द सुनायी दिये। फिर वे कुछ उद्विग्न होकर उठे, दरवाज़े में जा खड़े हुए और स्वर-सन्धान पर भाषण देने लगे। इसके बाद वे बोले कि 'हिन्दी इज़ नाट माई मदर टंग, आई वुड स्पीक इन बैसवाड़ी।' इसके बाद वे वहीं दरवाज़े पर खड़े-खड़े बैसवाड़ी में स्वगत-भाषण करने लगे..."

(उपेन्द्रनाथ 'अश्क')

"पण्डित गंगाप्रसाद पाण्डेय ने 'निराला' जी को लाकर 'एडेल्फ़ी' में टिका दिया—ठीक पन्तजी के कमरे के सामनेवाले कमरे में—दूसरी विंग के। बीच में कुछ चौड़ा लॉन। पन्त और निराला—दोनों एक-दूसरे से 'एलर्जिक' थे, इसका अनुभव पहली बार मुझे हुआ। निरालाजी उन दिनों पहलवानी मुद्रा में रहते थे, पाँव में पंजाबी जूता, कमर में तहमद, बदन पर ढीला लम्बा कुर्ता और सिर पर पतली साफी। कहीं अखाड़ा लोटकर चेहरे व मुँडे सिर पर मिट्टी भी पोत आते थे। आमना-सामना दोनों का कभी-कभी हो ही जाता था। निराला पन्तजी को देखकर अवज्ञा से पीठ या मुँह फेर लेते। पन्तजी निरालाजी को देखते तो अपने कमरे में आ बैठते। एक दिन तो निरालाजी मेरे ड्राइंग-रूम में आ धमके और उन्होंने पन्तजी को कुश्ती के लिए ललकारा। खैरियत यह हुई कि उस दिन अमृतलाल नागर पन्तजी के साथ बैठे हुए थे और मैं जो कुछ लिख रहा हूँ उसके वे साक्षी हैं। अमृतलाल नागर ने बाद में कहा था कि 'अगर निराला पन्तजी पर झपटते तो मैं उन पर पिल पड़ता।' अपने

मनोविकारों से ग्रस्त निराला इतने दयनीय कभी नहीं दीखे थे।"

(बच्चन)

" 'पल्लव' में पन्तजी ने निराला की आलोचना प्रसंगवश ही की थी लेकिन वे उसका इतना बुरा मान गये कि उत्तर में उन्होंने 'पन्त और पल्लव' नाम की सौ पृष्ठ की एक पुस्तक ही लिख डाली। ऐसी भयानक समीक्षा लिखने के उपरान्त (इसके अतिरिक्त पन्तजी के साथ एक के बाद एक अभद्र व्यवहार करने के बावजूद) निरालाजी उम्र-भर पन्तजी के लिए तरसते ही रहे। पन्तजी ने उनके किसी व्यवहार का कोई उत्तर कभी नहीं दिया (वरन् उन्होंने निरालाजी की प्रशस्ति में एक कविता भी लिखी)। पर मेरा अनुमान है कि भीतर का सम्बन्ध सदैव के लिए समाप्त हो गया था। निरालाजी के जीवन के अन्तिम दस वर्षों में पन्तजी निराला से मिलने कभी दारागंज नहीं गये। रघुपति सहाय 'फ़िराक़' के पूछने पर निरालाजी ने मात्र इतना कहा कि 'पन्त इज़ नाट अवेलेबिल, माई डीयर फ़िराक़, पन्त इज़ नाट अवेलेबिल।"

(विश्वम्भर 'मानव')

"महाकवि निराला में जहाँ उच्च कोटि की उदारता व स्वाभिमान था वहीं उच्च कोटि की आतिथ्य-सत्कार की भावना भी उनके हृदय में समायी हुई थी। अतिथि अवस्था में छोटा हो या बड़ा, निराला उसे देवता की भाँति पूजते थे। अतिथि की सेवा-शुश्रूषा में वे पूर्णतया समर्पित हो जाते थे। इतना विशालकाय व्यक्ति अतिथि के सामने बहुत छोटा बन जाता था। जानकीबल्लभ शास्त्री उनसे मिलने ऊपर की मंज़िल तक चढ़े तो उन्होंने अपने जूते जीने के नीचे ही उतार दिये। निरालाजी नीचे आये और उनके जूते स्वयं उठाकर ऊपर ले गये। लखनऊ के अमीनाबाद में घूमते हुए निराला व पन्त ने एक होटल में चाय पी और पन्तजी अपनी जेब से बिल अदा करने का उपक्रम करने लगे। निराला एकदम बोले कि 'यह इलाहाबाद नहीं है। यह लखनऊ है। यहाँ निराला की हकूमत चलती है और उसी का अदल चलता है। बाप बहुत जागीर छोड़ गये हैं क्या जो जगह-जगह लुटाते फिरते हो?' होटल का बिल निरालाजी ने अदा किया और फिर 'सुधा' के कार्यालय में आये। सन्ध्या को निरालाजी ने पन्तजी के लिए भोजन बनाया और प्रेम से खिलाया। भोजन के मामले में दोनों की रुचि समान थी और इसीलिए आनन्द भी दोनों को बहुत आया।"

(अम्बाप्रसाद 'सुमन')

"एक बार दद्दा (मैथिलीशरण गुप्त) चिरगाँव से इलाहाबाद आये। निरालाजी और महादेवी उन्हें लेने स्टेशन गये। स्टेशन पर ताँगे में ही दद्दा ने कह दिया कि 'आज तो मैं निरालाजी के यहाँ ही ठहरूँगा।' उनकी यह बात सुनकर महादेवी निराला की ओर देखने लगीं। निरालाजी का एक कमरा, एक तख़्त और अकेले के लिए ही ओढ़ना-बिछौना। और इस पर दद्दा परम वैष्णव और निराला जीवन में अघोरी। क्या होगा? कैसे होगा? ख़ैर, गुप्तजी निराला के घर पहुँचे। पहुँचते ही निराला ने तख़्त

साफ़ किया। झाड़कर कपड़े बिछाये और गुप्तजी को तख़्त पर बिठाया। निराला व महादेवी नीचे ज़मीन पर बैठ गये। उसके बाद निरालाजी कलसा लेकर गंगाजल लेने निकले और नाव में बैठकर गंगा के बीच धार का गंगाजल लाये। गंगा में स्नान भी करते आये। निराला ने बड़े प्रेम से शुद्धतापूर्वक वैष्णव भोजन बनाया और दद्दा को खिलाया। रात्रि को दद्दा (गुप्तजी) तख़्त पर सोये और निराला नीचे चटाई पर। नीचे बैठे-बैठे निरालाजी ने अपने हाथ से दद्दा के हाथ भी दबाये और कहा, 'दद्दा, आपको पकड़े रहूँगा, तख़्त कुछ ऊँचा-नीचा है, कहीं ऐसा न हो कि परेशान होकर आप रात में कहीं भाग जाएँ।' दद्दा चुपके-चुपके हँसने लगे।"

(अम्बाप्रसाद 'सुमन')

"सुमित्रानन्दनजी दिल्ली में टायफायड से पीड़ित थे। इसी बीच घटित को साधारण और अघटित को समाचार माननेवाले किसी समाचारपत्र ने पन्तजी के स्वर्गवास की झूठी ख़बर छाप डाली। निरालाजी कुछ ऐसी आकस्मिकता के साथ आ पहुँचे कि मैं उनसे यह समाचार छिपाने का भी अवकाश न पा सकी। समाचार के सत्य में मुझे विश्वास नहीं था पर निरालाजी तो ऐसे अवसर पर तर्क की शक्ति ही खो बैठते थे। वे लड़खड़ाकर सोफ़े पर बैठ गये और किसी अव्यक्त वेदना की तरंग के स्पर्श से मानो पाषाण में परिवर्तित होने लगे। उनकी झुकी पलकों से घुटनों पर चूनेवाले आँसू की बूँदें बीच-बीच में ऐसे चमक जाती थीं मानो प्रतिमा से झड़े जूही के फूल हों। स्वयं अस्थिर होने पर भी निराला को सान्त्वना देने के लिए मुझे स्थिर होना पड़ा। यह सुनकर कि मैंने सही स्थिति जानने के लिए तार दिया है, वे व्यथित प्रतीक्षा की मुद्रा में तब तक बैठे रहे जब तक रात में मेरा फाटक बन्द होने का समय न आ गया। सबेरे चार बजे ही फाटक खटखटाकर उन्होंने तार के उत्तर के सम्बन्ध में पूछा और तब मुझे ज्ञात हुआ कि वे रात-भर पार्क में खुले आकाश के नीचे ओस से भीगी दूब पर बैठे-बैठे सबेरे की प्रतीक्षा करते रहे हैं। उनकी निस्तब्ध पीड़ा जब कुछ मुखर हो सकी तब वे इतना ही कह सके कि 'अब हम भी गिरते हैं। पन्त के साथ तो रास्ता कम खटकता था, पर अब तो सोचकर ही थकावट होती है'।"

(महादेवी)

"सभी लेखक एबनार्मल होते हैं पर निरालाजी आवश्यकता से अधिक एबनार्मल थे। उनमें एक प्रकार का हठ था जो हम समझते हैं वही ठीक है। 'हम ऐसा ही करेंगे, ऐसे ही रहेंगे।' एक प्रकार का उद्धतपन था—हम किसी से नहीं दबते, ईंट का जवाब पत्थर से देंगे।' उनकी करुणा और दानशीलता की कहानियाँ प्रसिद्ध हैं। उन्होंने किसी दरिद्र महिला के बच्चे के ऊपर अपना शाल डाल दिया, सड़क के किनारे ठिठुरती स्त्री को अपनी रज़ाई उढ़ा दी, नंगे पैर किसी ग्वाले को अपने नये जूते पहना दिये या किसी ग़रीब इक्केवाले को चार-छह आने के स्थान पर पाँच रुपये दे दिये इत्यादि-इत्यादि। वे जीवन को दुख का पर्याय मानते थे जिसे

पढ़कर बहुत कष्ट होता है। कुछ दुख मनुष्य की शक्ति से बाहर होते हैं, जैसे मृत्यु का दुख। निरालाजी को पुत्री और पत्नी की मृत्यु का दुख था। जीवन के अन्त में उन्हें शारीरिक कष्ट भी मिला। परन्तु जहाँ तक उनके आर्थिक दुख का प्रश्न था, उसके लिए वे स्वयं उत्तरदायी थे। यह एक आश्चर्य की बात है कि जिस व्यक्ति के इतने प्रशंसक हों वह जीवन की सामान्य सुविधाओं से वंचित रहे। लेकिन बात घुमा-फिराकर वहीं आ जाती है–वे किसी की बात मानते ही नहीं थे। ऐसी दशा में कोई करे भी तो आख़िर क्या करे? उनका स्वगत-भाषण बढ़ गया था पर यह भी सच है कि जीवन के अन्त समय तक वे कविता लिखते रहे। निराला के मुख्य उपादान थे–एक बड़ा लक्ष्य, एक बड़ी चेतना और एक बड़ी दृष्टि...”

(विश्वम्भर 'मानव')

“यह घटना उन दिनों की है जब निरालाजी ने नेताओं की हिन्दी-उपेक्षा के विरोध में हिन्दी बोलना बन्द कर दिया था। उन दिनों वे सिर्फ़ अँग्रेज़ी ही बोलते थे। इन्हीं दिनों प्रयाग में कालिदास-दिवस का आयोजन हुआ। वे मेरे साथ हो गये और हिन्दी साहित्य सम्मेलन के भवन तक साथ ही आये। दो-तीन वक्ताओं के बाद मुझसे कहा कि 'नॉऊ लेट मी स्पीक। आई कैन नाट वेट फ़र्दर।' मैंने सभापति की हैसियत से कहा कि 'कालिदास को आप अपना गुरु मानते हैं। कितना अच्छा हो यदि आप अपना भाषण संस्कृत में ही दें।' निरालाजी ने कहा, इन संस्कृत, आल राइट। आई शैल पे माई ट्रिब्यूट इन संस्कृत।' वे खड़े हुए और प्रांजल पर सरल संस्कृत में अपना भाषण प्रारम्भ किया। कालिदास की प्रशंसा करते हुए उनके काव्य-सौन्दर्य का विश्लेषण किया और उनके दो श्लोकों की बड़ी सुन्दर व मौलिक व्याख्या की। प्रायः आधा घण्टे तक वे धाराप्रवाह संस्कृत में बोलते रहे। इस बीच उन्होंने अँग्रेज़ी का एक शब्द भी भाषण में नहीं आने दिया। भाषण समाप्त करते ही उन्होंने सभापति को फ़ौजी सैल्यूट दिया और बोले, 'आई हैव फ़िनिश्ड ऐण्ड आई ऐम नाऊ गोइंग, इट इज़ सो लेट' और इतना कहकर बिना किसी बात की प्रतीक्षा किये वे एकदम चल दिये। उनका संस्कृत में इतना लम्बा, सुन्दर, सारगर्भित और धाराप्रवाह भाषण सुनकर सारे श्रोता मुग्ध ही नहीं वरन् आश्चर्यचकित रह गये। हम लोग यह नहीं जानते थे कि संस्कृत पर उनका इतना अधिकार है।”

(पं. श्रीनारायण चतुर्वेदी)

“लू से लिपटी हवा झंझा के पंजे मरोड़ रही थी। मेरा रिक्शा दारागंज की दिशा में बेतहाशा भागा जा रहा था। मन में अधूरे, अतृप्त और विशृंखल विचारों का बवण्डर-सा उठ रहा था। रिक्शे से परिवेश की निस्तब्धता पढ़ता हुआ वह अनचीन्हा रास्ता तय किया जो गली के ताज़ा अँधेरे और जर्जर प्रकाश ने सिरजा था। निराला समाधि में थे। उन्होंने करवट बदली। दरअसल एक करवट तो वे कभी सोये ही नहीं। देखा, जिस चेहरे पर कभी सुर्ख़ी बिछलती थी, वह वनफूल-सा डण्ठल पर ही

मुरझा गया था। रंग उड़ गये थे, धुँधला-सा ख़ाका बच रहा था। मगर जिसके सारे मनसूबे मिट्टी में मिल गये थे, उसके मुख की एक-एक रेखा में ऐसी सजीव शान्ति कैसे बिराज रही थी? निराला आकाश-खण्ड-सी विशाल आँखें मलते हुए उठ बैठे। हिन्दी से कतरा रहे थे। कभी संस्कृत, कभी अँग्रेज़ी और कभी उर्दू में बोल रहे थे। अतिरिक्त प्रसन्नता छलकी पड़ती थी। मैं निर्वाक् था, क्या यही निराला अस्वस्थ व असन्तुलित हैं? काफ़ी देर तक बातें करने के बाद, जैसे वर्षों पहले काशी या लखनऊ में बोला करते थे, बोले, 'चलो तुम्हें घुमा लाएँ।' छड़ी लेकर निराला आगे-आगे चलने लगे और चक्करदार गलियों का ब्यूह पारकर अपने चिरंजीव रामकृष्ण त्रिपाठी के यहाँ पहुँचे। बाजा निकलवाया। दरबारी कान्हड़ा, केदारा, इमन कल्याण, तिलक कामोद, दुर्गा और शंकरा आदि में अपने कितने ही नये-पुराने गीत गाये। रवीन्द्रनाथ के गीतों से पूर्णाहुति दी। लौटे तो रैक से किताबें निकालकर कभी मिल्टन और कभी कालिदास की कविताएँ सुनाते रहे। मैं चलने को हुआ तो निराला ने रोक लिया। सेतु टूट रहा है, कौन जाने, प्रवाह किस भटके क्षण में से चुपचाप बह निकले। रात हो गयी और जल्दी ही ढल गयी। निराला जग गये थे। मुझे तैयार देखकर बोले : अच्छा देखो, अब कब?

आज पहली बार चरण छू सका। अन्तिम बार प्रत्युत्तर में वही महज़ स्वर सुना—नमोनमः।"

(आचार्य जानकीबल्लभ शास्त्री)

"निराला सचमुच निराला था। चाल-ढाल में निराला, सोच-विचार में निराला। अपने इसी निरालेपन की क़ीमत उसने चुकायी। दुनिया निराले आदमियों को पसन्द नहीं करती, दुनिया निराले आदमियों से डरती है। समाज में सफलता का सेहरा उन लोगों के सर रहता है जो बँधी हुई लीक पर आँखें मूँदकर चलते हैं। निराला उन लोगों में से नहीं था, उसे किसी की बनायी लीक पर चलना मंज़ूर नहीं था—न अपने जीवन में, न अपने साहित्य में। सत्ता के आगे झुकना सुविधा की वेदी पर अपनी जीवन-आस्था की हत्या करना उसने सीखा ही नहीं था। सृजन के सुख से इतर किसी दूसरे मुख की कामना उसे नहीं थी, हाँ, इतनी-सी चाह ज़रूर थी कि वह कोई नया काम करे बड़ा काम करे जो उससे पहले किसी ने न किया हो, तो कुछ लोग—जिन्हें वह अपना समानधर्मा समझता था। हाथ से नहीं, ज़ुबान से नहीं, आँखों से उसकी पीठ थपथपा दें। लेकिन यह अनुदार समाज उसे इतना भी नहीं दे सका। आज दे रहा है, उससे बहुत ज़्यादा दे रहा है, सर-आँखों पर बिठाल रहा है, लेकिन अब क्या? अब तो वह आदमी, जिसे इन चीज़ों से थोड़ी संजीवनी मिलती, इस मान-अपमान से परे एक दूसरी ही दुनिया में चला गया है। निराला फक्कड़ आदमी था, अपनी उसी फक्कड़ मस्ती के साथ चला गया। अमरता की चिन्ता उसने नहीं की और इसीलिए वास्तविक अमरता उसे मिली। प्रणाम है उस वीर पुरुष को,

और उस मर्द कवि को जिसने कभी हार नहीं मानी, न जीवन से, न मृत्यु से और जो अपनी आख़िरी साँस तक अपने व्यक्तित्व की उसी सहज मौलिक अभिव्यक्ति के लिए लड़ता रहा..."

(अमृतराय)

"निरालाजी अपनी मृत्यु से प्रायः तीन वर्ष पूर्व बीमार होकर शय्याशायी हो गये थे। एक बार मैं प्रयाग गया तो उन्होंने अपने हाथ से लिखकर एक कविता दी जो मैंने 'सरस्वती' में जल्दी ही छाप दी। यह उनकी प्रथम कविता थी जिसमें मृत्यु की नील-रेख दिखलाई पड़ी थी। अस्वस्थावस्था में भी वे जब-तब कविता लिखा करते थे। जब भी मैं प्रयाग जाता तो उनकी कॉपी निकलवाकर सदा देखता कि कोई नयी कविता लिखी है या नहीं। इस कॉपी में कुल पैंसठ कविताएँ हैं। निरालाजी की अन्तिम कविताओं की यह कॉपी कमलाशंकर सिंह के पास थी। इससे पहले निरालाजी अपनी कविताएँ छुट्टा काग़ज़ों पर लिखा करते थे जो या तो इधर-उधर हो जाते थे या खो जाते थे। इसी कारण कमलाशंकर ने उन्हें कॉपी लाकर दे दी। हम सबने तय किया कि यह कॉपी तो कमलाशंकर के ही पास रहेगी मगर इसकी प्रतिलिपि रामकृष्ण त्रिपाठी को प्रकाशनार्थ दे दी जायेगी। 'सान्ध्य-काकली' नामक इस संग्रह में वे अन्तिम कविताएँ ही हैं..."

(पं. श्रीनारायण चतुर्वेदी)

मैं सन् 1950 के उत्तरार्ध में प्रयाग गया था और 1955 के मध्य तक वहाँ रहा। इसके बाद भी मैं सरकारी दौरों पर वहाँ जाता रहा और 1961 में तो मेरा तबादला पटना से प्रयाग ही हो गया। निरालाजी की मृत्यु तो 1961 में हो गयी पर पन्तजी से मैं 1969 तक बराबर मिलता रहा क्योंकि 1963 से 1966 तक केन्द्रीय सचिवालय में रहने के बाद मेरा तबादला फिर प्रयाग हो गया था।

पन्त और निराला—दोनों के प्रथम दर्शन 1950 में ही कर लिये थे। पन्तजी उन दिनों हैमिल्टन रोड पर रहते थे। उनका रहन-सहन, बातचीत, और वेशभूषा इत्यादि सम्भ्रान्त व शालीन व्यक्ति की थी और व्यवहार में वे शान्त, शिष्ट व मधुर थे। निरालाजी दारागंज में एक चित्रकार की बैठक में रहते थे। एक तख़्त था जिस पर कुछ भी कभी नहीं बिछाया जाता था। उम्र के साथ-साथ तख़्त के विभिन्न तख़्ते ऐंठ गये थे, कोई नीचा हो गया था और कोई ऊँचा। नीचे एक चटाई बिछी रहती थी। निरालाजी सदा एक मैली और फटी हुई लुंगी ही पहने रहते थे। वे या तो तख़्त पर बैठकर 'दी कम्पलीट वर्क्स ऑफ़ विलियम शेक्सपियर' पढ़ते रहते थे या फिर उसी को तकिया बनाकर तख़्त पर लेट जाते थे। थोड़ी देर बाद वे खड़े हो जाते थे और शेर की भाँति कमरे में बड़बड़ाते हुए चक्कर लगाने लगते थे। बड़बड़ाहट प्रायः अँग्रेज़ी में ही होती थी। वे हम जैसे जानेवाले नवयुवकों पर कोई ध्यान नहीं देते थे। वे एकदम उदासीन और विरक्त मुद्रा में रहते थे। मैंने कभी उन्हें जूतों में

नहीं देखा। वे दुर्बल होते जा रहे थे पर उनकी सतर्कता, मानसिक शक्ति और नेत्रों की चमक अपूर्व थी।

धीरे-धीरे उन्हें पता लगा कि मैं एक ग़रीब लड़का हूँ और मेहनत-मज़दूरी करके किसी तरह शिक्षा प्राप्त कर रहा हूँ तो वे मेरे प्रति कुछ 'आर्द्र' हुए और जब उन्हें पता लगा कि मैं संस्कृत जानता हूँ तो वे थोड़ा और निकट आये। इसके बाद कभी-कभी थोड़ी-बहुत बातचीत हो जाती थी। जब मैंने एक दिन कहा कि 'रघुवंश' ही कालिदास की सर्वश्रेष्ठ कृति है तो उन्होंने बड़े कुतूहल-मिश्रित आनन्द से मुझे देखा और जब मैंने कहा कि 'माघकाव्य' की सारी प्रशंसा झूठी है तो वे मुझसे लगभग सहमत से दिखायी पड़े। और भी बहुत-सी बातें होने लगीं और एक दिन उन्होंने भक्त-वैष्णव कवि गोविन्ददास का एक पद गुनगुनाकर सुनाया कि "ऐ गाँव वालो, आज तुम मुझ पर पत्थर फेंक रहे हो मगर एक दिन आएगा कि तुम्हीं लोग मेरी समाधि पर सोने का छत्र लगवाओगे। मेरी बात याद रखना।" मैं न जाने उनसे कितनी बार मिला पर न तो उन्होंने कभी किसी की निन्दा की और न कभी अपना कोई यशोगान किया। इतने महान् सौन्दर्यवादी कवि को जीवन के निम्नतर स्तर पर जीता देखकर मुझे महान् यातना होती थी। पर निरालाजी कष्ट में तो थे पर वे दुखी नहीं थे। हर्गिज़ नहीं। बहुत लोग मिलने आते, वे सबके प्रति शिष्ट थे, सबके प्रति उदासीन थे। किसी से नहीं बोलते थे, मात्र स्वगत-भाषण करते थे जो प्रायः हमारी समझ में नहीं आता था। वे जानते थे कि अब ऐसे ही मरना है। अपनी नियति उन्होंने स्वीकार कर ली थी। दुर्भाग्य ने एक शक्तिशाली व्यक्ति को लगभग तोड़ दिया था। वे टूट गये थे पर झुके नहीं थे। अपने सिद्धान्तों को लेकर कोई समझौता उन्होंने अन्त तक नहीं किया।

उनकी मृत्यु का समाचार सारे प्रयागराज में आग की तरह एकदम फैल गया। मैं भागा-भागा दारागंज पहुँचा। बहुत लोग उपस्थित थे। सफ़ेदपोश अध्यापक, सम्पादक, लेखक व वकील वग़ैरह तो थे ही, जो ज़्यादा भीड़ थी वह मछुओं, मल्लाहों, गंगापुत्रों और उन ग़रीब लोगों की थी जिनके परिवार का एक अपना आदमी ही मर गया था। न जाने कितने रिक्शेवाले, ताँगेवाले और भिखारी फूट-फूटकर रो रहे थे। चिता में अग्नि दी गयी और इस देश का एक महान् कवि कुछ ही समय में समाप्त हो गया। संस्कार समाप्त होते ही सबको ऐसा लगा कि जो फ़क़ीर अभी-अभी जलाया गया है यह सचमुच में एक शहंशाह था। अब ये सारे साहित्य के चश्माधारी पटवारी उसे सलाम करेंगे और उसके नाम पर खुलेआम टुकड़े बटोरेंगे।

(रवीन्द्रनाथ त्यागी)

छन्द बन्द ध्रुव तोड़, फोड़ कर पर्वत-कारा
अचल रूढ़ियों की, कवि, तेरी कविता-धारा
स्फटिक-शिलाओं से तूने वाणी का मन्दिर

शिल्प बनाया—ज्योतिकलश निज यश का धर शिर,
शिलीभूत सौन्दर्य, ज्ञान, आनन्द अनश्वर,
शब्द शब्द में तेरे उज्ज्वल जड़ित हिमशिखर,
अमृत-पुत्र कवि, यशःकाय तव जरामरणजित
स्वयं भारती से तेरी हृत्तन्त्री झंकृत

(सुमित्रानन्दन पन्त)

❑

लाल-पीले फूल
(1997)

अपने प्रिय सम्बन्धी
डॉ. रामजीप्रसाद जायसवाल
की सेवा में समस्त आदर व स्नेह के साथ

ये रचनाएँ ढके को उघारती हैं, औंधे को सीधा करती हैं, फूलों का सुवास बिखेरती हैं और काँटे चुभाकर भी गुदगुदी पैदा करती हैं। लगता है, जैसे हीरे को तराशा जाता हुआ देख रहा हूँ। रवीन्द्रनाथ त्यागी हैं जो लाठी से बाँसुरी बजाते हैं...

–राधाकृष्ण

रवीन्द्रनाथ त्यागी की व्यंग्य-रचनाओं को अरसे से देखता आया हूँ। उन्होंने हिन्दी-साहित्य की इस विधा को सम्पन्न किया और इस क्षेत्र में नाम कमाया। अगर पतझर में भी वसन्त का मज़ा लेना हो तो आप रवीन्द्रनाथ त्यागी की व्यंग्य-रचनाओं की राह से गुज़र जाएँ...

–इन्द्रनाथ मदान

रवीन्द्रनाथ त्यागी सचमुच बहुत अच्छा लिखते हैं। ऐसा प्रवाहमय विट्सम्पन्न गद्य मुझसे लिखते नहीं बनता...

–हरिशंकर परसाई

पिछले दिनों देहरादून के एक साहित्यिक-उत्सव में रवीन्द्रनाथ त्यागी ने अपना एक व्यंग्य-निबन्ध पढ़ा। मैंने सारी भीड़ के सामने उनकी कलम को आदाब किया...

–कृष्णा सोबती

हिन्दी में सिर्फ़ दो-चार ही लेखक ऐसे हुए जो व्यंगय को पूरी स्ट्रेटैजी के साथ कलात्मक रूप दे पाये और उनमें रवीन्द्रनाथ त्यागी का अपना एक अलग सोबर चेहरा रहा। मैं मुद्दत से उनका प्रशंसक रहा हूँ...

–शिवप्रसाद सिंह

'व्यंग्य' का अर्थ है भाषा की अभिव्यंजना में एक विशेष शक्ति पैदा करना। रवीन्द्रनाथ त्यागी व श्रीलाल शुक्ल के अतिरिक्त किसी और हिन्दी-व्यंग्यकार के पास अध्ययन-गर्भित प्रजातीय संस्कृति की भाषा-संश्लिष्टता और बहुविद्या के साथ-साथ शब्द-मुद्रा में विशेष प्रकार की ध्वनि उत्पन्न करते हुए कथन-काकु के द्वारा व्यंग्य उत्पन्न करने की क्षमता ही नहीं है। रवीन्द्रनाथ त्यागी ने विश्व-साहित्य का गम्भीर अध्ययन किया है...

–शुकदेव सिंह

सर्व प्रिये चारुतरं वसन्ते

ओह, मेरे प्रिय ऋतुराज, तुम आ गये। मैं यह अधफटी लुंगी पहन कर तुम्हारा हृदय से स्वागत करता हूँ। कपड़े के दाम इतने बढ़ गये हैं कि लुंगी के अतिरिक्त और कुछ पहनने की मेरी हिम्मत ही नहीं रही। यदि ये दाम इसी प्रकार बढ़ते रहे तो वह दिन भी दूर नहीं होगा जब कि मैं तुम्हारा स्वागत नंगे होकर किया करूँगा। बहरहाल बड़ी बात तो यह है कि तुम आ गये। शायद तुम पदयात्रा करके आये हो जो स्वाभाविक है। रेल का भाड़ा इतना बढ़ गया है कि पैदल चलने के अतिरिक्त और कोई चारा ही नहीं बचा। और फिर तुम अकेले तो आते नहीं, जब आते हो तब प्रफुल्लित आमवृक्षों का बौर, भ्रमरों की माला का धनुष, कमलों से युक्त जल, फूलों से लदे वृक्ष, मदनपीड़ित युवतियाँ, सुगन्धित पवन, सुखद सायंकाल, रमणीय दिवस, कनेर पुरुषों के कंकण, अशोक से सज्जित पलकें, कुंकुम से रँगे वृक्ष, मणियों जैसे रक्त-पुष्पों के ढेर और कुन्दकुसुमों से सजे उपवन भी तुम्हारे साथ आते हैं और विपुलता के साथ आते हैं। तुम्हारे आते ही रूपवती मानिनियों की लज्जा उतर जाती है, वे पति के पास रहते हुए भी व्याकुल हो उठती हैं और गन्धर्व, विद्याधर तथा किन्नर लोग मदिरा पीने लगते हैं। यदि तुम्हें और भी विस्तार में जानकारी चाहिए तो तुम्हें फुर्सत में कहीं बैठकर कालिदास का 'ऋतुसंहार', 'कुमारसम्भव' व 'रघुवंश' पढ़ना चाहिए। अगर तुमने कालिदास विस्तार में पढ़ लिया और हृदय से समझ लिया तो तुम्हें और कुछ पढ़ने की ज़रूरत ही नहीं। वैसे भी पुस्तकों के दाम अब इतने बढ़ गये हैं कि यदि तुमने ज़्यादा देर कर दी तो तुम कालिदास भी नहीं ख़रीद सकोगे जिसके लिए प्रकाशक को कोई रॉयल्टी नहीं देनी पड़ती। तुम उस महान् कवि के शब्दों में भार्या के साथ रहते हुए भी प्रफुल्लित आम्र के वृक्षों को देखकर नयनों को मीचा करोगे, अकारण रुदन करोगे और नाक को हाथ से बन्द कर ऊँचे शब्दों में चिल्लाया करोगे। पद्माकर के शब्दों में स्थिति यह होगी कि "औरै रस, औरै रीति, औरै राग; औरै रंग, औरै तन, औरै मन, औरै वन ह्वै गये।"

कालिदास और पद्माकर के अतिरिक्त रवीन्द्रनाथ ठाकुर, सुमित्रानन्दन पन्त और सूर्यकान्त त्रिपाठी 'निराला' भी तुम्हारे बड़े प्रेमी थे। 'निराला' का कहना था

कि इस देश में वसन्त नहीं आता, आता है तो थोड़ा-बहुत बंगाल में ही आता है। लार्ड क़र्ज़न ने कभी शायद इसी कारण 'धनुषभंग' व 'रासरंग' की तर्ज़ पर 'बंगभंग' किया था जो ज़्यादा दिनों नहीं चल सका था। तुम मानोगे कि प्रकृति जो होती है वह साम्यवादी होती है। वर्षा, शिशिर, ग्रीष्म, भूचाल, धूप, ज्योत्स्ना, यौवन, मृत्यु, नदियाँ, पहाड़ और भूस्खलन–ये सब लोगों के लिए होते हैं, किसी विशिष्ट जाति, धर्म या आयु के लोगों के लिए नहीं। तुम स्वयं को ही ले लो, तुम राजा वसन्त सिंह जू के लिए भी आते हो और जमादार बसन्ता के लिए भी आते हो। गुजराती व्यापारी, दक्षिणी सरकारी अफ़सर, हरियाणवी किसान, पंजाबी फ़ौजी, कश्मीरी रूपसी, उड़िया भुखमरा, बंगाली बुद्धिजीवी, मराठी सेनानी, राजस्थानी मुच्छड़ और उत्तर प्रदेशीय बाबू–वसन्त जो आता है वह सबके लिए आता है। वैसे यह सम्भव है कि हमारे वित्तमन्त्री कभी वसन्त पर भी राष्ट्रीयकरण का मुद्दा ठोंक दें। नियम बना दें कि वसन्त मात्र उसी के द्वार पर आयेगा जो पहले से निर्धारित राशि ख़ज़ाने में जमा करवाए और फिर रसीद लेकर दरवाज़े पर तुम्हारी प्रतीक्षा करे। उचित मात्रा में वसन्त न आने पर फिर सरकारी ख़ज़ाने पर जाए और रसीद दिखाकर अपनी रक़म वापस ले ले।

सेवा से निवृत्त होने के बाद मैं देहरादून में ही रहता हूँ जो मेरा सौभाग्य व इस रमणीक नगर का दुर्भाग्य है। यह नगर शिवालिक और हिमालय की मनोरम घाटी में बसा है। इसके एक ओर पवित्र पुण्यसलिला भगवती भागीरथी बहती है और दूसरी ओर ठीक वही यमुना बहती है जो यमराज की बहिन होने के कारण साँवली है और जिसके तट पर दिल्ली, मथुरा व प्रयागराज बसे हैं। देहरादून में आज भी सड़कों की ठीक वही स्थिति है जो 1880 में थी, जब कि इस प्राचीन नगर को खोजा गया था और इसकी सड़कों को खुदाई से निकाला गया था। इन्हीं पर्वतीय श्रेणियों व पुरातत्त्वात्मा सड़कों के कारण, वसन्त इस नगरी में देर से ही आता है। हुएनत्सांग व राहुल सांकृत्यायन भी इन्हीं सड़कों को देखने चीन से आये थे या यहाँ से चीन गये थे। वसन्तराज, अब तुम आ ही गये हो तो यहाँ के सारे स्थल देखकर ही जाना। कालसी में यमुना से कुछ दूर अशोक की लाट है जो कीचड़ और गोबर से सने सच्चे भारतीय परिवेश में तुम्हारे लिए अभी तक सुरक्षित रखी है। पोंटा साहिब का पवित्र गुरुद्वारा सचमुच दर्शनीय है। दूसरी दिशा में हरिद्वार नाम का अत्यन्त प्राचीन नगर है जो पुलिस की सतर्कता के कारण एक तीर्थस्थान भी माना जाता है। उससे आगे ऐतिहासिक नगर नजीबाबाद है जहाँ प्रख्यात रुहेला सेनानी नजीबख़ाँ ने क़िला बनवाया था। और हे ऋतुराज, तुम मसूरी जाना कदापि नहीं भूलना। यह इतना सुन्दर नगर है कि आदमी सारे भयों और चिन्ताओं से सचमुच मुक्त हो जाता है और इसी कारण यहाँ परिवार-नियोजन के बड़े और पूरा विवरण देने वाले सचित्र विज्ञापन, क्या अन्दर और क्या बाहर, सब जगह चिपके हैं। एक

या दो बच्चे, होते हैं शादी के पहिले अच्छे।

तो मेरे बन्धु वसन्त, अच्छा किया जो तुम चले आये। अगर थोड़े दिनों बाद आते तो मैं तुम्हें नहीं पहचान सकता था। बजट पेश होने वाला होगा। ज़िन्दगी और मौत–दोनों के दाम बढ़ेंगे। यात्राएँ, अन्न, लोहा, ईंट, सीमेण्ट, कपड़ा–सब महँगे होंगे। बच्चे नंगे दफ़नाए जाएँगे। नेता जी दो अचकनें एक साथ पहनेंगे और मैं पास वाली ऐतिहासिक मस्जिद की टूटी हुई सीढ़ियों पर बैठूँगा और शायर का यह कलाम याद करूँगा :

न गुल खिले हैं, न उनसे मिले, न मय पी है
अजीब रंगों में अबकी बहार गुज़री है?

कलाकार की प्रतिमा उर्फ़ चाय की दुकान

चण्डीगढ़ से लुधियाना के बीच एक क़स्बा है जिसका नाम है समराला। इस स्थान के मछीवार्हा मार्ग पर एक बेहद ख़स्ता चाय की दुकान है जिस पर ठेलों और ट्रैक्टरों के ड्राइवर अपनी थकान निबटाते हैं। जो साँवला और दुबला आदमी आपको चाय देता है वह इस दुकान का एकमात्र मालिक होने के साथ-साथ पंजाबी का एक प्रसिद्ध कवि भी है। लालसिंह 'दिल' नाम के इस अमर कवि पर खोज हो रही है, शोधकार्य चल रहा है, डॉक्टरेट ली जा रही हैं और यह ग़रीब इंसान है कि चाय बेचता है, उधारी में भी चाय पिलाता है और ख़ुश रहता है। कहते हैं कि इस प्रगतिवादी कवि ने पंजाबी कविता में नये प्राण फूँके हैं। 'सतलज दी हवा' तथा 'बहुत सारे सूरज' नामक संकलनों की कविताओं के द्वारा अनुभूति का एक नया द्वार खोला है और जहाँ उसे पुलिस मात्र एक नक्सलपन्थी ही मानती है वहाँ आलोचक लोग उसे एक विशिष्ट प्रतिभा स्वीकार करते हैं। वह मात्र एक नारेबाज़ कवि नहीं है वरन् एक सच्ची संवेदना वाला धरती का कवि है जो आम आदमी के दुख और दर्द को एक नयी आवाज़ देता है। उसकी दुकान में साहित्यिक संस्थाओं द्वारा दी गयी ट्राफियाँ भरी हैं और वह है कि उस गन्दी और ग़रीब दुकान के सहारे अपना साँस खींच रहा है। पंजाबी के प्रसिद्ध कवियों ने सरकार से उसे पेंशन दिये जाने की पूरी सिफ़ारिश की, और कई बार की, मगर नौकरशाहों ने उसे पेंशन नहीं दी क्योंकि वह अभी साठ साल का नहीं हुआ। जब यह ख़बर इस कवि को पहुँचायी गयी तो उसने एक उदास हँसी हँसकर मात्र इतना ही कहा कि "क्या कोई भी सच्चा कवि साठ साल की उम्र तक ज़िन्दा रहता है?" पुलिस की वहशी लाठियों ने उसे लँगड़ा बना दिया मगर वह है कि ख़ुश है, चाय बेचता है और कविता लिखता है। वह जाति से चर्मकार है, पेशे से चाय वाला है, जो जीवन के अनेक वर्ष शाहजहाँपुर के पास एक आमों के बाग़ की चौकीदारी करते-करते गुज़ार चुका है। हाईस्कूल के आगे वह नहीं पढ़ सका क्योंकि उसके प्रगतिवादी विचारों के कारण उसे कालिज से निकाल दिया गया था। वह अविवाहित है, अकेला है और सारा दिन चाय बनाता है और बेचता है। जब वह दूरदर्शन पर कविता-पाठ करता है तो

उसकी चाय पीने वाले लोग उसे पहचान जाते हैं और विस्मय के साथ एक-दूसरे को देखने लगते हैं। ऐसे 'लाल' (यानी कि रत्न) इस तरह मुफ़लिसी में अपना जीवन काट रहे हैं, वे शब्दों के चित्रकार होने के बावजूद प्रशासन से उपेक्षित हैं जब कि वीभत्स मज़ाक़ लिखने वाले एक प्रसिद्ध पत्रकार अपने अँग्रेज़ी कॉलमों से लाखों रुपया कमा रहे हैं और भारत की ही एक और लेखिका हर प्रकार से थर्ड-रेट होने के बावजूद वह सब कुछ प्राप्त कर चुकी है जिसकी आशा कोई भी साहित्यकार इस देश में कर सकता है। 'दिनकर' को पुरस्कार के बाद पुरस्कार मिलते गये और 'निराला' गन्दी और फटी लुंगी में ही नंगे पैरों से इलाहाबाद की सड़कें नापता रहा...

ग़रीबी इस देश में सच्चे साहित्यकारों की नियति रही। शरत् बाबू ने भी कभी बर्मा में चाय की दुकान खोली थी। बलवन्तसिंह एक रेस्त्राँ चलाते थे, अश्कजी ने किराने की दुकान खोली थी, कानपुर के कालजयी नौटंकी लेखक किशनचन्द्र लिखने के साथ-साथ पहिलवानी करते थे और नज़ीर अकबराबादी एक मदरसा चलाते थे (और उसी के बल पर उन्होंने वाजिदअलीशाह का नवाबी वजीफ़ा अस्वीकार करते हुए 'रीछ का बच्चा' नामक कालजयी कविता लिखी थी), 'जिगर' साहब मुरादाबाद में रेलवे के स्टेशन पर चश्मे बेचते थे, 'बिस्मिल' इलाहाबादी मुनिसपैलिटी के दफ़्तर में डिस्पैचर थे और ग़ालिब साहिब अपने घर में जुए का अड्डा खोलने को मजबूर हो गये थे। प्रेमचन्द ग़रीबी में मरे और परसाईजी भयंकर अभाव में वर्षों तक जिये। नागार्जुन का काफ़ी जीवन इसी फाकामस्ती में गुज़रा। चाणक्य ने ठीक ही कहा था कि 'विद्वान् धनी भूपति दीर्घजीवी, धातुः पुरा कोपि न बुद्धिदोभूत्।' पूना में उत्तम तुपे नामक उपन्यासकार हैं जिन्होंने अब तक सोलह उपन्यास और सैकड़ों कहानियाँ लिखी हैं पर परिवार पालने के लिए वह चपरासी का काम करते हैं।

अँग्रेज़ी-लेखकों में डॉ. सैमुएल जानसन, चार्ल्स लैम्ब, ओलिवर गोल्डस्मिथ व जेम्स जायस सचमुच फटे-हाल रहे। चार्ल्स लैम्ब ईस्ट-इण्डिया-कम्पनी के लन्दन-स्थित मुख्यालय में एक क्लर्क था। मिल्टन ने अपनी पुस्तक 'पैरेडाइस लौस्ट' के सारे अधिकार मात्र चालीस पाउण्ड में ही बेच दिये थे। फ्रेंच साहित्यकार बालजक कर्ज़े में दबे रहते थे पर रहते वे ठाठ से थे। एक बार आर्थिक परेशानी में पड़ने पर उन्होंने 'ड्राल स्टोरीज़' नामक अश्लील पुस्तक भी लिखी थी और इसी प्रकार प्रकाशन में नुक़सान उठाकर सर वाल्टर स्काट ने नैपोलियन का जीवन-चरित्र लिखा था। हिन्दी में सुमित्रानन्दन पन्त को एक प्रकार का राज्याश्रय ही लेना पड़ा था जब कि मंच पर सस्ती भावुकता से भरी कविताओं को मधुर स्वर में सुना-सुनाकर अनेक कवियों ने लाखों रुपये बटोरे। हिन्दी में 'साकेत', 'कामायनी', 'मधुशाला', 'चित्रलेखा', 'गोदान' व 'गुनाहों का देवता' सबसे ज़्यादा बिकने वाली पुस्तकें रहीं और काका हाथरसी व गुलशन नन्दा सबसे धनी साहित्यकार रहे। ऊपर बतायी पोथियों ने 'हनुमान चालीसा'

व 'सचित्र कोकशास्त्र' की बिक्री का रिकॉर्ड भी तोड़ दिया...

ऐसे लोग भी हुए जो सरस्वती के साथ-साथ लक्ष्मी के कृपा-पात्र भी रहे। बाबर, जहाँगीर, जूलियस सीज़र, जेम्स प्रथम, सम्राट् हर्षवर्धन, राजा भर्तृहरि व राजा शूद्रक इत्यादि तो पृथ्वीपति थे पर रवीन्द्रनाथ ठाकुर, जयशंकर प्रसाद, मिश्रबन्धु, लार्ड बायरन, सर थामस रो, सर वाल्टर रैले, रहीम व आचार्य केशवदास भी काफ़ी धनी थे। हमारे रीतिकालीन कवि प्रायः अमीर ही रहे क्योंकि वे ज़्यादातर दरबारी थे। हिन्दी के गद्य लेखकों में देवकीनन्दन खत्री ने बड़ा पैसा कमाया। भारतेन्दु बेहद अमीर थे मगर अपनी फ़िज़ूलख़र्ची के कारण अन्त में चलकर वे निरीह हो गये थे। कबीर ने जुलाहे का धन्धा कभी नहीं छोड़ा और उनके द्वार से कोई अतिथि कभी भूखा नहीं लौटा। बंकिमचन्द्र, मैथ्यू आर्नोल्ड, श्रीलाल शुक्ल, धर्मवीर भारती, रामकुमार वर्मा, रवीन्द्रनाथ त्यागी व हजारीप्रसाद द्विवेदी नौकरी-पेशा लोग थे। रवीन्द्रनाथ त्यागी को सदा यह मुगालता रहा कि यदि वे सारा समय साहित्य को दे पाते तो कम-से-कम नोबिलप्राइज़ तो ज़रूर ही पा जाते पर हरिशंकर परसाई व शरद जोशी ने उन्हें नौकरी छोड़ने ही नहीं दी। बख़्शी जी, ठाकुर प्रसाद सिंह व 'उग्र' जैसे प्रतिभावान् कलाकार कभी बँधकर नहीं रह सके। सबसे ज़्यादा दुखान्त जीवन 'निराला' का रहा जिसकी काफ़ी ज़िम्मेदारी स्वयं उन पर ही जाती थी।

सुखी जीवन जीने के लिए साहित्यकार को आय का कलम के अतिरिक्त कुछ और नियमित अवलम्ब होना चाहिए—यह मेरा निश्चित मत है। आचार्य चतुरसेन शास्त्री राजवैद्य थे और ज्ञान चतुर्वेदी हृदय के डॉक्टर हैं। प्रसाद जी अपने अन्त तक दुकान सँभालते रहे। मात्र कलम के सहारे सुखी जीवन जीना, कम-से-कम इस देश में असम्भव है। सुखी जीवन की परिभाषा क्या होगी—इसका उत्तर देना कठिन है। हरि अनन्त हरि कथा अनन्ता।

अब मैं सेवानिवृत्त हो गया हूँ। सारा समय साहित्य के साथ ही गुज़रता है। काफ़ी पढ़ता हूँ और थोड़ा-बहुत लिखता भी हूँ। पेंशन वग़ैरह है मगर फिर भी काम नहीं चलता। कुछ-न-कुछ धन्धा करना ही पड़ेगा। सोचता हूँ एक प्रकाशन ही खोल लूँ। यदि बाबू मैथिलीशरण गुप्त, प्रेमचन्द, यशपाल, जैनेन्द्र, अश्क व वृन्दावनलाल वर्मा वैसा धन्धा कर सकते थे तो मैं प्रकाशन का काला धन्धा क्यों नहीं कर सकता? नये लेखकों और रूपवती कवयित्रियों को लूटने का इससे अच्छा अवसर और क्या होगा? मगर देहरादून में सब कुछ चल सकता है पर प्रकाशन नहीं चल सकता। सोचता हूँ कि एक सैलून खोल लूँ जिसके आधे हिस्से में पत्नी ब्यूटी-पार्लर चलाएगी और आधे हिस्से में मैं हज्जाम का काम करूँगा। व्यंग्यकार तो वैसे भी सबकी हजामत ही बनाता है, और कुछ नहीं। विष्णुशर्मा के अनुसार नाई जो होता है वह धूर्त होता है जब कि मेरे विचार में धूर्त जो होता है वह नाई होता है। इस दृष्टिकोण से भी मेरी दुकान चलना निश्चित है। या फिर सोचता हूँ कि जूतों की दुकान खोल लूँ। पत्नी

काउण्टर पर बैठेगी और मैं हसीन बेवाओं को जूते पहनाऊँगा। और कोई धन्धा चले या न चले, मेरी दुकान पर जूता ज़रूर चलेगा। कोई आलोचक आ गया तो उसके सम्मान में दो-चार बढ़िया जूते मैं यूँ ही जमा दूँगा। मेरे ख़याल में यही धन्धा ठीक रहेगा। जूता खाना सदा से स्वास्थ्य-वर्धक माना गया। इसमें विटामिन, मिनरल्स और कार्बोहाइड्रेट्स वग़ैरह सब कुछ होते हैं। जूते तीन या चार, होते सन्तुलित आहार। शाकाहारी जूते अलग और सामिष पदत्राण अलग। उत्तराखण्ड आन्दोलन में जूतों का धन्धा नये आयाम लेगा, यह मेरा पूरा विश्वास है। चन्द्रमुखियों के चरणों पर और सम्पादकों की चाँद पर, जूता ज़माने का सौभाग्य सबको नहीं मिलता।

कलाकारों का जीवन सदा से ऐसा ही रहा। एक बार रोमन सीनेट ने एक प्रतिमा-निर्माता कलाकार की स्मृति में नगर के सबसे महत्त्वपूर्ण चौराहे पर उसकी मूर्ति लगाने का संकल्प किया जिसके निर्माण के लिए लाखों की राशि स्वीकृत की गयी। दुर्भाग्य से वह मूर्तिकार अभी जीवित था और किसी झुग्गी-झोंपड़ी में बड़ी ग़रीबी की हालत में दिन काट रहा था। जब उसने यह समाचार सुना तो उसने आक्टोवियस सीज़र को लिखा कि "ओ मेरे अन्नदाता, मैं अभी जीवित हूँ और मेरी प्रतिमा के लिए जो अनुदान सीनेट ने स्वीकृत किया है यदि उसका सौवाँ हिस्सा भी मुझे नकद दे दिया जाए तो अपनी उस मूर्ति के स्थान पर, मैं स्वयं वहाँ चौबीस घण्टे खड़ा रहने को तैयार हूँ..."

होली का पवित्र पर्व और हमारे बुद्धिजीवी

होली फिर आ गयी। नयी फ़सल के कटने का मौसम आ गया और राजा और रानी जैसे रूपवान वसन्त के दिन फिर आ गये। अब पलाश खिलेंगे, फाग गाया जायेगा, देवर और भौजी के बीच फिर छेड़छाड़ होगी और मैं भी सारे धन्धे छोड़कर कालिदास का 'ऋतुसंहार' और पद्माकर के 'कवित्त' फिर पढ़ूँगा। होली के दिनों में कभी भारतेन्दु हरिश्चन्द्र पीठ के पीछे लकड़ी का मोटा कुन्दा बाँधे अधनंगी हालत में अश्लील कबीर गाते हुए बनारस की गलियों में विचरण किया करते थे। मैं वैसा तो नहीं कर सकता पर होली के अवसर को लेकर महान् लोककवि ईसुरी के फाग फिर पढ़ूँगा। बच्चा लोग रंग महँगा हो जाने के कारण साफ़ पानी से भरी पिचकारी छोड़ेंगे और गुलाल के स्थान पर बालू का प्रयोग करेंगे। लोगों के यहाँ घी की या तेल की कचौड़ियाँ बनेंगी और मेरे कई दोस्त भंग पीकर 'पस्त' के स्थान पर 'मस्त' होंगे। होली से बड़ा त्योहार और क्या होगा?

इस देश में धर्म और जाति जो हैं वे त्योहारों से भी ऊपर हैं। दीवाली वैश्यों का त्योहार है, विजयादशमी क्षत्रियों का पर्व है और होली जो है वह पिछड़ी जातियों का उत्सव है। ब्राह्मणों का अपना कोई त्योहार नहीं होता, वे तो सदियों से बाकी जातियों के त्योहारों को ही अपना मानते आये और 'ब्राह्मण' से 'महाब्राह्मण' बनकर अपना 'लक्ष्मीवाहन' सीधा करते रहे। हमारी चारों जातियाँ ब्रह्मा के विभिन्न अंगों से प्रकट हुईं और वेदों में चाहे जो लिखा हो, दैनिक व्यवहार में चारों जातियाँ कर्म के आधार पर नहीं वरन् जन्म के ही आधार पर तय होती रहीं। तुलसीदास ने "ढोल, गँवार, शूद्र, पशु नारी; ये सब ताड़न के अधिकारी" कहकर तत्कालीन प्रथा की चर्चा की और रहीम ने भी यह सलाह देने की कृपा करी कि "उरग तुरग नारी नृपति नीच-जाति, हथियार; रहिमन इन्हें सँभारिए पल्टत लगै न बार।" महामति चाणक्य ने अक्लमन्दी की बात की और कहा कि स्त्रीरत्न यदि दुष्कुल का भी हो, तब भी उसे उठा लेना चाहिए और उसका समुचित सदुपयोग करना चाहिए। कालिदास ने सारा प्रसंग ही यह कहकर समाप्त कर दिया कि यदि रूप है तो और गुणों की चिन्ता करना व्यर्थ है। यत्राकृतिः तत्र गुणाः वसन्ति।

रवीन्द्रनाथ त्यागी—एक अनोखी मुद्रा
दिसम्बर, 2002

श्रीमती शारदा त्यागी–एक ध्यानस्थ मुद्रा

मण्डल-कमीशन की सिफ़ारिशों और देश के नेताओं ने जाति के प्रश्न को एक मौलिक मोड़ दिया। जाति के आधार पर समाज को बाँटने की सलाह दी गयी और उस पर अमल करना भी शुरू किया गया। इस आन्दोलन ने दो बड़े काम किये। पहिला काम तो यह किया कि पिछड़ी जातियों को सवर्ण लोगों द्वारा सदियों से अपने ऊपर किये गये अत्याचारी के विरुद्ध सजग किया और दूसरा काम यह किया कि राष्ट्र के निवासियों को एक रचनात्मक कार्यक्रम दिया। विदेशियों ने जब भारत में अपनी वीरता और हमारी कमजोरी के कारण ('फ़रिश्ता' के अनुसार हमारी जातिप्रथा हमारी सबसे बड़ी कमज़ोरी थी) यहाँ हकूमत स्थापित की तो हिन्दुओं का लक्ष्य यही रहा—और शताब्दियों तक रहा—कि इन्हें फिर से कैसे यहाँ से बाहर निकाला जा सके। इसके बाद अँग्रेज़ आये और हमारे ऐसे मालिक बने कि गुरुदेव तक ने इंग्लैण्ड के सम्राट् को 'भारत-भाग्य-विधाता' कहकर पुकारा। अब हिन्दू और मुसलमान--दोनों के सामने एक ही लक्ष्य रहा और वह था कि इन फिरंगियों को भारत से कैसे निकाला जाए। जब यह लक्ष्य भी पूरा हो गया तो देश की जनता के सम्मुख यह प्रश्न खड़ा हुआ कि अब किसे देश से निकालें, अब किसके ख़िलाफ़ लड़ें? जाति के नाम पर चले इस पवित्र आन्दोलन ने यह स्पष्ट किया कि वत्स, अब तुम धर्म और जाति के नाम पर आपस ही में लड़ो और गृहयुद्ध करो। काम शुरू हो गया है और भविष्य में होली पानी या कीचड़ से नहीं वरन् शायद देशवासियों के रक्त से ही खेली जायेगी। सब लोग यह भूल रहे हैं कि सारे संसार में मात्र दो ही धर्म हैं और दो ही जातियाँ है और वे हैं अमीरी और ग़रीबी। दलित-वर्ग के नेता भी सत्ता प्राप्त करने के बाद ठीक वही करेंगे जो इतिहास सदा से करता आया। जनता के शासक जनता के ही नाम पर जनता के लिए एक ऐसी व्यवस्था खड़ी करेंगे जहाँ शासक व शासित का भेद रहेगा ही नहीं वरन् और भी ज़ोर पकड़ेगा। कई ऐसे ही नेता हैं जो वाजिदअली शाह का जीवन जी रहे हैं। तिलक, तराजू और हथियार, इनके मारो जूते चार। यही तुम्हारा नारा है, हिन्दुस्तान हमारा है। 'पिछड़ा वर्ग-वित्त-विकास-निगम' इस बात को लेकर चिन्तित है कि बिहार व उत्तर-प्रदेश की सरकारों ने पिछड़ों के विकास हेतु निगम द्वारा प्रदत्त राशि का समुचित उपयोग नहीं किया। बिहार सरकार ने 15.11 करोड़ की दी गयी राशि में से मात्र 4.56 करोड़ रुपयों को ही ख़र्च किया और उत्तर-प्रदेश सरकार ने और भी ज़्यादा किफ़ायती होने के कारण 14.45 करोड़ की दी गयी राशि में से मात्र 2.59 करोड़ रुपये ही ख़र्च किये। केन्द्रीय कल्याण-मन्त्री ने एक उच्चस्तरीय बैठक में बताया कि "पिछड़े वर्गों की हिमायत करने वाली इन सरकारों ने धन का उपयोग ही नहीं किया।"

अब प्रश्न यह उठता है कि इस संक्रमण काल में देश के बुद्धिजीवी क्या करें? हमारे सौभाग्य से इस समय देश के प्रायः सभी नेता, अभिनेता, खिलाड़ी व सेठ ऐसे हैं जो प्रत्येक दृष्टि से बुद्धिजीवी कहे जा सकते हैं। स्थिति इतनी सुखद है कि मोटे

तौर पर लेखकों और पत्रकारों को छोड़कर शेष सारे धन्धे मात्र बुद्धिजीवियों का ही निर्माण करने में लगे हैं और कोई माल बिकता ही नहीं। हमारे जितने भी चोटी के साहित्यिक पुरस्कार हैं, वे सब किसी-न-किसी सेठ द्वारा ही दिये जाते हैं। लक्ष्मी और सरस्वती का सच्चा प्रेम इसी देश में अभी-अभी प्रकट हुआ। और शासकवर्ग का तो कहना ही क्या, वह तो सदा से ही बुद्धिजीवी रहा। हमारे महामहिम वर्तमान राष्ट्रपति जी ज्ञान की गरिमा से एकदम विनम्र हो गये हैं और हमारे माननीय प्रधानमन्त्री जी तो न जाने कितनी भाषाएँ जानते हैं और कभी-कभी तो एक ही भाषा को उसकी विभिन्न प्रकार की बोलियों में बोलने की कला में भी वे अपनी दक्षता दिखा जाते हैं। उनकी सरकार में अनेक मन्त्री खुलेआम भ्रष्ट हैं या अस्वस्थ व अशक्त हैं पर बुद्धिजीवी होने के कारण प्रधानमन्त्री जी न कुछ सुनते हैं, न कुछ देखते हैं और न कुछ बोलते हैं। मेरे प्रदेश के महामहिम राज्यपाल के ज्ञानपूर्ण भाषणों का संग्रह अभी-अभी छपा है जिसकी एक प्रति राष्ट्रपति जी को उन्होंने भेंट की है और हमारे मुख्यमन्त्री माननीय मुलायमसिंह यादव तो साहित्यकारों के प्रति इतने मुलायम हैं कि कुछ कहा ही नहीं जा सकता। उन्होंने बच्चन, कैफ़ी आज़मी व नीरज को एक-एक लाख रुपये भेंट किये जिसे पाकर कैफ़ी आज़मी तो इतने प्रसन्न हुए कि उन्होंने उत्तर प्रदेश में ही दिवंगत होने की इच्छा प्रकट की जो अधिकारियों के निकम्मेपन के कारण इस बार तो पूर्ण नहीं हो सकी। डॉ. राममनोहर लोहिया की पुण्य-स्मृति में दो लाख रुपयों का पुरस्कार शुरू किया गया जो मेरे प्रियतम व्यंग्यकार व प्रखर समाजवादी चिन्तक पं. श्रीलाल शुक्ल को दिया गया क्योंकि उत्तर प्रदेश में उनसे श्रेष्ठतर साहित्यकार न कोई हुआ, न कोई है और न कोई होगा। यदि आज मुंशी प्रेमचन्द, पन्त या निराला जीवित होते तो वे भी इसी सत्य को स्वीकार करते। मुझे यह जानकर दुख हुआ कि हमारे श्रेष्ठ कवि अशोक वाजपेयी को जो पुरस्कार दिया गया, वह श्रीलाल शुक्ल को दिये गये पुरस्कार से ज़्यादा था। हमारे दूरदर्शी मुख्यमन्त्री जी ने पुस्तकों पर बिक्री-कर लगाया ताकि प्रदेश में केवल श्रेष्ठ साहित्य ही पढ़ने को मिले और केवल श्रेष्ठ लोग ही उसे ख़रीद सकें। 'सेठ' शब्द जो है वह 'श्रेष्ठ' शब्द का ही अपभ्रंश है। मुख्यमन्त्री जी साहित्यकारों को पेंशन देने की बात भी अवश्य सोच रहे होंगे क्योंकि उन्होंने साहित्यकारों का सरकारी इलाज मुफ्त में करने की योजना तो शायद बना ही ली है। मुझे पूरा विश्वास है कि इन सब सुविधाओं को प्रदान करते हुए प्रशासन बीमार या मृत साहित्यकार की उपलब्धियों पर ही नहीं वरन् उसकी उपपत्नियों पर भी एक या दो अदद निगाह ज़रूर रखेगा। मैं सोचता हूँ कि सरकारी अस्पताल में मरने पर मुझे कितना बड़ा सुख मिलेगा। एक ख़ूबसूरत दाई दायें बाज़ू और एक हसीन बाई बायें बाज़ू। मरने पर रेडियो व दूरदर्शन पर समाचार और उन बड़े-बड़े नेताओं की श्रद्धांजलियाँ जिन्होंने मेरी या किसी की भी कोई पोथी कभी नहीं पढ़ी। बाहर बरामदे में पुलिस की हथियारबन्द

टुकड़ी राजकीय सम्मान देने को तैयार खड़ी होगी और हर डॉक्टर या नर्स से बराबर पूछती होगी कि वह कलमनवीस अभी अल्लाह को प्यारा हुआ या नहीं और यदि नहीं हुआ तो कितनी देर और खींचेगा? दरोग़ा जी भी हवलदार साहिब से कहते होंगे कि क्या दिन आ गये कि इन शायरों और अधनंगे अदीबों को भी सरकार इतनी इज़्ज़त बख़्शने लगी और उस पर भी तुर्रा यह कि जहाँ पहले सदियों में एक अदद 'सूरदास' या एक अदद 'मीर' हुआ करता था वहाँ अब जिधर देखो, उधर हर कोई लिक्खाड़ ही लिक्खाड़ नज़र आता है। यानी कि और कोई दिल्लगी ही नहीं रही...

मैं तो माननीय मुख्यमन्त्री जी से निवेदन करता हूँ कि वे 'त्यागी' नाम की वर्णसंकर जाति को भी पिछड़ी जातियों में शामिल कर लें—ठीक उसी तरह जैसे कभी चौ. ब्रह्मप्रकाश के ज़माने में दिल्ली-राज्य में किया जाता था और अगले वर्ष का 'लोहिया-पुरस्कार' इस ख़ाकसार को ही प्रदान करें। मैं इस उपकार के बदले में अपना नाम रवीन्द्रनाथ यादव तक बदलने को तैयार हूँ। हिन्दी में तो नाम बदलने की परम्परा है और उसका पालन करना मेरा कर्तव्य है। प्रेमचन्द, राहुल सांकृत्यायन, नागार्जुन, पन्त और निराला—इन सबके नाम बदले हुए थे। हमाम में हम सब नंगे हैं। यदि मुझे ये सम्मान दिये गये तो मैं मुख्यमन्त्री जी के पक्ष में 'लेखक-रैली' आयोजित करूँगा और यदि ये सम्मान नहीं दिये गये तो मैं श्री नारायण दत तिवारी की 'चेतना-यात्रा' में शामिल हो जाऊँगा। जो भी बुद्धि के बल पर जीता है, वही सच्चा बुद्धिजीवी है; बाकी लोग तो मात्र 'साम्प्रदायिक' हैं या 'विदेशी ताकतों के जासूस' हैं। हर आदमी की क़ीमत होती है।

लेखकों और नेताओं के अतिरिक्त और जो बुद्धिजीवी इस देश में हैं, मैं उनसे भी अपील करता हूँ कि देश बचे या न बचे, वे कम-से-कम अपने को तो अवश्य ही बचा लें। यदि आप चित्रकार हैं तो उस महान् चित्रकार से प्रेरणा ग्रहण करें जो बढ़िया सूट पहनकर जूते न पहने होने के कारण शानदार होटलों से बाहर निकाला जाता है और जिसके ब्रश के अनुसार यदि एक प्रधानमन्त्री दुर्गा का स्वरूप थीं, तो दूसरा प्रधानमन्त्री सहस्त्रबाहु का अवतार है। जो पत्रकार हैं, उनका कर्तव्य है कि जो कुछ भी सरकार कहे, उसका समर्थन करें। इसके बिना न आप विदेश जा पाओगे और न तुम्हारे पर्चे को सरकारी विज्ञापन ही मिलेगा। यदि आप अध्यापक हैं तो विद्यालय की छात्राओं को प्रेम का प्रथम पाठ पढ़ाएँ और कॉलेज को ज़्यादा-से-ज़्यादा समय के लिए बन्द ही रहने दें। यदि आप वकील हैं तो जजों के ख़िलाफ़ प्रदर्शन करते रहें और आप यदि जज हैं तो अपराधी की हैसियत देखकर ही अपना फ़ैसला दें क्योंकि पता नहीं किस राक्षस के प्राण किस तोते में छिपे हैं। यदि आप पुरातत्त्ववेत्ता हैं तो बेशक़ीमती दस्तावेज़ों, प्राचीन मूर्तियों और दुर्लभ पाण्डुलिपियों व सिक्कों की तस्करी में यथाशक्ति सहयोग दें क्योंकि अपनी संस्कृति को दूसरे देशों में पहुँचाने का इससे बेहतर ढंग अभी तक ईजाद नहीं हुआ। यदि आप सिनेमा की कोई हस्ती

हैं तो आपसे मेरी प्रार्थना है कि अपने अगले चित्र की नायिका को ज़्यादा-से-ज़्यादा नंगी रखें क्योंकि भगवान ने तो सबको नंगा ही बनाया है और कपड़ों का प्रयोग तो मात्र पूँजीवाद की उपज है जिसका कि अन्त समाजवाद ने वर्षों पहिले ही सम्पन्न कर दिया था। पूँजीवाद को समाप्त करने के बाद समाजवाद ने रूस में जाकर आत्महत्या कर ली और हम वहीं के वहीं रह गये जहाँ पहिले थे।

कितना अच्छा हो यदि आप सारे बुद्धिजीवी कुछ संकल्प लें। हमारा कर्त्तव्य है कि सबको एक-एक पाप और कर लेने दें ताकि उनके पाप का घड़ा भर जाए और फट सके। हम याद रखें कि जनता को सदा के लिए भी अँधेरे में रखा जा सकता है बशर्ते कि हम जानते हों कि पाँच वर्ष की नींद की गोली उसे कैसे खिलायी जाती है और हर पाँच वर्ष बाद गोली का गुण और उसकी मात्रा को कैसे बदला जा सकता है। सन्त बनने के लिए पाप करना हमेशा अनिवार्य रहेगा और इस ज़िम्मेदारी से हम किसी तरह नहीं बच सकते। हमें सदा याद रखना पड़ेगा कि रूपवती रमणियों के बिना रीतिकाल ही नहीं, वरन् वीरगाथा काल तथा भक्तिकाल भी कभी नहीं चलता। नेतागीरी से ज़्यादा लाभदायक पेशा और कोई नहीं है और हमारा कर्त्तव्य है कि और धन्धों की भाँति नेतागीरी को भी अब पैतृक धन्धा ही बनने दें। नेता कभी कोई ग़लती नहीं करता, ग़लतियाँ जो की जाती हैं वह मात्र अफ़सरों और शेष कर्मचारियों द्वारा ही की जाती हैं जिनकी जाँच के लिए जाँच-कमीशन हमेशा बिठाया जाता है। आत्मा की आवाज़ तभी सुनी जाती है जब कि शरीर की शेष इन्द्रियाँ काम करना बन्द कर देती हैं। इतिहास गवाह है कि किसी भी शत्रु को समाप्त करने से पूर्व, उसे अपने गले से लगाना सदा ज़रूरी रहा। काल कोई सा भी हो, राजा हमेशा महलों में ही रहता है फटेहाल जो रहती है वह तो मात्र प्रजा ही रहती है। यह सत्य उत्तरी ध्रुव से लेकर दक्षिणी ध्रुव तक कहीं नहीं बदलता और इसी कारण 'ध्रुव-सत्य' कहलाता है। हम सब मात्र नियति की डोर पर हिलने वाली कठपुतलियाँ ही हैं और कुछ नहीं। 'नियति' का ही पुल्लिंग रूप 'नेता' है। "अपने आँसुओं को हमें सदा सुरक्षित रखना चाहिए ताकि वक़्त ज़रूरत जनता की सहानुभूति प्राप्त की जा सके।" सरकार के अफ़सर तो मात्र चाबी के खिलौने हैं। इनकी ज़्यादा चिन्ता करना ठीक नहीं होता। अगर आप अच्छा होना चाहते हों तो मात्र सावन में ही हों, शेष ऋतुओं में नहीं। याद रखिए कि तीन टाँग की कुर्सी भी किसी आदमी से ज़्यादा लाभदायक होती है क्योंकि पवित्र व सशक्त आदमी भी मात्र दो ही टाँगें रखता है ज़्यादा नहीं। विरोधी पक्ष की नाक काटना बेकार है क्योंकि वैसा करने में हम खुद ही बेनक़ाब हो जाते हैं। काटना है तो गला काटो और याद रखो कि गला काटने का हुनर दर्ज़ी से ज़्यादा कोई नहीं जानता। इस युग में बोलने का अधिकार सबको है पर सुनने का अधिकार मात्र जनता को ही है। और हाँ, धर्म का साथ हमें कभी नहीं छोड़ना चाहिए क्योंकि यदि धर्म ही नहीं रहेगा तो हमारे नेता व बुद्धिजीवी

अपने को धर्म-निरपेक्ष कैसे साबित करेंगे? वैसे भी, इस धरती पर धर्म की ग्लानि व अधर्म का अभ्युत्थान यदि नहीं होगा तो भगवान अगला अवतार कैसे ले सकेंगे? बातें तो बहुत हैं पर यह वक़्त काम का है, हराम का नहीं।

जैसा कि मैंने शुरू ही में कहा था, होली जो थी वह फिर आ गयी। उमंग के साथ-साथ अंग-अंग में दर्द फिर होने लगा। भौजी के साथ छेड़खानी करने की पवित्र ऋतु फिर आ गयी। हाँ, यदि किसी के यहाँ कोई भौजी है ही नहीं तो उस बेचारे को अपनी (या किसी दूसरे की) पत्नी की शरण में ही जाना पड़ेगा। होली पर सब माफ़ है। कुछ करो इस चाँदनी में, सब क्षमा है। ये दिन ऐसे हैं कि मुझे अपना बचपन याद आने लगता है। आज से पचास वर्ष पूर्व होली के अवसर पर गाँव के किसान अपने ज़मींदारों की कोठियों तक आया करते थे और अपना नाच प्रस्तुत करते थे। इन नृत्यों को 'चौपी' कहते थे और ये नृत्य पन्तजी की 'ग्राम्या' में बताये चमारों, धोबियों और कहारों के नृत्यों से कहीं ज़्यादा कलापूर्ण होते थे। नाच के दौरान जागीरदार या रईस किसी बुद्धिजीवी की भाँति बीच में खड़ा होता था और पिछड़ी जातियों के किसान उसके चारों ओर घेरा बनाकर नाचा करते थे। नाच के बाद किसानों को गुड़ की 'भेली' व देसी दारू की बोतल दी जाती थी जो उन्हें अगली होली तक खुश रखती थी। आजकल नेता जी बीच में खड़े रहते हैं और हमारे सब बुद्धिजीवी उनके चारों ओर खुशी-खुशी नाचते हैं और इनाम पाते हैं। जग बदलेगा, किन्तु न जीवन। होलियों में 'कँवर निहालदे' होली बड़ी मार्मिक थी और उसे 'भटीपुरवासी घासीराम' या 'दबथुआनिवासी कालीचरन' जैसे प्रसिद्ध ग्राम-कवियों ने लिखा था। कँवर निहालदे एक राजकुमारी थी जो किसी ख़ास फर्म का साबुन लगाने के कारण ग़ज़ब की हसीन थी। पास की एक रियासत का राजकुमार वैसे तो सुन्दर कन्याओं का ही शिकार किया करता था पर कन्या के अभाव में वह जंगल के बाकी जानवरों पर भी ध्यान दे दिया करता था। इन्हीं दुखद परिस्थितियों में विवशता के कारण एक दिन ऐसा हुआ कि उसने एक हिरन के पीछे अपना घोड़ा डाल दिया! हिरन बहुत भागा पर अन्त में चलकर उसने राजकुमार से निवेदन किया :

कहै मिरग, सुनो भाई राजा
मुझै मार कै क्या फल पावै, क्यों मुझको बर्बाद करै
ऐसी नार से तुझे मिला दूँ, तमाँ उमर भर याद करै,
केलागढ़ में मघ राजा है, ध्वजा द्वार पर फूल रही
उसकी बेटी कँवर निहालदे आज बाग़ में झूल रही
जिसे देख चाँद शरमा जा
कहै मिरग, सुनो भाई राजा

राजकुमार ने हिरन की सलाह मान ली और उसके पीछे-पीछे अपना घोड़ा फेंकता वह आगे बढ़ा। इसके बाद क्या हुआ, वह मुझे ठीक तरह याद नहीं आ रहा। शायद

हिरन उसे राजकुमारी के पास तक ले गया और राजकुमारी भी उसे देखते ही उस पर मोहित हो गयी। जन्मपत्री मिलायी गयी और फिर उन दोनों को एक-दूसरे के साथ मिलाया गया। उसके बाद वे शायद सदा सुख से रहे और परिवार-नियोजन करते रहे। वैसे यह भी सम्भव है कि इस कथा का अन्त किसी और प्रकार हुआ हो क्योंकि प्रेम-कथाएँ प्रायः दुखान्त ही होती आयीं। यदि प्रदेश-सरकार मुझे मात्र पाँच लाख रुपयों का अनुदान दे दे तो मैं इस दिशा में सत्य जानने के लिए शोध-कार्य व खोज-कार्य कर सकता हूँ। प्रदेश-सरकार दलित-वर्ग के लिए दी गयी राशि बचा सकती है पर मैं यक़ीन दिलाता हूँ कि जो कुछ अनुदान मुझे मिलेगा, उसमें से मैं एक पैसा भी नहीं बचने दूँगा। शायद अनुदान और भी माँगना पड़े क्योंकि यदि सारी सामग्री देश में नहीं मिली तो मुझे न चाहते हुए भी एक लेडी-स्टेनो के साथ विदेश जाना पड़ेगा। यदि सरकार 'अर्थ' नहीं देगी तो मेरे प्रयासों का भी कोई 'अर्थ' नहीं निकलेगा। मैं एक बुद्धिजीवी जो ठहरा।

थेरी-गाथा

महाराज शुद्धोदन की मृत्यु के बाद भगवान बुद्ध ने अपनी मौसी को बहुत संकोच के बाद भिक्षुणी होने की अनुमति दी थी। ये जो मौसी जी थीं, वे काफ़ी लोकप्रिय किस्म की स्त्री थीं और इसी कारण जब वे भिक्षुणी बनीं तो उन्हीं के साथ पाँच सौ अन्य शाक्य महिलाएँ भी बाक़ायदा प्रव्रजित हुईं। बाद में चलकर तो भिक्षुणियों का एक अलग संघ ही बन गया और नाना कुलों और जीवन की नाना अवस्थाओं से प्रव्रजित होकर स्त्रियों ने शाक्य मुनि के पादमूल में बैठकर साधना का मार्ग स्वीकार किया। इन्हीं में से लगभग तिहत्तर भिक्षुणियों ने अपने जीवन के अनुभवों को हम लोगों के भले के लिए लिखकर छोड़ा। यह वाणी ही 'थेरी-गाथा' के रूप में संकलित है जो पालि भाषा में उपलब्ध है। भिक्षुणियों की वाणी कहीं-कहीं एक मधुरतम गीत का रूप धारण कर लेती है और उन्हें पढ़कर आपको दुख होने लगता है कि ऐसी संवेदनशील भिक्षुणियाँ अब क्यों नहीं पायी जातीं।

एक अज्ञातनामा कन्या थी जो क्षत्रिय-कुल में उत्पन्न हुई थी और जिसका विवाह एक कुलीन पति से हुआ था। महाप्रजावती गौतमी के उपदेश से (जिन्हें ऊपर मौसी बताया गया है) इस कन्या ने भी भिक्षुणी बनना चाहा पर पति ने कुछ व्यक्तिगत कारणों से उसे वैसा करने से रोका। कन्या एकदम आज्ञाकारिणी थी; पति के कहने पर वह गृहस्थ-जीवन ही बिताने में जुट गयी। मगर एक दिन एक हादसा हो गया; जब वह रसोईघर में खाना पका रही थी तो आग अधिक जल जाने से शाक जल गया। इस घटना से इस सुन्दर रमणी को—ठीक जेम्स वाट की भाँति—जीवन की नश्वरता का सहसा एहसास हुआ और वह बहुमूल्य वस्त्रों और रत्न-जटित आभूषणों को छोड़कर एक भिक्षुणी बन गयी। स्थिर-चित्त होने के कारण यह भिक्षुणी बाद में 'स्थविरिका' कहलायी।

ज़िला फ़ैज़ाबाद की एक दरिद्र ब्राह्मण-कन्या थी जिसका विवाह एक ऐसे सर्वगुणसम्पन्न पति से सम्पन्न हुआ था जो कि कुबड़ा था। कन्या ने पति से आज्ञा प्राप्त की और फिर मुक्ता नाम की वह लड़की भिक्षुणी बन गयी। अपने एक गीत में उसने कहा है, "अब मैं मूसल और ओखली से और साथ ही साथ अपने कुबड़े पति से मुक्त हो गयी।" इसी प्रकार एक और कन्या थी जिसका नाम धम्मदिन्ना था

और जो राजगृह के निवासी एक वैश्य की पुत्री थी। उसका विवाह विशाख नामक एक समृद्ध सेठ के साथ सम्पन्न हुआ। कन्या के रूप को देखकर उसके पति ने कहा कि "ओ प्रिये, मैं आज से स्त्री-शरीर को स्पर्श करने और भोजन में स्वाद-लोलुपता करने के अयोग्य हो गया हूँ। तू चाहे जितना भी धन ले ले और अपने माता-पिता के यहाँ चली जा।" पति की अनुमति प्राप्त करके इस बालिका ने भी प्रव्रज्या लेना स्वीकार किया। कोसल-राज प्रसेनजित् की बहिन सुमना भी भिक्षुणी बनी थी पर जब तक उसकी दादी जीवित रही तब तक वह महल में ही रही और दादी की सेवा करती रही। वह जब भिक्षुणी हुई, तब वह काफ़ी वृद्ध हो चुकी थी। एक और स्त्री-रत्न थी जिसका नाम था धम्मा। जब तक पति जीवित रहा तब तक उसने उसे घर के बाहर क़दम नहीं रखने दिया पर जैसे ही पति ने प्राण छोड़े, उसने भी घर छोड़ दिया और भिक्षुणी बन गयी। इसी प्रकार कपिलवस्तु नगर के एक क्षत्रिय की एक सुपुत्री थी जो इतनी हसीन थी, उसके नाम (नन्दा) के पहले अभिरूपा लगाया जाता था। ठीक विवाह के दिन ही वर की मृत्यु हो गयी और उसके सगे माता-पिता ने उसे प्रव्रज्या लेने पर विवश किया हालाँकि वह होनहार लड़की वैसा करना हर्गिज़ नहीं चाहती थी। वाराणसी के एक सेठ की कन्या पहले वेश्या बनी और बाद में बुद्ध जी की वाणी सुनकर भिक्षुणी-संघ की सदस्या हो गयी। जब वह वेश्या थी तो स्थिति यह थी कि जितनी सम्पूर्ण काशी राज्य की एक दिन की आय थी, उतना ही उसका एक रात्रि का शुल्क था। इसी कारण उस वेश्या को कभी-कभी 'काशी' भी कहकर पुकारा जाता था। जो प्रेमी उसकी पूरी फ़ीस नहीं अदा कर पाते थे, उनसे वह दयालु स्त्री मात्र आधी फ़ीस भी ले लेती थी। ऐसे अनुगृहीत ग्राहक उसे 'काशी' के स्थान पर 'अर्धकाशी' कहकर पुकारते थे। इसी प्रकार उज्जैन की पद्मावती भी एक प्रसिद्ध गणिका थी और मगधराज बिम्बिसार के साथ उसके सम्बन्ध इतने घनिष्ठ थे कि सारी सावधानी के बावजूद वह एक पुत्र को जन्म देने से नहीं डरी। इस सुपुत्र का नाम 'अभय' रखना एकदम स्वाभाविक था। यह लड़का वयस्क होने पर भिक्षुक हो गया और उसी के साथ-साथ पद्मावती भी भिक्षुणी हो गयी जिसके कारण राजा बिम्बिसार को बड़ा कष्ट पहुँचा।

प्रसिद्ध परिव्राजिका श्यामा ने अपनी सखी की मृत्यु के बाद भिक्षुणी बनने की चेष्टा की। पच्चीस वर्ष की अवधि तक वह अपने मन को नहीं जीत पायी। अन्त में चलकर जब वह वृद्धा हो गयी तो तथागत का उपदेश सुनकर उसने तीव्र साधना की और अर्हत्व को प्राप्त किया। वह कौशाम्बी की निवासी थी और अत्यन्त धनी परिवार की स्त्री थी। दन्तिका नाम की भिक्षुणी श्रावस्ती के राज-पुरोहित की कन्या थी और उसने गृध्रकूट पर्वत पर एक हाथी को देखकर उसी को अपने ध्यान का आलम्बन बनाया और समाधि लगाकर चित्त को दमित किया। बाद में वह और हाथी—दोनों ने इस संसार की माया से अपना मुँह मोड़ लिया। हाथी मेरा साथी—यह

कहावत तभी से प्रचलित हुई। उब्बिरी नाम की भिक्षुणी भी श्रावस्ती की ही थी। वह बहुत रूपवती थी और इसी कारण उसे कोसलराज प्रसेनजित् ने अपने अन्तःपुर में स्थान दिया। उसने नियत अवधि के उपरान्त जीवन्ती नाम की कन्या को जन्म दिया। यह कन्या इतनी सुन्दर थी कि उसे देखकर महाराज ने उसकी माता को रानी से महारानी बना दिया। जब यह बच्ची मर गयी तो महारानी बहुत शोकाकुल हुई और स्वयं भगवान बुद्ध ने अपने योगबल से उसे उपदेश दिया जिसके कारण उसे ज्ञान की प्राप्ति हुई। उपदेश के समय रानी अचिरवती नदी के तट पर श्मशान में थी और भगवान बुद्ध गन्धकुटी नामक स्थान पर थे। उन्होंने वहीं उसे विलाप करते हुए देख लिया था और उसके बाद वे उसके सम्मुख योगबल से प्रकट हो गये थे।

भद्रा कमपिलायनी नामक भिक्षुणी स्यालकोट की निवासी थी। वह और उसका पति—दोनों पवित्र प्रेम के पुजारी थे। एक दिन उन्होंने महसूस किया कि एक साथ रहते-रहते प्रेम का पवित्र रहना शायद कठिन हो और इसी कारण उन्होंने एक-दूसरे के केश काट दिये और दोनों प्रव्रज्या लेकर एक-दूसरे से अलग हो गये। वैशाली की एक रूपाजीवा एक बार एक धर्मोपदेशक पर ही आसक्त हो गयी और उनके निवास-स्थान पर जाकर उन्हें लुभाने की चेष्टा करने लगी। धर्मोपदेशक स्थविर ने उसे ख़ूब डाँटा और बाद में उसे सही रास्ते पर चलने की सलाह दी जिसके कारण वह गणिका एक उपासिका बन गयी। वैशाली की एक और प्रतापी सुन्दरी—जिसका नाम सिंहा था—कोशिश करने पर भी वैराग्य की ओर नहीं जा सकी। एक दिन उसने फाँसी का फन्दा गले में डालकर आत्महत्या करने की कोशिश की और स्थिति यह रही कि जिस विरक्ति और ज्ञान को वह सात वर्ष के निरन्तर परिश्रम से नहीं पा सकी थी, वही विरक्ति और ज्ञान फन्दा गले में पड़ते ही उसे अपने आप आ गया। अर्हत्व की प्राप्ति होते ही वह उल्लास के गीत गाने लगी। चित्त की शान्ति के लिए फाँसी का फन्दा सदा से उपयोगी पाया गया।

बुद्धत्व-प्राप्ति के बाद भगवान बुद्ध कपिलवस्तु गये और उन्हें देखकर शाक्य राजकुमार नन्द और राहुल प्रव्रजित हो गये। महाप्रजावती गौतमी भी महाराज शुद्धोदन की मृत्यु के बाद भिक्षुणी हो गयी। सारे परिवार को प्रव्रजित होता देखकर नन्दा नामक राजकुमारी—जिसे ज़रूरत से ज़्यादा ख़ूबसूरत होने के कारण सुन्दरी नन्दा भी कहा जाता था—उसी मार्ग पर चली पर वह अपने रूप से फिर भी आसक्त रही। उसे वैराग्य-प्राप्ति में कई वर्ष लगे और वह भी तब सम्भव हुआ जब उसने एक और रूपवती युवती को वृद्धा होते देखा। क्षोणा नाम की भिक्षुणी श्रावस्ती के एक कुलीन घर में उत्पन्न हुई थी। उसने मात्र चौदह बच्चों को जन्म दिया था। पति के प्रव्रजित होने पर उसने अपना सारा धन पुत्रों में बाँट दिया जिसके कारण उसके पुत्र (और पुत्रवधुएँ) उसका तिरस्कार करने लगे। उस बेचारी को भिक्षुणी बनना पड़ा हालाँकि सच्चा वैराग्य उसे वृद्धावस्था में ही प्राप्त हुआ। चित्त की शान्ति उसे बहुत अध्यवसाय

के उपरान्त मिली, वैसे नहीं। इसी प्रकार भद्रा जो थी वह राजगृह के एक धनाढ्य सेठ की कन्या थी। एक दिन उसने अपने महल के झरोखे से एक नवयुवक को देखा जिसे मृत्युदण्ड देने के लिए वधस्थल की दिशा में ले जाया जा रहा था। उस अपराधी नौजवान को देखकर वह रूपवती कन्या उस पर आसक्त हो गयी। उसने खाना-पीना छोड़ दिया और अन्त में चलकर स्थिति यह हो गयी कि उसके पिता ने एक सहस्र मुद्रा रिश्वत में दीं और उस नवयुवक को बचाया और उसका विवाह अपनी पुत्री भद्रा के साथ सम्पन्न किया। कुछ समय तक तो वे दोनों सुख से रहे मगर उसके बाद उस अपराधी ने अपनी पत्नी के सारे गहने ठग लिये। उस चतुर पत्नी ने भी आलिंगन के बहाने अपने पति को पर्वत से नीचे की ओर धकेल दिया जिसके कारण वह मृत्यु को प्राप्त हुआ। इस शुभ कार्य को सम्पन्न करने के बाद वह रूपसी भिक्षुणी हो गयी। इसी प्रकार श्रावस्ती के सेठ की कन्या पटाचारा अपने नौकर के साथ इश्क़ करती थी और विवाह होने से पूर्व ही उसके साथ भाग गयी थी। उसे जंगल में ही प्रसव हुआ। उसका पति साँप के काटने से मर गया और पुत्र भी जन्म लेते ही मर गया। शोक के कारण वह पागल हो गयी। भगवान बुद्ध की कृपा से वह ठीक हुई और बाद में उसने अर्हत्व प्राप्त किया। इसी प्रकार क्षेमा नामक रूपगर्विता रानी को यौवन की अस्थिरता दिखाने के लिए शास्ता ने योगबल से एक अप्सरा को पैदा किया और दिखाया कि वृद्धा होने पर वह कितनी कुरूप हो गयी। इस अलौकिक दृश्य को देखकर क्षेमा का गर्व खण्डित हो गया और वह बड़ी प्रज्ञावती भिक्षुणी बनी। पुत्र की मृत्यु के कारण कृशा गौतमी को भी भिक्षुणी बनने में कोई विशेष कठिनाई नहीं हुई।

श्रावस्ती के नगरसेठ के यहाँ एक कन्या उत्पन्न हुई जो अत्यन्त सुन्दर होने के कारण उत्पलवर्णा कहलायी। जब वह युवा हुई तो उसका हाथ माँगने वाले इतने थे कि उस ग़रीब को अपने पिता की सलाह पर प्रव्रजिता होना पड़ा। वह योगबल के द्वारा अपना रूप बदल सकती थी। वह एक गाथा कहा करती थी जिसके अनुसार एक माता और उसकी कन्या—दोनों एक साथ एक ही पुरुष की पत्नियाँ बनकर कुत्सित जीवन बिताती थीं। संन्यास ग्रहण करने के बाद ही वे दोनों पापी स्त्रियाँ कष्ट से मुक्त हुईं और उनका पति भिक्षुक होकर गंगा के तट पर ताड़ के पत्तों की झोंपड़ी बनाकर रहने लगा। दो पीढ़ियों के साथ मौज करने का उसे यह दण्ड मिला।

राजगृह की ब्राह्मण-कन्या शुभा विचारों की भी पवित्र थी और वह हसीन भी ग़ज़ब की थी। जब वह निष्पाप जीवन व्यतीत कर रही थी तो उसे एक ऐसा सुन्दर नवयुवक मिला जो उस पर मोहित हो गया था। शुभा ने उसे बहुत समझाया पर उस पर कोई प्रभाव नहीं पड़ा। शुभा के नेत्रों ने ही उसे आकृष्ट किया था और इसी कारण उसने अपनी एक आँख फोड़ ली। यह स्थिति देखकर नवयुवक ने उसे माता कहकर पुकारा और रणक्षेत्र से भाग खड़ा हुआ। बाद में भगवान बुद्ध के दर्शनों से शुभा की आँख ठीक हो गयी और उसकी देह में से निर्मल पवित्रता की

किरणें स्फुरित होने लगीं। इसी प्रकार ऋषिदासी नामक एक सुन्दर कन्या ने धारा नगरी के एक कुलीन वैश्य परिवार में जन्म लिया। उसकी शादी एक योग्य वर के साथ सम्पन्न की गयी पर पति ने उसे घर से निकाल दिया। उसका विवाह दो बार और किया गया पर वह विवाहित आनन्द न प्राप्त कर सकी। अन्त में क्षुब्ध होकर वह भिक्षुणी हो गयी। निर्वाण-प्राप्ति के पूर्व उसने अपने पुराने जन्मों का हाल लिखा। उसने बताया कि पिछले जन्मों में वह एक धनाढ्य स्वर्णकार थी और यौवन के मद में मस्त होकर परस्त्रीगमन करती थी। इस पाप के कारण वह बाद में एक बन्दरी के गर्भ से पैदा हुई और उसके बाद उसने एक लँगड़ी और कानी बकरी के गर्भ से जन्म लिया। उसके बाद एक व्यापारी की गाय ने उसे लाल रंग के बछड़े के रूप में जन्म दिया। सुमेधा एक राजपुत्री थी जिसके पिता एक राजा थे। उसे जन्म से ही वैराग्य था। हज़ार समझाने-बुझाने के बावजूद उसने अपने केश काटे और प्रव्रजित हो गयी।

थेरी-गाथाएँ पढ़ने के बाद कुछ निष्कर्ष निकाले जा सकते हैं। पहली बात तो यह है कि इनमें से अधिकांश या तो राजकुमारियाँ थीं या अमीर सेठ-घरानों की लड़कियाँ थीं। दूसरी बात यह है कि प्रायः उन्हें एक सप्ताह की समाधि से ही वैराग्य हो जाता था और पर्वतों से फिसलने की क्रिया से इस दिशा में उन्हें विशेष सहायता मिलती थी। तीसरी बात यह है कि काफ़ी युवतियाँ यौवन का आनन्द भोगकर वृद्ध ावस्था में ही भिक्षुणी बनती थीं। वैराग्य का कारण ज़्यादातर शोक, तिरस्कार व पति या प्रेमी से धोखा खाना होता था। अन्तिम बात यह है कि अधिकांश भिक्षुणियाँ अपने यौवन में बेहद हसीन होती थीं। इस सन्दर्भ में आम्रपाली की चर्चा करना शायद ज़रूरी होगा।

आम्रपाली का जन्म बिहार में स्थित वैशाली नामक नगर के राज-उपवन में एक आम की डाली के नीचे सम्पन्न हुआ था। यदि वह आम के बजाय अमरूद या पपीते के नीचे पैदा हुई होती तो उसका नाम 'आम्रपाली' न होकर 'अमरूदपाली' या 'पपीतापाली' हुआ होता। सही उम्र आने पर उसके सारे अंग सुचारु रूप से विकसित हुए और उसका हाथ प्राप्त करने के लिए अनेक राजकुमारों में भयंकर स्पर्धा हो गयी। कलह को शान्त करने के लिए पंचायत ने उसे 'नगरवधू' बनाने का निर्णय लिया। सब्बेसं होतु। वह ज़बर्दस्ती गणिका बना दी गयी। जीवन के अन्तिम दिनों में भगवान बुद्ध उसके उपवन में ठहरे थे। उन्होंने उसके हाथों से दिया गया भोजन स्वीकार किया और उसे उपदेश दिया। इसके बाद आम्रपाली ने प्रव्रज्या ग्रहण की। अपनी वृद्धावस्था में आम्रपाली ने जो वाणी लिखी उसका अनुवाद भरतसिंह उपाध्याय के शब्दों में कुछ इस प्रकार है—

काले भौंरे रंग के समान जिनके अग्रभाग घुँघराले थे
किसी समय मेरे ऐसे ही बाल थे

वृद्धावस्था में वे ही केश सन की छाल जैसे हो गये
सत्यवादी बुद्ध के वचन कभी मिथ्या नहीं होते।
पुष्पों से गुँथा हुआ मेरा केशपाश
सुगन्ध के ख़ज़ाने की भाँति महकता था
उसमें अब आती है वृद्धावस्था की दुर्गन्ध
बुद्ध के वचन कभी मिथ्या नहीं होते।
आभूषणों से सुसज्जित मेरा सुविन्यस्त जूड़ा
कभी सघन उपवन सदृश शोभा पाता था
अब वह बाल झड़ने के कारण हो गया विरल
बुद्ध के वचन कभी मिथ्या नहीं होते।
रत्न-जड़ित गहनों से सुसज्जित
पुष्पों की भीनी गन्ध से सुगन्धित
मेरा सिर अब हो गया खल्वाट
बुद्ध के वचन कभी मिथ्या नहीं होते।
चित्रकार के हाथों से कुशलतापूर्वक अंकित मेरी भौहें थीं
अब वे झुर्रियों के बोझ से लटक गयीं,
गहरे नीले रंग की दो उज्ज्वल मणियों जैसी आँखें
वृद्धावस्था से हो गयीं भद्दी और आभाहीन
बुद्ध के वचन कभी मिथ्या नहीं होते।
कदली पुष्प की खिलती कली के समान
सुन्दर मेरी दन्त-पंक्ति थी
जरावस्था से वह हो गयी आभाहीन पीली;
वनचारिणी कोकिला की मधुर कूक के समान
मेरी बोली कभी प्यारी थी
अब वह हो गयी स्खलित व भर्रायी हुई
बुद्ध के वचन कभी मिथ्या नहीं होते।
सुमार्जित चिकने शंख के समान मेरी सुन्दर ग्रीवा थी
ज़रावस्था से हो गयी वह भग्न और विनमित,
सुन्दर, गोलाकार लचीली मेरी बाँहें थीं
अब हो गयी हैं पादर वृक्ष की टहनियों के समान
बुद्ध के वचन कभी मिथ्या नहीं होते।
स्थूल, सुगोल, उन्नत मेरे दोनों स्तन कभी होते थे सुशोभित
वही आज जरावस्था में हो गये पानी से रीती, लटकी हुई चमड़े की थैलियाँ
सत्यवादी बुद्ध के वचन कभी मिथ्या नहीं होते।

सुन्दर, सुमार्जित, स्वर्ण-फलक के समान मेरी देह चमकती थी
वह भर गयी अब झुर्रियों से वृद्धावस्था की,
हाथी की सूँड़ के समान सुशोभित मेरी जंघाएँ
जरावस्था में हो गयीं बाँस की पोली नलियों के समान,
स्वर्णाभूषणों और घुँघरुओं से सजी मेरी पिण्डलियाँ
तिल के डण्ठलों के समान सूख गयीं,
रुई से भरे जैसे मेरे हलके चरण
हो गये अब सम्पुटित और शुष्क :
सारी काया हो गयी जर्जर और दुखों की झोंपड़ी
जैसे कोई जीर्ण घर हो
लीपन गिर गयी हो टूट टूट कर नीचे
यह टूटा फूटा घर अब गिरने वाला...
सत्यवादी बुद्ध के वचन कभी मिथ्या नहीं होते

जूते

"जिन जूतों को पहिनकर दक्षिणी अफ्रीका के विश्वविख्यात स्वतन्त्रता-सेनानी नेलसन मण्डेला बरसों तक अपने देश की आज़ादी के मैदाने-जंग में लड़ते रहे, उनकी आज नीलामी कर दी गयी। ये बहुत पुराने जूते 6900 डालर की भारी रक़म पर बेचे गये और सबसे ज़्यादा बोली पर जूते ख़रीदने वाली फ़र्म ने जब यह देखा कि वे जूते उसकी अपनी फ़ैक्टरी के ही बनाये हुए हैं तो उसकी ख़ुशी का ठिकाना न रहा।" मैंने जब यह ख़बर अख़बार में पढ़ी तो निश्चय किया कि आज तो मैं जूते पर ही निबन्ध लिखूँगा और ख़ूब जमकर या जमाकर ही लिखूँगा। जूते से तो साहित्यकारों को सदा से ही प्रेरणा मिलती आयी।

जूते का आविष्कार बहुत पहिले हुआ था। एक सुल्तान था जो बूढ़ा और बदसूरत था। उसकी सबसे प्यारी जो बेग़म थी वह बेहद जवान और ग़ज़ब की हसीन थी। उसने एक रात सुल्तान से कहा कि "मैं जब भी ज़मीन पर पैर रखती हूँ तभी मेरे पान से भी कोमल तलुओं में कंकड़ और पत्थर चुभते हैं। क्या आप मेरे लिए इतना भी नहीं कर सकते कि अपनी बेशुमार दौलत से सल्तनत की सारी ज़मीन को मखमल से ढकवा दें? जब तक आप यह शुभ कार्य सम्पन्न नहीं करेंगे तब तक मैं कोपभवन में निवास करूँगी और अन्न-जल ग्रहण नहीं करूँगी।" बादशाह ने फ़ौरन अपने वज़ीर को तलब किया जो सजीला जवान था और जिसकी कोई भी बात बेग़म कभी भी नहीं टालती थी। वज़ीर ने बेग़म को कोर्निश की और अर्ज़ किया कि सारी ज़मीन को ढकने के बजाय यदि बेग़म के कोमल पाँव ही मखमल से ढक दिये जायें तो भी काम चल सकता है। वज़ीर के बाकी प्रस्तावों की भाँति बेग़म ने उसकी यह बात भी मान ली जिसके फलस्वरूप संसार का सबसे पहला जूता बना। बेग़म और वज़ीर के घनिष्ठ सम्बन्धों के कई रहस्य थे। एक रहस्य तो वही था जो आप अब तक समझ ही गये होंगे और बाकी रहस्य मैं किसी और रचना में बताऊँगा। पुरुष पुरातन की वधू क्यों न चंचला होय? बहरहाल रानियों और जूतों का सम्बन्ध सदा से उतना ही घनिष्ठ रहा जितना कि उस बेग़म और उस वज़ीर का सम्बन्ध था। शाहजहाँ की एक रखैल—जिसे लोग खुलेआम 'लुक्माए-शाहजहाँ' कहकर ही पुकारते थे—मात्र तीन लाख रुपयों की जूतियाँ पहनती थी। फिलीपीन के राष्ट्रपति

श्री मार्कोस की पत्नी के पास जो जूते थे, उनकी गिनती भी हज़ारों में थी और वह पतिव्रता स्त्री अपने पति को भी पैर की जूती ही समझती थी, और कुछ नहीं।

जब जूता बन गया तो उसको लेकर कहावतें व मुहावरे भी बनने लगे। मियाँ की जूती मियाँ का सिर, जूते चाटना, जूतियाँ उठाना, जूतियाँ चटकाना और जूतों में दाल बँटना—जैसे मुहावरे जूते के प्रताप से ही बने। गोस्वामी तुलसीदास को विरोधी पक्ष के लोगों ने एक बार जूते में ही दाल परोसी थी। जाको कोड़ा ताको घोड़ा, जा का जूता ता का बूता। जूतों ने भाषा के विकास में बहुत योगदान किया। जब तक आप यह प्रबन्ध पढ़ रहे हैं तब तक आप जूता न उतारें क्योंकि जूता चलने में देर नहीं लगती। जूता बातचीत का भी काम करता है और पूर्णविराम का आराम भी प्रदान करता है। चकवा-चकवी की भाँति जूते की भी जोड़ी ही चलती है, वह अकेला कभी नहीं पाया जाता।

देखने-भालने में जूता जो होता है वह ठीक जूते जैसा ही होता है। जूता छोटा तो होता है पर यह न भूलिए कि हमारी सारी वेशभूषा में मात्र जूता ही एक ऐसा पदार्थ है जो पहनने के साथ-साथ खाने के काम में भी आता है। जिसे जूते का स्वाद लग जाता है उसे फिर मोहनभोग भी अच्छा नहीं लगता। ऐसे लोग जूते खाते हैं और खुश रहते हैं। जूता खाने के प्रमुख अवसर प्रायः तीन होते हैं। पहला अवसर तो तब आता है जब आप किसी रूपवती रमणी को देखते हैं और अपनी सुध-बुध खो बैठते हैं। इस दिशा में आप कभी 'रसनिधि' नाम के प्राचीन कवि का काव्य पढ़ें। उसने एक रसीले दोहे में एक विलासिनी की तुलना हलवे से की है और उपमा में कालिदास तक को पीछे छोड़ दिया है। "नेह मौन छवि मधुरता मैदा रूप मिलाय, बेचत हलवाई मदन हलुआ सरस बनाय।" दूसरा अवसर तब आता है जब आप किसी व्यक्ति के सत्संग के कारण जूता खाते हैं। रहीम के अनुसार स्थिति यह होती है कि "कुटिलन संग रहीम कहि साधू बचते नाहिं, ज्यों नैना सैना करै उरज उमेठे जाहिं!" तीसरा पवित्र अवसर प्रायः तब आता है जब आप अपनी वाणी के कारण जूता खाते हैं। "रहिमन जिह्वा बावरी कहिगै सरग पताल, आपु तो कहि भीतर रही जूती सहत कपाल।" वैसे कुछ प्रतिभाशाली लोग ऐसे भी होते हैं जो बिना किसी कारण विशेष के जूते का नियमित सेवन करते हैं और खुश रहते हैं। मेरे एक कवि मित्र थे जो पता नहीं कैसे, हर समय और हर स्थान पर, जूता खाने के शौक़ीन थे। वे अपने आप ऐसे स्थलों पर प्रकट हो जाते थे जो उनके पहुँचते ही घटना-स्थल बन जाता था। "लाई हयात आये कज़ा ले चली चले, अपनी ख़ुशी न आये न अपनी ख़ुशी चले"—यह शेर शायर ने शायद उन्हें देखकर ही लिखा था।

मेरी सलाह है कि यदि आप जूता खाना चाहते ही हैं तो ज़रूर खाइए और इतनी कसरत के साथ खाइए कि कोई हसरत बाकी न रहे। मगर इस जूता-सेवन-सन्दर्भ में दो बातों का ध्यान अवश्य रखिए। पहिली बात तो यह है कि जूते ऐसे व्यक्ति

से खाइए जो गिनती जानता हो और जिसकी स्मरण-शक्ति ठीक हो। यदि आपने यह सलाह नहीं मानी तो स्थिति यह होगी कि तीस-चालीस जूते लगाने के बाद वह स्वयं-सेवक भूल जायेगा कि उसने कितने जूते लगाये हैं और वह फिर से जूते लगाना और गिनना शुरू करेगा और आप बिना किसी अतिरिक्त प्रयास के सौ के स्थान पर डेढ़ सौ जूते खाएँगे और पूरी तरह सन्तुष्ट होकर घर लौटेंगे जहाँ आपकी भूतपूर्व प्रेयसी और वर्तमान पत्नी अपना सैण्डल हाथ में लिये आपकी प्रतीक्षा करती मिलेगी। एक बार मेरे एक परिचित इसी असावधानी के कारण ऐसी सुखद स्थिति तक पहुँच गये थे जहाँ कि लगाने वाले के नये जूते और उनकी पुरानी खोपड़ी–दोनों बुरी तरह टूट गये थे। दूसरी बात यह है कि जूता-सेवन की पवित्र वेला में अपना धीरज न खोइए। आपत्काल परखिए चारी, धीरज धरम मित्र अरु नारी। एक ख़ुशमिज़ाज ठाकुर साहिब ने अपने एक असामी को सज़ा देने से पहले पूछा था कि "बताओ तुम पचीस जूते खाना चाहोगे या कि पच्चीस कच्ची प्याज़?" असामी ने प्याज़ के समर्थन में अपना मत प्रकट किया और पाँच प्याज़ वह खा भी गया। पाँच प्याज़ खाने के बाद उसका धीरज छूट गया और उसने कच्ची प्याज़ के स्थान पर पके जूते खाने की इच्छा को वाणी दी। मगर पाँच पक्के जूते खाने के बाद उसका धीरज फिर छूट गया और वह फिर से प्याज़ का समर्थक हो गया। अपने अधैर्य के हेतु स्थिति अन्ततः यह रही कि उसने पच्चीस कच्ची प्याज़ भी खायी और पच्चीस चमरौधे भी खाये। चमरौधे की चर्चा महाप्राण निराला ने अपनी एक प्रख्यात कविता (सरोज-स्मृति) में भी बखूबी की।

महान् मराठा सामन्त महादजी सिन्धिया जब भी पेशवा के दरबार में हाज़िर होते थे तभी वे अपने से एक तिहाई आयु वाले माधवराव पेशवा (प्रथम) के जूते स्वयं उतारा करते थे और उन्हें अपने हाथ से नये जूते पहनाते थे। पुराने जूतों का वे क्या करते थे–इसकी चर्चा सरदेसाई ने अपने 'मराठा साम्राज्य का इतिहास' नामक विशद ग्रन्थ में भी नहीं की। महामना मालवीय जी को अपना विश्वविद्यालय बनाने के लिए हैदराबाद के महाकृपण निज़ाम ने अपने फटे जूते के अलावा और एक छदाम भी देना मना कर दिया था। मालवीय जी ने वे फटे जूते ही ले लिये और अगले दिन उनकी सार्वजनिक नीलामी करने की घोषणा कर दी। निज़ाम ने जब यह सुना तो वे घबरा उठे। उन्होंने वज़ीर को भेजा और मुँहमाँगी क़ीमत पर वे फटे-पुराने जूते फिर हासिल किये गये और जिन्हें उन्होंने दस वर्ष और पहना। आज जूता जो है वह नेता से भी आगे है। नेता बेचारा सड़क पर चलता है जब कि जूता जो है वह विधान-सभा में चलता है। मैं यदि कभी चुनाव में खड़ा हुआ तो अपना चुनाव-चिह्न जूता ही रखूँगा।

जूते का साहित्य में बहुत स्थायी स्थान है। वह हास्य से लेकर करुण व वीभत्स तक जितने भी रस हैं उन सबकी तत्काल सृष्टि करने में समर्थ है। कवि रस-परिपाक

करने में चूक सकता है पर जूता कभी नहीं चूकता। बड़ी-बड़ी साहित्यिक गोष्ठियों, सभाओं व अकादमियों की मीटिंगों में जूते को अपना पुश्तैनी काम करते मैंने स्वयं देखा है। एक कवि-सम्मेलन में एक कवयित्री तो बेचारी नहीं चल पायी पर उनको लेकर जूता चला और तबीयत के साथ चला। ऐ 'दाग़' जो बताये मये-इश्क़ को हराम, ऐसे के दो लगाये भिगोकर शराब में (दाग़) बूट डासन ने बनाया मैंने एक मज़मूँ लिखा, मुल्क में मज़मूँ न फैला और जूता चल गया (अकबर) हिन्दी-साहित्य में कभी देव और बिहारी को लेकर ख़ूब जूत-पैजार चली थी। बाकी महान् साहित्यकारों ने भी समर्थ लोगों के जूते चमकाये और लाखों का इनाम पाया, विदेशों की यात्राएँ कीं, उपाधियाँ प्राप्त कीं और राज्य-सभा की सदस्यता हथियायी। 'धूमिल' ने तो सारी स्थिति को इस तरह पकड़ा कि कुछ कहा ही नहीं जा सकता। कुछ पक्तियाँ देता हूँ और रचना समाप्त करता हूँ क्योंकि आज मेरा अंग भी किसी की दिशा जाने और उसकी रेशमी जूतियाँ खाने को अकुला रहा है। जूता खाये अरसा हो गया। स्थिति यह हो गयी है कि बरसों पहले खाये जूतों के निशान तो शेष हैं पर उनका स्वाद मैं एकदम भूल गया हूँ। कवि कहता है:

बाबू जी, सच कहूँ तो मेरी निगाह में
न कोई छोटा है
न कोई बड़ा है
मेरे लिए हर आदमी एक जोड़ी जूता है
जो मेरे सामने
मरम्मत के लिए खड़ा है...

रात गहरा रही है...

अख़बारों के सम्पादक बहुत विचित्र जीव होते हैं। पुलिस के दरोग़ा हत्या, बलात्कार, डकैती और बम-विस्फोट की सूचना पाकर जैसे प्रसन्न होते हैं ठीक वैसे ही अख़बारों के सम्पादक किसी बड़े आदमी की मृत्यु की ख़बर मिलने पर ख़ुश होते हैं और कभी-कभी तो उस व्यक्ति को लेकर विशेषांक भी निकाल डालते हैं। हरिशंकर परसाई की मृत्यु पर भी ऐसा ही हुआ। संस्मरण-लेखकों की बन आयी और ऐसे-ऐसे लोग संस्मरण लिखने बैठ गये जिन्होंने उन्हें देखा तक नहीं था और जिन्होंने उनकी लिखी एक पंक्ति भी कभी नहीं पढ़ी थी। मैंने परसाईजी के साथ कई बार काफ़ी समय गुज़ारा था। बाहर से हँसमुख लगने वाले परसाईजी भीतर से एक अत्यन्त गम्भीर व्यक्ति थे और इसी कारण मैं भी इस रचना को गम्भीर ही रखूँगा। हिम्मते मरदाँ, मददे ख़ुदा।

हास्य-व्यंग्य किसी भी भाषा के साहित्य का एक अत्यन्त महत्त्वपूर्ण अंग होता है। मार्क ट्वेन, चार्ल्स डिकिन्स (पिकविक पेपर्स), वाल्तेयर, वुडहाउस और नार्थकोट पार्किन्ज़न का महत्त्व किसी भी गम्भीर लेखक से कम नहीं है। हिन्दी में हास्य-व्यंग्य लिखने की परम्परा सदा से रही है। यदि कबीर हिन्दी के प्रथम व्यंग्य-कवि हैं तो भारतेन्दु हरिश्चन्द्र (अन्धेर नगरी, ताज़ीराते शौहर) हिन्दी के सर्वप्रथम गद्य-व्यंग्य के लेखक हैं। उनके बाद बालमुकुन्द गुप्त, प्रतापनारायण मिश्र, जगन्नाथप्रसाद चतुर्वेदी, अन्नपूर्णानन्द, विश्वम्भरनाथ शर्मा कौशिक (दुबे जी की चिट्ठी), राधाकृष्ण व बाबू गुलाबराय ने इस दिशा में बहुत काम किया। और मुंशी प्रेमचन्द की रचनाओं में तो असीम हास्य छिपा है। 'सत्याग्रह' और 'पण्डित मोटेराम शास्त्री' जैसी काफ़ी कहानियाँ विशुद्ध हास्य से भरी पड़ी हैं और उनके उपन्यासों तक में यह विनोदी वृत्ति बराबर दिखायी पड़ती है। उन्होंने रतनलाल सरशार की अत्यन्त मोटी पोथी का हिन्दी में अनुवाद किया और अब तो स्थिति यह है कि 'आज़ाद-कथा' के ऊपर सिर्फ़ प्रेमचन्द का ही नाम छपता है, रतनलाल सरशार का नहीं। बाबू गुलाबराय के व्यंग्य-संग्रह 'ठलुआ क्लब' का सम्पादन भी मुंशी जी ने ही किया। वे अपने 'हंस' में और कुछ न मिलने पर जी.पी. श्रीवास्तव तक को छापा करते थे। पुरानी पीढ़ी

के अन्तिम श्रेष्ठ व्यंग्यकार पं. श्रीनारायण चतुर्वेदी थे। उनकी चर्चा करने का एक कारण यह भी है कि 'उत्तर-प्रदेश हिन्दी-संस्थान' का इस वर्ष का 'पं. श्रीनारायण चतुर्वेदी पुरस्कार' मुझे ही दिया गया है। मुझे सरकार की कार्य-तत्परता पर बहुत विश्वास है और इसी कारण मै आशा करता हूँ कि पुरस्कार के ग्यारह हज़ार रुपयों का बैंकड्राफ़्ट मुझे अपने इसी जन्म में मिल जायेगा। मगर ऊपर बताये सारे लेखक उस लेखक के सामने फीके पड़ जाते हैं जिसका नाम हरिशंकर परसाई था और जिसकी मृत्यु 10.8.1995 को विधिवत् सम्पन्न हुई।

हरिशंकर परसाई का जन्म मध्यप्रदेश के होशंगाबाद ज़िले में स्थित ज़मानी नामक गाँव में 22.8.1924 को अपने माता-पिता के विवाह के बाद ही हुआ था। उन दिनों रिवाज़ ही कुछ ऐसा था कि बच्चे अपने माता-पिता के विवाह के बाद ही पैदा होते थे। उनकी माता उनकी किशोरावस्था में ही प्लेग का शिकार हो गयी थीं और उनका साथ देने के लिए कोयले की छोटी-मोटी ठेकेदारी करने वाले उनके पिता भी एक असाध्य बीमारी से ग्रस्त हो गये थे। वे भयंकर अभाव में पले और परिवार की ज़िम्मेदारियाँ सँभालने में ऐसा जुटे कि अपना विवाह करना तक भूल गये। यह एक ऐसी ग़लती थी कि जिसका भूल-सुधार सारी उम्र नहीं हुआ। वे, पता नहीं कैसे, सागर विश्वविद्यालय से एम.ए. पास कर गये। अठारह वर्ष की आयु में जंगल-विभाग में घुसे और बाद में वे अध्यापक हो गये। उनकी विभिन्न स्कूलों की अध्यापकी सन् 1957 में ख़त्म हो गयी और तभी से वे स्वतन्त्र लेखन करने लगे। काफ़ी घाटे में उन्होंने दो वर्ष तक 'वसुधा' नामक पत्रिका भी चलायी। उन्हें बाद में चलकर बहुत पुरस्कार, सम्मान और उपाधियाँ वग़ैरह मिलीं। टाँग में कुछ ऐसी चोट आयी कि पिछले बीस वर्षों से वे घूम-फिर नहीं सकते थे। उन्हें शिखर-सम्मान देने के लिए मध्य प्रदेश के मुख्यमन्त्री स्वयं उनके घर आये और मैं भी उनसे मिलने उनके घर ही गया। वैसे वह घर उनकी बहिन का था। कुछ वर्ष उन्होंने मदिरा-पान भी किया मगर धूम्र-पान व मदिरा-पान से आगे जाने की हिम्मत सिन्दबाद जहाज़ी ने कभी नहीं की। वे राजनीति से प्रतिबद्ध थे और वामपन्थी विचारधारा रखते थे। डॉ. नामवरसिंह वे व्यक्ति हैं जिनके कारण वे बड़े बने। डॉ. नामवरसिंह ने ख़ुद ही कहा है कि यदि वे उनका पथ प्रशस्त नहीं करते तो वह मात्र व्यंग्यकार ही रह जाते, ग़रीबी के मसीहा वे कभी नहीं बन पाते। डॉ. धनंजय वर्मा के शब्दों में व्यंग्य एक ऐसा लेखन है कि जो राजनीति से प्रतिबद्ध हुए बिना रह ही नहीं सकता।

परसाई का साहित्य में प्रवेश अख़बार के कॉलमों द्वारा हुआ। 'कल्पना' व 'नयी कहानियाँ' में उन्होंने शानदार कॉलम लिखे और बाकी पत्र-पत्रिकाओं पर भी वे छाये रहे। प्रेमचन्द और जैनेन्द्रकुमार के बाद हिन्दी में मात्र दो ही शैलीकार हुए हैं; एक थे पार्श्व-संगीत देने वाले 'रेणु' और दूसरे थे हथौड़े की चोट करने वाले परसाई। कुल मिलाकर उनकी बाईस कृतियाँ छपीं। विशिष्ट रचनाओं के संकलन अलग। उनका

सारा साहित्य 'परसाई-रचनावली' में संकलित है जिसका दूसरा खण्ड सर्वश्रेष्ठ है क्योंकि यही वह खण्ड है जिसमें उनकी व मेरी फ़ोटो साथ-साथ छपी है। परसाईजी ने विशुद्ध हास्य कभी नहीं लिखा, उन्होंने जो कुछ लिखा, सोद्देश्य लिखा हालाँकि वे जानते थे कि व्यंग्य की अपेक्षा विशुद्ध हास्य लिखना कहीं ज़्यादा कठिन होता है। वे एक धूमकेतु की भाँति प्रकट हुए और बहुत जल्दी ही सब लोग उनका लोहा मान गये। शरद जोशी, श्रीलाल शुक्ल व रवीन्द्रनाथ त्यागी उनके कुछ बाद आये मगर इन चार व्यंग्यकारों ने हिन्दी-व्यंग्य को इतना लोकप्रिय बना दिया कि आज जितनी ललक व्यंग्य लिखने की दिशा में है वह और किसी दिशा में नहीं है हालाँकि व्यंग्यकारों के इस भभ्भड़ में ज्ञान चतुर्वेदी, लतीफ़ घोंघी, मुद्राराक्षस (मथुरादास की डायरी) व मनोहर श्याम जोशी (कुरु कुरु स्वाहा) के अतिरिक्त बाकी सब उखड़ गये। आज़ादी के बाद देश में जो भ्रष्टाचार आया, उसके कारण ही हिन्दी में इतना सशक्त और सटीक व्यंग्य लिखा गया। यदा यदा हि धर्मस्य ग्लानिर्भवति भारत, अभ्युत्थानं अधर्मस्य तदात्मानं सृजाम्यहम्। हम सब लोग भगवान के अवतार हैं। देश की सुमुखियो, आओ और हमारा प्रेम-प्रसाद पाकर अपने क्षणभंगुर जीवन को पवित्र करो। फिर न कहना कि ख़बर नहीं दी। माल पसन्द न आने पर दाम वापस करने की गारण्टी। हाँ, अलबत्ता नक्कालों से अवश्य सावधान रहना...

परसाईजी की रचनाएँ राजनीति, धर्म, साहित्य, समाज और नौकरशाही के भ्रष्टाचार, आज़ादी के बाद का ढोंग, आज के जीवन के अन्तर्विरोध, पाखण्ड और विसंगतियों को हमारे सामने इस तरह खोलती हैं जैसे कोई सर्जन चाकू से शरीर के गले अंग काट-काटकर आपके सामने प्रस्तुत करता है। उनका व्यंग्य मात्र हँसाता नहीं है, वह आपको तिलमिलाता है और सोचने को बरबस बाध्य करता है। कबीर जैसी उनकी निःसंग और अवधूत शैली उनकी एक विशिष्ट उपलब्धि है, जिसके द्वारा उनका जीवन-दर्शन मुखर हुआ है। उनके जैसा मानवीय संवेदना में डूबा कलाकार रोज़-रोज़ पैदा नहीं होता। आज़ादी के पहले का हिन्दुस्तान जानने के लिए जैसे सिर्फ़ प्रेमचन्द हो पढ़ना काफ़ी है, उसी तरह आज़ादी के बाद के भारत की सच्ची दस्तावेज़ परसाई की रचनाओं में सुरक्षित है। चश्मा लगाकर 'रामचन्द्रिका' पढ़ाने वाले हिन्दी के पेशेवर ठेकेदारों और पटवारियों के बावजूद, हरिशंकर परसाई नाम का यह इंसान हिन्दी साहित्य में सदा-सदा के लिए अमर है...

परसाईजी से मेरी भेंट बहुत वर्ष पहले डॉ. नामवरसिंह के कमरे में हुई थी। उन दिनों नामवर जी ने राजकमल प्रकाशन में नौकरी शुरू ही की थी। परसाईजी ने काली शेरवानी पहनी हुई थी जिसके ऊपर वाले बटन खुले हुए थे। उनकी कमीज़ बहुत गन्दी थी और उसका सफ़ेद कालर चीकट से भरा हुआ था। वे लगातार सिगरेट पीते जा रहे थे। मेरा परिचय पाकर वे बहुत ख़ुश हुए और मेरी कमर थपथपाकर उन्होंने मुझे शाबाशी दी। इसके बाद वे मुझे बाहर ले गये जहाँ उन्होंने एक निहायत

मामूली ढाबे पर मुझे चाय पिलायी। वे मुझे अपने संस्मरण व मज़ाक़ इस तरह सुनाने लगे जैसे कि मैं उनके बचपन का साथी हूँ। उनका स्नेही व निश्छल स्वभाव देखकर मैं उनका भक्त हो गया। इसके बाद मेरा व उनका पत्र-व्यवहार शुरू हो गया। वे दिल्ली आते तो मुझे बता देते। मुलाक़ातें भी यहाँ-वहाँ होती ही रहीं। वे मुक्तिबोध से बहुत प्यार करते थे और हर आदमी को काफ़ी तौलताल कर ही उससे खुलते थे। उनका 'निराला' के प्रति अगाध अनुराग था और 'अज्ञेय' से उन्हें विरक्ति थी। कुछ वर्षों बाद जब उनकी विशिष्ट रचनाओं का एक संकलन (तिरछी रेखाएँ) छपा तो उन्होंने रचनाएँ चुनने में मेरी सलाह ली और पुस्तक का फ़्लैप मैटर भी मुझसे ही लिखवाया। बाद में जब मैंने अपनी एक पुस्तक उन्हें समर्पित की तो उन्होंने मुझे एक बहुत ही मार्मिक पत्र लिखा। उसी पत्र से पता लगा कि जो स्नेह उन्होंने मुझे दिया था उसका प्रमुख कारण यह था कि मेरी भाँति उनका बचपन भी खौफ़नाक अभावों में गुज़रा था। न जाने कितने पत्रों में उन्होंने मुझे यही लिखा है कि "तुम्हारे जैसा विट-सम्पन्न गद्य मुझसे लिखते नहीं बनता।" इतनी ईमानदारी श्रीलाल शुक्ल व शरद जोशी तक ने मुझसे कभी नहीं बरती।

परसाईजी को बहुत पास से देखने का पूरा अवसर मुझे 1979 में मिला जब कि मैं सरकारी दौरे पर मेरठ से जबलपुर गया। कई दिन का ठहरना था और भेड़ाघाट व धुआँधार से निबट कर मैं प्रायः सारी सन्ध्या रोज़ उन्हीं के साथ गुज़ारता था। चाय चलती थी, साहित्य-चर्चा होती थी और मज़ाक़ के बाद मज़ाक़ सुनायी जाती थी। वहाँ मैंने देखा कि ग़रीबों और दलितों के प्रति उन्हें बहुत मोह है और धनाढ्य लोगों से वे शिष्टतापूर्वक बचना चाहते हैं। वे सचमुच एक स्नेही व्यक्ति थे जो प्रत्येक नये लेखक की पुस्तक के लिए भूमिका लिखने को तैयार रहते थे। भूमिका में वे ज़रूरत से ज़्यादा प्रशंसा करते थे और जो किताब घटिया होती थी, उस पर तो वे बिना उसे पूरी पढ़े ही फ़्लैप मैटर लिख डालते थे। वे किसी को निराश नहीं करना चाहते थे। वे एक निर्भीक व्यक्ति थे जिन्हें एक बार कुछ कट्टरपन्थियों ने पीट भी दिया था पर उस वहशीपन का उनके शरीर पर ही प्रभाव पड़ा, उनकी कलम पर नहीं। वे उन व्यक्तियों से बचते थे जो सदा दीन बने रहते हैं और उनका निश्चित मत था कि 'सरस्वती' सम्पादक बख़्शी जी व खैरागढ़ की रानी के बीच प्रेम था, चाहे वह 'प्लैटोनिक' ही रहा हो। उनका अगला गुण था अतिथि-सत्कार। मेरे निवास के दौरान उन्होंने एक कॉलेज में उत्सव अरेंज करवाया, टूटी टाँग के बावजूद उसमें शुरू से आख़िर तक रहे और मेरी कविताएँ भी सुनवायीं। उन्होंने मेरी अध्ययनशीलता की प्रशंसा की और फिर रेडियो से कहकर मेरा साक्षात्कार भी प्रसारित करवाया। उनकी मेज़ पर काफ़ी किताबें रहती थीं और उनमें से काफ़ी किताबें अँग्रेज़ी की होती थीं। जिस दिन मैं विदा लेने गया उस दिन वे कुछ भावुक हो उठे। उन्होंने मुझसे वचन लिया कि मैं नौकरी से त्यागपत्र नहीं दूँगा क्योंकि यह ज़रूरी नहीं था कि स्वतन्त्र

होकर मैं ज़्यादा अच्छा लिख सकता था। वे मुझसे आयु में छह या सात वर्ष बड़े थे और इस कारण जब मैंने उनके चरण छूने चाहे तो उन्होंने मुझे बलपूर्वक रोक दिया। इसी घटना को लेकर, उन्होंने बिना मेरा नाम लिये एक निबन्ध रचा और उसी लेख के नाम पर वह पुस्तक छपायी (विकलांग श्रद्धा का दौर) जिस पर उन्हें अकादमी-एवार्ड मिला। मैं उन दिनों 'सारिका' में एक कॉलम लिख रहा था जिसमें मैंने सारी घटना की विशद चर्चा की। परसाईजी ने मुझे लिखा कि उन्होंने मेरे जैसा बेबाक आदमी ज़िन्दगी में दूसरा नहीं देखा। यही रिमार्क एक बार अज्ञेय जी ने भी मुझ पर कसा था पर उसका सन्दर्भ और मन्तव्य कुछ दूसरा था।

रात गहरा गयी है। परसाईजी को काफ़ी समेट लिया। आत्म-विज्ञापन भी काफ़ी हो गया। बाकी संस्मरण बहुत स्थान लेंगे और उन्हें फिर कभी लिखूँगा। उस लेख में परसाईजी की कुछ कमियाँ भी बताऊँगा ताकि आप मुझे उनका अन्ध-भक्त न समझें।

हिन्दी गद्य के उस महापुरुष को मैं हृदय से प्रणाम करता हूँ और आपसे विदा लेता हूँ।

वर्षा में मसूरी : एक संस्मरण

देहरादून एक सुन्दर नगर है और सच्ची बात तो यह है कि जब से मैं यहाँ रहने लगा हूँ तब से यह नगर और भी सुन्दर हो गया है। देहरादून के निकट जितने भी स्थान हैं उन सबके अन्त में 'वाला' लगा है जैसे रायवाला, डोईवाला या हर्रावाला और मेरा यह दृढ़ मत है कि पारसी लोग बम्बई जाने से पहले यहीं शासन करते थे क्योंकि उनके नाम भी इसी तर्ज़ पर होते हैं जैसे कि पालकीवाला, बाल्टीवाला या रज़ाईवाला। देहरादून का प्रमुख आकर्षण यह है कि आप जब चाहें मसूरी जा सकते हैं और मसूरी का प्रमुख आकर्षण यह है कि आप जब चाहें देहरादून वापस आ सकते हैं। मैं मसूरी बहुत बार गया पर शाम को हमेशा देहरादून लौट आया। प्रत्येक यात्रा में लगभग एक-सा ही आनन्द आया क्योंकि पर्वतों की ऊँचाई व खड्डों की गहराई हमेशा वही मिली।

मसूरी एक ठण्डी जगह है और इसी कारण वहाँ जेब का गर्म रहना बेहद ज़रूरी है। जगह सचमुच सुन्दर है और जो लोग यहाँ सैर करने आते हैं वे भी कभी-कभी सचमुच सुन्दर होते हैं। मसूरी की ऊँचाई पाँच हज़ार से सात हज़ार फ़ीट है और सारा परिवेश रूपवती हरियाली से घिरा है। मसूरी की सच्ची ऊँचाई का पता सिर्फ़ उन देशी नरेशों को था जो अपनी विदेशी रखैलों के साथ यहाँ आज़ादी से पहले आया करते थे। अब तो सिर्फ़ वे लोग यहाँ आते हैं जो कुत्तेनुमा लगते हैं और जिनमें मैं भी शामिल हूँ। देहरादून से मसूरी पहुँचने में लगभग दो घण्टे लगते हैं जब कि वापस आने में समय भी कम लगता है और पेट्रोल भी। यह सब ढलान का प्रभाव है। वापस आते समय यदि आप मसूरी की लाइब्रेरी के पास किसी केले के छिलके पर फिसल लें, या फिर कोई आत्मीय आपकी पृष्ठभूमि पर कस कर लात ही जमा दे तो आप बिना किसी बाहरी सहायता के देहरादून पहुँच सकते हैं। मेरी बात पर भरोसा करें और वापसी यात्रा इसी प्रकार सम्पन्न करें। पहाड़ पर ज़्यादा हिचकिचाहट काम नहीं करती।

कुछ वर्ष पूर्व मैं गर्मियों में मसूरी ऐसा गया कि सदा याद रहेगा। मैं था, निजी पत्नी थी और लगभग दस छोटे-बड़े बच्चे थे जो मेरी सालियों और सालों ने देश की

सेवा के लिए समय-समय पर उत्पन्न किये थे। हम लोग अपनी गाड़ियों से मसूरी पहुँचे ही थे कि वर्षा आ गयी। पहले तो अज्ञातयौवना मुग्धा की भाँति धीरे-धीरे आयी पर फिर किसी प्रौढ़ नायिका की भाँति धाराप्रवाह हो गयी। कोई दो घण्टे तक यही कार्यक्रम सुचारु रूप से चलता रहा और उसके बाद वह नायिका के स्थान पर नायिका की अम्मा की भाँति ठोस ओलों में बदल गयी। हम एक लाल टीन की छत के नीचे खड़े हो गये और बड़े गुलाम अली ख़ाँ का शास्त्रीय संगीत सुनने लगे। जैसा कि रिवाज़ है शास्त्रीय संगीत चलता रहा, चलता रहा। स्थिति में जब कुछ सुधार हुआ तो हम लोग कम्पनी-बाग़ की ओर शरण लेने गये जहाँ आइसक्रीम जैसी ठण्डी चाय हमें तिगुने दामों पर मिली जो हमने ख़ुशी-ख़ुशी पी। वहाँ एक सरकारी अफ़सर एक शालीन रमणी को परिवार-नियोजन के फ़ायदे समझा रहा था जब कि वह बेचारी सिर्फ़ परिवार-नियोजन के क़ायदे समझना चाहती थी। उन दोनों की चर्चा से कुछ गर्मी आयी।

मसूरी में यूँ तो घूमने को बहुत कुछ है पर ज़्यादातर लोग या तो माल रोड पर माल देखते हैं और या कैमिल्स बैक रोड पर घूमते हैं और हिमालय की अगली श्रेणियाँ देखते हैं। इस सड़क पर आप सिर्फ़ क़ब्रिस्तान तक ही जा सकते हैं क्योंकि क़ब्रिस्तान से आगे कोई कभी नहीं गया। 'हकमान होटल' वही होटल है जहाँ क़ायदे-आज़म मुहम्मदअली जिन्ना तथा डॉ. अमरनाथ झा कभी ठहरा करते थे। पता नहीं क्यों, गर्मियों की ऋतु में शराब से लेकर शबाब तक सारी चीज़ों का दाम देहरादून में बढ़ जाता है और मसूरी में गिर जाता है। हुस्नबानू के इस सवाल का जवाब हातिमताई कभी नहीं ला सका।

बादल छँट गये और धूप निखरने लगी। हम सब लोगों के साथ—ख़ासकर बच्चों के साथ—जो चाय कम्पनी बाग़ में पी थी, वह रंग दिखाने लगी। इतनी देर में चाय का रंग काफ़ी बदल गया था। अब तो पता नहीं क्या स्थिति है, उन दिनों हालत यह थी कि शायद निजी मकानों और बड़े होटलों को छोड़कर, बाकी सारी मसूरी में कोई सार्वजनिक टॉयलेट नहीं था। एक इतिहासवेत्ता ने मुझे बाद में बताया कि इत्सिंग, फ़ाह्यान, हुएनत्साँग और महापण्डित राहुल सांकृत्यायन (जो मसूरी के मार्ग से ही तिब्बत गये थे) ने अपने किसी भी यात्रा-वृत्तान्त में मसूरी की किसी सड़क पर स्थित किसी बाथरूम की चर्चा कहीं नहीं की। मन बदलने के लिए मैंने बच्चों को अपने प्रिय कवि चिरकीन की कविता सुनानी शुरू की और यह क्रम तब तक जारी रखा जब तक कि हम लोग बड़े परिश्रम के बाद समस्या का समाधान करने में सफल हुए। मुझे विदेशी सभ्यता की यह बात बहुत पसन्द है कि जितना बड़ा आदमी होता है उतना ही पड़ा उसका बाथरूम होता है। हमारे यहाँ पुराने ज़माने में नवाबों और राजाओं का बड़प्पन उनके हरम के साइज़ से नापा जाता था। दिल्ली के वज़ीर शहाबुद्दीन आठ सौ रूपसियों का हरम रखते थे और नवाब शुजाउद्दौला

सिर्फ़ पाँच सौ रूपसियों से ही अपना काम चलाते थे। जो स्थिति कभी हरम के साथ थी, वह स्थिति अब टॉयलेट के साथ है। पहले आदमी का 'मुर्दा' बड़ा क़ीमती होता था, अब उसका 'गुर्दा' बड़ा क़ीमती होता है। ठीक कह रहा हूँ न? अस्पतालों में जो 'गुर्दे' चोरी होते हैं वे लाखों में बिकते हैं; ठीक उसी तरह जैसे कि पुराने ज़माने में किसी को ज़िन्दा या 'मुर्दा' पकड़ लाने के लिए लाखों रुपये दिये जाते थे।

मसूरी में सबसे ज़्यादा मनोरम दृश्य मात्र एक ही बचा है और वह है कुलियों द्वारा खींचा गया रिक्शा। मैंने बच्चों को एक रिक्शा दिखाया जिसमें एक शानदार हृष्ट-पुष्ट महिला लगभग पद्मासन में बिराज रही थी और जिसे दो कमज़ोर कुली अपनी पूरी ताक़त से चढ़ाई पर खींच रहे थे। इसके बाद बच्चे वापस लौटने की जल्दी मचाने लगे। मैंने उस हृष्ट-पुष्ट महिला को बिना किसी जान-पहचान के सलाम किया जिसे देखकर बच्चे हँसने लगे। वह महिला भी मुस्कुरायी।

पानी तो बन्द हो ही चुका था और इसी कारण हम लोग लौटने की क्रिया में व्यस्त हो गये। दूरी तो उतनी ही थी पर ढलान के कारण समय व पेट्रोल कम लगा। वर्षा के कारण मसूरी में देखने को कुछ नहीं बचा था। 'कामायनी' में प्रलय का वर्णन भयंकर वर्षा से शुरू होता है जिससे पता चलता है कि महाकवि प्रसाद मसूरी ज़रूर आये थे। मैं मसूरी से लौटते वक़्त सदा प्रसन्न रहता हूँ क्योंकि वापसी की यात्रा में 'टॉल टैक्स' नहीं लगता। वैसे मैं तो मसूरी जाते हुए भी कभी-कभी 'टॉल टैक्स' से बच जाता हूँ। उस दफ़्तर में एक बाबू हैं जो उर्दू के शायर हैं। वे चाय पिलाते हैं, एक घण्टे तक अपना कलाम सुनाते हैं और 'टॉल टैक्स' माफ़ कर देते हैं। मैं हमेशा उन्हें सलाह देता हूँ कि वे अपना दीवान उसी प्रेस से छपाएँ जहाँ से 'टॉल टैक्स' की रसीदें छपती हैं पर वे मानते ही नहीं। वे अपने दीवान को 'दीवाने-ख़ास' कहते हैं क्योंकि उसे वे ख़ास आदमियों को ही सुनाते हैं, आम पब्लिक को नहीं। बहरहाल, मसूरी की यह यात्रा काफ़ी कष्टप्रद रही। अगर 'रेणु' जी का हीरामन होता तो मसूरी कभी भी न जाने की चौथी कसम ज़रूर खाता। मैं कभी कसम नहीं खाता, उसके खाने से मेरा हाज़मा सदा से बिगड़ता आया।

वापस देहरादून पहुँचे। चाय पी और कोठी के लॉन पर टहलने लगे। आसमान एकदम साफ़ हो गया था और मसूरी की बत्तियाँ जगमगाने लगी थीं। मसूरी फिर उतनी ही सुन्दर लगने लगी और हमें अपने पास बुलाने लगी।

ख़बरों का सिलसिला अभी ख़त्म नहीं हुआ...

मैं बहुत चाहता हूँ कि अख़बार पढ़ना बन्द कर दूँ और यदि पढ़ूँ भी तो उसमें छपे समाचारों को अपनी व्यंग्य-रचनाओं में स्थान न दूँ। पर चाहते हुए भी मैं अपनी इस आदत को पूरी तरह नहीं छोड़ पा रहा हूँ। इस स्थिति के कई कारण हैं। पहला कारण तो वही है जिसे कभी उर्दू के एक बड़े शायर ने यह कहकर पकड़ा था कि "छुटती नहीं है काफ़िर मुँह से लगी हुई।" दूसरा कारण यह है कि कभी-कभी ख़बरें सचमुच ऐसी हसीन और दिलकश होती हैं कि आप उन्हें अपने पाठकों तक पहुँचाने का मोह छोड़ ही नहीं सकते। और अन्तिम कारण यह है कि कोई भी जीवन्त व्यंग्यकार अपने चारों ओर घट रही घटनाओं की पूरी तरह उपेक्षा कर ही नहीं सकता। उर्दू के एक महान् कवि 'हाल' ही में घटी बातों को अपनी उत्कृष्ट शायरी में डालने के कारण मौलाना 'हाली' के नाम से विख्यात हुए थे। एच.जी. वैल्स के अनुसार साहित्य की जड़ें सदा पत्रकारिता में ही छिपी रहती हैं और कहीं नहीं।

जनवरी 1993 में जब भूटान के महामहिम नरेश दिल्ली की राजकीय यात्रा पर आये तो उनका भव्य स्वागत किया गया। इस अवसर पर विजय-चौक पर भूटान का जो राष्ट्रीय ध्वज लहराया गया वह उलटा था। झण्डे की इस शीर्षासन वाली मुद्रा को अख़बारों ने बाक़ायदा छापा हालाँकि इस सबसे किसी कर्मचारी को डाँट पड़ी या नहीं—इसका मुझे पता नहीं। बहरहाल झण्डा टाँगने वाला कर्मचारी था ईमानदार। अगर वह ऐसा नहीं होता तो विजय-चौक पर न झण्डा मिलता और न बाँस। बाँस का हटना सदा से ज़रूरी रहा क्योंकि न रहेगा बाँस और न बजेगा तबला। अब मैं बाँस को छोड़ता हूँ और पच्चीस पैसे के सिक्के को पकड़ता हूँ। मुद्रा-स्फीति के कारण चवन्नी के सिक्के की कोई क़ीमत नहीं रही। नागपुर के बैंक में सात करोड़ रुपयों की चवन्नियाँ पड़ी हैं जो माँग न होने के कारण बम्बई के रिज़र्व बैंक को भेजी जानी हैं ताकि वे गलाई जा सकें और उनसे कोई और सिक्का बनाया जा सके। इस सारे सन्दर्भ में जो सचमुच लोमहर्षक बात है वह यह है कि चवन्नी के एक सिक्के को बनाने में जो लागत आती है वह मात्र आठ रुपये होती है। शायद उत्पादन की इस ऊँची लागत के कारण ही जालसाज लोग सौ रुपयों का जाली नोट

बनाते हैं, नकली चवन्नी नहीं।

एक पत्रकार ने हमारे प्रधानमन्त्री के एक भाषण के आधार पर एक लेख लिखा जो एक सरकारी पत्रिका में छपा। पत्रिका के वफ़ादार दफ़्तर ने पारिश्रमिक का चेक लेखक को न भेजकर प्रधानमन्त्री जी ही को भेजा क्योंकि उन्हीं के भाषण के आधार पर तो उस तथाकथित लेखक ने अपना लेख लिखा था। परिश्रम तो प्रधानमन्त्री ने ही किया था और इसी कारण पारिश्रमिक के सच्चे अधिकारी भी वही थे। प्रकाशन विभाग के उच्च अधिकारियों के अनुसार सारी गड़बड़ मात्र 'क्लैरिकल मिस्टेक' के कारण हुई। सच्ची बात तो यह है कि सरकार में जो करोड़ों रुपयों की धोखाधड़ी, ग़बन व फ़िज़ूलख़र्ची होती है वह मात्र 'क्लैरिकल मिस्टेक' के कारण ही होती है, जानबूझकर कोई कुछ नहीं करता। सत्यमेव जयते। एक ऐसी ही 'क्लैरिकल मिस्टेक' तब हुई जब कि एक राजनेता मोटर से रात के समय राजधानी जा रहे थे और उन्होंने अकेली पैदल चलती एक रूपवती स्त्री को अपनी मोटर में जगह दे दी। नेता जी ने जब उसकी खोजबीन शुरू की तो उन्हें पता चला कि साड़ी पहने हुए वह युवती कोई 'स्त्री' नहीं थी वरन् एक 'हिजड़ा' थी। उस हिजड़े ने नेता जी के सौ रुपये और रिवाल्वर भी अन्तर्धान कर दिये।

आम धारणा यह है कि साधारण नागरिक अपराध करता है और पुलिस, मैजिस्ट्रेट व जज लोग उसे सज़ा देते हैं। 23 जनवरी 1993 व 18 जनवरी 1993 के 'इण्डियन एक्सप्रेस' ने इस झूठे भ्रम को तोड़कर देश के साथ विश्वासघात किया। एक समाचार के अनुसार एक नगर के सिटी-मैजिस्ट्रेट को मुअत्तिल किया गया क्योंकि वे एक बलात्कार के मामले में तथाकथित अभियुक्त हैं और दूसरे समाचार के अनुसार एक नगर के दो न्यायाधीशों ने एक दूसरे पर घातक हमला किया और फ़िलहाल दोनों जज ज़मानत पर छूटे हुए हैं। सीज़र की पत्नी अब सन्देह के ऊपर नहीं रही। और पुलिस बेचारी का तो कहना ही क्या; वह तो स्त्री के दुख को कभी देख ही नहीं सकती। मेलों से लड़की भगाने में यदि पुलिस सहायता नहीं करेगी तो क्या मैं करूँगा? और हवालात में बन्द एक युवती के साथ सामूहिक बलात्कार यदि पुलिस नहीं सम्पन्न करेगी तो क्या आप करेंगे?

ढाका में एक सच्चे प्रेमी ने भविष्य में अपना प्रेम पवित्र रखने के लिए अपनी प्रेयसी को छह हज़ार टके में किसी दूसरे के हाथ बेच दिया। लड़की चरित्रवान् थी; जैसे ही उसे पता चला कि वस्तुस्थिति क्या है तो वह चलती हुई मोटरबोट में से नदी में कूद गयी और अपने गाँव पहुँच गयी। गाँव की अदालत ने उस भूतपूर्व प्रेमी से उसे छह हज़ार टकों की राशि दिलवायी। अगर हमारे देश की कोई ग्राम-सभा होती तो लड़की को तिगुने दाम पर बेच देती। ऊपर भगवान नीचे ग्राम प्रधान। बँगलादेश में ही एक शादीशुदा औरत पत्थर फेंक-फेंककर मार दी गयी क्योंकि उसने एक इमाम से शादी करने को मना कर दिया था। बाकी विवरण जानने के लिए

आप 14.1.1993 तथा 19.1.1993 के अख़बार पढ़ें। इंग्लैण्ड के राजकुमार चार्ल्स और उनकी प्रेमिका का एक टेप अभी-अभी प्राप्त हुआ है जिसके अनुसार प्रिंस चार्ल्स अपनी प्रेयसी से कहते हैं कि "मैं तो तुम्हारे पेटीकोट के ही भीतर निवास करना चाहता हूँ।" सादा जीवन, उच्च विचार। वैसे यदि तटस्थ दृष्टि से देखा जाए तो पेटीकोट से उम्दा रहने की और कोई जगह शायद है भी नहीं। न वर्षा का डर और न शीत का प्रकोप। और अपने इस पवित्र देश का तो कहना ही क्या? 19.12.92 के समाचार-पत्र के मुताबिक एक नगर में साम्प्रदायिक दंगों के दौरान नंगी और प्राण बचाने को भागती अनेक स्त्रियों के साथ बलात्कार भी किया गया और उसकी फ़िल्म भी खींची गयी। पुलिस ने भी कोई हस्तक्षेप नहीं किया क्योंकि मामला कला का था। सर्वे भवन्तु सुखिनः सर्वे सन्तु निरामयाः, सर्वे भद्राणि पश्यन्तु मा कश्चित् दुखभाग्भवेत्।

पश्चिमी उड़ीसा के बलांगीर ज़िले का हाल इतना करुण हो गया है कि शब्द उसे बाँध नहीं सकते। अकाल से त्रस्त गाँव भालामुण्डा की साठ वर्षीया रुख-मेहर अपने तीनों पोते-पोतियों को बेचना चाहती थी। आठ वर्षीया हारों की क़ीमत एक हज़ार रुपया लगती है पर ग्राहक न मिलने पर दाम गिरकर पाँच सौ रुपये और अन्ततः सौ रुपये पर आ जाता है। चिकन की एक प्लेट से कम दाम पर बच्चे बेचे जा रहे हैं। अनेक स्थलों पर बच्चा मात्र बीस रुपये में बेचा जा रहा है और प्रदेश के मुख्यमन्त्री हैं (जो फाकाकशी के मुद्दे को ही लेकर सत्ता में आये थे) कि इन समाचारों पर विश्वास ही नहीं करते। उनकी प्रतिक्रिया तो यह है कि "बीस रुपये में बच्चे बिक रहे हैं? एक बच्चा मुझे ला दीजिए, मैं बाईस रुपये दूँगा।" जो लोग विस्तार से जानना चाहते हों वे 15.2.93 की 'इण्डिया टुडे' (हिन्दी) पढ़ें। एक तरफ़ बच्चे बिक रहे हैं और दूसरी ओर फ़िल्म-फेस्टिवल हो रहा है, मन्दिर और मस्जिद के नाम पर दंगे करवाये जा रहे हैं और मैं व्यंग्य-रचना लिख रहा हूँ। मेरे पास के घर में शबाब, कबाब और शराब का जो संगम चल रहा है, उसका तो कहना ही क्या?

देश की जो स्थिति चल रही है, उसे देखकर आत्महत्या करने की इच्छा प्रबल हो उठती है। इस दिशा में मैंने काफ़ी जानकारी प्राप्त कर ली है और दो बार तो आत्महत्या कर भी चुका हूँ। ज़हर खाकर आत्महत्या करने वालों की संख्या सबसे ज़्यादा है। फाँसी लगाकर मरने वालों की संख्या भी काफ़ी है। डूबकर मरने वालों और रेल से कटने वालों की संख्या सबसे कम है। रेल आम तौर पर इतनी ज़्यादा लेट हो जाती है कि जब तक वह आती है तब तक आत्महत्या के प्रत्याशी का विचार बदल जाता है। बंगाल, तमिलनाडु व कर्नाटक के निवासी प्रायः विषपायी हैं, केरल के लोग फाँसी लगाने का चाव रखते हैं और प्रेम के कारण अपने प्राण देने वालों की संख्या सिक्किम में सबसे ज़्यादा है। आदमी और औरत—दोनों आत्महत्या के मौलिक अधिकार का प्रयोग प्रायः बराबर ही करते हैं और आत्महत्या करने

वालों की आयु ज़्यादातर अठारह और तीस वर्ष के बीच होती है। चूँकि मेरी उम्र साठ वर्ष से ऊपर हो चुकी है, मैं श्रेष्ठ साहित्य पढ़ने और श्रेष्ठतर साहित्य लिखने के अलावा और कुछ नहीं कर सकता। सामरसेट माम ने कहा है कि "ईश्वर ने मनुष्य को जितने भी अधिकार दिये हैं, आत्महत्या सम्पन्न करने का अधिकार उन सबमें सबसे बड़ा है।" सोचता हूँ कि यदि मैं इस अधिकार का प्रयोग कर लेता तो अर्नेस्ट हैमिंग्वे और स्टीफ़न ज्वेग के समकक्ष हो जाता। अब तो सुप्रीम कोर्ट ने भी यह स्पष्ट कर दिया है कि हमारे विधान में जीने के अधिकार को मौलिक व मूल अधिकार मानने का जो प्रावधान है उसमें आत्महत्या करने का अधिकार स्वतः अन्तर्निहित है। अगले स्पष्टीकरण में कभी यह भी स्पष्ट कर दिया जायेगा कि जो लोग आत्महत्या नहीं कर रहे हैं, वे एक क़ानूनी जुर्म कर रहे हैं। रिचर्ड गार्डन के एक गम्भीर उपन्यास में एक डॉक्टर है जो क़ानून की इतनी इज़्ज़त करता है कि वह आत्महत्या करने के लिए ऐसे देश में जाता है जहाँ कि आत्महत्या करना क़ानून की निगाह में कोई जुर्म नहीं है।

ख़बरों को लेकर साहित्य-सृजन करना कोई अपराध नहीं है। हमारे श्रेष्ठ कवि रघुवीरसहाय एक ख़बरधर्मी कवि ही थे। उन्होंने एक बार स्पष्ट किया था कि "पत्रकार और साहित्यकार में क्या कोई अन्तर है? मैं मानता हूँ कि नहीं है। पत्रकार व साहित्यकार–दोनों ही नये मानव-सम्बन्ध की तलाश करते हैं। दोनों ही यह दिखाना चाहते हैं कि दो मनुष्यों के बीच नया सम्बन्ध क्या बना। दोनों के उद्देश्यों में पूर्ण समानता है। कृतित्व में समानता कमोबेश है। पत्रकार जिन तथ्यों को एकत्र करता है उनको क्रमबद्ध करते हुए उन्हें उस परस्पर सम्बन्ध से विच्छिन्न नहीं करता जिससे वे जुड़े हुए व क्रमबद्ध हैं। उसके ऊपर यह लाज़िमी होता है कि वह आपको तर्क से विश्वस्त करे कि यह हुआ तो यह इसका कारण है, ये तथ्य हैं और ये समय देश, काल और परिस्थिति आदि हैं जिनके कारण ये तथ्य पूरे होते हैं। साहित्यकार इससे भिन्न कुछ करता है। साहित्यकार के लिए तथ्यों की जानकारी उतनी ही अनिवार्य है जितनी कि पत्रकार के लिए है पर उन तथ्यों का गतानुगत क्रम उसके लिए अबध्य नहीं है। बल्कि तथ्यों के परस्पर सम्बन्ध को जानबूझकर तोड़ कर, साहित्यकार उसे नये सिरे से क्रमबद्ध करता है और इस प्रकार वह एक नये सत्य की सृष्टि करता है जो एक नया यथार्थ है, एक सम्भव यथार्थ है। पत्रकार के लिए यथार्थ वही है जो सम्भव हो चुका है जबकि साहित्यकार के लिए यथार्थ वह है जो सम्भव हो सकता है।" अँग्रेज़ी के एक बहुत प्रतिष्ठित लेखक के अनुसार "पत्रकारिता व साहित्य में बस इतना ही अन्तर है कि पत्रकारिता पढ़ने लायक़ नहीं होती और साहित्य को कोई पढ़ता ही नहीं।"

शरद जोशी : व्यक्तित्व और कृतित्व

शरद जोशी से मेरी मुलाक़ात अनेक बार हुई। बहुत वर्ष पहले मैं उनसे बम्बई में मिला। रामावतार 'चेतन' की संस्था का सालाना उत्सव होना था और उसमें हम दोनों का रचनापाठ होना था। बाद में हम दोनों की रचनाओं का एक 'कैसेट' भी बना। आयोजन शुरू होने से पूर्व वे कुछ बेचैन से थे। पूछने पर उन्होंने बताया कि "आज मेरे जीवन का सबसे पहली बार दूरदर्शन पर प्रोग्राम आने वाला है और यहाँ फँसे रहने के कारण मैं उसे देख नहीं सकूँगा।" मैंने स्थिति समझी और उन्हें और बातों में उलझाया। जब मुझे 'चकल्लस-पुरस्कार' मिला तो भी वे मंच पर उपस्थित थे। दिल्ली में प्रेम जनमेजय के घर पर भी हम दोनों ने बहुत वक़्त एक साथ गुज़ारा। वहाँ उनकी एक रचना की चर्चा चली और उन्होंने उसे निःसंकोच एक अद्वितीय रचना बताया। इसके बाद वे मेरी एक रचना की प्रशंसा में डूब गये और कहने लगे कि "काश, यह रचना मैंने लिखी होती।" जब वे 'हिन्दी एक्सप्रेस' के सम्पादक बन गये तो रचनाएँ मँगाने के लिए बेहद पुरतुल्फ चिट्ठियाँ लिखने लगे। एक चिट्ठी में लिखा था कि "यार, तकदीर में यह दिन भी देखने को लिखा था कि मैं सम्पादक बनूँगा और तुमसे रचना माँगनी पड़ेगी।" या "एक दूसरी रचना और भेज दो; तुम्हारी रचनाओं के बिना दफ़्तर बड़ा सूना-सूना-सा लगता है..."

शरद भाई बड़े साधारण लगने वाले असाधारण व्यक्ति थे। वे जितने नम्र थे, भीतर से उतने ही स्वाभिमानी थे। बाहर से लापरवाह दीखने वाला यह व्यक्ति नियमित दिनचर्या का यथासम्भव पालन करता था, पढ़ता था, नये लेखकों को प्रोत्साहन देता था और कभी भी किसी की निन्दा या अनुचित आलोचना नहीं करता था। वह एक सच्चा, स्नेही, निःस्वार्थ और वक़्त पर काम आने वाला दोस्त था। ऐसे लोग रोज़-रोज़ नहीं पैदा होते। वह साहित्य के प्रति पूरी तरह समर्पित था। उसकी निःसंगता इन बातों से प्रकट होती है कि जब उसने एक मुस्लिम अभिनेत्री से विवाह किया तो उसकी जेब में सिर्फ़ सत्तरह रुपये थे और जब उसने सरकारी नौकरी को लात मारी तब वह तीन मासूम बेटियों का बाप था। अपने इसी मिज़ाज के कारण वह उस महान् (!) हिन्दी संस्थान में जीते-जी घुस नहीं सकता था जहाँ उसके निधन के बाद उसी की स्मृति में विशाल आयोजन किया गया। प्रदेश के सम्बन्ध-सचिव ने

मुझे प्रथम श्रेणी का भाड़ा और बाकी सारी सुविधाएँ देने के लिए टेलीग्राम भी दिया पर मैं नहीं गया। मेरे लिए शरद जोशी कभी नहीं मर सकता। कभी नहीं। कभी नहीं...

शरद जोशी अपनी पीढ़ी के सर्वाधिक लोकप्रिय हास्य-व्यंग्य लेखक थे। उनकी अनेक पुस्तकें उनके जीवनकाल में छपीं। (जैसे—किसी बहाने, रहा किनारे बैठ, जीप पर सवार इल्लियाँ, तिलस्म, मेरी श्रेष्ठ व्यंग्य रचनाएँ, यथासम्भव, पिछले दिनों, दूसरी सतह, हम भ्रष्टन के भ्रष्ट हमारे) पर फिर भी काफ़ी सामग्री ऐसी है जो या तो खो गयी है या पुस्तकों के रूप में अभी आनी है। (विश्वविद्यालय प्रकाशन, वाराणसी ने 'मुद्रिका-रहस्य' नाम की एक पुस्तक अभी-अभी छापी है जिसमें कुछ रचनाओं को छोड़कर उनकी अप्रकाशित रचनाएँ ही ली गयी हैं) इस स्थिति का प्रमुख कारण यह है कि जोशीजी जितना लिखने में व्यस्त रहे, उतना ध्यान वे पुस्तकों के छपाने पर नहीं दे पाये। वे एक हिन्दी दैनिक के लिए रोज़ एक कॉलम लिखते थे, दूरदर्शन व चलचित्रों के संवाद लिखते थे और इसके अतिरिक्त मंच पर व्यंग्य-रचनाएँ पढ़कर भी सुनाते थे। क्या करते? मजबूरी थी। ऊपर बताये सारे कामों से जो समय और शक्ति बचती थी वह विशुद्ध साहित्य लिखने को दी जाती थी। बम्बई में एक साधारण फ़्लैट ख़रीदने का तनाव व मधुमेह उन्हें बराबर सताये हुए थे। इन सारी परिस्थितियों में उन जैसे भावुक, निश्छल, सरल और ईमानदार कलाकार का कोमल हृदय उनका साथ कैसे देता? और कब तक देता?

शरद जोशी को (जिनके निर्माण में डॉ. धर्मवीर भारती के योगदान को कभी नहीं भुलाया जा सकता) जो अपार लोकप्रियता मिली, उसके कई कारण थे। वह अकेला ऐसा व्यंग्यकार था जो हास्य के महत्त्व को समझता था, उसकी महत्ता स्वीकार करता था और जो वैसे भी जन्मजात विनोद-वृत्ति का 'मरीज' था। गहरी से गहरी बात को भी इस प्रकार कहना कि पाठक हँसे बिना न रह सके उनके बायें हाथ का काम था। उनकी दूसरी विशिष्टता थी आम आदमी से सीधे जुड़े रहना। उनकी रचनाओं के टॉपिक, उनके शीर्षक, उनके चरित्र, उनकी रचनाओं में प्रस्तुत परिस्थितियों और उनकी भाषा—सबकी सब आम आदमी से सीधे जुड़ी हुई थीं। उनका ज़्यादातर जीवन क़स्बों और छोटे मुफ़स्सिल शहरों में बीता था और इसी कारण इन स्थानों को लेकर जितना ईमानदार व तथ्यपरक व्यंग्य उन्होंने लिखा उतना और कोई हिन्दी का व्यंग्यकार अभी तक नहीं कर सका। उनकी सफलता का एक और प्रमुख कारण यह भी था कि वे स्वयं न जाने कितनी विसंगतियों और विद्रूपताओं के बीच में से होकर गुज़रे थे जिसके कारण उनका लेखन एक विशिष्ट प्रामाणिकता रखता था।

व्यंग्य-लेखन के क्षेत्र में शिल्प के जितने प्रयोग भाई शरद जोशी ने किये उतने प्रयोग और कोई हिन्दी का व्यंग्यकार नहीं कर पाया। जो ताज़गी उनमें है वह और कहीं नहीं दिखायी पड़ती। वर्जीनिया वुल्फ़ से सब डरते हैं, मुद्रिका रहस्य, होना

कुछ नहीं का, पुराने पेड़ की बातें, अमरता के एहसास की रात, अतृप्त आत्माओं की रेलयात्रा, मेघदूत की पुस्तक समीक्षा, सरकार का जादू, क़स्बे का सिनेमा-मैनेजर, जीप पर सवार इल्लियाँ, चुनाव : एक मुर्गाबीती, एक नाज़ुक सवाल पर भूतप्रेतों से बातचीत, तिलस्म, नाटक भक्त-प्रह्लाद का, पारसी थियेटर, यमदूत और नर्स, सन्देह से घिरी शराफ़त, कथा सत्यनारायण की, कवि, अफ़सर और चिड़िया, सेवकराम जी 'निर्भय' के तीन पत्र, हम भ्रष्टन के भ्रष्ट हमारे, डिब्बे में बैठे लोग, सारी बहस से गुज़रकर, मटका-प्रसंग, एक शंख बिन कुतुबनुमा, घास छीलने का पाठ्यक्रम, चाचा का ट्रक और हिन्दी साहित्य, नदी में खड़ा कवि, भोंपू बजाने की लुप्त कला, लंच और गाडेस लक्ष्मी यानी पइसा की गाडेस जैसी अनेक रचनाएँ ऐसी हैं जिन्होंने शरद जोशी को हमेशा-हमेशा के लिए अमर बना दिया है। यह बहुत खेद की बात है कि हिन्दी के तथाकथित महन्तों ने उनके जीवन में उनका सच्चा मूल्यांकन कभी नहीं किया। एक वरिष्ठ अवसरवादी व्यंग्यकार ने उन्हें मात्र चिकोटीबाज़ ही ठहराया पर जोशीजी की मृत्यु के बाद ही वे उनकी तुलना सूर, तुलसी और कबीर से करने लगे। बड़ा अजीब लगा। वैसे हो सकता है कि यह आमूल परिवर्तन मेरे लिखे उस लेख के कारण हुआ हो जो मैंने भयंकर आक्रोश में 'इण्डिया टुडे' (हिन्दी) में छपवाया था। कितने दुख की बात है कि हिन्दी में सच्चा मूल्यांकन मृत्यु के बाद ही होता है, उसके पूर्व नहीं। शरद जोशी के साथ लगभग वही हुआ जो मुक्तिबोध के साथ हुआ था। जीते-जी आप 'दिनकर' तो बन सकते हैं पर 'निराला' नहीं। मगर इस स्थिति का भी कोई विशेष प्रभाव शरद जोशी पर नहीं पड़ता था। 'मेरी श्रेष्ठ व्यंग्य रचनाएँ' की भूमिका में वे कहते हैं:

"श्रेष्ठ की विशेषता तो दूर, मुझे अपने लिखे पर 'व्यंग' (मैं 'व्यंग्य' नहीं लिखता इस शब्द के उच्चारण में मुझे कठिनाई होती है) का विशेषण भी लगाते अच्छा नहीं लगता। यह एक खुशफ़हमी भी हो सकती है कि मेरी रचनाएँ व्यंग्य हैं। दरअसल मेरी कोई पन्द्रह-बीस रचनाएँ इधर-उधर प्रकाशित होने के बाद, किसी ने बताया कि ये सब व्यंग्य हैं। सुनकर मुझे अच्छा नहीं लगा। मैं अपनी ओर से कहानियाँ व निबन्ध लिख रहा हूँ, शैली के मामले में लापरवाह हूँ और आप कह रहे हैं कि मैं व्यंग्य लिख रहा हूँ। ख़ैर, जब बात फैलने ही लगी तो मैंने स्वीकार कर लिया। मैं व्यंग्यकार ही सही। वैसे मेरी ओर से आग्रह अभी भी नहीं है। आप मुझे कुछ भी न मानें तो भी अपुन को चलेगा...."

कबूतर, कौए और तोते

जय बजरंग-बली धजा-धारी
कसी लँगोट, उठाओ गदा भारी
ख़बर लो हमारी, सरन तिहारी
चेला साला कभी न मूँडो, जब मूँडो तब चेली
चेला कभी न देवे धेला, चेली खोले चोली
चेला साला निगुड़ा होता, चेली करती सेवा
चेला आकर बात न पूछे, चेली लावे मेवा
मूँड मुँडाये तीन गुन, मिटै सीस की खाज
खाने को लडुवा मिलै, लोग कहैं महाराज
लँगोट का पक्का मर्द औ सत की पक्की नारी
बात का कच्चा भडुवा, नेद की कच्ची छिनारी
कायथ खुस कुछ दिये-दिलाये, बाहमन खूब खिआये
धान-पान-पौधे पनिआए, राड़ जाति लतियाये
चार कौर भीतर
तब देवता पीतर
पिराय मोरी अँखियाँ, हमसे न बोलो...

ऊपर जो पंक्तियाँ दी हैं वे मात्र मंगलाचरण हैं, मूल कथा से उनका कोई सम्बन्ध नहीं है। आदमियों के बारे में लिखना सरल है पर पक्षियों के बारे में लिखना काफ़ी कठिन है। पक्षियों के पंख होते हैं और इसी कारण आपकी निगाह हटते ही वे उड़ जाते हैं। बिना परों के उड़ गया, वो बाँध गले में सूत (अमीर ख़ुसरो)।

सबसे पहले मैं कबूतर को पकड़ूँगा। कबूतर के आकार-प्रकार के बारे में कुछ नहीं कहूँगा क्योंकि आप सभी ने इसे भलीभाँति देखा है। पक्षी होने के कारण, यह कभी-कभी उड़ता भी देखा गया है पर यह कितना भी उड़ जाए, मेरी पत्नी की भाँति वह घर आने का रास्ता कभी नहीं भूलता। अपने इसी गुण के कारण, मध्य-युग में कबूतर शाही चिट्ठियाँ लाने और ले जाने का काम बखूबी करता था। स्विट्ज़रलैण्ड की सेना में अनगिनत कबूतर इस काम पर अभी तक लगे थे। कभी-कभी प्रेमी

और प्रेमिका के बीच सम्पर्क स्थापित करने में भी कबूतर अपना पूरा सहयोग देता था पर आदमी और औरत की बेवफ़ाई देखकर उसने बाद में इस काम से छुट्टी ले ली। कबूतर सदा से सुखी दाम्पत्य-जीवन का प्रतीक रहा है। यजुर्वेद में उसकी चर्चा 'मित्रावरुणाभ्यां कपोतान्' कहकर की गयी है। जब संस्कृत के एक कवि ने देखा कि "एक कबूतर मधुर वाणी बोलकर, गर्दन घुमाकर, मदभरी आँखों से प्रेमपूर्वक देखता हुआ अपनी प्रेयसी (जो इत्तफ़ाक से एक कबूतरी ही थी) के साथ प्रणय करने की इच्छा से उसे चूम रहा है" तो उसने मौके का फ़ायदा उठाया और लगे हाथों यह श्लोक लिख डाला :

कल क्वणित गर्भेण कण्ठेनाघूर्णितेक्षणः
पारावतः परावृत्यं रिरंसुश्चुम्बति प्रियाम्

महाकवि बिहारी ने कबूतर पर कई दोहे कहे। ग्रामगीतों में कबूतर की विशद चर्चा की गयी और उर्दू के एक कवि ने तो कबूतरनामा नाम की एक पुस्तिका ही लिख डाली। एक और होनहार शायर ने फ़रमाया कि :

डूबा हुआ है सर को गरेबाँ में डाल के
उड़ता है मगर खोले हुए पर ख़याल के
जिस तरह बाज़ लाये कबूतर को मारकर
यों लाता आस्माँ से है मज़मूँ उतारकर

कबूतर का हमारे इतिहास में बड़ा ऊँचा स्थान है। नूरजहाँ ने शहज़ादे सलीम के कबूतर इस मासूमियत से उड़ाये थे कि अन्त में चलकर उसे जहाँगीर की मलिका बनना ही पड़ा था। वाजिदअलीशाह भी पक्के कबूतरबाज़ थे। पण्डित जवाहलाल नेहरू को भी कबूतर उड़ाने का शौक़ था और बाद में चलकर उनका यह शौक़ एक विदेश-नीति बनकर सरकारी ही हो गया था। पं. नेहरू ने कामराज-प्लान के तहत कई मन्त्रियों के पर काटे और बाद में उन्हें भी कबूतर की ही भाँति उड़ा दिया। इन मन्त्रियों में से तो कुछ वापस लौट आये पर जो कबूतर उन्होंने अन्तरिक्ष में विसर्जित किये, वे कभी नहीं लौटे। इन्हीं सब ख़तरों को ध्यान में रखकर एक रीतिकालीन प्रेयसी ने अपने प्रियतम से एक बार एकान्त में पूछा था कि "कारज छोड़ सबै घर के, पिय काहे कबूतर पालन लागे?"

नायिका की चर्चा क्या चली कि कबूतर से मुझे विरक्ति-सी हो गयी। बड़े भाग मानुस तन पावा (तुलसीदास), 'सोभाराम' राम राम जपो आठो जाम धाम, मानुस की देह बड़े भागन सो पायी है (सोभाराम), ऋतुओं में वसन्त ऋतु फूल उठे कचनार, इस जग में बस एक पदारथ सो है सुन्दर नार (अज्ञात)। कवि बद्री नारायण यदि अभी भी कबूतर पालना चाहते हैं तो ज़रूर पालें, शौक़ से पालें।

कौआ एक अत्यन्त चतुर पक्षी होता है और यह इस सारे संसार को एक ही आँख से देखता है। चाणक्य के अनुसार प्रणय को नितान्त गुप्त रूप से करने की

कला केवल कागभुसुण्डि को ही आती है और मनुष्य को इस सन्दर्भ में उसी का अनुसरण करना चाहिए। इतना चतुर होते हुए भी कौआ कोयल के अण्डों को सेता है जिससे पता चलता है कि मीठी वाणी से स्त्रियाँ ही नहीं वरन् मादा पक्षी तक 'नर' को 'बानर' बनाते हैं। वायस पालिय अति अनुरागा, होहिं निरामिष कबहुँ कि कागा? (तुलसीदास), शब्द सुनै सब कोय कोकिला सबै सुहावन, दोऊ को इक रंग काग सब भये अपावन (ठाकुर), अरे हंस यहि नगर में जैयो आप बिचारि, कागन सो जिन प्रीति करि, कोयल दई बिडारि (बिहारी)।

कौओं की चोर-प्रवृत्ति जगत्-विख्यात है। प्रिंस कोपोटकिन के अनुसार कौए मुसीबत पड़ने पर एक-दूसरे की भरसक सहायता करते हैं। यही नहीं, यदि कोई कौआ कोई ग़लत काम कर बैठता है तो कौओं की पूरी पंचायत बैठती है और अपराधी कौए को प्राणदण्ड तक देती है। कौए अपनी स्त्रियों का जितना सम्मान करते हैं उतना कोई और नर अपनी मादा का नहीं करता।

साहित्य में जो स्थान कवियों ने कौए को दिया वह कदाचित् कभी किसी दूसरे पक्षी को नहीं मिला। प्रियतम का सन्देश सदा से कौआ ही लाता रहा। नायिकाएँ हमेशा उसकी चोंच सोने से मँढवा देने का वादा करती रहीं। सोवत निंदिया जगावत हो रामा भोरहि मोरे, छतियाँ फड़कती आयेंगे आज सजन मोरे (अज्ञात), प्रभात कालेर काक कोकिल डाकिल देखिया रजनी शेष, उठिया नागरि तुरित गेल जे बाँधिते बाँधिते केश (चण्डीदास)। ग्राम-कवि कहता है :

ठूठी रे पकड़िया
सीतल जुड़ि छहियाँ–ए रामा...
सुगना बोले रे
पिय की अटरिया–ए रामा...
सैंया, निरमोहिया रे
अजहुँ न आये–हो रामा...
जा उड़ि जा रे कागा
ला पिय की खबरिया–हो रामा..

कागा चले हंस की चाल, जानें सब जब बजते गाल। कौआ बोले मेरे द्वार, आज बनूँगी गले का हार। सबकी छत पर बोले काग ऐसे कहाँ हमारे भाग? हाथी पर ज्यों महावत, बातों में त्यों कहावत (शरद जोशी)।

मण्डन मिश्र के बरामदे में तोता दर्शन-शास्त्र बघारा करता था। तोते की चतुराई देखनी हो तो 'शुक-सप्तति' पढ़ो। ज्ञान का ज्ञान और अश्लीलता का जो आनन्द है सो अलग। नूरजहाँ और क्लियोपेट्रा कुत्ता नहीं पालती थीं, वे तोता पालती थीं, जो उनके हाथ पर बैठकर बातें करता था। बंगाल में तोता पालने की प्रथा बहुत पुरानी है। रोम के कवि ओमिड ने तोते पर मरसिया लिखा था। सिकन्दर जब भारत से

लौटा था तो एक तोता लेकर लौटा था। तोता मेरी भाँति एकदम वैष्णव होता है, वह मांस नहीं खाता। तोते को हमारे यहाँ सदा पण्डित माना गया। वह अनेक घरों में आज भी सबको प्रातःकाल रामनाम की याद दिलाता है। गुणभद्र के अनुसार "उसने उन गोपबालाओं को देखा जिनके अंगों का लावण्य पाँख से पाँख सटाकर उड़ते हुए तोतों की छाया से सुशोभित स्तनवस्त्रों से निखर रहा था तथा जो मधुर ध्वनियों से उनका वरण कर रही थीं..." गुणभद्र तोते के सारे गुण नहीं जानता था, उसे उन तोतों का पता नहीं था जिन्होंने पिछले चुनाव में एक प्रत्याशी का चुनाव-प्रचार भी किया। जायसी का हीरामन तोता क्या कोई भूल सकता है?

तोते को लेकर जितनी कहावतें प्रचलित हैं उतनी कहावतें शायद ही किसी दूसरे पक्षी के बारे में प्रचलित हों। तोता पालने का अर्थ गुप्त रोग होना है। हाथों के तोते उड़ते हुए मैंने भी देखे हैं। तोता एक तोताचश्म पक्षी भी माना गया। मगर रात बहुत हो गयी है और मैं यह पक्षी-प्रसंग समाप्त करने को उत्सुक हूँ। मगर रघुवीर सहाय की कविता सुनाये बग़ैर मुझे गहरी नींद नहीं आयेगी और इस कारण सोचता हूँ कि इस नित्यकर्म से भी निवृत्त हो ही लूँ। कवि कहता है :

अगर कहीं मैं तोता होता
तोता होता तो क्या होता?
तोता होता...

होता फिर क्या?
होता क्या, मैं तोता होता।
तोता तोता तोता तोता
तो तो तो तो ता ता ता ता
बोल पट्ठे सीताराम

मोदकप्रिय मुदमंगलदाता...

लेखकों के प्रिय देवता गणेशजी ही हैं। वे 'सादा जीवन व उच्च विचार' के सिद्धान्त में आस्था रखते हैं और इसी कारण वे लड्डू खाते हैं और चूहे की सवारी करते हैं। अब मैं चूहे को छोड़ता हूँ और लड्डू को पकड़ता हूँ।

हिन्दुओं का सबसे अमीर मन्दिर तिरुपति का है जहाँ प्रसाद जो है वह लड्डुओं का ही चढ़ता है। मन्दिर एक पहाड़ी पर है जिसका निचला भाग 'नीचे का तिरुपति' और ऊपर का भाग 'ऊपर का तिरुपति' कहलाता है जो एकदम युक्ति-संगत है। यह पहाड़ी कभी मेरु पर्वत का एक हिस्सा थी पर एक बार हज़ार सिर वाले एक सर्प और वायु में इस बात को लेकर विवाद उठा कि उन दोनों में से कौन बड़ा है। अदीशेष्ण नामक उस सर्पराज ने मेरु पर्वत की एक चोटी अपने सिर पर उठा ली पर वायु ने अपनी साँस से ऐसी भयंकर आँधी चलायी कि वह पहाड़ी साँप के सिर पर से उड़ गयी। यही गिरी हुई पहाड़ी तिरुपति नाम से विख्यात हुई। इस मन्दिर में स्नान करने से सारे पाप धुल जाते हैं क्योंकि भीतर भगवान विष्णु की जो भव्य प्रतिमा है, वह मात्र सात फीट ऊँची है। जिन लोगों को कोई असाध्य रोग हो या जिन्हें पुत्र की प्राप्ति न होती हो, वे इस पवित्र स्थान पर विशेष रूप से आते हैं। इस मन्दिर में स्त्रियाँ भी अपना मुण्डन करवाने में नहीं हिचकिचातीं। दर्शन करने वाले भक्तों की संख्या लगभग पचास हज़ार प्रतिदिन होती है और इन भक्तों में से कुछ भक्त तो हीरे-जवाहिरात तक अर्पित करते हैं। मन्दिर की सारी आय—जो करोड़ों में बैठती है—अनेक धर्मार्थ कामों के करने में व्यय की जाती है और एक पैसे का भी हेर-फेर कभी नहीं होता। अख़बार में छपा है तो ठीक ही होगा। संशयात्मा विनश्यति।

यहाँ भगवान को देखने के लिए टिकट ख़रीदना पड़ता है। टिकटों की दरें भी अलग-अलग हैं। एक पंक्ति ऐसी भी लगती है जिसमें बिना टिकट वाले दर्शनार्थी खड़े होते हैं। हाँ, ज़रिया हो तो यहाँ भी सारा काम फटाफट हो जाता है। ज़रिया न हो तो झरिया में भी कोयला न मिले।

दर्शनार्थियों की संख्या इतनी बढ़ गयी है कि मन्दिर की वार्षिक आय—जो 1930 में 11 लाख रुपये हुआ करती थी—1992 में 150 करोड़ रुपये हो गयी। आय बढ़ने के बावजूद भगवान बालाजी (तिरुपति) उस कर्ज़े को नहीं उतार पा रहे हैं जो

उन्होंने कभी कुबेर से लिया था और इसी कारण वे मात्र तीन घण्टे ही विश्राम कर पाते हैं। ब्रह्मोत्सव के अवसर पर तो दस लाख भक्त एकत्रित हो गये थे। मुण्डन से प्राप्त केशों को भी मन्दिर बेचता है जिससे उसे लगभग दो करोड़ रुपये प्रतिवर्ष की आय होती है। मैं केशों और भक्तों को भी छोड़ता हूँ और फिर से लड्डू को पकड़ने की कोशिश करता हूँ। लड्डू एक गोल चीज़ होती है और इसी कारण वह लेखक के हाथ से बार-बार निकल जाती है।

तिरुपति के मन्दिर का प्रसाद—जैसा कि मैं पहले भी बता चुका हूँ और शायद आगे भी बताऊँगा—वह सुप्रसिद्ध लड्डू है जो कि मन्दिर के संरक्षण में ही बनता है। काजू, किशमिश, अखरोट, शेष मेवा, इलायची और मिश्री, मसाले से युक्त व शुद्ध घी से बने प्रत्येक लड्डू का दाम 1974-75 में एक से तीन रुपया प्रति लड्डू कर दिया गया था जिसके कारण बाज़ार बन्द हो गया था और एक बड़े कॉलेज के छात्र हड़ताल पर चले गये थे। मन्दिर के प्रबन्धकों का कहना था कि उनका लड्डू सस्ता होने के कारण काले-बाज़ार में बेचा जा रहा था। जनता यह कहती थी कि मन्दिर वाले मात्र मन्दिर का ही ख़याल रखें और लडडू का 'गोलमाल' व्यापारियों के ही हाथ में छोड़ दें।

अगस्त 1992 में लड्डू का प्रश्न फिर उठ गया। मन्दिर के प्रबन्धकों के अनुसार अब एक शानदार लड्डू के बनाने पर सात रुपयों का ख़र्चा आता है जबकि उसे बेचा पाँच रुपयों में जाता है। एक दिन की औसत बिक्री एक लाख लड्डू है और इसी कारण मन्दिर को सात करोड़ रुपये प्रतिवर्ष की हानि हो रही है। लड्डुओं की बिक्री से जो आय होती है उसका काफ़ी हिस्सा 'मिरासीदारों' वग़ैरह को चला जाता है और एक बार तो मामला हाईकोर्ट तक गया था। बहरहाल, लड्डुओं में केसर का मिश्रण बन्द कर दिया गया है क्योंकि उसका दाम तीस हज़ार रुपये प्रति किलोग्राम तक पहुँच गया है। मगर फिर भी यह सच ही है कि जितना स्वादिष्ट लड्डू तिरुपति के मन्दिर में मिलता है उतना स्वादिष्ट लड्डू शायद संसार में और कहीं नहीं मिलता। ऐसी स्थिति में मोदक का मूल्य यदि एक रुपया और भी बढ़ा दिया जाए तो गणेशजी को बुरा नहीं मानना चाहिए। जो लोग ज़्यादा जानकारी चाहें वे 11.11.92 तथा 13.12.92 का 'इण्डियन एक्सप्रेस' पढ़ें। कितना अच्छा हो यदि लड्डू का उत्पादन सरकार के हाथों में दे दिया जाए। वैसा करने से न तो लड्डू के दाम ही बढ़ेंगे और न कोई लड्डू ही बनेगा।

'मोदक' का अर्थ उस पदार्थ से है जो कि 'मोद' प्रदान करे। गणेशजी मोदक प्रिय इसी कारण थे क्योंकि वैसा होने से उन्हें सुख मिलता था। गणेशजी का प्रिय भोजन होने के कारण यह भी ज़ाहिर है कि लड्डू हमारे देश की बहुत पुरानी मिठाई है और वह हमारी आर्ष संस्कृति का प्रतीक है। वह 'हलवा' नहीं है जिसके बनाने वाला 'हलवाई' कहलाता था। 'अमृती' ज़रूर पुरानी मिठाई है पर 'मोदक' जितनी

नहीं। मोदक शब्द से ही मुद्गर बना होगा। घुमाओ बीस मुद्गर, तो खाओ एक मोदक। मद, मोद और मादक शब्द भी मोदक से ही निकले होंगे। अगर आज डॉ. कामिल बुल्के जीवित होते तो मैं उन्हें मोदक खिलाता और सारी जानकारी ले आता। इधर स्थिति यह है कि मोदक खाने वाले तो चारों दिशाओं में बैठे हैं पर उसका इतिहास बताने वाला कोई नहीं मिलता। सन्दीले जाकर खोज करने से शायद मदद मिले। वहाँ के लड्डू अभी भी मशहूर हैं हालाँकि वे क्यों मशहूर हैं—यह कोई नहीं जानता। लड्डू सन्दीले के कारण मशहूर है और सन्दीला जो है वह लड्डुओं के कारण मशहूर है! आश्चर्य की बात यह है कि 'बूँदी' जो है वह राजस्थान में है और 'बूँदी का लड्डू' जो है वह उत्तर-प्रदेश में बनता है। इसी प्रकार 'बालूशाही' जो है वह फ़िलहाल ऐसे स्थानों पर बनती है जहाँ न 'बालू' पाया जाता है और न कोई ऐसी दीगर चीज़ ही पायी जाती है जिसे 'शाही' कहा जा सके। 'पेड़ा' शब्द 'पेड़' से बना है और 'जलेबी' की उत्पत्ति 'जल' से हुई है। सत्युग में वृक्षों पर पेड़े लगते होंगे और जलेबियाँ नदियों में बहती होंगी। 'पेठा' जो है वह 'पेठे' से बनता है; कुछ प्रतिभावान् लोग इसे लौकी से भी बना लेते हैं पर वह दीगर बात है। 'रसगुल्ला' उस गोल पदार्थ को कहते हैं जो बाहर से काला या सफ़ेद हो पर जो भीतर से 'सरस' हो। 'गुलाब' का प्रत्यारोपण जब 'जामुन' के वृक्ष पर किया गया तो 'गुलाबजामुन' नाम की मिठाई प्रकाश में आयी।

गणेशजी मोदक खाते थे और विद्या के वारिधि होने के साथ-साथ बुद्धि-विधाता भी थे। मोदक बनाने की बुद्धि किसी भक्त-हलवाई को उन्होंने ही दी थी। चूहा उन्हें अपनी कमर पर बिठाकर चलता जाता था और दसों दिशाओं को सूँघता जाता था। जहाँ कहीं लड्डुओं की सुगन्ध उसे आ जाती थी, वहीं वह अपनी सैलून पार्क कर देता था। बड़ा ईमानदार चूहा था! अगर कोई आजकल का खादीधारी चूहा होता तो गणेशजी से ज़्यादा लड्डू ख़ुद खाता और स्थिति यह होती कि लड्डू खाने के बाद वापसी में वह ख़ुद गणेशजी की सवारी गाँठता। अगर किसी रात्रि को गणेशजी का साथ मुझे मिल जाए तो तिरुपति-मन्दिर के मोदकों से धोती भरूँ। उसके बाद मेरी धोती खुल भी जाए तो कोई चिन्ता नहीं। राममन्दिर-काण्ड के सन्दर्भ में यदि एक वरिष्ठ नेता के साथ ऐसा हो सकता है तो मैं ही क्यों पीछे रहूँ? कुछ और मिठाइयों की चर्चा भी ज़रूर करूँगा। 'सोन-पापड़ी' जो है वह 'स्वर्ण-पर्पटी' का सस्ता संस्करण है। 'बर्फ़ी' जो है वह कभी 'बर्फ़' से बना करती थी।

हमारे साथ एक लड़की पढ़ती थी जिसे सारा इण्टर कॉलेज 'मिश्री' कहकर पुकारता था जिसका एक कारण यह भी था कि उसके पिता का नाम 'मिश्रा' था। 'गाजर का हलवा' उस हलवे को कहते हैं जो कि गाजर से बनता है। यह आम तौर पर मीठा ही होता है। मेरे महल्ले में एक सुन्दर रमणी रहती थी जिसे गाजर का हलवा खाये बिना नींद नहीं आती थी। वाणी क्या, उसके सारे अंग गाजर के

हलवे की ही भाँति कोमल एवं मधुर थे! आनन्दकन्द और शकरकन्द की भाँति 'कलाकन्द' भी एक ऐसा कन्द है जिसके निरन्तर सेवन से विभिन्न कलाओं का विकास होता है। मेरे विचार में यह केन्द्रीय एशिया की मिठाई है और इसी कारण इसका नाम 'ताशकन्द' और 'समरकन्द' से मिलता-जुलता है। आर्य लोग जब वहीं से आये थे तो इस मिठाई को अपने साथ लाये थे। रबड़ी जो है वह पहले रबड़ से बना करती थी पर रबड़ का दाम बढ़ जाने के कारण अब वह ब्लाटिंग-पेपर से ही बनती है। मेरे परिचित एक जागीरदार थे जिन्होंने अपनी लाखों की जागीर रबड़ी खाने में ही उड़ा दी थी।

मिठाइयाँ तो और भी हैं पर स्थिति यह है कि एक ओर तो मेरे मुँह में पानी आ रहा है और दूसरी ओर मेरे कलम की स्याही समाप्त हो रही है। ऐसी नाज़ुक स्थिति में रचना समाप्त करने के अलावा और चारा ही क्या बचता है?

कुछ रोचक प्रसंग

(एक)

प्रसिद्ध कवि गुरुभक्तसिंह की रवीन्द्रनाथ ठाकुर से भेंट शान्ति-निकेतन में ही हुई। परिचय पाकर महाकवि ने आश्चर्य के साथ पूछा कि "हिन्दी में भी क्या कोई कवि भी है?" भक्त जी ने निर्भीकता के साथ स्पष्ट कहा कि "हिन्दी में तो ऐसे-ऐसे कवि हैं जिन्हें पढ़कर कुछ लोग विश्व-कवि तक बन गये हैं।" इस उत्तर को सुनकर महाकवि मौन हो गये।

(आचार्य शिवपूजन सहाय)

(दो)

एक बार 'प्रवासी' तथा 'माडर्न रिव्यू' के प्रख्यात सम्पादक रामानन्द चट्टोपाध्याय गंगा में स्नान के लिए सीढ़ियों से उतर रहे थे कि अचानक उनका पैर फिसल गया और वे सीधे नदी में ही पहुँच गये और डूबने लगे। तट पर बहुत से लोग खड़े थे पर किसी ने कुछ नहीं किया। तभी एक साहसी युवक जो चट्टोपाध्याय महोदय को पहचानता था—नदी में कूद पड़ा और वृद्ध सम्पादक महोदय को किनारे पर ले आया।

तट पर आने के बाद श्री चट्टोपाध्याय ने उस नवयुवक को धन्यवाद दिया और पूछा कि "बोलो, तुम्हारी इस सहायता के बदले में मैं तुम्हारी क्या सेवा कर सकता हूँ?" उस युवा ने कुछ भी सेवा लेने से इनकार कर दिया पर जब सम्पादक महोदय ने बहुत ज़ोर दिया तो वह नवयुवक बोला कि "यदि आप मुझ पर कृपा करना ही चाहते हैं तो मेरी कुछ कविताएँ 'प्रवासी' में प्रकाशित कर दीजिए।" उसकी यह याचना सुनकर श्री चट्टोपाध्याय ने उसे कविताओं के साथ दफ़्तर आने का निमन्त्रण दिया।

नवयुवक अपनी कविताएँ लेकर श्री चट्टोपाध्याय के दफ़्तर गया। उन्होंने उसे बड़े स्नेह से बिठाया और सारा काम छोड़कर उसकी कविताओं को कई बार पढ़ा। कविताएँ 'प्रवासी' के स्तर की नहीं थीं। थोड़ी देर चुप रहने के बाद

श्री चट्टोपाध्याय ने बड़े आग्रह के साथ उस नवयुवक से कहा कि "तुम्हारी ये कविताएँ 'प्रवासी' में छपने योग्य नहीं हैं। अच्छा यह होगा कि हम दोनों अभी गंगा के तट पर चलें। वहाँ तुम मुझे अपने एहसान के बदले गंगाजी में फेंक देना ताकि 'प्रवासी' का स्तर बरकरार रह सके। 'प्रवासी' के डूबने की अपेक्षा मेरा डूबना ज़्यादा अच्छा रहेगा।"

(दी लाइफ़ ऑफ़ रामानन्द चटर्जी)

(तीन)

एक बार 'प्रभाकर' जी ने मुंशी प्रेमचन्द से कहा कि "बाबू जी, आपकी मूँछें व आकृति मैक्सिम गोर्की से एकदम मिलती हैं।" प्रेमचन्द जी ने हँसकर अपनी स्वाभाविक सरलता से कहा कि "भाई, यदि ऐसा है तो यह तो बहुत बड़ी बात है।" प्रभाकर जी ने कहा कि "मुंशी जी, सबसे बड़ी बात तो यह है कि आपकी कलम भी गोर्की से मिलती है।"

मुंशी प्रेमचन्द गम्भीर हो गये और बोले कि "अरे भाई, इन सब चीज़ों के मिलने से क्या होता है? मेरी किस्मत तो गोर्की की किस्मत से नहीं मिलती।"

(कन्हैयालाल मिश्र 'प्रभाकर')

(चार)

आचार्य हजारीप्रसाद द्विवेदी जी का गाँव बलिया के आसपास ही था। एक बार महज़ उन्हें छेड़ने की ही नीयत से राष्ट्रकवि मैथिलीशरण गुप्त ने (जो स्वयं चिरगाँव के निवासी थे) उनसे पूछा कि "पण्डित जी, क्या यह सही बात है कि बलिया के निवासी गँवार होते हैं?"

सदा के विनोदी आचार्य हज़ारीप्रसाद द्विवेदी ने तुरन्त उत्तर दिया, "आपकी सूचना ठीक है मगर यह न भूलिए कि उधर के निवासी मात्र 'गँवार' ही होते हैं, 'चिरगँवार' नहीं।"

(बृहत् संस्मरण कोश)

(पाँच)

असहयोग-आन्दोलन के दौरान शरत्चन्द्र ने दाढ़ी रख ली थी। एक दिन अचानक जब वे 'सर्वेण्ट' के कार्यालय में पहुँचे तो उनके दाढ़ीविहीन मुख को देखकर सम्पादक श्यामसुन्दर चक्रवर्ती बोले, "आइए, आइए, यह आपकी दाढ़ी को क्या हुआ?"

शरत् बाबू ने उत्तर दिया, "आजकल इस आन्दोलन में जिस अपराध के लिए एक हिन्दू को छह मास का दण्ड दिया जाता है, उसी अपराध के लिए एक दढ़ियल

मुसलमान को दुगुना दण्ड दिया जाता है। इसी कारण मैं हिन्दू बन गया हूँ।"

(शरण)

(छह)

बात उन दिनों की है जब पण्डित श्रीनारायण चतुर्वेदी छठी कक्षा के छात्र थे। वे 'सरस्वती' पत्रिका पढ़ा करते थे। उसमें छपी मैथिलीशरण गुप्त और रामचरित उपाध्याय आदि कवियों की रचनाएँ पढ़कर, उन्हें भी कविताएँ करने की सूझी। उन्होंने एक कविता रची जिसका शीर्षक था 'टिमटिमाते तारे' और उन्होंने उसे सरस्वती-सम्पादक आचार्य महावीरप्रसाद द्विवेदी के पास भेज दिया। साथ में एक पत्र भी लिखा जिसमें उन्होंने आचार्य द्विवेदी को बताया कि "मैं मिडिल का विद्यार्थी हूँ और कविता सीखना चाहता हूँ। एक कविता भेज रहा हूँ। रचना छपवाने के लिए यदि कुछ देना पड़ता हो तो बताएँ भेज दूँगा।" लौटती डाक से रचना वापस आयी जिसके हाशिए में आचार्य द्विवेदी ने लिखा था कि "पहले पढ़ लो, कविता बाद में करना।"

चतुर्वेदी जी ने द्विवेदी जी की आज्ञा का पालन किया और वर्षों बाद वह दिन भी आया जब कि श्रीनारायण चतुर्वेदी स्वयं 'सरस्वती' के सम्पादक बने।

(श्रीनारायण चतुर्वेदी : कुछ संस्मरण)

(सात)

एक बार 'निराला' जी से मिलने कुछ परिचित लोग प्रयाग गये। बहुत देर तक बातचीत होने के बाद जब वे लोग चलने लगे तो 'निराला' जी ने कहा कि 'चलो, आप लोगों को कुछ खिला-पिला दें'। निराला जी उन्हें खींचकर एक परिचित हलवाई की दुकान पर ले गये, जहाँ उन लोगों को देशी घी से बनी सब्ज़ी, कचौड़ी और मिठाई खिलायी। हलवाई के बहुत मना करने पर भी 'निराला' जी ने उससे बिल लिया जो पाँच रुपये का निकला। अतिथियों को विदा करने के उपरान्त 'निराला' जी अपने एक ऐसे प्रकाशक के पास पहुँचे जिसने बहुत समय से उन्हें रॉयल्टी का भुगतान नहीं किया था। चौकीदार ने 'निराला' जी को रोकने की कुछ कोशिश की पर उनके तेवर देखकर वह घबरा उठा। निराला जी सीधे दूसरी मंज़िल पर गये और प्रकाशक महोदय से पाँच रुपये माँगे। प्रकाशक जी आराम-कुर्सी पर बैठे आराम से अख़बार पढ़ रहे थे। उन्होंने 'निराला' जी से फ़रमाया कि फ़िलहाल तो उनकी जेब में मात्र दो रुपये हैं और इससे ज़्यादा वे इस समय नहीं दे सकते। उनकी वाणी सुनकर महाकवि ने प्रकाशक के दोनों पैर पकड़ लिये और उन्हें टाँगकर कॉरीडोर के नीचे लटका दिया। प्रकाशक को जैसे ही यह स्थिति प्राप्त हुई, उन्हें दिन में ही तारे नज़र आने लगे। प्राणों की भीख माँगने पर 'निराला' जी ने उन्हें ऊपर खींचा,

उनसे ख़ुशी-ख़ुशी पाँच रुपये प्राप्त किये और उसके बाद उस परिचित हलवाई का बिल चुकता किया।

(वाचस्पति पाठक)

(आठ)

निराला जी को कभी-कभी किसी बात की धुन सवार हो जाती थी जो कुछ समय तक चलती थी। एक बार उन्हें धुन सवार हुई कि वे हस्ताक्षर नहीं करेंगे। यह धुन लगभग एक वर्ष तक चली। इन्हीं दिनों पं. श्रीनारायण चतुर्वेदी के पास उनके एक मित्र का पत्र आया कि "मैं आजकल महान् पुरुषों के हस्ताक्षर एकत्रित कर रहा हूँ। आप साथ लगे दो कार्डों पर निराला जी के हस्ताक्षर भिजवा दें।" चतुर्वेदी जी संकोचवश स्वयं तो महाकवि के पास नहीं गये। (हालाँकि वे निराला जी के अत्यन्त निकट थे) पर उन्होंने अपने भतीजे को निराला जी के पास इस अनुरोध को लिखकर भेजा कि वे अपने हस्ताक्षर दे दें। निराला जी ने उत्तर भिजवाया कि "जाइ कै कहि देउ कि हम हस्ताक्षर तौ न करब, ऊ कहैं तो अँगूठा की छाप लगाई देई।"

(पं. श्रीनारायण चतुर्वेदी)

(नौ)

एक मुशायरे में हफ़ीज़ जालन्धरी अपनी ग़ज़ल सुनाते-सुनाते चिराग़ हसन 'हसरत' से बोले कि "हसरत साहिब, मुलाहिजा फ़रमाइए, मिसरा अर्ज़ करता हूँ।" मिसरा सुनने से पहले ही बड़ी बेचारगी की हालत में 'हसरत' साहिब ने फ़रमाया कि "फ़रमाइए! हफ़ीज़ साहब, ज़रूर फ़रमाइए! अपनी तो उम्र ही ग़ज़लों के मिसरे उठाने और मुर्दों को कन्धा देने में कटी है।"

(प्रकाश पण्डित)

(दस)

एक रात मजाज़ साहब किसी मुशायरे से अपने दोस्तों के साथ लौट रहे थे। रास्ते में किसी गोदाम में एक बहुत ही बड़ा अलीगढ़ी ताला लटका था जिसे देखकर उनके साथी चौंक गये। एक दोस्त ने मजाज़ साहब से भी कहा कि "मजाज़ साहब, ज़रा आप भी देखिए कितना ज़बर्दस्त ताला है!" मजाज़ साहब ताले को काफ़ी देर देखते रहे और फिर बोले कि "माशाअल्लाह इसे आप ताला कह रहे हैं? यह ताला तो ताला क्या है, अल्लाह ताला है!"

(अयोध्या प्रसाद गोयलीय)

(ग्यारह)

एक गोष्ठी में एक पचहत्तर वर्ष की महिला ने बेहद लजाते हुए कृश्नचन्दर से कहा कि "आज आपसे मिलकर इतनी ख़ुशी हुई कि मैं कह नहीं सकती। मैं तो आपको बचपन से ही पढ़ती चली आ रही हूँ।" कृश्नचन्दर वहाँ तो शालीनतावश चुप रहे पर बाद में एक महफ़िल में उन्होंने इस हादसे को दुहराया और अपने मित्रों से कहा कि "यदि वह बूढ़ी मोहतरमा मुझे अपने बचपन से ही पढ़ती चली आ रही हैं तो इस लिहाज़ से तो मैंने पैदा होते ही कहानियाँ लिखना शुरू कर दिया था।"

सलमा सिद्दीकी बड़े तपाक से बोलीं कि "कृश्न जी, आपकी बाज़ कहानी पढ़कर तो सचमुच ऐसा ही महसूस होता है।"

(बृहत् संस्मरण कोश)

(बारह)

प्रख्यात सम्पादक श्री बनारसीदास चतुर्वेदी संसद-सदस्य रहने के उपरान्त अपने पैतृक नगर फ़िरोज़ाबाद में ही रहने लगे। यह घटना उन्हीं दिनों की है। चतुर्वेदी जी को प्रारम्भ से ही सबेरे के समय तीन-चार मील 'सड़क कूटने' जाने का शौक़ था। इस समय उनकी धज देखने लायक़ होती थी। पैरों में जूते या चप्पल (अधिकतर पुराने और बेढंगे), एड़ी से लगने वाला शरई पाजामा, घुटनों से कुछ नीचे तक का लम्बा सफ़ेद कुर्ता, सिर पर पिचकी हुई गाँधी टोपी और कन्धे से लटकता हुआ एक वृहद्‌काय झोला। अन्य खद्दरधारी लोगों की तरह वे नित्य अपने कपड़े साबुन से नहीं धोते थे और इसी कारण उनके ये कपड़े मैले-से ही दीखते थे। उन पर इस्तरी तो कभी होती ही नहीं थी।

एक दिन वे टहल कर मण्डी होते हुए घर लौटे। मण्डी में एक दुकान के सामने मूँगफली के कई ढेर लगे थे। वे रुके और दुकानदार से पूछने लगे कि "मूँगफली का क्या भाव है?" उसने एक ढेर की ओर इशारा करके कहा कि "जा ढेर की मूँगफली पन्द्रह रुपैया पसेरी है और जा ढेर की बारह रुपैया पसेरी है।" चतुर्वेदी जी ने पूछा कि "एकई भाव है कि कछु कमउ हुइ सकत है?" दुकानदार ने जवाब दिया कि "हम थोक व्यापारी हैं। हमारे एकई भाव है। तुम्हें हमारी सलाह है कि तुम बारह रुपैया पसेरी वाली मूँगफली ले लेउ। जा में तुम्हें चार पैसा को जादा फाइदा हुई जैहै।"

दुकानदार की बात सुनकर बनारसीदास जी ने चकित भाव से पूछा कि "तैंने मोय का समझ लिया है?" दुकानदार ने जवाब दिया कि "समझिबे की का बात है? तुम फेरी में मूँगफली बेचत हो।" चौबे जी ने आश्चर्य में आकर पूछा, "हम मूँगफली बेचत हैं?" तो दुकानदार ने छूटते ही कहा कि "तो का जा झोला में तुम हीरा-जवाहरात बेचत हो?"

बनारसीप्रसाद चतुर्वेदी व्याकुल हो उठे। उन्हें समझ में ही नहीं आ रहा था कि वे मूँगफली वाले दुकानदार को कैसे विश्वास दिलाएँ कि वे मूँगफली बेचने वाले

नहीं हैं। इतने ही में एक परिचित सज्जन उधर आ निकले और उन्होंने चौबे जी से कहा, "दद्दा पालागन। हिंयन कैसे आय गये?" चतुर्वेदी जी ने उन्हें बताया कि "जि दुकानदार हमें मूँगफली बेचने वारौ समझत है। जाइ समझायी देउ कि हम को हैं।"

वे व्यक्ति दुकानदार को जानते थे। उन्होंने उसे बताया कि "अरे, तू दद्दा को नाई जान्त? जे हैं हमारे दद्दा पण्डित बनारसीदास चौबे। जे बड़े भारी लेखक हैं। इने ढेर सारी किताबें लिखी हैं और इन्हें सारी दुनिया जानत है। तू तो 'अमर उजाला' पढ़त है। वामें इनके लेख और चिट्ठी छपत हैं। तू अपने सहर के इते बड़े आदमी को नहीं जानत?"

दुकानदार ने सारी कैफियत सुनने के बाद कहा, "तो 'अमर उजाला' में इनके लेख और चिट्ठी छपत हैं?" उन सज्जन ने इस सत्य की पुष्टि की। दुकानदार ने अपने सहायक को बुलाया और उससे कहा कि "कल्ल से 'अमर उजाला' बन्द करि देउ। वामें तो मूँगफली बेचनवालिन की चिट्ठी छपत हैं।"

(पं. श्रीनारायण चतुर्वेदी)

(तेरह)

काका हाथरसी को एक कवि-सम्मेलन में दमोह जाना था। बच्चन जी भी वहाँ आमन्त्रित थे। बीना जंक्शन पर ट्रेन लेट पहुँची और तब तक बीना से दमोह जाने वाली गाड़ी छूट चुकी थी। दोनों लोग बीना के स्टेशन-मास्टर के पास गये जिसने दोनों को पहचान लिया और आदर से बिठाया। उनकी परेशानी सुनने के बाद स्टेशन-मास्टर ने उन्हें सामने खड़ी मालगाड़ी के गार्ड के केबिन में बैठने की सलाह दी क्योंकि वह मालगाड़ी आधा घण्टा बाद दमोह जाने वाली थी। ये दोनों सज्जन गार्ड के केबिन में बैठ गये। जब गार्ड आया तो उसने आपत्ति उठायी और ये बेचारे फिर स्टेशन-मास्टर के पास गये। स्टेशन-मास्टर ने गार्ड को डाँटा और उससे कहा कि "मैं आज्ञा देता हूँ ले जाओ इन दोनों को। जानते नहीं, कौन हैं ये दोनों? ये लोग देश के शीर्षस्थ कवियों में अपना प्रमुख स्थान रखते हैं। अगर तुम इन्हें नहीं ले जाओगे तो मैं गाड़ी को ही नहीं जाने दूँगा।" गार्ड मान गया। उसने दोनों कवियों को अपने केबिन में बिठाया और चाय भी पिलायी।

चलती मालगाड़ी में बच्चन जी को न जाने क्या मूड आया। वे काका से कहने लगे, "काका दाढ़ी राखिए बिन दाढ़ी मुख सून—इसकी पूर्ति करो।" काका ने पूर्ति वहीं कर दी और कहा :

कहँ काका नारी सुन्दर लगती साड़ी से
उसी भाँति नर की शोभा होती दाढ़ी से
काका दाढ़ी राखिए, दाढ़ी बिन सब सून

ज्यों मंसूरी के बिना व्यर्थ देहरादून

काका व बच्चन के मालगाड़ी से आने का पता रास्ते के किसी सेठजी को, पता नहीं कैसे, लग गया। उन्हें रास्ते में किसी स्टेशन पर उतारकर कार में बिठाया गया और सेठजी की कोठी तक ले जाया गया जहाँ से वे कार द्वारा ही दमोह पहुँचाये गये। उस समय सेठजी के घर में भजन और कीर्तन के लिए हारमोनियम और ढोलक रखे हुए थे। सेठजी का पूरा परिवार भी वहाँ बैठा हुआ था। बच्चन जी वहीं बैठकर निःसंकोच ढोलक बजाने लगे।

(काका हाथरसी)

अस्थिचर्ममय देह यह...

ब्रिटेन भी एक विचित्र देश है। वहाँ एक सज्जन ने अपने पालतू कुत्ते का नाम वहाँ के प्रधानमन्त्री के नाम के पीछे जॉन मेजर रखा है। यह कुत्ता गाना गा सकता है। इसी प्रकार अभी-अभी महारानी एलिज़ाबेथ (प्रथम) और अर्ल ऑफ़ एसेक्स के बीच प्रेमपत्रों का जो आदान-प्रदान सम्पन्न हुआ था वह भी प्रकाश में आ गया है। अर्ल ऑफ़ एसेक्स के वंश में उत्पन्न हुए एक होनहार व्यक्ति इन पत्रों की नीलामी करेंगे। मैं भी इन पत्रों को देखना चाहता हूँ क्योंकि एलिज़ाबेथ (प्रथम) अपने प्रेमी से मात्र तीस वर्ष बड़ी थी। आयु में इतनी बड़ी महारानी अपने उस प्रेमी सामन्त को क्या लिखती थी, यह जानने की उत्सुकता होना स्वाभाविक है। यह प्रेम भी संसार के शेष प्राणियों की भाँति अन्त में दुखान्त ही साबित हुआ था क्योंकि राजद्रोह के जुर्म में उसी प्रेयसी महारानी ने अपने प्रेमी को फाँसी दे दी थी जिसके कारण वह जब तक जीवित रहीं तब तक दुखी ही रहीं।

ब्रिटेन की नगरवधुओं ने अपना एक संगठन बनाया है जो कि वहाँ की सरकार से कुछ रियायतें चाहता है। संगठन की सर्वप्रथम माँग तो यह है कि वेश्याओं को अपने घर पर ही रहकर रोज़ी कमाने का अधिकार दिया जाए। दूसरी माँग यह है कि उनके पेशे को एक 'कुटीर-उद्योग' स्वीकार किया जाए और उन्हें वे सारी सुविधाएँ दी जायें जो शेष कुटीर उद्योगों को दी जाती हैं। उनकी अन्तिम माँग यह है कि उन्हें अपना विज्ञापन छपाने का अधिकार दिया जाए, ताकि वे दलाली के चंगुल से निकल सकें। संगठन का नेतृत्व निकी एडम्स व राशेल केरोल के कोमल हाथों में है जिनका कहना है कि वर्तमान जितने भी वेश्यावृति-विरोधी क़ानून हैं, वे सब पुरुषों का पाखण्ड मात्र हैं, और कुछ नहीं। इन दोनों रूपसियों का यह भी कहना है कि यदि उनकी न्यायोचित माँगें नहीं स्वीकार की गयीं तो वे विवश होकर उन सब बड़े आदमियों के नाम प्रकट कर देंगी जो उनके प्रशंसक व घनिष्ठ प्रेमी हैं या प्रेमी रहे हैं। उनकी इस धमकी से बड़ी-बड़ी हस्तियाँ इन हस्तिनी नारियों से घबरा उठी हैं। आगे क्या होगा, भगवान जाने। वेश्याओं के अलावा कुछ और रमणियाँ भी हैं जिन्होंने ब्रिटिश सरकार की नाक में दम कर रखा है। पाँच हज़ार युवतियों ने

ब्रिटेन के सुरक्षा मन्त्रालय से मात्र 260 करोड़ रुपयों का हर्जाना माँगा है क्योंकि वे गर्भवती होने के कारण सेवा-मुक्त कर दी गयी थीं जिसे वहाँ की एक ऊँची अदालत ने अवैध ठहराया है। वहाँ के एक समाचार-पत्र ने भी सरकार की आलोचना की है और कहा है कि सरकार का गर्भवती युवतियों को नौकरी से बाहर निकालना एक अनैतिक क़दम है क्योंकि इन स्त्रियों में से काफ़ी स्त्रियाँ ऐसी हैं जिनको गर्भवती बनाने का श्रेय भी सरकारी अधिकारियों को ही जाता है, किसी और को नहीं।

स्त्रियों के कारण इधर थाईलैण्ड की आर्थिक स्थिति काफ़ी मज़बूत हो गयी है। आजकल वहाँ के व्यापारों में जितना मुनाफ़ा दुल्हनों के व्यापार में है उतना और किसी धन्धे में नहीं है। यह सारा व्यापार डाक द्वारा होता है। विज्ञापन छपते हैं जिसमें युवतियों के रंगीन चित्र, लम्बाई-चौड़ाई, उठान और गहनता, आचार-विचार और शैक्षणिक योग्यता इत्यादि का पूरा विवरण दिया जाता है। विदेशों से ग्राहकों के ऑर्डर आते हैं और साथ में बैंक-ड्राफ़्ट भी आते हैं। थाईलैण्ड के व्यापारी, लड़की का पासपोर्ट व वीजा वग़ैरह बनवाते हैं और अपना कमीशन व वधू को विदेश भेजने का ख़र्चा काटकर, शेष रक़म कन्या के माता-पिता को या उसके भूतपूर्व पति को या कन्या को दे देते हैं। सारे ख़र्चे उठाने के लिए विदेशी पति को लगभग सवा लाख रुपये ख़र्च करने पड़ते हैं और बस। इस वर्ष थाईलैण्ड से मात्र दस हज़ार से कुछ ज़्यादा दुल्हनें देश के बाहर भेजी गयी हैं और आशा की जाती है कि अगले वर्ष इनकी गिनती दुगुनी हो जायेगी। यूरुप व अरब देशों में थाईलैण्ड की रूपसियों की इतनी माँग है कि निकट भविष्य में निर्यात की जाने वाली इन कन्याओं की संख्या पचास हज़ार प्रति वर्ष तो हो ही जायेगी। विदेशी लोग इस धन्धे से बहुत प्रसन्न हैं क्योंकि इतनी सस्ती और टिकाऊ दुल्हन विश्व में और कहीं नहीं मिलती। युवतियाँ भी प्रसन्न हैं कि उन्हें गोरा पति मिला। और माल पसन्द न आने पर दाम वापस करने की जो सुविधा है सो अलग। अब तो थाईलैण्ड के सामने एक ही समस्या बचती है और वह है रूपवती कन्याओं की पैदावार बढ़ाना। यदि ऐसा नहीं हुआ तो यूरुप के गोरे नवयुवक दूसरे देशों की उपज पर ध्यान देने को विवश हो जाएँगे। फ़िलहाल तो यूरुप के नौजवानों का राष्ट्रीय नारा एक ही है और वह है कि "पूर्वी पत्नी, विशेषकर थाई पत्नी, यूरुप की गोरी नारी की अपेक्षा कहीं अधिक सस्ती, सुन्दर व टिकाऊ है और हम तो वैसी ही पत्नी लेंगे, और कोई दूसरी नहीं।" थाईलैण्ड यदि पचास हज़ार कन्या प्रतिवर्ष बाहर भेजने लगा तो उसकी वार्षिक आय लगभग पाँच अरब रुपये हो जायेगी।

अमेरिका में भी स्त्रियों का दृष्टिकोण बदल रहा है। एक पादरिन ने–जिसका नाम सिस्टर जोसेफ़ीन था–अभी-अभी चालीस हज़ार डालर की दान-राशि ठुकराकर एक लॉटरी में अपना दाँव लगाया, जहाँ से उसे दस लाख डालर की विपुल राशि प्राप्त हुई। भगवान भी यदि अपने भक्तों पर कृपा नहीं करेगा तो किस पर करेगा? एक

और अमेरिकन सुन्दरी है जो कई वर्ष से वहाँ की कांग्रेस के सदस्यों के कपड़े वग़ैरह क्लाकरूम में रखा करती थी मगर अब वही रूपसी 'काश्मीरी अमेरिकन काउंसिल' की तरफ़ से कांग्रेस के सदस्यों के विचार बदलने की कोशिश किया करेगी जिसकी फ़ीस मात्र बारह लाख डालर होगी। विषकन्या अभी भी सीन पर मौजूद हैं, उनका रूप बदल गया है–वह एक दीगर बात है। पाकिस्तान ने छह लाख डालर ख़र्च करके एक अमेरिकन फर्म को राज़ी किया है कि वह उनके लिए 'लाबी' कर सके।

काहिरा की प्रमुख युनिवर्सिटी 'अल अज़हर' के एक इस्लामी विद्वान् ने महिलाओं को ऊँची एड़ी के जूते पहनने पर बड़ा विरोध प्रकट किया है। उनकी दलील यह है कि स्त्रियाँ जब ऊँची एड़ी के जूते पहनती हैं तो उनसे आवाज़ निकलती है जो कि पुरुषों के पवित्र विचारों को भंग करती है। इस सबके जवाब में एक पाकिस्तानी चिन्तक का कहना है कि "ऐसे जूतों की आवाज़ कर्कश तो ज़रूर होती है पर विचारों को शैतानीपूर्ण बनाने में वह सफल नहीं होती। यदि इन जूतों पर प्रतिबन्ध लगाना है तो इसलिए लगाइए कि इन्हें पहनकर महिलाएँ अपने कूल्हे मटका-मटका कर चलती हैं, जिन्हें देखकर बड़े-बड़े धार्मिकों के मन भी मचल जाते हैं।" जो लोग और ज़्यादा विवरण पढ़ना चाहें वे पच्चीस अक्तूबर सन् बयानवे का 'सण्डे साप्ताहिक मेल' पढ़ें।

यूरुप में यौन-पूजा के माध्यम से एक नये किस्म का सांस्कृतिक जागरण या पुनरुत्थान आया है। मैडोना नामक रूपवती युवती इस पुनर्जागरण की देवी है जिनके पदचिह्नों पर चलकर यूरुप की शेष रूपसियाँ राजनीतिक व आर्थिक क्षेत्रों में मालिक बनने का सुनहरा सपना देख रही हैं। इस 'मैडोनावाद' को शुरू करने वाली पवित्र पुस्तक का नाम है 'यौनपूजा' या 'सैक्स' जिसकी अनगिनत प्रतियाँ बिक चुकी हैं और पुस्तक है कि बिकती ही चली जा रही है। मैडोना स्वयं दूरदर्शन पर प्रकट होती है तो मात्र यौनवृत्ति पर ही अपना भाषण देती है। उनका कहना है कि वे अपने नये वाद के माध्यम से एक नयी कला को प्रतिष्ठित कर रही हैं जिससे स्त्रियों को पुरुष से मुक्ति मिलेगी और स्त्रियाँ अपने जीवन का स्वाभाविक विकास कर सकेंगी। यह ज़ो युवतियों की देह का नग्न प्रदर्शन किया जा रहा है, यौन जलवों को दिखाया जा रहा है और स्त्री के क्रय-विक्रय से करोड़ों की सम्पत्ति इधर से उधर की जा रही है–इस सबका एकमात्र उद्देश्य यही है कि स्त्रियों का शोषण बन्द हो। अब हसीन युवतियाँ मनचाहे दाम पर उस युवक के हाथ बिकेंगी जो उन्हें सब तरह से प्रिय लगे। मैडोना एक ऐसी देवी है जो हर समय प्रत्येक दिशा से खुली रहती है। उन्होंने हमारे वाममार्गियों को भी पीछे छोड़ दिया। उनका घर एक विश्वविद्यालय माना जाता है जहाँ मौज करने की शिक्षा का पूरा प्रशिक्षण दिया जाता है। वे कैरन फ़िल्ने से अलग है जो मूत्रपूजा में विश्वास रखती है। मैडोना जो है वह शेक्सपियर, मोज़ार्ट और वान गाग से आगे है क्योंकि उन्हें अपना चमत्कार दिखाने में मात्र पन्द्रह-बीस मिनट लगते हैं। वे सारी विचार-शक्ति, आलोचना और

तर्क के ऊपर है। उनकी कला की आधारशिला है उनकी निर्लज्जता जिसके माध्यम से वे स्त्री और पुरुष को फिर उसी स्तर पर लाना चाहती हैं जो कभी तब पाया जाता था जब कि इंसान मात्र एक पशु था।

सैकड़ों वर्ष बाद रोम के पोप ने अन्ततः यह स्वीकार कर ही लिया कि पृथ्वी जो है वह गोल है। ठीक इसी सत्य को खोजने और बताने के कारण विश्व के महान् वैज्ञानिक गैलीलियो को भयंकर कष्ट उठाने पड़े थे! ठीक इसी प्रकार अब समय आ गया है कि हम लोग स्त्री के रूप की शक्ति को रात को ही नहीं वरन् दिन में भी स्वीकार करें। स्त्री ने यदि पुरुष को सहयोग देना बन्द कर दिया तो समाज समाप्त हो जायेगा। हमारे बड़े-बड़े देवता भी मेनका, उर्वशी और तिलोत्तमा के सम्मुख झुकते थे। सुकरात, जहाँगीर और स्तालिन तक अपनी पत्नी को पूरा सम्मान देते थे क्योंकि तीनों की पत्नियाँ रानी केकैयी की भाँति बेतहाशा रूपवती ही नहीं थी वरन् कमसिन भी थीं। औरत के बिना तो आदमी रह ही नहीं सकता। संयुक्त अरब में संसार के सबसे ज़्यादा उम्र वाले व्यक्ति की मृत्यु अभी-अभी हुई है। अपने लम्बे जीवन का रहस्य उसने मात्र स्त्री-सुख को ही बताया। उसने 152 वर्ष की आयु पायी और उसने अपनी अन्तिम शादी मृत्यु से पाँच वर्ष पूर्व ही सम्पन्न की थी। इसी प्रकार एक करोड़पति तान्त्रिक के आश्रम पर पुलिस ने छापा मारा तो महान् धार्मिक ग्रन्थों के अतिरिक्त वहाँ से कुछ हसीन लड़कियाँ भी बरामद हुईं। अश्लील फ़िल्में, अन्तरंग मुद्राओं में स्त्री-पुरुषों के फ़ोटोग्राफ़, गन्दी किताबें और प्राकृतिक चिकित्सा के शेष उपकरण भी मिले। कोई भी आश्रम बिना स्त्री के नहीं चलता। चोला और चोली का साथ तो सदा से चलता आया।

हमारे इस पवित्र देश से भी लड़कियाँ बराबर निर्यात की जा रही हैं। भारत अब पश्चिमी एशिया को लड़कियाँ व नशीली वस्तुएँ भेजने का महत्त्वपूर्ण अड्डा बनता जा रहा है। निर्यात की गयी ये कन्याएँ प्रायः वेश्यावृत्ति ही अपनाती हैं, और कुछ नहीं। बिहार के एक क्षेत्र से काफ़ी लड़कियाँ अरब देशों को बेची गयीं। दुबई में स्थित दलाल इस व्यापार में प्रमुख पार्ट अदा कर रहे हैं। कितनी ख़ुशी की बात है कि हमारी सरकार इस मामले में कोई हस्तक्षेप नहीं कर रही है। सर्वे भवन्तु सुखिनः, सर्वे सन्तु निरामयाः...

मेरे हमवतनो, अब समय आ गया है कि हम अपनी स्त्रियों की रक्षा करें। हमारे यहाँ देवता उतने ही पूज्य हैं जितनी कि देवियाँ। इक्कीसवीं सदी बरामदे में खड़ी है और हमारे देशवासी भूख से बचने के लिए कन्या बेच रहे हैं, दहेज न लाने के कारण पत्नियों को जला रहे हैं और कहीं-कहीं तो कर्ज़ा लेने के लिए आदिवासियों को अपनी पत्नी तक को गिरवी रखना पड़ रहा है। आख़िर यह स्थिति कब तक चल सकती है? हम सबको उचित होगा कि अपनी स्त्रियों का आदर करें और उनकी शक्ति का सही मूल्यांकन करें। आज से पच्चीस वर्ष पूर्व के आँकड़ों

के अनुसार देश की सारी स्त्रियों के आँसुओं का भार मात्र चार करोड़ टन होता था। इन पच्चीस वर्षों में आँसुओं का उत्पादन बढ़ा ही होगा चूँकि उनके दुख वहीं हैं जहाँ कि वे थे और उनकी संख्या जो बढ़ गयी है वह अलग। आँसू-शक्ति का किसी रचनात्मक दिशा में उपयोग किया जा सकता है जिसके लिए सरकार मुझसे सलाह ले सकती है। कुछ भी कीजिए मगर ऐसा कीजिए कि स्त्रियाँ सम्पन्न रहें, खुश रहें और सुरक्षित रहें। वह न हो जो एक स्थान पर महाभारत के मंचीकरण के अवसर पर हुआ। वहाँ एक होनहार पात्र ने दुःशासन का रोल अदा करते हुए द्रौपदी की साड़ी को इतना खींचा, इतना खींचा कि द्रौपदी बेचारी नंगी ही हो गयी। स्त्री का सम्मान तो मात्र इस कारण करना चाहिए क्योंकि वह स्त्री है। वर्तमान समाज में मात्र उस युवती का सम्मान किया जाता है जो या तो अमीर बाप की बेटी हो और या फिर अपने हाकिमों के साथ अच्छे सम्बन्ध रखती हो। "बड़े घर की बेटी, या अफ़सर के साथ लेटी।" आदमी हो तो ऐसा हो जैसे कि मालवा के एक प्रबुद्ध नागरिक हैं। इस होनहार नागरिक को भगवान ने सब कुछ दिया, बस दाढ़ी-मूँछ नहीं दीं। इस कमी को पूरा करने के लिए हमारे इस नायक ने ऐसी नायिका से शादी की जिसके मुखचन्द्र पर आधा इंच मूँछ और साढ़े तीन इंच लम्बी दाढ़ी थी। यदि उपर्युक्त सज्जन पिछली शताब्दी में हुए होते तो वे कुमारी जेनिस डेविस से शादी कर सकते थे क्योंकि उसकी दाढ़ी मात्र एक फीट दो इंच लम्बी थी।

निबन्ध समाप्त करने से पूर्व मैं उन पुराने शास्त्रकारों और कवियों की वाणी को उद्धृत करूँगा जो सदा के लिए अमर हैं और जिनके सुभाषित अनुभव की ठोस आधारशिला पर निर्भर हैं। चाणक्य ने कहा है कि पुरुष की अपेक्षा स्त्रियों में दुगुना आहार, चौगुनी लज्जा, छः गुना साहस व आठ गुना काम होता है। चाणक्य ने यह भी कहा है कि यदि कोई स्त्रीरत्न दुष्कुल में भी हो तो भी उसे वहाँ से निकाल लेना चाहिए। भागवत् के अनुसार चाहे कोई भी हो और कहीं भी हो, यदि उसने अपने को कामिनियों के मनोरंजन का साधन बना लिया है और सन्तानरूपी बेड़ियाँ पहन ली हैं तो वह अपना उद्धार कभी नहीं कर सकता। राजतरंगिणी के रचयिता कवि कल्हण का कहना है कि ये सब लोग झूठे हैं जो स्त्री को पुरुष की आनन्द-सामग्री समझते हैं क्योंकि सच्चाई तो मात्र इतनी है कि पुरुष ही स्त्रियों की क्रीड़ा-सामग्री बनते हैं। 'शृंगार-विलास' के अनुसार सैकड़ों पुराण, स्मृतियाँ और शास्त्रों के अध्ययन से प्राप्त किया विवेक, बस तभी तक समर्थ रहता है जब तक किसी मृगनयनी के कटाक्ष हृदय में स्थान नहीं बना लेते और उपनिषदों का गहन अध्ययन तथा गीता का बुद्धिमार्ग तभी तक साथ देते हैं जब तक कोई चन्द्रवन्दना आपके मन-मन्दिर में प्रवेश नहीं कर जाती। मनुस्मृति के अनुसार गुणवती स्त्रियाँ सब किसी से ले लेनी चाहिए और उनका समुचित आदर करना चाहिए क्योंकि जहाँ स्त्रियों की पूजा की जाती है वहीं देवता रमण करते हैं। ऐश्वर्य व कल्याण की कामना करने वाले

पुरुषों को उचित होगा कि वे सत्कार, आभूषण, उत्तम वस्त्र व स्वादिष्ट भोजन से स्त्रियों को सदा प्रसन्न रखें। मनुस्मृति साफ़-साफ़ कहती है कि चारों वर्णों की स्त्रियों की रक्षा करना अत्यन्त आवश्यक है। चतुर्णामपि वर्णानां दारा रक्ष्यतमाः सदा। संस्कृत के एक और दूरदर्शी कवि हैं जो कहते हैं कि स्त्री को अस्थिचर्ममय खिलौना समझना मूर्खता है क्योंकि उनका तो प्रत्येक अंग एक अक्षौहिणी सेना की शक्ति रखता है। वे तो साक्षात् ज्वालामुखी हैं, सहारा का रेगिस्तान हैं और प्रशान्त महासागर हैं। स्त्री के तो पयोधर भी उसके अपने हृदय को फाड़कर बाहर की दिशा में निकले हैं। ऐसे निर्दय पयोधर किसी दूसरे के हृदय को फाड़ने में भला कोई संकोच करेंगे? हर्गिज़ नहीं।

दीवाली फिर आ गयी...

लहलहाती धान की बाली हुआ
उम्र होली, रूप दीवाली हुआ,
मोगरे के फूल साँसों में घुले
और टेसू होठ की लाली हुआ,
गुनगुनाया, दे गया कोई ग़ज़ल
खिलखिलाना आज कव्वाली हुआ,
बचपनों की याद के दीपक लिये
उम्र का यह मोड़ शेफाली हुआ,
सावनों-सी दृष्टियाँ सहला गयीं
सूखता सपना हरी डाली हुआ,
आपको देखा, ख़ुशी से भर गये
वो उदासी का महल खाली हुआ,
आम्रपाली जान के शायद तुम्हें
गाँव रातों-रात वैशाली हुआ

कवि हरीश निगम की ऊपर लिखी कविता पढ़ी तो सहसा महसूस हुआ कि दीवाली फिर आ गयी। हरीश निगम साहित्य के डॉक्टर हैं जबकि मैं साहित्य का मरीज़ हूँ। मेरा रोग असाध्य है। ऊपर की कविता में टेसू, होठ, रूप, शेफाली और आम्रपाली की चर्चा है। कवि ने ठीक ही कहा है कि शरद् की इस ऋतु में यदि आम्रपाली मिल जाए तो हर गाँव वैशाली ही लगता है। अब अकेले सोने के दिन गये। आम्रपाली न मिली तो रज़ाई से ही काम चलाना पड़ेगा। मजबूरी का दूसरा नाम मोहनदास करमचन्द गाँधी है। कभी शम्भुनाथ मिश्र, ठाकुरप्रसाद सिंह, देवेन्द्र बंगाली (फूल एक लगाया है चन्दा का आँगने, लग जायँ आ जाना तुम भी एक माँगने) व नईम बहुत मार्मिक गीत लिखा करते थे। इनमें से कुछ तो मर गये और नईम की भाँति कुछ कवि 'तुकाराम' का चोला बदलकर तुकहीन हो गये। मैं भी कभी-कभी गीत लिखता हूँ और ज़िन्दा रहा तो उनका एक संग्रह भी छपाऊँगा। न छपा सका

तो अपने ही एक गीत के अनुसार "मैं भी मर जाऊँगा इक दिन, रंग-बिरंगे स्वप्न सँजोए/फूल खिलेंगे पीले उस दिन, तेरे ही ओठों के साए।"

दीवाली हमारा सबसे सुन्दर पर्व है। होली में गन्दगी फैलती है दीवाली में सफ़ाई की जाती है। होली 'रबी' की फ़स्ल पकने या कटने के समय आती है जिसका अच्छा होना या न होना 'रब' की इच्छा पर निर्भर है पर दीवाली जो आती है वह 'खरीफ' की फ़स्ल कटने के बाद आती है जो शायद कभी 'लतीफ़' नाम के एक 'शरीफ़' जागीरदार बोया करते थे (यही लतीफ़ा प्रेम का है बक रहे लतीफ़; सभी शरीफ़ा हैं यहाँ, कोई नहीं शरीफ़) मैं बढ़िया सूट निकालूँगा और राष्ट्रपति जी व प्रधानमन्त्री जी देश के निवासियों को बधाई व अपनी शुभकामनाएँ देंगे। उनको यही शोभा देता है। राजा अपनी प्रजा को भला कैसे भूल सकता है?

मैं एक कवि ही था और कवि ही रहूँगा। दीपावली के शुभ अवसर पर भी कवियों की वाणी ही याद आ रही है। पन्तजी वसन्त के कवि थे और निराला जी वर्षा के कवि थे। यूँ उनकी वह पंक्ति दीवाली का अनुपम चित्र प्रस्तुत करती है जिसमें वे कहते हैं कि "रँग गयी पग पग धन्य धरा, हुई जग जगमग मनोहरा।" पन्तजी ने "फूलों के चित्रित दीप जला" कहकर वसन्त ही में दीवाली मना डाली। अज्ञेय ने जिस किसी के "आँगन के पार वाला द्वार" खुला पाया उसी का दीपक उठा लिया और फिर उसे अपने शब्दों में प्रस्तुत किया, "मेरे छोटे घर का कुटीर दिया/तुम्हारे मन्दिर के विस्तृत आँगन में/सहमा सा रख दिया गया (हाय पिया, मैंने यह क्या किया/ मेरा नन्हा-सा जिया/ परदेसिया)", केदारनाथ अग्रवाल ने "दीप की लौ से दिन" का चित्र खींचा और गिरिजाकुमार माथुर ने "दीप जलें द्वार द्वार, (आज नकद कल उधार)" "झिलमिल जलते दीप धरा के (फूल फूल खिल उठे पलँग के)" के बाद यह गीत गाया—"कातिक का श्याम फूल, दीपों की पाँखुरी/धरती पर बजे नये जीवन की बाँसुरी।" अब न वह बाँस रहा, और न वह बाँसुरी ही रही। ठाकुर प्रसाद सिंह की वाणी के अनुसार "चन्दन वन मलयगिरि, रात के बिराने पल आख़िरी, बजी बाँसुरी, तिरि रिरि, तिरि गिरि।"

दीवाली के कवि तो बस 'बच्चन' ही हैं। जितनी फुलझड़ियाँ उन्होंने छोड़ीं उतनी तो 'अश्क' जी भी नहीं छोड़ पाये। 'बच्चन' ने शुरू से आख़ीर तक बराबर ज्योति के ही दीप जलाये। कुछ उदाहरण देता हूँ, बाकी माल सुनहले पर्दे पर देखिए। "दिन को होली, रात दीवाली, रोज़ मनाती मधुशाला। है अँधेरी रात पर दीवा जलाना कब मना है? एक दीप बाले तुम बैठीं, एक दीप बाले मैं बैठा। दीपक पर परवाने आये (मेरे घर दीवाने आये) दीप अभी जलने दे भाई। साथी, घर घर आज दीवाली। प्राण, मेरा गीत दीपक-सा जला है (विरह में यह तन हिमालय-सा गला है) आज तुम फिर से बुझा दीपक जलाओ (तुम ज़रा मेरा पजामा तो उठाओ) गीत मेरे, देहरी के दीप-सा बन। तुम जिस दिन होगी, उस रात हमारी दीवाली (गोरे तन पर कितनी

खिलती साड़ी काली) अँधेरी रात में दीपक जलाये कौन बैठा है? मैं तो बस इतना कहता हूँ, वह एक दीप लौटा लाओ। इस निर्भय निष्कम्प शिखा से अपने-अपने दीप जला लो। आज दीवाली, घर खुशियाली, चौमुख दिवला बारूँ/गाँव बड़ा, पहिले अपना अँगना तो बुहारूँ।" राजस्थानी में दीपक को कदाचित् 'दीवड़ा' कहते हैं। शरद देवड़ा 'पत्थर का लैम्पपोस्ट' बनने से पूर्व दीपक ही तो थे जो 'ज्ञान का उदय' करते थे और वह भी कलकत्ता से।

'दीवाली' का पुल्लिंग 'दीवाला' होता है। सरसों का रद्दी वाला तेल मात्र पैंतीस रुपये किलो है। मिट्टी का तेल मात्र साढ़े तीन रुपया लिटर है। मामूली कन्दील की क़ीमत बीस रुपया है। मोमबत्तियाँ पच्चीस रुपये किलो हैं। पेण्ट का दाम एक सौ पचास रुपया लिटर है। मिठाई का दाम साठ रुपया प्रति किलो से लेकर अस्सी रुपये किलो तक है। मिट्टी के लक्ष्मी-गणेश पन्द्रह रुपये के हैं। मिट्टी के दीपक, चिराग़ या खील-बताशे बाज़ार में दिखायी ही नहीं पड़ रहे। मैंने अपने इस साधारण बँगले की 'भीतरी' पुताई करायी है जिसका ख़र्चा तीन हज़ार तीन सौ रुपया आया है। 'बाहरी' पुताई अगले वर्ष कराऊँगा। ऐसे में जो ग़रीब लोग हैं वे क्या दीवाली मनायेंगे? अपनी झोंपड़ी में आग लगाओ और घर फूँक तमाशा देखो। यही हाल रहा तो दीपावली को 'अन्धायुग' मनाया जाया करेगा। 'गुनाहों का देवता', 'सावित्री नं. दो' को 'सूरज के सातवें घोड़े' की पीठ पर बिठाकर 'बन्द गली के आख़िरी मकान' में ले जायेगा और मकान-मालिक उस तंग और सीलनभरी कोठरी का तीन सौ रुपये किराया लेगा और 'पगड़ी' के लिए 'ठण्डा लोहा' हाथ में पकड़कर नायक के पीछे भागेगा। लोग-बाग प्रेमचन्द की कहानी (अमावस्या की रात्रि) पढ़ेंगे। अब महादेवी जी होतीं तो "यह मन्दिर का दीप, इसे जलने दो" या "मधुर-मधुर मेरे दीपक जल/प्रियतम का पथ आलोकित कर" लिखने की जुर्रत नहीं करतीं। फिर तो कवियों की यही जलती हुई पंक्तियाँ याद आतीं—"सखि यह दीपों की रात, नहीं रोने की" या "ओ मेरे अन्तर की ज्वाला, तुम घर घर दीपशिखा बन जाओ" "या तुम जलाओ याद मेरी, या बुझाओ प्यास" या "अब दीपक की जगह कवि का हृदय जलेगा" या "वही चरण शरण बने, कटें कलुष गहन घने" या "उर के हीरों के हारों में, ज्योति अपार लिये..."। या फिर मैं वही कहा करूँगा जो अज्ञेय ने 'सम्राज्ञी के नैवेद्य-दान' नामक अपनी उत्कृष्ट (पर विदेशी कथा पर आधारित) कविता में कहा था : "जो भी दीप जहाँ पर जले, वह तुम्हारा ही हो, मैं उसे अर्पित करता हूँ वहीं।" अब तुम नहीं आना। चारों तरफ़ ग़रीबी है और इतने पर भी दुकानदार हैं कि दाम बढ़ाते चले जा रहे हैं। दामों को और बढ़ाने की माँग जो है वह अलग है। सुर न मधुर हो पाये, डर की वीणा को कुछ और कसो ना (बच्चन) सरकार ने बड़े-बड़े पेटवालों के लिए लाखों-करोड़ों ग़रीब लोगों को और कस दिया; सेविंग-बैंक में जमा राशि पर वार्षिक सूद की दर पाँच रुपया प्रतिशत से घटाकर साढ़े चार रुपया प्रतिशत कर

दी गयी। ढाई सौ रुपये मेरे भी ऐसे खाते में जमा हैं।

विजयादशमी क्षत्रियों का त्योहार है तो दीपावली वैश्यों का त्योहार है। दीवाली पर खाते व बहियाँ बदली जाती हैं और दीवारों पर 'शुभ-लाभ' गेरू से लिखा जाता है। उनके बस्ते के लाल कपड़े को देखकर हनुमानजी के लँगोट की स्मृति ताज़ा हो जाती है। लक्ष्मी जी की पूजा की जाती है जिसका प्रसाद आयकर-विभाग के कर्मचारी व उच्च अधिकारी प्राप्त करते हैं। मैं लक्ष्मीवाहन का इकलौता पुत्र हूँ जिसे सरल भाषा में 'उल्लू का पट्ठा' कहा जाता है। मैं दीवाली की रात्रि को मकान के द्वार खुले छोड़कर सोता हूँ ताकि लक्ष्मी जी यदि पधारें तो उनको कोई बाधा न पड़े। यदि दीवाली व्यापारियों का त्योहार है तो होली दलित जातियों का पर्व है। ब्राह्मण तो हर त्योहार पर महाब्राह्मण बन ही जाते हैं। जितना अत्याचार ब्राह्मणों ने निचली जातियों पर किया है उसका ब्यौरा कौन दे सकता है? मगर अब हालत बदल रही है। मायावती की माया और कांशीराम के वचन, ब्राह्मणों का बिखर गया सारा आकर्षण। इन दिनों मैं तो इस दिशा में कस कर कोशिश कर रहा हूँ कि 'त्यागी' लोगों को 'शूद्र' कैसे सिद्ध किया जाए। मगर यह मैं खुलासा कर देना चाहता हूँ कि मैं अपना फिर भी नाम दीपक ही रखूँगा क्योंकि मेरे पिताजी के परम श्रद्धेय मित्र का नाम सैयद चिराग़ अली ही था हालाँकि वैसे उन्हें 'खान-बहादुर' कहलाना कहीं ज़्यादा अच्छा लगता था। उनका नाम तो चिराग़ ही था पर उनकी बेग़म का रूप मशाल था जो उनकी क़ीमती शाल को जलाता रहता था।

पिताजी की चर्चा चली तो बचपन की दीवाली की याद आ गयी। हम भाई-बहिन अपने कच्चे घर को कपड़े के सहारे पिण्डोल नामक सफ़ेद मिट्टी से पोता करते थे। बड़ी ग़रीबी थी। एक बार तो यदि पण्डित रघुनन्दन शर्मा पाँच रुपये न देते तो घर में न दीपक जलता और न चूल्हा जलता। अपनी ग़रीबी में मैंने दो रुपयों की चोरी भी की और एक बार भिक्षा भी माँगी। मगर फ़र्क़ क्या पड़ा। उन दिनों ग़रीबी के कारण दीवाली नहीं मनाते थे तो अब दाम इतने ज़्यादा हो गये हैं कि दीवाली मनाने को हृदय में उमंग ही नहीं उठती। और ये जो मज़दूर, दहाड़ी वाले, ठेला लगाने वाले और कुली हैं, इनका हाल तो आपको मैं सुना ही नहीं सकता। हाँ, एक बात में ये लोग मुझसे सचमुच बेहतर हैं क्योंकि इनके पड़ोसी भी मुफ़लिस ही हैं अमीर नहीं। मेरे जो पड़ोसी हैं वे सब या तो राजवंश के हैं या फिर घूस के कारण या हराम का माल मिलने के कारण सारी दुनिया का अहंकार अपने ही दिल में छिपाये बैठे हैं। मैं हीन भावना से ग्रस्त हो उठता हूँ और रूसो का वाक्य याद करता हूँ कि "ए मैन डज़ नाट वाण्ट टु बी रिच, ही वाण्ट्स टु बी रिचर।" तृष्णा न जीर्णा, वयमेव जीर्णाः (भर्तृहरि)।

देश में जो अन्धकार फैला है वह अमावस्या के अन्धकार से कहीं ज़्यादा ठोस है। सूचिभेद्यैः तमोभिः। देश के आधे नेता मन्त्री हैं और उनमें से आधे मन्त्री भ्रष्ट

हैं। एक प्रदेश के एक मन्त्री हत्यारा होने के सन्देह में मन्त्रिमण्डल से कल निकाले गये। मुख्यमन्त्रियों ने अपने महल खड़े कर लिये हैं जिनमें हर रात दीवाली मनायी जाती है। अफ़सरों की हालत कुत्तों से बदतर हो गयी है। मुख्यमन्त्री के कहने पर ग़लत काम करने पड़ते हैं और फिर हाईकोर्ट या सुप्रीम कोर्ट के सामने बेइज़्ज़त होना पड़ता है। सब कुछ विधान के अनुसार हो रहा है हालाँकि वह या तो अपराध है या पाप है। हम सब भ्रष्ट हैं। विदेशियों से लड़ना आसान था, अपनों से लड़ना कठिन है। और इस भयावह स्थिति में साहित्यकार की जो नियति है वह यह है:

उन्हीं के मतलब की कह रहा हूँ, ज़बान मेरी है बात उनकी
उन्हीं की महफ़िल सँवारता हूँ, चिराग़ मेरा है रात उनकी
फ़कत मेरा हाथ चल रहा है, उन्हीं का मतलब निकल रहा है
उन्हीं का मजमूँ, उन्हीं का काग़ज़, कलम उन्हीं की, दवात उनकी

(अकबर)

संसद-समाचार

ब्रिटेन की पार्लियामेण्ट कभी संसार का "सबसे ज़्यादा मनोरंजक स्थान" मानी जाती थी। डिज़रायली, ग्लैडस्टन, लायड जार्ज व विंस्टन चर्चिल के समय में हाउस गम्भीर से गम्भीर काम करते हुए भी ठहाकों से गूँजता रहता था। हमारी संसद भी आचार्य कृपलानी और पीलू मोदी के ज़माने में बराबर आतिशबाज़ी छोड़ती रहती थी। प्रधानमन्त्री पण्डित नेहरू तो अपने दामाद फ़ीरोज़ गाँधी की उक्तियों की भी बड़ी बेसब्री से प्रतीक्षा किया करते थे हालाँकि वे उनसे डरते भी कम नहीं थे। इन दिनों भी संसद में नोक-झोंक चलती है और बराबर चलती है। कुछ दिलचस्प घटनाएँ पेश करता हूँ। हर घटना के नीचे वह तारीख़ दी गयी है जिस दिन के अख़बार में वह घटना या दुर्घटना छपी। अख़बार से मेरा अभिप्राय 'इण्डियन एक्सप्रेस' (दिल्ली संस्करण) से है।

लोकसभा के माननीय सदस्य श्री हरिकेवल प्रसाद एक दिन किसी मुद्दे पर इतना चीख़े कि उनका कृत्रिम जबड़ा उनके मुँह से निकलकर बाहर जा गिरा और बहुत ढूँढने के बावजूद नहीं मिला। (29.3.92)

राज्यसभा के सदस्य श्री राजमोहन गाँधी ने यह कहकर सबको हँसा दिया कि जापान के राजनेताओं को बुलवाना बहुत कठिन है जबकि अपने देश के राजनेताओं को चुप कराना और भी कठिन है। (2.4.92)

लोकसभा में बोफ़ोर्स के महत्त्वपूर्ण मुद्दे पर जब बहस चल रही थी तो श्री कल्पनाथ राय बराबर खुर्राटे ले रहे थे हालाँकि प्रधानमन्त्री जी उनके निकट ही बैठे थे। श्री कल्पनाथ राय आनन्द से सोते रहे और अन्त में चलकर विरोधी पक्षों के सदस्यों ने इस पर आपत्ति प्रकट की। श्री शरद पवार ने कल्पनाथ राय को नींद से उठाया और उनसे सभा की कार्यवाही पर ध्यान देने को कहा। प्रधानमन्त्री परेशान हुए और थोड़ा मुस्कराये। इस घटना से थोड़ी ही देर पूर्व जनता दल और भारतीय जनता पार्टी के कुछ सदस्य भी निद्रालाभ करने लगे थे जिस पर सरकार के कुछ सदस्यों ने उन पर आरोप लगाया था कि उनके सोने से पता लगता है कि वे सारे मामले में कितनी दिलचस्पी रखते हैं। सारी स्थिति का प्रमुख कारण वह शानदार

लंच है जो संसद में मिलता है। (2.4.92)

(विद्रोही) तेलगू देशम पार्टी के माननीय सदस्य श्री के.पी. रेड्डाइआह ने देश के आर्थिक संकट को दूर करने के लिए सुझाव दिया कि सरकार को चाहिए कि वह गैस-एजेंसी देने के लिए टेण्डर मँगवाए और प्रति टेण्डर, पाँच से दस लाख रुपयों की राशि वसूल करे। उनके अनुसार यदि ऐसा किया जाए तो तीन सौ से चार सौ करोड़ रुपयों तक की राशि एकदम इकट्ठी की जा सकती है। उनके सुझाव का सम्बद्ध मन्त्री पर कोई प्रभाव नहीं पड़ा और वे कहते रहे कि गैस की एजेंसियों के लिए टेण्डर मँगवाना आर्थिक रूप से कमज़ोर लोगों के साथ अन्याय करना होगा। सभा के कुछ सदस्यों ने कहा कि संसद के लिए दिया गया गैस सिलिण्डरों का कोटा अभी पूरा नहीं किया गया। (3.4.92)

'भारतीय जनता पार्टी' लोकसभा में एक प्रस्ताव पेश करना चाहती थी जिसके अनुसार देश में सबके लिए एक ही 'सिविल कोड' होना चाहिए था मगर कांग्रेस पार्टी व वामपक्षी दलों ने मिलकर ऐसा खेल खेला कि प्रस्ताव पेश नहीं किया जा सका। जैसे ही प्रस्ताव पर बहस का समय निकट आया, कांग्रेस पार्टी के सांसद व वामपक्षी सदस्य एक एक कर उठने लगे और लोकसभा के बाहर जाने लगे। लोकसभा धीरे-धीरे खाली हो गयी और एक सांसद ने 'कोरम' का प्रश्न उठाया और उसी के कारण सभापति ने प्रस्ताव पर कोई भी कार्रवाई करने से मना कर दिया। उनका निर्णय सुनते ही बाहर गये सांसद लोकसभा के दरवाज़ों के पीछे से (जहाँ कि वे छिपे खड़े थे) बाहर निकल आये और सदन में वापस आ गये (4.4.92)

संसद के काफ़ी सदस्य दोनों सदनों से ग़ैरहाज़िर रहते हैं और इस बारे में काफ़ी टीका-टिप्पणी की जा चुकी है। मगर इधर देखा जा रहा है कि सांसद लोग विभिन्न मन्त्रालयों से सम्बद्ध 'कन्सल्टेटिव कमेटियों' के बारे में भी वही उदासीनता दिखाने लगे हैं। 'गृह मन्त्रालय' से सम्बद्ध ऐसी कमेटी की एक महत्त्वपूर्ण मींटिग पिछले मंगलवार को हुई और स्थिति यह रही कि तीस सांसदों में से मात्र अठारह सांसद ही मीटिंग में भाग लेने पहुँचे। (6.5.92)

रवीन्द्रनाथ ठाकुर का जो चित्र केन्द्रीय सदन में टँगा है उसके नीचे उनकी जन्मतिथि छह मई दिखायी गयी है। लोकसभा-सचिवालय के अनुसार अभी तक किसी ने इस तिथि को ग़लत नहीं बताया है और इसी कारण इस वर्ष संसद ने महाकवि की जन्मतिथि छह मई को ही मनायी! कुछ बंगाली सांसदों ने उपर्युक्त तिथि को ग़लत बताया और कहा कि सही तिथि या तो सात मई है या फिर आठ मई है। सचिवालय ने जाँच-पड़ताल की और पाया गया कि सही तिथि का पता शायद किसी को नहीं है। एडवर्ड थामसन नामक विद्वान् के अनुसार महाकवि छह मई को ही पैदा हुए थे जबकि एक दूसरे जीवनीकार हिरण्यमय बनर्जी के अनुसार वे सात मई को पैदा हुए थे। यही तिथि महाकवि के तीसरे जीवनी-लेखक सेनगुप्त

ने अपनी पुस्तक में दी है। बाकी जीवनीकारों ने विभिन्न तिथियाँ दी हैं। (8.5.92)

'भारतीय जनता पार्टी' के सांसद श्री रामेश्वर पतिदार ने सदन को बताया कि पाँच, दस और बीस रुपयों के नये नोटों पर 'सत्यमेव जयते' छपने से छूट गया है और इस कारण नये नोट अपूर्ण व अवैध हैं। उनकी सूचना सुनकर कई सदस्यों ने अपने बटुए निकाले और नये नोट देखे। श्री अटल बिहारी वाजपेयी व श्री लालकृष्ण आडवानी ने भी नोटों को ध्यानपूर्वक देखा। पाँच मन्त्रियों और जनता दल के सांसदों ने भी वैसा ही किया। इसके बाद आमों की विभिन्न किस्मों और उनके निर्यात पर दिलचस्प चर्चा चली। सभापति श्री शिवराज पाटिल ने कहा कि उन आमों को बग़ैर चखे, वे सांसदों द्वारा बताये कुछ ख़ास किस्म के आमों के बारे में कुछ नहीं कह सकते। (25.4.92)

राज्यसभा की उप-सभापति चुने जाने के बाद, श्रीमती नजमा हेपतुल्ला ने अपने भाषण में कहा कि "लोग मुझसे प्रायः यह पूछते हैं कि पशु-विज्ञान में डॉक्टरेट लेने के बाद मैं राजनीति में क्यों आयी? मैं इन सब जिज्ञासु लोगों से पूछती हूँ कि पशु-विज्ञान पढ़ने के बाद कोई भी व्यक्ति और जा ही कहाँ सकता है। मेरे कहने का यह अभिप्राय हर्गिज़ नहीं है कि संसद एक चिड़ियाघर है।" (11.7.92)

श्री के.पी. उन्नीकृष्णन् जब सदन में आये तब प्रधानमन्त्री अपना भाषण शुरू कर चुके थे। वे अगली सीट पर बैठना चाहते थे पर वहाँ कोई स्थान खाली नहीं था। मगर उन्हें बैठना अगली पंक्ति में ही था; वे थोड़ी देर तक तो खड़े रहे और उसके बाद वे श्री मुरली देवड़ा की गोद में बैठ गये। श्री देवड़ा ने भारी-भरकम श्री उन्नीकृष्णन् के भार को कुछ देर तो सहा पर उसके बाद वे अपनी सीट छोड़कर पिछली सीट पर चले गये और श्री उन्नीकृष्णन् अगली सीट पर आराम से बैठ गये। (18.7.92)

लोकसभा के नोटिस-बोर्ड को न संसद के सभापति कभी देखते हैं और न सदस्य। यदि वे देखें तो पता चले कि वहाँ अभी तक एक मीटिंग का वही 'मोस्ट इमिडिएट' नोटिस लगा है जो 1988 में वहाँ लगाया गया था। चार वर्ष बीत गये पर नोटिस-बोर्ड को किसी ने भी नहीं देखा। एक दर्शक ने इस सन्दर्भ में ठीक ही कहा कि जो नोटिस-बोर्ड चार वर्ष तक बग़ैर ठीक किये रह सकता है, उसके लगाने से क्या फ़ायदा? (19.8.92)

आज श्री लालकृष्ण आडवानी संसद में नहीं थे पर फिर भी वे वहाँ बराबर मौजूद थे। एक राज्य-मन्त्री ने श्री अटल बिहारी वाजपेयी ही को इस तरह सम्बोधित किया जैसे कि वे ही लालकृष्ण आडवानी हों। वाजपेयी जी ने इस पर तुरन्त खड़े होकर कहा कि ठीक इसी प्रकार राजा कंस भी प्रत्येक दिशा में कृष्ण ही देखा करता था जैसे कि मन्त्री जी को सभा में सब तरफ़ लालकृष्ण ही दिखायी पड़ रहे हैं। (19.12.92)

फ़िलहाल संसदीय कार्यों को देखने वाले भारत सरकार के पाँच मन्त्री हैं और

स्थिति ठीक वही है जो उस दलिए की होती है जिसे बहुत सारे रसोइए पकाते हैं। राज्य-सभा में सभापति ने संसदीय मन्त्री को पुकारा मगर स्थिति यही रही कि पाँच मन्त्रियों में से वहाँ एक भी नहीं था। (1.5.93)

टेलीफ़ोन-विभाग के मन्त्री श्री सुखराम ने जब टेलीफ़ोन के भाड़ों की वृद्धि के बारे में सभा को सूचित किया तो जनता दल के श्री शंकर दयाल सिंह ने राज्यसभा में उनसे कहा "आप हैं मात्र नाम के ही सुखराम, काम है आपका मात्र दुखदान!" (27.4.93)

जब वित्तमन्त्री ने कुछ आर्थिक मामले सभा के सामने पेश किये तो एक सदस्य ने पूछा कि "आपने इस बारे में अपनी पत्नी से सलाह कर ली है या नहीं?" वित्तमन्त्री ने परेशानी में कहा कि "मैं ऐसे मामले पत्नी के साथ डिस्कस नहीं करता।" श्री सोमनाथ चटर्जी ने तुरन्त पूछा कि "क्या आजकल अपनी पत्नी से आपकी बोलचाल बन्द है?" यह व्यंग्योक्ति सुनकर वित्तमन्त्री कुछ क्षुब्ध हुए और झेंप गये। (27.4.93)

गृहमन्त्री ने सदन को बताया कि क़ानून का अँग्रेज़ी पाठ, उसके हिन्दी पाठ से ज़्यादा विश्वसनीय माना जाना चाहिए। उनके इस स्पष्टीकरण को सुनकर 'भारतीय जनता पार्टी' के एक सदस्य ने उनसे पूछा कि "यदि आप अँग्रेज़ी में चोरी करते हैं तो क्या आपको ज़्यादा माल मिलता है?" (29.4.93)

संसद में शेर और शायरी बराबर चलती है। 1992 का बजट पेश करने के बाद वित्तमन्त्री डॉ. मनमोहनसिंह ने एक शेर पढ़ा। कुछ दिनों बाद जब उन्होंने अपनी नयी आर्थिक नीतियों के दूरगामी प्रभावों की चर्चा को तो श्री अटल बिहारी वाजपेयी ने भी एक शेर पढ़ा जो नीचे दिया जाता है:

आह को चाहिए इक उम्र असर होने तक
कौन जीता है तेरी जुल्फ़ के सर होने तक

नख-शिख वर्णन

नायिका-भेद करने व नायिका का नख-शिख वर्णन करने की परम्परा हमारे देश के साहित्य में बहुत पुरानी है। नायिका नयी-नवेली रहे और बाकी सारी परम्परा पुरानी रहे—यह परिपाटी हमारे आचार्यों और कवियों को सदा से अभीष्ट रही। मैं शिख-नख का वर्णन करूँगा, ऊपर वाले अंग पहले पकड़ूँगा और नीचे वाले अंगों पर बाद में ध्यान दूँगा। 'नख-शिख' वर्णन सदा इसी प्रकार किया गया। इसके अतिरिक्त मैं नायिका के साथ-साथ नायक को भी समेटूँगा। यदि नायक न होता तो अकेली नायिका बेचारी क्या करती? उसके नख-शिख कौन देखता?

सुन्दर स्त्री का मुख सदा से ही सुन्दर होता आया। नायिका के केशों में फूल लगाये गये और नायक के सिर पर जूता जमाया गया। मियाँ की जूती, मियाँ का सिर। गंजे नायकों को भगवान ने प्रायः नाख़ून ही नहीं दिये। आँखों का काम सदा से पानी निकालना ही रहा—आँचल में है दूध और आँखों में पानी, अबला जीवन हाय तुम्हारी यही कहानी। जूता लगने के बाद और मेरी रचना पढ़ने के बाद जो पानी निकला, वह भी सदा आँखों से ही निकला। पण्डित प्रतापनारायण मिश्र के अनुसार आँख का बैठना, उठना, लगना, आना, जाना, खुलना व बन्द होना सदा से कष्टप्रद रहा। नायक व नायिका में यदि कोई काना होता है तो उनकी आँखें कभी चार नहीं हो सकतीं। आँखें सर्वश्रेष्ठ वे हैं जो मछली जैसी चंचल हों और इसी कारण मछली खाने वाले बंगदेशीय जासूसी साहित्यकारों ने 'मछलीशहर' की सदा चर्चा की। आचार्य केशवदास को 'चन्द्रमुखी' व 'मृगलोचनी' युवतियाँ सदा प्रिय रहीं। कानों में कनेर के कर्णफूल पहनाये गये। नाहं जानामि केयूरे नाहं जानामि कुण्डले, नूपुरौ त्वभिजानामि नित्यं पादाभिवन्दनात्। कपोल युवतियों की पोल हमेशा से खोलते रहे। अविवाहित कन्याओं के कपोल लज्जा से लाल होते थे और विवाहिता रूपसियों के गाल गुलाल मलने पर ही लाल होते रहे। अधर और ओष्ठ सदा से चूमे जाते रहे हालाँकि यथास्थान और यथासमय कपोलों को भी तबीयत के साथ चूमा गया। आदमी का मुँह सदा से काला ही करने के लिए बनाया गया। चन्द्रमुखी के सुन्दर मुखड़े को लेकर, किस चरित्रवान नायक ने अपना मुँह काला नहीं किया? (मतिराम)

हमारे कवियों ने नायिका की नाक पर ज़्यादा ध्यान नहीं दिया जो एक 'शर्मनाक' बात है। नाक कभी-कभी काफ़ी 'खौफ़नाक' या 'ख़तरनाक' भी होती है और इसका मुझे व्यक्तिगत अनुभव है। एक बार एक युवती ने मेरी नाक के साथ इतने ज़ोर से 'बलात्कार' किया था कि मेरी नाक की हालत दर्द के मारे इतनी 'दर्दनाक' हो गयी थी कि चालीस वसन्त बीत जाने पर भी उसकी याद का पतझड़ अभी भी पूरी तरह ताज़ा और हरा-भरा है। नाक कटना, नाक रगड़ना, नाक ऊँची रखना, नाक नीची करना, नाक डुबोना, नाक घिसना, नाक की ओट करना, नाक में दम करना, नाक का बाल होना, नाकों चने चबाना और नाक की सीध चलना जैसी जितनी कहावतें नाक के सहारे बनी हैं उतनी कहावतें शायद नायिका के किसी और अंग को लेकर कभी नहीं बनीं। प्राचीन कवि तोते जैसी नाक को सर्वोत्कृष्ट मानते थे और इसी कारण शुकसप्तति, क़िस्सा तोता-मैना और पद्मावत के हीरामन तोते को साहित्य में ऊँचा स्थान दिया गया। नाक का कोई और माडल इतनी लम्बी अवधि तक नहीं चला। नाक का गुण है गन्ध ग्रहण करना। यूँ कुछ लोग नाक के माध्यम से साँस भी लेते आये पर वह नाक का दुरुपयोग ही माना जायेगा। चिरंजीव लक्ष्मण जी यदि कुमारी शूर्पणखा की नाक न काट कर, मात्र उसके नाख़ून ही काट लेते तो अरण्यकाण्ड के बाद रामायण न लिखी जाती। शूर्पणखा की नाक पकड़ते ही रावण का दम निकल गया। दम का विकसित रूप दमा है जिसका दमन करना कठिन है। सरदार पटेल की नाक का एक बार आपरेशन किया गया जिसके कारण उन्हें अपनी 'पालतू' मूँछों को 'फालतू' मानकर कटवाना पड़ा। आपरेशन के बाद जब पटेल साहब बापू के सामने हाज़िर हुए तो सदा के विनोदी महात्मा गाँधी ने सबके सामने ही यह कह डाला कि 'बल्लभभाई, आख़िर तुम अपनी नाक कटवाकर ही आये।' उनकी इस व्यंग्योक्ति पर वहाँ बैठे सारे नेता एकदम हँस पड़े।

मुँह के बाद गले का नम्बर आता है जिसमें नायक अपनी बाँहें डाला करता था। सदा न काहू के रही प्रियतम की गलबाँह, ढलते-ढलते ढल गयी सब तरुवर की छाँह (देव) फाँसी देने में जो सुविधा गले के कारण रहती है उसका तो कहना ही क्या? इंग्लैण्ड में रानियों व राजाओं तथा सामन्तों की गर्दन कुल्हाड़ी से काटी जाती थी जबकि साधारण लोगों को फाँसी देने के लिए रस्सी का फन्दा ही काम में लाया जाता था। लोककथाओं की रानियाँ अपना नौलखा हार सदा गले में ही पहनती थीं। यदि गर्दन न होती तो फाँसी कैसे दी जाती और नौलखा हार कहाँ पहना जाता? गर्दन सुराहीदार ही पसन्द की जाती थी बशर्ते कि उस सुराही में मदिरा भरी हो। और यदि कण्ठ ही न होता तो सर्वश्री जयदेव, सूरदास, विद्यापति और गुरुदेव रवीन्द्रनाथ ठाकुर अपना पंचम स्वर शरीर के किस अंग से निकालते? गर्दन न होती तो हमारे विधायक 'गर्दनिया' देकर एक दूसरे को विधान-सभा के बाहर कैसे करते?

हमारे आचार्यों के अनुसार रूपवती युवतियों की बाँहें मृणाल जैसी कोमल होती थीं जिन्हें वे युवतियाँ अपने प्रेमियों के गले में डाला करती थीं और बाँहों के इस बन्धन से निकलना बहुत कठिन काम होता था। युवतियों की जंघाएँ सदा केले के

वृक्ष की भाँति ताज़ी व पुष्ट होती थीं जिनके कारण नायिका को हथिनी की भाँति चलना पड़ता था। काफ़ी नायिकाएँ मस्त हथिनी की तरह चलती थीं और खुलेआम गजगामिनी कहलाती थीं। इन 'मस्त' रूपसियों को देखकर आम नवयुवक की तो हिम्मत ही 'पस्त' हो जाती थी। वे ज़माने अब लद गये। अब युवतियाँ अपनी हथेलियों पर मेहँदी तो लगाती हैं पर मेहँदी लगे हाथों से नायक के मुँह को अब बन्द नहीं किया जाता वरन् उनसे प्रेमी-याचकों के कमल जैसे मुख पर झापड़ लगाया जाता है जो काफ़ी घोड़ा-शक्ति (हॉर्स-पावर) का होता है और जिसके रसीद होते ही नायक का मुँह गधे के मुँह जैसा हो जाता है। हस्तिनी नायिका को सदा से महिषी कहकर पुकारा गया और राजाओं के अन्तःपुरों में रहने वाली महारानी को तो 'राजमहिषी' तक कहा गया। 'बाई' अभी भी कलाई में 'कँगना' बाँधती है जिससे उनकी 'ताई' का 'अँगना' झंकृत हो उठता है। महिषी का एक अर्थ भैंस भी होता है। नायिका नायक से प्रेम भी करती थी और दोनों वक़्त पूरे परिवार को दूध भी प्रदान करती थी। 'महिषी' शब्द से 'महिषासुर' बना जो कालान्तर में 'मैसूर' कहकर पुकारा गया। वे रूपवती कन्याएँ भी अब इस आर्यावर्त में नहीं पायी जातीं जो बाँह मरोड़ने पर कभी लजाया करती थीं (सैंया ने बैंया मरोड़ी रे राम कसम, सरमा गयी मैं) अब तो बाँह क्या, आप पूरी कन्या को ही मरोड़ लो, वे 'उफ' तक नहीं करतीं।

युवतियों की टाँगों को धीरे-धीरे सहलाया जाता था जिससे वे रूपसियाँ काफ़ी प्रसन्न हुआ करती थीं। उनकी लज्जा के कारण हमारा 'धीरोदात्त' नायक और भी निर्लज्ज हो जाता था और उनके बाकी अंगों को भी सहलाने, मरोड़ने और मसलने लगता था। इस 'मसलने' से जो 'मसाला' बनता था, उसके सेवन के कारण युवतियों का पैर धीरे-धीरे भारी हो जाता था। अब वे पाँव भी नहीं रहे जिनके आघात से अशोक नामक वृक्ष पर फूल खिल उठते थे। अब तो इस देश की बालिकाओं के पाँव 'अंगद का पाँव' जैसे सशक्त हो गये हैं जिनका रसास्वादन करते ही आपको श्रीलाल शुक्ल की याद सताने लगती है।

नख-शिख वर्णन पूरा हो गया। जो क्षेत्र छूट गये हैं उनकी सचित्र यात्रा आप स्वयं करें। भगवान बुद्ध की वाणी का अनुसरण करते हुए आप अपनी यात्रा में 'मध्यम मार्ग' को हर्गिज़ नहीं भूलें। स्वर्ग का द्वार सदा मध्य में ही रहा। अब मैं आपको महाकवि कालिदास का 'धीरे-धीरे हमला करने वाला' एक 'मन्दाक्रान्ता' श्लोक सुनाता हूँ जिसमें किये गये नख-शिख वर्णन को संसार का कोई भी कवि अभी तक छू नहीं पाया। कालिदास का विरही यक्ष मेघ को अपनी पत्नी का परिचय देते हुए तरन्नुम के साथ कहता है :

तन्वी श्यामा शिखरदशना पक्वबिम्बाधरोष्ठी
मध्ये क्षामा, चकितहरिणीप्रेक्षणा, निम्ननाभिः
श्रोणीभारादलसगमना, स्तोकनम्रास्तनाभ्याम्
या तत्र स्यात् युवतिविषये सृष्टिराद्यैव धातुः

बड़ा भाग, मानुष तन पावा...

ब्रिटेन की महारानी एलिज़ाबेथ (द्वितीय) व उनके पति प्रिंस फिलिप, सच्चे अर्थों में एक पवित्र दम्पती हैं। वर्षों पहले महारानी जब भारत की यात्रा पर अपने पति के साथ आयी थीं तो 'राष्ट्रपति भवन' में उनके सोने की व्यवस्था अलग-अलग ऐसे दो कमरों में की गयी थी जिनके भीतर (एक-दूसरे से सटे होने के बावजूद) एक कमरे से दूसरे कमरे में जाने के लिए कोई द्वार नहीं था। ब्रिटिश महारानी 'दी आफ़ीशल सीक्रेट्स ऐक्ट' का इतना कड़ा पालन करती थीं–इसका पता 'विद टू प्रेसीडेण्ट्स' के लेखक मेजर दत्ता को भी पहले नहीं था। फिर भी इस शाही दम्पती ने न जाने कैसे चार सन्तान प्राप्त कीं। कुन्ती ने कर्ण को 'सोलर एनर्जी' से ही प्राप्त किया था और हमारे पुराणों में भी इस प्रकार की आधिभौतिक शक्तियों से उत्पन्न अनेक सन्तानों की विशद चर्चा की गयी है जो इतनी पवित्र है कि मैं तो उस 'चर्चा' की यहाँ ज़्यादा 'चर्चा' भी करने की हिम्मत नहीं रखता। महाकवि कालिदास के अनुसार इक्ष्वाकु वंश के राजा अपना विवाह मात्र सन्तान के लिए ही किया करते थे–भोगविलास के लिए नहीं। भोगविलास करने के लिए और रूपवान् पुरुषों व और रूपवती रमणियों की क्या हमारे सम्राटों के राज्य में कोई कमी रहती थी जो मात्र इस शारीरिक सुख के लिए हमारे ये महान् महाराजा व वे महीयसी महारानियाँ अपनी निजी पत्नी या अपने सगे पति को शास्त्र-सम्मत मार्ग से विचलित करतीं?

बहरहाल उपर्युक्त ब्रिटिश राजदम्पती की सन्तान सचमुच एकदम और भी ज़्यादा पवित्र निकली। बड़ा पुत्र इतना संयमी व्यक्ति है कि पिछले दिनों उसने जब अपने बच्चों की सुन्दर और युवा 'गवर्नेस' का एक तगड़ा चुम्बन लिया तो उसका चित्र 'डेली मिरर' ने अपने मुखपृष्ठ पर छापा ताकि संसार को पता लग सके कि ब्रिटेन के भावी सम्राट, प्रेम के सन्दर्भ में, छोटे-बड़े का कोई भेदभाव नहीं करते। इस बड़े राजपुत्र की रूपवती पत्नी, अपने पति को छोड़कर बाकी न जाने कितने प्रेमियों को, अपने कपोल ही क्या, बाकी देह भी लगातार देती रहीं। विनोबा भावे के 'भूदान आन्दोलन' की भाँति वे भी इस परम पवित्र 'देहदान-आन्दोलन' में इतनी व्यस्त रहती थीं कि कभी-कभी तो उन्हें लंच लेने तक का अवकाश भी प्राप्त नहीं

होता था। परोपकाराय सतां विभूतयः (भर्तृहरि) इस परोपकार में पश्चिमी देश हमसे बहुत आगे निकल गये। अमेरिका के मॉडल 33 वर्षीय पर्सी ने चार प्रेयसियों में साथ-साथ अपना प्रेम इस तरह बाँटा कि किसी भी प्रेयसी को न तो यह पता लगा कि उसका प्रेमी किसी और युवती से भी प्रणय करता है और न उन्हें यह ही पता चला कि वे गर्भवती जो हुईं वह कब और कैसे हुईं। सुन्दर युवतियाँ सचमुच इतनी 'भोली' होती हैं कि वे किसी भी नवयुवक के सामने अपनी 'चोली' उतार देती हैं। बाकी वस्त्र वे इस कारण नहीं उतारतीं क्योंकि वे उनकी देह पर पहले से ही नहीं होते। गर्भधारण की समस्या इतनी बढ़ रही है कि फ्रांस के रिवीरा नामक नगर के होटलों में यदि आप काफ़ी का ऑर्डर देते हैं तो 'कण्डोम' आपको मुफ़्त पेश किया जाता है। अख़बार का कहना है कि यह क़ायदा जल्दी ही राष्ट्रीय नियम बना दिया जायेगा। ब्रिटेन के डॉक्टरों की नयी खोज यह है कि चुम्बन एक बहुत शक्तिशाली व्यायाम है क्योंकि इससे चेहरे की 34 मांसपेशियाँ सक्रिय होती हैं और प्रति घण्टे 60 कैलोरी ऊर्जा पैदा होती है। डॉक्टरों ने खोज जारी रखते हुए यह भी कहा है कि यदि चुम्बित युगल कुछ ज़्यादा 'प्रयोगवादी' हो तो चेहरे के साथ-साथ गर्दन, हथेली, कन्धे और घुटने इत्यादि जो शेष अंग हैं, उनकी मांसपेशियों की भी सहनशक्ति बढ़ती है। चुम्बन की सच्ची शक्ति का पता मुझे भी था क्योंकि हिन्दी के एक नवोदित कवि का जबड़ा इसी प्रक्रिया में टूटा था।

वैस्ट इज़ वैस्ट (आल्डस हक्सले)। लन्दन में मार्लिन मनरो की फ़िल्मों का उत्सव मनाया गया तो उस महान् रूपसी से मिलती-जुलती एक और सुन्दरी (पाउलिन बेले) मंच पर पेश की गयी और जब मार्लिन की भाँति उसका फ्राक हवा में नहीं उड़ा तो मंच पर पंखा लगाकर उसे उड़ाया गया। 'एंपल कम्प्यूटर्स' ने हमारे 'कामसूत्र' को 'फ्लापी' में बन्द कर लिया है और अब हमारे माता-पिता, भाई-बहिन और आप और आपकी साली, जब चाहे तब, बिना संस्कृत जाने, मात्र एक बटन दबाकर पूरा का पूरा 'कामसूत्र' कम्प्यूटर के सामने बैठकर (या किसी भी मुद्रा में) विस्तार से देख सकते हैं। भारत की प्राचीन संस्कृति बचाने की चिन्ता हमसे ज़्यादा विदेशियों को है। महर्षि दयानन्द, जर्मन विद्वान् 'मैक्समूलर' को 'मोक्षमूलर' कहा करते थे। मेरे विचार में 'मैक्सी' का आविष्कार भी मैक्समूलर ने ही किया था। 'मैक्सी' वह वस्त्र है जिसे विदेशियों की पत्नी रात को और उनकी माँ व पुत्री दिन को पहनती हैं। यह महज़ एक इत्तफ़ाक की बात है कि पत्नी के मैके चले जाने पर जब आपकी नयी नौकरानी आपके कहने पर आपकी पत्नी की 'मैक्सी' पहनती है तो वह उसकी गदराई देह पर और भी ज़्यादा फ़िट बैठती है। पन्तजी को 'मैक्सी' व 'सैक्सी' शब्दों के अनुप्रास का पता नहीं था और इसी कारण वे इनका प्रयोग अपने महान् सांस्कृतिक महाकाव्य 'लोकायतन' में नहीं कर पाये हालाँकि वैसे भी वह महान् ग्रन्थ जगह-जगह बेहद अश्लील है। 'अश्क' जी के अनुसार तुकान्त शब्द ढूँढ़ने के लिए

पन्तजी शब्दकोश की सहायता लिया करते थे। कटु-सत्य बोलने की दिशा में आप 'मश्क' करने के बाद भी 'अश्क' नहीं बन सकते।

प्रेम और विवाह की पवित्रता अभी भी मुस्लिम देशों में ही क़ायम है। टर्की में एक आदर्श दम्पती पिछले चौंसठ वर्षों से बिना किसी बोल-चाल के गृहस्थ धर्म निभा रहा है और उनके बच्चों, पौत्रों-पौत्रियों और दौहित्रों-दौहित्रियों को इस पर विस्मय होता है। जकार्ता में अभी भी ग्राम-बालाएँ उसी नवयुवक से विवाह करती हैं जो अपने खेत में सबसे बड़ा चुकन्दर उगा सके। वहाँ विश्वास है कि बड़ी चुकन्दर उगाने वाला पति, कभी भी अपनी पत्नी को भूखा नहीं रखेगा। 'पाकिस्तानी-जमायते-इस्लामी' ने पाकिस्तान में बढ़ते हुए दुराचार के लिए मैडोना व जैक्सन को ही ज़िम्मेदार ठहराया है और उन्हें 'यौन-आतंकवादी' करार देते हुए उन दोनों को पाकिस्तान को सौंपने की माँग की है ताकि उन्हें भी बँगलादेश की लेखिका कुमारी तसलीमा की भाँति सज़ा दी जा सके। मैं इस मत से शत-प्रतिशत सहमत हूँ। ज़्यादा कहने से क्या फ़ायदा? किमत्यधिकमलपल्लवितेन मैंने भी वही लिखा जो एक से पन्द्रह मार्च 1995 तक की उस पत्रिका में छपा जो रसिकशिरोमणि डॉ. मनोहरलाल ने मुझे भेजी। यत्पठितं तत् गुरुवे समर्पितम्। हम जानवरों से कितने अधिक भाग्यवान् हैं जो पूरे वर्ष जब चाहें अपने शरीर से स्वर्ग भोग सकते हैं। गोस्वामीजी ने ठीक ही कहा है कि 'बड़े भाग मानुस तन पावा।'

आदिगुरु शंकराचार्य बाल-ब्रह्मचारी थे। इस शब्द का घिसा-पिटा अर्थ यह है कि व्यक्ति बचपन से ही ब्रह्मचारी है। समय के साथ-साथ अब 'बाल-ब्रह्मचारी' शब्द का अर्थ ऐसे व्यक्ति से हो गया है जो ब्रह्मचारी भी रहे और बाँझ पर सुन्दर व युवा कोमलांगियों को बालकों का सुख भी प्रदान कर सके। बहरहाल जब मण्डन मिश्र को शास्त्रार्थ में पराजित किया गया तो उसकी सुन्दर बालिका-वधू ने रूपवान् और नववयस्क शंकराचार्य को अपने साथ कामशास्त्र पर बहस करने की चुनौती दी। अपनी अज्ञानता के कारण उन्होंने उस देवी से एक माह की अवधि माँगी। याचिका स्वीकृत हो गयी। शंकराचार्य अपने योगबल से तुरन्त मरे महाकामी राजा अमरुक के शरीर में प्रवेश कर गये और उन्होंने उस रूप-पारखी राजा की परम रूपवती सौ रानियों को इतना भोगा कि वे एक माह की अवधि वाला वचन एकदम भूल गये। उनके गुरु-भक्त शिष्यों ने जब बहुत कोशिश की तब उन्हें होश आया। उन्होंने पहले तो 'अमरुशतकम्' नामक ऐसा शृंगार रस से लबालब ग्रन्थ लिखा कि उसका अनुवाद भाई विद्यानिवास मिश्र को हिन्दी में करना ही पड़ा और इसके बाद शंकराचार्य ने श्रीमती मण्डन मिश्राणी को शास्त्रार्थ में पराजित किया। मगर राजा अमरुक की रानियों की याद उन्हें बराबर आती रही और उन्हीं के विरह में वे मात्र 32 वर्ष की आयु में ही मर गये। 'मण्डन मिश्र' पराजित होने के बाद सिर घुटवा बैठे और 'मुण्डन मिश्र' कहलाने लगे।

मेरे प्रिय पाठको, अब मुझे श्रृंगार-रस से कोई मोह नहीं रहा। धातुषु क्षीयमाणेषु शमः कस्य न जायते? जो थोड़ा-बहुत जीवन शेष बचा है वह भगवान की पूजा व तीर्थ-यात्रा में बिताना चाहता हूँ। सबसे पहिले उस प्रसिद्ध मन्दिर में पदार्पण करूँगा जहाँ की देवदासियाँ अपने रूप से यात्रियों की थकान मिटाती हैं। संन्यासाश्रम ज़रूर लूँगा पर उसे किसी विधवाश्रम के पास ही गुज़ारूँगा। आकर्षण के पास रहकर पवित्र रहना ही सच्ची तपस्या है। हमारे एक अत्यन्त महान् राजनीतिक सन्त नेता सदा सुन्दरियों के बीच सोते थे और यह देखते रहते थे कि वैसा करने से उनके मन में कोई बुरा विचार तो नहीं उठ रहा। मनुष्य जानता है कि धर्म क्या है पर उसकी ओर उसकी प्रवृत्ति ही नहीं होती, मनुष्य जानता है कि पाप क्या है पर उससे उसकी निवृत्ति ही नहीं होती। मेरे जीवन की भी यही त्रासदी है। हालत आपकी भी यही है पर आप में खुलेआम यह स्वीकार करने का साहस नहीं है। जानामि धर्मं न च मे प्रवृत्तिः, जानामि पापं न च मे निवृत्तिः, केनापि देवेन हृदि-स्थितेन, यथा नियुक्तोस्मि तथा करोमि। सुबह गीता पढ़ता हूँ, दोपहर को 'हनुमान-चालीसा' के चालीस पाठ करता हूँ, सन्ध्या-समय गायत्री जाप चलता है और सोते समय नीचे लिखा स्तोत्र पढ़ता हूँ। ठीक यही स्थिति 'श्रृंगार शतक' के कवि राजा भर्तृहरि, 'भामिनी विलास' के रचयिता पण्डितराज जगन्नाथ और 'रस-विलास' के कवि देव के साथ थी। यौवन बीत जाने पर सब वेदान्ती हो गये थे। मैं क्या इनसे भी ज़्यादा रसिक हूँ? मुझको है अपने कवि की लाज निभानी (बच्चन) सोते समय पढ़ने वाला परम पवित्र स्तोत्र आप सबके भले के लिए नीचे देता हूँ :

परस्परभोज्यमहर्निशं रतिः, स्त्रीभिः, समंपानमनन्तसौहृदम्
श्री गोकुलेशार्पित चेतसान्तृणां, रीतिः परासुन्दरिसार वेदिनाम्

नदी नाव संयोग

कल अख़बार में पढ़ा कि सर आइज़क न्यूटन इतने भुलक्कड़ थे कि एक बार उन्होंने अपने नाश्ते के लिए अण्डा तो हाथ ही में रहने दिया और उसकी जगह अपनी घड़ी उबाल ली। उबलने के बाद घड़ी का ज़ायका कैसा रहा होगा, यह अख़बार वाले ने नहीं छापा। न्यूटन के पास दो पालतू बिल्लियाँ थीं जिनमें एक छोटी थी और एक बड़ी थी। न्यूटन ने उनके कमरे में दो छेद बनवा रखे थे—एक छोटी बिल्ली के लिए और एक बड़ी बिल्ली के लिए। इतने महान् वैज्ञानिक की समझ में यह कभी नहीं आया था कि एक ही छेद काफ़ी था और छोटी बिल्ली भी बड़े छेद का इस्तेमाल कर सकती थी। एक अमीर आदमी ने अपनी अँगूठी में लगाने के लिए न्यूटन का डॉक्टर के द्वारा निकाला गया एक दाँत बहुत बड़ी क़ीमत पर ख़रीदा था। इसी प्रकार एक दार्शनिक थे जो प्रायः घूमने के बाद छड़ी तो बिस्तर पर रख दिया करते थे और छड़ी रखने की जगह खुद खड़े हो जाया करते थे। एक और दार्शनिक थे जो अपने बच्चों को तो हर्गिज़ नहीं पहचानते थे पर उनकी 'गवर्नेस' को ख़ूब पहचानते थे क्योंकि वह बच्चों से कहीं ज़्यादा आकर्षक और युवा थी।

फ्रांस का सम्राट् लुई (चौदहवाँ) नहाने से बहुत घबराता था और इसी कारण अपने पूरे जीवन-काल में वह मात्र तीन ही बार नहाया था। पंजाब के सूबेदार की विधवा और अहमदशाह अब्दाली की मुँहबोली बहिन मुग़लानी बेग़म व रूस की सम्राज्ञी कैथरीन इतनी ज़बर्दस्त व्यभिचारिणी थीं कि उनके बारे में विस्तार से कुछ कहना कठिन है। क्लियोपेट्रा स्वयं दस हज़ार पुरुषों की हमबिस्तर रह चुकी थी। नवाब शुजाउद्दौला और वज़ीरे-आलम शहाबुद्दीन इत्मादुमुल्क लगभग एक-एक हज़ार रूपसियों का हरम रखते थे और अकबर महान् के हरम में भी मात्र चार हज़ार सुन्दरियाँ थीं। माण्डू के एक नवयुवक सुल्तान ने अपने बाप को ज़हर दिया था और बाद में लगभग बारह हज़ार रूपवती रमणियों को भोगा था। खानदेश का सुल्तान वघर्रा इतना खाता था कि आप कुछ अनुमान तक नहीं लगा सकते। वह जब सोता था तब भी पलँग के दोनों ओर भोजन से भरे थाल रखे रहते थे और वह सोता-सोता भी खाना खाता रहता था।

इंग्लैण्ड की एक महारानी को अनजाने चोरी करने की आदत थी। वह जब भी बाज़ार जाती थी तो कुछ-न-कुछ चुराकर ज़रूर लाती थी। यह सारा सामान लार्ड चांसलर—जो रानी के साथ हमेशा रहता था—शाम को व्यापारियों को वापस कर देता था। सम्राट् स्कन्दगुप्त को सोते हुए चलने की आदत थी और महल के पहरेदार उन पर निगाह रखते थे।

हमारे कुछ देशी नरेश भी काफ़ी सनकी होते थे। जूनागढ़ के नवाब ने अपनी कुतिया की शादी पर करोड़ों रुपये ख़र्च किये थे और एक महाराजा, ताक़त की दवा खाने के इतने शौक़ीन थे कि उनकी दवाइयों पर सत्तर वर्ष पूर्व बीस हज़ार रुपया प्रतिदिन ख़र्च होता था। एक नरेश को भिखारी बनकर भिक्षा माँगने का शौक़ था और जब वे गन्दे और फटे कपड़े पहनकर भिक्षा माँगते थे तो उनके दरबारी तक उनके कटोरे में चवन्नी या अठन्नी डाल दिया करते थे। यदि एक महाराजा अपने शौचालय में कैबिनेट की मीटिंग करते थे तो एक और राजा ऐसे थे जो अपने पायजामा-अफ़सर (जो एक राजपत्रित अधिकारी होता था) की सहायता के बिना अपने पायजामे का इजारबन्द न खोल सकते थे और न बन्द कर सकते थे। एक और नरेश थे जो वर्ष में एक बार अपनी सारी प्रजा को सार्वजनिक तौर पर अपने गुप्तांग दिखाया करते थे और इसी प्रकार एक और राजा साहिब सारी फ़ाइलों को किसी हसीना की टाँगों से दो ढेरों में विभक्त करवाया करते थे। फ़ाइलों के एक ढेर की सारी प्रार्थनाएँ मंज़ूर कर ली जाती थीं जबकि दूसरे ढेर की फ़ाइलों की अर्जियाँ रद्द कर दी जाती थीं। सारा काम फ़ाइलों को बग़ैर पढ़े ही सम्पन्न किया जाता था। और निज़ाम का तो कहना ही क्या, संसार का सबसे बड़ा अमीर होते हुए भी वह फटे-पुराने कपड़े पहनता था और मेहमानों द्वारा छोड़े गये सिगरेट के टुकड़ों को फिर से सुलगा कर पिया करता था।

ग्लैडस्टन एक बहुत ही सादा जीवन जीने वाले व्यक्ति थे। जिन दिनों वे प्रधानमन्त्री नहीं रहते थे, उन दिनों वे रेल के तीसरे दर्जे में यात्रा किया करते थे। जब महारानी विक्टोरिया ने उनसे पूछा कि “आप तीसरे दर्जे में यात्रा क्यों करते हैं?” तो उन्होंने तपाक से जवाब दिया कि “मैं रेल के तीसरे दर्जे में यात्रा इस कारण करता हूँ क्योंकि उसमें चौथा दर्जा नहीं होता।” महारानी ने उनका उत्तर सुना तो वे एक मुस्कराहट के साथ चुप हो गयीं। ब्रिटेन के प्रधानमन्त्री लायड जार्ज कभी कोई जोखिम नहीं लेते थे। वे घुड़दौड़ में हिस्सा तभी ले सकते थे जबकि उसमें मात्र एक ही घोड़ा दौड़ रहा हो। प्रधानमन्त्री चेम्बरलैन अपनी छतरी से ही पहचाने जाते थे। कोई वक़्त हो और कोई भी मौसम हो, वे छतरी के बिना नहीं रह सकते थे। कुछ लोगों का कहना था कि वे सोते भी छतरी के ही साथ थे। स्तालिन रोज़ कुल्हाड़ी से लकड़ी फाड़ा करता था और अब्राहम लिंकन थियेटर के बिना जीवित नहीं रह सकता था। उसके इसी शौक़ ने उसकी जान ली थी।

कुछ बड़े उद्योगपति भी सनकी होते थे। हेनरी फ़ोर्ड जब तक ज़िन्दा रहे तब तक फ़ोर्ड की मोटर सिर्फ़ काले रंग में ही बनी। सर एच.पी. मोदी ने कुछ पैसों के लिए ईस्ट-इण्डियन रेलवे के ख़िलाफ़ मुक़द्दमा चलाया था जो प्रिवि-काउंसिल तक गया था। जब वे जीते तो उन्हें लाखों रुपया मिला। मुकद्दमे का ख़र्चा व चिन्तित तथा व्याकुल रहने के कारण उन्हें जो हर्जाना दिया गया, वे उसे कम समझते थे पर मित्रों की सलाह पर उन्होंने और मुक़द्दमोबाज़ी नहीं की। एक जज थे जो बाँसों को पैर में बाँधकर सरकस के जोकर की भाँति अदालत जाते थे। पण्डित मदनमोहन मालवीय को ऐसे सेठ ने भी भारी चन्दा दिया था जो दियासलाई की एक सींक तक की फ़िज़ूलख़र्ची नहीं होने देता था और जिससे एक पैसा भी मिलने की उम्मीद मालवीय जी को नहीं थी।

डॉ. सैमुएल जानसन का एक मित्र था जो किताबें माँगकर उन्हें कभी वापस नहीं करता था। एक दिन जानसन उसके घर गये तो उन्होंने बहुत बढ़िया किताबें फ़र्श पर पड़ी पायीं। जब उन्होंने उस दोस्त से पूछा कि "तुम इन क़ीमती किताबों को अलमारियों में क्यों नहीं रखते?" तो उस मित्र ने बड़े दुख के साथ कहा कि "मि. जानसन, लोग किताबें तो उधार दे देते हैं पर वे अलमारियाँ कभी उधार नहीं देते।" उनका उत्तर सुनकर जानसन खिलखिला कर हँस पड़े। जानसन के अन्तरंग मित्र ओलिवर गोल्डस्मिथ एक पियक्कड़ थे। मकान का किराया न दे पाने के जुर्म में जब गोल्डस्मिथ गिरफ़्तार हुए तो उन्होंने डॉ. जानसन को ख़बर की। जानसन के पास उस वक़्त मात्र एक पाउण्ड था जो उन्होंने उस आदमी के हाथों भिजवा दिया जिसे गोल्डस्मिथ ने ख़बर करने भेजा था। थोड़ी देर बाद जब डॉ. जानसन स्वयं गोल्डस्मिथ के पास गये तो उन्होंने पाया कि गोल्डस्मिथ पहले ही उस पाउण्ड से शराब ख़रीद कर पी चुका था। उन्हें बहुत गुस्सा आया और जब उन्होंने पूछा कि क्या कुछ ऐसा है जो कि छप सकता हो तो गोल्डस्मिथ ने बड़े संकोच के साथ एक उपन्यास की पाण्डुलिपि दी जो खस्ता हालत में थी। जानसन ने खड़े-खड़े पाण्डुलिपि पर एक सरसरी निगाह डाली और उन्हें वह पसन्द आयी। वे एक बड़े प्रकाशक के पास गये और कुछ रुपया बतौर एडवांस के ले आये। वह उपन्यास 'दी विकार ऑफ़ वेकफ़ील्ड' नाम से छपा और पिछले दो सौ साल में करोड़ों लोगों द्वारा पढ़ा गया। आज भी उसकी गिनती संसार की सर्वश्रेष्ठ सौ पुस्तक में की जाती है। बाल्जक ठाठ से रहता था और कर्ज़े से दबे होने के बावजूद हमेशा ख़ुश रहता था। वह कहा करता था कि "यदि मुझे क़र्ज़ देने वाले सुख की नींद सो सकते हैं तो मैं वैसा क्यों नहीं कर सकता?" टैनीसन राजकवि थे और इस कारण उन्हें महारानी के कुत्ते की क़ब्र पर अंकित करने के लिए भी कुछ पंक्तियाँ लिखनी पड़ी थीं। मैथिलीशरण गुप्त, दिनकर व सोहनलाल द्विवेदी के बाद हमारे देश में राष्ट्रकवि का पद खाली पड़ा है। सरकार को चाहिए कि मुझे राष्ट्रकवि बना दे क्योंकि मैं राष्ट्रपति के कुत्ते पर तो क्या, किसी प्रदेश के उपराज्यमन्त्री के गधे तक के ऊपर महाकाव्य लिख सकता

हूँ। ऐसी प्रतिभा रोज़-रोज़ नहीं पैदा होतीं। साहित्यकारों की चर्चा समाप्त करने से पहले मैं सी.ई.एम. जोड की चर्चा ज़रूर करना चाहूँगा जिसका निश्चित मत था कि आदमी जैसे-जैसे वृद्ध होता जाता है, वैसे-वैसे वह अधिक क्रूर व ईर्ष्यालु होता जाता है। उसने आँकड़े इकट्ठे किये और साबित किया कि ज़्यादा भयंकर सज़ा देने वाले जब प्रायः वृद्ध थे और संसद में समुद्रतट पर नंगा होकर घूमने वालों के ख़िलाफ़ बिल पेश करने वाले सारे सांसद बूढ़े थे। जोड साहब कभी टिकट ख़रीदकर रेल में नहीं बैठे थे। उनका कहना था कि टिकट ख़रीदते ही यात्रा का सारा आनन्द व रोमांच चला जाता है। "मैं बग़ैर टिकट चलता हूँ तो बराबर यह रोमांचकारी भय लगा रहता है कि कहीं टिकट-चेकर न आ जाए। वह जब आता है तो मुझे पहचानता है और आदर के साथ मुझे रेलवे-मैजिस्ट्रेट के सामने पेश करता है। मेरा नाम सुनकर मैजिस्ट्रेट खड़ा हो जाता है और मेरा अभिवादन करता है। वह बहुत थोड़ा-सा जुर्माना करता है और अगले दिन सारे अख़बारों में मेरी फ़ोटो छपती है। क्या मैं कोई गधा हूँ जो एक छोटा-सा टिकट ख़रीदकर यह सारा आनन्द खो दूँ?"

सृष्टि का यह क्रम इसी तरह चलता रहता है। बड़े लोग यदि सनकी होते हैं तो उसका पता सबको लग जाता है जब कि आम आदमी की अजीबोग़रीब हरकतें समय के साथ लुप्त हो जाती हैं। मेरे गाँव में कभी एक बड़ा अद्भुत व्यक्ति रहता था। वह नौटंकी का ज़बरदस्त शौक़ीन था और न जाने कितनी नौटंकियाँ तो उसे ज़ुबानी याद थीं। वह सारे पात्रों के संवाद स्वयं ही बोलता था और अलग-अलग आवाज़ों में बोलता था। जहाँ कोई गीत आ जाता था वहाँ वह निपट नंगा होकर गाना गाते हुए नाचने लगता था। नाचने के साथ-साथ मूतना भी चलता था। दूसरे शब्दों में 'सूत्रधार' के साथ-साथ, 'मूत्रधार' का भी समुचित प्रबन्ध किया जाता था। मुझे दुख है कि उस व्यक्ति की मृत्यु हो गयी। उसके मरने पर उसकी पत्नी के अलावा कुछ और लोगों की पत्नियाँ भी काफ़ी रोयीं। सच्चे कलाकार की क़द्र कौन नहीं करता?

चर्चा समाप्त करता हूँ क्योंकि "हरि अनन्त हरि-कथा अनन्ता"। तुलसीदास ने कहा है कि हम प्रत्येक व्यक्ति का आदर करें क्योंकि "ना जाने केहि वेष में नारायण मिल जायँ"। मैं जानता हूँ कि आपने 'रेणु' जी का सारा कथा-साहित्य पढ़ा है पर मैं निवेदन करूँगा कि आप उनकी 'अतिथि-सत्कार' व 'न जाने केहि वेश में' शीर्षक कथाएँ फिर पढ़ें और बार-बार पढ़ें। यदि चाहते तो 'रेणु' जी एक महान् हास्यकार बन सकते थे और उनकी सारी सामग्री और सारा शिल्प अपना है क्योंकि वे 'अज्ञेय' जी की भाँति 'अद्वैतवादी' नहीं थे। दो दिन की यह ज़िन्दगी है, इसे सबके साथ हँस-बोल कर गुज़ारना ही शाश्वत सुख का सच्चा-सीधा मार्ग है। गोस्वामीजी ने ठीक ही कहा है कि :

तुलसी इस संसार में भाँति भाँति के लोग
सबसे हिल मिल राखिए, नदी नाव संयोग

मेरा शुभ विवाह

हिन्दू धर्म में नर के लिए पच्चीस और मादा के लिए सोलह वर्ष की आयु विवाह के लिए निश्चित की गयी है। कन्या सोलह वर्ष की अवस्था में ही पूर्ण यौवन प्राप्त कर लेती है और उसका सौन्दर्य निखर उठता है। सोरह सिंगार किये सोरह बरस की। प्राप्ते तो षोडशे वर्षे गर्दभी चाप्सरायते। वर जो होता है वह पच्चीस वर्ष का ही होता है क्योंकि इस आयु से पूर्व वह परिपक्व बुद्धि का नहीं होता और न ही तब तक वह किसी धन्धे में ही लगता है। भगवती बाबू के उपन्यास 'तीन वर्ष' की नायिका के अनुसार विवाह जो है वह आर्थिक प्रश्न ज़्यादा और मानसिक प्रश्न कम है। बहरहाल, पता नहीं क्यों और कैसे, ख़ाकसार जो था वह पन्द्रह वर्ष की ही आयु में विवाह के लिए पूरी तरह योग्य हो गया था। मेरा जन्म कन्या राशि में हुआ था और शायद इसी कारण मैं अपेक्षाकृत कुछ पहले ही युवा हो गया था। अगर जलालुद्दीन अकबर सोलह साल की उम्र में हिन्दोस्तान का बादशाह बन सकता था तो मैं पन्द्रह या सोलह वर्ष की आयु में विवाह के योग्य क्यों नहीं हो सकता था?

यौवन प्राप्त करने के बावजूद मैं कायर ही रहा और इसी कारण अपने माता-पिता को यह नेक सलाह नहीं दे सका कि उन्हें अब मेरी शादी की फ़िक्र करनी चाहिए। मैंने पिताजी के एक मित्र से कहा कि वे यदि उचित समझें तो मेरे पूज्य पिताजी से इस बारे में कुछ चर्चा-परिचर्चा करें। उन सज्जन ने पिताजी से बाक़ायदा चर्चा की मगर अफ़ीम के नशे के कारण वे शायद पिताजी को यह नेक सलाह दे आये कि वे अपनी एक शादी और कर लें। सब तरफ़ से निराश होकर हमने वही चिरन्तन नुस्ख़ा अपनाया जो सदा से इस देश में प्रचलित रहा। हमने निश्चय कर लिया कि किसी कन्या से छेड़खानी करेंगे ताकि उसका बाप हमारे पिताजी से शिकायत करे और पिताजी अपनी निजी पत्नी से सलाह-मशविरा करके इस निष्कर्ष पर पहुँचें कि लड़का अब जवान हो गया है और अब इसकी शादी जो है वह कर ही देनी चाहिए। इतना तय कर लेने के बाद हमने महल्ले के घरों पर निगाह डाली और यह देखकर बेहद अफ़सोस किया कि हमारे महल्ले में या तो लड़कियाँ थीं ही नहीं, या थीं तो ऐसी थीं कि उनसे किसी भी तरह की कोई छेड़खानी की ही नहीं जा सकती थी

या फिर ऐसी थीं कि वे छेड़खानी की शिकायत किसी से कभी नहीं करतीं बल्कि मुझे ही और छेड़खानी करने के लिए उकसातीं। बड़ी मुश्किल से महल्ले से कुछ दूर एक कुलीन घर मिला जहाँ प्रत्येक प्रकार की लड़कियाँ हर वक़्त बहुतायत के साथ पायी जाती थीं। वहाँ मैंने एक कन्या को थोड़ा-बहुत छेड़ा तो परिणाम यह रहा कि कन्या की माता, उसकी विमाता, उसकी बाकी विवाहिता व अविवाहिता बहिनें, विवाहित भाभियाँ और अविवाहिता नौकरानियाँ—सब की सब अपने साथ छेड़खानी करने के लिए मुझे खुली दावत देने लगीं। मैं तो वहाँ जाकर इतना डरा कि पानीपत की दूसरी या तीसरी लड़ाई लड़ने की कभी हिम्मत ही नहीं हुई। इस अभियान का भी कोई ठोस परिणाम नहीं निकला। हाँ, अलबत्ता एक दिन, पिताजी ने हमें आधा घण्टे तक धाराप्रवाह शैली में चुनी-चुनी गालियाँ अवश्य दीं। कुछ गालियाँ तो इतनी प्रांजल, तत्सम व संस्कृतनिष्ठ भाषा में थीं कि 'प्रियप्रवास' के लेखक श्री अयोध्यासिंह उपाध्याय 'हरिऔध' के अतिरिक्त और कोई उन्हें दे ही नहीं सकता था। 'ठेठ हिन्दी का ऐसा ठाठ' दिखाना सबके बस की बात नहीं थी। बहरहाल, इस सबसे हमारे यौवन पर कोई फ़र्क़ नहीं पड़ा। वह निखरता रहा, फूटता रहा और दिन दूनी रात चौगुनी वाली गति से उस ग्राम्य विशेष की दिशा में गतिशील होता रहा जहाँ से कि हमारे शुभ विवाह का प्रथम शुभ निमन्त्रण हमारे घर आया।

जहाँ से मेरी सर्वप्रथम सगाई आयी, वह परिवार एक खेतिहर परिवार था। मेरे भावी श्वसुर कन्या के साथ-साथ एक अदद भैंस भी देना चाहते थे जो कि उनकी सुपुत्री की भाँति एक चल सम्पति ही थी। मेरी माता की निगाह मात्र भैंस पर थी जबकि मेरी अपनी निगाह मात्र कन्या पर ही केन्द्रित थी। अम्माँ बड़ी ख़ुश थीं कि वधू के साथ-ही-साथ एक भैंस भी आ रही है। राजमहिषी और महिषी साथ-साथ गर्भाधान करेंगी और साथ-ही-साथ सन्तान देंगी ताकि पौत्रों को भैंस का धारोष्ण दूध पीने के लिए मिल सके। यह बातचीत आगे नहीं बढ़ सकी जिसके प्रमुख कारण दो रहे। एक तरफ़ तो मेरे एक अन्तरंग मित्र ने मुझे यह शुभ सूचना दी कि उसने कन्या और भैंस—दोनों के दर्शन किये थे और स्थिति यह थी कि कन्या और भैंस—इन दोनों पदार्थों में कोई विशेष अन्तर नहीं था। काठी व स्वास्थ्य में कन्या भैंस से इक्कीस ही बैठती थी, उन्नीस नहीं। दूसरी महत्त्वपूर्ण घटना यह घटी कि भैंस के असली मालिक ने उसे पहचान लिया था और हमारे होने वाले पूज्य श्वसुर साहिब अपने दो कुलदीपकों के साथ पुलिस की हिरासत में चले गये थे। हमारे दूरदर्शी पिताजी ने अम्माँ को समझाया कि जो आदमी भैंस जैसी बड़ी चीज़ चुरा सकता है, क्या वह किसी की कन्या नहीं चुरा सकता? मेरी पतिव्रता अम्माँ ने उस शादी पर उसके बाद कोई ज़ोर नहीं दिया। भैंस अपनी जगह रही और कन्या अपनी जगह।

हमारी अगली सगाई जेल के एक अधिकारी के यहाँ से आयी। लड़की अम्माँ को पसन्द थी जिसका प्रमुख कारण यह था कि उसके भाई-बहिन बहुत थे। अम्माँ

का विचार था कि भरे-पूरे परिवार की कन्या अपने घर को भी उसी भाँति सजायेगी। यह सगाई हमें कुछ ज़्यादा नहीं जँची क्योंकि हमारे विचार में एक जेलर की लड़की अपनी ससुराल में भी जेल जैसा ही वातावरण रखती जो हमें हर्गिज़ पसन्द नहीं था।

अगली सगाई एक ऐसी जगह से आयी जहाँ से काफ़ी दहेज आना था। यूँ तो मेरे पिताजी ख़ानदानी आर्यसमाजी थे पर इस रिश्ते में उनकी भी बहुत दिलचस्पी थी। इस दिलचस्पी का कारण मुझे बाद में मालूम हुआ। लड़की बेहद सुन्दर थी और गाना-बजाना भी बख़ूबी जानती थी। कमी जो थी वह मात्र यह थी कि कन्या विधवा थी। विधवा-विवाह के परम समर्थक हमारे पिताजी इस मामले में ज़्यादा दिलचस्पी मात्र इसी कारण ले रहे थे। दहेज की बात तो गौण थी। मेरे पिताजी विधवाओं को देखकर—ख़ासकर हसीन बेवाओं को देखकर—इतने व्यथित हो जाते थे कि यदि सम्भव होता तो आर्यावर्त की सारी विधवाओं से वह ख़ुद ही शादी कर लेते। इस दिशा में उनसे जो कुछ भी बना, उन्होंने सदा किया। हाँ अलबत्ता, यह कहते हुए मुझे खेद होता है कि अपनी वृद्धावस्था में उन्होंने अपनी निजी पत्नी को ही विधवा छोड़ दिया।

कुछ दिनों बाद हमारा एक और रिश्ता आया। कन्या कहानियाँ लिखती थी, स्कूल के वार्षिक-उत्सव पर आयोजित नाटक में अभिनय करती थी, स्काउट थी, कबड्डी खेलती थी, पेड़ पर चढ़ना जानती थी और अपनी प्रधानाध्यापिका की मेज़ की दराज में मेढक भी रखा करती थी। वे लोग मेरी उच्च शिक्षा का सारा व्यय उठाने को तैयार थे जो सचमुच एक बड़ी चीज़ थी। बातचीत चल ही रही थी कि मुझे उसकी एक कहानी पढ़ने को मिली जो स्कूल की मैगज़ीन में छपी थी। कहानी जासूसी थी जो आगे चलकर ऐतिहासिक हो जाती थी। जब मैंने सुना कि उसके साथ मेरा विवाह होना लगभग निश्चित हो चुका है तो मैं बग़ैर टिकिट लिये हरिद्वार भाग गया। जैसा कि मैंने एक दिन देखा, कन्या जो थी वह एकदम स्त्री-पहिलवान थी और गुणों में ही नहीं वरन् शक्ल-सूरत में भी जयशंकर 'प्रसाद' से मेल खाती थी। इसी कारण उसे देखकर मुझे सदा उन महाकवि की 'आँसू' नामक कृति पढ़ने की तीव्र इच्छा होती रही।

फिर पिताजी के एक आर्यसमाजी मित्र की कन्या ने हममें दिलचस्पी लेनी शुरू की। कन्या यज्ञ करना जानती थी, चारों वर्ण, चारों आश्रम और गर्भाधान से लेकर अन्त्येष्टि तक सोलह संस्कारों का उसे पूरा ज्ञान था। पति की सेवा करने के सारे ढंग उसे भलीभाँति ज्ञात थे। दुर्भाग्यवश हमारी और उसकी जन्मपत्रिका नहीं मिली और जिन दिनों यह मामला हाईकमाण्ड के विचाराधीन था, उन्हीं दिनों हमारा एक गधा मर गया। अम्माँ जी ने उस दुर्भाग्यवाहिनी कन्या को स्वीकार करने से मना कर दिया। वैसे भी अम्माँ को सनातन धर्म वाली कन्या पसन्द थी, आर्यसमाज धर्म वाली नहीं। वे यज्ञ की अपेक्षा उपवास, पितृपक्ष व मन्दिर जाने में विश्वास रखने वाली

महिला थीं और उन्हें ऋग्वेद की अपेक्षा 'हनुमान चालीसा' कहीं ज़्यादा पसन्द थी।

मेरे एक अध्यापक थे जिनके बड़े भाई डॉक्टर थे। उनकी पुत्री को देखा तो आँखों के तोते उड़ गये। एकदम वही कालिदास द्वारा वर्णित रूपराशि; या तत्र स्यात् युवतिविषये सृष्टिराद्यैव धातुः। बालिका कविता करती थी और मेज़पोश पर फूल भी निकालती थी। बड़ी बात यह थी कि उसमें लज्जा और निःसंकोचता—दोनों गुण साथ-साथ काम करते थे। मुझसे जब भी मिलती थी, बड़े संकोच के साथ मिलती थी और मिलने के बाद कालिदास के उन श्लोकों का अर्थ पूछा करती थी जिन्हें बताते हुए मुझ पर लज्जा के फूल खिलने लगते थे। उसका साहित्य का मर्म समझने का यह ढंग हमें बहुत पसन्द था। इस लड़की के साथ दहेज भी ख़ूब आना था और उम्र भर निःशुल्क चिकित्सा की जो व्यवस्था थी, वह अलग। एक दिन हमने एकान्त में उससे प्रणय-निवेदन किया जिसका तात्कालिक परिणाम यह रहा कि वह अगले ही दिन अपने पिता के एक स्वस्थ, सुन्दर और युवा कम्पाउण्डर के साथ भाग गयी। भविष्य में ऐसे ख़तरों से सुरक्षित रहने के लिए उसके डॉक्टर पिता ने इस बार एक शोख़ युवती को कम्पाउण्डर रखा जिसके साथ थोड़े दिनों बाद वे बेचारे खुद ही भाग गये।

अब मुझे यह एहसास होने लगा था कि बिना दहेज वाली कन्या के साथ मेरा परिणय शायद नहीं होगा। उन दिनों वधू की हत्या करने का रिवाज़ कुछ कम था और ऐसे घर में दूसरी शादी तो होती ही नहीं थी। दहेज के लिए मेरे पिताजी आर्यसमाज छोड़ सकते थे और यदि बस चलता तो मेरा विवाह किसी कुमारी शूर्पणखा, कुमारी सुरसा या सुश्री हिडिम्बा के साथ भी सम्पन्न कर सकते थे। इन्हीं दिनों एक जागीरदार की लड़की का रिश्ता आया जो मुझे उच्च शिक्षा प्राप्त करने के लिए विदेश भी भेजने को तैयार थे। जागीरदार साहब के पास दर्जनों कुत्ते थे, आठ-दस रखैलें थीं, तीन पत्नियाँ थीं, बेशुमार दौलत थी, मगर सन्तान के नाम पर मात्र यह बालिका ही थी जिसके साथ हमारी शादी की चर्चा चली। कन्या ने बाक़ायदा हमारा इण्टरव्यू लिया जिसके दौरान वह कोई आधा दर्जन कुत्तों के साथ अपने सिंहासन पर बैठी रही। इस कन्या का प्रत्येक ऋतु का प्रेमी अलग था जो हर साल बदलता रहता था। उसकी जेब में हमेशा पिस्तौल रहती थी, मुँह में सिगार रहता था और मेज़ पर शराब रहती थी। वह शिकार बहुत अच्छा खेलती थी और परिवार-नियोजन की शौक़ीन थी। मैंने साक्षात्कार के दौरान जब-जब भारतीय नारी, भारतीय साहित्य या भारतीय संस्कृति की चर्चा छेड़ी, उसने हमेशा 'शिट्' कहकर मेरा हौसला बढ़ाया। उसने जो पोशाक पहन रखी थी, उसमें वह अधनंगी लगती थी। इण्टरव्यू के बाद उसने कसकर मेरा हाथ दबाया और मैनेजर को बुलाकर मेरे सामने डाँटा कि ऐसे दक़ियानूसी, शाकाहारी और ब्रह्मचारी नौजवानों को बुलाकर उसका क़ीमती वक़्त क्यों ख़राब किया जाता है? जब बूढ़े मैनेजर ने अर्ज़ किया कि यह मुलाक़ात तो बड़े

साहब के कहने पर रखी गयी थी तो उस स्वस्थ व सुदृढ़ बालिका ने फिर 'शिट्' शब्द का उच्चारण किया और उसके बाद वह मेरे सामने ही तैरने के लिए पोशाक बदलने लगी। मैं उनकी विशाल हवेली (जो किसी अजायबघर की भाँति सजी थी) ड्राइंग रूम और शानदार लॉन देखता हुआ बाहर निकल आया। इस बातचीत के टूटने से मेरा दिल टूट गया। उनकी बेटी ने चढ़ा रखी है दुनिया सर पर, ख़ुदा का शुक्र है अंगूर के बेटा न हुआ....

इस हादसे के बाद हमारी विवाह से रुचि उठ गयी। यूँ तो उन दिनों कन्या सदा से ग़रीब पहाड़ पर से हमेशा सौ रुपये में मिल जाती थीं पर हम तो अब गृहस्थाश्रम के बजाय सीधे संन्यासाश्रम में ही जाना चाहते थे। महर्षि दयानन्द, आदिगुरु शंकराचार्य व स्वामी विवेकानन्द ने भी तो ऐसा ही किया था। अहम् ब्रह्मोस्मि। हम लड़की पसन्द न करें—यह हमारा अधिकार है पर कोई लड़की हमें पसन्द न करे—यह भारतीय संस्कृति के विपरीत है और इसी कारण निन्दनीय है। मगर विधि के विधान को कौन टाल सकता है? यह कोई भारत का विधान थोड़े ही है जो एक याचिका देने पर अदालत द्वारा रोक दिया जाए। हमारे भाग्य में विवाह होना लिखा था सो हो गया। दहेज भी आया, नाई और ब्राह्मण भी आये, बहँगी भरकर मिठाइयाँ भी आयीं और अन्त में चलकर एक अदद सर्वगुणसम्पन्न वधू भी आयी। उसके रत्न होने में सन्देह करना अनुचित होगा क्योंकि उसके गाँव का नाम ही 'रतनगढ़' था। वहाँ 'लड़कियाँ' कम होती थीं, 'रत्न' ज़्यादा पाये जाते थे। भगवान ने जैसा भला मेरा किया, वैसा भला आप सबका करे।

लिखने का कारण

आम तौर पर विवाह जो होता है वह माता-पिता की इच्छा के कारण होता है और बच्चा जो होता है वह विवाह के कारण होता है। ताजमहल के निर्माण का कारण यह था कि शहंशाह शाहजहाँ को एक ओर तो अपनी बेग़म से बेहद प्यार था और दूसरी ओर उसे इमारतें बनवाने का ज़बर्दस्त शौक़ था। अगर बच्चों का जन्म और इमारतों का निर्माण बिना कारण के नहीं हो सकता तो ज़ाहिर है कि साहित्य जो लिखा जाता है, उसका भी कोई-न-कोई कारण ज़रूर होता होगा चाहे लेखक को उन कारणों का पता हो या न हो।

बाहरी तौर से देखने पर लगता है जैसे कि प्रत्येक लेखक या कवि अपने-अपने निजी कारणों से साहित्य की सृष्टि करता है। राजा भर्तृहरि जो कवि बने उसका कारण यह था कि उनकी सुन्दर रानी एक परपुरुष से प्रेम करती थी। वाल्मीकि जी के कवि बनने का कारण यह था कि उन्होंने एक दिन अपने तीर से एक पक्षी-युगल में से एक को मार दिया था। सुमित्रानन्दन पन्त वियोगी होने के कारण महाकवि बने। दरबारी कवि जो थे वे जागीर और इनाम के लालच में कविता करते थे। महाकवि केशवदास ने कविधर्म से इतना धन कमाया जितना कि कोई भी कवि शायद अभी तक नहीं कमा पाया। पद्माकर ने एक के बाद एक राजा का आश्रय लिया पर अपनी कविता पर विशेष आँच कभी नहीं आने दी। चेखव, सर आर्थर कानन डायल व सामरसेट माम पेशे से डॉक्टर थे और मरीज़ों के आने की प्रतीक्षा में, अपनी ऊब दूर करने के लिए कुछ लिखा करते थे। बाद में चलकर वे खुद डॉक्टर नहीं रहे वरन् लेखनी के मरीज़ हो गये। बाल्जक क़र्ज़दारों का क़र्ज़ उतारने के लिए अश्लील साहित्य तक लिखता था, जब कि ओलिवर गोल्डस्मिथ ने अपना आधा साहित्य डॉ. सेमुएल जानसन के दबाव डालने पर ही लिखा। देवकीनन्दन खत्री ने 'चन्द्रकान्ता' मात्र अपने मनोरंजन के लिए लिखी थी पर पोथी जब बिकने लगी तो चन्द्रकान्ता को सन्तान देने के लिए भी विवश किया गया। अज्ञेय जी का प्रमुख उद्देश्य विदेशी साहित्य को हिन्दी-पाठकों तक पहुँचाना था। विश्व के विभिन्न महान् लेखकों के लिखने के अपने-अपने कारण थे। गुलशन नन्दा हिन्दी के एकमात्र

ऐसे लेखक थे जो हिन्दी-साहित्य की श्री-वृद्धि करने तथा उसका स्तर ऊँचा उठाने के अतिरिक्त और कोई स्वार्थ नहीं रखते थे।

गोस्वामी तुलसीदास भी अपनी निजी पत्नी के कारण राम के भक्त व जन-कवि बने। उन्होंने जो कुछ लिखा वह 'स्वान्तः सुखाय' और 'बहुजन हिताय' ही लिखा। मेरा निजी मत है कि इन दो कारणों के अतिरिक्त, यश की लिप्सा भी लिखने का चिरन्तन कारण रही। यशःप्रार्थी कवि। यदि मात्र अपने सुख और परजनहित के लिए ही साहित्य रचा जाता तो साहित्य की जो विपुल राशि संसार में पायी जाती है वह न पायी जाती। मिर्ज़ा ग़ालिब तक अपनी ग़ज़लें सुनने के लिए डोमनियों के महल्ले में जाया करते थे। मीर तकी 'मीर' एक बेहद उदास आदमी थे पर अपनी प्रशंसा सुनकर उनके चेहरे पर भी चमक आ जाती थी।

जेल का जीवन भी बहुतों के लिए लिखने का कारण बना। सम्राट् बहादुरशाह ज़फ़र, लोकमान्य तिलक, पण्डित नेहरू, दोस्तोएवस्की, आस्कर वाइल्ड, सर वाल्टर रैले और जूलियस फीचक जैसे बड़े लोग अपना काफ़ी साहित्य जेल में ही लिख पाये। जो नवयुवक सच्चे साहित्यकार बनना चाहते हों, उन्हें चाहिए कि चरित्रहीन पत्नियाँ रखें, संगदिल प्रेमिकाएँ पालें या जेल जाएँ।

साहित्य की सृष्टि का मूल भौतिक कारण है शरीर में वायु का बढ़ जाना। संस्कृत में एक स्थान पर कहा गया है कि "तुम कविता करते हो? क्या तुम्हारा कोई मित्र नहीं है जो तुम्हारी अतिरिक्त वायु को बाहर निकाल दे? गाय का घी पियो और बन्द मकान में रहो। बात के आधिक्य से लोग कवि हो जाते हैं।" मूलपाठ इस प्रकार हैः

काव्यं करोषि किं ते सुहृदाः न सन्ति
ये तव उदीर्णपवनं न निवारयन्ति
गव्यं घृतं पिब, निवातगृहं प्रविश्य
वाताधिकाः हि पुरुषाः कवयः भवन्ति

भिक्षा-वृत्ति

भिक्षा माँगने की परम्परा बहुत पुरानी है। कभी भगवान विष्णु ने स्वयं बौना रूप धारण कर राजा बलि से दान माँगा था। रावण ने भी सीता से भिक्षा ही माँगी थी। सुदामा स्वयं अपने सखा भगवान कृष्ण के पास भिक्षा ही माँगने गये थे। रीतिकाल में नायक लोग नायिकाओं से उनके प्रणय की भिक्षा माँगा करते थे। नायिकाएँ प्रायः दयालु होती थीं और नायक को मन के साथ-साथ अपना तन भी दे दिया करती थीं। कितनी खुशी की बात है कि हमारे देश में यह परम्परा अभी भी विद्यमान है। चुनाव के समय बड़े-बड़े नेता जनता से हाथ जोड़कर भिक्षा माँगते हैं और मन्त्री बन जाने के उपरान्त वे भिक्षा माँगने के लिए स्वयं विदेश जाते हैं। छोटी राशि माँगने को 'भिक्षा' कहा जाता है और अरबों रुपये माँगने को 'सहायता' कहा जाता है। विदेशी सरकारें ऋण देती हैं और उनकी अदायगी के लिए बाद में सहायता भी खुद ही देती हैं। अब वे दिन गये जब "उत्तम खेती, मध्यम बान; अधम चाकरी, भीख निदान" वाली कहावत चला करती थी। उस कहावत की जगह अब नेता जी का वायुयान चलता है जिसके द्वारा विदेशों से भीख माँगी जाती है। विदेशों में मन्त्री जी को शाही स्वागत मिलता है, राजकीय दावतें मिलती हैं प्रसिद्ध स्थलों को देखने का अवसर प्राप्त होता है और साथ-ही-साथ अपने देश के लिए वह सहायता भी मिलती है जिसका काफ़ी हिस्सा मन्त्री जी की यात्रा पर ही ख़र्च हो जाता है। ढाका के भूतपूर्व राष्ट्रपति (जो इन दिनों जेल में हैं) विदेशों में जाकर मात्र वहाँ की रूपसियों के साथ ही घनिष्ठ सम्बन्ध स्थापित किया करते थे। युवतियों को कस कर रखने की प्रक्रिया में, उनकी पकड़ अपने देश के ऊपर ढीली हो गयी और इसी कारण उन्हें जेल जाना पड़ा।

यूँ तो शायद ही ऐसी कोई जगह हो जहाँ हमारे देश में भिखारी न दिखायी देते हों पर जो मनोरम दृश्य तीर्थस्थानों पर देखने को मिलता है वह सचमुच लाजवाब है। बहुत बड़े-बड़े लक्ष्मीपति बच्चों की चोरी करवाते हैं और बाद में उन्हें अपंग बनाकर उनसे भीख मँगवाते हैं। इस प्रकार की आय से कभी-कभी वह मन्दिर भी बनवाया जाता है जिसके आसपास ये भिखारी भीख माँगते हैं। यह लोक भी ठीक और परलोक भी ठीक। मेलों से जो लड़कियाँ भगायी जाती हैं, उनसे भिक्षा नहीं मँगवायी जाती। यदि वे सुन्दर निकलती हैं तो सेठजी उनसे मात्र वेश्या-वृत्ति ही

करवाते हैं जिसके लिए उनके तन को अपंग नहीं करना पड़ता, मात्र उनके मन को ही अपंग करना पड़ता है। यह धन्धा भी धार्मिक स्थानों पर ही ज़्यादा चलता है। राँड-साँड सीढ़ी संन्यासी, इनसे बचै तो सेवै काशी। संन्यासियों को तो भिक्षा माँगना वैसे भी सदा से आवश्यक रहा: कह गिरधर कविराय ज्ञान की देवै दिक्षा, क्षुधा निवृत्ती अर्थ माँग कै खावै भिक्षा। भिक्षा प्राप्त करने और छक कर भोजन करने के उपरान्त, एक सच्चे संन्यासी को मात्र एक काम और रह जाता है और वह है हुक़्क़ा पीना। कवि के शब्दों में स्थिति यह है कि—कह गिरधर कविराय जो यम का आयो रुक्का, जिय ले गयो जो काल हाथ में रहिगा हुक़्क़ा। मैंने कुछ ऐसे भी परोपकारी संन्यासी देखे हैं जो भिक्षा माँगने के साथ-साथ रूपवती रमणियों को सन्तान का लाभ भी दिया करते थे। यूँ तो प्रायः सभी भिक्षुक क्षमाशील होते हैं पर कुछ ऐसे याचक भी होते हैं जो इच्छित फल की प्राप्ति न होने पर हिंसक हो उठते हैं। लन्दन में एक युवती शिक्षिका को कुछ नवयुवकों ने क्लास ही के भीतर उससे राक्षस-विवाह सम्पन्न करके भ्रष्ट कर दिया क्योंकि वह उनके साथ गन्धर्व-विवाह नहीं करना चाहती थी। वैस्ट इज़ वैस्ट (आल्डस हक्सले)

मास्को में एक घर में एक चोर चोरी करने घुसा पर उसने जब उस घर की आर्थिक स्थिति देखी तो चोरी तो क्या, वह अपनी जेब से पाँच हज़ार रूबल भीतर छोड़ आया। सुबह को जब घर वालों की आँखें खुलीं तो उन्होंने उस रुबल में से पहले तो सेंध लगी दीवार की मरम्मत करायी और फिर खाने की सामग्री ख़रीदी। भगवान ने छप्पर फाड़कर तो नहीं दिया पर दीवार तोड़कर अवश्य दिया। यदि एक चोर दयावान् हो सकता है तो एक भिखारी वैसा क्यों नहीं हो सकता? पटना के एक भिखारी ने मरते समय पाँच हज़ार रुपयों की राशि छोड़ी है जिसके साथ यह वसीयत की है कि इसके द्वारा शेष भिखारियों की सहायता की जाए। मुझे पूरा विश्वास है कि वह रक़म भी पुलिस व स्थानीय नेता खुलेआम डकार गये होंगे। अहमदाबाद में एक ऐसा भिक्षुक भी है जिसकी मासिक आय तीन हज़ार रुपये है। इस तीन हज़ार प्रतिमाह की आय के सहारे वह दो अदद पत्नियाँ रखता है, दो मकानों का मालिक है और घर से भिक्षा माँगने के स्थान तक वह भाड़े के स्कूटर पर जाता है। भिक्षुक का नाम है कमल भाई शेख़ अब्बासी और उसकी ख़ास पहचान यह है कि वह निपट अन्धा है। आदमी चाहे तो भीख माँगकर भी सम्पन्न व सुखी हो सकता है। और अन्धेपन पर तो अफ़सोस करना एकदम बेकार है। इतिहास हमें बताता है कि बड़े-बड़े राजा और बादशाह अन्धा होने का शौक़ रखते थे। महारानी तिष्यरक्षिता ने कुणाल को अन्धा करवाया था, जहाँगीर ने शहज़ादे खुसरो को अन्धा करवाया था और सैयद भाइयों ने यही कृपा सम्राट् फर्रुखसियर के साथ की थी। बाद में चलकर रुहेले सरदार गुलाम कादिर ने शहंशाह शाहआलम को भी अन्धा करवाया और उसके बाद तख़्ते-ताऊस पर बैठकर शाही हुक़्क़ा पिया।

यह एक चिरन्तन प्रश्न है कि चोरी करना बेहतर है या कि भीख माँगना। चोर

हमेशा यही कहता है कि "मैं चोरी ही तो करता हूँ, कोई भीख तो नहीं माँगता?" जबकि भिखारी हमेशा यही कहता है कि "मैं मात्र भीख ही तो माँगता हूँ कोई चोरी तो नहीं करता?" बहरहाल कुछ ऐसे भी सिद्ध-हस्त कलाकार हैं जो दिन में भिक्षा माँगते हैं और रात को चोरी करते हैं। एक चोर ने अभी-अभी पाकिस्तान के प्रधानमन्त्री के तेरह हज़ार डालर तब चुरा लिये जबकि वे बंग्लादेश की सरकारी यात्रा पर गये हुए थे। मुझे पूरी उम्मीद है कि बंग्लादेश की पुलिस चोर को ज़रूर पकड़ निकालेगी और उसे अदालत से सज़ा भी दिलवाएगी। वह देश कोई भारतवर्ष थोड़े ही है जहाँ एक वकील ने एक जूडीशल मैजिस्ट्रेट को इस कारण पीट दिया क्योंकि उसने जो फ़ैसला दिया था वह वकील को पसन्द नहीं था। इलाहाबाद हाईकोर्ट के चीफ़-जस्टिस तक को वहाँ के बार-एसोसिशन ने यह खुलासा किया कि "तुम कोई शहंशाह नहीं हो।" हालत इतनी ख़राब हो गयी कि राज्य के मुख्य सचिव तथा पुलिस के महानिदेशक एक विशेष वायुयान के द्वारा लखनऊ से प्रयाग पहुँचे। आपके पास यदि समय हो तो 20.4.1993 का 'इण्डियन एक्सप्रेस' पढ़ें और गर्व से नतमस्तक हों।

मेरा यह निश्चित मत है कि चोरी कोई आदमी तभी करता है जबकि उसे भिक्षा नहीं मिलती। बलात्कार की नौबत तभी आती है जबकि और किसी प्रकार प्रणय मिलने की सम्भावना नहीं रहती। यदि सारे काम शान्ति से चला करते तो युद्ध कभी नहीं होते। हमें हर याचक की प्रार्थना को ध्यानपूर्वक देखना होगा कि कहीं उसे अस्वीकर कर देने से कोई और संकट तो नहीं आ जायेगा। यदि देश के सारे नागरिक सारे याचकों की सारी याचनाएँ मानने लगें तो देश के कुल अपराध पचास प्रतिशत कम हो जाएँ। आधे वकील, मैजिस्ट्रेट तथा पुलिस वाले बेकार हो जायें और याचकों की लाइन में खड़े हो जाएँ। बहरहाल उस सुखद स्थिति के आने में समय लगेगा। तब तक आप भिक्षा-वृति के सन्दर्भ में रहीम के कुछ दोहे पढ़ें और मौज करें:

असमय परे रहीम कहि, माँगि जात तजि लाज।
ज्यों लछमन माँगन गये, पाराशर के नाज।।
माँगे घटत रहीम पद, कितो करो बढ़ि काम।
तीनि पैंग वसुधा करी, तऊ बावनै नाम।।
रहिमन वे नर मरि चुके, जे कहुँ माँगन जाहिं।
उनते पहले वे मरे, जिन मुख निकसत नाहिं।।
अरज-गरज मानै नहीं, रहिमन ये जन चारि।
रिनियाँ राजा माँगता, काम-आतुरी नारि।।
जे ग़रीब पर हित करैं, ते रहीम बड़ लोग।
कहा सुदामा बापुरौ, कृष्ण मिताई योग।।
माँगे मुकुरि न को गयो, केहि न त्यागियो साथ।
माँगन आगे सुख लह्यो, ते रहीम रघुनाथ।।

हमारे इतिहास का अन्धायुग

मुग़ल वंश के महान् सम्राट् औरंगज़ेब आलमगीर की मृत्यु सन् 1707 को हुई। उसके मरने के दस वर्ष के भीतर ही विश्व का वह तत्कालीन महानतम साम्राज्य, रेत की दीवार की भाँति ढह पड़ा। तब से लेकर सन् 1858 तक मेरे इलाके (दिल्ली और पश्चिमी उत्तर प्रदेश) में जो कुछ गुज़रा वह शब्दों में बताना कठिन है। ऐसी अराजकता, अनिश्चितता और बदनसीबी इस भूखण्ड ने न कभी पहले देखी थी और न कभी बाद में देखी। इतिहास से बड़ा व्यंग्य और कहीं मिल सकता है?

दिल्ली का तख़्त कमज़ोर होते ही न जाने कितने ज़मींदार और जागीरदार लगभग आज़ाद हो गये। उत्तर में सिखों ने संगठित होना शुरू कर दिया और पूरब में वही काम रुहेलों ने किया। अवध का नवाब, नवाबी भी करता था और दिल्ली की वजारत भी करता था। जो वक़्त बचता था उसमें वह ग़रीब अपने हरम में मेहनत करता था जिसमें सिर्फ़ सात सौ हसीना थीं। दिल्ली के दक्षिण में जाटों के राजा सूरजमल इतने शक्तिशाली हो गये थे कि उन्होंने आगरे के क़िले को ही अपने क़ब्ज़े में कर लिया था। समरू की भाँति काफ़ी लोग अपनी निजी सेना रखते थे और जो भी असामी ज़्यादा मुआवजा देता था, उसकी मदद करते थे। सल्तनते जम्हूरियत नाम की एक शक्तिशाली संस्था अलग से खड़ी हो गयी थी और इन सबके ऊपर थीं तीन ऐसी ताकतें जिनमें से सभी महत्त्वाकांक्षी, दिलेर व पराक्रमी थीं। एक शक्ति थी मराठा-साम्राज्य की, दूसरी शक्ति थी ईस्ट-इण्डिया-कम्पनी की और तीसरी शक्ति थी उन विदेशी लुटेरों की जो खैबर के दर्रे की मदद से हिन्दुस्तान लूटने आते थे और करोड़ों की सम्पत्ति लूट कर वापस लौट जाते थे। नादिरशाह और अहमदशाह अब्दाली इन लुटेरों में प्रमुख थे। इनकी लूट का सही अनुमान लगाना असम्भव है। कविता-प्रेमी नादिरशाह जिस तख़्ते-ताऊस को लाल क़िले से उठाकर अपने साथ ले गया था, उसकी क़ीमत उस समय केवल एक करोड़ बीस लाख पाउण्ड थी।

इस अन्धे युग में अनेक पुरुष ऐसे भी हुए जो विलक्षण थे। यहाँ मैं कुछ ऐसी ही गिनी-चुनी हस्तियों की चर्चा करूँगा और आपको सलाह दूँगा कि यदि आपको इस युग में कोई दिलचस्पी हो तो आप ताराशंकर वन्द्योपाध्याय के 'बेग़म'

व 'गुलबदन' नामक दो उपन्यास, बाबू वृन्दावनलाल वर्मा का 'माधव जी सिन्धिया' नामक उपन्यास, मीर तकी 'मीर' की आत्मकथा 'ज़िक्रे मीर' व सर यदुनाथ सरकार द्वारा लिखित 'मुग़ल साम्राज्य का इतिहास' (तीसरा खण्ड) अवश्य पढ़ें। मिल जाए तो जनरल सर लेक की आत्मकथा भी पढ़ें।

एक नगरवधू की एक कन्या थी जिसका कण्ठ सचमुच मधुर था। कुछ सयानों का यह निश्चित मत था कि उसके विविध अंग भी उसकी आवाज़ की ही भाँति मधुर और कोमल थे। उस लड़की का नाम पड़ा गन्ना बेग़म क्योंकि वह गन्ने की भाँति मीठी थी। मैं सोचता हूँ कि यदि वह गुलबदन कहीं आम, खरबूजा, तरबूज, अमरूद, सेब या पपीते की भाँति मीठी होती तो उसका नाम शायद दशहरी बेग़म, लँगड़ा बेग़म, खरबूजा बेग़म या पपीता बेग़म वग़ैरह पड़ता। वह भरतपुर के राजा सूरजमल के पुत्र जवाहरसिंह से प्रेम करती थी पर पिता के हस्तक्षेप के कारण जवाहरसिंह उसे कभी पा नहीं सका। इतनी मीठी होने पर भी वह बेचारी अकेली ही मरी। वह बेग़म कुछ दिनों तक एक नवयुवक के वेश में मराठा सरदार महादजी सिन्धिया के साथ भी रही। उसकी शादी वज़ीर-आलम के साथ हुई थी पर वह क़िस्सा मैं आपको अब सुनाऊँगा। यह मेरा निश्चित विश्वास है कि उसके नाम का लोहा आप भी मानेंगे। सादा जीवन, उच्च विचार।

यूँ तो उस अवधि में एक से एक बड़ा हरामज़ादा दिल्ली का वज़ीर बना मगर जितना धूर्त, प्रपंची, काइयाँ, हरामी, दिलेर और चालाक शहाबुद्दीन (इत्मादुल्मुल्क) निकला उतना कोई और नहीं निकला। वह जाटों के राजा सूरजमल, रुहेलों के मुखिया नजीब खान (नजीबुद्दौला) मराठों के सरदार महादजी सिन्धिया और लखनऊ के नवाब शुजाउद्दौला को एक साथ अपनी विभिन्न जेबों में रखता था। वह बेहद कामुक व निर्लज्ज व्यक्ति था। कई बार उसे सिपाहियों ने दरियागंज में खुलेआम बेइज़्ज़त किया मगर उस पर कोई असर नहीं पड़ा। उसका हरम काफ़ी बड़ा था और आठ सौ के लगभग चुनी हुई सुन्दरियाँ उसकी सेवा में प्रस्तुत रहती थीं। राजकाज में बेहद व्यस्त रहते हुए भी वह हरम का पुराना माल निकालता रहता था और नयी हसीनाओं की भर्ती साल भर चलती रहती थी। सफदरजंग जैसे अनुभवी व्यक्ति ने उसे बादशाह पर ज़ोर डालकर मीर-बख़्शी बनवाया था क्योंकि वह उसके पुराने दोस्त मरहूम निज़ामुल्मुल्क का पौत्र था। शहाबुद्दीन लगभग बीस वर्ष की आयु में ही सल्तनत का वज़ीर-आलम बन गया। उसके बाद उसने दो बादशाहों को क़त्ल करवाया और करोड़ों रुपयों की सम्पत्ति इकट्ठी की। पंजाब के सूबेदार की पुत्री उम्दा बेग़म से उसने शादी का वादा किया और कुरान-शरीफ़ पर हाथ रखकर कसम खायी कि उम्दा बेग़म के साथ शादी हो जाने के बाद वह और कोई शादी कभी नहीं करेगा। इसी दौरान उसे गन्ना बेग़म की रसीली मधुरता का पता लगा और उसने अपनी कसम को मद्देनज़र रखते हुए उससे तुरन्त अपनी शादी की और उसके बाद

उम्दा बेग़म से निकाह किया। कसम भी रह गयी और गन्ना बेग़म भी चूसने को मिल गयी। कसम के मुताबिक वह उम्दा बेग़म से शादी करने के बाद कोई और शादी नहीं कर सकता था पर उम्दा बेग़म के साथ निकाह करने से पूर्व कोई शादी कर लेने पर कसम आड़े नहीं आती थी। अहमदशाह अब्दाली ने जब उसका यह तर्क सुना तो वह हँस पड़ा और लौटने से पहले वह उसी शहाबुद्दीन को फिर से दिल्ली का वज़ीर बना गया। अब्दाली पंजाब के सूबेदार की विधवा मुग़लानी बेग़म को अपनी बहिन मानता था। वह भी एक ही प्रतिभावान् स्त्री थी। इतिहासकारों ने मुग़लानी बेग़म को अपने समय की सबसे ज़्यादा व्यभिचारिणी स्त्री स्वीकार किया है। "क़िले के बाहर कोई भी मौसम होता हो, मुग़लानी बेग़म के पास हमेशा बहार ही रहती थी।" बड़े-बड़े अनुभवी प्रेमी भी उससे प्रेम करने के नये-नये रहस्य सीखकर ही लौटते थे। उम्दा बेग़म उसी की बेटी थी।

लखनऊ के वज़ीर नवाब शुजाउद्दौला ने दिल्ली के गुलाम-बाज़ार से एक गुलाम ख़रीदा जो औरंगज़ेब के एक लड़के का पौत्र था। वह देखने में एकदम शहज़ादा लगता था। ज़रूरत का वक़्त आने पर नवाब ने उसे एक महीने के लिए दिल्ली के तख़्त पर बिठाया। उसके बाद वह अन्धा किया गया और फिर वह पागल हो गया। अहमदशाह अब्दाली ने पानीपत की तीसरी लड़ाई जीतने के बाद लोनी गाँव के पास यमुना के तट पर पड़ाव डाला। दिल्ली का बादशाह उसकी सेवा में प्रस्तुत होने के लिए लाल क़िले से चलकर लोनी गया। अपने बादशाह का यह अपमान देखकर दिल्ली के निवासी (चाहे वे हिन्दू थे या मुसलमान) फूट-फूटकर रोने लगे। उसके बाद अब्दाली बादशाह को छोड़ने और उच्च अधिकारियों से मिलने लाल क़िले आया। दर्रे-ख़ैबर से दिल्ली पहुँचने तक उसकी यात्रा में किसी ने कोई रुकावट नहीं डाली थी पर इस छोटी-सी रस्मी यात्रा को ऊपर बताये अन्धे पागल ने रोकने की कोशिश की और वह मारा गया। अब्दाली ने सुना तो कहा कि "चलो, कम-से-कम एक आदमी ने तो मेरा मुक़ाबला किया।"

अहमदशाह अब्दाली की नाक के अगले भाग में कोढ़ हो गया था जिसे छिपाने के लिए वह नाक के उस हिस्से के ऊपर चाँदी का एक क्लिप पहना करता था। इत्र व फुलेल के बावजूद उसकी नाक से भयंकर दुर्गन्ध आती थी और कोई भी आदमी या औरत उसके पास खड़ा नहीं रह सकता था। स्त्रियों के इस असहयोग के कारण उसका नैतिक चरित्र ज़्यादा नहीं बिगड़ पाया था। बहरहाल जब वह हिन्दुस्तान आया तो एक अत्यन्त प्रतिष्ठित वैद्य को उसके सामने पेश किया गया। वह वैद्य धन्वन्तरि का अवतार माना जाता था। अब्दाली ने अपना नासूर उसे दिखाया और कहा कि "यदि तुमने इस बीमारी को ठीक कर दिया तो तुम्हे मुँह माँगा इनाम मिलेगा और यदि तुम नाकामयाब रहे तो तुम्हारा सिर तुम्हारे धड़ से जुदा कर दिया जायेगा।" वैद्यराज बड़े चतुर व काइयाँ किस्म के इंसान थे। उन्होंने पत्रा निकाला

और अब्दाली से कहा कि "नासूर तो ठीक हो जायेगा पर वैसा होने पर आपका साम्राज्य चला जायेगा। आप याद कीजिए जैसे-जैसे आपका यह नासूर बढ़ा है वैसे ही वैसे आपकी हुकूमत ने विस्तार पाया है। अब आप सब कुछ आगा-पीछा सोच लें और मुझे जैसा चाहे वैसा हुक्म दें।" अब्दाली ने वैद्यराज को इनाम दिया, उसकी चतुरता की प्रशंसा की और उसकी चिकित्सा नहीं करवायी। वैसे यह बात सही थी कि जैसे-जैसे उसका वह नासूर बढ़ा था वैसे ही वैसे उसकी हुकूमत भी बढ़ती गयी थी और उसमें चार से भी ज़्यादा चाँद लगते गये थे।

नजीब ख़ाँ एक सच्चरित्र, व्यवहारकुशल, युद्धप्रेमी, अपमान को न भूलने वाला और धर्मनिरपेक्ष रुहेला सरदार था। उसका वज़ीर प्रायः हिन्दू ही होता था। सहारनपुर, बिजनौर, मुज़फ़्फ़रनगर, मेरठ, बरेली और मुरादाबाद—ये सब ज़िले उसके अधीन थे। वह हरम नहीं रखता था। यदि मराठा सेनापति सदाशिवराव उसे उचित सम्मान देते तो शायद वह पानीपत के युद्ध में मराठों के साथ रहकर अब्दाली के दाँत खट्टे करता। उसकी रिआया उससे खुश रहती थी। उसने नजीबाबाद बसाया और आज़ादी से पहले तक ऊपर बताये ज़िले 'कमिश्नरी रुहेलखण्ड' में आते रहे। दुर्भाग्यवश इस कमिश्नरी का नाम बाद में बदल दिया गया। दिल्ली में सराय-रुहेला नामक इलाका भी नजीब ख़ाँ के पुत्र जावेद ख़ाँ ने ही बसाया। नजीब ख़ाँ का पौत्र था गुलामकादिर जो एक लम्बा, तगड़ा, निडर, रूपवान और दुर्दान्त व्यक्ति था। सुन्दर बालिकाओं से उसे विशेष लगाव था। नजीब ख़ाँ दिल्ली साम्राज्य के मीर-बख़्शी (प्रधान सेनापति) थे और यह ऊँचा ओहदा बाद में उसके पुत्र जावेद ख़ाँ को भी दिया गया। एक बार ऐसा हुआ कि गुलामकादिर वेश बदलकर महल में घुस गया और एक विशिष्ट शहज़ादी से एकान्त में प्रणय-निवेदन करने लगा। इसी बीच शहज़ादी की अम्माँ सीन पर प्रकट हो गयी और उसने उसी शहज़ादी के करकमलों से गुलामकादिर के सिर पर ग्यारह जूते लगवाये। कुछ साल बाद गुलामकादिर एक और भयानक विपत्ति में पड़ गया। नजफ ख़ाँ ने उसकी जान तो किसी तरह बचा दी पर बादशाह के हुक्म से उसको बधिया बना दिया गया। बढ़ती जवानी में एक विलासी नवयुवक को इससे ज़्यादा सज़ा और क्या दी जा सकती थी? गुलामकादिर ने पहले तो खुदकुशी करने की सोची पर फिर बादशाह से बदला लेने का निश्चय किया। वैसे भी, खुदकुशी में जान जाने का ख़तरा था।

समय पाकर वह अपने सैकड़ों हथियारबन्द साथियों के साथ लाल क़िले में घुस आया। शहंशाह शाहआलम को भरे दरबार में अन्धा किया गया और उसके बाद उसने शाही तख़्त पर उकड़ूँ बैठकर हुक़्क़ा पिया जिसका धुआँ उसने बादशाह के मुँह पर छोड़ा। उसने शहंशाह से ख़ज़ाने की चाभी माँगी पर ख़ज़ाना लगभग खाली था। गुलामकादिर ने सारे शाही परिवार को सावन-भादों की भयंकर धूप में खड़ा करवाया और उन्हें न रोटी दी और न एक बूँद पानी दिया। चार दिनों की इस कवायद में

शहंशाह शाहआलम के पाँच नाती और तीन बेग़में मर गयीं। गुलामकादिर की यह धाँधली इक्कीस दिन चली और इस दौरान शाही परिवार के इक्कीस सदस्य मरे। एक बाँदी ने यातना के डर से ख़ज़ाने का पता बतलाया जहाँ से गुलामकादिर को पच्चीस करोड़ के हीरे-जवाहिरात मिले।

जैसे ही गुलामकादिर को पता चला कि महादजी सिन्धिया दिल्ली की ओर बढ़ रहा है, वह शाहदरे के बारूद के शाही गोदामों में आग लगाता हुआ मेरठ की दिशा में भागा, मगर गाँव वालों ने उसे पकड़ लिया और मराठों के सुपुर्द कर दिया। उसका अंग-अंग काटा गया और उसकी आँखें निकालकर शहंशाह शाहआलम के पास भेजी गयीं। शाहआलम ने उन आँखों को हाथ से छूकर देखा और अन्धा होते हुए भी उन्नीस वर्ष और तख़्त की शोभा बढ़ायी। उसने महादजी सिन्धिया को पुत्र कहकर पुकारा और उसे एक भारी-भरकम उपाधि भी प्रदान की। इसके बाद शाहआलम का ज़्यादा वक़्त अफ़ीम खाने और शायरी के लिखने-पढ़ने में गुज़रा।

पानीपत के महान् युद्ध में दो लाख सैनिक मौत के घाट उतरे थे। रानोजी के पाँच पुत्र व वे स्वयं युद्ध में मारे गये पर उनके अवैध पुत्र महादजी सिन्धिया किसी तरह बच निकले। गुलामकादिर से बदला लेने के बाद उन्होंने अन्धे शाहआलम को बादशाह तो रहने दिया पर हुकूमत की बागडोर उनके अपने हाथों में ही रही। 'ज़िक्रे-मीर' के अनुसार "अब बादशाह को सौ रुपये रोज़ मिलता है। मराठे सारे मुल्क पर क़ाबिज़ हैं। महादजी मराठा बादशाह है। जो चाहता है वह करता है। अब मरहठा सारे मुल्क का मालिक है।"

गन्ना बेग़म की भाँति (एक पैर से थोड़े से लँगड़े) महादजी भी कविता किया करते थे। इतने शक्तिशाली होने पर भी वे जब पेशवा के दरबार को जाते थे तो उनके पुराने जूते उतार कर अपने पास रखते थे और पेशवा में अपने हाथ से नये जूते पहनाया करते थे। बहुत बड़े अँग्रेज़ के अनुसार महादजी "स्वयं को सेवक कहते-कहते, सच्चे बादशाह बन गये थे।" वे अँग्रेज़ों की नीयत पहचानने वालों में सर्वप्रथम थे पर वे भारत में एकता बनाये रखने के लिए दिल्ली के बादशाह को बरकरार रखना चाहते थे। अनेक इतिहासकारों ने इशारा किया है कि महादजी में काफ़ी खामियाँ थीं पर किसी ने उन्हें खुलासा नहीं किया। इतिहास में जो व्यक्ति सफल हो जाता है उसकी बुराइयाँ कोई नहीं याद रखता। बहरहाल वे उस युग के एक अद्वितीय व्यक्ति थे जबकि "मराठे और जाट हल की नोक से, सिक्ख तलवार की धार से, दिल्ली के सरदार बोतल की छलक से और अँग्रेज़ सन्धि-पत्रों से भारत का इतिहास लिख रहे थे।"

इस वक़्त मैं उसी नजीबाबाद के रेलवे स्टेशन पर बैठा हूँ। जो रुहेलखण्ड-एक्सप्रेस बरेली से आकर सहारनपुर जायेगी, उसी की प्रतीक्षा है। नजीब ख़ाँ का क़िला ज़्यादा

दूर नहीं है। सोचता हूँ कि जहाँ आज अमन है, बेफ़िक्री है और गाना-बजाना है वहाँ कभी कैसे-कैसे भयानक दिन गुज़रे हैं। मैं सिगरेट सुलगाता हूँ और रहीम की वाणी याद करता हूँ :

जैसी परै सो सहि रहे, कहि रहीम यह देह
धरती ही पर परत सब, सीत धाम अरु मेह

कुछ प्रेम-प्रसंग

तालस्ताय का कहना है कि भगवान जो हैं वे प्रेम में रहते हैं। जीसस क्राइस्ट ने कहा है कि हममें से प्रत्येक को भगवान और अपना पड़ोसी—इन दो से सदा प्यार करना चाहिए। एक धर्मात्मा व्यक्ति होने के कारण मैंने सदा ऊपर लिखी वाणी पर चलने की कोशिश की और उसी सन्दर्भ में कई बार चोट भी खायी। प्रेम गली अति साँकरी तामें दो न समाइ। जब मैं था तब हरि नहीं, अब हरि है मैं नाहि। इक आग का दरिया है और डूब के जाना है....

प्रेम के बारे में मैं सदा सिद्धान्तवादी रहा। मैंने हमेशा लड़कियों से ही प्रेम किया, उनके भाई, बच्चों या माँ-बाप से नहीं। प्रेम के सन्दर्भ में मैंने जाति और धर्म—इन दोनों की कभी चिता नहीं की। सामाजिक स्तर पर तो मैंने कभी ध्यान ही नहीं दिया; नौकरानियों के प्रति भी मैंने सदा वही कोमल भावनाएँ रखीं जो मैं उनकी मालकिनों के प्रति रखता था। अपने शरीर का मैंने सदा पूरा-पूरा ध्यान रखा क्योंकि हृदय का घाव तो एक-दो दिन में भर जाता है पर शरीर का घाव कभी-कभी काफ़ी समय ले लेता है। आत्मा तो अजर और अमर होती है पर हमारी जो देह है वह नश्वर है। इसके अलावा मैंने सदा उन्हीं युवतियों को अपना स्नेह दिया जो पास में ही प्राप्त थीं। अगर दूर रहने वाली चीज़ से प्रेम करना होता तो फिर भगवान से ही प्रेम करने में क्या हर्ज़ था? इस सबके अतिरिक्त मैंने अपने क्षेत्र को सदा विस्तृत रखा—सीमित नहीं। यदि हम तैंतीस करोड़ देवी-देवता रखते हैं तो फिर अपनी प्रेयसी ही एक क्यों रखें? यदि आप एक साथ ही एक दर्जन रूपसियों से प्रेम करें तो आपके कहीं-न-कहीं सफल होने की आशा सदा ज़्यादा रहती है। उम्र से भी प्रेम पर कोई विशेष प्रभाव नहीं पड़ता। महामति सुकरात ने इकतालीस वर्ष की आयु में उन्नीस वर्ष की बालिका से विवाह किया था। प्रेम के क्षेत्र में धीरज रखना बड़ा ज़रूरी है। सिर सही-सलामत रहे तो जूते तो हमेशा मिलेंगे और बेतहाशा मिलेंगे। और हाँ, औरत को पैर की जूती कभी नहीं समझिए, वह तो वह जूती है जिसे गले में पहना जाता है और सीने में लगाया जाता है। और यह भी याद रखिए कि हमारे देश में किसी भी कन्या को प्रेयसी बनाने से पूर्व बहिन बनाना बहुत ज़रूरी है। आज

वह आपके हाथ में राखी बाँधेगी और कुछ दिनों बाद आप उसकी कलाई में कंगन पहनाएँगे। प्रेम के क्षेत्र में चिन्तित या शंकालु होने की तो कोई ज़रूरत ही नहीं है। हमारे देश में सुन्दर लड़कियाँ ठीक उतनी ही मिक़दार में पायी जाती हैं जितनी मिक़दार में मूँगफली या कोयला या लीची पायी जाती हैं। आप 'कदम-कदम बढ़ाए जा' का नारा बुलन्द रखिए और आगे बढ़ते जाइए। इलाही कैसी-कैसी सूरतें तूने बनायी हैं कि हर सूरत कलेजे से लगा लेने के क़ाबिल है (अकबर)।

प्रेम का सर्वप्रथम अनुभव मुझे किशोरावस्था में ही हो गया था। हमारे क़स्बे में दो सज्जन ऐसे थे, जो पत्नी के बिना कभी नहीं रहते थे। जैसे ही एक पत्नी मरती थी, वैसे ही नयी पत्नी घर में आ जाती थी। ज़्यादातर पत्नियाँ ख़रीदी हुई होती थीं और इन पत्नियों में से कुछ इतनी होनहार भी होती थीं कि पति के अतिरिक्त चन्द प्रेमी और भी रखती थीं। एक देवी जी थीं जो चाहती थीं कि मैं उनसे प्रेम की पूरी ट्रेनिंग प्राप्त करूँ। मगर मैं था कि वही ट्रेनिंग बजाय उनके उनकी पुत्रवधू से प्राप्त करना चाहता था क्योंकि उस बेचारी अबला के पति कहीं बाहर काम करते थे।

प्रेम के मूल सिद्धान्त समझने के बाद मुझे कोई ख़ास परेशानी उस क्षेत्र में कभी नहीं पड़ी। कुछ वीरगाथाकालीन नायिकाएँ मिलीं जिन्होंने या तो मुझे स्वयं पीटा या औरों से पिटवाया। कुछ भक्तिकालीन प्रेयसियाँ मिलीं जो प्रत्येक भगवान के सामने समर्पित होने को हर समय तैयार रहती थीं। कुछ रीतिकालीन प्रेयसियाँ भी मिलीं जिनका प्रत्येक अंग किसी फल, फूल, पक्षी या पशु की याद दिलाता था। मुख गुलाबी अमरूद जैसा होता था, दाँत अनार जैसे होते थे, ओठ पकी हुई बेल की भाँति लाल होते थे, नासिका हीरामन तोते की याद दिलाती थी, आँखें मलिक मुहम्मद जायसी के ऊपर होती थीं, गर्दन उस सुराही की तरह होती थी जिसमें पानी भरा हो, वक्षस्थल सराय के हुक्के की याद दिलाता था, पेट लक्कड़-हजम पत्थर-हजम किस्म का होता था, जंघाएँ केले के वृक्ष जैसी होती थीं और पिण्डलियाँ ऐसी होती थीं कि वे देवियाँ उस हाथी की भाँति चलती थीं जिसके ऊपर एक हाथी और बैठा हो। और आधुनिक किस्म की लड़कियाँ तो इतनी मिलीं कि मैं 'प्रयोगवादी' हो गया। आधुनिक किस्म की युवतियाँ वे हैं जिन्हें पूरे कपड़े पहनने का समय कभी नहीं मिलता, जो आपसे माँग कर सिगरेट पीती हैं, आपके ख़र्चे पर होटल जाती हैं, आपके ख़र्चे पर सिनेमा का दूसरा शो देखती हैं, आपकी मोटर में शहर घूमती हैं, दफ़्तरों में काम करती हैं और अगले दिन निहायत भोलेपन से आपका नाम पूछती हैं। आप उन पर सैकड़ों-हज़ारों रुपये ख़र्च करते हैं और इसके बाद जब आप उनसे इस ख़र्च की 'रसीद' माँगते हैं तो वे एकदम सती-सावित्री की मुद्रा में आपसे कहती हैं, "व्हाट डु यू मीन? आई एम नाट ए कालगर्ल.." वे आँधी होती हैं जो सबको उड़ा देती हैं पर ख़ुद नहीं उड़तीं, सबको बहा देती हैं पर ख़ुद नहीं बहतीं। एक ऐसी ही युवती से मेरा भी पाला पड़ा है जो एक 'पार्ट-टाइम हसबैण्ड'

रखती थी। हज़ार मिन्नतों के बावजूद न तो वह कभी उड़ी और न कभी बही। वह थोड़ी भारी-भरकम थी और दूर से ही 'बड़े घर की बेटी' लगती थी। पता नहीं कि रीतिकालीन आचार्यों ने नायिका-भेद करते हुए ऐसी देवियों को क्या नाम दिया है। मैं होता तो उन्हें 'आसन्न-प्रसवा' कहकर ही पुकारता। पिछले नौ वर्षों में उसने दस बच्चों को जन्म दिया है। यदि उसका पति 'फुल टाइम हसबैण्ड' होता तो पता नहीं क्या होता। सरकार को चाहिए कि उस भूतपूर्व सुन्दरी को योजना-कमीशन का सदस्य बनाएँ ताकि देश के विभिन्न क्षेत्रों में उत्पादन बढ़ सके। एक बार प्रयाग में मैंने एक कोठी का कुछ हिस्सा किराये पर लिया। बाकी मकान में मकान-मालिक (जिनकी आयु सत्तर के क़रीब थी) और उनकी पत्नी (जिसकी आयु तीस वर्ष रही होगी) रहते थे। धीरे-धीरे उनकी उस लगभग सुन्दर पत्नी से जान-पहचान हुई जो मुझे अपना अन्तरंग बनाना चाहती थीं। वे हर रोज़ सबके लिए, सब समय, सब तरफ़ से खुली हुई रहती थीं। उनके साथ जब भी चाय पीने बैठा तभी कुछ निहायत अश्लील मज़ाक़ सुनकर उठा। मैं उनसे दूर ही रहता रहा क्योंकि जनश्रुति के अनुसार वे उस क्षेत्र की सबसे बड़ी 'गुप्त रोगों के कीटाणुओं का वितरण-केन्द्र' थीं। मेरे एक मित्र थे जो व्याकरण में कुछ कमज़ोर थे। वे उस देवी को 'बनारस का लँगड़ा' कहा करते थे। मैंने उन्हें अनेक बार उसे 'बनारस की लँगड़ी' कहने की सलाह दी पर उन पर कभी कोई असर नहीं पड़ा।

जम्मू में एक बार एक स्वामी जी आये। वे गीता पर प्रवचन देते थे। धीरे-धीरे काफ़ी जनता उनका प्रवचन सुनने आने लगी। स्त्रियाँ उनकी विशेष रूप से भक्त थीं। स्वामी जी सुन्दर थे, हृष्ट-पुष्ट थे और उनकी उम्र भी कोई तीस वर्ष या उससे भी कम ही थी। स्त्रियों की शंकाओं का समाधान वे एकान्त में किया करते थे। वहीं पड़ोस में एक बेहद आकर्षक रमणी रहा करती थी जिसका असली नाम कोई नहीं जानता था। उसके पति व्यापारिक जहाज़ों के कप्तान थे और इसी कारण एक ओर तो वे लाखों रुपये कमाते थे और दूसरी ओर उन्हें वर्ष में आठ महीने समुद्री यात्रा पर ही रहना पड़ता था। उनकी पत्नी प्रत्येक नवयुवक को अपने जाल में फँसाने की कोशिश करती थी और अपने इस अभियान में वह सदा विजयी ही रहती थी। उसके सौन्दर्य, आकर्षण और चंचलता के कारण आसपास के लोग उसे 'मिसेज जलवा' कहकर पुकारते थे जबकि उसके भुक्तभोगी मित्र उसे मिसेज हलवा कहा करते थे। बहरहाल उसने एक दिन गीता पर प्रवचन देने वाले स्वामी जी को भी कर्मयोग की शिक्षा दे ही दी और वे दोनों एक साथ अन्तर्धान हो गये। स्वामी जी के चले जाने से कुछ कुलवन्ती स्त्रियों को बड़ा हार्दिक और शारीरिक कष्ट हुआ।

एक बार एक लड़की ने मसूरी की माल रोड पर ऐसे दर्शन दिये कि जीवन सफल हो गया। यूँ तो सभी लड़कियों के वक्ष और नितम्ब क्रमशः आगे और पीछे को निकले रहते हैं पर इस होनहार बालिका के साथ स्थिति यह थी कि वह ख़ुद

तो मसूरी में थी पर उसके वक्ष टिहरी-गढ़वाल को छू रहे थे और नितम्ब हिमाचल प्रदेश में प्रवेश कर रहे थे। पता नहीं कि यातायात कहाँ-कहाँ रुका था। ब्लाउज़ में इस कन्या ने शायद कबूतर पाल रखे थे जो बाहर ताज़ी हवा में उड़ान भरने के लिए अपने पंख फड़फड़ा रहे थे।

एक बार ख़ाकसार बड़ी परेशानी में पड़ गया। मैं किसी कारण कहीं बाहर गया और एक ऐसे धनाढ्य मित्र के यहाँ ठहरा जहाँ उसकी तीन अदद बहिनें और एक अदद सौतेली माँ प्यार के लिए तरस रही थीं। सौतेली अम्माँ तरबूज की याद दिलाती थीं, बड़ी बहिन एकदम खरबूजा थीं, मँझली बहिन फजरी आम थीं और छोटी बहिन नाशपाती का स्वाद रखती थीं। फलों का इतना प्रेमी परिवार जीवन में मैंने और कहीं नहीं देखा। फल का सर्वथा त्यागना, उस घर में कठिन था।

मैंने एक ऐसी युवती भी देखी जो एक उच्चाधिकारी थी और वह अपने चाहने वालों को भी फ़ाइलों की तरह ही निबटाया करती थी। कोई प्रेमी वित्त मन्त्रालय भेजा जाता था तो कोई प्रेमी विधि मन्त्रालय की दिशा में प्रस्थान करता था। सब प्रेमियों की याचिकाएँ ज़्यादातर 'विचाराधीन' ही रहती थीं। इसी प्रकार एक व्यापारी महिला देखीं जो प्रेमियों का बाक़ायदा स्टॉक रखती थीं, उनकी बिक्री और ख़रीद करती थीं और उनका नीलाम और अदल-बदल तक करती थीं। एक जज की लड़की देखी जो वैसे तो बेहद आकर्षक थी मगर उसके साथ इल्लत यह थी कि उसके सामने जो कुछ कहना पड़ता था वह कसम खाकर ही कहना पड़ता था और हर बात के लिए दो गवाह पेश करने पड़ते थे। सबसे बड़ी मुसीबत तो यह थी कि सब कुछ पेश करने के बाद भी जब उससे उसका फ़ैसला माँगा जाता था तो वह हमेशा कोई अगली तारीख़ लगा देती थी। इस तरह एक बार एक ऐसी बालिका से घनिष्ठ परिचय हुआ जिसकी आँखें और ओठ वर्षा-ऋतु की याद दिलाते थे, जिसकी देह ग्रीष्म-ऋतु की भाँति तपती रहती थी मगर उसका हृदय था कि शरद्, शिशिर व हेमंत की तरह सदा ठण्डा ही रहता था। सब तरफ़ से निराश होकर मैं तो एक बार एक हलवाई की लड़की को चाहने लगा। रसगुल्ले की भाँति मीठी, कलाकन्द जैसी मुलायम और रबड़ी की भाँति खाने में आसान। अगर उस हलवाई की कन्या ने गाजर के हलवे में एक दिन जमालगोटा न मिला दिया होता तो आज हमारी भी चौक में दुकान होती। मैं दावे के साथ कह सकता हूँ कि मेरी मिठाइयाँ मेरी रचनाओं से कहीं ज़्यादा आनन्ददायक होतीं। हर मिठाई का दिन में दूसरा संस्करण होता और आलोचक लोग उसकी प्रशंसा खुलेआम करते। इसी सन्दर्भ में मुझे एक और लड़की की याद आ रही है और सोचता हूँ कि लगे हाथों उसकी चर्चा भी कर दूँ। मैं दिल्ली में था कि एक दिन अचानक दो दाँत दर्द करने लगे। मेरे पास दाँतों का एक ही सेट था, वही खाने का और वही दिखाने का। जब दर्द बढ़ता गया तो दाँतों के डॉक्टर के पास जाने का निश्चय किया गया। इस डॉक्टर के पास दो-तीन ऐसी

सुविधाएँ थीं जो हर डॉक्टर के पास नहीं मिलतीं। पहली बात तो यह थी कि यह दन्त-चिकित्सक मात्र दो या तीन घण्टे की ही प्रतीक्षा करवाता था। दूसरी बात यह थी कि वह बहुत कुशल था, दर्द देने वाले दाँत के साथ-साथ एक या दो अच्छे दाँत भी निकाल दिया करता था जिसकी वह कोई फ़ीस नहीं लेता था और तीसरी बात यह थी कि वह बेहद ईमानदार व्यक्ति था और निकाले गये दाँतों को हमेशा मरीज़ को ही वापस कर दिया करता था। और आख़िरी बात यह थी कि उसकी नर्स बेहद हसीन, हाज़िर जवाब, स्वस्थ और हँसमुख थी। जैसे ही मैंने उसे देखा, मैंने ग़ालिब का एक शेर अर्ज़ किया। नर्स ने आव देखा न ताव, एक तगड़ा झापड़ मुझे रसीद किया। झापड़ लगते ही दर्द करने वाले दोनों दाँत बाहर निकल आये। न तीन घण्टे प्रतीक्षा करनी पड़ी और न डॉक्टर को पचास रुपये देने पड़े। मैं उस नर्स द्वारा की गयी प्राकृतिक चिकित्सा का कायल हो गया; यह एक दीगर बात है कि दाँत का दर्द तो तुरन्त चला गया पर उस नर्स की सूरत याद करके दिल में दर्द उठने लगा।

कोई चालीस वर्ष पूर्व एक नारी ऐसी मिली जिसकी आयु का पता उसकी सूरत देखकर कोई नहीं लगा सकता था। वह एकदम शरद् ऋतु की धूप की भाँति थी जिसे देखकर यह बताना मुश्किल है कि क्या बजा है। वह रजनीगन्धा या सूर्यमुखी की भाँति अपने यौवन को क़ैद करके रखती थी। एक दिन मैंने उसकी बड़ी लड़की देखी और अपना प्रेम उसके सामने प्रकट किया। लड़की समझदार थी; उसने प्रेम-प्रस्ताव ठुकरा दिया। जब और कोई चारा नहीं बचा तो मुझे उससे शादी ही करनी पड़ी।

शादी के बाद मुझे पता चला कि उसके कितने फ़ायदे हैं। प्रेमिका मात्र प्रेमिका ही होती है जबकि पत्नी प्रेम भी करती है, घर में झाड़ू भी लगाती है, फ़र्नीचर भी साफ़ रखती है, बर्तन भी माँजती है, खाना भी पकाती है, कपड़े भी सिलती है, बिजली और पानी का हिसाब भी रखती है, बच्चे भी देती है, उनका पालन-पोषण भी करती है, लॉन पर से सुबह-सुबह अख़बार भी उठाकर लाती है, मेहमानों और रिश्तेदारों का ख़याल भी रखती है, कपड़े भी धोती है और उन पर इस्तरी भी करती है। इस सबके बदले वह सिर्फ़ इतना चाहती है कि दहेज को लेकर आप उसकी हत्या न करें और हो सके तो भारतेन्दु हरिश्चन्द्र, जयशंकर 'प्रसाद' तथा मिर्ज़ा ग़ालिब की भाँति कोई प्रेमिका न रखें। शादी से ज़्यादा बचत करने का कोई और साधन अभी तक ईजाद नहीं किया गया। मैं तो शादी करते ही शरीफ़ आदमी बन गया। घर क्या है, स्वर्ग है। अगर फ़िरदौस बर-रूए-ज़मीं अस्त, हमीं अस्तो हमीं अस्तो हमीं अस्त।

देखता हूँ कि आदमी बिना प्रेम के रह ही नहीं सकता। बचपन में वह माता-पिता व भाई-बहिन से प्रेम करता है, यौवन में वह किसी युवती से प्रेम करता है और वृद्धावस्था में वह बच्चों से प्रेम करता है। आजकल के नवयुवक मेरे ज़माने से कहीं ज़्यादा प्रेमी हैं और हर सप्ताह अपनी प्रेयसी बदलते रहते हैं। दूरदर्शन व पत्र-पत्रिकाओं में दिये विज्ञापनों से लगता है कि देश में सुन्दर लड़कियों की संख्या

बढ़ गयी है और उनके पहनने के लिए ज़रूरी कपड़े की मात्रा बहुत कम रह गयी है। विज्ञापनों से ऐसा भी लगता है कि जूते के पालिश की डिब्बी या साबुन की टिकिया ख़रीदने पर जो बालिका विज्ञापन में दिखायी गयी है वह भी सामान के साथ मुफ़्त मिलेगी। और वैसे भी शादी करके पत्नी को रखेंगे कहाँ? एक ज़रा सी बरसाती भी दिल्ली में दो हज़ार रुपये प्रतिमाह के किराये पर मिलती है, इससे कम पर नहीं। ऐसे में अविवाहित प्रेम नहीं होगा तो और क्या होगा?

बरसाती का ज़िक्र क्या चला कि मुझे सहसा ध्यान आया कि बाहर मेघ छाये हैं, बिजली चमक रही है और दादुर लोग वेद पढ़ रहे हैं। बच्चों ने मेरे उपवन में झूला डाल लिया है। मैं लिखना बन्द करता हूँ और पूरब का एक लोकगीत गुनगुनाने लगता हूँ:

निबिया के डरिया मइया
झूलेली हिंडोलवा
कि झूलि झूलि ना,
मइया मोरि
गावेली गीतिया
कि झूलि झूलि ना...

छोटी-छोटी बातें

एक छोटे-से बीज में बरगद या पीपल का विशाल वृक्ष छिपा रहता है; शर्त बस इतनी-सी है कि वह बीज बरगद या पीपल का ही हो। यदि बीज लौकी या तुरई का होगा तो उसमें से बरगद या पीपल नहीं प्रकट होगा वरन् लौकी या तुरई की लता ही फूटेगी। रीतिकाल के एक कवि ने नायिका की तुलना लौकी और तुरई से भी की है। कहने का अर्थ यह है कि कभी-कभी छोटी-छोटी बातों में बड़े-बड़े परिणाम इस प्रकार छिपे रहते हैं जैसे कि तुरई के बीज में नायिका छिपी रहती थी।

हमारे सारे शरीर में मस्तिष्क ज़्यादा बड़ा अंग नहीं होता है। पेट या छाती या नितम्ब, दिमाग़ से बड़े होते हैं। मगर फिर भी दिमाग़ के कारण ही इस रचना का लेखक अपने पाठकों और आलोचकों से कहीं ज़्यादा श्रेष्ठ है। यदि वह उनसे ज़्यादा बुद्धिमान् न होता तो इस रहस्य को स्वयं प्रकट न करता वरन् वैसा करने के लिए डॉ. नामवरसिंह की ख़ुशामद करता। एक मनुष्य के मस्तिष्क में बीस अरब कोशिकाएँ होती हैं जिनमें आम तौर पर दस लाख करोड़ स्मृतियाँ संचित रहती हैं। इसी प्रकार गेहूँ का एक दाना वर्ष भर में पचास दाने उगा सकता है और यदि पन्द्रह वर्ष तक इसी गति से फ़स्ल चलती रहे तो गेहूँ का वही एक दाना इतना गेहूँ पैदा कर सकता है कि सारा संसार शताब्दियों तक अपनी भोजन-सामग्री जुटा सकता है।

सदियों पहिले मोडेला नामक साम्राज्य में सरकारी कुएँ की मात्र एक बाल्टी उठा लेने के कारण सिपाहियों में झगड़ा शुरू हुआ था, जिसके फलस्वरूप मोडेला व बोडोन नामक दो देशों में चौबीस वर्ष तक भयंकर युद्ध चला था। इसी प्रकार एक चाबी देने से इनकार करने के कारण इंग्लैण्ड, फ्रांस, टर्की व रूस में क्रीमिया का युद्ध हुआ। सयाने लोगों का कहना है कि फ्रांस की भयंकर राज्य-क्रान्ति मात्र एक प्याला मदिरा के कारण हुई थी। अफ्रीका के एक देश में दियासलाई की एक तीली के कारण दो सौ इकत्तीस मकान जलकर भस्म हो गये थे। ज़्यादा मकान न जलने का एक प्रमुख कारण यह था कि उस क़स्बे में और कोई मकान था ही नहीं। होता तो वह भी जलता।

चिरंजीव लक्ष्मण जी ने कुमारी शूर्पणखा की मात्र नासिका की ही एक छोटी-सी

शल्य-क्रिया सम्पन्न की थी कि रावण को सीता का हरण करने की योजना बनानी पड़ी। नासिका के स्थान पर यदि शूर्पणखा की जंघा काट ली गयी होती तो पता नहीं रावण क्या करता। आदिकवि वाल्मीकि मात्र एक चिड़िया का रोना सुनकर कवि हो गये थे। यदि वे कहीं किसी विरहिणी गर्दभी का विलाप सुन लेते तो पता नहीं क्या करते। रानी सारन्धा ने मात्र एक घोड़े के कारण अपना पति और राज्य—दोनों गँवाये। नूरजहाँ ने मात्र दो कबूतर ही उड़ाये थे कि युवराज सलीम उस पर आसक्त हो गया और उसे अपनी मलिका बनाकर ही छोड़ा। मैं पूछता हूँ कि यदि कबूतर के स्थान पर वह हाथी ग़ायब कर देती तो शहज़ादे सलीम क्या करते? यही स्थिति एकलव्य के साथ है। द्रोणाचार्य ने उससे मात्र अँगूठा ही तो लिया था जब कि यदि आजकल का ज़माना होता तो वे उसे पूरे का पूरा माँग लेते और बन्धुआ मज़दूर बनाकर सारी उम्र रखते। राज्य जो गये वे सदा एक कील की ही कमी से गये।

जैसा कि आप अख़बार में पढ़ते होंगे, ज़रा-ज़रा-सी बातों पर तलाक व क़त्ल किये जाते हैं। पिछले दिनों एक उबले हुए अण्डे के आधे हिस्से को लेकर एक शालीन व्यक्ति ने दूसरे शालीन व्यक्ति की आत्मा उसके शरीर से अलग कर दी। एक देश में एक स्त्री ने तलाक इस बात पर लिया कि उसका पति आम आदमी की अपेक्षा कमज़ोर था और दूसरी रमणी ने इस मुद्दे को लेकर तलाक माँगा कि उसका पति आम आदमी की अपेक्षा ज़्यादा शक्तिवान था। फ्रांस में एक महिला ने अपने पति से तलाक इस कारण लिया कि वह रात को देर से लौटता था जबकि जर्मनी की एक नारी तलाक इसलिए चाहती है कि उसका पति रोज़ शाम को घर जल्दी लौटता है और वह उसे रविवार को भी आज़ाद नहीं छोड़ता।

सर आइज़क न्यूटन ने एक सेब को वृक्ष से नीचे गिरते देखा और गुरुत्वाकर्षण का सिद्धान्त प्रतिपादित कर लिया। महर्षि दयानन्द ने बचपन में शिव की मूर्ति पर चूहा चढ़ता देखा और वैराग्य ले लिया। आप स्वयं सोचिए कि यदि न्यूटन किसी काशीफल को ऊपर से गिरता देखते या स्वामी दयानन्द कहीं गैण्डे को शिवमूर्ति पर चढ़ता देखते तो क्या करते? विश्व के महान् हास्य-लेखक सर पी.जी. वुडहाउस भी मुझसे सहमत थे। उन्होंने कहा कि सेब को नीचे की दिशा में गिरते देखने में तो विस्मय की कोई बात थी ही नहीं; हाँ यदि सेब दायें-बायें या ऊपर की दिशा में जाता तो न्यूटन को विस्मित होने का पूरा-पूरा अधिकार था। ठीक इसी प्रकार मूर्ति पर चूहे के चढ़ने में कम-से-कम मुझे तो कोई आश्चर्य की बात दिखायी नहीं पड़ती, हाँ अलबत्ता यदि मूर्ति चूहे के ऊपर चढ़ जाती तो दूसरी बात थी।

अब मैं आपको दो छोटी-छोटी कथाएँ सुनाता हूँ जिनमें से एक पौराणिक है व दूसरी ऐतिहासिक। इन दोनों कथाओं से पता लगता है कि छोटी-छोटी घटनाएँ किस भाँति बड़ी-बड़ी घटनाओं को जन्म देती आयीं।

वाह्लीक देश के राजा इल एक बार शिकार खेलते-खेलते उस वन में चले

गये जहाँ पार्वती जी को प्रसन्न करने के लिए महादेव जी अपने को तथा वहाँ के चर-अचर को स्त्री-योनि में परिणत कर, लीला कर रहे थे। उस वन में जाते ही राजा इल भी स्त्री के रूप में परिवर्तित हो गये। अपनी यह स्थिति देखकर राजा को बड़ा दुख हुआ पर उनकी तमाम प्रार्थनाओं के बावजूद शिव जी का क्रोध नहीं उतरा। राजा ने फिर पार्वती की वन्दना की जिन्होंने प्रसन्न होकर राजा को वरदान दिया कि जाओ मौज करो, तुम एक माह तक स्त्री रहा करोगे और एक माह तक पुरुष। इस सुखद अवस्था में राजा इल अपनी राजधानी को नहीं लौटे, वे वहीं वन में रहने लगे। इसी अवस्था में बुध उन पर मोहित हो गये। जितने दिन राजा रमणी रहते, उतने दिन बुध उनके साथ रमण करते और जितने दिन राजा पुरुष रहते उतने दिन बुध उन्हें शास्त्र सुनाते। यह लोक भी ठीक और परलोक भी ठीक। राजा इल का समय इसी तरह बीतता रहा और उनके गर्भ से पुरूरवा ने जन्म लिया। अन्त में चलकर राजा के हितैषियों ने अश्वमेध यज्ञ किया और उसके बाद ही भगवान शिव ने उन्हें शापमुक्त कर पुराना रूप दिया।

दूसरी कहानी उन दिनों की है ज़ब शहज़ादा औरंगज़ेब दक्षिण का गवर्नर (अर्थात् सूबेदार) था और दिल्ली के तख़्त के लिए गुजरात के गवर्नर अपने भाई मुराद के साथ कूच करने वाला था। उसका लश्कर उसी बुरहान नदी के किनारे पड़ा था जिसके तट पर बुरहानपुर नामक परम ऐतिहासिक नगर बसा था। वह धन की ज़रूरत में था और यह चिन्ता इन दिनों उसके दिलो-दिमाग़ पर बुरी तरह छायी हुई थी।

उन दिनों फ़क़ीरों की बड़ी आवभगत होती थी हालाँकि उनमें से ज़्यादातर मुस्टण्डे और धूर्त ही होते थे। औरंगज़ेब फ़क़ीरों से हमेशा मिलता-जुलता रहता था क्योंकि उसके काफ़ी जासूस इसी वेश में घूमा फिरा करते थे। एक दिन उसे पता चला कि एक धूर्त फ़क़ीर ने एक ईमानदार व्यक्ति का एक रुपया ठग लिया है। घटना का पता लगते ही उसने चालाक फ़क़ीरों को सबक सिखाने का निश्चय कर लिया।

सारे इलाके में ऐलान करा दिया गया कि हुकूमत की तरफ़ से सारे फ़क़ीरों को नये वस्त्र प्रदान किये जाएँगे। निश्चित दिन पर फ़क़ीरों का बहुत बड़ा हजूम जमा हो गया और सिपाही लोग फ़क़ीरों के फटे-पुराने कपड़े उतारने लगे और उन्हें नयी पोशाक पहनाने लगे। फ़क़ीरों ने अपने पुराने वस्त्र देने में बहुत एतराज़ किया पर औरंगज़ेब के सामने वे कुछ कर न सके। सारी पोशाकें बदलने के बाद जब फ़क़ीर लोग चले गये तो औरंगज़ेब ने हुक्म दिया कि पुराने कपड़ों की सिलाई उधेड़ी जाए। उसका सन्देह सच निकला और फटे हुए गूदड़ों में से बेहिसाब अशर्फ़ियाँ ही नहीं वरन् हीरे-जवाहिरात तक निकले! इस मुफ़्त के माल को पाकर औरंगज़ेब बहुत ख़ुश हुआ। एक रुपये की ठगी के कारण चालाक फ़क़ीरों को अपने लाखों रुपयों से हाथ धोना पड़ा।

'उग्र' जी के बारे में

इलाहाबाद युनिवर्सिटी जाने से काफ़ी पहले मैंने रायकृष्णदास तथा पण्डित वाचस्पति पाठक द्वारा सम्पादित 'इक्कीस कहानियाँ' नामक प्रसिद्ध पुस्तक पढ़ डाली थी। पुस्तक में एक कहानी 'उग्र' जी की भी थी जो बहुत दिलचस्प थी। तभी से मैं उनके दर्शनों के लिए उत्सुक था। प्रयाग में उनसे तीन बार मिला और एक भेंट दिल्ली में भी हुई। वे एक विचित्र व्यक्ति थे। नंगई और नैतिकता, बेबाकी और स्नेह साफगोई और प्रोत्साहन देने की प्रवृत्ति—उनके साथ सब कुछ चलता था और साथ-साथ चलता था। वे हिन्दी के प्रथम 'बीटनिक' लेखक थे। वे शिक्षित नहीं थे, 'शिक्षा' से उन्हें 'भिक्षा' की याद आती थी। चौदह वर्ष की आयु में ही वे सड़क पर आ गये थे और फिर उम्र भर वे अनियमित, असन्तुलित और असंयमित ही रहे। उनमें अतुलित प्रतिभा थी पर ज़िन्दगी भर की आदतें और ग़रीबी उस सबको खा गयी। इस सबके बावजूद उन्होंने जो कुछ लिखा वह कम नहीं है पर दुर्भाग्यवश उसका भी समुचित मूल्यांकन नहीं हो पाया। उनके जैसा औघड़ व्यक्ति मैंने और कोई नहीं देखा।

प्रयाग में 'उग्र' जी से मैं एक बार 'निराला' जी के घर पर मिला। दोनों मित्र बँग्ला ही में बातें करते रहे। उस दिन निराला जी अपेक्षाकृत प्रसन्न मुद्रा में थे। एक बार उनसे वाचस्पति पाठक के घर पर मिला मगर उस दिन वे पिये हुए थे और शायद इसी कारण चुप और गम्भीर थे। फिर मैंने उन्हें दिल्ली में राजकमल प्रकाशन के दफ़्तर में ओंप्रकाश जी के साथ देखा। उस दिन वे सचमुच रौद्र रूप में थे। इसके बाद 'उग्र' जी से फिर जो मुलाक़ात हुई वह एक कॉफ़ी हाउस में हुई। काफ़ी देर तक बातचीत चली। उन्होंने चुनार के क़िले का इतिहास बताया, अपने किसी प्रपितामह की चर्चा की जो कि पारलौकिक शक्ति रखते थे और अन्त में मात्र कलकत्ता की ही चर्चा की जो उनके अनुसार दुनिया का सर्वश्रेष्ठ नगर था। दिल्ली में उनका दम घुटता था।

उनका स्वभाव बताने के लिए कुछ घटनाएँ नीचे लिखता हूँ जो विभिन्न पुस्तकों और पुरानी पत्रिकाओं से ली गयी हैं। उनकी आत्मकथा बहुत संक्षिप्त और

अपूर्ण है जबकि स्वयं उनके अपने शब्दों में यदि वे मात्र अपने प्रकाशकों के बारे में ही लिखते तो भी पाँच सौ पृष्ठों की पोथी बनती।

बात कलकत्ता की है जहाँ 'निराला' व 'उग्र' साथ-साथ 'मतवाला' में काम करते थे। वहीं दिग्गजाकार निराला और मूषकाकार एक प्रकाशक के बीच कोई तकरार हो गयी। निराला जी ने मेज़ की दराज में से चाकू निकाला और बाहर सड़क पर उस प्रकाशक पर आक्रमण किया। इसी बीच लोग इकट्ठे हो गये और बिना किसी को चोट आये बात ख़त्म हो गयी। जो छुरी निराला जी ले गये थे वह इत्तफ़ाक से खुली ही नहीं थी। जब निराला जी दफ़्तर में वापस लौटे तो देवता-तुल्य महावीरप्रसाद सेठ ने निराला जी से कहा कि "मेरे यहाँ कोई बिजनिस करने आयेगा तो आप उसे मारेंगे? यह मैं बर्दाश्त नहीं कर सकता और आप अपना बिस्तर यहाँ से ले जाइए।" इधर निराला जी ने बिस्तर बाँधना शुरू किया और उधर 'उग्र' जी ने सेठजी से कहा कि "सारा झगड़ा स्वाभिमान को लेकर हुआ है और सड़क पर हुआ है जहाँ आपकी कोई बिजनिस नहीं चलती। इसके अतिरिक्त सारा झगड़ा यूँ हुआ है कि मैंने निराला को उकसाया था। अगर कोई ग़लती हुई है तो वह मुझसे हुई है, निराला से नहीं।" सेठजी ने निराला के चरण छुए और माफ़ी माँगी। निराला ने 'उग्र' से कहा कि "तुम मर्द हो।"

बहुत वर्ष पहले 'उग्र' जी ने एक पुस्तक लिखी थी जिसका नाम था 'चाकलेट'। पुस्तक को लेकर काफ़ी तीखी घासलेटी बातें कही गयीं और लिखी गयीं। नौबत यह आ गयी कि महात्मा गाँधी ने पुस्तक कई बार पढ़ी और उसकी निन्दा करने को मना कर दिया। उन्हीं गाँधी जी से 'उग्र' जी ने एक बार पूछा था कि "महात्मा जी, आपकी कथनी व करनी में बहुत अन्तर है। आप बातें करते हैं हरिजन कल्याण की और रहते हैं बिड़ला-भवन में। यह भवन छोड़िए और हरिजन कॉलोनी में जाइए।" यह एक असलियत है कि नाजायज़ बात वे किसी की भी बर्दाश्त नहीं कर सकते थे चाहे ऐसी बात कहने वाला व्यक्ति कितना भी बड़ा हो या उनका कितना भी घनिष्ठ हो। हिन्दी कविता को मुक्त छन्द देने के कारण निराला जी को बहुत 'पब्लिसिटी' मिली जिसके कारण उनमें कुछ 'गर्व' आ गया। एक दिन दुर्भाग्यवश उन्होंने 'उग्र' जी के सामने ही कह दिया कि "यह नाल मेरे सिवा कौन पहलवान उठा सकता है?" 'उग्र' जी ने छूटते ही कहा कि "यदि मैं लघुशंका कर दूँ तो उसकी धार से ही मुक्त-छन्द बन जायेगा।" और उन्होंने दुकान से काग़ज़-कलम लेकर 'स्वर्णमृग' नाम की एक कविता मुक्त-छन्द में वहीं लिख दी। निराला जी अप्रतिभ हो गये। उन्हें ज़्यादा दुख इस बात का था कि उनका यह अपमान ऐसे लोगों के सामने हुआ जो प्रसिद्ध साहित्यकार थे। घटना-स्थल पर मौजूद इन लोगों में जयशंकर प्रसाद व विनोदशंकर व्यास भी शामिल थे।

'उग्र' जी का चरित्र अद्‌भुत था। वे कब क्या कर बैठेंगे—यह कोई नहीं कह

सकता था। स्वभाव से वे दयालु, संवेदनशील और मित्रों के प्रति ममता रखने वाले व्यक्ति थे पर फिर भी वे कभी-कभी इतने कठोर हो जाते थे कि कुछ कहा नहीं जा सकता। एक बार बनारस में वे कहीं जुआ खेलने बैठे और सब कुछ हार गये। वे और रुपया लेने के लिए आचार्य शिवपूजन सहाय के घर पहुँचे जिनकी आर्थिक स्थिति प्रायः ख़राब ही रहती थी। जिस रात 'उग्र' जी उनसे रुपया माँगने गये, उसी रात शिवपूजन सहाय जी की पत्नी की मृत्यु हुई थी और शव फ़र्श पर पड़ा था। सब कुछ देखने के बाद भी 'उग्र' जी ने उनमें पचास रुपये माँगे। शिवपूजन जी ने बताया कि उनके पास कुल पचास रुपये ही हैं और 'उग्र' जी यदि चाहें तो वे पचास रुपये ले सकते हैं। अन्तिम संस्कार की व्यवस्था सुबह को की जायेगी। 'उग्र' जी ने पचास रुपये ले लिये और जुआ खेलने चले गये। ऐसे ही किसी मूड में उग्र' जी ने तय किया था कि वे चुनार में रहेंगे, काले पत्थर का घर बनवाएँगे और उसका नाम 'श्मशान' रखेंगे।

एक मित्र ने एक बार नयी कार ख़रीदी। जाड़ों की एक ठिठुरती रात में दोस्तों ने तय किया कि जौनपुर की इमरती खायी जाए। थोड़ी दूर चलकर बेढब जी ने स्टीयरिंग सँभाला और दुर्घटना हो गयी। सभी लोग (जिनमें 'उग्र' भी शामिल थे) बड़ी कठिनता से बचे। यह 'भूत-क्लब' का शायद अन्तिम एडवेंचर था।

'उग्र' जी क्रान्तिकारियों के साथ भी रहे मगर वह उनके स्वभाव के अनुकूल नहीं था। वे कलम के सिपाही थे, तलवार के नहीं। एक क्रान्तिकारी दल ने उन पर अनुशासनहीनता का आरोप लगाया और दल के कुछ सदस्यों ने उन्हें गोली मारने का आदेश चाहा। वे एक श्रेष्ठ व्यंग्यकार थे और एक स्थान पर उन्होंने लिखा कि "मुझे तो आज भी एक लाख रुपये मिलें तो अख़बारनवीसी करूँ। मारती है औरत भी और मारता है अख़बार भी पर मुझे अख़बार की चोट पसन्द है। औरत मारती है तो ख़ुदा की पनाह लेकिन अख़बार की मार तो सुभान अल्लाह। मेरे स्वभाव में उत्सुकता और भावुकता जितनी थी, गम्भीरता और दृढ़ता उतनी नहीं थी। कलम से लिखकर रिस्क लेना हो तो (कायर होते हुए भी) शहीदों का पीछा मैं कोसों तक न छोड़ूँ। कलम से मारना हो तो मैं सारे संसार के अनाचारियों को नरक भेजे बिना न मानूँ लेकिन तलवार और बन्दूक से प्राण लेना हो तो वह मेरा शेवा नहीं।"

'उग्र' जी का जन्म सन् 1900 में चुनार में हुआ था और उनका निधन सर 1967 में दिल्ली में हुआ। उन्होंने लगभग बीस पुस्तकें लिखीं जिनमें 'चन्द हसीनों के खतूत' सबसे ज़्यादा लोकप्रिय हुई। उन्होंने व्यंग्य, कविता, कहानी, उपन्यास और नाटक भी लिखे। उनकी रचनाओं से प्रेरित होकर एक नवयुवक ने एक कन्या का शीलभंग करने वाले नौजवान की हत्या कर दी थी और अदालत में अपने जुर्म का इक़बाल भी किया था। उन्होंने 'दीवाने-ग़ालिब' की टीका भी लिखी। उनका क़द नाटा था और वे लम्बे बाल रखने के शौक़ीन थे। बाल न कटाना भी उनके

स्कूल छोड़ने का एक कारण था। वे दयावान, मुँहफट, नैतिक, नंगे, सुरुचिपूर्ण, फूहड़–यानी कि सब कुछ एक साथ थे। एक बार कुत्ता पाला तो उसे वे बाक़ायदा रबड़ी खिलाया करते थे। वे अविवाहित ही रहे। शायद ही कोई ऐसा नशा था जो उन्होंने नहीं किया था। वे भीतर और बाहर एक-से ही थे। ऐसे निर्भीक व्यक्ति को सरकार से तो क्या सम्मान मिलता, जो सम्मान साहित्यिक जगत् से अपेक्षित था, वह भी नहीं मिला। मगर उनकी मस्ती में इस सबसे कोई अन्तर नहीं आया। उन्होंने जीवन अपने ही ढंग से जिया और उसे सारी ज़िन्दादिली, रंगीलापन, ओज, निर्भीकता और सम्पूर्णता के साथ जिया। वे सुन्दर थे और उनका शरीर गठीला था। संगीत का उन्हें शौक़ था। ग़लती करने पर वे किसी को नहीं बख़्शते थे चाहे वह उनका कितना ही घनिष्ठ मित्र हो या सामाजिक जीवन में कितनी भी प्रतिष्ठा क्यों न रखता हो। वे जब तक जिए, शान से जिए। एक छोटे-से प्रबन्ध में उनके विराट् व्यक्तित्व को नहीं समेटा जा सकता।

वे सशस्त्र क्रान्तिकारी तो नहीं बन पाये पर इसका अर्थ यह नहीं है कि उनका देशप्रेम किसी से कम था। एक घटना उन्हीं के अपने शब्दों में प्रस्तुत करता हूँ। वे कहते हैं कि "स्वदेश के उस अंक को लेकर गोरी गवर्नमेण्ट में तहलका मच गया और गवर्नर ने केस चलाने का निश्चय किया। प्रेमचन्द के भाई महताबराय पकड़े गये, सरस्वती प्रेस के प्रिण्टर। दशरथ प्रसाद द्विवेदी पकड़े गये–स्वदेश के संचालक। स्वदेश-प्रेस रौंद डाला गया। लेकिन बन्दे ख़ाँ तब तक 'मतवाला-मण्डल' में कलकत्ता थे। गोरखपुर का वारण्ट जब तक कलकत्ता आया, मैं बम्बई भाग गया। कलकत्ता मैं घर से पहली बार भागकर आया था। बम्बई भी कलकत्ता से पहली बार भागकर पहुँचा। एक संगी के संग 'साइलैण्ट फ़िल्म कम्पनी' में काम करने लगा। पीछे था राजद्रोह का वारण्ट और सामने थी बम्बई, फ़िल्म कम्पनी, शराब, कबाब और जनाब, क्या-क्या बतलाऊँ। पाँचवें महीने खुफ़िया पुलिस ने मुझे मलाबार हिल पर गिरफ़्तार कर लिया। तब गृहस्थ बनी हुई एक वेश्या मुझ पर आसक्त थी और एक अर्धवेश्या पारसीक परम सुन्दरी पर मैं स्वयं बुरी तरह मोहित था।"

"पाँव में बेड़ी, हाथों में हथकड़ी, भुजा पर सूती रस्सा बँधवाये तीन-तीन सशस्त्र पुलिसवालों के साथ मैं बम्बई से गोरखपुर भेजा गया। तीन महीने तक मुक़द्दमा चला और अख़बार के संचालक को सत्ताईस महीने की सख़्त क़ैद मिली और मुझे मात्र नौ महीने की ही सख़्त क़ैद मिली। सारी ग़लती मेरी थी पर चूँकि मैं नाटा, नन्हा-सा, बिना दाढ़ी-मूँछ का था और दशरथ प्रसाद द्विवेदी उम्र-रसीदा दाढ़ीवाले सज्जन थे, लोअर कोर्ट से लेकर हाईकोर्ट तक ने असली अपराधी द्विवेदी जी को ही माना।" उग्र जी जेल में भी मस्ती के साथ ही रहते थे। उन्हीं दिनों लिखा उनका एक कवित्त इस बात की पुष्टि करता है :

बैरक है, बर्थ, बेल, बेड़ियाँ हैं, बावले हैं
ब्यूटीफुल बाल्टी की दाल बेमसाला है,
चट्टा है, चटाई, चारु चीलर है चारों ओर
तौक, तसली है, तसला है और ताला है,
ज़ाहिर जहान जमा-मार जमादार भी है
कच्ची कच्ची रोटी, सड़े साग का नेवाला है,
शाला क़ैदियों की, काला कम्बल दुशाला जहाँ
'उग्र' ने वहीं पे फ़िलहाल डेरा डाला है

जी हाँ हुज़ूर, मैं जिस्म बेचता हूँ...

अमेरिका के धनाढ्य व्यापारी मार्क रिच से उनकी सुन्दर पत्नी अपने अठारह वर्ष के विवाहित जीवन के बाद अब मात्र एक अदद तलाक चाहती है। रिच साहब जो हैं वे सचमुच बहुत 'रिच' (अमीर) हैं और उनकी पत्नी 'श्रीमती धनवान्' (मिसेज़ रिच) कहलाते-कहलाते तंग आ गयी हैं। तलाक के कुछ कारण ऐसे भी होंगे जो अदालत के सिवा और कहीं नहीं बताये जा सकते। बहरहाल बड़ी बात जो है वह यह है कि मिसेज़ रिच अपने पति से तलाक के साथ-साथ पन्द्रह सौ करोड़ रुपये भी चाहती हैं जो उनके पति की अमीरी के सामने दाल में नमक की भाँति है। पति-पत्नी के बीच दाल में जो काला हुआ उसका एक कारण यह भी है कि मिस्टर रिच आटे और दाल के ही व्यापारी है। यदि ऐसे परिवार में जूतों में दाल नहीं बँटेगी तो और कहाँ बँटेगी। पन्द्रह सौ करोड़ रुपये की राशि में से आप 'टाइम्स', 'एक्सप्रेस', 'नेशनल हेराल्ड' व 'पेट्रियट' आदि सारे देसी अख़बार ख़रीद सक़ते हैं और जो करोड़ों की रक़म बाकी बचे, उससे श्रीमती रिच को रत्नजटित आभूषण ख़रीदवा सकते हैं। शर्त बस यही है कि तलाक और पन्द्रह करोड़ रुपया मिल जाने के बाद श्रीमती रिच आपकी पत्नी या प्रेयसी (या दोनों) बन जाएँ। तलाक में देरी हो रही है क्योंकि मिसेज रिच के साथ-साथ अमेरिका का आय-कर विभाग भी मिस्टर रिच से पाँच करोड़ डालर चाहता है जिससे बचने के लिए वे स्विट्ज़रलैण्ड आ गये हैं। मिस्टर रिच का कहना है कि "मैं अपनी पत्नी को भले ही कुछ दे दूँ पर आय-कर विभाग को एक पैसा नहीं दूँगा।" अमेरिका की 'कांग्रेस' ने उन्हें अमेरिकन इतिहास का सबसे बड़ा 'कर-चोर' घोषित किया है पर इस सब से मिस्टर रिच पर कोई असर नहीं पड़ता। उनका कहना है कि बात सिद्धान्त की है, धन की नहीं। जहाँ तक धन का प्रश्न है, स्थिति यह है कि वक़्त ज़रूरत सत्तर अरब रुपयों तक की राशि तो वे किसी भी समय निकाल ही सकते हैं। मगर यदि वे इसी प्रकार पत्नी और आय-कर विभाग की तृष्णा पूरी करते रहे तो 'मिस्टर रिच' से 'मिस्टर पुअर' बनने में उन्हें ज़्यादा वक़्त नहीं लगेगा। रुपया ख़र्च करना आसान है, कमाना और जोड़ना बेहद कठिन। यक़ीन न हो तो आप हर्षद मेहता को देख लें।

एक अमेरिका है जहाँ एक स्त्री एक अरबपति से मात्र इस कारण तलाक ले रही है क्योंकि वह मिसेज़ रिच कहलाने से दुखी है और एक सारे जहाँ से अच्छा हमारा यह हिन्दोस्ताँ है जहाँ नब्बे प्रतिशत स्त्रियाँ उम्र भर कुछ भी कहलाना आसानी से बर्दाश्त करती हैं बशर्ते कि उनके सास-श्वसुर व पति उनकी हत्या न करें। इसी प्रकार एक अमेरिका है जहाँ कि एक व्यक्ति अपनी मूर्ख पत्नी को पन्द्रह सौ करोड़ की राशि तलाक के साथ शायद दे देगा और एक हमारा पवित्र देश है जहाँ ग़रीब नागरिक परिवार पालने के लिए अपने गुर्दे बेचता है, अपनी आँखें बेचता है और अपना ख़ून बेचता है। एक इंसान है जो पिछले पाँच वर्ष में मात्र एक सौ बीस बार ख़ून बेच चुका है। दलाल का कमीशन काटकर उसे प्रत्येक रक्त-दान पर सौ रुपये की विपुल राशि प्राप्त होती है। जो और भी भाग्यवान् लोग हैं वे अपने बच्चे तक बेचते हैं और कभी-कभी तो स्थिति इतनी भयानक हो जाती है कि पत्नी को विवश होकर वह भी करना पड़ता है जो जीते-जी वह कभी नहीं करना चाहती थी। एक तरफ़ देश की यह स्थिति है और दूसरी ओर एक प्रदेश के विवादास्पद मुख्यमन्त्री अपने शासनकाल की दूसरी वर्ष-गाँठ मनाने जा रहे हैं जिस पर बेतहाशा ख़र्च आयेगा।

अहमदाबाद में एक बस्ती ऐसी है जहाँ के लोग किसी पर भी अपनी अँगुली नहीं उठाते। इस शिष्टता का मूल कारण यह है कि उस बस्ती के काफ़ी लोग जानबूझ कर मशीन से अपनी अँगुली काट लेते हैं। एक अँगुली के बदले क़ानून के मुताबिक जो मुआवज़ा उन्हें मिलता है वह सारे हाथ की कमाई से ज़्यादा बैठता है। यह प्रथा इतनी ज़्यादा फैल गयी है कि नौ हज़ार आदमियों की बस्ती में से लगभग एक हज़ार लोगों की अँगुली या अँगुलियाँ कटी हुई हैं। यह प्रथा सन् 1970 से शुरू हुई और बाद में बढ़ती महँगाई, दारू की आदत व अन्य कारणों की वजह से गृह-उद्योग के रूप में विकसित हुई। इस धन्धे में भी दलाल काम करता है जो अँगुली पर उसे ठण्डा करने के लिए बाक़ायदा इंजेक्शन लगवाता है (ताकि अंग-भंग के समय कोई कष्ट न हो) मशीन से अँगुली कटाने की प्रक्रिया समझाता है और बाद में कारख़ाने के मालिक से पैसा दिलवाता है। दलाल का कमीशन पच्चीस प्रतिशत से पचास प्रतिशत तक होता है। मुआवज़े की मूल राशि नौ या दस हज़ार रुपयों से ज़्यादा नहीं होती।

अब मैं ख़ून और अँगुली बेचने का दुखद प्रसंग छोड़ता हूँ और हल्के-फुल्के मूड में गधे को पकड़ता हूँ। यदि गणेशजी चूहे की सवारी कर सकते हैं तो मैं गधे की सवारी क्यों नहीं गाँठ सकता? अपनी कुछ स्त्री-मित्रों के अनुसार मुझमें और गधे में वैसे भी कोई मौलिक अन्तर नहीं है। यह दुख की बात है कि जयपुर के ज़िले में पिछले सौ वर्षों से लगता आ रहा गधों का मेला धीरे-धीरे अपनी लोकप्रियता खो रहा है। सन् 1989 में छह हज़ार गधे बिकने आये थे, 1990 में पाँच हज़ार गधे आये थे जबकि इस वर्ष मात्र अठारह सौ गधे ही बिकने आये। अख़बार के अनुसार

सर्वश्रेष्ठ गधे जो पैदा होते हैं वे गुजरात में ही होते हैं, और कहीं नहीं। गधे कम क्यों आ रहे हैं—इस मुद्दे पर खोज चल रही है। मेरा व्यक्तिगत मत है कि गधे मेले में बिकने यूँ नहीं आ रहे क्योंकि वे या तो विधानसभाओं में चले गये, या उन्हें सरकारी नौकरी मिल गयी या फिर उन्होंने खेत खाने शुरू कर दिये। कृषि मन्त्रालय को उचित होगा कि कुछ गधों को यूरुप भेजे ताकि यह निश्चित किया जा सके कि गधों से फ़स्ल बचे तो कैसे बचे। मुझे तो एक उर्दू-कवि का एक शेर याद है जो इस दिशा में प्राकृतिक चिकित्सा की भाँति प्रयोग में लाया जा सकता है। शायर कहता है कि यदि गधे के कान में यह कह दिया जाए कि मैं तेरे अनुपम रूप पर मोहित हूँ तो वह आपका खेत खाना उसी वक़्त छोड़ देगा। कान में प्रणय-निवेदन करने से पूर्व यह निश्चित कर लेना ज़रूरी है कि वह गधा है या गधी है। प्रकृति ने कुछ ऐसी सुविधाएँ प्रदान की हैं कि इस अन्तर के जानने में कोई विशेष कठिनाई नहीं होती है। लिंग निश्चित होने के उपरान्त गधे या गधी के कान में 'प्रियतम' या 'प्रिये' शब्द का प्रयोग किया जा सकता है। प्रणय-निवेदन के उत्तर में गधा यदि कोई दुलत्ती या तिलत्ती मार दे तो उसका बुरा नहीं मानना चाहिए। शृंगार-रस में थोड़ा-सा वीर-रस तो सदा से चलता आया। शायर का जो कलाम है वह इस प्रकार है :

ग़र गधे के कान में कह दूँ कि हूँ तुम पर फ़िदा
तो यकीं कामिल है कि वह खेत खाना छोड़ दे

अभी तक मैंने उन लोगों की ही चर्चा की थी जो उँगलियाँ कटवाते हैं, गुर्दे बेचते हैं, आँखें बेचते हैं या फिर अपना ख़ून बेचते हैं। गधे की चर्चा चलते ही मुझे उन इंसानों की याद भी आ गयी जो सारी उम्र के लिए अपना पूरा का पूरा ज़िस्म ही बेच देते हैं। यह काम कभी-कभी अग्नि के सात फेरे लगाकर किया जाता है और कभी-कभी शाम को छज्जे पर बैठकर ग्राहकों को नकली मुस्कान से फाँस कर किया जाता है। औरत ही नहीं, कभी-कभी आदमी को भी 'बँधुआ मज़दूर' बनना पड़ता है और हज़ार अच्छे आचरण के बावजूद उसकी सज़ा कम नहीं की जाती। काफ़ी हद तक मैं ख़ुद एक ऐसा ही क़ैदी हूँ।

नाम

नाम का माहात्म्य बहुत ज़बर्दस्त होता है। उल्टा नाम जपत जग जाना, वाल्मीकि भे ब्रह्म समाना। गोस्वामी तुलसीदास जब पैदा हुए थे तो सबसे पहले जो शब्द उनके मुख से निकला था वह 'राम' ही था। जब देवताओं में शर्त लगी कि सारी पृथ्वी की परिक्रमा सबसे पहले कौन करेगा तो सदा के चतुर गणेशजी ने पृथ्वी पर 'राम' लिखा और फिर अपने वाहन मूषक राज पर बैठकर गाड़ी स्टार्ट की और 'राम' शब्द का एक चक्कर लगा लिया और ट्राफी जीत ली। ट्राफी के रूप में उन्हें लड्डू दिये गये जिनका कि उन्हें बेहद शौक़ था।

सरस्वती-सम्पादक पदुमलाल पुन्नालाल बख़्शी ने एक निबन्ध लिखा है जिसका शीर्षक 'नाम' है। इसमें बख़्शी जी ने विस्तार से बताया है कि प्रत्येक नाम से पाठक के सामने एक विशिष्ट व्यक्ति का चित्र उभरता है और इसी कारण प्रत्येक कथाकार को अपने पात्रों के नाम बहुत सोच-समझकर रखने चाहिए। शरत्चन्द्र ने 'देवदास' की नायिका का नाम 'पार्वती' रखा है जो उचित नहीं है। यदि विमल राय उसके स्थान पर सुचित्रा सेन को नहीं लगाते तो फ़िल्म का चलना मुश्किल हो जाता। मेरे एक बंगाली मित्र हैं जिनकी साहित्य पर बड़ी ज़बर्दस्त पकड़ है। उनका कहना है कि देवदास ने पार्वती से जो शादी नहीं की थी उसका एक कारण यह भी था कि उसे शायद उसका नाम पसन्द नहीं था।

अपनी रैयत पर रौब डालने के लिए मुग़ल बादशाह तक गद्दीनशीन होने पर अपने नाम बदला करते थे। 'सलीम' ने सम्राट् बनने पर अपना नाम 'जहाँगीर' रखा, 'खुर्रम' बादशाह बनने पर 'शाहजहाँ' बना और 'मुहीउद्दीन मुहम्मद' ने गद्दी पर बैठते ही अपना नाम 'औरंगज़ेब आलमगीर' रखा। यही प्रथा भारत के प्राचीन सम्राटों में भी कहीं-कहीं पायी जाती है। 'विष्णुगुप्त' भी मौर्य साम्राज्य का महामात्य होने पर 'चाणक्य' कहलाया और उसकी कुटिलता के कारण उसे 'कौटिल्य' भी कहा गया। नाम बदलने की प्रथा सारे यूरोप के इतिहास में बहुतायत के साथ पायी जाती है। हमारे यहाँ तो विष्णु भगवान के भी सहस्र नाम है। बाकी देवताओं के अनेक नाम जानने के लिए 'बृहत् स्तोत्र रत्नाकर' नामक भक्ति-ग्रन्थ पढ़ना एकदम उपयुक्त रहेगा।

राहुल सांकृत्यायन की भाँति (जिनका असली नाम केदार पाण्डे था) हिन्दी साहित्य के शीर्षस्थ लेखकों ने जो ख्याति नाम बदल कर पायी वह उन्होंने अपने असली नाम से कभी नहीं पायी। मुंशी प्रेमचन्द का असली नाम धनपतराय था, सुमित्रानन्दन पन्त का असली नाम गुँसाईदत्त पन्त था, सूर्यकान्त त्रिपाठी 'निराला' का वास्तविक नाम सूरज कुमार तिवारी था, अज्ञेय जी का सच्चा नाम सच्चिदानन्द था और बच्चन जी का असली नाम हरिवंशराय रहा। 'उग्र', 'प्रसाद 'नवीन' तथा 'दिनकर' अपने उपनामों से ही जाने जाते थे। उर्दू के सारे महान् कवि भी अपने उपनामों से ही जाने जाते हैं; उनके नाम के बाद उनके शहर या क़स्बे का नाम भी जुड़ा रहता है। उपनाम लगाने की प्रथा यूरोप में कितनी पुरानी है, यह मैं कुछ महीने बाद बताऊँगा। आख़िर वह समय आ ही गया कि जब मैं यूरोप की यात्रा करूँगा। सिवा ख़र्चे के और सारी बाकी चीज़ों का मुकम्मल इन्तजाम हो गया है और ख़र्चे का प्रबन्ध भी हो ही जायेगा—इसकी मुझे आशा कम, विश्वास बहुत है। देहरादून में ऐसे अनेक धनाढ्य लोग हैं जो तीन महीने की अवधि के लिए मुझे देश से बाहर रखने के लिए कुछ भी करने को तैयार हैं। उनका ख़याल है कि वैसा करने से उनके अपने वैवाहिक सम्बन्ध सुधरेंगे।

यूँ तो मेरी तीन चौथाई उम्र गुज़र ही गयी पर यह सच है कि नाम के अनुरूप व्यक्ति यदि न मिले, तो मन खिन्न हो उठता है। नलिनीविलोचन नाम का व्यक्ति यदि काना मिले तो आप कैसा महसूस करेंगे? मैंने ऐसे छोटेलाल देखे हैं जो न 'छोटे' थे और न 'लाल' थे। वे छह फ़ीट के काले राक्षस थे। सिन्दबाद मर गया तो मुझसे मिलने चले आये। मैंने चूहे के साइज़ के शेरसिंह, बबरसिंह और गैंडासिंह देखे हैं। हनुमान प्रसाद अनेक मिले पर पूँछ सबकी नदारद थी। साइकिल पर पैडल मारते दशरथ बाबू मेरे महल्ले ही में उपलब्ध हैं। मैंने चार फ़ीट की महान् ऊँचाई रखने वाले ठाकुर रुद्रशंकर प्रताप बहादुर सिंह भी देखे हैं और बेहद शालीन व सम्भ्रान्त सर्वश्री छुन्नामल, खचेड़ूप्रसाद व जगनसिंह के दर्शनों का सौभाग्य भी प्राप्त किया है। रूस में लोगों के नाम ऐसे होते हैं कि उनमें से प्रत्येक के तीन टुकड़े किये जा सकते हैं। मात्र इसी कारण से मैं रूसी भाषा में उपन्यास नहीं लिख पाया। मैंने ऐसे पशुपति भी देखे हैं जो 'पशु' ज़्यादा थे और 'पति' कम। सरकारी नौकरी के दौरान पेंशन के विशाल कार्यालय में मैं पेंशनरों के नामों की सूचियाँ देखा करता था। बाबूसिंह, कुर्सी सिंह, मूठासिंह, हवलदारसिंह, सूबेदारसिंह, कप्तानसिंह, कर्नलसिंह व जनरैलसिंह जैसे नाम वहीं पढ़ने को मिले। डिप्टीसिंह, तहसीलदारसिंह, कलक्टरसिंह, पटवारीदास, मुंशीसिंह, चौकीदारसरन और दरबारीलाल से भी मेरा काग़ज़ी परिचय उसी दफ़्तर में हुआ। गुलाबसिंह, चम्पासिंह, कनेरीलाल, कदली प्रसाद, रसालसिंह, नींबूलाल व पपीताप्रसाद जैसे फल-फूल प्रेमी व्यक्ति भी मेरे सम्पर्क में वहीं आये। हरि अनन्त, हरि कथा अनन्ता...

उत्तरी भारत की स्त्रियों के नाम भी अजीब होते हैं। बंगाली लड़कियों को छोड़कर सुन्दर नामों वाली सुन्दरियाँ कहाँ पायी जाती हैं? ग्रामीण क्षेत्र में कुलीन घरों में भी मुँगिया, मड़िया, लखिया, शरबती, इमरती, गुलबिया, अनारो, गिंदिया, बिन्दिया, चमेली और पीपली जैसे नाम रखे जाते हैं। और जहाँ नाम सुन्दर रखे जाते हैं वहाँ बहुधा ऐसी स्थिति होती है कि नाम वाली स्वयं सुन्दर नहीं होती हैं। मैंने कई अदद 'उषा' ऐसी देखीं जो कि 'दुपहरी' का तेज़ बिखेरती थीं। एक 'वर्षा' मिली जिसमें किसी भी प्रकार का कोई जल नहीं था। बेपढ़ी 'सरस्वती' दरिद्र 'लक्ष्मी' और दया-धर्म से शून्य 'पार्वती' मैंने बखूबी देखी हैं। एक 'पूर्णिमा' ऐसी देखी जो अमावस्या को मात करती थी। एक या दो 'सन्ध्या' भी देखीं जो शादी से पहले ही हनीमून मनाना चाहती थीं। 'दयावती' नाम की एक कन्या के नाख़ून इतने बड़े और इतने तीखे थे कि उनसे हत्या की जा सकती थी। हाँ, 'गीता' नाम की एक कन्या अवश्य ऐसी मिली जो मात्र कर्म में ही विश्वास रखती थी और फल की कोई चिन्ता कभी नहीं करती थी। एक बार मैं एक यात्रा में कहीं जा रहा था और मेरी एकाकी सहयात्री थीं एक नवोदित कवयित्री। महादेवी वर्मा की भाँति सुन्दर थीं और विधाता ने उन्हें छोटी-सी दाढ़ी भी दी थी जो भविष्य में चलकर महाकवि निराला, भारतरत्न पुरुषोत्तमदास टण्डन और दादाभाई नौरोजी की दाढ़ी की भाँति भव्य, विराट् और उदात्त होने की प्रत्येक सम्भावना रखती थी। कम-से-कम मैं तो उस कवयित्री कामिनी से दिन छिपने के बाद किसी सुनसान गली में मिलना हर्गिज़ नहीं चाहूँगा।

मेरे अपने पूर्वजों के नाम काफ़ी दिलचस्प थे। चौधरी हाथमसिंह मेरे परदादा थे। उनके भाई थे चौधरी बखतावर सिंह और चौधरी न्यादरसिंह। सन्तान में ज़्यादातर लोग ऐसे थे जिनके नाम छज्जूसिंह, झण्डासिंह, चौमण्डासिंह, शीशम सिंह और जौका सिंह थे। एक बाबा का नाम मिट्ठासिंह भी था। वे बहुत बीमार रहते थे। वे स्त्री-जाति के हित का बहुत ध्यान रखते थे और इसी कारण शादी के तुरन्त बाद ही उन्होंने अपनी पत्नी को वैधव्य का सुख प्रदान कर दिया था। वैसे भी उनकी वाणी बहुत कटु थी।

बहुत से नाम ऐसे हैं जिनका अर्थ समझ में नहीं आता। चन्द्रमा कभी काला नहीं होता पर लोग हैं कि बाक़ायदा 'कृष्णचन्द्र' नाम रखते हैं और खुश रहते हैं। कानपुर के किशनचन्दर पहिलवान और बम्बई के कृष्णचन्दर को ही देख लीजिए। मगर मतलब से क्या होता है? पुण्डीदास का कोई अर्थ नहीं होता पर शरद जोशी की प्रख्यात कथा 'मुद्रिका-रहस्य' के जासूस का इससे बेहतर नाम और क्या हो सकता था?

प्रेम-गली अति साँकरी...

इस असार संसार में जो कुछ भी है प्रेम उस सबसे ऊपर है। भगवान की प्राप्ति के जितने भी मार्ग हैं, प्रेमयोग उन सब में श्रेष्ठतम है। यह बात आज भी उतनी ही सच है जितनी कि वह हज़ारों-लाखों वर्ष पहले थी। यदि प्रेम न होता तो न तो 'मेघदूत', 'गीत गोविन्द' और बँगला के वैष्णव कवियों की मधुर कविता लिखी जाती, न भगवान श्रीकृष्ण सोलह हज़ार एक सौ आठ गोपियों के साथ रास रचाते और न ताजमहल ही बनता। यहाँ मैं जिस प्रेम की बात कर रहा हूँ उसका अर्थ मात्र उस प्रेम से है जो स्त्री और पुरुष के बीच होता है। पितृ-प्रेम, सन्तान-प्रेम, ईश्वर-प्रेम, पशु-प्रेम और देश-प्रेम जैसे जो विभिन्न किस्म के और प्रेम हैं उनकी चर्चा मैं कभी अलग से करूँगा।

द्वितीय महायुद्ध के दौरान एक अमेरिकन सैनिक व एक आस्ट्रेलियन युवती को एक दूसरे से प्रेम हो गया। युवक की आयु बाईस वर्ष थी और युवती की आयु सतरह वर्ष थी। प्रेम होने के बाद वे एक-दूसरे से बिछुड़ गये। पचास वर्ष बीतने के उपरान्त उन दोनों अविवाहित प्रेमियों ने अब शादी की है जब कि वर और वधू—दोनों की आयु क्रमशः बहत्तर और सड़सठ वर्ष की है। इतना पवित्र प्रेम इस कलियुग में क्या आपने कहीं देखा है? ठीक ऐसा ही सच्चा प्रेम आस्ट्रिया के एक पति-पत्नी के बीच पाया गया। समुद्र के तट पर सन्ध्या-समय ये दोनों पति-पत्नी अपनी कार की पिछली सीट पर प्रेम करने में जुट गये। एक ओर तो इन दोनों का प्रणय-व्यापार चलता रहा और दूसरी ओर 'हैण्ड-ब्रेक' न लगा रहने के कारण, मोटर जो थी वह समुद्र की दिशा में सरकती रही। अन्त में चलकर स्थिति यह रही कि एक ओर तो ये दोनों सच्चे प्रेमी पूर्ण सुख में डूबे और दूसरी ओर मोटर लगभग साठ फ़ीट ऊँचे तट से गिरी और समुद्र में समा गयी। मगर चूँकि दोनों प्राणियों का प्रेम वैवाहिक और पवित्र था, भगवान ने उनकी रक्षा की और वह भी ठीक उसी भाँति की जैसे कि सत्यनारायण की कथा में उन्होंने कलावती नामक कन्या की की थी जो चन्द्रमा की भाँति सुन्दर थी और जिसकी आयु भी मात्र सोलह वर्ष की ही रहती थी। सोरह शृंगार किये सोरह बरस की। हमारे सारे रीतिकाल में नायिका सदा षोडशी ही रहती

थी। जैसे ही उसने सोलहवाँ वर्ष पूरा किया वैसे ही हमारे कवियों ने (और नायिका के पति ने) उसे माता बना दिया। शृंगार-रस की परिणति वात्सल्य-रस में कर दी गयी। ऐसा करने से साहित्य का विकास हुआ या नहीं हुआ, नायिका का विकास अवश्य हुआ। वैसे ऐसी मूर्ख कन्याओं की भी कमी नहीं है जो अपने विकास को ख़ुद ही रोकती हैं। एक पड़ोसी देश में एक युवती ने एक सर्वगुण-सम्पन्न पुरुष को अपना पति बनाने से मात्र इस कारण मना कर दिया क्योंकि वह ग़रीब दाढ़ी रखता था। लड़की थी कि अपने और पति के बीच में किसी भी चीज़ को नहीं आने देना चाहती थी। उसके उस होने वाले पति ने उसे ख़त लिखकर समझाने की कोशिश की मगर लड़की थी कि नहीं मानी। उसने साफ़ कह दिया कि आदमी या तो दाढ़ी से प्यार कर सकता है या बीवी से। उसके 'असहयोग-आन्दोलन' से डरकर उस नवयुवक ने दाढ़ी कटवा दी और उस बालिका का उद्धार किया। मेरे ख़याल से वह नौजवान काफ़ी समझदार था। उसने सोचा होगा कि पहले एक ख़ूबसूरत और अमीर बीवी और दहेज तो ले लो, दाढ़ी का क्या है फिर बढ़ा लेंगे। और यह भी तो हो सकता है कि उसने सोचा हो कि अगर दाढ़ी जानी ही है तो फिर अपने ही हाथों क्यों न जाए? अगर इस हसीन और अमीर पर बदजात बेग़म ने मेरे सोते हुए किसी रात मेरी दाढ़ी में माचिस खींच दी तो मैं क्या कर लूँगा?

कुछ सयानों का कहना है कि सच्चा प्रेम जो होता है वह शादी के बाद ही उत्पन्न होता है जबकि बाकी भुक्त-भोगियों का निश्चित मत यह है कि शादी के बाद बच्चों को छोड़कर और कुछ उत्पन्न नहीं होता। बहरहाल मेरी अपनी स्थिति यह है कि मैं अपनी पत्नी से दिन में कम-से-कम दो बार यह ज़रूर कहता हूँ कि मैं तुमसे इतना प्यार करता हूँ कि उसे शब्दों में प्रकट नहीं कर सकता। अपनी पत्नी क्या, समुचित अवसर प्राप्त होने पर मैं यही बात कुछ दूसरों की पत्नियों से भी कहता रहता हूँ। मगर लगता है कि इस विचित्र संसार में सारे पति, मेरे जैसे पवित्र विचारों वाले नहीं हैं। जापान में अधिकांश विधवाएँ अब अपने पतियों की क़ब्र में दफ़न नहीं होना चाहतीं। पिछले वर्ष जापान में एक लाख सत्तर हज़ार तलाक हुए जिनमें से पच्चीस हज़ार तलाक उन लोगों ने लिये जो बीस वर्ष का विवाहित जीवन बिता चुके थे। सन् 1971 से इस प्रकार के तलाक बढ़ते ही जा रहे हैं जिसका प्रमुख कारण यह है कि वहाँ का जीवन इतना व्यस्त हो गया है कि पति-पत्नी सारे सप्ताह में मात्र तीस मिनट तक ही एक-दूसरे से बात कर पाते हैं। बाकी सारा समय दफ़्तर, यातायात, गोल्फ, सामाजिक समारोह व नींद में निकल जाता है। इसके विपरीत मेरे और मेरी धर्मपत्नी के, प्रत्येक दिन, चार घण्टे बातचीत में ही गुज़रते हैं; यह दीगर बात है कि सारी बातचीत मेरी धर्मपत्नी ही करती हैं और मैं जो हूँ वह मात्र सुनता रहता हूँ, कसम खाता रहता हूँ और कानपुर के किशनचन्द्र पहिलवान की बहरे-तवील मन ही मन गुनगुनाता रहता हूँ। कभी 'अमरसिंह राठौर' की नौटंकी याद आती है

तो कभी 'गुलबदन उर्फ़ मुहब्बत का फूल' के डायलाग याद आते हैं। टोकियो में एक सम्भ्रान्त नागरिक ने कोशिश की कि वह अपनी प्रिय पत्नी को शार्क नामक समुद्री शेर को खिला सके पर उसके व शार्क के दुर्भाग्य के कारण वह अपने पवित्र अभियान में सफल नहीं हो सका। फ़िलहाल वह निरीह पति पुलिस की हिरासत में है। लगता है कि उस पर मुक़द्दमा चलेगा और पत्नी व शार्क गवाही देने के लिए अदालत बुलाये जाएँगे। पण्डित रंगीलाल-कृत 'क़िस्सा तोता-मैना' का दूसरा पहलू भी काफ़ी चित्ताकर्षक है। ढाका में एक व्यापारी (नाम : अब्दुल मोतालेब, उम्र : पैंतीस वर्ष) ने अपनी पत्नी को तलाक दे दिया था। एक दिन उस भूतपूर्व धर्मपत्नी ने उसे अपने घर निमन्त्रित किया, ताकि वह अपने पुत्र को देख सके। जैसे ही वह ग़रीब मकान के भीतर घुसा, उसकी उस तलाकशुदा पत्नी ने किसी तेज़ हथियार से उसके पुरुष-चिह्न काट लिये। मेरा यह निश्चित मत है कि उसके गुप्तांगों के सचमुच गुप्त हो जाने पर, उसकी दूसरी पत्नी भी उसे तलाक दे देगी।

आगे बढ़ने से पूर्व मैं अपने प्रबुद्ध पाठकों से एक लघु-शंका का समाधान चाहता हूँ। हम लोग प्रायः 'धर्म-बहिन' व 'धर्म-भाई' शब्दों का प्रयोग करते हैं जिनका अर्थ होता है कि वे लोग हमारे सच्चे भाई या बहिन नहीं हैं हालाँकि हम उन्हें ठीक वही स्नेह देते हैं जो बहिन या भाई को दिया जाता है। इस पृष्ठभूमि को ध्यान में रखते हुए अपनी विधिवत् विवाहिता पत्नी को 'धर्म-पत्नी' कहना मेरी तरह आपको भी असंगत लगता है या नहीं? धर्म-पत्नी का शास्त्रीय अर्थ तो यही रहा कि वह 'पत्नी' नहीं है हालाँकि हम उसे वही लाड़, प्यार, अनुराग व प्रेम देते हैं जो कि अपनी सगी पत्नी को दिया जाता है। मैं चाहता हूँ कि इस मुद्दे पर विचार किया जाए। विचार में पत्नी व 'धर्म-पत्नी' दोनों भाग ले सकती हैं और इस मुद्दे पर भी विचार कर सकती हैं कि यदि 'धर्म-पत्नी' जैसा शब्द प्रयोग में लाया जा सकता है तो 'धर्म-पति' का प्रयोग व उपयोग क्यों नहीं किया जा सकता?

आम आदमी की चर्चा काफ़ी हो गयी; अब मैं राजकुमारों व राजकुमारियों की दास्तान सुनाऊँगा। इंग्लैण्ड की वर्तमान महारानी एलिज़ाबेथ (द्वितीय) विश्व की छठी सबसे अमीर व्यक्ति हैं हालाँकि वे अपनी आय पर कोई आयकर नहीं देतीं। उनकी वार्षिक आय मात्र दो बिलियन पाउण्ड है और इसके अतिरिक्त पन्द्रह मिलियन पाउण्ड उन्हें बतौर सूद के प्राप्त होते हैं क्योंकि लगभग तीन सौ अस्सी मिलियन पाउण्ड की रक़म बैंकों में उनके खाते में जमा है। उनके व्यक्तिगत आभूषण चार सौ बत्तीस मिलियन पाउण्ड के हैं। सरकार उन्हें आठ मिलियन पाउण्ड अतिथियों के सत्कार के लिए देती है। इस सबके अतिरिक्त, उन्हें व्यक्तिगत सम्पत्ति से और भी काफ़ी आय है। ब्रिटेन की प्रजा चाहती है कि वे और उनका परिवार गरिमा और पवित्रता के साथ रहें ताकि प्रजा भी उनका ठीक अनुसरण कर सके। ब्रिटेन की जनता यह नहीं चाहती कि राजपरिवार के लोग एक ओर तो देवी-देवता की भाँति पूजे जायें

और दूसरी ओर वे पतित जीवन व्यतीत करें। मगर राजकुमारी डायना व राजकुमार चार्ल्स वे सब कुछ खुलेआम कर रहे हैं जो उनके पूर्वज एकान्त में किया करते थे।

महारानी एलिज़ाबेथ (द्वितीय) व उनके पति एकदम सात्त्विक व समाजवादी विचारधारा के लोग हैं। जब महारानी और उनके पति भारत आये थे तो राष्ट्रपति-भवन के दो कमरों में अलग-अलग ठहरे थे और दोनों कमरों को जोड़ने के लिए भीतर कोई दरवाज़ा भी नहीं था। राजकीय गोपनीयता की दृष्टि से इससे बड़ा क़दम और क्या हो सकता था? महारानी ने यह भी देखा कि ईश्वर व प्रकृति स्वयं सबसे बड़े समाजवादी हैं। वर्षा होती है तो क्या छोटा और क्या बड़ा—सबके ऊपर होती है। यही स्थिति धूप, गर्मी, ठण्ड, वसन्त, दिन और रात के साथ है। महारानी ने यह भी महसूस किया कि राजा हो या प्रजा—दोनों के यहाँ सन्तान भी एक ही भाँति प्राप्त होती है चाहे वह ढंग कितना भी पुराना और दक़ियानूसी ही क्यों न हो। इस ज्ञान की प्राप्ति होते ही उन्होंने सन्तान को यह आज़ादी दे दी कि वे जहाँ चाहें वहाँ अपना जीवन-साथी खोज सकते हैं। सन्तान ने ठीक यही किया। और इस रियायत का परिणाम यह निकला कि शायद ब्रिटेन से भी राजतन्त्र समाप्त ही हो जाए। अब तो महारानी स्वयं ही यह कह रही हैं कि उनके होनहार पुत्र व अतिहोनहार पुत्रवधू एक-दूसरे से तलाक ही ले लें।

महारानी के सबसे बड़े पुत्र ने डायना नामक सामान्य कुल की सुन्दरी से विवाह किया। कुछ दिनों तक तो गाड़ी ठीक चली पर फिर वह पटरी से उतर गयी। अब दोनों में प्रेम इतना हो गया है कि अक्सर वे एक-दूसरे से अलग ही रहते हैं! प्रिंसेज डायना के जीवन पर एक पुस्तक निकल चुकी है जिसकी बिक्री से तीन लाख पाउण्ड तो कमाये भी जा चुके हैं। इधर एक सैनिक अधिकारी ने 'सन' नामक अख़बार पर मुक़द्दमा दायर किया है क्योंकि इस अख़बार में यह ख़बर छपी है कि उपर्युक्त अधिकारी ने शराब के नशे में कह दिया था कि प्रिंसेज डायना के साथ उसके भी शारीरिक सम्बन्ध थे। सम्भव है कि इस मुकद्दमे के सिलसिले में प्रिंसेज डायना को भी गवाही देने के लिए तलब किया जाए। महारानी का जो दूसरा सुपुत्र है उसकी पत्नी सचमुच बड़ी दयालु व पतिव्रता किस्म की है। अभी-अभी कुछ चित्र ऐसे पाये गये जिनमें एक अमेरिकन अरबपति उसके चुम्बन ले रहा था और उसकी शेष देह पर भी यथास्थान व यथासमय ध्यान दे रहा था। इस युवती पर यदि फ़िल्म बनायी गयी तो दूरदर्शन को दो या तीन मिलियन पाउण्ड की आय हो सकती है। महारानी का तीसरा पुत्र भी होनहार है। वह समलैंगिक सम्प्रदाय का सदस्य है। चौथी सन्तान एक लड़की है जिसका अपने पति से ही तलाक सम्पन्न हो चुका है। प्रेस वाले हैं कि सारी पुरानी परम्पराएँ छोड़कर शाही परिवार के पीछे हाथ धोकर पड़े हैं। यह ग़लत है। पहली पीढ़ियाँ जिन कामों को लुकछिप कर किया करती थीं, नयी पीढ़ी उन्हीं कामों को खुलेआम कर रही है। इसमें इतना नाराज़ होने की क्या बात है?

क्या महारानी विक्टोरिया अपने एक प्राइवेट सेक्रेटरी की रखैल नहीं थीं?

हमारे इस परम पुरातन देश में प्रेम वही पवित्र माना जाता है जो विवाह के उपरान्त होता है। जो हसीन छोकरी वैसे किसी नौजवान से चाँदनी रातों में आमों की बगिया में मिलती है उसे चरित्रहीन माना जाता है पर यदि उसका उसी भूतपूर्व प्रेमी से विवाह सम्पन्न हो जाता है तो वह रातोंरात परम पवित्र और चरित्रवती कुलवधू कही जाने लगती है। विवाह का बन्धन जन्मजन्मान्तरों का होता है और इसी कारण उसका तोड़ना बहुत कठिन होता है। 'इण्डियन एक्सप्रेस' के अनुसार एक सब-डिवीजनल मैजिस्ट्रेट ने अपनी प्रिय पत्नी की आत्मा को उसकी देह से मुक्त कर दिया क्योंकि एक ओर तो उसे और दहेज की ज़रूरत थी और दूसरी ओर उसके सम्बन्ध भारतीय प्रशासन-सेवा की सदस्या एक और अधिकारिणी के साथ काफ़ी घनिष्ठ हो गये थे क्योंकि वह बेचारी वैधव्य की अग्नि में बुरी तरह जल रही थी। हक़ीक़त क्या है इसका तो पता शायद अदालत में ही चले पर अख़बार में जो छपा है वह वही है जो मैं बता रहा हूँ।

ऊपर बतायी घटना को सुनकर आपका हृदय भी मेरी तरह उदास हो गया होगा। आपका मूड बदलने के लिए एक आँखों देखी घटना सुनाता हूँ। मैं एक मित्र की कन्या की शादी में गया। रिवाज़ के अनुसार वर ने मात्र एक धोती पहन रखी थी, शरीर का ऊपरी भाग महाप्राण निराला की भाँति नंगा था। लड़का कोट-पतलून पहनने का आदी था और उस चिकनी रेशमी धोती को वह ठीक प्रकार बाँध नहीं सका था। यज्ञ वग़ैरह होने के उपरान्त उसकी धोती को जब कन्या की साड़ी से गठबन्धित किया जा रहा था तो उसकी वह धोती खुल गयी और वह ब्रह्मचारी हृष्ट-पुष्ट ब्राह्मण-पुत्र सब स्त्री-पुरुषों के सामने एकदम नंगा हो गया। शत-प्रतिशत दिगम्बर और अवधूत। मगर वह कायर नहीं था जो अपनी क़ीमती धोती और वधू को छोड़कर भाग जाता, वह वहीं खड़ा रहा और कहता रहा कि वस्तु-स्थिति जो भी है वह आपके सम्मुख प्रस्तुत है। ठुकरा दो या प्यार करो। थोड़ी देर बाद उसने शान्तिपूर्वक धोती बाँधी और वधू प्राप्त की।

भारत-सरकार ने कुछ आदेश जारी किये हैं जिनके अनुसार चिड़ियाघरों में जो भी पशु-पक्षी रखे जाएँगे, वे अपनी मादा के बिना नहीं रखे जाएँगे। पशु-पक्षियों का विरह सरकार बर्दाश्त नहीं कर सकती। वैसे भी सरकारी वैज्ञानिकों ने लगभग बीस वर्ष की खोज और करोड़ों रुपयों का ख़र्चा करने के उपरान्त यह महान् निष्कर्ष निकाला है कि यदि नर और मादा साथ-साथ नहीं रहेंगे तो उनकी नस्ल आगे नहीं चलेगी। एक तरफ़ तो देश की सरकार ने पशु-पक्षियों पर इतनी दया दिखायी और दूसरी तरफ़ देश के सर्वोच्च न्यायालय ने एक ऐसा ऐतिहासिक फ़ैसला दिया, जिसे पढ़कर काफ़ी अख़बार और मेरे जैसे नागरिक दाँतों तले अँगूठा दबाने लगे। सुप्रीम कोर्ट ने निर्णय दिया है कि कोई भी सरकारी कर्मचारी अपनी पदोन्नति के कारण

उस नगर में रुकने का अधिकारी नहीं होगा जहाँ कि उसकी पत्नी रहती हो। दूसरे शब्दों में, मनुष्य पीछे रह गया और पशु आगे निकल गया। अब पति कहीं रहेगा और पत्नी कहीं। पति लोग 'मेघदूत' पढ़ेंगे और पत्नियाँ 'सैंया, तुम कहाँ और हम कहाँ' वाला महादेवी जी का अमर गीत गुनगुनाएँगी। अनैतिक प्रेम और अपराध बढ़ेंगे और जनसंख्या घटेगी। तलाक भी बढ़ सकते हैं। सरकारी कर्मचारियों को उचित होगा कि वे भारत-सरकार से प्रार्थना करें कि हमें भी वही अधिकार दिये जाने चाहिए जो पशु और पक्षियों को दिये गये हैं। हमारे जो घर हैं वे किस चिड़ियाघर से कम हैं और हम खुद जो हैं वह किस पशु से पीछे हैं?

मेरे कुछ हमसफ़र

जब से तीसरा दर्जा हटा है और दूसरे दर्जे का भाड़ा बढ़ा है तब से स्थिति सचमुच यह हो गयी है कि रेल में फ़र्स्ट क्लास के अतिरिक्त, यात्रा करने के लिए और कोई चारा ही नहीं बचा। 'बेचारा' लेखक फ़र्स्ट क्लास से जाता है और उसका 'चारा' जो है वह दूसरे दर्जे में जाता है। पिछले दिनों एक काम से वशीभूत होकर मैं देहरादून से मेरठ जो गया तो पहले दर्जे में ही गया। देहरादून-बम्बई-एक्सप्रेस दिन के ग्यारह बजे चली और लक्सर व सहारनपुर में अपनी दिशा व एंजिन बदलती हुई उसी दिन साढ़े छह बजे शाम को मेरठ छावनी पहुँची। मगर सात-आठ घण्टे की यह यात्रा मुझे खली नहीं। डिब्बे में मेरे पाँच हमसफ़र और थे जिन्हे मैं थोड़ा-बहुत पहले से जानता था। उनके कारण यह यात्रा काफ़ी दिलचस्प रही।

डिब्बे के एक केबिन में हम छह यात्री थे। एक सीट पर मैं था, एक जागीरदार थे और साथ में उनके पुश्तैनी वकील थे। सामने वाली सीट पर एक स्वामी जी थे, उनके पास एक स्वर्णकेशी युवती थी और उनकी बग़ल में एक शायर थे जिनका तखल्लुस 'घायल' था। अब मैं इन सब आत्माओं के बारे में कुछ ज्ञातव्य जानकारी दूँगा।

मैं अपने बारे में कुछ नहीं कहूँगा। अब्राहम काउली के अनुसार यदि मैं अपनी निन्दा करूँगा तो वह मुझे बुरी लगेगी और यदि मैं अपनी प्रशंसा करूँगा तो आप उस पर यक़ीन नहीं करेंगे। मेरे पास जो जागीरदार थे, वे पुश्तैनी जागीरदार थे। सरल शब्दों में उनके बाप, दादा और परदादा भी जागीरदार ही थे। पण्डित पन्त ने जागीर तो ज़ब्त कर ली पर जागीरदार साहिब को उसी तरह छोड़ दिया। उन्हें वे भी ज़ब्त नहीं कर सके। जागीरदार साहब अब भी उसी ठाठ से रहते थे जैसे कि इस इलाके में कभी रुहेला सामन्त नजीब ख़ाँ रहता था। उनकी कोठी जो थी वह कोठे का मज़ा देती थी। उनके यहाँ सोफ़े सोफ़ियाने रंग के थे, कालीन काले थे, परदे परियों के परों के समान कोमल थे, उनके बच्चे बचकानी हरकतें करते थे, बरामदों में टँगे तोते तोताचश्म थे और बीवियाँ बेवा जैसी सादगी से रहती थीं हालाँकि उनका हुस्न अभी काफ़ी हसीन था। जागीरदार एक पत्नीव्रत व्यक्ति थे; पत्नियों की संख्या चार से ज़्यादा कभी नहीं रही और उपपत्नियाँ, दासियाँ और रखैलें हमेशा बेतादाद

रहीं। उनका हरम सदा हरा ही रहा। वे दिन को भी शिकार पर निकलते थे और रात को भी। जितनी भी बाजियाँ होती हैं वे सब उन्होंने खेली थीं और फ़िलहाल भी एक मुक़द्दमेबाज़ी के ही सिलसिले में, वे अपने वक़ील के साथ दिल्ली तशरीफ़ ले जा रहे थे। अगर खादीधारी सफ़ेद कमरों में मामला सुलझ जाता तो काली पोशाक वाली अदालत के पास वे क्यों जाते?

जागीरदार के वकील साहब को मैं थोड़ा-बहुत जानता था। यूँ तो उनमें खूबियाँ ही खूबियाँ थीं (जिनके कारण उनके माता-पिता ने उनका नाम खूबचन्द रखा था जो उन पर ख़ूब फबता था) पर उनकी सबसे बड़ी खूबी यह थी कि उन्होंने कभी कोई मुक़द्दमा अपने जीवन में जीता नहीं था। दीवानी के मुक़द्दमे में वे फ़ौजदारी का कानून उद्धृत करते थे और जाब्ते के मुक़द्दमे में वे दीवानी की नज़ीर देते थे पर फिर भी उनके पास मुवक्किल आते थे क्योंकि वे हर एक मुवक्किल से हमेशा यह कहते थे कि "इस जज, मैजिस्ट्रेट व दरोग़ा को मैं पिछले पच्चीस साल से जानता हूँ। इसे रिश्वत चाहिए क़ानून की दलील नहीं।" वकील साहब की शक्ल भी ख़ूब थी और अक्ल भी। सारी उम्र अपनी ऐश से गुज़ारी। सेहत का बहुत ख़याल रखते थे और इसी कारण बकरी का दूध पीते थे, गर्मियों में मसूरी चले जाते थे और शायरी का शौक़ रखते थे। अन्दर से सदाबहार, बाहर से दिलाबरफ़िगार। अपने पूर्वजों के पैसे की मदद से दो बार यूरुप हो आये थे और अपनी निजी प्रतिभा के कारण अदालत की बेइज़्ज़ती के सन्दर्भ में कई बार देसी जेलों का मज़ा भी ले चुके थे। कबाब वे खाते नहीं थे, शराब वे छोड़ते नहीं थे और शबाब उनकी दहलीज पर कभी आया ही नहीं था। बीस वर्ष की आयु में वे साठ वर्ष के लगते थे और साठ वर्ष की आयु में भी वे साठ ही वर्ष के लगने थे। उन्हें ऋण देने वाले कभी ज़िन्दा नहीं रहे और उनसे ऋण लेने वाला कोई पाया ही नहीं गया। उनका घर एक दीवानी की अदालत था जिसमें रोज़ फ़ौजदारी होती थी। वे पान खाते थे और जापान जाने की सोचते थे। वे हलवाई की दही देखते थे और सेठजी की बही समझते थे। उन्होंने सदा एक ही मुकद्दमे के सहारे कई को बर्बाद किया।

मेरे सामने जो स्वामी जी बिराजते थे उन्हें देखकर 'हाथी मेरा साथी' नामक फ़िल्म की याद आती थी। बड़ी लाजवाब फ़िल्म थी। उस फ़िल्म में जानवर का काम जानवर करते थे जबकि बाकी देसी फ़िल्मों में जानवर का काम आदमी और औरत करते हैं। स्वामी जी मौन-व्रत से थे, मात्र इतना ही बताते थे कि उनकी इस जन्म की आयु सौ से ऊपर हो चुकी है और प्राणायाम के द्वारा उन्होंने अपने दाँत दुबारा उगाये हैं। एक स्टेशन पर फल खाते हुए उन्होंने यह भी बताया था कि बिना भोग के योग सम्भव नहीं और बिना योग के रोग सम्भव नहीं। वर्ष में वे छह महीने बद्रीनाथ रहते थे, छह माह केदारनाथ रहते थे और शेष समय उन श्रेष्ठ जी के यहाँ व्यतीत करते थे जो अपनी श्रेष्ठाणि जी को छोड़कर, एक विधवाश्रम का

खाता देखते थे। स्वामी जी के पास ऐसी अचूक शक्ति बतायी जाती थी कि क्या कुमारी, क्या विधवा और क्या विवाहिता—सबको सन्तान प्राप्त होती थी और अवश्य होती थी और यह सारा काम मात्र योगाभ्यास से सम्पन्न होता था, किसी औषधि या शल्यचिकित्सा द्वारा नहीं। स्वामी जी देखने ही में विराट् लगते थे। उनकी घण्टी तराई के सारे क्षेत्र में अपने प्रताप का घंटा बजा चुकी थी।

स्वामी जी से सटी हुई एक स्वर्णकेशी युवती बैठी थी। उसे भी मैं थोड़ा-बहुत जानता था। वह उसी सौन्दर्य-कक्ष में अपने केश सुनहरे करवाया करती थी जहाँ मेरी पत्नी उन्हें गहरे ब्राउन रंग में रँगवाया करती थी। दोनों अपने-अपने मुखचन्द्रों पर उगे केश भी उसी 'बूटी-पार्लर' में साफ़ कराया करती थीं। देहरादून में वर्षा की अधिकता के कारण, रमणियों के चेहरे तक पर वनस्पति उगती है और ख़ूब उगती है। इस स्वर्णकेशी युवती के तीन स्वयंवर सम्पन्न हो चुके थे। पहले पति ने मरकर इसे विधवा छोड़ा था, दूसरे पति ने बिना मरे ही इसे वैधव्य का सुख दिया था और तीसरा पति वह था जो इन दिनों चल रहा था। युवती अपने इस पति से प्रेम करती थी और इसी कारण उसे अपने प्रेमियों से खुलेआम पिटवाया करती थी। प्रेमी लोग उसके पति को बेहोश करते थे और उसके बाद इस युवती को मदहोश करते थे। मगर यह थी कि फिर भी उन सबके होश ठिकाने लगाती रहती थी। एक प्रेमी उसे सदा रुलाता रहता था क्योंकि उसे वह रोती हुई ज़्यादा सुन्दर लगती थी। एक दूसरा चाहनेवाला था जो पहले प्रशंसक से मतभेद रखता था। वह उसके सामने उस दूसरे प्रेमी को बुरी तरह पीटा करता था जिसे देखकर वह हँसा करती थी। दूसरे प्रेमी को वह हँसते हुए ही ज़्यादा मनोरम लगती थी। मैंने तो जब भी उसे देखा, मुझे वह कालिदास की शकुन्तला ही लगी। पीछे से वह मुझे वैसी शकुन्तला लगती थी जो अभी दुष्यन्त से निकट सम्पर्क नहीं स्थापित कर पायी थी और आगे से वह ऐसी शकुन्तला लगती थी जिसे किसी दुष्यन्त ने नकली सोने की अँगूठी भली भाति पहना दी हो और जो बाद में उसे भूल गया हो। सरल शब्दों में उसको पीछे से देखने पर किसी 'गरम' चीज़ का 'भरम' होता था और उसे आगे से देखने पर 'धरम' का कोई 'परम करम' करने को तबीयत होती थी। मैं उसे देखता रहा और सोचता रहा कि यदि इस भूतपूर्व युवती को कसकर नहिला दिया जाए तो इसका वज़न कितना कम हो जाए। उसका मेकअप वाक़ई कई किलोग्राम का वज़न रखता था।

अब सिर्फ़ शायर साहिब बचते थे जो शक्ल से एक कायर व्यक्ति लगते थे। उनकी शायरी में आपको मीर तकी मीर से लेकर जिगर मुरादाबादी तक के सारे महान् शायरों की शायरी का आनन्द प्राप्त होता था क्योंकि वे एक मिसरा किसी का लेते थे और ससुरा दूसरा मिसरा किसी और का लेते थे। हालत हमेशा 'खस्ता' रहती थी और इनकी शायरी का 'बस्ता' सदा 'सस्ता' रहता था। अपनी काव्य-प्रतिभा के कारण अक्सर वे पिटते रहते थे और इसी कारण इन्होंने अपना तखल्लुस 'पायल' से

बदलकर 'घायल' रख लिया था। जब भी किसी मुशायरे में जाते थे, फ़र्स्ट-एड का सामान अपने साथ ले जाते थे। प्रसव को छोड़कर कोई ऐसी बीमारी नहीं थी जिसने इनकी तीमारदारी न की हो। इनका 'दीवान' जब छपने गया तो कहते हैं कि प्रेस के तीन कम्पोज़ीटर और एक प्रूफ़रीडर 'दीवाने' हो गये थे। अपना कलाम सुनाने का इन्हें कतई शौक़ नहीं था क्योंकि वैसा करने की वजह से इन्हें जेल तक जाना पड़ा था। जेल में भी हालत यही रही कि इनके कलाम से बचने के लिए कई जेलरों ने अपना तबादला करवा लिया। अन्त में चलकर सरकार को इन्हें वक़्त से पहले ही छोड़ना पड़ा। वे एक ऐसे 'उल्लू' थे जिनके डूबने के लिए एक 'चुल्लू' पानी ही काफ़ी था। वे बिना नागा 'बारू' की दुकान पर जाते थे और 'दारू' पीते थे। वे 'तोंदू' तो नहीं थे मगर उनके 'भोंदू' होने में कोई शक नहीं था।

मैं जागीरदार साहब का बग़लगीर था। सब लोगों के बारे में मुझे थोड़ा-बहुत ज्ञान था। बाकी जानकारी जागीरदार साहिब ने ही मुझे दी। उन्होंने ही मुझे बतलाया कि वे स्वामी जी दो बार पहले जेल जा चुके थे और उनकी असली आयु तीस वर्ष से कम थी। बेहद भ्रष्ट इंसान थे। दिन में पूजते थे दुर्गा, रात को खाते थे मुर्गा। वे चाहते थे कि वह सुनहरे बालों वाली बालिका अपनी भूमि उन्हें मारूसी तौर पर दे दे पर वह समझदार कन्या उसे सिर्फ़ बटाई पर ही देना चाहती थी। बात बढ़ने पर मामला जागीरदार साहिब के कानों तक पहुँचा और उन्होंने स्वामी जी के विरुद्ध दिल्ली के किसी थाने में रिपोर्ट लिखवा दी। यदि स्वामी जी देश की स्त्रियों को पतित करने का शौक़ रखते थे तो जागीरदार साहिब पतित स्त्रियों का उद्धार करने के लिए कटिबद्ध थे। ये जो शायर थे, उन्हें पाँच सौ रुपये देकर चश्मदीद गवाह बना लिया गया था। वकील और वह स्वर्णकेशी रमणी जो साथ थी वह भी इसी सन्दर्भ में उनके साथ थी। शायर का असली नाम शायद सरस्वती प्रसाद 'घायल' था।

जब तक जागीरदार साहिब सारे मामले पर पूरा प्रकाश डालते रहे, तब तक शायद मुजफ़्फ़रनगर आ गया। चाय मँगायी गयी और पी गयी। स्वामी जी ने चाय ग्रहण नहीं की, उस दिन शायद एकादशी थी। जागीरदार साहिब उँगली उठाकर बताते रहे कि "हुज़ूर, उस दिशा में थोड़ी ही दूर वह जानसठ नाम का अदना क़स्बा है जहाँ बारहा के वे दो सैयद भाई इस पृथ्वी पर प्रकट हुए थे जिन्होंने सम्राट् फर्रूखसियर को तख़्त पर बिठाया था और बाद में उस ग़रीब को अन्धा करवाया था और जब इतने से भी पेट न भरा तो उसे क़त्ल करवाया था। बन्दापरवर, वे दोनों भाई खुले-आम कहा करते थे कि हम जिसके सिर पर अपनी जूती रख देंगे, वही दिल्ली का शहंशाह हो जायेगा।" मैं सुनता रहा और लगभग बूढ़े उस जागीरदार की नम्रता व शिष्टता की दाद देता रहा।

कोई डेढ़ घण्टे बाद मेरठ छावनी का चिरपरिचित स्टेशन आ गया। मैंने सबको प्रणाम किया, स्वर्णकेशी युवती को जी भरकर देखा और कुली को आवाज़ दी। मेरे

उतरते ही गाड़ी चलने लगी। इस हादसे का मूल कारण यह था कि मैं कुछ सोचने लगा था और इसी चिन्तन-अनुचिन्तन के बीच शरारती गार्ड साहिब ने एक अदद हरी झण्डी हिला दी थी जिसे ड्राइवर ने ग़लती से देख लिया था। उसने सीटी बजायी और लिवर दबा दिया। इस सबका वही परिणाम हुआ जो होना था। गाड़ी चल पड़ी। मैं स्टेशन के बाहर आया और स्टाफ-कार में बैठ गया। जैसा कि सदा होता था, स्टेशन के गेट पर मुसाफ़िरों से टिकट बटोरने वाला अधिकारी आज भी नहीं था। मैं डिब्बे के यात्रियों के बारे में सोचने लगा। बड़ी विचित्र स्थिति थी। स्वामी जी जिस समस्या को 'भक्तियोग' से सुलझाना चाहते थे, उसके साथ बैठी कन्या 'प्रेमयोग' से सुलझाना चाहती थी, वकील साहब 'ज्ञानयोग' से सुलझाना चाहते थे, शायर महोदय और मैं उसे 'कर्मयोग' से सुलझा सकते थे और वे जागीरदार साहिब उस पर 'हठयोग' लगा रहे थे। सारे योगों का अन्तिम नियोग परमपिता परमात्मा तक पहुँचना था जिसकी प्राप्ति एक झूठे गवाह के सहारे उन्हें अदालत में होने की आशा थी। 'योग' से बड़ा 'वियोग' इस संसार में 'संयोग' से भी कभी नहीं पाया गया।

हिन्दी की कुछ और व्यंग्य-कविताएँ

व्यंग्य-काव्य को दो श्रेणियों में बाँटा जा सकता है। एक व्यंग्य-काव्य तो वह है जो समाज या किसी व्यक्ति-विशेष को लक्ष्य करके लिखा जाता है और दूसरा व्यंग्य-काव्य वह है जो किसी साहित्यिक रचना को लक्ष्य करके लिखा जाता है। पहले को सैटायर या विद्रूप और दूसरे को पैरोडी कहते हैं। पं. श्रीनारायण चतुर्वेदी ने पन्त और बच्चन के काव्य की पैरोडियाँ लिखी हैं जो पढ़ने लायक हैं।

मैंने कबीर, निराला, अज्ञेय व रघुवीरसहाय की व्यंग्य-कविताओं पर स्वतन्त्र लेख लिखे हैं जो 'विषकन्या', 'चम्पाकली' तथा 'भाद्रपद की साँझ' नामक मेरे तीन व्यंग्य-संग्रहों में संगृहीत हैं। इनके अतिरिक्त मैंने एक लम्बा निबन्ध नागार्जुन, प्रभाकर माचवे, विद्यानिवास मिश्र, धूमिल, दुष्यन्तकुमार, लक्ष्मीकान्त वर्मा, सर्वेश्वरदयाल सक्सेना, बच्चन, भारत भूषण अग्रवाल तथा भवानी प्रसाद मिश्र की व्यंग्य-कविताओं पर लिखा है जो मेरे 'इतिहास का शव' नामक व्यंग्य-संग्रह में शामिल है। मैं देखता हूँ कि हमारे और भी ऐसे अनेक सशक्त कवि हैं जिनकी चर्चा करना ज़रूरी है क्योंकि उन्होंने भी मार्मिक व्यंग्य-काव्य लिखा है। कुछ ऐसी ही रचनाओं के टुकड़े यहाँ पेश करता हूँ।

(एक)

दुनिया में हाथ पैर हिलाना नहीं अच्छा
मर जाना पै कहीं उठ कर जाना नहीं अच्छा,
बिस्तर पै मिस्ल लोथ पड़े रहना हमेशा
बन्दर की तरह धूम मनाना नहीं अच्छा,
सिर भारी चीज़ है, इसे तकलीफ़ हो तो हो
पर जीभ बिचारी को सताना नहीं अच्छा,
फाकों से मरिए पर न कोई काम कीजिए
दुनिया नहीं अच्छी, है ज़माना नहीं अच्छा,
मिल जाए हिन्द खाक में, हम काहिलों को क्या
ऐ मीरे-फ़र्श रंज उठाना नहीं अच्छा

(भारतेन्दु हरिश्चन्द्र)

(दो)

आजकल की लड़कीन की, किया कहीये आह
पूछत दुकानदार से, है 'लिपटन' की 'चाह',
वेणी उनकी देखिए, लम्बी ललित ललाम
जैसे कोई वाक्य हो, बिना पूर्णविराम।
रहे घूमते खोज में हम उनकी दिन रैन
जैसे 'बेढब' घूमता है बिजली का फ़ैन।
दो पत्नी हैं तो नहीं हमको तनिक विषाद
एक समझ ली मूल है, और एक अनुवाद।
हिन्दोस्तानी गोद में यों अँगरेज़ी मेम
सोने की तस्वीर पर आबनूस का फ्रेम।

(बेढब बनारसी)

(तीन)

आज तलक इस गाँठ को सका न कोई खोल
कैसे मुख नमकीन से निकलें मीठे बोल,
उनके बौड़म हुस्न की सभी शरारत माफ़
मुख उघड़ा बिजली जली, जूड़ा खोले आफ,
चन्द्रमुखी सूरजमुखी, कंजमुखी मुस्कान
बने ब्याह के बाद ही ज्वालामुखी समान,
वृन्दावन में रूप का घटा न कुछ भी अंश
इन्द्रधनुष सी कटि हुई, वास हो गये हंस,
दोनों हालत में लगे, अनुपम उनके होंठ
हरे रहे अदरख रहे, सूख गये तो सोंठ,
तुकहीना सौन्दर्य का अनुपम रूप विराट्
क्षणिकाएँ ललना लगें, लटकी लटें ललाट,
किसी यार ने कर दिया अपना चश्मा पार
अब हम यह किससे कहें, करिए आँखें चार,
चितवन कर पाती नहीं कभी दृगों पर वार,
यदि ऐनक होता कहीं तगड़ा चौकीदार,
किसको हम कुल्हड़ कहें, किसे कहें हम नाँद
पति के सिर पर चाँद है, पत्नी का मुख चाँद,
तकिये के मानिन्द हैं उनके लाल कपोल

उस पर बोसा यूँ लगे ज्यों उनका हो खोल,
गुझिया, खस्ता, पापड़ी, दालमोठ, नमकीन
इनकी छवि को छीनकर वो बन गयी हसीन,
चितवन हीटर, हीट से जलते प्रेमी प्राण
यदि मुख में होती नहीं कूलर सी मुस्कान,
क्या उनके मुख पर धरी दालमोठ की टीन
मीठी बातें लग रहीं बेहतरीन नमकीन,
मुख खस्ता, मठरी नयन, सेव कुटिल, कटि क्षीण
भूने पापड़ सी भली अँगड़ाइयाँ प्रवीण,
औरत और वकील में अन्तर नहीं विशेष
दोनों को होती ख़ुशी बढ़ा-बढ़ा कर केस,
नमकीनों की व्यर्थ में देते आप दलील
उनके मुख के सामने फीकी साँभर झील,
जाने कैसा प्रेम का अन्धा है व्यापार
अन्धी से अन्धा करे अपनी आँखें चार,
कसे अंग सब, इस तरह हैं चोली के बन्द
जैसे पिंगल शास्त्र से कसे सवैया छन्द,
दृग दोहे, अलकें कुटिल, सुन्दर छप्पय छन्द
अंग अंग बरवै सजे, देते हैं आनन्द,
ऊपर तो है कंचुकि, नीचे है पतलून
आधे में एप्रिल छवि, आधे में है जून,
हम डॉक्टरनी को कहें क्यों अपना हमदर्द
गोली दे सिर-दर्द की बढ़ा गयी दिलदर्द,
आँख खुलीं, आँखें मिलीं, बतरस मिली महान्
यादों की बारात ले, आये लौट मकान,
हुस्न म्याँव का ठौर है, इश्क़ न मुँह का कौर
कमसिन हो, सिन कम अभी, करो ज़रा सा ग़ौर,
इश्क़ हुस्न के मेल का गणित अमित नायाब
इनकी नज़र सवाल है, उनकी नज़र जवाब,
यही लतीफ़ा प्रेम से हैं बक रहे लतीफ़
सभी शरीफ़ा हैं यहाँ, कोई नहीं शरीफ़,
मिसअण्डरस्टैण्ड का बड़ा बोल्ड स्टैण्ड
खोज रहीं नक्ख़ास में सेकेण्डहैण्ड हसबैण्ड,
बिजली के खम्भे हुए इसी लिए मदहोश

उन पर चिपके पोस्टर, नंगे जिस्मफ़रोश,
रूपदर्शकों की लगे कहीं न भारी बाढ़
वे फ़ोटो खिंचवा रहीं, लम्बा घूँघट काढ़,
उनका साथ निबाहना ज्यों झाड़ी के बेर
दो मिसरा मिल साथ में बन जाते हैं शेर,
आँसू पँचमँगी बड़े, इनके तीखे झोल
उर के गुप्त रहस्य को पल में देते खोल,
उनकी छवि की आँच से बही क्रीम की धार
मुस्कानें लू सी लगें, अंग अंग अंगार,
विधि ने उनके वेश में की है ऐसी चोट
पाजामा समझा जिसे, निकला पेटीकोट,
गर्मी से शृंगार का पाकर नया निखार
तन्वंगी नदियाँ बनीं, सुन्दर आँखें मार,
गर्मी के सौन्दर्य की तगड़ी नयी बहार
पानी को हैं तरसते, चेहरे पानीदार,
वे अपने लावण्य में ढाबे का तन्दूर
पास बैठ छवि आँच से जाड़ा करिए दूर,
चितवन चौपड़ खेलतीं, अलकें वालीबाल
हँसी झाग की होंठ पर, खेल रही फुटबाल,
झूला उनकी लटों का बना बड़ा अनुकूल
लाखों दिल उसमें चढ़े, रहे ठाठ से झूल,
कजरा, गजरा और तिल, फ़ारेन फैंसी सूट
अँगड़ाई बल छोकरी रही सिनेमा लूट,
क्रीम, पाउडर क़ीमतें बढ़कर बन गयीं शैल
अब उनको पोते बिना, परियाँ लगें चुड़ैल

(शारदा प्रसाद भुशुण्डि)

(चार)

डाके, हत्या, अपहरण, चहुँ दिशि हाहाकार
आयी नहीं गिरफ़्त में, हुई पुलिस की हार,
हुई पुलिस की हार, देख अन्तर का दर्पण
फेंक दिये हथियार, कर दिया आत्मसमर्पण,
'काका' कविता लिखकर जीवन व्यर्थ गँवाया,

होकर के बदनाम नाम 'फूलन' ने पाया,
यदि सत्ता में होते हम तो निर्णय लेते
चरण चूम कर इसे पद्म-भूषण दे देते,
हिंसक हत्यारों के जयजयकार हो रहे
देख दृश्य यह न्याय और ईमान रो रहे

(पाँच)

प्रश्न कर रहे क्लास में मास्टर व्यंकटराउ
गुण माता के दूध में क्या क्या हैं, बतलाउ,
क्या क्या हैं बतलाउ, तभी बोला इक बच्चा
बिना उबाले इसको पी सकते हैं कच्चा,
अदर मिल्क से 'मदर-मिल्क' होता पावरफुल
इसमें चीनी नहीं डालनी पड़ती बिलकुल,
आख़िर में बोली छोटी-सी लड़की लल्ली
मम्मी जी का दूध नहीं पी सकती बिल्ली

(छह)

सब तिथियन के चन्द्रमा जु देखन चाहो आज
राधा के घूँघट छिपे, देख लेउ ब्रजराज,
देख लेउ ब्रजराज तनिक ऊपर को तानो
जितना मुखड़ा दिखे, दूज का चन्दा जानो,
जैसे जैसे चूनर ऊपर को आयेगी
मुखमण्डल खुल जाए, पूर्णिमा खिल जायेगी,
छन्द सुने ब्रज-चन्द पर, काकी किये पसन्द
प्रोत्साहन हमको मिला, और लिखो कुछ छन्द

(सात)

व्यर्थ अड़ंगा लगा रही क्यों काकी भोली
उर से हटें उरोज, रुकेगी किस पर चोली?
नर नारी सब नग्न, कला का ज्ञान खो गया
पूर्वकाल का श्लील आज अश्लील हो गया,
त्यागी रागी बने, हुए ज्ञानी अज्ञानी
सुघड़ सुन्दरी देख हो गये पानी-पानी,

हिय में उठें उमंग, कड़क कर बिजुरी चमके
आलिंगन में बद्ध होय, प्यारी प्रियतम के,
त्यागी बनकर गंगातट पर डालो डेरा
या तरुणी के वक्षस्थल पर करो बसेरा,
यौवन की दहलीज पर धरे षोडशी पाँव
अंग अंग फड़कन लगै, युवक फेंकते दाँव,
युवक फेंकते दाँव, सजा कर स्वर्णिम सज्जा
करके नीची नज़र, दिखाती है जब लज्जा,
श्रोताओं का जब मिले कवि को हार्दिक प्यार
विफल होय आलोचना, सफल होत शृंगार

(आठ)

शनैः शनैः बढ़ते गये स्वामी जी के ठाठ
आगे पीछे चल रहीं कार विदेशी आठ,
कार विदेशी आठ, दिवस उपदेश दे रहे
रात्रि-समय में सुरा-सुन्दरी स्वाद ले रहे,
एकदम छापा पड़ा मचा आश्रम में हल्ला
योगाश्रम में भोगाश्रम का फूटा घल्ला

(काका हाथरसी)

(नौ)

सामने लालछड़ी हो तो ग़ज़ल होती है
ज़ुल्फ़ गालों पे पड़ी हो तो ग़ज़ल होती है,
चेहरे को मोड़कर कालिज की हसीना कोई
बस की लाइन में खड़ी हो तो ग़ज़ल होती है,
अपने दूल्हे से कोई शोख़, नवेली दुल्हन
पूरे दस साल बड़ी हो तो ग़ज़ल होती है

(अल्हड़ बीकानेरी)

(दस)

इधर भी गधे हैं, उधर भी गधे हैं
जिधर देखता हूँ, गधे ही गधे हैं,
गधे हँस रहे, आदमी रो रहा है

हिन्दोस्ताँ में ये क्या हो रहा है,
जवानी का आलम गधों के लिए है
ये रसिया, ये बालम, गधों के लिए है,
ये दिल्ली, ये पालम गधों के लिए है
ये संसार सालम गधों के लिए है,
पिलाये जा साकी, पिलाये जा डट के
तू ह्विस्की के मटके पे मटके पे मटके,
मैं दुनिया को अब भूलना चाहता हूँ,
गधों की तरह झूमना चाहता हूँ,
घोड़ों को मिलती नहीं घास देखो
गधे खा रहे हैं च्यवनप्राश देखो,
यहाँ आदमी की कहाँ कब बनी है
ये दुनिया गधों के लिए ही बनी है,
जो गलियों में डोले वो कच्चा गधा है
जो कोठे पे डोले वो सच्चा गधा है,
जो खेतों में दीखे वो फ़स्ली गधा है
जो माइक पे चीख़े वह असली गधा है,
मैं क्या बक रहा हूँ, ये क्या कह गया हूँ
नशे की पिनक में कहाँ बह गया हूँ,
मुझे माफ़ करना, मैं भटका हुआ था
ये ठर्रा था, भीतर जो अटका हुआ था

(ओंप्रकाश आदित्य)

(ग्यारह)

गोरी म्हारे गाँव की, चाली छम छम
गलियारा भी काँप गया, मर गये हम

आगरे का घाघरा गोड्याँ नै भैड़े
चण्डीगढ़ की चुनरी गालाँ नै छेड़े
जयपुर की जूतियाँ का पैरा पै जुलम
गलियारा भी...

बोरला, बाजूबन्द, हार सज रह्या

हथनी सी चाल पै नाड़ा बज रह्या
बोल रहे बिछुए, दम मारो दम
गलियारा भी...

घुँघटे नै जो थोड़ा थोड़ा सरकावे
सब तिथियाँ का चन्द्रमा नज़र आवे
सारा घूँघट खोल दे तो साधू माँगे रम
गलियारा भी...

प्रीत के नशे में चाली डट डट कै
चलती, परी की पोरी पोरी मटकै
एटम भरे जोबन का फोड़ गयी बम
गलियारा भी...

(जैमिनी हरियाणवी)

(बारह)

रेडियो पर काम करते मोहनलाल काले
साप्ताहिक के सम्पादक थे उनके साले
काले के लेख छपते
साले के गीत गवते
दोनों की तिजोरियों में अलीगढ़ के ताले

(बरसानेलाल चतुर्वेदी)

(तेरह)

अम्बर के पीहर से
बाहर से भीतर से
सहमी सकुचाई सी
कुछ कुछ लजाई सी
प्रीत की मनुहार पर
प्रीतम के द्वार पर,
चन्दा की डोली में
किरणों के कहारों ने,
सजी हुई रात को

धरती के आँगन में
हौले से छोड़ दिया,
अम्बर का धरती से
फिर नाता जोड़ दिया"

कविता सुन आलोचक ने कवि से कहा, "घोंचू
अब तेरे और तेरे साहित्य के बारे में क्या सोचूँ?
तेरी कविता की पंक्ति पंक्ति रोती है
सुनने पर मुझको तो प्रसव-पीड़ा होती है :
क्यों बे, तेरी पत्नी ने तुझे नहीं सुझाया
सारी कविता में पेटीकोट कहीं नहीं आया,
कुलवधुओं पर कविता लिखता है
और तुझको मात्र माँग का सिन्दूर नज़र आता है;
अबे, मंगल-सूत्र के नीचे कौन देखेगा?
और चुम्बन पर कविता क्या तेरा बाप लिखेगा?

सीता कपड़े बेच, बाज़ार में खड़ी है
तुझको साहित्य के शाश्वत मूल्यों की पड़ी है..."

(माणिक वर्मा)

(चौदह)

वे बोले, "हमें पता है आप कवि हैं
और कौन कौन-सी पंक्ति
आपने कहाँ से मारी है;
कवि जी, कविता में क्या धरा है
आपको मालूम है कि मुक्तिबोध कैसे मरा है?"

हमने पूछा
"तुमने मुक्तिबोध को सचमुच पढ़ा है?"
वे बोले
"उसे कौन पढ़ेगा
जिसके 'चाँद का मुँह टेढा' है?
टेढ़े को सीधा करना हम ही जानते हैं,

नीचे से लेकर ऊपर तक
हमारा लोहा सभी मानते हैं,
दहेज का दानव,
बेरोज़गारी की सूली पर
झूलता हुआ मानव,
सरकार की दाढ़ में अटका हुआ दंगा
संस्कृति का सीना चीरते हुए
बिल्ला और रंगा,
ये सब हमारी ही भाषा हैं
भारत और भ्रष्टाचार की राशि एक है,
काश्मीर से कन्याकुमारी तक
हमारी ही देख-रेख है,
राजनीति हमारी प्रेमिका
और पार्टी औलाद है,
आज़ादी हमारी बेटी
और मन्त्री दामाद है
"दामाद चुनाव में खड़ा होता है
और जीतने के बाद
उसकी उँगली छोटी
और नाख़ून बड़ा हो जाता है,
राजघाट पर कसमें खाता है,
राज मिलते ही घाट को भूल जाता है,
जनता के आँसुओं से चरित्र की चादर सीता है
और मात्र अपने
केवल अपने
परिवार के लिए जीता है..."

(पन्द्रह)

इस देश की धरती ऐसी है
जिसकी उर्वरा शक्ति के प्रताप से
खेत में से सीता
कान में से कर्ण
घड़े में से अगस्त्य

खम्भे में से नृसिंह
और जनता पार्टी में से जगजीवनराम
निकलते हैं यहाँ,
पाँव लगाने से पत्थर की शिला
बनती है अहल्या यहाँ,
इस देश में परिवार-नियोजन
करोगे कहाँ?

(सोलह)

लड़की का गोरा रंग
बिजलियाँ गिराने को बेताब,
साँसों में महुए की सुगन्ध
आँखों में अफ़ीम की खेती
गालों पर गाँजे की कली
होंठों पर चरस के गीत का रंग,
भौंहों पर भंग की तरंग,
नशे का बेमिसाल अफ़साना
हुज़ूर, ये लड़की नहीं, ये है मयख़ाना...

(सुरेश उपाध्याय)

(सत्तरह)

भला बताइए, बीवी भी कोई मुहब्बत की चीज़ है?
वह तो घर की मुर्गी है, चाहे जब हलाल करो,
मुहब्बत तो फ़िल्म वाली से होती है
हुस्न वाली से होती है
अथवा साली से होती है,
और कभी-कभी
पड़ोस में रहने वाली से होती है...

बीवी तो माँ-बाप की पसन्द है
जहाँ प्यार का द्वार एकदम बन्द है,
बीवी सुनियोजित सवाल है
प्रेमिका तस्करी का माल है,
बीवी पथ का सन्त्रास है

और प्रेमिका एक 'बाई-पास' है,
बीवी जेबकतरा है, एक्सीडेण्ट है
प्रेमिका 'बार' है, रेस्टोरेण्ट है,
बीवी है जलनशील
प्रेमिका है घुलनशील,
बीवी नीम चढ़ा करेला है
प्रेमिका है मधुर मुख-स्वाद,
बीवी है सत्यनारायण की कथा
प्रेमिका है कथा के अन्त का प्रसाद

(सूँड फ़ैज़ाबादी)

ऊपर दी गयी कविताओं में मैंने कुछ संशोधन किये हैं जिनके लिए मैं आशा करता हूँ कि कविगण मुझे क्षमा करेंगे। कुछ और अत्यन्त लोकप्रिय कवियों की रचनाएँ मैं चाहते हुए भी नहीं दे पाया क्योंकि वे बहुत लम्बी थीं। भारतेन्दु हरिश्चन्द्र को छोड़कर शेष सारे लोग हास्य-व्यंग्य के पेशेवर प्रसिद्ध कवि हैं जिन्हें लाखों लोगों ने सुना और सराहा है। काका हाथरसी ने देश-विदेश की यात्रा की और उनकी एक पोथी तो लाखों में बिकी। अपनी साहित्यिक आय में से उन्होंने पाँच लाख रुपयों का एक ट्रस्ट बनाया जिसके सूद से श्रेष्ठ व्यंग्य-मंच-कवियों तथा ब्रजभाषा के श्रेष्ठ कवियों को पुरस्कार दिये जाते हैं। शैल चतुर्वेदी एक श्रेष्ठ हास्य-कवि होने के साथ-साथ एक कुशल सिने-अभिनेता भी हैं। हिन्दी काव्य के समीक्षकों को अब इन लोकप्रिय और प्रतिभाशाली कवियों का उचित मूल्यांकन करना चाहिए। अब वे दिन गये जब हास्य-कवि मात्र चुटकुलों को ही कविता के रूप में ढालकर वाहवाही लूटा करते थे (श्रोता गहरेबाज़ का यही सही अन्दाज़, सम्मेलन में मसखरे सफल चुटकुलेबाज़)

रचना समाप्त करता हूँ। लंका-देश में एक नाई ने एक सोते हुए पादरी की एक फ़ीट लम्बी दाढ़ी अन्तर्धान कर दी जिसके कारण वह पवित्र पादरी बुरी तरह दुखी और उत्तेजित है। आज के 'इण्डियन एक्सप्रेस' ने अपना एक पूरा सम्पादकीय मात्र इसी मुद्दे पर दिया है जो दाढ़ी से तो छोटा है पर उस्तरे से अधिक धार वाला है। विलियम शेक्सपियर से लेकर एलेग्ज़ेण्डर पोप तक के उद्धरण दिये गये हैं जो उसे एक विशुद्ध साहित्यिक वातावरण प्रदान करते हैं। एक साहित्यकार होने के नाते मैं उस प्रतिभाशाली नापितराज को सलाह दूँगा कि जब तक इस (भूतपूर्व दाढ़ीवान्) पादरी की अगली फ़स्ल लहलहाये, तब तक वह शेष पादरियों की दाढ़ी पर ध्यान दे। इस बीच आप एक और हास्य-कवि की कुछ पंक्तियाँ सुनिए और खुश रहिए:

(अठारह)

मेरे हर अरमान पर भी उस तरह फेरा गया
जिस तरह चाणक्य के सिर पर फिरा था उस्तरा,
सन्तरी के आख़िरी अलफ़ाज़ थे, जब बम फटा
मुफ़्त में भी दे तो मत लेना किसी से सन्तरा,
मैं उछलता कूदता रहता हूँ हरदम डॉक्टर
जाने किस बन्दर का तुमने ख़ून बोतल में भरा,
शायरी करना नहीं है, हर किसी के बस की बात
'चक्रधर' जंगल में जा के, गाय भैंसों को चरा

(अशोक चक्रधर)

तीर्थयात्रा

चाण्डाली तु स्वयं काशी, प्रयागश्चर्मकारिणी
अयोध्या पुक्कसी प्रोक्ता, रजकी मथुरा मता

इधर कुछ नेताओं ने समाज के दलित वर्ग के उत्थान का बीड़ा उठाया है। मुझे इन महानुभावों पर दया आती है क्योंकि इन्हें अपनी प्राचीन संस्कृति का ज्ञान नहीं है। हमारे सवर्ण पूर्वज, पिछड़ी जातियों (और विशेष रूप से उनकी स्त्रियों) का कितना सम्मान करते थे, इसका इन लोगों को पता ही नहीं है। ऊपर दिया श्लोक ऐसे सारे संशय दूर करता है क्योंकि इसके अनुसार चाण्डाली स्त्री काशी के समान है, चमारिन प्रयागराज के बराबर है, कंजरी अयोध्या है और धोबिन जो है वह मथुरा है। इनके साथ सहवास करने से घर में ही तीर्थ करने का फल प्राप्त होता है। हमारे पुराणों में न जाने कितने स्थानों पर नारी को तीर्थ कहकर ही पुकारा गया है। बताये गये लक्षणों वाली रमणी का संसर्ग कीजिए और घर बैठे तीर्थ करने का पुण्य प्राप्त कीजिए। न रेल पकड़ने का चक्कर और न धर्मशाला में ठहरने और पण्डे को ढूँढ़ने का झंझट। सादा जीवन, उच्च विचार। 'भैरवी-क्षेत्र' में पहुँच जाने के बाद जाति-भेद मिट जाता है क्योंकि उस क्षेत्र में तो सब ही ब्राह्मण हो जाते हैं। वहाँ की स्त्रियाँ 'कुल-स्त्री' कहलाती हैं जिनका उन्मुक्त उपभोग करना हम सबका प्रथम कर्तव्य है। जैसा कि नीचे लिखे श्लोक में बताया गया है, कामोन्मत्ता व विलासिनी कन्या का उपभोग करना तो पंचवर्षीय योजना का सर्वप्रथम क़दम होता है :

कुल-स्त्री सेवनं कुर्यात् सर्वथा परमेश्वरि
रमेत युवतीं कन्यां कामोन्मत्तविलासिनीम्

यह सन्तोष का विषय है कि देश में स्त्रियों के प्रति सम्मान की भावना फिर जाग्रत हो रही है। यह भावना व्यक्तिगत रूप में भी प्रकट की जा रही है और सामूहिक रूप में भी अभिव्यक्त की जा रही है, जो एकदम उचित है। (ऋग्वेद के शब्दों में 'हे सोम, मैं आपको उसी प्रकार ग्रहण करता हूँ जैसे स्त्री अपने जार को ग्रहण करती है।') मध्यप्रदेश में पुलिस द्वारा एक स्त्री का मध्य-प्रदेश सुखी किया गया (अर्थात् उसके साथ बलात्कार सम्पन्न किया गया) और उसके पति की हत्या

भी उसी के सामने सम्पन्न की गयी। यह सारा अनुष्ठान पूरा करने के उपरान्त पुण्यात्मा पुलिस-कर्मियों ने उस रमणी के मुख में मूत्रदान करके उसे पंचामृत भी पिलाया। मूत्र का आचमन उस स्त्री के पति को भी मरने से पहले विधिवत् कराया गया था। हमारी पुलिस धार्मिक मामलों में स्त्री और पुरुष में भेद नहीं करती। स्त्री का नाम था रमनीबाई और उसके पति का नाम था रामलाल। ये दोनों राजगढ़ जनपद के निवासी थे। इसी प्रकार खण्डवा जनपद के लरखेड़ी ग्राम की सरपंचा कुसुमबाई को चार धर्मात्मा पुरुषों ने पवित्र किया और इसी कारण उस अबला ने आत्महत्या करने की चेष्टा की। अपने दुख के क्षणों में वह नारी यह भूल गयी कि "नदी में कितने ही लोग कितना ही स्नान क्यों न कर लें, वह तो सदा पवित्र ही रहती है।" तमिलनाडु सरकार ने अनुसूचित जातियों को जो संरक्षण दिया—और जिसके कारण देश का विधान तक संशोधित किया गया—उसके बावजूद एक अनुसूचित कन्या से उसे मेडिकल कालिज में मुफ़्त सीट देने के लिए, उसके सामने मात्र साढ़े बाईस हज़ार मुद्राओं की छोटी-सी माँग ही पेश की गयी। मुद्रा को भूलना किसके लिए सम्भव है? मुद्रा तो उन पाँच मकारों में से एक है जो सदा से 'मोक्षदा हि युगे' स्वीकार किये जाते रहे। अपनी प्राचीन संस्कृति को भूलने से बड़ा और कौन-सा पाप होगा? और मूत्र तो मात्र एक प्रकार का जल ही होता है जिसकी प्रशंसा रहीम से लेकर मुरारजी देसाई तक सारे महान् लोगों ने की है। उस 'मकार' को हम भला कैसे 'नकार' सकते हैं? रहिमन पानी राखिए, बिन पानी सब सून (दूसरी पंक्ति इस वक़्त याद नहीं आ रही है। जब याद आ जायेगी तब ज़रूर सुनाऊँगा) और मूत्र का तो कहना ही क्या; जो शक्ति 'मूत्र' में है, वह तो ऋषियों और मुनियों द्वारा बताये किसी 'सूत्र' में भी नहीं पायी जाती।

मुम्बा देवी का नगर मुम्बई, जिसे म्लेच्छ-भाषा में बम्बई भी कहा जाता है, देश का सबसे बड़ा व्यभिचार का अड्डा है। वेश्या-वृत्ति के धन्धे में लगभग तीन करोड़ रुपये प्रतिदिन का कारोबार यहाँ होता है। राज्य की विधान-परिषद् में शिव-सेना के नेता प्रमोद नवलकर ने उन होटलों वग़ैरह के नाम भी बताये जहाँ कि संसार के इस सबसे पुराने धन्धे के अड्डे हैं और जहाँ यह सुविधा भी है कि ग्राहकों की पसन्द की रमणी ही उनकी सेवा में प्रस्तुत की जाती है चाहे इसके लिए उस सौभाग्यवती युवती का अपहरण ही क्यों न करना पड़े। सरकार ने वादा किया है कि तुरन्त कड़े क़दम उठाये जाएँगे और इस सन्दर्भ में एक 'अध्ययन-गोष्ठी' का तुरन्त गठन किया जायेगा। विधान-परिषद् को यह पवित्र सूचना भी प्रदान की गयी कि बम्बई का इस दिशा में जो विकास हो रहा है, वह काफ़ी दिनों से हो रहा है क्योंकि कोई तीन वर्ष पूर्व एक प्रसिद्ध शिक्षा-संस्थान की छात्राओं को कुछ सदाचारी छात्रों ने, आधी रात के समय, उन्हें तभी अपने छात्रावास में घुसने दिया था जबकि उन बालिकाओं ने अपनी पतलूनें उतारकर छात्रों को दे दी थीं। जलगाँव में तो प्रेम-लीला

का 'जल' इतना ज़्यादा हो गया है कि उसका 'गाँव' वाला भाग अब डूबने लगा है। दो सिद्ध पुरुषों ने जलगाँव का दौरा किया और फिर अपने-अपने बयान जारी किये। एक सिद्ध पुरुष ने कहा है कि अश्लील पुस्तकें, अश्लील पत्र-पत्रिकाएँ और अश्लील सिनेमा इस सुखदायी स्थिति के प्रमुख कारण हैं और दूसरे सिद्ध-पुरुष का कहना है कि जो कुछ भी हादसा हुआ उसके लिए रूपवती रमणियाँ स्वयं ही सबसे बड़ा कारण हैं। मुझे पूरी आशा है कि देश के बाकी नगर भी इन सिद्ध पुरुषों (क्रम संख्या एक व दो) की वाणी पर ध्यान देंगे ताकि वे भी जलगाँव का स्तर प्राप्त कर सकें। मैं दूसरे सिद्ध पुरुष से ज़्यादा सहमत हूँ। यदि स्त्रियाँ सुन्दर न होतीं तो उनको कौन कष्ट पहुँचा सकता था? हमारे यहाँ तो पुराने ज़माने में भी सुन्दर स्त्रियाँ अपना अपहरण स्वयं ही सम्पन्न करवाया करती थीं! आपने अम्बा, अम्बिका व अम्बालिका की कथाएँ पढ़ी ही होंगी। शर्मिष्ठा और देवयानी ग़ैर-पुरुषों से छेड़खानी करने में मार्लिन मनरो या एलिज़ाबेथ टेलर से किसी भी तरह पीछे नहीं थीं और उर्वशी व उषा ने क्रमशः अर्जुन व अनिरुद्ध को किस प्रकार पतन की ओर खींचा था, उसका तो कहना ही क्या। आज से पचास वर्ष पूर्व स्थिति यह थी कि उत्तर प्रदेश (जो उन दिनों संयुक्त-प्रान्त कहलाता था) के जिस नगर या क़स्बे में 'उषा-अनिरुद्ध' नामक नाटक खेला जाता था, उसी नगर या क़स्बे के दो-तीन बालिग लड़के उतनी ही बालिग या नाबालिग लड़कियों के साथ लापता हो जाते थे और वे तब तक नहीं लौटते थे जब तक कि वे 'भक्त शरवनकुमार' का ड्रामा नहीं देख लेते थे। ज़्यादा आयु के लोग (जो मात्र पुत्र-प्राप्ति के लिए ही अपना अन्तिम विवाह करते थे) अपनी नयी-नवेली दुल्हनों को ऐसे गन्दे ड्रामे कभी नहीं दिखाते थे, वे उन्हें मात्र अकेले ही अकेले देखते थे। वृद्धस्य तरुणी प्राणेयोपि गरीयसी। जब तक वृद्ध जागीरदार अकेले-अकेले 'उषा-अनिरुद्ध' देखते थे तब तक उनकी युवा पत्नी पुत्र-प्राप्ति का कोई और उपाय खोजती थी। अपुत्रस्य गतिर्नास्ति। सारे जागीरदार राजा जनक की भाँति विदेह नहीं होते थे "जिनके लिए मिट्टी के ढेले में और सुन्दर युवती के स्तन में कोई विशेष अन्तर नहीं रहता था।" हाँ, यह मैं भी मानता हूँ कि देश की स्त्रियों पर (जो 'अबला' कम और 'बला' ज़्यादा हैं) कुछ प्रतिबन्ध फिर लागू किये जाने चाहिए नहीं तो वेश्या-वृत्ति बढ़ती ही चली जायेगी। (आपको जान कर प्रसन्नता होगी कि ताज़े आँकड़ों के अनुसार देश की छियासी प्रतिशत से कुछ ज़्यादा नगरवधुएँ हिन्दू ही हैं) हमारे पूर्वज कोई मूर्ख थोड़े ही थे जो उन्होंने स्त्रियों के लिए कुछ बन्धनों का प्रावधान किया था। उन्होंने महारानी तक को भैंस की तरह नाथने को कहा था और इस कारण उसका नाम 'राजमहिषी' ही रख छोड़ा था। स्वतन्त्र विचरण करने वाली नारी को शूकरी माना जाता था। बारह वर्ष की आयु होते ही लड़की को विवाह के योग्य घोषित कर दिया जाता था ताकि उसके विचार दूषित न हों। चरित्रहीन युवतियों को नरक भेजने की व्यवस्था थी

जबकि आजकल युवतियाँ गृहस्थी के नरक से बचने के लिए चरित्रहीन बनती हैं। शिष्य लोग तक गुरु-पत्नी के चरण नहीं छू सकते थे क्योंकि इससे, उसके साथ-साथ शिष्यों का आचार बिगड़ने का भी अन्देशा था। पति से पहले भोजन कर लेने पर पत्नी अगले जन्म में गधी बनती थी और पति से सवाल-जवाब करने वाली पापिनी भार्या अगले जन्म में या तो गाँव की कुतिया या जंगल की गीदड़ी (जैसी उसकी इच्छा हो) बन कर पैदा होती थी। उसे जाड़ों में प्रातः-स्नान कराया जाता था और जेठ की गर्मी में निर्जल व्रत पर रखा जाता था। स्त्री सदा पिता, पति और पुत्र रूपी किसी पुरुष के अधीन ही रहती थी। जैसे-जैसे ये प्राचीन बन्धन हटे, वैसे ही वैसे इस ज्म्बूद्वीप भरतखण्ड में कलियुग प्रवेश करता गया।

अब इस देश में परिवार के भीतर भी स्त्री सुरक्षित नहीं रही। एक वृद्ध महोदय ने एक कन्या को गोद लिया और फिर उसके साथ अखण्ड बलात्कार का अभियान शुरू किया। इन वृद्ध सज्जन को गिरफ़्तार कर लिया गया है। एक और परिवार में एक चाचा ने अपनी विवाहिता भतीजी को भी बलपूर्वक अपना शिकार बनाया। एक और धर्मात्मा सज्जन ने अपनी सलहज के साथ अनाचार किया। एक नवयुवक ने अपनी सौतेली बहिन का उद्घाटन किया जिसके कारण उसे गिरफ़्तार कर लिया गया। एक पूजनीय पिता ने अपनी सगी पुत्री को विवाहित-जीवन की शिक्षा दी जिसके कारण वे आजकल सरकारी कारागार में आराम फ़रमा रहे हैं। मेरा निश्चित मत है कि ऐसे मामलों की जाँच व सुनवाई करने के लिए विशेष पुलिस तथा अदालतें बनें जिसमें पुलिस, जज व वकील मात्र स्त्री ही हो और जहाँ बाहर के लोगों के प्रवेश पर निषेध हो। सारे प्रदेश में ऐसी एक या दो अदालतें काफ़ी हैं जो दौरे पर रह सकती हैं। फ़ादर कामिल बुल्के के 'अँग्रेज़ी-हिन्दी कोश' के अनुसार 'सेशन्स जज' का हिन्दी में अर्थ ही 'सत्र-न्यायाधीश' या 'दौरा-जज' होता है। यह एक अजीब इत्तफ़ाक है कि ऊपर बतायी सारी दुर्घटनाएँ मध्यप्रदेश के मध्य ही घटीं। यहाँ मैं यह भी कहना चाहूँगा कि बिगड़ती हुई स्थिति का प्रमुख कारण यह भी है कि हम लोग अपनी प्राचीन संस्कृति को एकदम भूल गये हैं। हमारी प्राचीन पारिवारिक परम्परा बड़ी शानदार थी। रामायण से पता लगता है कि सती साध्वी पत्नी को मात्र एक धोबी के कहने पर घर से कैसे निकाला जाता है और मात्र एक कुबड़ी दासी के कहने पर पुत्र को वनवास कैसे दिया जाता है। धोबी और दासी दोनों दलित वर्ग के थे जब कि वनवास की आज्ञा राजपुत्र व राजवधू को दी गयी थी। रामायण में यह भी सूचना दी गयी है कि किसी प्रेमाग्नितप्ता कन्या की नाक कैसे काटी जाती है। इसी प्रकार महाभारत में बताया गया है कि रानियाँ पाँच-पाँच पतियों के साथ कैसे रहती हैं और प्रत्येक पति से एक-एक पुत्र कैसे प्राप्त किया जाता है। पराशर मुनि ने एक मछुए की कन्या का उद्धार किया था जिसके कारण नियत अवधि के उपरान्त वेदव्यास का जन्म हुआ। व्यास जी ने भी दलित वर्ग की एक दासी-कन्या को पवित्र

किया जिसके फलस्वरूप महात्मा विदुर प्रकाश में आये। उनकी 'विदुरनीति' नामक पुस्तक ज्ञान और सदुपदेशों से एकदम भरी है। मेरी भाँति आप भी अपने विचार पवित्र करने के लिए इस पोथी को सुविधानुसार पढ़ा करें। अर्जुन ने ममेरी बहिन को पथभ्रष्ट किया था जबकि भीम ने यही कृपा अपनी मौसेरी बहिन के ऊपर की थी! महर्षि याज्ञवल्क्य दो पत्नियाँ रखते थे। मैत्रेयी उनकी आत्मा को शान्त रखती थी जबकि कात्यायनी उनकी देह को शान्त करती थी। वसिष्ठ व विश्वामित्र—दोनों वेश्यागामी थे। मोहिनी नामक अप्सरा ने नारद तक को बन्दर की भाँति नचाया था। और तो और, स्वयं कृष्ण अनेक पत्नियाँ रखते थे और एक बार उन्हें अहीरों ने लूटा था। हीर-राँझा की जो 'हीर' थी वह किमी 'अहीर' की कन्या नहीं थी।

राजगढ़ नामक स्थान पर पंचायत के चुनाव में एक स्त्री की नाक किसी शस्त्र द्वारा लुप्त कर दी गयी और उसे बतौर हर्जाने के दो सहस्र मुद्राएँ 'मुख्यमन्त्री-सहायता-कोष' से दी गयीं। इसी देश की एक अमीर महिला एक बैंक की ग़लती से, उसके लॉकर-रूम में मात्र 68 घण्टे भूखी-प्यासी बन्द रही और राम नाम जपती रही। एक ये हमारी बहादुर महिला-रत्न हैं जो कुछ भी सहन कर लेती हैं और एक विदेशी महिलाएँ हैं जो बाहर से नंगी होते हुए भी भीतर से न जाने भय की कौन-कौन-सी पर्तों से दबी हैं। ओटावा में एक गर्भवती नारी ने अस्पताल जाते-जाते टैक्सी में ही बच्चे को जन्म दे दिया और इस कारण जो परेशानी ड्राइवर को पड़ी, उसके लिए उसने दो सौ डालर और तलब किये जो उस कायर स्त्री ने तुरन्त दे दिये। हमारे देश की कोई स्त्री यदि उसके स्थान पर होती तो एक छदाम भी टैक्सी-ड्राइवर को नहीं देती और सम्भव होता तो या तो एक और बच्चा टैक्सी में ही दे देती या ड्राइवर को छेड़खानी की झूठी बदनामी में फँसाने के लिए चिल्लाना शुरू कर देती और भीड़ इकट्ठा कर लेती। एक औद्योगिक नगर में सचमुच ऐसा ही किया गया। टैक्सी जला दी गयी और ड्राइवर को अस्पताल में भर्ती कराना पड़ा। महिला अपने नवजात शिशु को लेकर अपने किसी नवजात प्रेमी की नयी गाड़ी में अपने अस्पताल चली गयी। इसके आगे का हाल सुनहले पर्दे पर देखिए।

स्त्री स्वयं ही एक तीर्थ होती है और इसी कारण यदि वह किसी तीर्थ में ही निवास करने लगे तो क्या वह और क्या वह तीर्थ—दोनों का ही महत्त्व और प्रभाव और भी बढ़ जाता है। काशी और वृन्दावन—दोनों ही सदा से सुन्दर व युवा विधवाओं के प्रिय स्थान रहे। काशी में तो वहाँ के साँड़ों ने विधवाओं को काफ़ी तंग किया पर वृन्दावन में स्थिति अभी भी सन्तोषजनक ही चल रही है। वहाँ की विधवाएँ शानदार साड़ियाँ धारण करती हैं जिनका कि बार्डर प्रायः काला या लाल रंग का होता है। वे भिक्षा माँगती हैं, मुफ़्त का राशन बटोरती हैं और इतना धन अर्जित करती हैं कि उसे जमा करने के लिए वृन्दावन के छोटे-से परम पवित्र क़स्बे में मात्र दस बैंक हैं। अकेले पंजाब नेशनल बैंक में ही विधवाओं के लगभग सात सौ खाते

हैं जिनमें से कुछ में तो पाँच-पाँच लाख तक की राशियाँ जमा हैं। करोड़ों रुपये तो ऐसे-ऐसे खातों में पड़े हैं जो मृत घोषित किये जा चुके हैं। स्टेट बैंक ऑफ़ इण्डिया में पाँच सौ खाते हैं। नगर में रहने वाली विधवाओं की संख्या आठ और दस हज़ार के बीच मानी जाती है। वृद्धा विधवाएँ कष्ट में हैं जबकि युवा विधवाओं की मौज है। बहुत-सी विधवाएँ बंग्लादेश की हैं जो देश के विभाजन के बाद बराबर वहाँ से आती रही हैं। विधवाएँ भगवान का भजन करती हैं, राधा-कृष्ण के प्रेम को याद करती हैं और यदि कोई श्रद्धालु उनके साथ ज़ोर-ज़बर्दस्ती भी करता है तो वे उसे भी क्षमा कर देती हैं। एक चालीस वर्षीय विधवा ऐसा क्षमादान नहीं कर सकी चूँकि सामूहिक बलात्कार के कारण उसकी अनश्वर आत्मा उसकी नश्वर देह से मुक्त हो गयी। बहरहाल, जो कुछ भी हो रहा है वह ठीक ही हो रहा है। कुछ लोग समझते हैं कि स्त्री अपने पति की मृत्यु के कारण विधवा होती हैं। यह धारणा ग़लत है क्योंकि 'स्कन्दपुराण' के अनुसार विधवा होने के कारण एकदम अलग हैं जैसे कि शतभिषा नक्षत्र में यदि कोई स्त्री स्नान करती है तो वह सात जन्मों तक विधवा ही बनती है। तृतीया तिथि में स्नान करने से भी पति के नाश होने में सहायता मिलती है। इसी प्रकार ऋतु-स्नान के बाद जो रमणी पति की सेवा के लिए तुरन्त उपस्थित नहीं होती, वह भी बार-बार विधवा होने का सुख प्राप्त करती है। वैदिक काल में शायद विधवा-विवाह तो नहीं था पर वैसे उनको सुखी रखने का पूरा-पूरा प्रबन्ध रखा जाता था। ऋग्वेद में एक घोषा नामक ब्रह्मचारिणी एक ऋषि को यज्ञ में आने का निमन्त्रण देते हुए अत्यन्त मधुर वाणी में कहती है कि "जैसे शयनकाल में विधवा अपने देवर को बुला लेती है उसी प्रकार मैं आपको यज्ञ में सादर बुला रही हूँ।" वैदिक काल यदि कभी फिर आ जाए, तो मैं भी या तो विधवा या उसका देवर ज़रूर बनना चाहूँगा।

प्राचीन काल में राजे-महाराजे तीर्थ-स्थानों को यदा-कदा वहाँ जाकर और पवित्र किया करते थे। वे घाटों की मरम्मत कराते थे और देवदासियों का नृत्य देखते थे। सम्राट् हर्षवर्धन प्रत्येक पाँच वर्ष के बाद तीर्थराज प्रयाग जाते थे जहाँ वे अपनी सारी सम्पत्ति दान कर दिया करते थे और उसके बाद मात्र एक अन्तःवस्त्र (अर्थात् अण्डरवियर) पहन कर अपनी राजधानी को लौटा करते थे। उनकी महारानियाँ मात्र कंचुकी (अर्थात् ब्रा) पहनकर लजाती-लजाती उनके पीछे रहती थीं। वे अपनी यह यात्रा रात्रि-काल में ही सम्पन्न कर लिया करते थे क्योंकि दिन के प्रकाश में, उन्हें इस दिगम्बर स्थिति में देखकर गाँवों के बच्चा-लोग तालियाँ बजाने लगते थे। मुझे यह बताते हुए हार्दिक हर्ष होता है कि यह प्रथा अभी जारी है हालाँकि प्रजातन्त्र हो जाने के कारण ख़र्चे का भार अब प्रजा को ही उठाना पड़ता है। सिरडी के साईं बाबा का आश्रम पवित्र करने, इस वर्ष महामहिम राष्ट्रपति जी, माननीय प्रधानमन्त्री जी व प्रमुख निर्वाचन-आयुक्त वहाँ गये जिसके कारण सिरडी-संस्थान को मात्र तीस

लाख की राशि ख़र्च करनी पड़ी। राष्ट्रपति के दो घण्टे ठहरने में पौने सोलह लाख का ख़र्च आया, प्रधानमन्त्री के जाने पर मात्र बारह लाख रुपये व्यय किये गये और श्री शेषन के जाने पर कमरे के वातानुकूलन पर काफ़ी ख़र्चा किया गया। इस राशि में से बारह लाख की राशि तो मात्र राष्ट्रपति के आने की सूचना सारे समाचार-पत्रों में बतौर विज्ञापन के छपाने ही में ख़र्च हो गयी, साढ़े तीन लाख रुपयों का कालीन ख़रीदा गया, पण्डाल खड़ा करने में चार लाख का ख़र्चा आया, साठ हज़ार में एक झाड़फानूस ख़रीदा गया और ढाई लाख रुपये शाल-दुशाले ख़रीदने में ख़र्च हो गये जो नेता लोगों को उढ़ाये गये। इस सारे अपव्यय की शिकायतें प्राप्त हुई हैं और शायद उनकी जाँच भी हो। यदि पता होता कि उनके जाने से इतना ख़र्चा होगा तो महामहिम राष्ट्रपति जी व माननीय प्रधानमन्त्री जी वहाँ हर्गिज़ नहीं जाते।

देश की स्त्रियों ने बहुत समय ले लिया। अब कुछ विदेशी रूपसियों की चर्चा करूँगा। स्त्रियाँ तो जैसी इस देश की वैसी ही विदेशों की। हमारे प्राचीन पण्डितों ने तो सारे संसार को ही ध्यान में रखकर यह रहस्य बताया था कि "संसार विषवृक्षस्य द्वै फले कांचनं कुचौ।" यह बात अभी भी उतनी ही सच है जितनी कि पुराने ज़माने में थी।

हाल ही में प्राप्त कुछ समाचारों से पता चला है कि 'पाकिस्तानी-खुफ़िया-एजेंसी' (आई॰एस॰आई॰) ने कश्मीरी व अफ़गानी आतंकवादियों की मदद के लिए क़रीब दो सौ स्वस्थ व सुन्दर युवतियों को सीमा पार से काश्मीर की मनोरम घाटी में भेजने का फ़ैसला किया है। ये युवतियाँ फ़िलहाल पाक-अधिकृत काश्मीर में हथियार चलाने का प्रशिक्षण ले रही हैं। ये युवतियाँ उन परिवारों की हैं जो पिछले चार वर्षों के दौरान काश्मीर-घाटी के कुपवाड़ा, बारामूला, उड़ी, पुंछ व राजौरी क्षेत्रों से पलायन करके पाकिस्तान चली गयी थीं। इन युवतियों को यह भी सिखाया जा रहा है कि बुर्के में हथियार कैसे छिपाये जा सकते हैं और वायरलैस से सूचनाएँ एक स्थान से दूसरे स्थान तक कैसे पहुँचायी जा सकती हैं। उन्हें बताया जा रहा है कि "भारतीय सेना के अफ़सरों व जवानों को कैसे अपने जाल में फँसाया जाए और जिहाद के सामने अगर अपनी इज़्ज़त भी चली जाए तो कोई फ़र्क़ नहीं पड़ता।" मुझे पाकिस्तान के उपर्युक्त फ़ैसले पर कोई विस्मय नहीं होता क्योंकि हमारे देश में तो कभी विषकन्या भेजने तक की प्रथा थी। वैसे भी हमारे सारे शास्त्रकारों, पण्डितों, नीतिग्रन्थ लेखकों व पुराण-रचकों ने सदा यह स्वीकार किया है कि स्त्री से बड़ी कोई शक्ति होती ही नहीं। सारा ज्ञान, वेदान्त और पूजा-पाठ तभी तक चलता है जब तक कोई चन्द्रवदना मृगलोचनी आपके दृष्टिपथ पर आकर खड़ी नहीं हो जाती। 'दुर्गाकवचस्तोत्र' के अनुसार हमारे पूर्वजों ने हमारे विभिन्न अंग-प्रत्यंगों का भार विभिन्न प्रकार की देवियों पर छोड़ दिया है। विष्णु तो मात्र चतुर्भुज ही हैं पर दुर्गा अष्टभुजा हैं। देवता लोग नारियों को आगे कर, कपट से युद्ध जीता करते थे। शिव ने पार्वती को सिर

पर चढ़ाया और 'अर्धनारीश्वर' की मानद उपाधि प्राप्त की। इन्द्र ने पता नहीं किस किस तपस्वी की तपस्या भंग करने के लिए उर्वशी, मेनका व तिलोत्तमा इत्यादि को भेजा और प्रायः सभी ने अपने अभियानों में पूरी सफलता प्राप्त की। चन्द्रमा को गुरुपत्नी ने ही पराजित कर दिया था और चारों वेदों के कर्ता ब्रह्मा ने क्या किया, यह तो बताया तक नहीं जा सकता। भगवान कृष्ण सोलह हज़ार एक सौ आठ गोपियों की सेना चौबीस घण्टे तैयार रखते थे। पत्नी के ही कारण विष्णु को घर-जमाई बनना पड़ा। "ब्राह्मणी से लेकर चाण्डाली तक और राजकन्या से लेकर धोबिन तक, सभी स्त्रियाँ शक्ति का स्वरूप हैं। और कुमारी कन्या का तो कहना ही क्या, वह तो साक्षात् भगवती है।" एक कुमारी कन्या चाहे तो पूरी की पूरी डिवीजन को अपने एक कटाक्ष से भस्म कर सकती है। पाकिस्तान जो कुछ कर रहा है वह शास्त्र-सम्मत है। वहाँ की प्रधानमन्त्री श्रीमती बेनज़ीर भुट्टो ने ठीक ही कहा है कि भारत की प्रधानमन्त्री भी अब कोई स्त्री ही होनी चाहिए। स्त्री के साथ सम्बन्ध घनिष्ठ करने में पुरुष को भी कभी देर नहीं लगती। वैसे भी बंग्लादेश, श्रीलंका व स्वयं पाकिस्तान में स्त्रियाँ ही तो शासन चला रही हैं पुरुष नहीं। बंग्लादेश में वहाँ के भूतपूर्व राष्ट्रपति (जनरल हुसैन मुहम्मद इर्शाद)—जो भ्रष्टाचार के आरोप में जेल में लम्बी सज़ा काट रहे हैं—ने शिकायत की है कि तलाशी लेते हुए पुलिस ने उन्हें लगभग पूरी तरह नंगा कर दिया। ऐसी पवित्र क्रिया एक स्त्री के ही शासनकाल में सम्पन्न हो सकती थी, पुरुष के शासनकाल में नहीं। मेरा ख़याल है कि भूतपूर्व राष्ट्रपति को नंगा करके धूप-स्नान कराया जा रहा था जो प्राकृतिक चिकित्सा की एक पुरानी पद्धति है। ये जनरल भी एक बहुत बड़े स्त्री-प्रेमी थे। देश-विदेश की हज़ारों रूपसियों को उन्होंने अपना प्रेम बाँटा। परायी कामिनियों का दुख वे कभी भी नहीं देख सकते थे। दिनों का फेर देखिए कि इतना दयालु और परोपकारी राष्ट्रपति आज जेल में बन्द है और क्या मन और क्या तन—दोनों ओर से बुरी तरह रोगग्रस्त है। विधाता ने भालपट्ट नामक स्थान पर जो लिखा है, उसे कौन मिटा सकता है? और फिर बहुपत्नीवाद का प्रवर्तन तो सिद्ध पुरुष पहले ही कर चुके थे। हमारे सम्राट, सुलतान और शहंशाह बहुत बड़े-बड़े हरम रखा करते थे जिनके कारण हरामियों की पैदावार काफ़ी कसरत के साथ होती थी। शची जैसी पत्नी के होते हुए भी स्वर्ग के राजा इन्द्र नित्य नयी-नयी युवतियों की खोज में उसी तरह व्यस्त रहते थे जैसे कि बहुत बाद में कोलम्बस नाम का एक विदेशी व्यक्ति नये-नये देशों की खोज में व्यस्त रहा करता था।

युवतियों का साहित्य से सम्बन्ध सदा से परम घनिष्ठ होता आया। यदि सुन्दर युवतियाँ न होतीं तो नाटकों, काव्यों व उपन्यासों की नायिका किसे बनाया जाता? इधर कुछ ऐसी ही रूपसियाँ साहित्य की रचना भी करने लगी हैं। एक विदेशी युवती लेखिका की इन दिनों बड़ी चर्चा है क्योंकि उसकी रचनाओं के कारण उसके

काफ़ी देशवासी उससे रुष्ट हो गये हैं और उस लेखिका-विशेष को प्राण बचाने के लिए विदेश जाना पड़ा है। हमारे देश के एक महत्त्वपूर्ण व्यक्ति ने उसके साहित्य की समीक्षा करते हुए कहा है कि वह 'योनि की स्वतन्त्रता' चाहती थी। इस विद्वत्तापूर्ण रिमार्क का तो अर्थ मैं नहीं जानता पर यह मेरा निश्चित मत है कि जिस साहित्य के लिखने से दूसरे देशवासियों को दुख पहुँचे, उसे कभी भी नहीं लिखना चाहिए। साहित्य की सृष्टि तो अपने व दूसरों के सुख के लिए ही की जाती है न कि उन्हें दुख पहुँचाने के लिए। और जहाँ तक 'योनि की स्वतन्त्रता' का मूल प्रश्न है, मेरे ख़याल में उसका ठोस हल प्राप्त करने के लिए साहित्य के अतिरिक्त कुछ और मार्ग भी अवश्य होते होंगे। दक्षिणी कोरिया में एक बौद्ध संन्यासी भी एक नारी को सहायता से निर्वाण का मार्ग कई वर्षों से ढूँढ़ रहा था पर उस स्त्री की कन्या ने इस पर एतराज़ किया जिसका परिणाम यह रहा कि उस बौद्ध भिक्षुक ने उस कन्या व उसकी माता को तुरन्त निर्वाण की प्राप्ति करा दी। नारी ही ने लोगों को संन्यासी, भक्त व कलाकार बनाया और नारियों के कारण ही बड़े-बड़े सन्त लोग अपराधी बने। पिछले दिनों एक फ्रेंच रूपसी इस पवित्र देश के दर्शनों को आयी तो कहा जाता है कि एक मुख्यमन्त्री के पौत्र ने उसे भगवान के ही दर्शन करा दिये। फ़िलहाल ये होनहार नौजवान पुलिस की हिरासत में आराम फ़रमा रहे हैं। रूपसी किसी पाँच-सितारा होटल में होगी।

इंग्लैण्ड की राजकुमारी डायना इन दिनों फिर ख़बरों में है। दोनों दलों के सांसदों ने इच्छा प्रकट की है कि सारे मामले की पूरी जाँच विश्व-प्रसिद्ध खुफ़िया एजेंसी 'स्काटलैण्ड गार्ड' से करवायी जाए। राजकुमारी डायना पिछले डेढ़ वर्षों से एक कला-विक्रेता से सम्पर्क बनाये हुए हैं और उसे प्रत्येक सप्ताह लगभग बीस बार 'साईलैण्ट फ़ोन' करती हैं। इस आर्ट-डीलर का नाम ओलिवर हीर है जिसकी आयु लगभग चालीस वर्ष है और जो मात्र विवाहित ही नहीं वरन् दो बच्चों का बाप भी है। इंग्लैण्ड की जनता राजकुमारी के व्यक्तिगत जीवन का पर्दाफ़ाश करना चाहती है जबकि राजकुमारी का कहना है कि "पता नहीं, मेरे पीछे लोग क्यों पड़े हुए हैं?" यह बात उसने विशेष रूप से रिचर्ड नामक प्रेस-रिपोर्टर से दरयाफ़्त की है जो अड़तीस वर्ष का अविवाहित और रूपवान् युवक है। राजकुमारी के कुल प्रेमी कितने हैं, इसका पता स्वयं राजकुमारी को भी नहीं है। परोपकाराय सतां विभूतयः। कुमारी डायना के क़िस्से के बाद एक दिलचस्प घटना और याद आ रही है। अमेरिका के एक सीनेटर ने भाषण देते-देते जब अपनी जेब से रूमाल निकाला तो लोगों ने देखा कि वह रूमाल न होकर किसी तन्वंगी की चोली थी। स्त्रियों का भी कोई जवाब नहीं। ग़रीबों के लिए तो प्रत्येक ऋतु में वे ओषधि का काम करती हैं। ज़्यादा विवरण जानने के लिए प्राचीन कवियों के काव्य व रीतिकालीन साहित्य को पढ़िए। इन्हीं सब बातों को ध्यान में रखते हुए सयाने शास्त्रकारों ने कहा है कि :

अखण्डमण्डलाकारं माधुर्यरसपूरितम्
आनन्दं ब्रह्मसाकारं रसगोलं भजाम्यहम्

बीसवीं सदी के कदाचित् महानतम वैज्ञानिक एलबर्ट आइंस्टीन अपने क्लास की एक साँवली लड़की से प्रेम करते थे जिसे वे 'मेरी प्रिय बिल्ली', 'मीठी पर छोटी-सी जादूगरनी' व 'डॉली' इत्यादि प्रेम-सम्बोधनों से पुकारा करते थे। लड़की का शुभ नाम था मिलेवा मैरिक। इस लड़की के साथ उनके इश्क़ का अफ़साना तो पब्लिक को मालूम था पर इधर उनका काफ़ी बड़ा पत्र-व्यवहार भी खोजकर्ताओं की पकड़ में आ गया है। "अगर तुम आ जाओ तो कितना अच्छा हो, हम दोनों ही तो एक-दूसरे की आत्मा के अँधेरों को समझते हैं" से लेकर "मेरी प्यारी पूसी, पत्रों के लिए मेरे चुम्बन व धन्यवाद स्वीकार करो" तक इन पत्रों में सब कुछ लिखा है। एक बहुत बड़े विद्वान् ने रिमार्क किया है कि "ये पत्र इतने वासनापूर्ण होंगे, इसकी कल्पना हम लोगों ने कभी नहीं की थी।" आइंस्टीन इस कन्या से 1899 ईसवी में मिले थे और उनके माता-पिता ने उनकी यह मित्रता पसन्द नहीं की थी। यदि आइंस्टीन की शादी इसी बालिका से हो जाती तो वे आराम से ग्यारह सन्तान उत्पन्न करते और न सापेक्षता का सिद्धान्त निकलता और न अणुबम बनता। जो कुछ भी बुरा हुआ, वह इस लड़की के वक़्त पर न मिलने के कारण ही हुआ। यह बात एकदम ठीक है। जिसे पद्मिनी मिल रही हो वह पद्मासन क्यों लगाएगा? कोमल अष्टांग प्राप्त हैं तो योग के अष्टांग के सामने साष्टांग कौन गिरेगा? 'पत्नी मनोरमां देहि' वाली प्रार्थना एकदम ठीक है। काइयाँ कालिदास ठीक कहता है कि यदि रूप है तो सब कुछ है। यत्राकृतिः तत्र गुणाः वसन्ति। महामति चाणक्य ने सलाह दी है कि अच्छी स्त्री किसी भी कुल की हो, उसे ग्रहण करना चाहिए। और लाल साड़ी पहने हुई कामिनी का तो कहना ही क्या, वह तो साक्षात् भगवती होती है। नारीं च रक्तवसनां दृष्ट्वा वन्देत् भक्तितः।

इस रचना में मैंने आपको नारी रूपी तीर्थ की तीर्थयात्रा करा दी हालाँकि फिर भी न जाने कितना छूट गया। इस समय मैं वानप्रस्थाश्रम में हूँ और छह वर्ष बाद मैं संन्यासाश्रम में चला जाऊँगा जो मैं किसी विधवाश्रम के समीप गुज़ारूँगा। मगर आप दुखी न हों। इन तीर्थों की यात्रा के लिए वेद, पुराण, कालिदास, पण्डितराज जगन्नाथ, जयदेव, भर्तृहरि, अमरूक तथा विद्यापति इत्यादि न जाने कितने ख़ज़ाने देखने को पड़े हैं। इन सबके धर्मग्रन्थों में मोक्ष-प्राप्ति के अचूक उपाय खोजे गये हैं और अन्त में चलकर सबने एक ही मार्ग बताया है और वह यह है कि बिना किसी रूपवती रमणी के आपको कुछ नहीं मिलने वाला। नीवीमोक्षो हि मोक्षः। और समय कम हो तो मात्र मैथिली के अमर लेखक हरिमोहन झा को ही पढ़ लीजिए। जो कुछ कहीं भी मनोरम है, ज्ञानवर्धक है और मनुष्य के हृदय को सन्मार्ग पर लगाने वाला है, वह सब उन्होंने अपने ग्रन्थों में बड़े दत्तचित्त होकर परिश्रम के साथ एकत्रित

किया है। धर्म के नाम पर जो भ्रष्टाचार हमारे यहाँ फैलाया गया है उसका पर्दा इन्हीं पुण्यात्मा ने फ़ाश किया है जिसके लिए वे कोटि-कोटि जनता के साधुवाद के पात्र हैं। वे सचमुच भारत की एक विभूति हैं और वह भी ऐसी कि 'न भूतो न भविष्यति'। मैंने तो अपना सारा यौवन ही उनकी वाणी के अनुकूल बिताने की चेष्टा की है हालाँकि मैं सदा सफल नहीं हो पाया। यह इस देश का दुर्भाग्य है कि मिथुन चक्रवर्ती यदि माधुरी दीक्षित के प्रति अपना प्रेम प्रकट करता है तो उसे चालीस लाख रुपयों की राशि मिलती है और यदि ठीक वही हरकत अपनी आयु के लिए उचित किसी नारी-रत्न से मैं करता हूँ तो मुझे चालीस चप्पल या चालीस जूते (या दोनों) खाने को मिलते हैं। मैं आपसे, पूछता हूँ कि आख़िर इस देश का भविष्य क्या है?

मैं वैदिक धर्म का अनुयायी हूँ और निराकार ब्रह्म क़ा उपासक हूँ। मेरे पिताजी एक आर्यसमाजी व्यक्ति थे जो 'सत्यार्थप्रकाश' पढ़ते थे और यज्ञ किया करते थे। बचपन में मैंने अनेक वर्षों तक पाठशाला में संस्कृत पढ़ी। इन्हीं सब कारणों से मैं एक सात्त्विक विचारों वाला अधेड़ व्यक्ति हूँ। स्त्रियों व तीर्थों के प्रति मुझे अनन्त श्रद्धा है। इन्हीं सब चीज़ों को ध्यान में रखते हुए मैंने इस प्रबन्ध को पवित्र व निःसंग रखने की पूरी कोशिश की। अश्लीलता ने आने की बहुत कोशिश की पर मैंने संयम से काम लिया और उसे आश्रम में नहीं घुसने दिया। यदि फिर भी किसी पाठक को इस रचना में श्रृंगार रस की सुगन्ध आये तो मैं कहूँगा कि उसके विचार पहले से ही तामसिक हैं। मैं जानता हूँ कि स्त्री-चर्चा व तीर्थ-चर्चा करते समय क्या कहना चाहिए और क्या नहीं कहना चाहिए। तकल्लुफ़, फॉर्मेट, फ़ायदा और सलीका—इनसे मैं परिचित हूँ। एक बार एक भाई ने पिता की मृत्यु की सूचना दूसरे भाई को दी थी तो भी उसने इन बातों का ध्यान रखा था और दूसरे भाई की सेवा में यह दोहा लिखकर भेजा था:

सिद्ध श्री झाँसी लिखी, राम राम प्रिय भ्रात
अत्र कुशलं तत्रास्तु, कक्का मरि गये रात

चूहे, कबूतर, बकरियाँ और भीड़

इस वर्ष भारतीय खाद्य-निगम ने इतना ज़्यादा गेहूँ व चावल ख़रीद लिया है कि राशन की सरकारी दुकानों पर मिलने वाला खाद्यान्न, बाज़ार में मिलने वाले खाद्यान्न से महँगा हो गया है। परिणाम यह हो गया है कि सरकारी गोदामों में लाखों टन गेहूँ व चावल सड़ रहा है और यदि चूहे मदद न कर रहे होते तो पता नहीं कितने करोड़ का शेष अन्न भी गोदामों में यूँ ही सड़ गया होता। कुल मिलाकर सरकारी गोदामों में फ़िलहाल दस करोड़ से ज़्यादा चूहे काम पर लगे हैं। यहाँ मैं उन शक्तिशाली चूहों की चर्चा नहीं कर रहा हूँ जो अचकन पहनते हैं और गाँधी-टोपी लगाते हैं या जो सूट पहनते हैं और टाई लगाते हैं, मैं तो मात्र उन चूहों की चर्चा कर रहा हूँ जो गणेशजी की सवारी बनते हैं और अपने खाली समय में प्लेग फैलाते हैं। इसी प्रकार स्विट्ज़रलैण्ड की सेना ने डाकियों का काम करने वाले तीस हज़ार कबूतरों को सेवा-निवृत्त कर दिया है जिसके फलस्वरूप वहाँ सवा करोड़ रुपयों की प्रतिवर्ष बचत होगी। हमारे यहाँ यदि कबूतर सरकारी नौकरी में होते तो ऐसा कभी भी नहीं किया जा सकता था क्योंकि वैसा करने से पूर्व विशेषज्ञों की एक कमेटी बनती जिस पर ढाई करोड़ का ख़र्चा आता और फिर विरोधी पक्ष के नेता इस बात की ज़िद ज़रूर करते कि सेवा-निवृत्त कबूतरों और उनके परिवारों को समुचित पेंशन दी जाए। अनेक किशोरों को आत्महत्या की पवित्र प्रेरणा देने वाले हमारे भूतपूर्व और अभूतपूर्व प्रधानमन्त्री विश्वनाथप्रताप सिंह ने अब गाँधी जी की भाँति एक बकरी पाली है जिसका दूध एक अहिंसक पेय होता है क्योंकि बकरी का दूध पीने के लिए बकरी के बच्चे को भूखा नहीं रखना पड़ता और वैसे भी बकरी का दूध पीने से आदमी के विचार पवित्र रहते हैं। कोई एक सप्ताह ही बकरी का दुग्ध सेवन करने से श्री सिंह के विचार इतने पवित्र हो गये कि उन्होंने संसद से त्यागपत्र दे दिया ताकि वे राजनीति के माया-मोह से मुक्त हो सकें और ज़्यादा ईमानदारी और आराम से देश की सेवा कर सकें। भोजन का हमारे विचारों पर सदा से प्रभाव पड़ता रहा।

इस असार संसार में बकरी जैसा एक अहिंसक प्राणी और होता है जिसे हम स्त्री कहकर पुकारते हैं। बकरी की भाँति स्त्री का भी शोषण सदा से किया गया

और उसका दूध भी मनुष्य के बच्चों ने सदा पिया। यह हमारे लिए एक गर्व की बात है कि इधर कुछ वर्षों से हमारी लड़कियों का सौन्दर्य इतना बढ़ गया है कि पिछले दो वर्षों में विश्व-सुन्दरी बनने का सौभाग्य हमारे ही देश की दो कन्याओं को प्राप्त हुआ है। सुमित सेन व ऐश्वर्या राय नाम की परम रूपवती ये दोनों कन्याएँ न जाने कितनी तीखी आलोचना का शिकार बन रही हैं जो कि एक दुखद घटना है। पता नहीं क्यों, जब भी कोई व्यक्ति किसी रूपवती रमणी को किसी भी प्रकार का कोई दुख पहुँचाता हैं तो उससे मेरा ज़रूरत से ज़्यादा कोमल हृदय अचानक तड़फने लगता है। आम आदमी को इस बात का पता ही नहीं है कि विश्व-सुन्दरी बनने के लिए हमारी इन निरीह युवतियों को कितने सौन्दर्य-पारखियों के सामने कितनी बार, कितना नंगा होना पड़ा होगा। अगर आज इन रमणियों को विज्ञापनों में प्रयोग होने के बदले लाखों रुपयों की राशि मिल रही है तो हमें उनसे ईर्ष्या नहीं करनी चाहिए। स्त्री तो सदा से पुरुषों के मोक्ष का मार्ग रही और यदि ये रूपसियाँ न होतीं तो साहित्य और कला के नाम पर हमें देखने को मात्र वही शून्य मिलता जिसका कि आविष्कार हमारे ही देश में हुआ था। स्त्री का तो जन्म ही इसलिए हुआ है कि वह पुरुषों को ज़्यादा-से-ज़्यादा सुख पहुँचा सके और उसकी वंश-परम्परा को चलने दे। मुझे तो इन दोनों विश्व-सुन्दरियों के नाम भी बेहद पसन्द हैं। देहरादून के समीप एक रमणीक स्थल है जिसका नाम कभी 'चकोर-स्थला' था जो बाद में 'चकोरथला' कहलाया और जो आजकल मात्र 'चकरौता' ही कहलाता है। वैसे नामों ने कभी-कभी मुझे निराश भी किया है। एक बार 'रूप-लावण्य' नाम की एक ऐसी कन्या देखने को मिली जिसकी शक्ल व शेष देह गैंडे नाम के पशु की मादा से काफ़ी मिलती-जुलती थी। उसके दर्शन करते ही मैं अपनी सारी 'प्रणय-पत्रिका' क्षण भर में ही भूल गया। 'भामिनी-विलास' की जगह 'हनुमान-चालीसा' याद आने लगा जो वैसे भी सदा से मेरी प्रिय पुस्तक रही।

हमारे इस धार्मिक देश में अभी-अभी एक स्वामी जी गिरफ़्तार हुए हैं जो इतने दयावान् पुरुष थे कि वे अपने आश्रम की कम उम्र वाली कन्याओं को भी विवाहित जीवन के गूढ़ रहस्यों को पूरे विस्तार से और काफ़ी गहनता से जाकर स्वयं ही समझाया करते थे। उसी प्रदेश में अब एक चर्च के एक पादरी को इस बात को लेकर सताया जा रहा है कि उसने भी एक तेरह-वर्षीय कन्या को गर्भ धारण करना सिखाया। एक महानगर में प्रशासन ने पशुओं के एक विश्रामगृह के लिए भूमि तो दे दी पर इमारत का ख़र्चा सरकार नहीं दे सकी। नगर की दयालु युवतियों ने पशुओं के भले के लिए कुछ भी करने का बीड़ा उठाया और एक 'अर्धनग्न नृत्य' का आयोजन किया। एक-एक टिकट एक-एक हज़ार में बिका और एक ही नृत्य-समारोह से पाँच लाख रुपये इकट्ठे हो गये। अब और पैसा इकट्ठा करने के लिए उस महानगर की ये रमणियाँ 'पूर्णनग्न नृत्य' का आयोजन करेंगी जिसकी मदद से वे होटल का किराया

अदा करने के बाद भी एक ही आयोजन से दस लाख रुपये इकट्ठा कर सकेंगी ताकि देश के कुछ और पशु भी सुख से विश्राम कर सकें। स्वीडन के एक स्कूल में एक होनहार युवती अध्यापिका ने शिक्षा के क्षेत्र को एक नया आयाम दिया। उसने क्लास की युवा छात्राओं को शरीर-विज्ञान की पूरी शिक्षा देने के लिए अपने को पूरी तरह नंगा किया और फिर उन्हें प्रत्येक अंग की पूरी जानकारी देते हुए बताया कि मेरा शरीर सुन्दर व सुडौल है और मैं चाहती हूँ कि तुम लोग भी अपने अंग-प्रत्यंगों को इसी भाँति सुन्दर व पुष्ट रखो। उसकी इस मौलिक शिक्षा-पद्धति का पूरा पता जब सबको लगा तो हालत यह हो गयी कि कुछ जिज्ञासु युवकों ने भी स्कूल के अधिकारियों से प्रार्थना की कि ऐसी शिक्षा तो वे भी प्राप्त करने को न जाने कब से लालायित हैं। जैसा कि दस्तूर है स्कूल के दुष्ट प्रबन्धकों ने उस प्रतिभाशाली अध्यापिका को बर्खास्त कर दिया। स्वीडन से ज़्यादा प्रगतिशील देश तो हमारा यह आर्यावर्त ही है जहाँ एक अदालत ने अपनी अधनंगी देह को विज्ञापनों में दिखाने के लिए सतायी जा रही एक स्त्री-वकील के पक्ष में अपना विद्वत्तापूर्ण और उदार निर्णय दिया। अदालत के इस ऐतिहासिक निर्णय के अनुसार "शरीर एक मन्दिर है जिसमें आत्मा जो है वह देवता की भाँति प्रतिष्ठित है। यदि 'कुमारसम्भव', काव्य में पार्वती को अर्धनग्न वर्णित करने के लिए महाकवि कालिदास को इतना बड़ा कलाकार स्वीकार किया जाता है तो मैं इस रमणी के इस अधनंगे चित्र को अश्लील कैसे मान सकता हूँ जब हमारे देश की युवतियाँ विश्व-सुन्दरी चुनी जा रही हैं तो हमारा अपना समाज इतना पिछड़ा हुआ कब तक रह सकता है? इस युवती के ये नंगे छाया-चित्र कलात्मक हैं और कला को अश्लील कहना अन्याय होगा। हम लोगों को उस रमणी को सदा याद रखना चाहिए जो नंगा फ़ोटो छपवाने के बावजूद कनाडा की प्रधानमन्त्री बनी थी। जब विश्व-सुन्दरियों को हम अपनी संस्कृति का 'राजदूत' कहकर पुकारते हैं तो इन नंगे चित्रों के आधार पर हम इस रमणी के विरुद्ध कोई निर्णय नहीं ले सकते।" विद्वान् न्यायाधीश ने इस निर्णय में शेक्सपियर, वात्स्यायन और कालिदास के ग्रन्थों से विशद उद्धरण दिये और उस युवती के विरुद्ध कुछ भी करने से इनकार कर दिया और अपने निर्णय को देते समय उन्होंने सुसान ब्राउन मिलर, रोथेनबर्ग और होशी की पुस्तकों का हवाला भी दिया। मैंने यह निर्णय पढ़ा तो गद्गद हो उठा। मगर मुझे एक और अदालत का एक उलटा सा निर्णय पढ़कर कुछ दुख भी हुआ। जब एक मुच्छड़ शराब का ठेकेदार एक अदालत में ज़मानत की अर्ज़ी लेकर पेश हुआ तो वह आदत के अनुसार अपनी नुकीली मूँछें बराबर ऐंठता रहा। अदालत ने उसकी इस हरकत को 'अदालत का अपमान' बताया और उसे कान पकड़कर उठक-बैठक करने का हुक्म दिया। उसने अदालत के कमरे में ही बैठकें लगायीं और उसके बाद उसकी जमानत की याचिका पर विचार किया गया और वह स्वीकृत भी हो गयी। क़ानून का जो थोड़ा-बहुत ज्ञान मुझे है उसके

अनुसार उठक-बैठक लगाने का प्रावधान किसी भी दण्ड-संहिता में नहीं है और मेरे तुच्छ विचार में इजलास में उठक-बैठक लगाने से अदालत की इज़्ज़त भी किसी भी तरह बढ़ी नहीं। काश, ये मैजिस्ट्रेट भी ऊपर बताये गये न्यायिक मैजिस्ट्रेट की भाँति विद्वान्, बहुश्रुत व संवेदनशील होते। मगर भगवान ने पाँचों उँगलियाँ बराबर नहीं बनायीं। आप यदि आँखें बन्द करके एक क्षण इस कल्पना में लगाएँ कि यदि हाईकोर्ट व सुप्रीम कोर्ट में भी 'क्रॉस-एग्जामिनेशन' व 'आर्गुमेण्ट्स' के स्थान पर कुछ तगड़े आदमी शरीर पर कड़वा तेल लगाकर और लाल लँगोट कम कर दण्ड-बैठक लगाने लगे तो कैसा लगेगा? क्या अदालत के इजलास में और एक अखाड़े में फ़र्क़ रखना ज़रूरी व न्याय-संगत नहीं होगा? बुद्धि और तर्क के अखाड़े में और पहिलवानी अखाड़े में अन्तर रखना क्या आपको उचित नहीं प्रतीत होता?

माननीय रेलमन्त्री ने माननीय प्रधानमन्त्री जी को पत्र लिखकर यह सिफ़ारिश की है कि मन्त्रियों के सगे सम्बधियों को चुनाव का टिकट देने में उन्हें उदारता बरतनी चाहिए। उनका कहना है कि यदि डॉक्टर का पुत्र डॉक्टर हो सकता है तो राजनेता की सन्तान राजनेता क्यों नहीं बन सकती? रेलमन्त्री ठीक कह रहे हैं क्योंकि केन्द्र के और मन्त्री भी यही चाहते हैं! पण्डित नेहरू का उदाहरण पेश किया जा रहा है जिन्होंने 'प्रजातन्त्र' को 'राजतन्त्र' का रूप देने की परम्परा डाली। मोची का लड़का तो मोची ही बनेगा और हलवाई का लड़का तो हलवाई ही बनेगा। मगर ये महानुभाव यह भूल रहे हैं कि कितने ही बड़े राजनेता अपनी सन्तान के कारण ही बदनाम हुए। अमेरिका के किसी भी राष्ट्रपति का कोई भी सुपुत्र सही आदमी नहीं निकला। महात्मा गाँधी व सरदार पटेल की महानता का एक रहस्य यह भी है कि उनकी सन्तान सार्वजनिक जीवन में नहीं आयी। हमारे भूतपूर्व प्रधानमन्त्री के पुत्र व दामाद टिकट न मिलने के कारण 'विद्रोही' हो रहे थे मगर हमारे पवित्र प्रधानमन्त्री जी जानते थे कि वे लोग ग़लती पर हैं। नेता लोग नैतिकता को कब तक मात्र भाषणों का ही कच्चा माल समझते रहेंगे? चीफ़ इलेक्शन कमिश्नर श्री शेषन सदा इस पद पर नहीं रहेंगे और क्या उनके बाद फिर झूठे वोट पड़ने नहीं शुरू होंगे? सत्ता हथियाना फिर से कठिन नहीं होगा और उसके बाद विरोधियों की हत्या करवाना और सरकारी ख़ज़ाना खुलेआम लूटना भी कठिन नहीं रहेगा। चालू साहित्यकार अपनी तिकड़म के सहारे लाखों-लाखों रुपयों के इनाम बटोरते रहेंगे और पदुमलाल पुन्नालाल बख़्शी जैसे उत्कृष्ट गद्य-लेखक व केदारनाथ अग्रवाल जैसे सच्चे कवि उपेक्षित ही रहते रहेंगे। इस लेख के लिखते समय केन्द्रीय सरकार तक में भ्रष्ट मन्त्री हैं और राजनीतिक परिस्थितियों के कारण प्रधानमन्त्री तक उनको बचाने में लगे हैं। इस ग़रीब मुल्क में जहाँ स्त्रियाँ अपना पेट भरने के लिए अपने नवजात शिशुओं तक को बेच रही हैं, उसी देश की केन्द्रीय सरकार एक के बाद एक करोड़ों के घोटाले में फँसती जा रही है और मात्र ख़रीदे हुए बहुमत के कारण खुलेआम

संसद् तक को उल्लू बनाने में सफल हो रही है। जब केन्द्रीय सरकार की यह स्थिति है तो प्रान्तों की सरकारों की क्या हालत होगी—यह आप स्वयं सोच सकते हैं। मैं तो आम आदमी की हैसियत से मात्र यह जानता हूँ कि भ्रष्टाचार को बचाने के कारण स्वयं प्रधानमन्त्री जी की छवि भी धूमिल होती जा रही है और दक्षिणी भारत में कांग्रेस का पतन भी आर्थिक नीतियों के कारण उतना नहीं हुआ है जितना कि वहाँ व्याप्त भ्रष्टाचार के कारण हुआ है। मगर मेरे जैसे साधारण आदमी की बात की क़ीमत ही क्या है? बोफ़ोर्स काण्ड, बैंकों की धोखाधड़ी का काण्ड और चीनी का घोटाला—इनमें से प्रत्येक में ग़रीब और ईमानदार नागरिकों के करोड़ों रुपयों के साथ खिलवाड़ किया गया। बैंकों की धोखाधड़ी में पाँच हज़ार करोड़ और चीनी के घोटाले में मात्र ढाई हज़ार करोड़ रुपये अफ़सरों और नेताओं की जेब में चले गये।

'यथा राजा तथा प्रजा' वाले अमर सिद्धान्त के कारण नौकरशाही भी अब इतनी भ्रष्ट हो गयी है कि उसकी चर्चा करते हुए भी लज्जा आती है। पंजाब को एक जादूगर की भाँति सँभालने वाले कुशल गवर्नर श्री सुरेन्द्रनाथ जैसे ही हवाई दुर्घटना में स्वर्गीय हुए, वैसे ही राजभवन में जमा उनकी असीम सम्पत्ति ने सबको चकाचौंध कर दिया। करोड़ों की नकदी, बेशक़ीमती हीरे-जवाहिरात और शेष सम्पत्ति के दस्तावेज़ किसी कंकाल की भाँति चिल्ला-चिल्लाकर यह पूछ रहे हैं कि भारतीय पुलिस-सेवा के एक अफ़सर के पास यह पैसा आया तो कहाँ से आया? देश के गृहमन्त्री ने मात्र इतना ही कहने की कृपा की है कि इस सम्पत्ति का एक 'ट्रस्ट' बनेगा मगर मात्र इतना ही करना क्या काफ़ी होगा? पंजाब के भूतपूर्व पुलिस-महानिदेशक श्री रोबेरो ने माँग की है कि इस राज को तो सबके सामने खोलना ही पड़ेगा। उनके वक्तव्य से साफ़ पता लगता है कि यह सोचना एकदम ग़लत है कि यह सम्पत्ति उस धन के कारण है जो केन्द्रीय सरकार ने पंजाब की सरकार को आतंकवाद समाप्त करने के लिए दिया था। ऐसी राशि में हीरे-जवाहिरात और सम्पत्ति के दस्तावेज़ शामिल नहीं होते। बात ठीक है। बेहतर होगा यदि आप 27.10.94 का तथा 6.11.94 का 'इण्डियन एक्सप्रेस' पढ़ें। और विधाता ने भी श्री सुरेन्द्रनाथ से क्या बदला लिया! नाती, पोते, पुत्र, पुत्री, पुत्रवधू दामाद और अपनी पत्नी सहित सुरेन्द्रनाथजी भी एक पल में ही इस लोक से परलोक में चले गये। यदि एक पुत्र फिर भी शेष न रहता तो उनके शव को दाह देने वाला भी कोई शेष नहीं बचा था। परिवार-नियोजन न करने से कुछ लाभ भी होते हैं—यह सत्य फिर सच सिद्ध हो गया। इतना बड़ा परिवार था तो सबके मरने के बावजूद अन्तिम संस्कार के लिए एक पुत्र फिर भी बच गया। गुरुदेव रवीन्द्रनाथ ठाकुर अपने माता-पिता की शायद चौदहवीं सन्तान थे। उन दिनों यदि कहीं लाल-तिकोन होता तो विश्व-साहित्य को इतना महान् कवि व इतना मार्मिक कहानीकार कैसे मिलता? मैं स्वयं अपने माता-पिता की शायद पाँचवीं सन्तान हूँ। यदि मेरे पिताश्री भी परिवार-नियोजन करते तो हिन्दी-साहित्य

की जो क्षति होती, उसकी कल्पना कौन कर सकता है?

भगवान महावीर और भगवान बुद्ध जैसी महान् विभूति को जन्म देने वाले प्रदेश के (भूतपूर्व) मुख्यमन्त्री लोकगीतों के और लोकसंगीत के सच्चे प्रेमी थे पर उनकी यह रसिकता कभी-कभी बाकी कामकाज में कुछ बाधा भी डाल देती थी। जनता-दल के एक मुख्य नेता एक ज़रूरी काम के कारण उनसे मिलने गये तो उन्होंने देखा कि तबलची अपना तबला ठीक कर रहा है और कुछ प्राणियों के चरणकमलों में घुँघरू बाँधे जा रहे हैं। मुख्यमन्त्री जी भी थोड़ी देर के बाद प्रकट होते हैं और महफ़िल जम जाती है। ज़रूरी काम पीछे छूट जाता है और नाचना-गाना शुरू हो जाता है। 'वाह' 'वाह' की ध्वनि गूँजती है और मुखमन्त्री के कहने पर पास बैठे एक मन्त्री, जेब से नोटों की एक गड्डी निकालते हैं और वह गड्डी गायकों को बतौर 'खुशीनामा' के दे दी जाती है। महफ़िल रात के दो बजे तक चलती है। अगले दिन भी यही प्रसंग चालू रहता है और उस शाम बनारस की कोई प्रसिद्ध गायिका अपना कण्ठ पेश करती है। उस दिन भी मुख्यमन्त्री जी उन नेता से बात नहीं कर पाते। (सण्डे साप्ताहिक मेल 30.10.94) बिहार के एक मन्त्री जी के व्यक्तिगत सचिव ने सोनपुर के प्रसिद्ध मेले से एक हाथी ख़रीदा है। कभी बिहार के ही एक गवर्नर इतने सौन्दर्यवादी थे कि वे अपने उपभोग के लिए सोनपुर के मेले से ही सुन्दर ग्राम-बालाओं का अपहरण कराया करते थे। सादा जीवन, सादे विचार। उड़ीसा में न जाने कितने लोगों को एक जून भरपेट खाना नहीं मिलता पर उसी उड़ीसा के मुख्यमन्त्री जब 'इण्डियन रोड कांग्रेस' का उद्घाटन करने गये तो सारा का सारा मार्ग फूलों से ढक दिया गया। डेढ़ लाख रुपयों की इस फ़िज़ूलख़र्ची से मुखमन्त्री जी भी दुखी ही हुए। दिल्ली के चीफ़-लेबर-कमिश्नर ने हाईकोर्ट में केन्द्रीय गृहसचिव, दिल्ली के उपराज्यपाल व दिल्ली के पुलिस कमिश्नर के ख़िलाफ़ एक याचिका पेश की है जिसमें उन्होंने उस परेशानी को मुद्दा बनाया है जो कि पुलिस ने उन्हें इस कारण दी कि प्रधानमन्त्री शायद उधर से गुज़रने वाले थे। पुलिस ने उनकी कार की चाबी छीनी, उन्हें अपनी रायफिल दिखायी और उन्हें उसका निशाना बनाने की धमकी दी। (इण्डियन एक्सप्रेस 29.11.94) हरि अनन्त, हरि कथा अनन्ता। इस प्रसंग में मैं जनरल सिन्हा की बतायी एक बात ज़रूर कहूँगा जिसके अनुसार तत्कालीन वायसराय लार्ड लिनलिथगो की गाड़ी गुज़रने के सन्दर्भ में, पूने की पुलिस ने उन्हें चौराहे पर कभी मात्र तीन मिनिट के लिए रोका था.....

आज़ादी के कुछ वर्षों बाद विभिन्न पार्टियों ने अपनी शक्ति प्रदर्शित करने की एक नयी प्रणाली निकाली है जो अत्यन्त प्रशंसनीय है। यह प्रणाली है विभिन्न तरकीबों द्वारा भीड़ इकट्ठा करना जिसे अँग्रेज़ी में 'रैली' निकालना कहते हैं। यह प्रथा 'आपत्कालीन घोषणा' के बाद शायद श्रीमती गाँधी के भक्तों ने शुरू की थी। रोज़ उनके निवास-स्थान के सामने भीड़ इकट्ठी होती थी और उनके समर्थन में नारे

लगाती थी। कभी स्कूटर-चालकों की भीड़ इकट्ठी होती थी तो कभी ठेला चलाने वालों की। किसी दिन मज़दूरों को दिल्ली की मुफ़्त सैर करायी जाती थी तो कभी छात्रों को यह सुविधा प्रधान की जाती थी। कभी-कभी तो मुफ़्त वाहन के साथ-साथ भोजन व जेबख़र्च भी दिया जाता था। इस समर्थन को देखकर श्रीमती प्रधानमन्त्री तक स्वयं इस भ्रम में पड़ गयी थीं कि देश की अनन्त जनता उनको सत्ता में रहने का सचमुच समर्थन करती है। श्रीमती गाँधी तो चली गयीं पर यह सिलसिला ख़त्म नहीं हुआ। चौ. चरणसिंह ने किसान-रैली आयोजित की तो चौ. देवीलाल ने देहातियों की रैली लगायी। बाद में भारतीय जनता पार्टी, कांग्रेस पार्टी व चौ. महेन्द्रसिंह टिकैत ने भी रैलियाँ निकालीं। श्री टिकैत की रैली में शरद जोशी को अपने प्राण बचाने के लिए ऐसे मंच से कूदना पड़ा जो कि काफ़ी ऊँचा था। एक बार दिल्ली के बुद्धिजीवियों व हिजड़ों ने भी मिल-जुलकर ठीक यही प्रपंच रचा। इसके बाद 'उत्तराखण्ड' के समर्थकों ने एक रैली निकाली जिसके सन्दर्भ में कुछ अख़बारवालों ने यह भ्रान्ति फैलायी कि मुज़फ़्फ़रनगर के पास कुछ तथाकथित युवतियों के साथ कुछ तथाकथित पुलिसकर्मियों ने तथाकथित बलात्कार किया। बिहार के मुखमन्त्री ने भी प्रजातन्त्र की इस पवित्र परपरा को आगे बढ़ाने के लिए पटना में 'ग़रीब रैली' का आयोजन किया जिसमें सरकार की मशीनरी का खुलेआम उपयोग किया गया। 75,000 मोटरगाड़ियों का प्रबन्ध किया गया और जिस पर मात्र पाँच करोड़ की साधारण-सी राशि ख़र्च की गयी (कुछ विश्वस्त लोगों ने इस रैली पर मात्र पचास करोड़ रुपया ख़र्च करने का ब्योरा दिया) गुण्डों की मदद खुलेआम कसरत के साथ ली गयी। दस लाख लोगों के निवास व भोजन का प्रबन्ध किया गया। जनता-दल के चोटी के नेता भी रैली में उपस्थित थे। इस 'ग़रीब-रैली' से ग़रीबों को क्या राहत मिली—यह एक खोज का विषय होगा। ज़्यादा विवरण जानने के लिए आप 28.10.94, 1.11.94 तथा 2.11.94 का 'इण्डियन एक्सप्रेस' पढ़ें। एक रैली गृह-राज्यमन्त्री श्री राजेश पायलट ने भी आयोजित की जिसमें चार चाँद लगाने के लिए प्रख्यात सिने-अभिनेता दिलीपकुमार भी शामिल हुए। और सबसे शानदार रैली नागपुर में कुछ आदिवासियों ने आयोजित की जिसमें भगदड़ के कारण लगभग सवा सौ व्यक्तियों के प्राण उनकी नश्वर देह से सदा के लिए अलग हो गये।

मैं लॉन पर बैठा हूँ और सोच रहा हूँ कि सर विंस्टन चर्चिल ने शायद ठीक ही कहा था कि हिन्दुस्तानी लोग हुकूमत करने के योग्य नहीं हैं। एक वह भीड़ होती थी जो अपने ख़र्चे पर गाँधी जी के पीछे चलती थी और हर वक़्त अपनी जान तक देने को तैयार रहती थी और एक यह रैलियों की भीड़ है जो पार्टी के पैसे पर जुटायी जाती है और जिसका कोई मुद्दा नहीं है। जो आम जनता गाँधी जी के नाम पर जान देने को तैयार रहती थी, वही जनता आज भ्रष्ट नेताओं के ख़र्चे पर अब सिवा भ्रष्टाचार के कुछ भी करने को तैयार नहीं है। जिस देश की आज़ादी के

लिए वीर भगतसिंह, सुखदेव, राजगुरु, रामप्रसाद बिस्मिल, अशफ़ाकउल्लाह खान व खुदीराम बोस फाँसी के तख़्ते पर चढ़े उसी देश की जनता अपने नेतृत्व से आज एकदम निराश हो गयी है। कोई भी सरकार आये, करोड़ों की लूट ही करेगी। विश्वास का टूट जाना आज़ादी के बाद की सबसे बड़ी दुर्घटना है। सब लोग कहते हैं कि मीरजाफ़रों, वाजिदअलीशाहों व जयचन्दों की इस नयी शासक पीढ़ी ने मुल्क को हमेशा के लिए तोड़ दिया। पहले वोट छीनना और बाद में नोट लूटना—इनके अलावा किसी भी पार्टी के पास और किसी भी नेता के पास और कोई उद्देश्य ही नहीं रहा। अब इससे बड़ा पतन एक देश के इतिहास में और क्या होगा? विश्वास टूटने से ज़्यादा बड़ी त्रासदी और क्या हो सकती है? दो मुख्यमन्त्री करोड़ों के घोटालों में फँसे हैं और एक भूतपूर्व प्रधानमन्त्री के ख़िलाफ़ धोखाधड़ी, जालसाजी व सांसदों को रिश्वत देने के तथाकथित आरोपों के कारण मुकद्दमे चलाये जा रहे हैं...

मगर मैं इस देश की नब्ज़ पहचानता हूँ। मुझे पूरा विश्ववास है कि अमावस्या के बाद फिर शुक्ल-पक्ष आयेगा, पतझड़ के बाद पलाशों के वृक्षों पर फिर रंग दहकेंगे, समुद्र में फिर ज्वार आयेगा जो शंखों से और मोतियों से हमारा आँचल फिर भरेगा। ये अवध और बंगाल के नवाब फिर अपनी पुरानी मौत मरेंगे क्योंकि इतिहास कभी भी किसी को माफ़ नहीं करता। ये चूहे सारे सफ़ेद कबूतरों और बकरियों की भीड़ को कभी नहीं खा पायेंगे। गीता में भगवान ने जो कहा है वह हमें हमेशा याद रखना है:

यदा यदा हि धर्मस्य ग्लानिःर्भवति भारतः
अभ्युत्थानं अधर्मस्य, तदात्मानं सृजाम्यहम्

भूत और पिशाचों वाली गली

मैंने अपनी इण्टरमीडिएट की शिक्षा एक बेहद गन्दे क़स्बे में स्थित एक इण्टर कॉलिज से प्राप्त की। क़स्बा पुराना था और कॉलिज नया। जिस मकान में मैं रहता था, वह एक गली में था। उस गली का शायद ही कोई ऐसा घर था जिस पर भूत, प्रेत, पिशाच, डायन या चुड़ैल अपना प्रभाव न रखते हों। कुछ मकान कच्चे थे और खपरैल से ढके थे और कुछ मकान पक्के थे और कई मंज़िलों वाले थे। कुछ मकानों में नौकर-चाकर काम करते थे और कई मकानों के सामने मोटर भी खड़ी रहती थी। एक-दो मकानों में गाय, भैंस व कुत्ते भी निवास करते थे और कुछ घरों के सामने मात्र गधे ही गधे खड़े मिलते थे। महाकवि अज्ञेय की भाँति एक गधा तो उसी मुद्रा में घण्टों खड़ा रहता था। गधे की अतिरिक्त टाँग के दुर्लभ दर्शन मुझे इसी गर्दभ-विशेष ने ही करवाये जिसके लिए मैं उसका उम्र भर कृतज्ञ रहूँगा। गली में आने-जाने वाली अनेक पतिव्रताएँ, कुल-ललनाएँ इस गधे को विशेष आदर व स्नेह से देखा करती थीं। मकानों के बीच में जहाँ-तहाँ कोयले की दुकानें थीं, कुछ पनवाड़ी भी थे जो पान के साथ-साथ मिट्टी का तेल भी बेचते थे। एक धोबी था जिसकी घरवाली ज़्यादातर घर के बाहर ही रहती थी, एक दर्ज़ी था जो विधुर था और इन सबके बीच एक पण्डित जी थे जो कथा भी कहते थे और आर्यसमाजी रीति से यज्ञ करना भी जानते थे। उनका दख़ल ज्योतिष में भी था। वे पुरुषों का हाथ व स्त्रियों का मुख देखने में अत्यन्त कुशल थे। असली शिलाजीत भी उन्हीं के पास मिलती थी। अब मैं इसी गली के कुछ निवासियों की चर्चा करूँगा जिससे भूत, प्रेत और पिशाचों का प्रभाव स्पष्ट होगा।

सबसे पहले मैं शास्त्री जी की चर्चा करूँगा। इतना दुखी और सज्जन व्यक्ति मैंने और कहीं नहीं देखा। उनके परिवार पर किसी पिशाच का शाप था। जब वे बच्चे थे तब उनकी माता ने पानी में डूबकर आत्महत्या की थी। बाप की छाया भी ज़्यादा दिनों नहीं रही। वे घर से भागे, लाहौर पहुँचे और शास्त्री की उपाधि प्राप्त की। इसके बाद उन्होंने शादी की, एक शहर में अध्यापक रहे और शायद चार अदद बच्चे पैदा किये। उनकी पत्नी मानसिक रोग से पीड़ित हो गयी और एक रात

घर से ऐसी अन्तर्धान हुई कि फिर कभी वापस ही नहीं आयी। दो पुत्रों में से एक अपंग था और उसका मरना ठीक ही रहा मगर दुख तो इस बात का रहा कि उस अपंग पुत्र के मरने से पूर्व, उनका वह मेधावी और विवाहित पुत्र एक कार दुर्घटना में मारा गया जो एक उच्च अधिकारी था और शानदार व्यक्तित्व रखता था। पुत्रियों में से एक की शादी एक बड़े घर में हुई पर पारस्परिक कलह के कारण उसके पति की हत्या सम्पन्न कर दी गयी। जैसा कि दस्तूर है, सेशन की अदालत ने अभियुक्त को मृत्युदण्ड सुनाया और हाईकोर्ट ने पुलिस की एक ग़लती के कारण उसे बरी कर दिया। शास्त्री जी ने सारा परिवार खो दिया पर ईश्वर में विश्वास फिर भी नहीं छोड़ा। वे उसी प्रकार गीता पढ़ते रहे और भगवान को धन्यवाद देते रहे।

एक मकान में एक ब्राह्मण रहते थे जो एक जागीरदार के व्यक्तिगत ख़िदमतदार थे। देखने में किशमिश की भाँति सूखे हुए और नाटे क़द के। जागीरदार खुले दिल के आदमी थे और तनख़्वाह के अलावा उन्हें काफ़ी बख़्शीश वग़ैरह भी दिया करते थे। इन ब्राह्मण की पत्नी थी गौरवर्ण, लम्बी और यौवन की मस्ती से एकदम लदी। एक दूर के रिश्तेदार थे जो उन्हीं की भाँति गौरवर्ण, हँसमुख व परोपकारी थे। सारी स्थिति देखकर उन बेचारों ने उस ब्राह्मणी रूपी लता को सींचा जिसके फलस्वरूप उसके सन्तान रूपी फल भी लगे और वह बेचारी ब्राह्मणी सेमल के वृक्ष की भाँति और भी जल उठी और रूप की ज्वाला से औरों को भी जलाने लगी। मगर स्त्री पतिव्रता थी, उसने न पति बदला और न प्रेमी बदला। कहते हैं कि उसके घर में एक भूत रहता था और उसे जो कुछ भी सुख मिला, वह उस भूत के कारण ही मिला। वैसे उसका वह छुहारा-छाप पति भी किसी भूत से कम नहीं था। वह सारी उम्र ब्रह्मचारी रहा और जागीरदार साहब के साथ पहाड़ घूमता रहा। महल्ले में एक और ब्राह्मणी भी थी जो विधवा व रूपवती होने के साथ-साथ चरित्रहीन भी थी। उसके प्रेमी गिनने मुश्किल थे। मगर उसे वह सुख नहीं मिला जो ऊपर बतायी पहली ब्राह्मणी को मिला। पति के रहते हुए एक प्रेमी रखना उचित है पर विधवा का चरित्रहीन होना एक दोष की बात है। आदमियों के लिए कोई बन्धन नहीं है; धर्म जो बना है वह तो मात्र स्त्रियों के लिए ही बना है। इस बात पर जो कोई शंका करेगा, उसके ऊपर तैंतीस करोड़ देवी-देवता लघुशंका करेंगे। परिणाम यह होगा कि वह बिना किसी सहायता के बंगाल की खाड़ी तक पहुँच जायेगा। जादू में जादू बंगाल का।

एक मकान में एक मास्टर रहते थे। बहुत परिश्रमी, ईमानदार व परम आस्तिक। सारा दिन स्कूल में अँग्रेज़ी पढ़ाते थे, फिर क़रीब एक दर्जन छात्रों को दो टुकड़ियों में बाँटकर ट्यूशन पढ़ाते थे और सब कामों के बाद थकान मिटाने के लिए प्रत्येक रात्रि को पत्नी को गृह-विज्ञान समझाते थे। उनके सात लड़के थे जो सब आवारा थे। मास्टर साहिब को यौवन में ही तपेदिक हो गयी थी। आर्थिक स्थिति खरब

होने के कारण इलाज नहीं हो पाया। जब मैं युनिवर्सिटी चला गया तो उनकी मृत्यु हो गयी। स्कूल के मैनेजर बड़े दयालु थे। उन्होंने सातों लड़कों को अपनी जागीर के विभिन्न कामों में लगाया, मास्टर साहब की लिखी कुंजियाँ छपायीं और उनकी सुन्दर पत्नी को अपने रनिवास में स्थान दिया। जागीरदार साहब के दो ही शौक़ थे, एक था निरीह और रूपवती स्त्रियों की ठोस मदद करना और दूसरा था धनोपार्जन करना। वे न जाने कितने डकैतों को शरण देते थे, छोटे-छोटे कर्ज़ों के बदले लोगों की ज़मीन बेदखल करते थे, एक के बाद एक बाग़ लगाते थे, क्रेशर खोलते थे और किराये पर उठाने के लिए मकान के बाद मकान बनवाते थे। उन्होंने विधवाश्रम, अस्पताल, स्कूल और धर्मशालाओं का प्रबन्ध भी किया और सब जगह ग़बन किया। हाकिमों को दस्तूर दिया जाता था, ग़रीबों के लिए वर्ष में एक बार भण्डार खुलता था, पुलिस को रिश्वत दी जाती थी, वक़्त ज़रूरत कत्ल भी करवाया जाता था और प्रदेश के मन्त्री आते थे तो उनके लिए मांस, मदिरा व मुसम्मात का प्रबन्ध भी बाक़ायदा उन्हीं के द्वारा कराया जाता था। वे हर पर्व पर गंगास्नान के लिए जाते थे और ब्राह्मणों को खुलेहाथ दक्षिणा देते थे। सारी बस्ती में उनका बेहद रौब था और नगर के पण्डित लोग उनकी प्रतिष्ठा गाते थे। उनके अत्याचारों के कारण जो कोई भी मरता था, उसका अन्तिम संस्कार सदा उन्होंने ही करवाया। उनका चेहरा सुन्दर था, व्यक्तित्व शालीन था और धर्म के प्रति जो आग्रह था वह सम्भ्रान्त था। जो कोई भी साधु या संन्यासी नगर में आता था, वह उनकी हवेली को अवश्य पवित्र करता था। वे काफ़ी पढ़े-लिखे व्यक्ति थे। सुबह को गीता व विवेकानन्द का साहित्य पढ़ते थे, फिर अख़बारों का सेवन होता था, तीसरे पहर चतुरी चमार की कथा पढ़ी जाती थी, शाम को सत्यनारायण की कथा सुनी जाती थी और रात्रि को कलावती नाम की कन्या का गहन अध्ययन सम्पन्न किया जाता था। इतना सन्तुलित जीवन बिताने वाला व्यक्ति मैंने दूसरा नहीं देखा। आज़ादी के बाद वे गाँधी जी के भक्त भी हो गये थे और खादी पहनने लगे थे। मदिरा को छोड़कर फिर उन्होंने किसी विदेशी पदार्थ को हाथ नहीं लगाया।

एक मुंशी जी थे जो खपरैल के मकान में रहते थे। बड़े ईमानदार और आस्तिक व्यक्ति थे और शायद इसी कारण ग़रीब थे। मकान व जायदाद की रजिस्ट्री कराने में लोगों की सहायता करते थे और साथ ही साथ अदालती स्टाम्प भी बेचा करते थे। खाना प्रायः एक ही समय पकता था। लड़कियाँ जवान और ख़ूबसूरत थीं। एक मुन्सिफ-मैजिस्ट्रेट ने एक लड़की पर स्टाम्प तो लगा दी पर उसकी रजिस्ट्री नहीं की। वह बेचारी कुएँ में डूबकर मर गयी। दूसरी लड़की की शादी एक ऐसे वकील के साथ हुई जिसकी कि वकालत की सनद ही शायद जाली थी। शादी के बाद लड़की जब गर्भवती हुई तो वकील साहब ने अपनी साली को मँगा लिया। इसके बाद साली कभी वापस नहीं भेजी गयी। वकील साहब ने अपनी पत्नी के लिए 'रामायण' ख़रीद

दी जो अजिल्द थी और साली के लिए 'क़िस्सा छबीली भठियारिन' नाम की पवित्र पोथी ख़रीदी जो सजिल्द होने के साथ-साथ सचित्र भी थी। सारी घटनाओं से मुंशी जी इतने दुखी हुए कि वे पागल हो गये।

एक और सज्जन थे जो पुलिस के रिटायर्ड अधिकारी थे। उनके एक परम मित्र तीर्थयात्रा पर गये तो सारा सोना-चाँदी उन्हीं के पास रख गये। इत्तफ़ाक की बात कि पुलिस अधिकारी के यहाँ उसी अवधि में चोरी की भयंकर वारदात हुई और उस परम मित्र का सारा सोना-चाँदी चोरी चला गया। पुलिस ने तत्काल एक्शन लिया और एक ग़रीब बर्तन माँजने वाली को इतना पीटा, इतना पीटा कि वह वहीं मर गयी। चूँकि वह पुलिस के हाथों मारी गयी थी और चूँकि वह ग़रीब थी, बात वहीं की वहीं दब गयी। उस मरहूम बर्तन माँजने वाली को भी कही जंगल में दबा दिया गया।

एक पड़ोसी थे जो दर्ज़ी थे। शान्त, वक़्त के पाबन्द, शालीन व अपने काम से काम रखने वाले। घर में एक छोटा बच्चा था जिसकी माँ यक्ष्मा से मर चुकी थी। मकान काफ़ी बड़ा था और अकेलेपन के कारण बच्चे का डरना स्वाभाविक था। एक दिन एक कुलीन विधवा आयी और मकान के एक हिस्से में बहैसियत किरायेदार के रहने लगी। कुछ दिनों उसने बच्चे का दिल बहलाया और उसके बाद उसने टेलर-मास्टर को भी नये फ़ैशन की कटिंग सिखानी शुरू कर दी। दर्ज़ी महोदय ने उसके चाक जिगर को बखिया लगाकर पक्का सिला। भगवान ने जैसा सुख उन दोनों को दिया, वैसा सुख वह मुझे भी दे।

कुछ मकान छोड़कर एक परिवार रहता था जिसमें सबके सब निकम्मे थे। बड़ी मुश्किल से एक समझदार लड़का पैदा हुआ जो काला धन्धा करने की कला में इतना पारंगत था कि वह जिस जगह भी रहा, उसने रुपया ही रुपया कमाया। बहिनों की शादी ठाठ से हुई, मकान मेरे देखते-देखते तिमंज़िला हो गया, बैंक में उसके पिता का खाता खुला और उसने मोटर-साइकिल भी ख़रीद ली। तनख़्वाह सदा चार सौ से कम रही मगर रहा वह किसी राजकुमार की तरह। भ्रष्टाचार रोकने के जितने क़ायदे-कानून हैं वे अपनी जगह हैं और ऐसे प्रतिभावान् सरकारी कर्मचारी जो हैं, वे अपनी जगह हैं। इतना रुपया कमाने के बावजूद, लड़के ने शादी कभी नहीं की। न जाने कितनी चन्द्रमुखी और मृगलोचनी युवतियाँ ऐसी हैं जिन्होंने उसे कभी बाबा कहकर नहीं पुकारा। विल्स की सिगरेट (और स्काटलैण्ड की ह्विस्की) पीता रहा जब कि सिगरेट के दाम इतने ज़्यादा बढ़ गये हैं कि धूम्रपान करना अब सचमुच स्वास्थ्य के लिए हानिकारक हो गया है। मैं ख़ुद बीड़ी पर उतरने की सोच रहा हूँ।

बस अब चर्चा को और नहीं बढ़ाऊँगा। हाँ, अलबत्ता उन सेठजी की चर्चा अवश्य करूँगा जिनके करोड़पति होने का एकमात्र रहस्य यह था कि सालों पहले उन्होंने सही दावेदारों का हक़ मारने के लिए झूठा दिवाला निकाला था। और उस ग़रीब बज़ाज़ की चर्चा भी नहीं करूँगा जिसने काले बाज़ार में हाथ गन्दे नहीं किये

और मात्र इसी कारण भयंकर ग़रीबी में अपने दम तोड़े। सेठजी के दिवाले ने उसे बर्बाद कर दिया।

मुझे याद है कि जिन सजातीय सज्जन के घर पर मैं रहता था, वे एक अनुभवी और बुद्धिमान वृद्ध पुरुष थे। एक दिन मैंने उनसे पूछा कि "क्या कारण है कि पाप के मार्ग पर चलने वाले फूल-फल रहे हैं और पुण्यात्मा लोग दुख में पिस रहे हैं? वे कौन से भूत, प्रेत और पिशाच हैं जो सत्य को नहीं जीतने देते?" मेरा प्रश्न सुनकर उन्होंने आँखें बन्द कर लीं और कहा कि "इस सन्दर्भ में चन्द बातें मत भूलो। पहली बात तो यह है कि मात्र भौतिक सुख ही सब कुछ नहीं है। यह बाहरी संसार तो मात्र माया है। दूसरी बात यह है कि सुख और दुख तो अपने मन के भीतर है, न कि बाह्य परिस्थितियों के भीतर। तीसरी बात यह है कि तुम्हें कैसे पता कि ये सारे लोग सचमुच इतने ही सुखी या दुखी हैं जितना कि तुम समझते हो? चौथी बात यह है कि यह सब जो कुछ है वह सब प्रभु की लीला है जो अपरम्पार है। और अन्तिम बात यह है कि सब कुछ होने के बाद भी, हमारा अपना कर्तव्य यही है कि हम पुण्य के मार्ग पर चलें और पाप के मार्ग को छोड़ दें। ये जो बुरा करने वाले आज मौज उड़ा रहे हैं, वह इनके पूर्व जन्म के कर्मों का फल है। जब वे पुण्य ख़त्म हो जाएँगे तो यह लोग भी अपने पापों का फल भोगेंगे।" अपनी टिप्पणी सुनाकर उन्होंने यह कालजयी दोहा सस्वर पढ़ाः

राम झरोखे बैठकर सबका मुजरा लेय
जाकी जैसी चाकरी, ताको वैसा देय?

लाल-पीले फूल

मुझे कविता से बहुत प्रेम है। मुझसे पहले भी अनेक महान् व्यक्ति ऐसे हो चुके हैं जो कविता से प्रेम करते थे। उमर खैय्याम एक गणितज्ञ था और जब भी वह हासिल लगाना भूल जाता था तभी वह दिल बहलाने के लिए रुबाई लिखने बैठ जाता था। नादिरशाह तो स्वयं कवि था और क़त्ले-आम वग़ैरह से जो कुछ भी समय उसके पास बचता था, उसमें वह कविता ही लिखा करता था। मुग़ल वंश के अन्तिम तीन सम्राट् कवि ही नहीं थे वरन् कविता के सच्चे मर्मज्ञ व कवियों के आश्रयदाता भी थे। 'इंशा', 'जौक' और 'ग़ालिब'—उन्हीं के समय में हुए। बँगला के महाकवि चण्डिदास बड़े कलफ़दार पद रचते थे जिसका प्रमुख कारण यह था कि उनकी प्रेयसी एक धोबिन थी। कालिदास एक वारांगना पर आसक्त थे और वाल्मीकि जी कविता करने से पहले डकैती डाला करते थे। राजा भर्तृहरि इस कारण कवि हुए क्योंकि उन्होंने एक होनहार पत्नी प्राप्त कर ली थी और पण्डित सुमित्रानन्दन पन्त इस कारण कवि बने क्योंकि वे आजीवन एक अदद पत्नी नहीं प्राप्त कर सके थे।

आचार्य हज़ारीप्रसाद द्विवेदी को अशोक के लाल फूल पसन्द थे जबकि मुझे कनेर के पीले फूल पसन्द हैं। द्विवेदी जी के लेखन में और मेरे लेखन में जो मौलिक अन्तर है वह इस बात से स्पष्ट हो जाता है। सच्ची बात तो यह है कि मैंने कभी अशोक का फूल देखा ही नहीं। अशोक के साथ यह बहुत बड़ी इल्लत है कि जब तक कोई रूपवती युवती अशोक के वृक्ष पर पदाघात नहीं करती, तब तक उस पर फूल ही नहीं खिलते। अब आप पहले तो अशोक के एक वृक्ष का पता लगाइए फिर एक रूपवती युवती ढूँढ़िए और फिर उससे विनती कीजिए कि वह आपके साथ चले और उस पूर्वनिश्चित अशोक पर पदाघात करे। यदि वह नवयौवना बाला कविहृदया निकली तो ज़रूर वैसा करेगी हालाँकि इतनी देर में आप उस अशोक के वृक्ष की सही भौगोलिक स्थिति अवश्य भूल चुके होंगे। यदि वह मुसम्मात किसी और किस्म की निकली तो अशोक के स्थान पर शोक स्थापित होगा क्योंकि वह हस्तिनी अब अशोक पर नहीं वरन् स्वयं आप पर पदाघात करेगी। शुभास्ते सन्तु पन्थानः। अशोक का लाल फूल इसी कारण कहीं नहीं दीखता जब कि कनेर का पीला फूल देखने

के लिए आपको मात्र कनेर के वृक्ष तक ही चलना पड़ेगा और वह भी अकेले ही। व्यंग्यकार ने तो सदा से वही देखा जो वह सबको दिखा सकता था। यह उसी का कमाल रहा कि अशोक का फूल भी कनेर के फूल के स्तर पर आ गया। बकुल का फूल अशोक से भी ज़्यादा सुन्दर होता आया क्योंकि इसे खिलाने के लिए किसी रूपवती कन्या की टाँग की दरकार नहीं होती। सुन्दर ललनाएँ यदि बकुल के वृक्ष को मात्र चूम ही लें, तो भी उस पर फूल खिल आते हैं। चुम्बन देती जाइए और बकुल के फूल बटोरती जाइए। दो या तीन फूल, सजा देंगे दुकूल। छोटा परिवार, सुखी परिवार। ज़रा-सी सावधानी, उम्र भर की आसानी।

कनेर का फूल गुलाब के फूल से अलग होता है। गुलाब का फूल गुलाब के पेड़ पर खिलता है जबकि कनेर खिलाने के लिए आपको कनेर का वृक्ष लगाना पड़ता है। गुलाब का फूल तरह-तरह के रंगों में खिलता है (जिनमें कभी-कभी गुलाबी रंग भी शामिल होता है) जब कि कनेर का फूल मात्र पीले रंग का ही होता है। कृष्णजी का मुकुट पीले रंग का था और गोपियाँ भी अपनी साड़ियों पर पीली गोट ही लगाती थीं। सरसों अब भी पीले रंग में ही खिलती है। खरबूज़े की तरह दशहरी आम ने दूसरे आमों को देखकर भी अपना रंग नहीं बदला। वह बेचारा अभी भी पीले रंग ही में सजा आपकी सेवा में प्रस्तुत है। कुछ खरबूज़े भी पीले रंग के होते हैं पर खरबूजों पर आप भरोसा नहीं कर सकते। जहाँ कहीं मन्त्री बनने का आश्वासन मिला, वहीं दल बदल लिया। रूपवती युवतियाँ भी प्रायः पीले या गोरे रंग में ही मिलती हैं। रूप और रंगों में भी मिलेगा पर उसके लिए आपको प्रतीक्षा करनी पड़ेगी। इसमें लजाने की कोई बात नहीं है। कालिदास को स्वयं साँवली युवतियाँ पसन्द थीं। मेघदूत का "तन्वी, श्यामा, शिखरदशना" वाला मन्दाक्रान्ता श्लोक इसका प्रमाण है। राधाजी स्वयं पूर्णिमा की भाँति गोरी होते हुए भी कृष्ण जी से प्रेम करती थीं। कृष्ण जी 'श्याम' होते हुए भी इतने 'सुन्दर' थे कि न जाने कितने लोग उनके 'दास' हो गये थे। हिन्दी के शीर्षस्थ विद्वान् बाबू श्यामसुन्दर दास ने तो अपना नाम ही इस आधार पर रख छोड़ा था। नाम के उपरान्त बी.ए. ज़रूर लिखना पड़ता था क्योंकि वैसा करना उन दिनों का रिवाज़ था। एक नवयुवक 'अकबर' इलाहाबादी से मिलने उनके मकान पर गये और अपना विजिटिंग कार्ड भीतर भिजवाया। इन होनहार सज्जन ने बी.ए. जो किया था वह विजिटिंग कार्ड छपने के बाद किया था और इसी कारण वह महान् तथ्य विजिटिंग कार्ड पर नहीं छपा था। इन्होंने फाउण्टेन पेन से कार्ड पर बी.ए. जोड़ा और फिर उसे भीतर की दिशा में भेज दिया। महाकवि ने कार्ड देखा और उन्हें कुछ अजीब-सा लगा। उन्होंने बाहर आने को मना कर दिया और कार्ड की पीठ पर एक शेर लिख दिया—"हज़रत अभी घर से न निकले लिखा कि बी.ए. पास हैं, आप बी.ए. पास हैं तो हम भी बीवी पास हैं।" उस नवयुवक को बी. ए. होने के कारण महाकवि से बिना मिले ही लौटना पड़ा।

कनेर का पीला फूल एक ऐतिहासिक महत्त्व की वस्तु है। इस फूल को किन्नर नाम के देवता इस देश में लाये थे और 'कनेर' शब्द जो है वह किन्नर शब्द का ही विकसित रूप है। कुमारी संयोगिता ने जो माला सम्राट् पृथ्वीराज के गले में डाली थी उसमें संयोग से कनेर के फूल ही गूँथे गये थे। मुझे पता नहीं है कि कनेर के फूल में सुगन्ध होती है या नहीं। इस बार जब मेरे बाग़ीचे में लगा कनेर फूलेगा तो देखूँगा। भारतभूषण अग्रवाल के बनाये 'काग़ज़ के फूल' को छोड़कर, काग़ज़ के बाकी फूलों में कभी सुगन्ध नहीं होती। हक़ीक़त छुप नहीं सकती कभी झूठे उसूलों से, कि खुशबू आ नहीं सकती कभी काग़ज़ के फूलों से। गोभी के फूल में से भी खुशबू नहीं आती और इस सत्य को भी उर्दू के एक शायर ने पकड़ा। मेरे जिगरी दोस्त हज़रत नोमान जब एक दुर्घटना के शिकार हो गये तो उन्हें अस्पताल में भर्ती होना पड़ा। एक दिन एक नयी-नयी डॉक्टरनी (जो नयी होने के साथ-साथ बेहद हसीन भी थी और गर्वीली भी थी) वार्ड का चक्कर लगाने आयी तो वह नोमान साहब के पलँग के पास भी रुकी। नोमान साहब ने उसके कमलों से कोमल हाथ पकड़ लिए और उसकी आँखों में आँखें डालकर वे यह शेर पढ़ने लगे "तुम वह फूल हो जिसमें खुशबू नहीं, तुम मेरी जाँ गोभी का फूल हो।" शेर सुनते ही डॉक्टरनी जो थी वह बबर शेर हो गयी और नोमान साहब को अस्पताल रातोंरात छोड़ना पड़ा हालाँकि उनकी कई हड्डियाँ अभी जुड़नी बाकी थीं।

कनेर के फूलों ने साहित्य में भी बराबर स्थान पाया। ग्रामगीतों में तो कनेर की छटा देखते ही बनती है। पन्तजी की 'ग्राम्या' में कनेर कई स्थानों पर खिला है। नरेश मेहता ने कनेर के पीले फूलों को लेकर एक इतनी अद्भुत कविता लिखी है कि वह नयी कविता होते हुए भी किसी लोकगीत की भाँति आपके मर्म को छूती है। मर्म को छूने की दिशा में उनका उपन्यास 'उत्तरकथा' भी पीछे नहीं है। इस उपन्यास को पढ़ने में मुझे मात्र दस वर्ष लगे। हुआ यह कि उपन्यास का प्रथम खण्ड जब छपा तो मैं प्रयाग में था। भाई नरेश मेहता ने पाँच सौ पृष्ठों वाले उस प्रथम खण्ड की एक प्रति अपने शुभ-हस्ताक्षरों के साथ मुझे सस्नेह दी। मैंने जब तक दूसरा खण्ड नहीं प्राप्त कर लिया, तब तक पहला खण्ड भी नहीं छुआ। उपन्यास सचमुच उत्कृष्ट है। सचमुच। दोनों खण्ड प्राप्त करने में जो दस वर्ष लगे उसका प्रमुख कारण यह था कि पहले खण्ड की भाँति दूसरा खण्ड भी मैं मुफ़्त ही हासिल करना चाहता था और वैसा करने में मैं सफल भी रहा। पहला खण्ड लेखक ने दिया था तो दूसरा खण्ड दस वर्ष बाद प्रकाशक ने दे दिया।

'कनेर' शब्द का प्रयोग इधर नामकरण संस्कार में भी होने लगा है। मेरे माली का नाम 'कनेरी' है। कल एक नये व्यंग्यकार आये थे जिनका शुभ नाम 'कनेर कुमार' था हालाँकि 'कुमार' को वह 'कुम्हार' उच्चारण करते थे। बग़ल की कोठी में एक अज्ञातयौवना रहती है जिसका नाम 'कनुप्रिया उर्फ़ कन्नी' है। उसके

अलसेशियन का नाम कन्नू है जो आपको देखते ही अपनी चारों टाँगों को उठाकर अपनी पूँछ की ध्वजा से ऐसी शानदार सलामी देता है कि आप फिर उसी दिशा में जाने लगते हैं जहाँ से कि आप आये थे। उस अज्ञातयौवना बालिका विशेष को देखकर, कनेर के जो फूल आपके नयनों में खिले थे, वे सबके सब इस ध्वजाधारी और ज्ञातयौवन कुत्ता-विशेष को देखकर मुरझा जाते हैं। विधि के विधान को भला कौन टाल सकता है?

ऊपर मैंने यह बताया है कि यदि कोई रूपवती रमणी किसी बकुल के वृक्ष को चूम लेती थी तो उस पर (यानी कि बकुल के वृक्ष पर) अचानक फूल खिल उठते थे। मैं सोचता हूँ कि जब ऐसी रमणी के चूमने से बकुल के वृक्ष पर फूल खिल उठते थे तो यदि उस रमणी को ही स्वयं चूमा जाता था, तो लज्जा का कैसा फूल खिलता होगा? मैं 'बकुल-कथा' का यह रहस्य जानने को बहुत बेकल हूँ। मेरे बँगले से सातवें बँगले में निवास करने वाली ओ रूपवती पतिव्रते, यदि तू मेरे साथ सहयोग कर ले, तो मैं यह गहन रहस्य जान सकता हूँ। अपने वर्तमान पति (जो शायद तेरा छठा या सातवाँ पति है और जो इस असार संसार को जल्दी ही छोड़ने वाला है) की सुविधा को ध्यान में रखते हुए तू इस दिशा में मेरी मदद कर। तू जब भी और जहाँ भी कहेगी, मैं अपना 'फ़र्स्ट-एड' का बक्सा लेकर वहीं पहुँच जाऊँगा। और हाँ, तू उस महिषासुर कुत्ते को साथ नहीं लाना, अकेली ही आना। प्रेम-गली अति साँकरी, ता में दो न समायँ। और वैसे भी, मैं तो फ़िलहाल मात्र तुम्हें ही चूमना चाहता हूँ तुम्हारे कुत्ते को नहीं। राणा साँगा की भाँति मेरी इस देह पर भी न जाने कितने घाव हैं पर उनमें मैं कुत्ते के काटने का घाव नहीं जोड़ना चाहता। रीतिकाल के सन्दर्भ में वीरगाथा-काल से, जहाँ तक हो वहाँ तक, बचना ही श्रेयस्कर होता है। थोड़े कहे को बहुत समझना। मैं तुम्हारे उत्तर की प्रतीक्षा एक टाँग पर खड़े होकर करूँगा। मुझको है अपने कवि की लाज निभानी, तुझसे सशक्त तेरे कुत्ते की वाणी। भगवान तेरा भला करेगा, इसका मुझे पूरा विश्वास है। मेरा क्या होगा, इस बात को तेरे कुत्ते के अतिरिक्त और कोई नहीं जानता...।

□□

परिशिष्ट

(अ) जीवन-वृत्त : रवीन्द्रनाथ त्यागी

1.	जन्म	:	9 मई, 1930 (क़स्बा : नहटौर, ज़िला-बिजनौर, उत्तर प्रदेश)।
2.	देहावसान	:	4 सितम्बर, 2004 (देहरादून, उत्तराखण्ड)।
3.	शिक्षा	:	एम.ए. (अर्थशास्त्र), प्रयाग विश्वविद्यालय (गोल्ड मेडलिस्ट), 1954।
4.	विवाह	:	सुश्री शारदाजी से, 24 जून, 1955।
5.	आजीविका	:	12 दिसम्बर, 1955 को 'इण्डियन डिफेंस एकाउण्ट्स सर्विस' में नौकरी आरम्भ की और 1 सितम्बर, 1989 को 'कण्ट्रोलर ऑफ़ एकाउण्ट्स' के पद से सेवानिवृत्त हुए।
6.	परिवार	:	पिता : पं. मुरारीदत्त शर्मा, माता : श्रीमती चमेली देवी, पत्नी : श्रीमती शारदा त्यागी, पुत्र : अशोक (जन्म : 17 अगस्त, 1962), पुत्री : इन्दु (जन्म : 9 जुलाई, 1966), पुत्र-वधू : दीपा, पौत्री : पल्लवी, पौत्र : प्रणव, दामाद : राजय, दौहित्री : कोपल राजे।

(आ) पुरस्कार-सम्मान

1. उत्तर प्रदेश हिन्दी संस्थान, लखनऊ : 1977-1978-1979 में प्रति वर्ष तीन अलग-अलग पुस्तकों पर पुरस्कृत।
2. सरस्वती सम्मान, सहारनपुर।
3. नागरिक सम्मान, मेरठ।
4. चकल्लस पुरस्कार, मुम्बई, 1985।

5. टेपा पुरस्कार, उज्जैन, 1988।
6. श्रीनारायण चतुर्वेदी पुरस्कार, उत्तर प्रदेश।
7. पदुमलाल पुन्नालाल बख्शी पुरस्कार, मध्य प्रदेश।
8. अट्टहास शिखर सम्मान, 1997।
9. व्यंग्यश्री पुरस्कार, दिल्ली, 1998।
10. लीलावती स्मृति पुरस्कार, 1999।
11. शरद जोशी सम्मान, 1999।
12. हरिशंकर परसाई पुरस्कार, हरदा, 2001।
13. स्नेहलता गोइन्का व्यंग्य-भूषण पुरस्कार, 2002।

(इ) रवीन्द्रनाथ त्यागी का साहित्य

(क) हास्य-व्यंग्य संग्रह (मौलिक)

	पुस्तक	प्रकाशक	प्रकाशन-वर्ष
1.	खुली धूप में नाव पर	लोकभारती प्रकाशन, इलाहाबाद	1963
2.	भित्ति-चित्र	राजकमल प्रकाशन, नयी दिल्ली	1966
3.	मल्लिनाथ की परम्परा	लोकभारती प्रकाशन, इलाहाबाद	1968
4.	कृष्णवाहन की कथा	नेशनल पब्लि. हाउस, नयी दिल्ली	1971
5.	देवदार के पेड़	नेशनल पब्लि. हाउस, नयी दिल्ली	1973
6.	शोक-सभा	नेशनल पब्लि. हाउस, नयी दिल्ली	1974
7.	अतिथि-कक्ष	राजपाल एण्ड संस, दिल्ली	1977
8.	सुन्दरकली	सम्भावना प्रकाशन, हापुड़	1978
9.	फूलों वाले कैक्टस	पराग प्रकाशन, दिल्ली	1979
10.	ऋतु-वर्णन	नेशनल पब्लि. हाउस, नयी दिल्ली	1988
11.	भद्र-पुरुष	पराग प्रकाशन, दिल्ली	1980
12.	इस देश के लोग	पराग प्रकाशन, दिल्ली	1982
13.	पदयात्रा	नेशनल पब्लि. हाउस, नयी दिल्ली	1985
14.	पराजित पीढ़ी के नाम	पराग प्रकाशन, दिल्ली	1988
15.	प्रसंगवश	पराग प्रकाशन, दिल्ली	1988
16.	आत्मलेख	नेशनल पब्लि. हाउस, नयी दिल्ली	1988
17.	विष-कन्या	भारतीय ज्ञानपीठ, नयी दिल्ली	1990
18.	गणतन्त्र दिवस की शोभा-यात्रा	नेशनल पब्लि. हाउस, नयी दिल्ली	1991

19.	चँम्पाकली	किताब घर, नयी दिल्ली	1992
20.	इतिहास का शव	राजकमल प्रकाशन, नयी दिल्ली	1993
21.	देश-विदेश की कथा	किताब घर, नयी दिल्ली	1994
22.	भाद्रपद की साँझ	राजकमल प्रकाशन, नयी दिल्ली	1996
23.	लाल पीले फूल	किताब घर, नयी दिल्ली	1997
24.	बादलों का गाँव	अभिरुचि प्रकाशन, दिल्ली	1999
25.	शेष-अवशेष	भारतीय ज्ञानपीठ, नयी दिल्ली	2011

(ख) हास्य-व्यंग्य संकलन (पूर्व प्रकाशित निबन्धों के संकलन)

1.	उर्दू-हिन्दी हास्य-व्यंग्य	पराग प्रकाशन, दिल्ली	1978
		दूसरा संस्करण : राजकमल प्रकाशन, नयी दिल्ली	1991
2.	फुटकर	सम्भावना प्रकाशन, हापुड़	1979
3.	मेरी श्रेष्ठ व्यंग्य रचनाएँ	नेशनल पब्लि. हाउस, नयी दिल्ली	1979
4.	प्रतिनिधि रचनाएँ (सम्पादक : कमल किशोर गोयनका)	पराग प्रकाशन, दिल्ली	1988
5.	पूरब खिले पलाश	भारतीय ज्ञानपीठ, नयी दिल्ली	1998
6.	कबूतर, कौए और तोते	भारतीय ज्ञानपीठ, नयी दिल्ली	2001
7.	एक चिरन्तन कथा	मेधा बुक्स, दिल्ली	2004
8.	यक्ष-प्रश्न	मेधा बुक्स, दिल्ली	2005
9.	वसन्त से पतझर तक	भारतीय ज्ञानपीठ, नयी दिल्ली	2005
10.	सिन्दबाद की अन्तिम यात्रा (सम्पादक : कमल किशोर गोयनका)	प्रभात प्रकाशन, नयी दिल्ली	2008
11.	ग़रीब होने के फ़ायदे (सम्पादक : कमल किशोर गोयनका)	प्रभात प्रकाशन, नयी दिल्ली	2008
12.	51 व्यंग्य रचनाएँ (सम्पादक : कमल किशोर गोयनका)	डायमण्ड बुक्स, नयी दिल्ली	2011

(ग) कविता-संग्रह

1.	सूखे और हरे पत्ते	भारती भण्डार, प्रयाग	1962
2.	कल्प-वृक्ष	राजकमल प्रकाशन, नयी दिल्ली	1965
3.	आदिम राग	राधाकृष्ण प्रकाशन, नयी दिल्ली	1967
4.	आख़िरकार	नेशनल पब्लि. हाउस, नयी दिल्ली	1978
5.	सलीब से नाव तक	पराग प्रकाशन, दिल्ली	1983
6.	अन्तिम वसन्त	पराग प्रकाशन, दिल्ली	1988
7.	कृष्ण-पक्ष की पूर्णिमा	किताब घर, नयी दिल्ली	1996

(घ) कविता-संकलन (पूर्व प्रकाशित कविताओं का संकलन)

1.	पीले पाल वाली बूढ़ी नाव (श्रेष्ठ कविताएँ)	मेधा बुक्स, दिल्ली	2003

(ङ) उपन्यास-कहानी

1.	अपूर्ण कथा	सम्भावना प्रकाशन, हापुड़	1980
2.	अपूर्ण कथा (पेपरबैक)	राजपाल एण्ड संस, दिल्ली	1985

(च) पत्र-संग्रह

1.	मेघदूत उवाच	गीतांजलि प्रकाशन, देहरादून	2008

(छ) बाल-साहित्य

1.	मास्टर भोलाराम	पराग प्रकाशन, दिल्ली	1979
2.	हमारे मास्टर साहब	जनप्रिय प्रकाशन, दिल्ली	1987
3.	खेल गाँव	अभिरुचि प्रकाशन, दिल्ली	1991
4.	सुन्दर वन	अभिरुचि प्रकाशन, दिल्ली	1995

(ई) अप्रकाशित-असंकलित रचनाएँ

रवीन्द्रनाथ त्यागी के दिवंगत होने के बाद उनकी पत्नी श्रीमती शारदा त्यागी को

निम्नलिखित ऐसी रचनाएँ मिलीं जो अप्रकाशित एवं असंकलित थीं। ये रचनाएँ निम्नलिखित हैं–

1. आठ कविताएँ : झंडे के प्रति, पनघट, कवि से...., शाम हो गयी..., बेला, मेरा देश और साँझ।

   शारदाजी के अनुसार इनका रचना-काल 1948-52 के बीच का है। इनमें कुछ 'सरस्वती' (प्रयाग) पत्रिका में छपी थीं। उनकी एक पाँच पंक्ति की कविता उनकी डायरी में मिली, वह भी प्रस्तुत है। यह सम्भवतः उनकी अन्तिम कविता है।

2. उनके तीन असंकलित लेख भी संकलित हैं। पहला लेख तो उन्होंने मुझ पर लिखा था, दूसरा 'कुछ व्यंग्य संस्मरण' उन्होंने देहावसान के दिन ही 'उमर उजाला' को प्रकाशनार्थ भेजा था, जो उनके देहान्त के तीन दिन बाद श्रद्धांजलि के रूप में 'अमर उजाला' ने प्रकाशित किया। तीसरा लेख 'नयी पीढ़ी' फ़ाइल में दबा रखा था जो 'इण्डिया टुडे' ने उनकी पहली पुण्य-तिथि को प्रकाशित किया था।

आठ कविताएँ

(1) झंडे के प्रति

जय भारत के प्राण तिरंगे,

बिखर रही थी भारत सुषमा
सदियों से था कितना जर्जर
रही नीरसा धरा उर्वरा
रोता सा रहता था पतझर
सूने से उस ही उपवन में
मचवादी पिकतान तिरंगे!
जय भारत के प्राण तिरंगे।

स्वतन्त्रता की बलिवेदी पर
प्राणों से था खेल निरन्तर
आज सत्य हैं जिनके सपने
अमर हुए जाने वे कितने
भगत सिंह जैसे अनेक उन
वीरों के अभिमान तिरंगे।
जय भारत के प्राण तिरंगे।

जहाँ रही कल सन्ध्या काली
खिली चाँदनी है उजियाली।
वर्षों से अभिशप्त पुनीता,
पुष्प धरा पर है हरियाली
लूटी हुई भारतमाता के
हो सुहाग की शान तिरंगे।
जय भारत के प्राण तिरंगे।

(2) पनघट

ग्राम अलका अप्सराएँ
पनघट पर नीर भरे।

सुन्दर सजीले अंग,—
अचल हिले, खुले पंख,
वस्त्र कसे, कसे व्यंग
अधर रस बूँद झरे!

अंचल हिलाता मरुत्,
धीरे धीरे बजे नूपुर,
उर उर में मधुर मधुर,
अंग में उमंग भरे!

मधुर हास स्नेह सने,
खींच वारि कर थमे,
घूँघट तूणीर, तने—
नयनों के वाण चले!

आर्द्र-द्रुम छाया सघन,
नभ नील - उज्ज्वल घन,
हँसती सी मलयज पवन,
पुष्पों के पंख हिले!

उच्च नील शैल झलक
देता; था घट में छलक
होती फिर हास किलक
काम कल चाप धर!

विहँस उड़ी विहग वधू—

नीड़, चली ग्राम वधू,
प्राणों की वीणा में
जीवन का राग भरे!

(3) कवि से...

ओ शब्दों के चित्रकार तुम,
मृत वर्णों में भर देते हो
अपने प्राणों के जीवित कण!

जीवन की इस मौन डगर पर
तुम काँटों की कुंचित छाया
में भी जाने सुलग रहे हो–
कैसे अपनी कोमल काया!

सोये स्वर में प्राण जगा कर,
शुष्क शब्द से गान बना कर,
तुम जाने कैसे ले आते,
शापों से वरदान बना कर!

तुम जाने कैसे भर देते
स्वप्नों से जीवन का प्याला!
तुम कैसे मूर्च्छित कर देते
जीवित भावों से यह अन्तर!

कैसे जाने देव तुम्हारी
पीड़ा हो जाती है हाला
कैसे जाने सज जाती रे
अनजाने भावों की माला!

तुमने जीवन के क्रन्दन को
मधुर स्वरों के पात्रों में भर
पिला दिया रे अनायास ही
कैसे तुमने अपना अन्तर?

तुमने वर्णों की रेखा में
बाँध दिया सन्ध्या प्रभात को
तुमने पद लय के बन्धन में
बाँध दिया नश्वर जीवन को!

देव, तुम्हारे कल्पित जग की
अजर अमर सुन्दर कुटिया में
मैं भी आकर देख सकूँगा
क्या वे सारे संचित सपने?

(4) शाम हो गयी...

शाम हो गयी,
छिप गये पेड़,
जंगल से लौट आये
बैल, बकरी, भेड़!
पीपल पर लाल लाल
परियाँ रहीं नहीं,
दूर उधर वन में ही
छिप गयीं कहीं!

शब्द एक आता था
किसी के गाने का,
बन्द हो गया; दीप
मन्दिर पर जल गया,
पोखरों से होकर के
घेरों के पास तक
अँधेरा बढ़ आया
चुपके लपक!

डगरों से धूल भरे
बच्चे गये,
क़स्बे के व्यापारी
वापस गये,
पेड़ों के डैनों में
पंछी सोये,
तारों की छाया में
पेड़ सो गये!

सरिता के आसपास
तीर सो गया,
रात की उन बातों में
तम खो गया,
अधरों के बिस्तर पर
गान सो गये।

(5) बेला

आधी रात, जगे तुम बेला,
किसको देख रहे हो पथ पर?
सोया तम भी, सोया नभ भी
और सो गयी वह श्रान्त डगर!
ओ, कवि से तुम भी खिलते हो
गाते शैशव सा मृदु गाना।
सो जाता संसार सभी जब
एकाकी केवल मनमाना।
कौन खिला जाता है जाने
आकर तुमको धीर-धीरे;
नीरव तम में मधुर मौन वह
पंखुरियों पर मृदु स्पर्श दे!
तुम फूलों के राजा, वह भी
होगी रे परियों की रानी।
सबसे छिपकर आ जाती जो
तुम्हें सुनाने प्रेम कहानी।
तुमने यामा के विषाद में
ढूँढ़ा कैसे अमर हास रे?
तुमने कैसे जान लिया प्रिय,
आधी ठीक हुई रात रे?
बोलो, मेरे प्रिय बेला तुम,
मुझे सिखा दी खिलते रहना;
यामा के नीरव विषाद में भी
वृन्तों पर हँसते रहना।
आधी रात हो गयी बेला,
मैं जाता हूँ; तुम हो योगी!

प्रिय-माला-हित लेने कोई
जगी रात भर, आती होगी!

(6) मेरा देश

मेरा देश
मेरा देश
मेरा देश
नदियों का देश
कवियों का देश
छवियों का देश
यह देश—
कि वन-वन गाती-फिरती परियों का
खेतों का देश
गीतों का देश
दीपों का देश
यह देश—
कि शत-शत ऋतुओं का—उन रंगों का
पर्वत का देश
झीलों का देश
सागर का देश
यह देश—
पाल बर्फ़ के : माँझी के सन्देशों का
मेघों का देश
हंसों का देश
कमलों का देश
यह देश—
कि रंग-बिरंगे पंखों उड़ते पाखी का
सोने का देश
चाँदी का देश
मिट्टी का देश
यह देश—
कि लम्बे-लम्बे दिन औ गहरी रातों का

गीता का देश
अयोध्या का देश
मुग़लों का देश

यह देश--
राम, कृष्ण औ गाँधी, बुद्ध, जवाहर का

सन्तों का देश
महन्तों का देश
तीर्थों का देश

यह देश—
मन्दिर, मस्जिद, और शिवाले, गिरजे का

यौवन का देश
जीवन का देश
चिरन्तन देश

यह देश—
आशाओं का, विश्वासों का, आदर्शों का

मेरा देश
मेरा देश
मेरा देश

यह देश—
कि नाम एक बस केवल मेरे प्राणों का

(7) साँझ

धीरे-धीरे साँझ हो गयी!
अब बेला के फूल हिल गये,
नभ में कितने दीप जल गये,
मन में जगा भाव वह नये,
जग भर को मृदु-स्वप्न दे गयी!
ग्राम-डगर पर खिसका अंचल,
स्वर्ण विहग ले सोता पीपल,
उठ जल से यह रेखा चंचल
अभी-अभी नभ में खो गयी।
उधर सो गया धीरे, सविता

नभ में फैला कोमल कविता
जो बिखरे बादल की सन्ध्या
नीरव पग धर मुझे दे गयी!

(8) अन्तिम अप्रकाशित कविता

जो करता हो प्रतीक्षा पावस की
जिसके गीत से उगते हों बादल
जिसके कण्ठ से निकलता हो वसन्त
ऐसा रूपवान शव क्या
आपने कहीं देखा है?

तीन लेख

(1) कमल किशोर गोयनका : एक निश्छल व परिश्रमी प्राण

कुछ लोग ऐसे होते हैं कि आप उन्हें कतई नहीं जानते पर पहिली ही मुलाक़ात में कुछ ऐसा लगता है कि हम दोनों न जाने एक-दूसरे को कितने वर्षों से जानते हैं! डॉ. गोयनका इसी प्रकार के व्यक्ति हैं। मैं उनसे देहरादून में कोई सात वर्ष पहिले पहिली बार मिला था और उस एक भेंट में ही मैं उनका मुरीद हो गया, उनका भक्त हो गया। इतना सरल, निष्कपट, सात्विक और स्नेही बन्धु पाकर मैं वास्तव में भगवान के प्रति हृदय से आभारी हूँ। इस 'दुर्घटना' के बाद वे मेरे यहाँ जम्मू आये और मेरी 'प्रतिनिधि रचनाओं' के सम्पादन के सम्बन्ध में कोई सप्ताह भर रुके। तब मैंने उनका समीक्षक व शोधकर्म वाला व्यक्तित्व देखा, जो मेरे लिए पहला अनुभव था। वे इतने 'सिस्टैमैटिक' हैं, इतने परिश्रमी हैं और इतने पारखी हैं कि बड़े से बड़े प्रोजेक्ट को भी वे कम समय में समाप्त कर सक़ते हैं। उनके पास बैठ कर लगता है कि रामचन्द्र शुक्ल, हज़ारी प्रसाद द्विवेदी व बाबू श्यामसुन्दर दास किस प्रकार के व्यक्ति रहे होंगे। मैं अतिशयोक्ति कर रहा हूँ पर ज़्यादा नहीं।

डॉ. गोयनका ने मुंशी प्रेमचन्द पर काम किया और बड़ी निष्ठा व लगन के साथ किया। 'प्रेमचन्द विश्वकोश' एक ऐसा विशद ग्रन्थ है कि उसके कारण गोयनका जी की प्रसिद्धि देश में ही नहीं वरन् विदेशों में भी हुई। उन्हें कई पुरस्कार भी मिले। उन्होंने प्रेमचन्द की ऐसी रचनाओं को भी ढूँढ़ा जिनका किसी को पता भी नहीं था। प्रेमचन्द के जीवन के ऐसे प्रसंगों और घटनाओं का विवरण भी तैयार

किया जिन्हें कोई नहीं जानता था। हालाँकि इन प्रसंगों में कुछ ऐसे पहलू भी आये जिन्हें प्रेमचन्द के 'अन्ध-भक्तों' ने पसन्द नहीं किया। बात यह है कि तुलसीदास की भाँति प्रेमचन्द भी करोड़ों पाठकों के लिए मात्र लेखक ही नहीं हैं वरन् उनके परिवार के सदस्य हैं, उनके अपने हैं। ऐसे लोग ऐसी कोई बात नहीं जानना चाहते जो उस चित्र पर नया प्रकाश डाले जिसे वे वर्षों से अपने हृदय पर अंकित किये हुए हैं। मैं ख़ुद इन अन्ध-भक्तों में से एक हूँ। मगर इस सब से गोयनका जी के शोध-कार्य पर कोई अन्तर नहीं पड़ता।

प्रेमचन्द पर किये गये काम से जैसे ही कुछ अवकाश मिला, वैसे ही वे उन चर्चित साहित्यकारों की प्रतिनिधि रचनाओं के संकलन में लग गये, जिन्होंने एक से ज़्यादा विधाओं में काम किया था। यह काम उन्होंने उसी निष्पक्षता, कुशलता और लगन के साथ किया जो उन्होंने प्रेमचन्द के सन्दर्भ में दिखाई थी। वे एक ऐसे समीक्षक हैं जो भावुक तो हैं पर निष्पक्ष भी हैं, स्नेही तो हैं पर स्पष्ट वक्ता भी हैं, प्रशंसक तो हैं पर कमियों पर प्रकाश डाले बिना रह नहीं पाते।

गोयनका जी की निश्छलता कभी-कभी ऐसे कमाल दिखाती है कि आप परेशानी में पड़ सकते हैं। उन्होंने मेरी एक अच्छी-ख़ासी किताब एक ऐसे प्रकाशक को दिलवा दी कि उसने मुझे अभी तक एक पैसा भी रॉयल्टी के रूप में नहीं दिया। यदि मेरा यह नुक़सान न हुआ होता तो मैं उनकी और ज़्यादा प्रशंसा करता।

(11 फ़रवरी, 1989)

(2) कुछ व्यंग्य-संस्मरण

मेरी शादी जून 1955 में हुई। उस समय मेरी आयु 25 वर्ष की थी और पत्नी की आयु 16 वर्ष की थी। उसी वर्ष, मैं केन्द्रीय सरकार की एक बड़ी नौकरी के लिए चुन लिया गया। दफ़्तर जाने पर मैंने साइकिल ख़रीदने के लिए एडवांस की अर्ज़ी दी जो अस्वीकृत कर दी गयी, क्योंकि मैं प्रथम श्रेणी का अधिकारी था और मुझे मोटर ख़रीदने का एडवांस तो मिल सकता था, पर साइकिल का नहीं। एक मित्र अधिकारी ने मुझे दस रुपये प्रति माह के किराये पर एक नयी साइकिल दिलवा दी। कोई डेढ़ वर्ष बाद मैंने अपनी साइकिल ख़रीदी, जिसकी क़ीमत डेढ़ सौ रुपया थी। साइकिल शानदार थी; उसमें घण्टी थी, चेन कवर था, स्टैण्ड था, आगे की तरफ़ बेंत की टोकरी थी और पिछली तरफ़ सामान रखने का क्लिप था। मैंने कोई बारह वर्ष बाद नयी मोटर ख़रीदी, जिसकी सारी क़ीमत साढ़े अठारह हज़ार थी। पत्नी गोरी थी और इसी कारण मोटर मैंने काले रंग की ली। अब तक वही मोटर है और वही पत्नी है। मोटर ख़रीदने के बाद मैंने अपनी साइकिल सौ रुपयों में बेच दी। अब तो हालत यह है कि मेरे निजी परिवार में छह मोटर हैं जिनमें मेरी मोटर सबसे पुरानी

है। मोटर उतनी ही चमकती है जितनी कि वह सैंतीस वर्ष पहले चमकती थी। चार दुर्घटनाएँ हो चुकी हैं, जिनमें एक दुर्घटना भयंकर थी और मेरी जान कैसे बच गयी, यह मैं खुद नहीं जानता। यह दुर्घटना मेरी अपनी लापरवाही के कारण हुई थी।

मुन्नीलाल ने मुझे मोटर चलाना सिखाया। वह मेरे ही दफ़्तर में चतुर्थ श्रेणी का कर्मचारी था। उसके साथ मेरा परिवार सारनाथ, वाराणसी, कौशाम्बी, चित्रकूट, चुनार, मिर्ज़ापुर, विन्ध्याचल, लोअर खज़ूरी डाम, अपर खज़ूरी डाम, चचई फ़ाल, टाँडा फ़ाल, विंढम फ़ाल, रीवाँ, गोविन्द गढ़, कानपुर व लखनऊ गये। मुन्नीलाल शराब बहुत पीता था और इसी कारण वह तीस-पैंतीस वर्ष की आयु में ही मर गया। कौशाम्बी में कभी राजा उदयन राज करते थे और उनकी चर्चा कालिदास ने 'मेघदूत' में की।

1950 में जब मैं इलाहाबाद युनिवर्सिटी गया तो मैंने देखा कि लगभग सारे बड़े प्रोफ़ेसर या तो रिक्शे से चलते थे या फिर साइकिल चलाते थे। कुछ बड़े लोग (जैसे डॉ. ईश्वरीप्रसाद और रघुपतिसहाय 'फ़िराक़') युनिवर्सिटी पैदल ही आते थे, क्योंकि उनके बँगले युनिवर्सिटी के पास ही थे। हिन्दी-विभाग में केवल डॉ. रामकुमार वर्मा ही एक ऐसे अध्यापक थे जो मोटर रखते थे। बाद में चलकर डॉ. धर्मवीर भारती ने एक ऐसी फटीचर मोटर ख़रीदी थी जिसके भोंपू को छोड़कर, सारे पुर्ज़े आवाज़ निकालते थे। भोंपू की ज़रूरत कभी नहीं पड़ती थी, क्योंकि उनकी मोटर की आवाज़ इतनी बुलन्द थी कि वह दूर तक पहुँचती थी। उनकी उस मोटर को स्टार्ट करने के लिए क़रीब छह विद्यार्थी धक्का लगाते थे। कभी-कभी वह मोटर एकदम चल पड़ती थी और पीछे से धक्का लगाने वाले छात्र धराशायी हो जाते थे, जबकि उनकी वह शानदार मोटर प्रायः रोज़ ही काफ़ी धक्के लगाने के बाद ही गतिशील हो पाती थी। कॉमर्स विभाग के प्रोफ़ेसर घोष और अँग्रेज़ी विभाग के प्रोफ़ेसर सतीशचन्द्र देव ताँगे में बैठकर युनिवर्सिटी आते थे, जबकि अर्थशास्त्र के प्रोफ़ेसर रुद्रा साइकिल से ही युनिवर्सिटी आते थे। प्रोफ़ेसर देव एक दिलचस्प आदमी थे। उनके बारे में बच्चन ने लिखा है–

प्रोफ़ेसर देव थे गोलमटोल
मानो विश्व-ज्ञान के ढोल,
विनम्रता के थे अवतार
और विनम्रतर बन जाने में
उन्हें नहीं लगती थी बार,
कर सकते थे वे हाफ़िज़ का
सेनोलूल का, हलवे का
एक साँस में शंखोच्चार।

(3) नयी पीढ़ी

मैं एक निम्न मध्यवर्गीय परिवार में पैदा हुआ, जो मेरे पिता की घोर अकर्मण्यता के कारण भयंकर ग़रीब था। मेरी प्रारम्भिक शिक्षा संस्कृत में हुई। किसी तरह मैं अपने क़स्बे के हाई स्कूल में भर्ती हुआ जिसका सारा श्रेय एक परम दयालु हैडमास्टर को जाता है, जिन्होंने मेरी फीस माफ करवाई और कोर्स की किताबें स्कूल की लाइब्रेरी से दिलवाईं। मैं क्लास में हमेशा प्रथम आता था और इसी कारण मुझे छात्रवृत्ति हमेशा मिलती थी। ट्यूशन करके सौ रुपये जमा किये और उन्हीं के बल पर मैं प्रयाग विश्वविद्यालय गया और वहाँ से एम.ए. की परीक्षा में टॉप करके लौटा। वहाँ भी मैंने पाँच रुपये मासिक की नौकरी की, छात्रवृत्ति पायी, प्रूफ़ पढ़े, डिस्पैच का काम किया और सुन्दर व अमीर लड़कियों के ट्यूशन भी किये। प्रयाग उन दिनों साहित्य का गढ़ था और पन्त, निराला, महादेवी वर्मा, फ़िराक़ और बच्चन वहीं रहते थे। अगर मैं प्रयाग न जाता तो साहित्यकार कभी नहीं बनता। प्रयाग में ही मैंने देश की सर्वोच्च सिविल सर्विसेज़ की प्रतियोगिता-परीक्षा पास की और 'इण्डियन डिफेंस एकाउण्ट्स सर्विस' के लिए चुन लिया गया। मैं रातों-रात एक बड़ा आदमी बन गया। नौकरी के सात वर्ष मैंने विभिन्न महत्त्वपूर्ण पदों पर केन्द्रीय सचिवालय में गुज़ारे। जब चौधरी बंसीलाल रक्षा मन्त्री बने, तो उन्होंने पहला ख़ास काम यह किया कि बिना किसी ठोस कारण के मुझे मुअत्तिल कर दिया। मैं उन दिनों रक्षा-मन्त्रालय में उपसचिव था। मुअत्तिली का ग़लत ऑर्डर उन्हें पिछली तारीख़ से वापस लेना पड़ा। कुछ परेशानियों को छोड़कर, मेरा सारा सेवा-काल शान्ति से गुज़रा। मैं बहुत भाग्यशाली था। यदि मैं इन दिनों 'भारतीय प्रशासन सेवा' या 'भारतीय पुलिस सेवा' में होता तो कुमारी मायावती, श्रीमती राबड़ी देवी या कुमारी जयललिता द्वारा, पता नहीं कब और कहाँ फेंक दिया गया होता। कुमारी मायावती की माया अनन्त है। यह कुमारी तो जब भी चाहे तभी चीफ़ सेक्रेटरी या डाइरेक्टर जनरल (पुलिस) को मुअत्तिल कर दें या उनका ट्रांसफर कन्याकुमारी को कर दें, हालाँकि कन्याकुमारी इनके राज्य के बाहर है। हरि अनन्त, हरि कथा अनन्ता...।

मैं तो फ़िलहाल देहरादून जैसे रमणीक और महत्त्वपूर्ण नगर में एक बड़े बँगले में रहता हूँ जिसमें (रोमन क़ानून के विधाता सिसरो के कथनानुसार) लाइब्रेरी व उपवन दोनों हैं। घूमना, लिखना, पढ़ना और निद्रा लाभ—इनको छोड़कर और कोई काम नहीं करता। डिप्रेशन, डायबिटीज और रिश्वत न लेने के दुःख ज़रूर सालते हैं, पर इस असार संसार में ऐसा कौन है जो पूर्णतया सुखी हो? नानक दुखिया सब संसार। मगर असली बात यह है कि इतना सब कुछ पाने के बाद भी मेरी नीयत नहीं बदली। कुली तभी करता हूँ जबकि, सामान रेल में रखने के लिए, वैसा करना अनिवार्य हो और कुली कर भी लिया तो उससे मज़दूरी देने पर जो बहस चलती है,

वह तभी ख़त्म होती है जबकि रेल चलने लगती है। प्रतिदिन पाँच सिगरेट पीता हूँ, और प्रत्येक सिगरेट की क़ीमत चालीस पैसे होती है। जूते ख़ुद पालिश करता हूँ, किताबों की जिल्दें ख़ुद बाँधता हूँ और अपनी हजामत ख़ुद ही बनाता हूँ। कपड़ों को तब तक पहनता हूँ जब तक वे इतने न फट जायें कि मेरे गुप्तांग ही दिखने लगें। मैं एक गंजा व्यक्ति हूँ और जो थोड़े से बाल हैं, वे सिर के पिछले हिस्से पर ही हैं। इन बालों को प्रायः मैं पत्नी से कटवा लेता हूँ या ख़ुद ही काट लेता हूँ। श्री महावीर त्यागी और श्री मुरारजी देसाई भी ऐसा ही करते थे। कार वही है जो पैंतीस वर्ष पहले ख़रीदी थी। उन दिनों नयी फिएट कार मात्र अठारह हज़ार में मिली थी और पेट्रोल का दाम निन्यान्वे पैसे प्रति लीटर था। गाड़ी ख़रीदने के लिए मैंने बारह हज़ार का कर्ज़ा तो सरकार से लिया और बाक़ी पैसा पुत्र के मुंडन-संस्कार के नाम पर अपने प्रोविडेण्ट फण्ड से निकाला। टेलीविज़न 'ब्लैक एण्ड ह्वाइट' ही रहा, रंगीन नहीं। पत्नी भी वही है जिसे मैंने लगभग अड़तालीस वर्ष पहले प्राप्त किया था। सभी चीज़ें आज भी लगभग उतनी ही नयी हैं जितनी कि वे प्राप्ति के समय थीं। मैं अब भी उतना ही दक़ियानूसी और किफ़ायती हूँ, जितना पचास वर्ष पहले था। सादा जीवन व सादे विचार। मगर नयी पीढ़ी ने मुझ पर जो हमला बोला है, उसका अन्त नज़र नहीं आता।

मेरा पुत्र एक अमेरिकन मल्टीनेशनल में ऊँचे पद पर है। उसका सही वेतन तो मैं नहीं जानता, मगर इतना ज़रूर जानता हूँ कि उसको जो वेतन, बोनस व अतिरिक्त सुविधाएँ मिलती हैं, उन पर उसे साढ़े बाईस लाख आय कर प्रत्येक वर्ष देना पड़ता है। उसकी सुन्दर पत्नी भी केन्द्रीय सरकार के टेलीफ़ोन विभाग में एक बहुत ऊँचे पद पर है। दोनों की अपनी अलग गाड़ियाँ हैं और दोनों ने विश्व के लगभग सभी देशों का दौरा किया है। दोनों इतने व्यस्त हैं कि उनके दो बच्चे आया पालती है। दो ड्राइवर हैं, एक कम्पनी का दिया पहरेदार है और बाक़ी घरेलू नौकर अलग हैं। सब कुछ है, पर बच्चों को कहानियाँ सुनाने का समय उनके पास नहीं है। मेरी पुत्री और दामाद बिहार के एक मुफ़स्सिल नगर में एक शानदार कान्वेंट चलाते हैं और इतने ठाठ से रहते हैं कि दामाद जो है वह लगभग एक हज़ार रुपयों की तो टाई ही लगाता है। कान्वेंट में छुट्टी होते ही अपनी-अपनी गाड़ियों में अपनी सुन्दर बच्ची के साथ वे दोनों भारत-दर्शन को निकल पड़ते हैं। उन्होंने सारे दर्शनीय स्थान देखे हैं और अपनी मोटरों के सहारे ही देखे हैं। इन दर्शनीय स्थानों में देहरादून भी शामिल है जहाँ वर्ष में एक या दो बार वे ज़रूर आते हैं। वे पाँच सितारों वाले होटलों में ठहरते हैं और वहाँ के बैरों को इतना 'टिप' देते हैं कि मुझे किसी बड़े होटल के बैरा बनने की इच्छा सालने लगती है। महाकवि मिल्टन की यह पंक्ति याद आने लगती है जिसमें उसने कहा है कि 'दे आलसो सर्व, हू स्टैण्ड एण्ड वेट'। दोनों बच्चे फ़िज़ूलख़र्च होने के साथ-साथ दयालु भी बहुत हैं। कुली, मज़दूर व भिखारी

तबके के लोगों को वे खुले हाथ देते हैं। यो न ददाति न भुक्ते, तस्य तृतीया गतिः भवति (भर्तृहरि)।

मेरे दोनों बच्चे जब भी आते हैं तभी उन्हें मेरे रहन-सहन में खामियाँ-ही-खामियाँ नज़र आती हैं। पिछले कुछ वर्षों में उन दोनों ने मेरे मकान में कपड़े धोने की मशीन, मकान के सारे पर्दे, क़ीमती किताबें, दो कूलर, एक एयर-कण्डीशनर, एक कॉर्ड-लैस, दो रंगीन टेलीविज़न, एक वीडियो, एक मोबाइल टेलीफ़ोन, एक इन्वर्टर और विदेशों से लायी विभिन्न वस्तुएँ इस प्रकार लगायी हैं, मेरा मकान एक अजायबघर लगता है जिसका कि मैं चपरासी लगता हूँ। अपने ही घर में अब मैं प्रवासी हो गया। (वह अपने घर में प्रवासिनी—पन्त) मेरा पुत्र और मेरा दामाद मेरी सुविधा के लिए एक-एक मोटर यहाँ भी छोड़ना चाहते हैं। अगर ऐसा हो गया तो मेरा घर एक गराज़ लगेगा और आयकर विभाग की एक टीम मेरे घर की तलाशी लेगी। पता नहीं कि मैं उन्हें कैसे सन्तुष्ट करूँगा कि छापे में डेढ़ लाख की अतिरिक्त सम्पत्ति जो मिली है, वह कहाँ से आयी और कब आयी। उन्होंने एक ड्राइवर भी लगा दिया है और मेरे जूतों की पालिश व हजामत बनाने का काम उस व्यक्ति को सौंप दिया है जो अब तक सिर्फ़ मेरा माली ही था। यह व्यक्ति एक कलाकार है जिसके लिखे और गाये हुए पहाड़ी गीत उत्तरांचल के रेडियो पर प्रसारित होते हैं। मैं हजामत बनवाते समय उसकी कला को किसी तरह दबाये रहता हूँ, ताकि मेरा गला सुरक्षित रहे।

आज सारे बच्चे हमें 'हाय' कहकर किसी बड़े होटल में खाना खाने गये हैं। मैं और मेरी निजी और एकमात्र पत्नी बरामदे में चाय पी रहे हैं और वर्षा का आनन्द ले रहे हैं। मैं सिगरेट सुलगाता हूँ और अपने प्रियतम कवि अकबर इलाहाबादी का एक शेर याद करता हूँ :

हम ऐसी सब किताबें क़ाबिले-ज़ब्ती समझते हैं
कि जिनको पढ़कर बच्चे बाप को ख़ब्ती समझते हैं।

(उ) कमल किशोर गोयनका का साहित्य

(क) प्रेमचन्द पर पुस्तकें

1. **प्रेमचन्द के उपन्यासों का शिल्प-विधान** : सरस्वती प्रेस, 2/43, अंसारी रोड, दरियागंज, नयी दिल्ली-110002, प्र.सं. 1974, मूल्य : 50.00 रुपये
2. **प्रेमचन्द : कुछ संस्मरण** : सरस्वती विहार, जी.टी. रोड, शाहदरा, दिल्ली, प्र.सं. 1980, मूल्य : 25.00 रुपये
3. **प्रेमचन्द (पाकेट बुक)** : हिन्द पॉकेट बुक्स प्रा.लि., जी.टी. रोड, शाहदरा, दिल्ली, प्र.सं. 1980, मूल्य : 10.00 रुपये
4. **प्रेमचन्द और शतरंज के खिलाड़ी** : पूर्वोदय प्रकाशन, 7/8, दरियागंज,

नयी दिल्ली-110002, प्र.सं. 1980, मूल्य 45.00 रुपये

5. **प्रेमचन्द : अध्ययन की नयी दिशाएँ** : साहित्य-निधि, सी-38, ईस्ट कृष्णा नगर, दिल्ली, प्र.सं. 1981, मूल्य : 50.00 रुपये
6. **रंगभूमि : नये आयाम** : नचिकेता प्रकाशन, 9187/4, मुल्तानी ढांडा, पहाड़गंज, नयी दिल्ली-110055, प्र.सं. 1981, मूल्य : 50.00 रुपये
7. **प्रेमचन्द-विश्वकोश (खण्ड एक एवं दो)** : प्रभात प्रकाशन, 205, चावड़ी बाज़ार, दिल्ली-110006, प्र.सं. 1981, मूल्य : 300.00 रुपये
8. **प्रेमचन्द–चित्रात्मक जीवनी** : पीताम्बर पब्लिशिंग कम्पनी प्रा.लि., 888, ईस्ट पार्क रोड, करोलबाग, नयी दिल्ली-110005, प्र.सं. 1986, मूल्य : 75.00 रुपये
9. **प्रेमचन्द का अप्राप्य साहित्य (खण्ड एक एवं दो)** : वाणी प्रकाशन, 21-ए, दरियागंज, नयी दिल्ली-110002, प्रथम संस्करण, 2016, मूल्य : प्रत्येक खण्ड 2000.00 रुपये
10. **प्रेमचन्द की हिन्दी-उर्दू कहानियाँ** : भारतीय ज्ञानपीठ, 18, इंस्टिट्यूशनल एरिया, लोदी रोड, नयी दिल्ली-110003, प्र.सं. 1990, मूल्य : 130.00 रुपये
11. **प्रेमचन्द-रचना संकलन** : साहित्य अकादेमी, 35, फ़िरोजशाह मार्ग, नयी दिल्ली-110001, प्र.सं. 1994, मूल्य : 300.00 रुपये
12. **प्रेमचन्द–देश-प्रेम की कहानियाँ** : निर्मल पब्लिकेशन्स, ए-139, कबीर नगर, गली नं.-3, शाहदरा, दिल्ली-110032, प्र.सं. 2002, मूल्य : 400.00 रुपये
13. **प्रेमचन्द के नाम पत्र** : अनिल प्रकाशन, 2619-20, न्यू मार्केट, नयी सड़क, दिल्ली-110006, प्र.सं. 2002, मूल्य : 250.00 रुपये
14. **प्रेमचन्द–बाल साहित्य समग्र** : मेधा बुक्स, एक्स-11, नवीन शाहदरा, दिल्ली- 110032, प्र.सं. 2002, मूल्य : 400.00 रुपये
15. **प्रेमचन्द की अप्राप्य कहानियाँ** : अनिल प्रकाशन, 2619-20, न्यू मार्केट, नयी सड़क, दिल्ली-110006, प्र.सं. 2005, मूल्य : 300.00 रुपये
16. **प्रेमचन्द और 'रगभूमि' उपन्यास** : अनिल प्रकाशन, 2619-20, न्यू मार्केट, नयी सड़क, दिल्ली-110006, प्र.सं. 2004, मूल्य : 200.00 रुपये
17. **प्रेमचन्द–पत्रकोश** : अमित प्रकाशन, के.बी.- 97, कविनगर, ग़ाज़ियाबाद-201002, प्र.सं. 2007, मूल्य : 600.00 रुपये
18. **प्रेमचन्द–नयी पहचान** : (प्रेस में)
19. **प्रेमचन्द : कहानी रचनावली** (6 खण्डों में) : साहित्य अकादेमी, 35, फ़िरोजशाह मार्ग, नयी दिल्ली-110001, 2010, मूल्य : 1500.00 रुपये

(सम्पूर्ण)
20. **प्रेमचन्द : अनछुए प्रसंग** : मानसी पब्लिकेशंस, 1569, पहली मंज़िल, चर्च रोड, कश्मीरी गेट, दिल्ली-110006, प्र.सं. 2012
21. **प्रेमचन्द : वाद-प्रतिवाद-संवाद** : अयन प्रकाशन, महरौली, नयी दिल्ली, प्र. सं. 2012
22. **प्रेमचन्द (मोनोग्राफ)** : साहित्य अकादेमी, 35, फ़िरोजशाह मार्ग, नयी दिल्ली-110001, प्र.सं. 2013, मूल्य : 50 रुपये
23. **प्रेमचन्द : प्रतिनिधि संचयन** : सस्ता साहित्य मण्डल, नयी दिल्ली-110001, प्र.सं. 2013, मूल्य : 350.00 रुपये
24. **'गोदान' प्रथम संस्करण** (प्रेस में)
25. **'कफ़न' कहानी : आत्मा की तलाश** (प्रेस में)
26. **प्रेमचन्द : सम्पूर्ण दलित कहानियाँ** : सस्ता साहित्य मण्डल, नयी दिल्ली-110001, 2014
27. **प्रेमचन्द : राष्ट्र-प्रेम की कहानियाँ** : अनिल प्रकाशन, दिल्ली, 2014
28. **प्रेमचन्द का कहानी-दर्शन** : अनिल प्रकाशन, दिल्ली, 2014

(ख) अन्य साहित्यकारों पर पुस्तकें

1. **प्रभाकर माचवे–प्रतिनिधि रचनाएँ** : साहित्य-निधि, सी-38, ईस्ट कृष्णा नगर, दिल्ली, प्र.सं. 1984, मूल्य : 80.00 रुपये
2. **जगदीश चतुर्वेदी–एक विवादास्पद रचनाकार** : पल्लवी प्रकाशन, ए-35, निर्माण विहार, दिल्ली-110092; प्र.सं. 1985, मूल्य : 200.00 रुपये
3. **मन्मथनाथ गुप्त–प्रतिनिधि कहानियाँ** : जनप्रिय प्रकाशन, 29/60, गली नं. 11, विश्वास नगर, दिल्ली-110032, प्र.सं. 1985, मूल्य : 65.00 रुपये
4. **जिज्ञासाएँ मेरी–समाधान बच्चन के** : किताब घर, 24/4866, अंसारी रोड, दरियागंज, नयी दिल्ली-110002, प्र.सं. 1985, मूल्य : 60.00 रुपये
5. **रवीन्द्रनाथ त्यागी–प्रतिनिधि रचनाएँ** : पराग प्रकाशन, 3/114, कर्ण गली, विश्वास नगर, दिल्ली-110032, प्र.सं. 1987, मूल्य : 100.00 रुपये
6. **हज़ारीप्रसाद द्विवेदी–कुछ संस्मरण** : किताब घर, 24/4866, अंसारी रोड, दरियागंज, नयी दिल्ली-110002, प्र.सं. 1988, मूल्य : 100.00 रुपये
7. **विष्णु प्रभाकर–प्रतिनिधि रचनाएँ** : प्रभात प्रकाशन, 205, चावड़ी बाज़ार, दिल्ली-110006; प्र.सं. 1988, मूल्य : 150.00 रुपये
8. **यशपाल–कुछ संस्मरण** : पराग प्रकाशन, 3/114, कर्ण गली, विश्वास नगर, दिल्ली-110032, प्र.सं. 1990, मूल्य : 80.00 रुपये

9. **रामकुमार वर्मा नाटक रचनावली (तीन खण्डों में)** : किताब घर, 24/4866, अंसारी रोड, दरियागंज, नयी दिल्ली-110002, प्र.सं. 1990, मूल्य : 600.00 रुपये (सम्पूर्ण)
10. **लघुकथा का व्याकरण** : किताब घर, 24/4866, अंसारी रोड, दरियागंज, नयी दिल्ली-110002, प्र.सं. 1998, मूल्य : 200.00 रुपये
11. **दिनेशनंदिनी डालमिया से बातचीत** : हिन्दी बुक सेंटर, 4-5 बी, आसफ अली रोड, नयी दिल्ली-110002, प्र.सं. 2002, मूल्य : 160.00 रुपये
12. **मंजुल भगत–समग्र कथा-साहित्य (खण्ड एक एवं दो)** : किताब घर, 24/4866, अंसारी रोड, दरियागंज, नयी दिल्ली-110002, प्र.सं. 2004, मूल्य : 900.00 रुपये (सम्पूर्ण)
13. **ग़रीब होने के फ़ायदे एवं अन्य व्यंग्य रचनाएँ (रवीन्द्रनाथ त्यागी की व्यंग्य-रचनाओं का संकलन)** : प्रभात प्रकाशन, 4/19, आसफ अली रोड, नयी दिल्ली-110002, प्र.सं. 2008, मूल्य : 300.00 रुपये
14. **आपातकाल की प्रतिनिधि कविताएँ** : धारिका पब्लिकेशंस, 319, आर.जी. कॉम्प्लेक्स-1, सेक्टर-14, रोहिणी, दिल्ली-110085, प्र.सं. 2007, मूल्य : 400.00 रुपये
15. **गाँधी : पत्रकारिता के प्रतिमान** : नटराज प्रकाशन, ए-98, अशोक विहार, फेज-प्रथम, दिल्ली-110052, प्र.सं. 2008, मूल्य : 400.00 रुपये
16. **बालशौरि रेड्डी कथा-रचनावली** : मानसी पब्लिकेशंस, 1569, पहली मंज़िल, चर्च रोड, कश्मीरी गेट, दिल्ली-110006, प्र.सं. 2012
17. **रवीन्द्रनाथ त्यागी रचनावली (आठ खण्ड)** : वाणी प्रकाशन, 21-ए, दरियागंज, नयी दिल्ली-110002, प्र.सं. 2016

(ग) हिन्दी के प्रवासी साहित्य पर पुस्तकें

1. **अभिमन्यु अनत–एक बातचीत** : ज्ञान भारती, 4/14, रूपनगर, दिल्ली-110007, प्र.सं. 1985, मूल्य : 45.00 रुपये
2. **अभिमन्यु अनत–प्रतिनिधि रचनाएँ** : नटराज प्रकाशन, ए-98, अशोक विहार, फेज-प्रथम, दिल्ली-110052, प्र.सं. 1999, मूल्य : 350.00 रुपये
3. **मॉरिशस की हिन्दी कहानियाँ** : साहित्य अकादेमी, 35, फ़िरोजशाह मार्ग, नयी दिल्ली-110001, प्र.सं. 2000, मूल्य : 250.00 रुपये
4. **अभिमन्यु अनत : समग्र कविताएँ** : इरावती प्रकाशन, सी-487, विकासपुरी, नयी दिल्ली-110018, प्र.सं. 1998, मूल्य : 350.00 रुपये
5. **मॉरिशस के राष्ट्रकवि ब्रजेन्द्र कुमार भगत 'मधुकर' काव्य-रचनावली** : नटराज प्रकाशन, ए-98, अशोक विहार, फेज-प्रथम, दिल्ली-110052,

प्र.सं. 2003, मूल्य : 600.00 रुपये

6. **हिन्दी का प्रवासी साहित्य** : अमित प्रकाशन, के.बी.-97, कविनगर, ग़ाज़ियाबाद- 201002, प्र.सं. 2011, मूल्य : 600.00 रुपये

(घ) कमल किशोर गोयनका पर प्रकाशित पुस्तकें

1. **'समीचीन' पत्रिका का 'डॉक्टर कमल किशोर गोयनका अंक'** : सम्पादक—देवेश ठाकुर, मुम्बई
2. **प्रेमचन्द-साहित्य के अध्येता—डॉ. कमल किशोर गोयनका** : सम्पादक—देवेश ठाकुर, संकल्प प्रकाशन, ए-34, बिल्वकुंज हाउसिंग सोसाइटी, लालबहादुर शास्त्री मार्ग, मुलुंड (पश्चिमी), मुम्बई-400082, प्र.सं. 1990, मूल्य : 55.00 रुपये
3. **डॉ. कमल किशोर गोयनका का साहित्य-संसार** : निर्मला सैनी, अनिल प्रकाशन, 2619-20, न्यू मार्केट, नयी सड़क, दिल्ली-110006, प्र.सं. 2006, मूल्य : 200.00 रुपये
4. **'कल्पांत', फ़रवरी 2009, कमल किशोर गोयनका विशेषांक** : सम्पादक—मुरारीलाल त्यागी, 1962/151, त्रिनगर, दिल्ली-110035
5. **'समावर्तन', नवम्बर 2009, कमल किशोर गोयनका अंक** : सम्पादक—प्रभात कुमार भट्टाचार्य, 129, दशहरा मैदान, उज्जैन-456010
6. **'अभिनव इमरोज', जुलाई 2013, प्रेमचन्द विशेषांक** : सम्पादक—कमल किशोर गोयनका
7. **'पाण्डुलिपि' प्रवासी विशेषांक, रायपुर** : सम्पादक—कमल किशोर गोयनका, 2013